로스쿨교육 1위*

해커스로스쿨

합격생을 만드는 **해커스로스쿨 전문 시스템**

해커스로스쿨 스타강사
최신 인강 제공

로스쿨 시험 전문
학원 강의 실시간 업로드

해커스로스쿨
전문 교재

로스쿨 시험 전문
스타강사 커리큘럼 제공

여러분의 합격을 응원하는 **해커스로스쿨의 특별 혜택**

2024~2016 면접 기출문제 해설 &보충자료

EPMP2420EVWL4475

본 교재에 수록된 기출문제 해설&보충자료의
QR코드를 카메라로 스캔 ▶
인증창에 위 인증번호 입력 후 이용

* 1회 인증 시 24시간 동안 추가 인증 없이 사용 가능

해커스로스쿨 LEET 면접 단과강의 5% 할인쿠폰

67F58349K640C000

해커스로스쿨(lawschool.Hackers.com) 접속 후 로그인 ▶
우측 퀵메뉴 내 [쿠폰/수강권 등록] 클릭 ▶
위 쿠폰번호 입력 후 이용

* 쿠폰 등록 후 7일간 사용 가능(ID당 1회에 한해 등록 가능)
* 3만원 미만 단과강의, 첨삭 포함 강의에는 사용 불가

* [로스쿨교육 1위 해커스로스쿨] 주간동아 선정 2023 한국브랜드만족지수 교육(온·오프라인 로스쿨) 부문 1위

해커스로스쿨 lawschool.Hackers.com

해커스

김종수 로스쿨 면접

200주제

1권 | 기본편

서문

법은 목적이 아니라 수단이기 때문에, 법조인의 역할은 법의 목적을 생각하고 이 법이 과연 현실에서 그 목적을 제대로 실현하고 있는지 논증하는 것이다. 법의 목적이 여러 가지일 수 있기 때문에 그 논증이 복잡하고 전문적인 것이다. 로스쿨 면접은 이러한 법조인의 능력과 적성을 갖고 있는지 측정하는 시험이다. 그리고 수험서는 그 시험의 목적에 부합해야 함이 당연하다.

2025 <해커스 김종수 로스쿨 면접 200주제>는 이를 위해 새롭게 다음 특장점을 기획했다.

1. 25개 로스쿨 모의면접 문제 수록

2024학년도 면접 기출과 형태가 동일한 모의면접 문제를 수록했다. 25개 로스쿨 전체의 기출 동형 모의면접 문제를 통해 시험에 대비할 수 있도록 했다. 이 교재의 1권 [기본편]을 모두 학습한 후에 2권 [모의편]에서 학습한 내용이 어떻게 문제로 출제되는지, 자신의 답변은 어느 정도의 수준인지 확인할 수 있도록 구성했다.

3권의 [기출편]에서도 3개년 기출문제는 모의고사 형태로 수험생들이 준비할 수 있도록 '문제 - 해설'의 형태로 구성했다. 실제 면접 시험처럼 연습할 수 있는 기회가 더 많도록 교재 전체를 구성했다.

특히 해설은 QR코드를 촬영하면 볼 수 있도록 구성해서 실제 시험을 준비하듯이 스스로 학습하는 효과를 극대화했다.

2. 다양한 논문 자료와 판례 원문 수록

깊이 있는 논리적 학습을 위해 다양한 논문 자료와 판례 원문을 수록했다. 수험서의 특성상 시험의 수준에 맞춰 답변을 구성할 수 있도록 해야 한다. 로스쿨 면접시험은 짧게는 7분, 길게는 20분까지 답변해야 한다. 짧은 답변에서는 핵심용어와 핵심논리가 중요할 것이고, 긴 답변에서는 체계적인 논리의 흐름과 일관성, 다양한 예시가 중요하다. 이를 위해서는 신문 기사 정도의 논리로는 고득점이 불가능하고, 면접관의 수준에서 납득할 만한 학습이 필요하다.

수험서는 수험효율성이 있어야 하기 때문에 양이 적어야 한다. 그러나 깊이 있는 학습을 하려면 양이 방대해야 한다. 양질의 수험서가 가져야 할 모순적 특성을 해결하고자 QR코드를 적극 활용해서 논문과 판례를 직접 읽어볼 수 있도록 준비했다. QR코드로 연결되는 논문들은 필자가 이 교재를 쓰기 위해 찾고 읽은 논문 중에 핵심논리와 사례가 잘 드러나고, 특히 수험생들이 무료로 접근할 수 있는 논문만을 선별했기 때문에 추가로 읽어보면 도움이 될 것이다. QR코드로 연결되는 판례 역시 해당주제와 관련해서 중요논리가 제시된 판례들을 엄선했으니 요약본보다 원문 전체를 읽어보면서 주제에 대한 심화학습을 하기 바란다.

3. 자기학습과 스터디가 가능한 교재 구성

스스로 학습과 스터디가 잘 이루어질 수 있도록 교재를 구성했다. 각 주제를 '① 개념 - ② 문제 - ③ 해설'로 나누어 단계별 학습이 가능하도록 했다. 예를 들어, 안락사 주제에 대한 공부와 말하기 연습은 다음 형태로 진행하면 된다.

① [개념]에서는 깊이 있는 학습을 할 수 있다. 안락사와 관련한 개념으로 생명에 대한 자기결정권과 생명존중사상이 있다. 그리고 이에 관한 철학적 논의들이 있고 논문을 통해 다양한 주장과 논거들이 제시된다. 논문 중 중요논리가 담긴 논문은 QR코드를 통해 원문을 직접 읽을 수 있다. 이후 '김할머니 사건' 등 안락사 관련 판례의 핵심논리를 정리하고, 이와 관련한 판례 원문을 QR코드를 통해 직접 읽어볼 수 있도록 했다.

② [문제]에서는 학습내용이 어떤 질문으로 나오는지, 추가질문은 어떤 논리적 흐름으로 나오는지 확인할 수 있다. 답변 준비 시간과 답변 시간도 문제의 난이도에 따라 별도로 제시해두었으니 자신의 답변을 스마트폰 동영상으로 촬영하거나 스터디를 구성해서 직접 면접시험을 응시하듯이 준비할 수 있다.

③ [해설]에서는 논리적 일관성을 갖춘 모범답변을 실었다. 법조인의 말하기는 논리적 일관성을 갖춘 논증적 말하기가 되어야 한다. 수험생들 중에 창의적인 답변을 해야 한다고 생각하는 경우가 많은데, 무논리의 말하기 혹은 의식의 흐름기법 말하기 정도에 그치는 경우가 대부분이다. 법조인은 논리적 말하기를 지향해야 한다. 따라서 로스쿨 면접은 예비 법조인의 말하기 시험으로서 수험생의 답변을 추리논증 문제라 생각하고 분석했을 때 논리적 오류가 없어야 한다. 해설의 모범답변은 이에 집중하여 수록한 것이니 논리와 사례의 연결 관계, 논증의 흐름에 주목하여 공부하기를 바란다.

수험생들과 소통을 위해 유튜브, 인스타그램, 블로그 등 다양한 채널을 운영하고 있다. 먼저, 유튜브에서 '말미잘선생' 채널을 운영하고 있다. 여기에서는 수험생들과의 Q&A와 각종 수험 정보 콘텐츠를 제공 중이다. 수요일에는 제작 콘텐츠를 업로드하고, 일요일에는 라이브방송을 진행한다. 유튜브 라이브방송은 매주 일요일 밤 10시에 시작하며 수험생들의 질문을 실시간으로 답변한다. 저자이자 로스쿨 입시전문가로서 교재의 내용이나 논리, 활용방법, 공부방법 등을 수험생의 상황에 맞춰 답변하고자 한다.

로스쿨 면접을 비롯한 입시를 위한 추천도서는 인스타그램 @lawschool_kjs에서 제공하고 있다. 학원 수업에 대한 정보와 합격수기는 블로그 blog.naver.com/lawschool_kjs를 참고하기 바란다. QR코드를 스마트폰 카메라로 촬영하면, 각 SNS 채널에 접속된다.

김종수
유튜브채널

김종수
인스타그램

김종수
블로그

로스쿨 입시 전문 강사로 17년째 일하면서 로스쿨 면접 수험서를 16년간 출간했다. 이 과정에서 우리 사회가 꾸준히 발전해가는 것을 알 수 있었다. 수많은 사회 이슈와 문제점들에 대해 원인을 분석하고 상황을 해결하는 전문가들이 묵묵히 자기 역할을 수행하고 있기 때문이다. 16년 전 이 교재로 공부했던 수험생들이 어느새 자기 분야의 전문법조인이 되어 중요판례의 주인공이 되어 있기도 했다. 지금 이 교재를 공부한 수험생들이 로스쿨에 진학해 치밀한 논증력을 갖춘 법조인이 되기를 바라는 마음으로 교재를 집필했다. 법조인의 꿈을 이루기 위해 노력하는 모든 수험생에게 응원을 보내고, 이 교재를 학습함으로써 그 꿈을 이루기를 바란다.

김종수

이 책의 목차

1권 기본편

이 책의 목차

2권 심화&실전모의편

Part 3 | 심화 시사이슈

Part 4 | 면접 모의문제

Part 5 | 면접 모의문제 해설

3권 기출 & 자소서편

Part 6 | 2024~2016 면접 기출문제

Part 7 | 합격하는 자기소개서

이 책의 구성 및 특징

01 풍부한 자료로 로스쿨 면접의 A부터 Z까지 빠짐없이 확인!

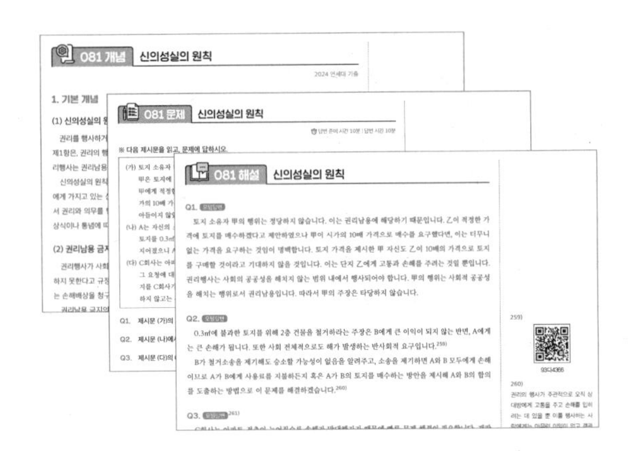

200개 면접 주제 & 모범답변

해커스 POST-LEET 1위 김종수 선생님이 엄선한 175개의 로스쿨 면접 핵심 주제와 모범답변으로 어떠한 면접 질문에도 막힘없이 대답할 수 있으며, 25개의 로스쿨 면접 모의문제와 모범답변도 수록하여 막판 실전 연습까지 충분히 할 수 있습니다.
또한, QR코드를 통해 다양한 보충자료도 학습할 수 있습니다.

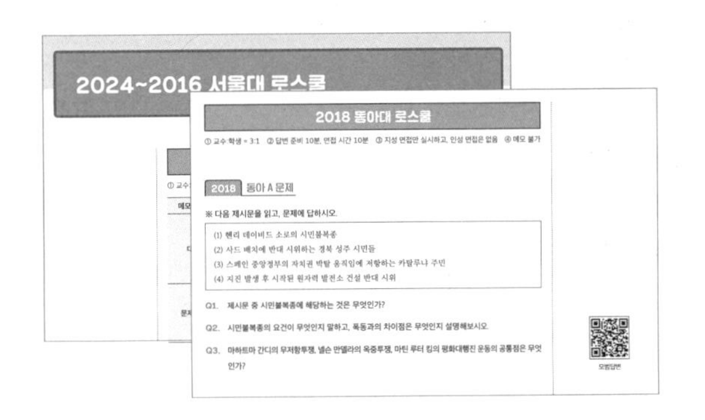

2024~2016학년도 면접 기출문제 & 모범답변

최신인 2024학년도부터 2016학년도까지의 전국 25개 로스쿨 면접 기출문제와 모범답변을 풍부하게 담아, 반복 출제되는 빈출 내용을 익힐 수 있는 것은 물론 최신 경향도 파악할 수 있습니다.
모범답변은 QR코드를 통해 편리하게 확인할 수 있습니다.

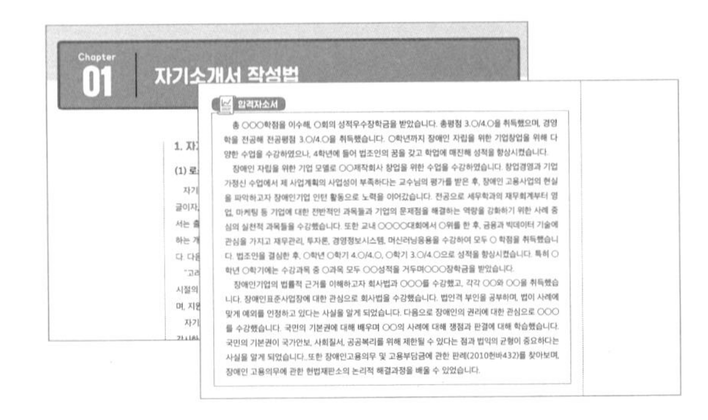

자기소개서 작성법 & 합격생의 자소서 샘플

[3권 기출 & 자소서편]에는 자기소개서 작성법과 로스쿨 합격생의 자소서 샘플까지 수록해 자소서까지 한 번에 효율적으로 로스쿨 입시를 준비할 수 있습니다.

02 다양한 구성요소를 통해 준비하는 로스쿨 면접의 모든 것!

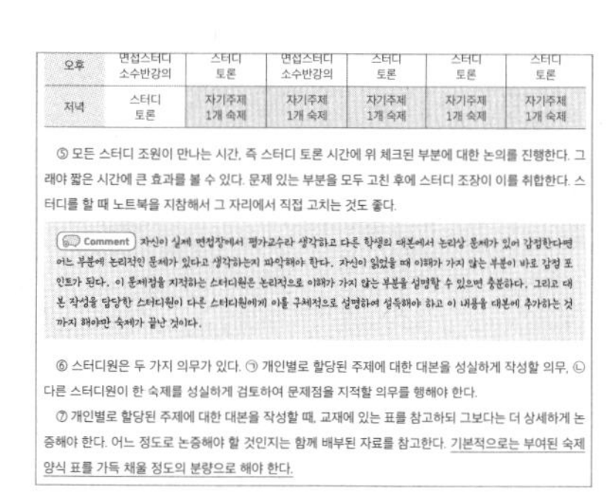

오후	면접스터디 소수반강의	스터디 토론	면접스터디 소수반강의	스터디 토론	스터디 토론	스터디 토론
저녁	스터디 토론	자기주제 1개 숙제	자기주제 1개 숙제	자기주제 1개 숙제	자기주제 1개 숙제	자기주제 1개 숙제

⑤ 모든 스터디 조원이 만나는 시간, 즉 스터디 토론 시간에 위 체크된 부분에 대한 논의를 진행한다. 그래야 짧은 시간에 큰 효과를 볼 수 있다. 문제 있는 부분을 모두 고친 후에 스터디 조장이 이를 취합한다. 스터디를 할 때 노트북을 지참해서 그 자리에서 직접 고치는 것도 좋다.

Comment 자신이 실제 면접장에서 평가교수라 생각하고 다른 학생의 대본에서 논리상 문제가 있어 납득한다면 어느 부분에 논리적인 문제가 있다고 생각하는지 파악해야 한다. 자신이 읽었을 때 이해가 가지 않는 부분이 바로 답변 포인트가 된다. 이 문제점을 지적하는 스터디원은 논리적으로 이해가 가지 않는 부분을 설명할 수 있으면 좋겠다. 그리고 대본 작성을 담당한 스터디원이 다른 스터디원에게 이를 구체적으로 설명하여 설득해야 하고 이 내용을 대본에 추가하는 것까지 해야만 숙제가 끝난 것이다.

⑥ 스터디원은 두 가지 의무가 있다. ㉠ 개인별로 할당된 주제에 대한 대본을 성실하게 작성할 의무, ㉡ 다른 스터디원이 한 숙제를 성실하게 검토하여 문제점을 지적할 의무를 행해야 한다.

⑦ 개인별로 할당된 주제에 대한 대본을 작성할 때, 교재에 있는 표를 참고하되 그보다는 더 상세하게 논증해야 한다. 어느 정도로 논증해야 할 것인지는 함께 배부된 자료를 참고한다. 기본적으로는 부여된 숙제 양식 표를 가득 채울 정도의 분량으로 해야 한다.

PLUS+ 진화와 알고리즘

1. 인간에 대한 새로운 접근법

인간의 지성에 대한 이해도가 높아지면서 AI 기술이 발전하고 있다. 인간의 지성이 인간 특유의 것이기 때문에 동물과 인간을 구별 짓는 특이점이 아니라 정도의 차이에 불과하다는 주장이 커지고 있다.

예를 들어, 예쁜꼬마선충의 신경망 구조에 대한 연구가 이를 대표적으로 보여준다. 예쁜꼬마선충의 신경망은 과학자들이 직접 절편을 잘라가며 모든 신경 연결을 파악하여 알고 있다. 예쁜꼬마선충의 신경세포는 총 302개이며, 이 신경세포들의 연결인 신경망이 이 선충의 행동을 결정한다. 좋아하는 온도를 찾아가거나, 수컷이 배고플 때는 먹을 것을 찾아가고 배가 부르면 짝짓기 상대를 찾아가며, 특정한 먹이를 먹은 후에 아프게 되면 다시는 그 먹이를 먹지 않는다거나 하는 등의 행동이 바로 그것이다. 파악한 이 신경망을 컴퓨터 프로그램으로 구현했더니 실제 예쁜꼬마선충과 동일한 움직임을 보이는 것을 확인했다. 로봇축구 머신에 이 프로그램을 구동시켰더니 네모난 모양의 로봇축구 머신이 유선형의 예쁜꼬마선충과 동일한 움직임을 보이는 것이 증명되었다.[2]

이 논리의 연장선상에서 생각하면 신경망이 단순한 예쁜꼬마선충의 행동이 신경망의 연결구조에서 나타나는 것이라면, 인간만큼 신경망이 더 복잡하다면 그리고 이를 복제할 수 있다면 인간의 감정이나 이성을 가진 존재를 구현할 수 있다는 의미가 된다.

이를 환원주의라 하는데, 근원적인 상태를 파악한 후에 이 기본단위를 모으면 된다는 생각이다. 인간의 기본단위이자 근원적 상태인 세포를 연구한 다음에 세포들을 모으면 각종 장기가 되고 장기들을 모으면 인간이 된다는 생각이다. 인간의 생각을 알기 위해서는 생각의 근원이 되는 신경세포와 신경의 연결 상태를 파악하면 된다는 것이다.

2. 쉬운 문제와 어려운 문제

인간의 의식을 연구할 때 쉬운 문제와 어려운 문제라는 것이 있다.

쉬운 문제란 다음과 같은 물음들이다. 인간이 어떻게 감각 자극들을 구별해 내고 그에 대해 적절하게 반응하는가? 두뇌가 어떻게 서로 다른 많은 자극들로부터 정보를 통합해 내고 그 정보를 행동을 통제하는 데 사용하는가? 인간

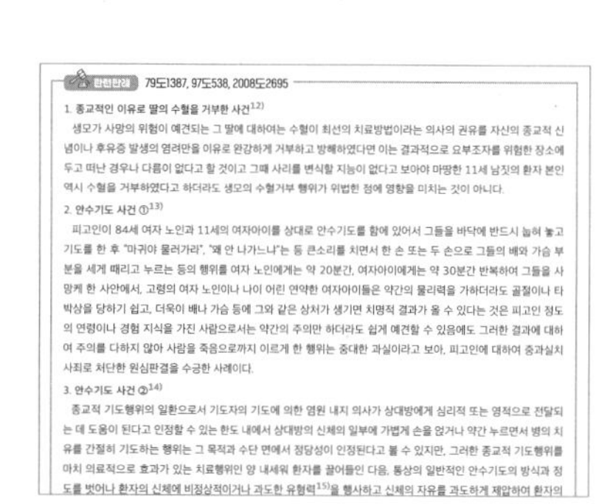

관련판례 79도1387, 97도538, 2008도2695

1. 종교적인 이유로 딸의 수혈을 거부한 사건[12]

생모가 사망의 위험이 예견되는 그 딸에 대하여는 수혈이 최선의 치료방법이라는 의사의 권유를 자신의 종교적 신념이나 후유증 발생의 염려만을 이유로 완강하게 거부하고 방해하였다면 이는 결과적으로 요부조자를 위험한 장소에 두고 떠난 경우나 다름이 없다고 할 것이고 그때 사리를 변식할 지능이 없다고 보아야 마땅한 11세 남짓의 환자 본인 역시 수혈을 거부하였다고 하더라도 생모의 수혈거부 행위가 위법한 점에 영향을 미치는 것이 아니다.

2. 안수기도 사건 ①[13]

피고인이 84세 여자 노인과 11세의 여자아이를 상대로 안수기도를 함에 있어서 그들을 바닥에 반드시 눕혀 놓고 기도를 한 후 "마귀야 물러가라", "왜 안 나가느냐"는 등 큰소리를 치면서 한 손 또는 두 손으로 그들의 배와 가슴 부분을 세게 때리고 누르는 등의 행위를 여자 노인에게는 약 20분간, 여자아이에게는 약 30분간 반복하여 그들을 사망케 한 사안에서, 고령의 여자 노인이나 나이 어린 연약한 여자아이들은 약간의 물리력을 가하더라도 골절이나 타박상을 당하기 쉽고, 더욱이 배나 가슴 등에 그와 같은 상처가 생기면 치명적 결과가 올 수 있다는 것은 피고인 정도의 연령이나 경험 지식을 가진 사람으로서는 약간의 주의만 하더라도 쉽게 예견할 수 있음에도 그러한 결과에 대하여 주의를 다하지 않아 사람을 죽음으로까지 이르게 한 행위는 중대한 과실이라고 보아, 피고인에 대하여 중과실치사죄로 처단한 원심판결을 수긍한 사례이다.

3. 안수기도 사건 ②[14]

종교적 기도행위의 일환으로서 기도자의 기도에 의한 염원 내지 의사가 상대방에게 심리적 또는 영적으로 전달되는 데 도움이 된다고 인정할 수 있는 한도 내에서 상대방의 신체의 일부에 가볍게 손을 얹거나 약간 누르면서 병의 치유를 간절히 기도하는 행위는 그 목적과 수단 면에서 정당성이 인정된다고 볼 수 있지만, 그러한 종교적 기도행위를 마치 의료적으로 효과가 있는 치료행위인 양 내세워 환자를 끌어들인 다음, 통상의 일반적인 안수기도의 방식과 정도를 벗어나 환자의 신체에 비정상적이거나 과도한 유형력[15]을 행사하고 신체의 자유를 과도하게 제압하여 환자의

Comment

저자 선생님이 말하는 면접 준비 시 또는 실제 시험장에서 답변 시의 TIP을 확인할 수 있습니다.

PLUS+

면접 주제에 대한 보충 이론과 면접 주제와 관련있어 알아두면 도움이 될 만한 내용들을 한눈에 볼 수 있도록 정리하였습니다.

관련판례

면접 주제와 관련된 중요 판례를 확인할 수 있습니다.

03 3권의 분권 구성으로 더욱 편리하고 가볍게!

[기본편], [심화 & 실전모의편], [기출 & 자소서편]의 3권으로 분권하여 보다 편리하고 가볍게 학습할 수 있으며, 각 분권 안에서는 문제와 모범답변을 분리하여 혼자서도 확실한 면접 시뮬레이션이 가능합니다.

Part 1

로스쿨 면접 오리엔테이션

Chapter 01

최신 3개년 기출 주제 분석

로스쿨 면접은 장래 법조인으로 성장할 지원자의 인성과 지성을 평가하려는 목적의 시험이다. 면접 시험은 불리한 전형요소를 극복하고 역전할 수 있는 거의 유일한 방법이다. 로스쿨 입시전형에서 각 로스쿨이 특히 학생을 가르칠 교수님이 지원자를 직접 만나 평가할 수 있는 방법은 면접이 유일하기 때문이다. LEET와 학부성적, 영어성적은 각 로스쿨에서 평가하는 항목이 아닌 것에 비해, 로스쿨 면접은 각 로스쿨에서 문제출제도 직접 하고 평가도 직접 하기 때문에 자신들이 원하는 인재를 선발하기에 최적의 평가방법이라 할 수 있다. 2024 로스쿨 입시전형에서도 면접은 높은 비중을 차지하고 있고, 이 비중은 높아지고 있는 추세이다.

특히 거의 동일한 LEET 성적을 가진 지원자들 간에 최종합격을 두고 면접 시험으로 경쟁을 하기 때문에 로스쿨 면접의 중요성은 더욱 크다. LEET 점수라는 예선전을 통과한 1차 합격자들이, 면접이라는 결승전에서 합격이라는 결과를 얻기 위해 치열한 경쟁을 하기 때문에 수험생들의 부담도 클 수밖에 없다. 그러나 자기소개서와 면접은 다른 수험생에 비해 불리한 LEET, 영어성적, 학부성적을 역전하고 자신이 목표로 하는 로스쿨에 합격할 수 있는 마지막 기회라고 볼 수 있다.

LEET 반영 비중이 높은 학교에 지원하더라도 면접은 당락을 결정짓는 중요요소가 될 수 있다. 해당 학교를 지원하는 수험생들이 LEET 반영 비중이 높다는 사실을 이미 알고 있기 때문에 높은 점수를 가진 수험생들이 지원하게 되어 결국 지원자 간의 점수 격차가 줄어들게 되기 때문이다. LEET 반영 비중이 높은 학교도 이와 마찬가지로 LEET의 실질 격차가 줄어들게 되고, 결국 정성평가 요소인 자기소개서와 면접이 합격을 결정짓는 요소가 될 수 있다. 이를 요약하면 어느 로스쿨에 지원할 것인지는 LEET 점수가 결정하고 최종합격은 면접에서 결정된다고 할 수 있다.

다음은 2024, 2023, 2022의 3개년도 로스쿨 면접 기출문제를 로스쿨별, 주제별로 분석하여 정리한 자료이다. 로스쿨 면접의 출제 경향성을 확인하기 바란다.

1. 로스쿨별 3개년 기출 주제 분석

로스쿨	출제년도	기출 주제 내용	2025 교재 주제 번호 및 내용	
강원대	2024	부자 증세	099	재분배정책: 부자 증세
	2024	동물권과 개 식용 금지	168	개 식용 금지와 동물원 폐지
	2023	ESG 경영	119	ESG 경영
	2022	키케로의 의무론 논쟁	003	의무론적 윤리설, 목적론적 윤리설
건국대	2024	공공쓰레기통 설치와 처리비용	134	환경문제의 해결방안
	2024	AI 판사 도입	165	AI 판사
	2023	동물의 생명과 권리	084	동물권
	2022	공연에서 흑인 분장의 인종차별 논란	063	차별금지법
	2022	범죄피해자 유족의 재판 증인 신청	2024 교재 198 주제	법조비리, 재판절차진술권
경북대	2024	신경과학과 자유의지	002	인간본성론
	2024	탄소배출권	133	온실가스배출권 거래제도
	2023	이타성과 사회신뢰	173	이기심과 이타심
	2023	합리적 기대와 범죄 억제	2024 교재 100 주제	마약범죄
	2022	사회신뢰와 고소, 고발	007	형식중심주의
경희대	2024	환경문제에 대한 세대별 정의로운 해결	019	롤스의 자유주의: 저축원칙
	2023	로봇과 인공지능의 행동원리에 대한 사실과 가치 판단	107	AI
	2022	사회적 기업에 대한 소비 의무화	020	샌델의 공동체주의: 가격폭리 규제
	2022	가족의 부동산 투기에 대한 국회의원 제명	072	공익 목적의 사생활 공개
고려대	2024	개인 책임과 사회적 책임의 철학적 논쟁	021	샌델의 공동체주의: 과거사 문제
	2023	생명에 대한 자유주의와 공동체주의 논쟁	009	자유주의: 안락사
	2022	개인정보 공개와 소수자 보호	063	차별금지법
동아대	2024	정자 기증에 의한 비혼여성의 출산 허용	066	비혼단독출산
	2024	기후변화로 인한 재난 피해의 국가 책임	136	NDC 상향과 탄소국경세
	2023	능력주의	022	철학적 딜레마: 능력주의
	2023	촉법소년 연령 기준 하향	095	형사미성년자 연령 하향
	2022	추상화와 법조인의 리걸마인드	007	형식중심주의
	2022	온실가스 규제에 대한 선진국, 개발도상국 입장 차이	136	NDC 상향과 탄소국경세
부산대	2024	국제이주자의 환대받을 권리와 자국민 보호	054	난민 수용
	2024	고양이 신장이식수술에서 기증과 수증의 문제점	068	유전자 편집기술
	2023	탁아소실험에 대한 전통경제학과 행동경제학 해석	173	이기심과 이타심
	2023	리얼돌, 섹스로봇 등 성적 인공물 허용 찬반	199	과다노출죄
	2022	자연법칙과 사회법칙	001	사실과 당위
	2022	기업의 사회적 책임과 ESG 경영 의무화	119	ESG 경영

로스쿨	출제년도	기출 주제 내용	2025 교재 주제 번호 및 내용	
서강대	2024	금전적 인센티브와 사회적 인센티브의 효과성	173	이기심과 이타심
	2024	항공기내에서 노키즈존	3권 2020 한국외대 기출해설	노키즈존
	2023	공공배달앱	102	플랫폼 규제
	2023	코로나 상황에서 마스크, 백신 규제 방법	2023 교재 167 주제	백신접종 의무화
	2022	문화재 보호구역의 아파트 건설	020	샌델의 공동체주의: 가격폭리 규제
	2022	플랫폼 기업과 노동자 권리	102	플랫폼 규제
서울대	2024	의무론적 윤리설과 목적론적 윤리설	003	의무론적 윤리설, 목적론적 윤리설
	2024	차별과 배제의 정당성과 능력주의	022	철학적 딜레마: 능력주의
	2024	인과관계에 따른 자연관과 환경문제	132	자연관
	2023	이타성이 인간의 본성과 유전자에 존재하는가	173	이기심과 이타심
	2022	추상성의 적용 기준	001	사실과 당위
	2022	긍정의 오류와 부정의 오류	003	의무론적 윤리설, 목적론적 윤리설
	2022	서양 철학이 서양의 식민지배에 기여한 정도	003	의무론적 윤리설, 목적론적 윤리설
	2022	유전자조작식품의 리스크와 편익 계산	014	공리주의: 핀토 리콜
	2022	코로나19 극복을 위한 사회 시스템 구축	020	샌델의 공동체주의: 가격폭리 규제
	2022	검색기록을 사용한 개인 규제 가능성	112	개인정보 데이터 활용
	2022	진실을 기만하려는 거짓말과 진실과 무관한 헛소리	179	혐오의 인지심리적 특성
	2022	언론의 자기검열 필요성	179	혐오의 인지심리적 특성
서울 시립대	2024	저출산과 이민자 수용	115	저출산: 출산장려금, 증여세
	2024	코로나 이후의 원격의료 확대	146	원격의료
	2023	민간주도 블록체인 기반 인증서 확대	100	포지티브 규제와 네거티브 규제
	2023	대학 내 학생 참여도 확대	183	노동이사제
	2022	주류의 통신판매 전면허용	100	포지티브 규제와 네거티브 규제
	2022	온라인 플랫폼 규제	102	플랫폼 규제
성균관대	2024	도덕적, 법적 비난에 대한 사례 분류	013	공동체주의: 사마리아인의 법
	2024	개인의 자유 제한으로써 규제에 대한 사례 분류	174	고령운전자 면허 반납
	2023	공원 내 음주 허용	011	공동체주의: 공원 음주 금지
	2023	대중교통 내 음식물 섭취 허용	011	공동체주의: 공원 음주 금지
	2023	복권 판매액 제한	144	부동산 대출 규제
	2023	비트코인 파생상품 투자 제한	144	부동산 대출 규제
	2022	렌터카 차량 위험 발견한 자의 고지 의무	013	공동체주의: 사마리아인의 법
	2022	타인의 예견되는 위험에 대한 회피 의무	088	범죄의 원인
	2022	서빙담당자의 위험 발견 고지 의무	2023 교재 028 주제	자택격리와 마스크 강제
	2022	미성년자 위험에 대한 직업운전자의 대응의무	2023 교재 028 주제	자택격리와 마스크 강제
	2022	부모의 미성년자 백신 접종 선택	2024 교재 088 주제	부모의 교육권과 징계권

로스쿨	출제년도	기출 주제 내용	2025 교재 주제 번호 및 내용	
아주대	2024	손실혐오심리와 엄벌주의	089	엄벌주의
	2024	인지심리적 특성과 가짜뉴스 규제	179	혐오의 인지심리적 특성
	2023	서구 중심적 타자담론과 소중화 사상	003	의무론적 윤리설, 목적론적 윤리설
	2023	표현, 예술, 언론의 자유	077	음란한 표현 규제
	2023	동물권	084	동물권
	2022	19세 미만 음주 금지	057	기호용 대마 금지
	2022	탄소국경세	136	NDC 상향과 탄소국경세
	2022	기업의 백신접종 증명 요구	2023 교재 167 주제	백신접종 의무화
	2022	미확정판결에 대한 언론보도	2024 교재 173 주제	피의자 공개소환 폐지
연세대	2024	거래 시의 고지 의무	081	신의성실의 원칙
	2024	범죄의 원인과 교화프로그램의 효과성	088	범죄의 원인
	2023	집단의 동질성과 상이성이 개인 삶에 미치는 영향	113	보편복지와 선별복지
	2023	죄수의 딜레마 사례	133	온실가스배출권 거래제도
	2022	난치병에 대한 의료보험 적용	118	건강보험: 외국인 의무가입
	2022	SNS와 확증편향	179	혐오의 인지심리적 특성
영남대	2024	저출산 대응정책의 타당성	115	저출산: 출산장려금, 증여세
	2024	의대 정원 확대	149	의대 정원 확대
	2024	딸의 종교단체 활동에 대한 부모의 개입 타당성	186	종교적 신념에 따른 행위
	2024	문화재 출토 지역의 재산권 제한 가능성	3권 2022 서강대 기출해설	문화재법 위반 건축물 철거
	2023	칸트의 의무론, 공리주의, 공동선 간의 딜레마 사례	003	의무론적 윤리설, 목적론적 윤리설
	2023	이슬람 사원 건립 갈등	063	차별금지법
	2023	플랫폼 운송서비스업과 택시요금 인상	101	공유경제
	2023	플랫폼 기업 규제	102	플랫폼 규제
	2022	탄소중립	136	NDC 상향과 탄소국경세
	2022	AI 법관	165	AI 판사
원광대	2024	공기업 민영화	125	민영화
	2024	정신질환자 등에 의한 묻지마 범죄의 해결방안	170	보호입원제와 사법입원제
	2023	ESG 경영 위반 사례	119	ESG 경영
	2023	안전관리체계와 국가의 기능, 법제도 개선, 시민의식	2024 교재 182 주제	민주적 해결
	2022	백신접종률 제고 방안	2023 교재 167 주제	백신접종 의무화
이화여대	2024	브라질의 아마존 환경기금 요구	135	아마존 파괴와 해결방안
	2024	지구온난화 대응을 위한 탄소배출 감축 강제	136	NDC 상향과 탄소국경세
	2023	국영교도소와 민영교도소	125	민영화
	2022	인공지능의 위험영역 자율 판단 가능성	001	사실과 당위
	2022	자율살상무기	108	전투용 로봇
	2022	자율주행차	110	자율주행차와 유령정체

로스쿨	출제년도	기출 주제 내용	2025 교재 주제 번호 및 내용	
인하대	2024	이스라엘-하마스 전쟁의 원인과 해결방안	051	전쟁과 테러
	2024	외국인 유학생에 대한 건강보험 강제 찬반	118	건강보험: 외국인 의무가입
	2024	다크패턴 마케팅	124	다크패턴 마케팅
	2023	추석연휴 고속도로 통행료 면제	020	샌델의 공동체주의: 가격폭리 규제
	2023	무임승차의 유인과 공동체 유지	136	NDC 상향과 탄소국경세
	2023	예술가의 삶과 작품의 일원적 판단과 이원적 판단	2023 교재 037 주제	친일자 재산 환수
	2023	공정무역 커피	2024 교재 142 주제	나고야 의정서
	2023	영재에 대한 인성교육 필요성	2024 교재 179 주제	과학의 객관성
	2022	테세우스의 배	021	샌델의 공동체주의: 과거사 문제
	2022	AI 군인	108	전투용 로봇
	2022	고령운전자의 운전면허 반납	174	고령운전자 면허 반납
	2022	정보의 투명성과 개인의 자유	179	혐오의 인지심리적 특성
	2022	자녀 교육 방법	2024 교재 088 주제	부모의 교육권과 징계권
전남대	2024	한국형 제시카법, 고위험 성범죄자 거주지 제한명령	092	한국형 제시카법
	2024	지역구 국회의원의 광역철도 유치 공약 타당성	187	공약
	2023	외국인 근로자 고용 확대	053	불법체류 노동자의 인권
	2023	CCTV 설치와 활용 확대	071	CCTV
	2022	백신접종 의무화와 백신패스	2023 교재 167 주제	백신접종 의무화
	2022	영주권자의 지방선거권 박탈	2024 교재 051 주제	지방선거 외국인 참정권
전북대	2024	이민자 문호 확대정책 찬반	055	이민자 문호 확대
	2024	비선별적 기본소득 찬반	114	기본소득
	2024	자연보호구역 내의 케이블카 설치 찬반	139	국립공원 케이블카
	2024	동물권과 동물원 폐지	168	개 식용 금지와 동물원 폐지
	2024	인터넷 실명제	3권 2024 전북대 기출해설	인터넷 실명제
	2023	횡재세 도입	020	샌델의 공동체주의: 가격폭리 규제
	2023	능력주의	022	철학적 딜레마: 능력주의
	2023	8촌 이내 근친혼 금지	060	혼인과 시민연대계약
	2022	이슬람사원에 대한 건축 허가	063	차별금지법
	2022	플랫폼 기업 규제	102	플랫폼 규제
	2022	AI에 대한 법인격 부여	107	AI
	2021	4차 산업혁명 시대의 개인정보 수집	112	개인정보 데이터 활용

로스쿨	출제년도	기출 주제 내용	2025 교재 주제 번호 및 내용	
제주대	2024	학폭 프로선수, 학폭 자녀를 둔 장관 후보 퇴출 타당성	072	공익 목적의 사생활 공개
	2024	부의 양극화 해소를 위한 정부 개입의 타당성	099	재분배정책: 부자 증세
	2024	자율행동 로봇의 형사처벌과 로봇세	111	4차 산업혁명
	2024	토지가치공유제	143	토지 공유제와 토지가치공유제
	2024	동물권과 개 식용 금지	168	개 식용 금지와 동물원 폐지
	2023	안락사	009	자유주의: 안락사
	2023	배달 플랫폼 노동자의 보상 주체	102	플랫폼 규제
	2023	EU 그린 택소노미와 핵에너지 사용	2023 교재 118 주제	에너지 정책
	2022	공정성과 평등	018	롤스의 자유주의: 정의원칙
	2022	동굴탐사대 사건	047	행정부: 사면권
	2022	사법부의 전문가주의와 민주주의	048	사법부: 배심제
	2022	동물권	084	동물권
	2022	공유지의 비극과 기후위기 해결방안	133	온실가스배출권 거래제도
	2022	여성인권	2022 교재 124 주제	평등원칙: 차별사례
중앙대	2024	포퓰리즘 비판, 민주주의와 법치주의의 관계	005	법의 형식과 내용
	2024	국민의 합리적 의사판단능력과 정치 참여	037	국민 참여 확대: 포퓰리즘
	2024	민족 우상화를 통해 만들어진 민족영웅	175	민족
	2023	사랑을 바라보는 여러 관점	060	혼인과 시민연대계약
	2023	예술품과 복제품의 가치	109	AI 창작물의 권리 주체
	2022	예술적 모방과 추상화	007	형식중심주의
	2022	집단극단화와 사회갈등 해결방법	048	사법부: 배심제
	2022	금리 상한 폐지	144	부동산 대출 규제

로스쿨	출제년도	기출 주제 내용	2025 교재 주제 번호 및 내용	
충남대	2024	도덕과 법: 아버지의 절도를 고발한 아들	025	도덕과 법: 인치와 법치
	2024	난민 수용	054	난민 수용
	2024	공매도 전면금지	096	국가의 시장 개입: 공매도 규제
	2024	배달앱 리뷰, 별점 시스템 개선방안과 가이드라인	101	공유경제
	2024	전투용 로봇	108	전투용 로봇
	2024	GMO(유전자변형식품)	169	GMO
	2024	캐시리스	3권 2020 영남대 기출해설	캐시리스
	2024	지역축제 개최와 활성화 방안	3권 2024 충남대 기출해설	지역축제 활성화 대책
	2024	발코니 흡연의 위법성 판단	3권 2024 충남대 기출해설	발코니 흡연의 위법성 판단
	2024	숙제 없는 학교 정책	3권 2024 충남대 기출해설	숙제 없는 학교 정책
	2023	성선설과 성악설에 따른 형벌	002	인간본성론
	2023	형사미성년자 제도	095	형사미성년자 연령 하향
	2023	탄소배출권 거래제도	133	온실가스배출권 거래제도
	2023	동일사건에 대한 다른 판결의 허용 이유	161	상급심의 하급심 구속력
	2022	개발도상국의 코로나19 백신 부족문제 해결방안	106	강제실시
	2022	AI 알고리즘의 문제점과 해결방안	177	진화와 알고리즘
	2022	인지한 사내 비리의 공익신고	2021 교재 064 주제	공익신고자 보호
	2022	세계화와 아시아의 빈곤문제	2023 교재 183 주제	대북 방역 지원

로스쿨	출제년도	기출 주제 내용	2025 교재 주제 번호 및 내용	
충북대	2024	전국장애인연합회의 출퇴근시간 시위	030	시민불복종
	2024	이스라엘-하마스 전쟁에 대한 안보리 결의안의 한국 기권	050	인권과 주권
	2024	공매도 전면금지	096	국가의 시장 개입: 공매도 규제
	2024	중대재해처벌법	127	중대재해처벌법
	2024	의대 정원 확대	149	의대 정원 확대
	2024	문화예술작품의 PC(정치적 올바름) 반영	2024 교재 194 주제	혐오표현
	2023	딸의 타투에 대한 부모의 개입	013	공동체주의: 사마리아인의 법
	2023	기업의 프로젝트 비용 지불과 대학의 연구윤리	014	공리주의: 핀토 리콜
	2023	동성혼	060	혼인과 시민연대계약
	2023	블라인드 채용의 역기능과 개선방안	062	평등과 형평
	2023	선진국의 제조업 리쇼어링	111	4차 산업혁명
	2023	교원시험 합격자 수 축소	115	저출산: 출산장려금, 증여세
	2023	타투이스트의 문신업 허용	148	비의료인의 문신시술 금지
	2023	수도권대학의 반도체학과 정원과 지역균형발전	190	지방자치와 공공의대
	2022	수술실 CCTV 의무화	071	CCTV
	2022	빅테크 기업 규제	102	플랫폼 규제
	2022	주식투자 과열로 인한 신용투자 확대문제	144	부동산 대출 규제
	2022	지방균형 발전	190	지방자치와 공공의대
	2022	국민생활체육정책	191	병역 면제
	2022	저출산과 이민정책	2023 교재 025 주제	이민자 국민적격성
	2022	정자 기증 출생자에게 아버지를 알려줄 의무	2024 교재 186 주제	자유의지
한국외대	2024	형사미성년자 연령 하향	095	형사미성년자 연령 하향
	2024	신혼부부 결혼자금 증여세 공제 확대	115	저출산: 출산장려금, 증여세
	2024	브라질의 아마존 환경기금 요구	135	아마존 파괴와 해결방안
	2024	AI 판사 도입	165	AI 판사
	2023	공원에서 음주 금지	013	공동체주의: 사마리아인의 법
	2023	노인연령 상향 조정	116	고령화와 노인문제
	2023	대중문화예술인 병역특례	191	병역 면제
	2022	국회의원 연임 제한	045	입법부: 위헌정당 해산
	2022	통계자료 왜곡과 민주주의	076	가짜뉴스
	2022	기업의 ESG 보고서 공개 강제	119	ESG 경영
한양대	2024	권력에 의한 자유 억압과 사회문화적 자유 억압	2024 교재 185 주제	담뱃세 인상
	2023	감정자본주의와 능력주의	022	철학적 딜레마: 능력주의
	2022	개인과 사회의 관계 설정	013	공동체주의: 사마리아인의 법

2. 주제별 3개년 기출 주제 분석

2025 교재 주제 번호 및 내용		로스쿨	출제년도	기출 주제 내용
001	사실과 당위	부산대	2022	자연법칙과 사회법칙
		서울대	2022	추상성의 적용 기준
		이화여대	2022	인공지능의 위험영역 자율 판단 가능성
002	인간본성론	경북대	2024	신경과학과 자유의지
		충남대	2023	성선설과 성악설에 따른 형벌
003	의무론적 윤리설, 목적론적 윤리설	강원대	2022	키케로의 의무론 논쟁
		서울대	2022	긍정의 오류와 부정의 오류
		서울대	2022	서양 철학이 서양의 식민지배에 기여한 정도
		서울대	2024	의무론적 윤리설과 목적론적 윤리설
		아주대	2023	서구 중심적 타자담론과 소중화 사상
		영남대	2023	칸트의 의무론, 공리주의, 공동선 간의 딜레마 사례
005	법의 형식과 내용	중앙대	2024	포퓰리즘 비판, 민주주의와 법치주의의 관계
007	형식중심주의	경북대	2022	사회신뢰와 고소,고발
		동아대	2022	추상화와 법조인의 리걸마인드
		중앙대	2022	예술적 모방과 추상화
009	자유주의: 안락사	고려대	2023	생명에 대한 자유주의와 공동체주의 논쟁
		제주대	2023	안락사
011	공동체주의: 공원 음주 금지	성균관대	2023	공원 내 음주 허용
		성균관대	2023	대중교통 내 음식물 섭취 허용
013	공동체주의: 사마리아인의 법	성균관대	2022	렌터카 차량 위험 발견한 자의 고지 의무
		성균관대	2024	도덕적, 법적 비난에 대한 사례 분류
		충북대	2023	딸의 타투에 대한 부모의 개입
		한국외대	2023	공원에서 음주 금지
		한양대	2022	개인과 사회의 관계 설정
014	공리주의: 핀토 리콜	서울대	2022	유전자조작식품의 리스크와 편익 계산
		충북대	2023	기업의 프로젝트 비용 지불과 대학의 연구윤리
018	롤스의 자유주의: 정의원칙	제주대	2022	공정성과 평등
019	롤스의 자유주의: 저축원칙	경희대	2024	환경문제에 대한 세대별 정의로운 해결
020	샌델의 공동체주의: 가격폭리 규제	경희대	2022	사회적 기업에 대한 소비 의무화
		서강대	2022	문화재 보호구역의 아파트 건설
		서울대	2022	코로나19 극복을 위한 사회 시스템 구축
		인하대	2023	추석연휴 고속도로 통행료 면제
		전북대	2023	횡재세 도입

2025 교재 주제 번호 및 내용		로스쿨	출제년도	기출 주제 내용
021	샌델의 공동체주의: 과거사 문제	고려대	2024	개인 책임과 사회적 책임의 철학적 논쟁
		인하대	2022	테세우스의 배
022	철학적 딜레마: 능력주의	동아대	2023	능력주의
		서울대	2024	차별과 배제의 정당성과 능력주의
		전북대	2023	능력주의
		한양대	2023	감정자본주의와 능력주의
025	도덕과 법: 인치와 법치	충남대	2024	도덕과 법: 아버지의 절도를 고발한 아들
030	시민불복종	충북대	2024	전국장애인연합회의 출퇴근시간 시위
037	국민 참여 확대: 포퓰리즘	중앙대	2024	국민의 합리적 의사판단능력과 정치 참여
045	입법부: 위헌정당 해산	한국외대	2022	국회의원 연임 제한
047	행정부: 사면권	제주대	2022	동굴탐사대 사건
048	사법부: 배심제	제주대	2022	사법부의 전문가주의와 민주주의
		중앙대	2022	집단극단화와 사회갈등 해결방법
050	인권과 주권	충북대	2024	이스라엘-하마스 전쟁에 대한 안보리 결의안의 한국 기권
051	전쟁과 테러	인하대	2024	이스라엘-하마스 전쟁의 원인과 해결방안
053	불법체류 노동자의 인권	전남대	2023	외국인 근로자 고용 확대
054	난민 수용	부산대	2024	국제이주자의 환대받을 권리와 자국민 보호
		충북대	2024	난민 수용
		충남대	2024	난민 수용
055	이민자 문호 확대	전북대	2024	이민자 문호 확대정책 찬반
057	기호용 대마 금지	아주대	2022	19세 미만 음주 금지
060	혼인과 시민연대계약	전북대	2023	8촌 이내 근친혼 금지
		중앙대	2023	사랑을 바라보는 여러 관점
		충북대	2023	동성혼
062	평등과 형평	충북대	2023	블라인드 채용의 역기능과 개선방안
063	차별금지법	건국대	2022	공연에서 흑인 분장의 인종차별 논란
		고려대	2022	개인정보 공개와 소수자 보호
		영남대	2023	이슬람 사원 건립 갈등
		전북대	2022	이슬람사원에 대한 건축 허가
066	비혼단독출산	동아대	2024	정자 기증에 의한 비혼여성의 출산 허용
068	유전자 편집기술	부산대	2024	고양이 신장이식수술에서 기증과 수증의 문제점
071	CCTV	전남대	2023	CCTV 설치와 활용 확대
		충북대	2022	수술실 CCTV 의무화

2025 교재 주제 번호 및 내용		로스쿨	출제년도	기출 주제 내용
072	공익 목적의 사생활 공개	경희대	2022	가족의 부동산 투기에 대한 국회의원 제명
		제주대	2024	학폭 프로선수, 학폭 자녀를 둔 장관 후보 퇴출 타당성
076	가짜뉴스	한국외대	2022	통계자료 왜곡과 민주주의
077	음란한 표현 규제	아주대	2023	표현, 예술, 언론의 자유
081	신의성실의 원칙	연세대	2024	거래시의 고지 의무
084	동물권	건국대	2023	동물의 생명과 권리
		아주대	2023	동물권
		제주대	2022	동물권
088	범죄의 원인	성균관대	2022	타인의 예견되는 위험에 대한 회피 의무
		연세대	2024	범죄의 원인과 교화프로그램의 효과성
089	엄벌주의	아주대	2024	손실혐오심리와 엄벌주의
092	한국형 제시카법	전남대	2024	한국형 제시카법, 고위험 성범죄자 거주지 제한명령
095	형사미성년자 연령 하향	동아대	2023	촉법소년 연령 기준 하향
		충남대	2023	형사미성년자 제도
		한국외대	2024	형사미성년자 연령 하향
096	국가의 시장 개입: 공매도 규제	충남대	2024	공매도 전면금지
		충북대	2024	공매도 전면금지
099	재분배정책: 부자 증세	강원대	2024	부자 증세
		제주대	2024	부의 양극화 해소를 위한 정부 개입의 타당성
100	포지티브 규제와 네거티브 규제	서울시립대	2022	주류의 통신판매 전면허용
		서울시립대	2023	민간주도 블록체인 기반 인증서 확대
101	공유경제	영남대	2023	플랫폼 운송서비스업과 택시요금 인상
		충남대	2024	배달앱 리뷰, 별점 시스템 개선방안과 가이드라인
102	플랫폼 규제	서강대	2022	플랫폼 기업과 노동자 권리
		서강대	2023	공공배달앱
		서울시립대	2022	온라인 플랫폼 규제
		영남대	2023	플랫폼 기업 규제
		전북대	2022	플랫폼 기업 규제
		제주대	2023	배달 플랫폼 노동자의 보상 주체
		충북대	2022	빅테크 기업 규제
106	강제실시	충남대	2022	개발도상국의 코로나19 백신 부족문제 해결방안
107	AI	경희대	2023	로봇과 인공지능의 행동원리에 대한 사실과 가치 판단
		전북대	2022	AI에 대한 법인격 부여

2025 교재 주제 번호 및 내용		로스쿨	출제년도	기출 주제 내용
108	전투용 로봇	이화여대	2022	자율살상무기
		인하대	2022	AI 군인
		충남대	2024	전투용 로봇
109	AI 창작물의 권리 주체	중앙대	2023	예술품과 복제품의 가치
110	자율주행차와 유령정체	이화여대	2022	자율주행차
111	4차 산업혁명	제주대	2024	자율행동 로봇의 형사처벌과 로봇세
		충북대	2023	선진국의 제조업 리쇼어링
112	개인정보 데이터 활용	서울대	2022	검색기록을 사용한 개인 규제 가능성
113	보편복지와 선별복지	연세대	2023	집단의 동질성과 상이성이 개인 삶에 미치는 영향
114	기본소득	전북대	2024	비선별적 기본소득 찬반
115	저출산: 출산장려금, 증여세	서울시립대	2024	저출산과 이민자 수용
		영남대	2024	저출산 대응정책의 타당성
		충북대	2023	교원시험 합격자 수 축소
		한국외대	2024	신혼부부 결혼자금 증여세 공제 확대
116	고령화와 노인문제	한국외대	2023	노인연령 상향 조정
118	건강보험: 외국인 의무가입	연세대	2022	난치병에 대한 의료보험 적용
		인하대	2024	외국인 유학생에 대한 건강보험 강제 찬반
119	ESG 경영	강원대	2023	ESG 경영
		부산대	2022	기업의 사회적 책임과 ESG 경영 의무화
		원광대	2023	ESG 경영 위반 사례
		한국외대	2022	기업의 ESG 보고서 공개 강제
124	다크패턴 마케팅	인하대	2024	다크패턴 마케팅
125	민영화	원광대	2024	공기업 민영화
		이화여대	2023	국영교도소와 민영교도소
127	중대재해처벌법	충북대	2024	중대재해처벌법
132	자연관	서울대	2024	인과관계에 따른 자연관과 환경문제
133	온실가스배출권 거래제도	경북대	2024	탄소배출권
		연세대	2023	죄수의 딜레마 사례
		제주대	2022	공유지의 비극과 기후위기 해결방안
		충남대	2023	탄소배출권 거래제도
134	환경문제의 해결방안	건국대	2024	공공쓰레기통 설치와 처리비용
135	아마존 파괴와 해결방안	이화여대	2024	브라질의 아마존 환경기금 요구
		한국외대	2024	브라질의 아마존 환경기금 요구

2025 교재 주제 번호 및 내용		로스쿨	출제년도	기출 주제 내용
136	NDC 상향과 탄소국경세	동아대	2022	온실가스 규제에 대한 선진국, 개발도상국 입장 차이
		동아대	2024	기후변화로 인한 재난 피해의 국가 책임
		아주대	2022	탄소국경세
		영남대	2022	탄소중립
		이화여대	2024	지구온난화 대응을 위한 탄소배출 감축 강제
		인하대	2023	무임승차의 유인과 공동체 유지
139	국립공원 케이블카	전북대	2024	자연보호구역 내의 케이블카 설치 찬반
143	토지 공유제와 토지가치공유제	제주대	2024	토지가치공유제
144	부동산 대출 규제	성균관대	2023	복권 판매액 제한
		성균관대	2023	비트코인 파생상품 투자 제한
		중앙대	2022	금리 상한 폐지
		충북대	2022	주식투자 과열로 인한 신용투자 확대문제
146	원격의료	서울시립대	2024	코로나 이후의 원격의료 확대
148	비의료인의 문신시술 금지	충북대	2023	타투이스트의 문신업 허용
149	의대 정원 확대	영남대	2024	의대 정원 확대
		충북대	2024	의대 정원 확대
161	상급심의 하급심 구속력	충남대	2023	동일사건에 대한 다른 판결의 허용 이유
165	AI 판사	건국대	2024	AI 판사 도입
		영남대	2022	AI 법관
		한국외대	2024	AI 판사 도입
168	개 식용 금지와 동물원 폐지	강원대	2024	동물권과 개 식용 금지
		전북대	2024	동물권과 동물원 폐지
		제주대	2024	동물권과 개 식용 금지
169	GMO	충남대	2024	GMO (유전자변형식품)
170	보호입원제와 사법입원제	원광대	2024	정신질환자 등에 의한 묻지마 범죄의 해결방안
173	이기심과 이타심	경북대	2023	이타성과 사회신뢰
		부산대	2023	탁아소실험에 대한 전통경제학과 행동경제학 해석
		서강대	2024	금전적 인센티브와 사회적 인센티브의 효과성
		서울대	2023	이타성이 인간의 본성과 유전자에 존재하는가
174	고령운전자 면허 반납	성균관대	2024	개인의 자유 제한으로써 규제에 대한 사례 분류
		인하대	2022	고령운전자의 운전면허 반납
175	민족	중앙대	2024	민족 우상화를 통해 만들어진 민족영웅
177	진화와 알고리즘	충남대	2022	AI 알고리즘의 문제점과 해결방안

2025 교재 주제 번호 및 내용		로스쿨	출제년도	기출 주제 내용
179	혐오의 인지심리적 특성	서울대	2022	진실을 기만하려는 거짓말과 진실과 무관한 헛소리
		서울대	2022	언론의 자기검열 필요성
		아주대	2024	인지심리적 특성과 가짜뉴스 규제
		연세대	2022	SNS와 확증편향
		인하대	2022	정보의 투명성과 개인의 자유
183	노동이사제	서울시립대	2023	대학 내 학생 참여도 확대
186	종교적 신념에 따른 행위	영남대	2024	딸의 종교단체 활동에 대한 부모의 개입 타당성
187	국회의원 공약	전남대	2024	지역구 국회의원의 광역철도 유치 공약 타당성
190	지방자치와 공공의대	충북대	2022	지방균형 발전
		충북대	2023	수도권대학의 반도체학과 정원과 지역균형발전
191	병역 면제	충북대	2022	국민생활체육정책
		한국외대	2023	대중문화예술인 병역특례
199	과다노출죄	부산대	2023	리얼돌, 섹스로봇 등 성적 인공물 허용 찬반

Chapter 02

2025학년도 법학전문대학원 입학전형 기본계획

대학명 [특성화 분야]	모집 인원 (가군/나군)	전형방법 및 내용				특별전형 (모집군, 인원)	비고
		1단계 [합계]	2단계 [합계]	선발방법			
				1단계	2단계		
강원대 [환경법]	40명 (0/40)	• LEET성적: 150점 • 대학성적: 100점 • 어학성적: P/F • 서류심사: 100점 [합계: 350점]	• 1단계성적: 350점 • 논술성적: 50점 • 면접성적: 50점 [합계: 450점]	정원의 300% 선발	총점순위 (단, 비법학사, 타대학, 지역인재 쿼터 충족을 위한 변동가능)	3명 (나군)	• 비법학사: 20명 이상 • 타대학: 24명 이상 • 지역인재: 4명 이상
건국대 [부동산]	40명 (40/0)	• LEET성적: 200점 • 대학성적: 200점 • 어학성적: P/F • 서류심사: 200점 [합계: 600점]	• 1단계성적: 600점 • 논술성적: 50점 • 면접성적: 50점 [합계: 700점]	정원의 300% 이상 선발	총점순위 (단, 비법학사, 타대학 쿼터 충족을 위한 변동가능)	3명 (가군)	• 비법학사: 1/3 이상 • 타대학: 1/3 이상
경북대 [IT법]	120명 (60/60)	• LEET성적: 150점 • 대학성적: 100점 • 어학성적: P/F • 서류면접: 50점 [합계: 300점]	• 1단계성적: 300점 • 논술성적: 30점 • 면접성적: 70점 [합계: 400점]	정원의 300% 선발	총점순위 (단, 비법학사, 타대학, 지역인재 쿼터 충족을 위한 변동가능)	9명 (가군 5명, 나군 4명)	• 비법학사: 40명 이상 • 타대학: 40명 이상 • 지역인재: 18명 이상
경희대 [글로벌 기업법학]	60명 (60/0)	• LEET성적: 100점 • 대학성적: 100점 • 어학성적: P/F • 서류심사: 100점 [합계: 300점]	• 1단계성적: 300점 • 면접성적: 100점 [합계: 400점]	정원의 400% 선발	총점순위 (단, 비법학사, 타대학 쿼터 충족을 위한 변동가능)	5명 (가군)	• 비법학사: 21명 이상 • 타대학: 21명 이상
고려대 [국제법무 (Global Legal Practice)]	120명 (0/120)	• LEET성적: 200점 • 학부성적: 150점 • 자기소개서: 150점 • 어학성적: P/F • 논술성적: P/F [합계: 500점]	• 1단계성적: 500점 • 면접성적: 100점 [합계: 600점]	정원의 300% 이내 선발	총점순위 (단, 비법학사, 타대학 쿼터 충족을 위한 변동가능)	9명 (나군)	• 비법학사: 1/3 이상 • 타대학: 1/3 이상 ※ 일반전형 입학정원 5명 이내에서 사회경력자 선발을 강화할 예정이며, 세부내용은 6월 중 공개 예정
동아대 [국제 상거래법]	80명 (40/40)	• LEET성적: 300점 • 대학성적: 100점 • 어학성적: 200점 • 서류심사: 200점 [합계: 800점]	• 1단계성적: 800점 • 논술성적: 100점 • 면접성적: 100점 [합계: 1,000점]	정원의 300% 선발 (특별전형 500%)	총점순위 (단, 비법학사, 타대학, 지역인재 쿼터 충족을 위한 변동가능)	6명 (군별 3명씩)	• 비법학사: 27명 이상 • 타대학: 27명 이상 • 지역인재: 12명 이상
부산대 [금융·해운 통상법]	120명 (60/60)	• LEET성적: 30점 • 대학성적: 30점 • 어학성적: P/F • 서류심사: 20점 [합계: 80점]	• 1단계성적: 80점 • 면접성적: 20점 [합계: 100점]	정원의 300% 선발 (특별전형 400%)	총점순위 (단, 비법학사, 타대학, 지역인재 쿼터 충족을 위한 변동가능)	9명 (가군 5명, 나군 4명)	• 비법학사: 40명 이상 • 타대학: 40명 이상 • 지역인재: 18명 이상

대학명 [특성화 분야]	모집 인원 (가군/ 나군)	전형방법 및 내용				특별전형 (모집군, 인원)	비고
		1단계 [합계]	2단계 [합계]	선발방법			
				1단계	2단계		
서강대 [기업법 (금융법)]	40명 (20/20)	• LEET성적: 30점 • 대학성적: 20점 • 어학성적: P/F • 서류심사: 20점 [합계: 70점]	• 1단계성적: 70점 • 면접성적: 10점 [합계: 80점]	정원의 300% 선발	총점순위 (단, 비법학사, 타대학 쿼터 충족을 위한 변동가능)	3명 (가군 2명, 나군 1명)	• 비법학사: 1/3 이상 • 타대학: 1/3 이상
서울대 [국제법무, 공익인권, 기업금융]	150명 (150/0)	<일반전형> • 어학성적: P/F • LEET성적: 60점 • 학부성적: 60점 • 서류심사: 80점 [합계: 200점]	• 1단계성적: 200점 • 면접 및 구술 고사: 50점 [합계: 250점]	정원의 150% 선발 (특별 전형 300%)	총점순위 (단, 비법학사, 타대학 쿼터 충족을 위한 변동가능)	11명 이상 (가군)	• 비법학사: 1/3 이상 • 타대학: 1/3 이상
		<특별전형> 특별전형 선발 대상 및 기준 등은 전년도 모집안내를 참고하되 추후 공지되는 2025학년도 모집안내를 반드시 확인하기 바람					
서울 시립대 [조세법]	50명 (50/0)	• LEET성적: 35점 • 대학성적: 15점 • 어학성적: 10점 • 서류심사: 20점 [합계: 80점]	• 1단계성적: 80점 • 논술성적: 5점 • 면접 및 구술 고사: 15점 [합계: 100점]	정원의 300% 선발 (특별 전형 400%)	총점순위 (단, 비법학사, 타대학 쿼터 충족을 위한 변동가능)	5명 (가군)	• 비법학사: 50% 이상 • 타대학: 50% 이상
성균관대 [기업법무]	120명 (0/120)	• LEET성적: 30점 • 대학성적: 25점 • 어학성적: P/F • 서류심사: 30점 [합계: 85점]	• 1단계성적: 85점 • 면접성적: 15점 [합계: 100점]	정원의 200% 내외 선발	총점순위 (단, 비법학사, 타대학 쿼터 충족을 위한 변동가능)	9명 (나군)	• 비법학사: 40명 이상 • 타대학: 40명 이상
아주대 [중소기업 법무]	50명 (25/25)	• LEET성적: 30점 • 대학성적: 20점 • 어학성적: 20점 • 서류심사: 10점 [합계: 80점]	• 1단계성적: 80점 • 논술성적: 5점 • 면접성적: 15점 [합계: 100점]	정원의 400% 선발	총점순위 (단, 비법학사, 타대학 쿼터 충족을 위한 변동가능)	4명 (군별 2명씩)	• 비법학사: 17명 이상 • 타대학: 17명 이상
연세대 [공공 거버넌스, 글로벌 비즈니스, 의료과학 기술]	120명 (0/120)	• LEET성적: 150점 • 대학성적: 150점 • 어학성적: P/F • 서류심사: 100점 (LEET논술 검토) [합계: 400점]	• 1단계성적: 400점 • 면접성적: 50점 [합계: 450점]	정원의 250% 내외 선발	총점순위 (단, 비법학사, 타대학 쿼터 충족을 위한 변동가능)	9명 (나군)	• 비법학사: 1/3 이상 • 타대학: 1/3 이상
영남대 [공익, 인권]	70명 (35/35)	• LEET성적: 300점 • 대학성적: 100점 • 어학성적: 100점 • 서류심사: 200점 [합계: 700점]	• 1단계성적: 700점 • 논술성적: 100점 • 면접성적: 200점 [합계: 1,000점]	정원의 500% 선발	총점순위 (단, 비법학사, 타대학, 지역 인재 쿼터 충족을 위한 변동가능)	5명 (가군 3명, 나군 2명)	• 비법학사: 24명 이상 • 타대학: 49명 이상 • 지역인재: 11명 이상
원광대 [의생명 분야]	60명 (30/30)	• LEET성적: 40점 • 대학성적: 20점 • 어학성적: 20점 • 서류평가: 20점 [합계: 100점]	• 1단계성적: 100점 • 면접성적: 20점 [합계: 120점]	정원의 500% 선발	총점순위 (단, 비법학사, 타대학, 지역 인재 쿼터 충족을 위한 변동가능)	5명 (나군)	• 비법학사: 22명 이상 • 타대학: 29명 이상 • 지역인재: 9명 이상

대학명 [특성화 분야]	모집 인원 (가군/나군)	전형방법 및 내용				특별전형 (모집군, 인원)	비고
		1단계 [합계]	2단계 [합계]	선발방법			
				1단계	2단계		
이화여대 [생명 의료법, Gender법]	100명 (0/100)	• LEET성적: 70점 • 학부성적: 40점 • 어학성적: 20점 • 서류심사: 50점 [합계: 180점]	• 1단계성적: 180점 • 논술성적: 10점 • 심층면접: 10점 [합계: 200점]	정원의 200~300% 이내 선발	총점순위 (단, 비법학사, 타대학 쿼터 충족을 위한 변동가능)	8명 (나군)	• 비법학사: 34명 이상 • 타대학: 34명 이상
인하대 [물류법, 지적 재산권]	50명 (25/25)	• LEET성적: 250점 • 대학성적: 200점 • 어학성적: 100점 • 서류심사: 200점 [합계: 750점]	• 1단계성적: 750점 • 논술성적: 100점 • 면접성적: 150점 [합계: 1,000점]	정원의 400% 내외 선발	총점순위 (단, 비법학사, 타대학 쿼터 충족을 위한 변동가능)	4명 (가군)	각 군별 • 비법학사: 1/3 이상 • 타대학: 1/3 이상
전남대 [공익 인권법]	120명 (60/60)	• LEET성적: 150점 • 대학성적: 150점 • 어학성적: P/F • 서류심사: 100점 [합계: 400점]	• 1단계성적: 400점 • 논술성적: 50점 • 면접성적: 50점 [합계: 500점]	정원의 300% 선발	총점순위 (단, 비법학사, 타대학, 지역 인재 쿼터 충족을 위한 변동가능)	9명 (가군)	• 비법학사: 40명 이상 • 타대학: 40명 이상 • 지역인재: 18명 이상
전북대 [동북아법]	80명 (37/43)	• LEET성적: 40점 • 대학성적: 15점 • 어학성적: P/F • 서류심사: 20점 [합계: 75점]	• 1단계성적: 75점 • 논술성적: 10점 • 면접성적: 15점 [합계: 100점]	정원의 300% 이상 선발	총점순위 (단, 비법학사, 타대학, 지역 인재 쿼터 충족을 위한 변동가능)	6명 (나군)	• 비법학사: 27명 이상 • 타대학: 27명 이상 • 지역인재: 12명 이상
제주대 [국제법무]	40명 (20/20)	• LEET성적: 40점 • 대학성적: 20점 • 어학성적: P/F [합계: 60점]	• 1단계성적: 60점 • 면접성적: 40점 - 서류심사: 16점 - LEET논술: 8점 - 구술고사: 16점 [합계: 100점]	정원의 300% 선발	총점순위 (단, 비법학사, 타대학, 지역 인재 쿼터 충족을 위한 변동가능)	3명 (가군 2명, 나군 1명)	• 비법학사: 14명 이상 • 타대학: 14명 이상 • 지역인재: 2명 이상
중앙대 [문화법]	50명 (50/0)	• LEET성적: 100점 • 대학성적: 100점 • 어학성적: 100점 • 서류심사: 100점 [합계: 400점]	• 1단계성적: 400점 • 면접성적: 100점 [합계: 500점]	정원의 400% 선발	총점순위 (단, 비법학사, 타대학 쿼터 충족을 위한 변동가능)	4명 (가군)	• 비법학사: 50% 이상 • 타대학: 40% 이상
충남대 [지적 재산권]	100명 (50/50)	• LEET성적: 120점 • 대학성적: 100점 • 어학성적: 100점 • 서류심사: 30점 [합계: 350점]	• 1단계성적: 350점 • 논술성적: 20점 • 면접성적: 40점 [합계: 410점]	정원의 300% 선발	총점순위 (단, 비법학사, 타대학, 지역 인재 쿼터 충족을 위한 변동가능)	7명 (나군)	• 비법학사: 42% 이상 • 타대학: 60% 이상 • 지역인재: 15% 이상
충북대 [과학 기술법]	70명 (40/30)	• LEET성적: 200점 • 대학성적: 100점 • 어학성적: P/F • 서류심사: 30점 [합계: 330점]	• 1단계성적: 330점 • 면접성적: 20점 [합계: 350점]	정원의 300% 선발	총점순위 (단, 비법학사, 타대학, 지역 인재 쿼터 충족을 위한 변동가능)	5명 (나군)	• 비법학사: 25명 이상 • 타대학: 25명 이상 • 지역인재: 11명 이상
한국외대 [국제지역]	50명 (50/0)	• LEET성적: 100점 • 학부성적: 100점 • 어학성적: 100점 • 서류심사: 150점 • 논술성적: P/F [합계: 450점]	• 1단계성적: 450점 • 면접성적: 50점 [합계: 500점]	정원의 300~400% 선발	총점순위 (단, 비법학사, 타대학 쿼터 충족을 위한 변동가능)	4명 (가군)	• 비법학사: 50% 이상 • 타대학: 50% 이상

대학명 [특성화 분야]	모집 인원 (가군/ 나군)	전형방법 및 내용				특별전형 (모집군, 인원)	비고
		1단계 [합계]	2단계 [합계]	선발방법			
				1단계	2단계		
한양대 [공익 인권 및 거버넌스, 지식 문화 및 과학기술]	100명 (0/100)	• LEET성적: 40점 • 대학성적: 20점 • 어학성적: P/F • 서류심사: 20점 (LEET논술 검토) [합계: 80점]	• 1단계성적: 80점 • 면접성적: 10점 [합계: 90점]	정원의 200% 선발	총점순위 (단, 비법학사, 타대학 쿼터 충족을 위한 변동가능)	입학자의 7% 이상 (나군)	• 비법학사: 40% 이상 • 타대학: 40% 이상

※ 상기의 입학전형 기본계획은 변동이 있을 수 있으니, 구체적인 사항은 추후 개별 법학전문대학원의 공고문을 반드시 확인할 것
ㄴ 1단계 전형의 'LEET성적'은 법학적성시험의 언어이해, 추리논증 영역의 성적을 말하는 것이며, '논술'은 법학적성시험의 논술 영역을 의미하는 것임(논술 영역은 개별 법학전문대학원에서 답안의 채점여부 및 방법을 정함)

※ 특별전형은 「법학전문대학원 설치·운영에 관한 법률 시행령」 제14조 제3항에 의거 입학자의 7% 이상을 선발함. 상기 표의 특별전형 인원은 입학정원(2,000명)을 기준으로 산출한 것으로 결원충원제도에 따른 최종 선발인원에 따라 달라질 수 있음

Chapter 03

로스쿨 합격전략 시간표

1. 정량평가와 정성평가

로스쿨의 입시전형은 정량평가와 정성평가 요소로 구성된다. 정량평가는 객관적으로 확인 가능한 점수가 나오는 요소로 다른 지원자와 비교가 명확하게 되는 특징이 있다. 리트 언어이해, 추리논증 표준점수, 외국어성적, 학부성적이 바로 정량평가 요소이다. 반면, 정성평가는 주관적인 평가가 이루어지는 요소로 리트 논술, 서류심사(자기소개서), 면접이 있다.

로스쿨 입학전형은 1차 전형과 2차 전형으로 구성되어 있다. 일반적으로 1차 전형은 언어이해, 추리논증, 외국어성적, 학부성적이라는 정량평가 요소가 중심이고 여기에 서류심사(자기소개서)를 평가한다. 2차 전형은 논술, 면접을 평가한다. 1차 전형요소를 환산식에 따라 계산하여 점수화한 후 입학정원의 2~5배수를 1차 전형 합격자로 하고, 이들을 대상으로 로스쿨 면접을 시행한다. 1차 전형요소와 2차 전형요소를 최종 합산한 종합평가 결과로 최종합격자가 결정된다.

시간별로 정리하면 다음과 같다. 7월에 리트 시험을 응시한 후, 9월에 로스쿨 (가)군과 (나)군에 지원을 결정하게 되는데 이때 자기소개서를 제출하게 된다. 이후 10월에 1차 합격자를 발표하고, 11월에 1차 합격자를 대상으로 하여 로스쿨 면접을 치르게 된다. 최초 합격자 발표는 12월이고, 이후 2월 말까지 추가합격이 이어지게 된다.

1차 전형은 서류심사(자기소개서)를 제외하고, 언어이해, 추리논증, 외국어성적, 학부성적으로 되어 있어 객관적으로 확인 가능한 점수가 부여되는 과목들로 이루어져 있다는 특징이 있다. 최근에는 학원에서 모의지원을 할 수 있도록 하고 있는데 이것이 가능한 이유가 바로 수험생의 지원 상황이 객관적으로 점수화되기 때문이다. 예를 들어, 특정 수험생이 언어이해 00점, 추리논증 00점, 토익성적 000점, 학부성적 00%라는 자신의 객관적 점수를 학원 홈페이지에서 모의지원하면 지원한 로스쿨의 환산식에 따라 자동적으로 종합점수가 나오게 되고, 해당 로스쿨에 지원한 다른 수험생들의 종합점수와 비교해 수험생의 등수가 산출된다.

2025학년도 로스쿨 입시에서는 제주대 로스쿨을 제외한 모든 로스쿨이 자기소개서를 1차 전형에 반영하고 있다. 자기소개서가 2차 전형에서 1차 전형으로 이동한 이유는 지원자 수가 많아지면서 리트 점수 차이가 줄어들 것이라 예상했기 때문으로 보인다. 이 점에서 2025학년도 입시는 리트 언어이해, 추리논증 표준점수가 어느 학교를 지원할 것인지 그 선을 결정할 것이라 보인다. 이에 대해서는 Chapter 02의 2025 법학전문대학원 전형요소 기본계획을 확인하기 바란다.

반면, 2차 전형은 주관적 평가요소라는 특징이 있다. 논술, 자기소개서, 면접은 정량평가와 달리 객관적 점수화되지 않는다. 정량평가는 전문가가 대면하지 않고 객관식 시험으로 대체되는 반면, 정성평가는 전문가가 직접 수험생을 대면하여 평가한다. 예를 들어, 영어 구사능력을 평가한다고 하자. 토익 시험은 영어 구사능력을 측정하기보다는 기초적 능력을 측정한다. 토익 900점과 990점 간의 능력 차이는 크지 않겠지만, 600점과 900점의 차이는 현격할 것이다. 이렇게 먼저 토익 시험 점수로 기초적 능력을 평가하는 것이 정량평가이다. 이후에 영어 전문가 혹은 원어민이 직접 대화해서 의사소통 능력이 있는지 평가하는 것이 정성평가이다.

이 교재를 공부하게 되는 시점에서는, 정량평가 중에서 외국어성적을 제외한 모든 요소가 이미 결정되어 있고, 정성평가 요소 중에서 리트 논술은 결정된 상태이다. 결국 POST-LEET를 준비하는 수험생이 자신의 최종합격을 위해 주력해야 할 부분은 3가지 요소만 남은 것이다. ① 외국어성적, ② 자기소개서, ③ 로스쿨 면접이 바로 그것이다. 특히 중요하게 생각하고 기억해야 할 3가지가 있다.

(1) 영어성적에 너무 많은 시간을 써서는 안 된다.

외국어성적은 여타 수험생에 비해 자신의 점수가 특별히 모자라지 않는 한, 시간을 많이 들여서는 안 된다. 대부분의 수험생들이 토익을 준비하기 때문에 토익으로 설명해 보자. 토익에 올인하기 전에 자신이 지원하고자 하는 로스쿨의 입시요강을 반드시 살펴야 한다. 자세한 입시요강이 나오지 않았다면 전년도 입시요강을 참고해도 좋다. 몇 년 전부터 로스쿨 입시요강에서 환산식이 제공되고 있다. 이 환산식은 토익점수를 로스쿨 입시전형 점수로 환산하는 공식이다. 토익은 990점 만점인 것에 반해 로스쿨 입시전형은 학교별로 차이가 있으나 100점 만점으로 되어 있어 환산식이 필요하다.

로스쿨 입시 전체를 100점 만점으로 볼 때, 영어성적의 반영 비중은 10~15점 정도에 불과하고, 특정 점수만 넘으면 되는 P/F 기준 로스쿨도 많다. 최근 2~3년간의 로스쿨 입시 경향성을 보면, 많은 로스쿨에서 영어점수의 중요성이 낮아지고 있다. 물론 로스쿨 역시 비슷한 점수대의 학교들끼리 경쟁 구도가 형성되기 때문에 영어점수 반영률을 오히려 높이는 학교들도 간혹 있을 것이다. 그러나 영어점수 반영률이 낮아지고 있는 추세인 것은 분명하다.

P/F로 측정하는 로스쿨이 대거 늘어나 영어성적의 중요성은 더 낮아졌다. 2024학년도에 어학성적을 P/F로 반영하는 로스쿨은 10개 학교였는데, 2025학년도에는 16개 학교로 대거 늘어났다.

P/F로 측정하는 로스쿨의 16개 학교는, 강원대, 건국대, 경북대, 경희대, 고려대, 부산대, 서강대, 서울대, 성균관대, 연세대, 전남대, 전북대, 제주대, 충북대, 한국외대, 한양대이다.

이처럼 25개 로스쿨 중 16개 로스쿨이 영어성적을 최소한의 기준으로만 보고 있다. P/F인 로스쿨의 경우에 그래도 영어성적을 중요하게 보지 않느냐는 수험생들의 질문을 많이 받는다. 단언컨대 P/F는 그냥 말 그대로 P/F이기 때문에 걱정할 필요가 없다. 로스쿨 입시전형은 교육부의 관심과 감시 대상이고 특히 영어성적은 정량요소이기 때문이다. 더 중요한 점은 영어가 로스쿨에서 가장 중요하게 생각하는 요소와 관련이 없기 때문이다. 바로 변호사시험 합격 연관성이다. 변호사시험과 영어성적은 아무 관련이 없기 때문에 P/F의 기준은 그대로 적용된다는 점을 알아두기를 바란다. 혹시나 하는 마음으로 로스쿨 합격에 도움이 되지 않는 시간 낭비를 해서는 안 된다.

어학성적을 반영하는 9개 로스쿨도 영어성적이 로스쿨 합격에 미치는 영향력은 10~15%에 불과하다. 토익성적은 990점 만점이고, 지원자가 2달 동안 토익 공부를 해서 토익 점수가 100점이나 상승하더라도 로스쿨 합격에 미치는 영향력은 1% 미만에 지나지 않는다. 따라서 영어성적은 로스쿨 합격에 결정적인 요소라고 할 수는 없다.

(2) 자기소개서는 지원자의 의지를 보여줄 수 있는 유일한 요소이다.

로스쿨 교수님들의 최대 관심사는 변호사시험 합격률과 취업률이다. 상위권 로스쿨의 경우 로클럭과 검사, 대형 로펌 취업자의 수가 이에 추가될 것이다. 로스쿨 입시를 준비하는 사람들은 학부에서 우수함을 인정받은 수험생들이 대부분이고 그에 더해 LEET라는 적성시험으로 한 번 더 능력을 평가한 상태이다. 로스쿨 교수님은 능력이 있는 자들 사이의 경쟁에서 살아남을 수 있는 의지를 가진 수험생을 선발하고자 한다. 게다가 변호사시험과 변호사가 된 이후의 삶을 생각할 때, 단거리 스프린터보다 장거리 마라토너가 필요하다. 더 정확하게 말하자면 단거리 스프린터의 속도로 장거리 마라톤을 소화할 수 있는 학생이라 하는 것이 맞겠다. 이런 말도 안 되는 요구사항을 만족시킬 수 있는 사람은 강한 목표의식과 의지력이 있는 사람일 수밖에 없다. 자기소개서는 강한 목표의식과 의지력을 자신의 삶이라는 증거를 제시하여 타인에게 이를 구체적으로 증명할 수 있어야 한다.

결국 자기소개서에서 목표로 해야 할 것은 다음과 같다. 구체적인 작성방법은 3권에서 구체적으로 설명할 것이다. 여기에서 주의할 것이 있다. 아래 사항들에서 수도권과 지방대 로스쿨은 1-2-3의 우선순위가 강조되어야 하지만, 상위권 로스쿨은 3-2-1의 우선순위가 강조되어야 한다. 예를 들어, 서울대 로스쿨은 변호사시험 통과에 관심이 없다. 그보다는 법조인으로서 어떤 미래를 그리고 있는지, 이를 위한 노력을 구체적으로 어떻게 해왔는지, 그 꿈이 사회적으로 가치가 있는 것인지를 더 중요하게 여긴다.

① 변호사시험에 통과할 수 있다.

② 로클럭, 검사, 대형로펌 등 선호하는 곳에 취업할 수 있거나, 전문 분야에서 법조인으로 일할 수 있다.

③ 미래에 학교의 이름을 빛낼 명확한 법조인상이 있고, 이를 위한 구체적인 계획이 있다.

(3) 면접은 압도적으로 공부해서 압도적인 평가를 받을 수 있는 시험이다.

로스쿨 면접은 단순 암기로 해결할 수 없다. LEET에서 경험했을 것이지만 로스쿨 입시 전체가 암기와는 거리가 멀다. 필자는 17년 동안 16권의 면접 교재를 써왔지만 이 교재를 암기하지 못한다.

가끔 암기력이 매우 뛰어난 수험생이 있기는 하나, 이 교재를 전부 암기했다고 하여 면접에서 좋은 평가를 받을 수는 없다. 그 이유는 매우 간단하다. 지원자가 암기하고 있는 논리를 개발해 낸 로스쿨 교수가 지원자의 암기된 말하기를 듣고 추가질문을 하기 때문이다.

이 간단한 이유를 유념하고, 외우기보다 이해하고 숙지하고 체득하여야 한다. 수험생의 과거를 떠올려보자. 대학입시에서 수학 고득점을 하기 위해서 문제집의 문제풀이를 달달 외웠는가? 몇십 권의 수학 문제집 문제풀이를 외운다고 수능 수학문제를 풀 수 있을까? 공부에는 왕도가 없다. 남은 인생을 공부로 살아갈 사람이 요행을 기대하고 몇 달만 암기하느라 고생하면 된다는 식으로 접근해서는 안 된다. 물론 암기는 필요하다. 그러나 공부와 이해가 전제되지 않은 암기는 바닥이 금방 드러난다. 암기는 언제나 수단이지 그 자체가 목적이 될 수 없다.

면접에서 압도적인 평가를 받기 위해서는 깊이 있는 학습과 꾸준한 연습이 필요하다. 이를 위해 이 교재에 다양한 논문자료와 판례 원문을 QR코드 형태로 실어두었다. 교재를 집필하면서 여러 참고자료를 공부할 수밖에 없는데 그중에서 수험생들이 읽으면 도움이 될 논문과 판례 원문을 엄선해서 실어두었다. 관심이 가는 주제들에 대해서는 읽어보면 좋을 것이다. 또한 깊이 있는 학습은 언제나 드러나는 법이다. 학계의 논의를 정확한 용어와 최신논리로 말하는 수험생을 싫어할 채점교수는 없다.

2. 로스쿨 입시일정과 시기별 준비사항

(1) 2025학년도 로스쿨 입학전형 주요일정

일정	내용
07/21(일)	LEET 시험
08/20(화)	LEET 성적 발표
09/23(월)~09/27(금)	원서 접수
09/23(월)~10/04(금)	서류 제출(로스쿨별로 제출기한이 다르니 반드시 확인할 것)
미정	1차 합격자 발표
10/28(월)~11/10(일)	(가)군 면접, 대부분의 학교는 11/09(토)에 시행 가능성 높음
11/11(월)~11/24(일)	(나)군 면접, 대부분의 학교는 11/16(토)에 시행 가능성 높음
11/25(월)~12/06(금)	최초 합격자 발표
01/02(목)~01/03(금)	최초 합격자 등록
01/06(월)~01/08(수)	1차 추가합격자 발표
01/09(목)~01/10(금)	1차 추가합격자 등록

(2) LEET 시험(07/21)~LEET 성적 발표(08/20)

① 해커스로스쿨 홈페이지의 모의지원 예측서비스 등을 통해 지원 가능한 로스쿨의 선을 확인하고 지원 가능한 학교를 (가)군과 (나)군에서 각각 2~3개 정도 생각해 둔다.

② 면접과 관련한 이론 학습을 충실히 하고, 스터디를 구성해 말하기를 위한 기초 학습량을 충분히 확보한다. 대학 재학생인 경우 특히 이 기간에 이론학습을 많이 해두어야 한다. 해당연도 로스쿨 합격에 4학년 2학기 학부성적은 들어가지 않는다. 다만, 올해 로스쿨 입시에 실패할 경우 내년도 입시에 영향을 미치게 된다. 학부성적은 상승시키기는 극단적으로 어려우나 하락은 매우 쉽다. 방학 기간에 면접 준비에 매진하지 않으면, 학기 중에 학부 성적을 신경 쓰면서 자기소개서와 면접까지 여러 전형요소를 동시에 준비하는 어려움에 직면하게 된다.

③ 자기소개서의 방향을 결정하고 전체적인 구조, 개요를 잡는다. 이때 자신이 미래에 어떤 법조인으로서 기억되고자 하는지를 생각하면 좋다. 더 구체적으로는 50대에 법조인으로서 어떤 직위에 올라 있어야 자신의 꿈을 실현할 수 있을지 생각해 본다.

자기소개서에 사용, 첨부 가능한 모든 증빙서류를 미리 2~3부씩 준비한다. 성적이 발표된 이후에는 지원학교 결정과 자기소개서에 집중해야 한다. 증빙서류 발급에 시간이 소요되거나 문제가 발생하는 경우가 많으니 촉박하게 준비하지 말고 여유롭게 준비해야 한다. 해외대학을 졸업한 학생들의 경우 증빙서류 발급이 까다롭고 시간이 오래 소요되는 경우가 많으니 더 여유 있게 준비할 필요가 있다.

④ 영어성적의 경우, 자신이 지원할 로스쿨의 영어성적 반영 비중과 환산식을 고려하여 더 준비해야 할 것인지 판단해야 한다. 수험효율이 낮다면 과감하게 포기하고 면접·자소서 준비를 해야 하고, 영어성적이 더 필요하다면 준비해야 한다. 최근의 로스쿨 입시 경향을 볼 때 많은 로스쿨에서 영어성적의 실질 반영 비중이 작아졌다. 지원할 로스쿨의 입시요강을 미리 살펴 영어성적 반영률이 높지 않다면 영어성적 획득에 시간을 낭비하지 않는 수험효율적 공부계획을 세워야 한다.

영어성적 반영률을 확인하는 좋은 방법은 지원할 로스쿨의 입시요강에서 영어성적 환산식을 찾아 영어 성적 반영률을 직접 적용하는 것이다. 예를 들어, 지원자의 현재 토익점수가 900점이라 하자. A로스쿨에 지원할 계획이라면 해당 학교의 환산식을 찾아 엑셀에 함수로 만들어 둔다. 이때 자신이 토익을 공부했을 때 향상 가능성이 있는 목표 점수를 950점으로 설정했다고 하자. 토익점수가 900점일 때의 환산점수와 950점일 때의 환산점수를 각각 계산한다. 만약 이 점수 차가 로스쿨 입시 전형 전체를 100점으로 환산했을 때 0.5점 차이라고 하자. 실제로 토익점수 50점이 0.5~1점 정도 차이인 경우도 많다. 그러나 해당 학교의 자기소개서와 면접의 반영 비중은 20~30점이라면 영어성적을 올리는 노력 대신 자기소개서와 면접에 집중하는 것이 최종합격 가능성을 높이는 길이 된다.

(3) LEET 성적 발표(08/20)~원서 접수(09/27)

① LEET 성적이 발표되면 지원할 학교를 정한다. (가)군과 (나)군 모두 정하기 어렵다면, 이 중에서 단 하나만 지원학교를 결정하는 것도 좋다. 이때 수험생이 반드시 지원하고자 하는 학교를 결정해야 하는데, 안정권보다는 상향 지원 학교를 정하는 것을 추천한다. 대부분의 수험생들이 학원 홈페이지 모의지원 등을 통해 안정권 지원학교를 정하는 경우가 많은데, 고득점자들의 하향 지원이 시작되면 모든 것이 바뀌기 때문이다. 더 큰 문제는 자소서를 쓰거나 면접을 준비하는 등 합격에 생산적인 일을 하기보다 하루 종일 모의지원 등수만 바라보게 되는 것이다.

필자는 17년째 로스쿨 입시를 전담했는데 매년 수험생들에게 도전할 지원학교를 정하고 그에 상응하는 노력을 하라고 말한다. 실제로 8월 초에 0.2배수 안정권 지원학교를 결정했다며 얼굴이 밝았던 수험생들이 리트 점수가 공개되는 8월 말에 1.2배수가 되었다며 낙담하고 실제로 지원을 앞둔 9월에는 5배수가 넘어 다른 학교에 지원해야 한다며 울상이 되는 경우가 많았다. 2달 만에 지원학교가 수직낙하하면서 일희일비하는 것보다는 도전할 만한 지원학교를 결정하고 반드시 합격하겠다는 각오로 공부를 해야 한다. 노력한 결과로 상향 지원한 학교에 합격하면 가장 좋고, 만약 그렇지 못하더라도 안정 지원한 학교에서 합격할 가능성이 대단히 높아진다는 장점이 있는 방법이다.

이 학교만큼은 반드시 도전하겠다, 혹은 이 학교에서 더 눈을 낮출 수 없다는 정도의 각오가 있는 학교를 결정하자. 그리고 이에 맞게 자소서를 열심히 쓰고, 면접을 준비한다. 그리고 마음 편하게 로스쿨 지원 기간이 끝날 때쯤 다른 지원자들이 거의 대부분 지원을 결정하고 난 이후에 자신의 상황에 가장 잘 맞는 안정권 학교를 결정하면 될 것이다.

② 면접은 꾸준히 공부해야 한다. 스터디 등을 활용하면 공부시간을 강제할 수 있어 좋을 것이다. 스터디 활용법은 뒤에 구체적으로 제시한다.

③ 반드시 지원할 로스쿨 한 학교 자기소개서에 집중한다. 하나의 자소서를 계속 다듬어 더 이상 손댈 수 없을 정도의 자소서를 만들어야 한다. 자신이 할 수 있는 최대의 노력을 다한 자소서를 만든 후에, 그 형식만 바꿔 한 학교에 더 지원한다는 생각으로 해야 한다. 예를 들어, (가)군 A로스쿨에 도전할 생각이라면 A로스쿨 자소서에 2배의 노력을 기울인다는 생각으로 자소서를 완성한다. 이후에 모의지원 등을 통해 안정권인 B로스쿨을 결정하고 완성된 A로스쿨 자소서 내용을 바탕으로 B로스쿨 양식에 맞춰 전환하면 될 것이다.

(4) 원서 접수(09/23)~서류 제출기한(10/04)

① 원서 접수기간 중에 지원 로스쿨의 경쟁률에 민감하게 반응하는 경우가 많은데 경쟁률은 큰 의미가 없다. 멘탈을 관리해야 한다. 경쟁자가 많고 적음을 떠나 어차피 합격하려면 그만큼 공부하고 노력해야 한다는 것을 잊지 말자.

② 떠도는 정보들을 맹신하지 말자. 확인되지도 않은 정보를 믿고 지원했다가 불나방이 될 수 있다. 결국 현재의 내가 확인되지 않은 정보를 듣고 귀가 팔랑거려 선택하면, 책임은 미래의 내가 지게 된다. 공동입학설명회에서 들은 카더라 통신이나 개인적으로 알고 있는 교수님, 합격자의 말 한마디에 미래를 결정하게 된다면, 책임은 자신이 지게 된다. 정보는 정보일 뿐, 그 정보 자체가 자신의 합격을 결정하는 것은 아니다. 신중하게 정보를 해석하여야 한다. 예를 들어, A로스쿨이 법학 전공자를 우대한다는 소문이 돈다고 하자. 실제로 이런 경우에 법학 전공자들이 A로스쿨로 대거 몰려들어 지원을 하기 때문에 오히려 B로스쿨에 지원한 법학 전공자가 더 좋은 결과가 나오는 경우도 있다.

③ 공동입학설명회에서 상담한 교수님, 대학 직원의 말에 큰 의미를 두지 말자. 필자는 17년간 로스쿨 입시를 전담했는데, 안타까운 사연들이 많았다. 가장 안타까운 사례는 다음과 같다. 공동입학설명회에서 상담한 교수님이 자신을 너무 마음에 들어 하면서 "자네는 지원만 하면 무조건 합격할 것"이라고 말했다는 학생이 있었다. 필자가 확인해 보니 그 교수님이 공동입학설명회에서 상담한 거의 대부분의 수험생에게 그런 식으로 말했던 것이었다. 그러나 그 학생은 그 학교의 입학전형 요소가 자신에게 불리한데도 불구하고 그 교수님의 말만 믿고 지원했고 1차 전형에서 탈락했다. 상담한 교수님이 1차 불합격의 책임을 지지 않는다. 모든 선택의 책임은 수험생 자신에게 있다는 점을 유념해야 한다.

④ 서류 제출기한이 로스쿨마다 다르기 때문에 반드시 미리 확인해 두어야 한다. (가)군과 (나)군 두 학교를 지원하다 보니 기한을 착각해서 서류 제출을 하지 못할 뻔한 지원자도 있었다. 원서 접수를 할 때 미리 시간적 여유를 두고 해야 한다. 원서 접수할 때 기재할 정보가 생각보다 많고, 결제 오류가 나거나 하는 등으로 문제가 발생할 수 있다.

⑤ 지원한 로스쿨에 서류를 제출할 때 지원학교에 직접 방문하여 제출하는 것을 추천한다. 각 로스쿨마다 서류를 처리하는 방식이 달라 A학교에서 통용된 방식이 B학교에서는 접수 불가능한 경우가 많다. 심지어 모든 지원자들의 문의전화가 빗발쳐서 전화 통화도 안 되는 경우가 부지기수다. 미리 준비해서 직접 방문하고 문제가 있다면 그 자리에서 직접 해결해야 한다. 재수생과 같이 이미 서류를 제출해 본 경험이 있다거나 불가피한 사정이 있는 경우에는 우편 접수를 이용해도 된다.

(5) 서류 제출기한(10/04)~(가)군 면접(11/10)

① 면접 준비에 모든 힘을 기울여야 한다. 1차 합격을 불안해하는 경우도 많은데, 이것을 불안해한다는 것 자체가 최종합격을 위해 극복과 역전이 필요하다는 의미가 된다. 1차 합격 4배수가 불안하다면 최종합격을 위해 3배수의 지원자를 극복해야 한다는 것이다. 나는 이미 1차 합격을 했다는 마음가짐으로 면접 준비에 모든 힘을 기울여야 한다. 공부 스트레스, 합격 스트레스는 공부와 합격이라는 결과로만 해소 가능하다. 원인이 아닌 것에 멘탈을 낭비하지 말자.

② 면접시험장과 관련한 정보를 확인해 둔다. 지원한 학교 관련 오픈카톡방 등을 통해 정보를 얻는 것도 좋다. 그러나 너무 이를 맹신하지는 않아야 한다.

③ 정장 등의 복장을 준비하고 연습할 때 미리 입어보는 것도 좋다. 아무래도 불편한 장소에서 불편한 복장으로 불편한 면접관을 만나는 것이니 꾸준히 연습해서 몸에 새겨두어야 한다.

(6) 면접 이후

① 법학 선행학습을 한다. 헌법, 민법, 형법 기본 3법에 대한 1회독을 목표로 한다. 이 중에서도 으뜸은 민법이다. 민법총론, 채권총론 등에 집중하여 눈에 익혀야 한다. 좋지 않은 표현이지만, 법 과목은 최대한 눈에 많이 바른 수험생이 이긴다. 1회독은 이해하는 것이 아니라 생소하지 않도록 눈에 바르는 것이다.

② 내년도 로스쿨 입시를 생각하는 경우를 가정할 때, 법학 정성이 없는 학생의 경우 이와 관련한 활동을 시작한다. 그림자배심이나 국민참여재판, NGO 활동, 노무사 1차 시험, 법원 참여프로그램 등이 대표적이다. 학생이라면 법학 수업을 들어두는 것도 좋은 방법이다. 단, 학점을 잘 받아야 하므로 신중하게 결정해야 한다.

③ 법학 정성을 갖추고 있으나 내년 입시를 생각하는 학생이라면, 자소서를 작성하면서 생각해 본 법조인상에 관련한 활동을 추천한다. 예를 들어, 소년범죄 관련 법조인을 미래의 법조인상으로 생각하고 있다면 청소년 관련 봉사활동을 하는 것이 좋을 것이다.

Chapter 04 | 교재 사용설명서와 스터디 활용법

1. 스터디 구성과 운영방법

로스쿨 면접에서 수험효율이 가장 좋은 방법은 스터디를 하는 것이다. 그러나 혼자 공부하는 시간이 중심이 되지 않는다면 스터디도 아무 의미가 없다.

면접 스터디를 구성할 때, 지원하는 로스쿨에 따라 구성하기도 하고 다양한 학과 학생들로 구성하기도 한다. 필자가 판단하기에 면접 스터디를 구성하는 가장 좋은 방법은, 공부할 의지가 투철하고 의지를 실제로 실행하는 구성원이 모이는 것이다. 나머지 사항들은 이에 비하면 다 부차적인 것들이다. 공부를 잘하는 사람보다 공부를 열심히 하는 사람을 찾기가 더 어렵다. 이러한 사람들끼리 스터디가 구성되면 감정적으로 티격태격할 수는 있으나, 서로 열심히 하려다가 보니 갈등이 생긴 것이라 스터디가 깨지지도 않고 결국 사이가 좋아진다. 그러나 공부를 열심히 하지 않는 사람이 하나라도 스터디에 끼어들면 공부를 열심히 한 구성원들이 "나만 바보같이 열심히 하는구나"라고 생각하게 되고 스터디 전체가 하향평준화된다.

이 문제점을 예방하기 위해 뒤에서 설명할, 스터디 규칙을 엄격하게 정하고 예외 없이 실행하는 방법을 추천한다. 필자는 학원에서 소수 정원제 강사지도 면접스터디 강의를 16년째 진행 중이다. 해마다 가장 좋은 성적을 내는 스터디는, 여러 스터디 중에서도 구체적이고 엄격한 규칙을 예외 없이 실행하는 스터디였다.

면접 스터디는, ① 개인의 공부량을 극대화할 수 있도록 하고, ② 스터디에서는 다양한 시각의 논증과 말하기를 연습해야 한다. 스터디는 다수의 수험생이 모이게 되는데, 스터디가 깨지는 결정적인 이유는 혼자 할 수 있는 것을 모여서 하기 때문이다. 혼자 할 수 있는 것, 혼자 해야 하는 것을 굳이 여러 명이 모여서 시간을 낭비할 필요는 없다. 이를 예방하기 위해 원칙과 계획, 규칙을 세워야 한다. 아래 내용은 필자가 학원 현강에서 진행하는 강사지도 면접스터디 운영방법과 이 교재, 강의 활용방법이다. 이를 참고하여 활용하기 바란다.

(1) 강사지도 면접스터디의 운영원칙

① 학생은 공부와 숙제를 하고, 스터디에서 자신의 생각을 말하고 타인을 설득하는 말하기를 연습하며, 선생은 평가하고 개선방법을 제시한다는 것이 원칙이다.

② 각 주제에 대한 배경지식과 기본논리는 법학적 사고력 기본강의에서 전달하며, 강사지도 면접스터디에서는 이 지식과 논리를 이미 알고 있다는 전제하에서 수업을 진행한다.

③ 강사지도 면접스터디에서는 선생이 주제를 선정하고 이 주제에 대한 수강생들의 토론을 거쳐 개인 발표를 하는 것이 수업의 기본운영방법이다. 이 개인발표는 메모 없이 진행되며, 수강생들 중 무작위로 선정하며, 수강생들 전체 앞에서 공개발표한다. 이 개인발표는 강사의 스마트폰으로 촬영하여 이 동영상을 수강생이 전체 참여하는 단체 카톡방으로 공유한다.

④ 수업시간에는 강사가 계속 말하기를 강제하고 비교하고 촬영하고 평가하고 개선방법을 피드백한다. 배경지식과 관련 논리에 대한 학습은 순수하게 개인의 몫이고, 이 지식과 논리를 말하는 연습은 스터디 토론 과정에서 미리 연습해야 한다. 강사지도 면접스터디 수업은 1주일에 6시간뿐이기에 이 시간을 수험효율적으로 사용해야 한다.

(2) 인원 구성

적정 스터디 인원은 5~6명이다. 각 스터디 조는 5~6명이 한 조로 구성되어, 면접준비 기간 동안 숙제와 스터디를 함께 한다.

(3) 강사지도 면접스터디 숙제

① 숙제는 김종수의 <로스쿨 면접 200주제> 교재를 대상으로 한다. 숙제는 구체적으로 교재의 1/2 분량에 해당하는 100개 주제에 대한 찬반 대본을 직접 작성하는 것이다.

② 대본(스크립트)이라 함은 실제 면접 시험에서 그 문제가 출제되었을 때 어떻게 답변할 것인지 미리 논리적인 글로 작성하는 것을 의미한다.

③ 숙제는 강사가 제시하는 정해진 양식에 맞추어 진행한다. 실제 면접 시험장에 가지고 갈 자료를 직접 만드는 것인데, 스터디 조원들이 숙제를 나누어 진행하기 때문에 형태가 안 맞아 내용을 보기 어려울 가능성이 크기 때문이다.

④ 4주간 100개 주제를 모두 스스로 찬반 대본을 작성해야 하기 때문에 각 스터디 조당 배분되는 1주일 숙제 분량은 25개 주제이다.

⑤ 첫 숙제와 스터디는 단 1개의 주제라도 빨리 숙제를 진행하고 스터디를 해봐야 한다. 경험을 해봐야 어느 정도 시간이 소요되는지 스터디를 어떻게 할 것인지를 결정할 수 있다.

(4) 스터디 조별 숙제 진행방법

① 스터디 조별로 1주당 25개 주제를 찬반 입장 모두 대본을 작성하려면, 스터디 구성원 6명을 기준으로 하여 한 명이 4개 주제의 대본을 작성한다.

> **Comment** 주제 중에 찬반이 나누어지지 않는 주제는, 핵심내용을 다른 스터디원이 이해하기 쉽도록 주어진 양식의 표 안에 정리하자.

② 모든 스터디 조원은 매일 1개 주제(스터디별로 미리 약속한 숙제 개수)에 대한 대본을 정해진 시간까지 스터디 카톡방이나 구글독스, 인터넷 카페에 업로드한다.

③ 스터디 조원들은 자신이 한 숙제를 제외한 다른 스터디원이 작성한 숙제자료를 다운 받아서 자신 외의 다른 스터디원이 작성한 숙제 대본 모두를 읽고 이해가 안 되는 부분이나 논리가 부족하다고 생각하는 부분을 모두 체크한다. 만약 스터디원이 6명이고 하루에 1개의 주제를 숙제로 정했다면, 하루에 업로드되는 숙제의 분량은 6개가 된다. 스터디원 한 명이 담당하는 숙제는 1개 주제이지만, 읽고 논리적으로 문제가 되는 부분을 찾아야 되는 숙제가 5개 주제가 된다. 그래서 결국 하루에 할당되는 6개의 모든 주제를 직접 공부한 것이 되는 셈이다.

④ 오른쪽 페이지의 표는 전년도 강사지도 면접스터디에서 진행한 강의, 숙제, 토론 스케줄이다. 참고하기 바란다. 특히 표에서 음영 처리가 된 부분은 혼자 공부해야 하는 시간이다. 스스로 공부하는 시간이 부족하면 스터디에서 논리적으로 토론이 진행될 수 없으므로 개인 공부시간 확보가 중요하다.

구분	월	화	수	목	금	토
새벽	숙제 업로드 기한: 오전 2시까지(월~토 매일 1개 주제)					
오전	타인주제 5개 검토	타인주제 5개 검토	타인주제 5개 검토	타인주제 5개 검토	법학적 사고력강의	법학적 사고력강의
오후	면접스터디 소수반강의	스터디 토론	면접스터디 소수반강의	스터디 토론	스터디 토론	스터디 토론
저녁	스터디 토론	자기주제 1개 숙제	자기주제 1개 숙제	자기주제 1개 숙제	자기주제 1개 숙제	자기주제 1개 숙제

⑤ 모든 스터디 조원이 만나는 시간, 즉 스터디 토론 시간에 위 체크된 부분에 대한 논의를 진행한다. 그래야 짧은 시간에 큰 효과를 볼 수 있다. 문제 있는 부분을 모두 고친 후에 스터디 조장이 이를 취합한다. 스터디를 할 때 노트북을 지참해서 그 자리에서 직접 고치는 것도 좋다.

Comment 자신이 실제 면접장에서 평가교수라 생각하고 다른 학생의 대본에서 논리상 문제가 있어 감점한다면 어느 부분에 논리적인 문제가 있다고 생각하는지 파악해야 한다. 자신이 읽었을 때 이해가 가지 않는 부분이 바로 감점 포인트가 된다. 이 문제점을 지적하는 스터디원은 논리적으로 이해가 가지 않는 부분을 설명할 수 있으면 충분하다. 그리고 대본 작성을 담당한 스터디원이 다른 스터디원에게 이를 구체적으로 설명하여 설득해야 하고 이 내용을 대본에 추가하는 것까지 해야만 숙제가 끝난 것이다.

⑥ 스터디원은 두 가지 의무가 있다. ㉠ 개인별로 할당된 주제에 대한 대본을 성실하게 작성할 의무, ㉡ 다른 스터디원이 한 숙제를 성실하게 검토하여 문제점을 지적할 의무를 행해야 한다.

⑦ 개인별로 할당된 주제에 대한 대본을 작성할 때, 교재에 있는 표를 참고하되 그보다는 더 상세하게 논증해야 한다. 어느 정도로 논증해야 할 것인지는 함께 배부된 자료를 참고한다. 기본적으로는 부여된 숙제 양식 표를 가득 채울 정도의 분량으로 해야 한다.

⑧ 스터디 조장은 모든 스터디 구성원들의 스터디를 통해 교정이 완료된 1주당 25개 주제 파일을 1개의 파일로 만든다. 조원들은 이 파일을 유지하도록 한다.

⑨ 개인 숙제와 스터디 검토를 마친 자료를 1회독 자료라 한다. 이 1회독 자료를 재검토하고 수정하고 체득하는 과정을 지속적으로 반복하여 3회독 자료로 만드는 것이 최종목표가 된다. 면접 시험이 있는 11월 2주 차까지 3회독하여 면접관이 무엇을 물어보더라도 입에서 말이 나올 때까지 이해하고 공부하고 연습해야 한다.

⑩ 1회독 자료 완성은 면접 교재에 있는 모든 주제에 대한 개인 숙제와 스터디까지 완료하는 것을 의미한다. 1회독 자료 완성은 기본과정과 심화과정의 종료시점으로 한다. 2회독은 심화과정 종료시점부터 파이널 과정 종료까지 완료한다. 3회독 자료는 (가)군 면접 시험 전까지, 그 이후에 4회독을 한다.

(5) 스터디 조장의 역할과 스터디 규칙

① 스터디 조장은 숙제를 취합하는 역할을 한다. 숙제 자료를 취합하고, 문제점을 수정한 자료를 단 한 사람이 담당해야 한다. 이것이 여러 사람에게 분리되면 자료가 통일되지 않는다.

② 스터디 조장은 스터디 조원들에게 숙제 배분 규칙을 전달한다. 배분 방법은 교재의 주제 순서와 스터디 조원번호대로 진행하는 것이 좋다. 구체적으로 보자면, 교재의 순서대로 각 주제를 1번부터 100번까지 번호를 부여하고, 스터디 조원들에게도 번호를 부여한다.

③ 각 스터디는 조장과 총무를 1명씩 선출한다. 조장은 숙제 배분과 자료 정리를 담당한다. 보통 조장의 합격률이 높은 편인데, 그 이유는 숙제 배분과 자료 정리를 담당하다 보니 자료를 조금이라도 더 많이 보게 되기 때문이다.

④ 총무는 디파짓과 벌금 관리를 담당한다. 총무는 통장 하나와 그 통장과 연결된 체크카드를 준비한다. 스터디원들로부터 디파짓을 받아 통장에 입금하고 체크카드로 모든 지출을 한다. 이후 통장정리를 하면 결산서가 된다. 카카오뱅크나 토스 모임통장 등을 사용하면 편리하다.

⑤ 디파짓이 필요한 이유는, 강사의 경험상 디파짓을 받지 않으면 벌금을 내기 싫어서 공부를 그만두는 경우가 있기 때문이다. 그리고 스터디를 하다 보면 함께 식사를 하는 경우도 있고, 스터디 장소를 구해야 하는 경우도 많고, 마지막에는 전체 숙제 대본을 출력하고 바인딩해야 하므로 스터디 공동자금이 필요하다.

⑥ 스터디 규칙과 처벌방법은 반드시 정해야 한다. '모두 다 열심히 하겠거니'라는 식의 안이한 생각은 절대 금물이다. 대학 수업에서 조별 발표 수업을 한 번이라도 해본 대학생이라면 모두 공산주의가 왜 붕괴했는지 경험했을 것이라 생각한다. 스터디 조원 중 한 명이라도 숙제를 정해진 시간에 제출하지 않으면 모두 피해를 본다. 만약 매일 1개의 주제 대본을 업로드하기로 정했다고 하자. 업로드는 언제까지인지, 업로드하지 않으면 어떻게 할 것인지 반드시 정해야 한다. 예를 들어 매일 오후 10시까지 1인당 1개의 주제를 업로드하기로 정했다면, 10시를 넘겨 업로드했을 때 벌금 얼마, 그 이후는 벌금 얼마, 이런 식으로 스터디별로 협의를 거쳐 규칙과 벌금을 정하기 바란다. 앞으로 법조인이 되어 법을 적용하는 사람이 될 것임을 자각하기 바란다.

⑦ 스터디 규칙을 모두 함께 정하고 이를 명문화한 뒤, 카톡방이나 인터넷 카페, 구글 드라이브에 업로드해두어야 한다. 스터디 규칙은 모든 스터디원이 필요할 때 명확하게 언제나 확인 가능해야 한다. 구두로 합의하지 말고 명문화된 형태로 스터디 규칙을 정해야 한다.

⑧ 스터디 규칙에 벌금제도를 반드시 포함시켜야 하고 명문화해야 한다. 1달 안에 많은 분량의 숙제를 심사숙고해서 하는 것이므로 열심히 하겠다는 의지와 노력이 비례할 수 없다. 개인의 선의(善意)를 믿지 말고, 제도적으로 정해진 규칙과 벌금을 믿어야 한다.

⑨ 벌금은 기왕이면 많은 금액을 강하게 적용하도록 한다. 정해진 규칙을 어기지 않으면 벌금은 내지 않는다. 벌금이 너무 높다거나 규칙이 너무 강하다고 주장하는 스터디원이 바로 그 벌금을 낼 가능성이 큰 자이기 때문에, 즉 스터디 숙제를 안 해서 너의 합격을 방해할 자라는 것을 잊지 않아야 한다. 공부를 더 많이 하는 사람이 혜택을 보고, 공부를 열심히 하지 않는 사람이 벌금을 내도록 규칙을 설정해야 한다는 것을 명심하라.

⑩ 일반적으로 숙제 업로드 기한은 오전 2시에서 6시 사이로 잡는 경우가 많다. 스터디 시간이 오후 혹은 저녁인 경우가 많기 때문에, 숙제를 그 전에 업로드해야만 다른 스터디원들이 자료를 검토할 수 있다. 스터디원 각각이 담당한 숙제가 있어야, 스터디원 전체가 모여 논증 과정에 대한 토론을 진행할 수 있다.

숙제 업로드 시간은 오전 2시를 추천한다. 오전 6시로 할 경우, 미루다가 결국 날을 새게 되어 장기간 공부에 타격을 받는 경우가 많다. 바쁜 일이 있는 날이라면 숙제를 미리 해두어야 하는 것이지, 사정을 봐달라고 하소연할 일이 아니다.

⑪ 스터디가 깨지는 가장 큰 이유는 각자가 자신의 의무를 충실하게 이행하지 않기 때문이다. 스터디원들이 모두 모인 시간에는 논증 과정에 대한 토론만 해야 한다. 그런데 미리 검토할 시간이 없으면 모두 모인 소중한 시간에 자료를 읽느라 바빠 토론을 할 수 없다. 개인적으로 할 수 있는 일을 모두 모여서 하는 것은 시간을 낭비하는 것이고, 결국 스터디는 무의미한 것이 된다.

⑫ 벌금은 크게 2가지 의무와 관련된다. 먼저, ㉠ 개인별 숙제에 대한 벌금은, 개인별로 부여된 숙제를 카톡방 혹은 인터넷 카페에 업로드할 때 ⓐ 늦게 업로드했을 때의 벌금, ⓑ 숙제를 업로드하지 않았을 때의 벌금이 있다. ㉡ 모두 모여서 숙제에 대한 검토를 하는 스터디에 관한 벌금은, ⓒ 스터디 모임에 늦었을 때의 벌금, ⓓ 결석했을 때의 벌금이 있다. 불가항력에 해당하는 경우 벌금을 면책한다는 내용을 스터디 규칙에 포함시켜야 한다.

⑬ 숙제를 업로드할 때, 파일명을 규칙화한다. 만약 규칙을 정해서 업로드하지 않으면 이후에 모든 주제를 합쳐야 할 때 시간이 낭비된다. 예를 들어 "주제 번호-담당자.hwp"라는 형태를 추천할 수 있다. "001-김종수.hwp"라는 파일이 있다면 200주제 중 1번 주제 정리자료이고 담당자는 김종수라는 사실을 바로 알 수 있다. 구글 독스 등의 클라우드를 사용하는 것도 좋다.

⑭ 조장은 스터디가 끝나 교정이 완료된 자료를 취합하여 하나의 파일로 만든다. 정리가 완료된 이 파일을 1주일 간격으로 정리하도록 한다. 파일명은 "O주 차 자료.hwp"로 한다. 이 파일 4개를 1달 후에 한꺼번에 출력해서 바인딩해야 한다.

(6) 스터디 조별 자료 활용방법

① 각 스터디 조에서 만든 주제 찬반 입장 자료는 9월 이후에 2회독, 3회독을 하여 보강을 하도록 한다. 이 주제들을 반복 숙달하여야 실제 면접 시험에서 출제되는 응용문제에 접근할 수 있다.

② 이 자료를 최소 3회독하여 계속 수정하여야 한다. 3회독 이하의 자료는 시험장에 들고 갈 자료가 아니라 기본자료에 불과하다.

(7) 스터디 숙제자료의 기준

다음은 강사가 직접 작성한 예시 스크립트이다. 이 정도 분량, 논증 수준을 만족시켜야 한다.

주제번호	201	주제	사법적극주의
쟁점	국민주권 VS 실질적 국민주권		

찬성: [주요쟁점] 사법적극주의 - 실질적 국민주권

① 실질적 국민주권

사법부와 헌법재판소의 적극적 개입은 국민주권 원리를 실질적·내용적으로 실현한다. 헌법은 최고 규범이고, 이에 위반된 법률이 있다면 헌법재판소가 법의 효력을 상실시킴으로써 헌법을 수호해야 하기 때문이다. 따라서 국민이 국가의 주인으로서 진정으로 바라는 바는, 절차상 하자가 없어도 법의 내용이 헌법에 위반되는 하자가 있다면 사법부와 헌법재판소에 의해 통제되어 법치주의 정신이 실현되는 것이다. 입법부와 집행부는 선거제도에 의해 선출되기 때문에 과대대표와 같은 문제를 야기해 민주주의의 실패를 초래할 수 있다. 예를 들어 국회는 동성동본혼인 금지, 호주제에 대해 제도 유지를 강력하게 요구한 유림 등의 눈치를 보아 문제를 해결하지 못했다. 헌법재판소가 적극적으로 나서 이를 위헌으로 선언하여 문제를 해결했다. 국회와 대통령은 선거에 민감하기 때문에 강력한 소수가 반대하는 경우, 헌법상 기본권을 침해하는 입법을 폐지하기 어려운 민주주의 실패가 발생한다. 헌법재판소는 입법부와 행정부의 민주주의 실패를 교정하기 위해 국회입법에 적극 개입해야 한다.

② 사회갈등의 실질적 해소

헌법재판소는 민주주의의 실패를 보완하기 위해 국회입법에 개입해야 한다. 민주주의는 다수의 지배와 함께 소수자 보호를 이념으로 하고 있다. 선거에 의해 선출되는 국회와 대통령은 다수의 지지를 받아 선출되는 기관이므로 선거에 민감할 수밖에 없다. 따라서 국회와 대통령은 다수의 권리와 이익 보호에 중점을 둘 수밖에 없어 소수자들의 권리와 이익이 무시되기 쉽다. 국회와 대통령이 다수 이익에 치중한 나머지 소수자 보호에 실패하면 민주주의의 실패가 발생한다. 그러나 사법부와 헌법재판소는 선거에 의해 선출되지 않으므로, 다수의 선호나 지지와 무관하게 권리 침해 여부를 판단할 수 있다. 예를 들어, 90% 이상의 독일 국민들의 지지를 받은 나치당이 지적 장애인과 유대인 학살을 법으로 제정하였을 때, 사법부가 나설 수 있었다면 예방 가능했을 것이다. 다수자가 주도한 법률이 소수자의 권익을 해할 때, 법률에 대한 심사를 통해 소수자를 보호함으로써 민주주의 실패를 해소해야 한다.

③ 장기적 민주주의 발전/반론·재반론

선거를 통해 의회가 민주적 정당성을 부여받았다고 하더라도 의회가 국민의 권리를 침해하거나 헌법에 위반된 결정을 한 경우 국민의 지지를 받을 수 없으므로 장기적으로 보아 민주적 정당성이 취약해진다. 따라서 헌법재판소가 헌법에 위배된 국회의 입법에 대해 적극 개입하여 민주적 정당성을 장기적으로 보장할 수 있다.

국민 다수의 지지를 받은 의회가 다수결로 법안을 통과시켰기 때문에 이를 사법부가 통제해서는 안 된다는 반론이 제기될 수 있다. 그러나 이는 다수결 원리를 양적으로만 이해한 것에 불과하다. 국민의 자유·권리, 소수자 존립은 다수결로 좌우할 수 없는 사항이므로 다수결로 그 침해가 정당화될 수 없다. 국민의 지지를 받은 국회와 대통령이 국민의 자유와 권리를 침해하는 결정을 한다면 헌법재판소가 이에 개입하는 것은 국민의 자유와 권리 보호라는 측면에서 정당화된다.

주제번호	201	주제	사법적극주의
쟁점	국민주권 VS 실질적 국민주권		

반대: [주요쟁점] 사법소극주의 - 국민주권

① 국민주권 원리 실현

사법부와 헌법재판소의 적극적 개입은 국민주권 원리를 훼손한다. 민주주의는 인민에 의한 지배 또는 인민의 대표자에 의한 지배이다. 대통령과 의회는 국민의 선거에 의해 직접 선출된 국가기관이다. 이들의 적극적 의사결정은 곧 국민의 의사 결정이므로 국민은 인민에 의한 지배를 받는다고 할 수 있어 민주적 정당성이 있다. 그러나 사법부와 헌법재판소는 국민의 선거에 의해 직접 선출되는 기관이 아니기 때문에 입법부와 행정부에 비해 민주적 정당성을 획득하였다고 보기 어렵다. 국민 다수의 지지를 받은 대통령과 의회가 개혁적인 조치를 취하려고 할 때, 보수적인 사법부가 제동을 걸거나 보수적인 헌법재판소 재판관 9인이 동조치를 무력화시킨다면 국민 다수가 원하는 정치·사회·경제적 개혁을 진행시킬 수 없다. 이는 개혁에 대한 국민의 열망을 반영하려는 대통령과 의회의 의사결정을 국민의 일부에 불과한 9인의 재판관이 무산시키는 것이다. 따라서 사법부의 적극적 개입은, 국민이 국가의 주인으로서 정한 국정 운영의 방향을, 민주적 정당성이 부족한 사법부가 자의적으로 왜곡하는 것이므로 국민주권 원리를 침해한다.

② 사회갈등 해소

사법부나 헌법재판소가 적극적으로 국회 입법에 개입한다면 사회정의 실현에 장애를 초래한다. 사회적 강자들은 이미 재산이나 직업에서 우위를 점하고 있으므로 사회적 강자들은 기득권을 누리고 있다. 따라서 국민의 지지를 받아 선출된 입법자가 국민의 의사에 따라 계층 간 형평을 위해 추진한 정책은 상위계층의 법적 권리를 제약하는 측면이 있을 수밖에 없다. 헌법재판소가 상위계층의 법적 권리를 보호하기 위해 의회가 추진하려는 진보적 정책을 위헌 결정한다면, 사회의 분배적 정의를 실현할 수 없고 사회개혁도 이룰 수 없다. 현존하는 사회 갈등을 해소하고자 하는 대다수 국민의 의사가 공적인 형태로 실현될 수 없다면 사회갈등은 심화될 수밖에 없다. 따라서 사법부는 사회계층 간 갈등을 해소하기 위한 입법자의 결정을 존중하는 차원에서 개입을 자제해야 한다.

③ 다원주의 실현/반론·재반론

이익집단들은 사법부의 개입이 확대되면 입법과정에서 의사를 표현하기를 꺼려할 것이다. 이익집단들은 입법과정보다는 음성적이고 비합법적으로 사법과정에 영향을 미쳐 자신들의 이익을 확보하려 하기 때문이다. 따라서 사법부의 적극적 개입은 다양한 이익집단과 국민의 의사가 입법과정에 반영되어야 한다는 다원주의 정신을 실현하기 어려우므로 사법부는 개입을 자제할 필요가 있다.

헌법재판소가 입법에 개입을 자제한다면 입법에 의한 권리 침해를 제거할 수 없다는 반론이 제기될 수 있다. 그러나 국회는 주기적 선거를 통해 국민의 권리를 침해하는 법을 개정하라는 압력을 받을 수밖에 없다. 또한 헌법재판소의 입법에 대한 개입을 금지하자는 주장이 아니고 헌법재판소는 민주적 정당성이 큰 입법부의 견해를 존중해야 한다는 주장일 뿐이다. 따라서 헌법상 권리를 명백히 침해하는 법에 대한 무효화는 허용되므로 법에 의한 권리침해를 제거할 수 있다.

2. 본서와 강의를 스터디에 활용하는 법

(1) <해커스 김종수 로스쿨 면접 200주제> 교재 활용방법

① 1회독 자료에서는, 교재에 제시되어 있는 쟁점과 논거를 바꾸지 말고, 논증에 집중하여야 한다. 자세하게 논증하는 방법을 익히는 것이 1회독 자료의 목표가 된다.

② 2회독 자료를 수정하고 보완할 때에는, 주제의 전체 쟁점과 논리 흐름을 벗어나지 않는 내에서, 스터디 자체적으로 이해가 잘 가는 방식의 논거와 논증을 교재와 다르게 생각해도 좋다. 단, 구체적인 논증이 되지 않는 경우 새로운 논거를 선택하면 안 된다.

③ 3회독 자료는 나에게 특화된 자료를 만든다고 생각하여야 한다. 면접시험장에 갔을 때 말이 잘 나올 것 같지 않은 부분에 대한 자료를 추가하거나, 마지막에 반드시 확인해야 할 부분, 대표적인 사례 등을 찾아 자료에 추가한다.

④ 교재는 기본적으로 큰 틀을 알려준다고 생각하면 좋다. 예를 들어, 고등학교 수학이라고 한다면 수학 교과서에 나온 풀이법이 최고의 문제풀이 방법은 아닌 것과 유사하다. 그러나 공부를 시작하는 입장에서는 교과서에 나와 있는 정석으로서의 풀이방법을 먼저 제대로 이해해야 한다. 이를 이해한 학생이 차후 자기에게 특화된 풀이방법, 응용문제를 스스로 해결하는 능력을 가질 수 있다.

(2) <법학적 사고력> 강의 활용방법

① 강의에서는 교재의 전체적인 논리 흐름, 쟁점, 다른 주제와의 논리적 연관성에 집중하여 수업이 진행된다. 수업을 통해 수험생이 얻어야 할 것은, ㉠ 단시간 내에 쟁점 파악, ㉡ 주제 간 논리의 연계성 파악, ㉢ 200주제 모두를 공부하여 큰 틀에서 문제를 바라보는 능력, 이렇게 크게 3가지가 된다.

② 면접을 준비할 수 있는 기간이 길다. 11월 면접시험까지 12주 이상의 시간이 남아있기 때문에 남은 기간을 최대한 수험효율적으로 사용하면 준비를 하지 않은 수험생과 큰 격차를 만들어 낼 수 있다. 특히 8월은 방학기간이고 다른 수험생들이 덥다고 놀기 딱 좋은 시기이므로 이 기간에 공부를 많이 해두면 큰 격차를 만들어 낼 수 있다.

③ 3달 안에 면접에 출제가능한 모든 주제에 대해, 어떤 주제라도 최소 10분 이상 말할 수 있어야 하고, 논리적인 결함 없이, 해당 분야의 최고 전문가를 설득해야, 비로소 합격이 가능하다. 당연히 수험효율적으로 접근해야 한다. 대학 재학 중이라면 공부시간이 부족하기 때문에 더욱 수험효율적으로 접근해야 한다.

④ <법학적 사고력-김종수 로스쿨 면접 200주제 강의>[1)]는 이 시간을 줄여주는 효과가 있다. 시행착오는 최소한으로 줄여야 한다. 주제별로 쟁점을 잘못 생각한다거나 논리의 전개 방향 자체가 틀릴 경우, 잘못을 깨닫고 수정하고 습관을 고칠 시간을 추가로 요구하게 된다. 이 자체가 낭비일 뿐만 아니라 심지어 이 시간마저 없을 수 있다. 따라서 교재와 강의를 병행하면 수험효율성을 높일 수 있다.

1)

로스쿨 면접

Chapter
05
합격생 정량스펙과 합격수기

많은 수험생들이 리트 성적이 곧 합격 여부를 결정한다고 착각하고 있다. 리트 성적은 로스쿨 합격을 결정짓는 단 하나의 요소가 아니라 여러 요소 중에 하나에 불과하다. 아래 표는 각 로스쿨의 정원과 리트 성적 석차에 대한 것이다. 리트 성적과 석차는 수험생들의 예상보다도 높은 경우가 많다. 그러나 이에 좌절하지 않고 자소서와 면접에서 노력하여 리트 성적이 낮은데도 합격한 수험생도 많다.

구분	정원	리트 등수	2024 리트	2023 리트
서울대	150	100등	151	152
연고성	360	300등	147	145
한이	200	500등	145	141
서울 미니	290	1000등	139	135
인하, 아주	100			
지거국	690	1500등	135	130
지사립	210			
전체 정원	2000	2000등	132	127
		3000등	125	121
		4000등	120	115
		6279등	110	
		8692등	100	
		11435등	90	

1. 합격생의 정량스펙

(1) 2024 합격생의 정량스펙

합격 로스쿨	LEET	학점	GPA	TOEIC	대학/학과
100등	151.0				
300등	147.0				
서울대/고려대	146.9	4.19/4.3	98.9%	텝스 476	서연고/사회대
500등	145.0				
1000등	139.0				
충북대	137.1	3.25/4.5	86.5%	950	서울권/공대
연세대	136.8	4.17/4.3	99.0%	930	서연고/인문대
한양대/시립대	135.0	4.24/4.5	97.4%	825	서울권/사회대

합격 로스쿨	LEET	학점	GPA	TOEIC	대학/학과
1500등	135.0				
경희대	133.3		90.8%	920	서울권/자연대
2000등	132.0				
한양대	131.8	3.94/4.5	94.4%	925	서울권/사회대
건국대/전남대	131.5	4.04/4.5	94.4%	845	지방대/경영대
전남대	130.5	3.76/4.5	91.8%	970	서울권/법대
전남대	130.2	4.13/4.5	96.3%	965	서울권/인문대
충남대/충북대	129.4	3.96/4.5	94.6%	975	서연고/인문대
경희대	129.1	4.05/4.3	98.0%	835	서울권/사회대
충북대	127.8	3.50/4.5	89.0%	880	서울권/사회대
인하대	127.0	2.81/4.0	88.1%	985	해외대/법대
경북대	126.0	3.81/4.3	95.1%	965	서연고/사회대
3000등	125.0				
전남대/전북대	124.5	3.96/4.5	94.6%	930	서연고/사회대
충남대/강원대	124.1	4.38/4.5	98.0%	880	서울권/자연대
아주대	123.9		95.0%	990	서울권/인문대
전북대	122.4	3.62/4.3	93.6%	930	서연고/특수대
중앙대	121.8	4.01/4.5	95.1%	985	수도권/사회대
부산대	121.8	4.15/4.3	98.5%	텝스 530	서연고/교육대
아주대	121.1	4.11/4.3	98.5%	985	서연고/국제대
연세대(특전)	120.8	4.5/4.5	100%	920	서울권/인문대
4000등	120.0				
경북대/영남대	117.6	4.41/4.5	99.6%	990	서연고/사회대
제주대	117.6	4.45/4.5	99.5%	945	서울권/인문대
동아대	114.8	4.12/4.5	95.7%	820	지방대/○○○
경북대(특전)	112.4	4.22/4.3	99.4%	955	서연고/경영대
6279등	110.0				
8692등	100.0				
11435등	90.0				

2024 합격생 사례를 보면, 두 가지를 명확하게 확인할 수 있다. 1차 합격은 리트 성적이 결정하고, 최종 합격은 자소서와 면접이 결정하는 것이다.

먼저, 지원 가능한 로스쿨은 리트 성적이 결정한다. 일단 1차 합격 최저선인 3~4배수 안에 들어야 하기 때문에 리트 성적이 낮으면 1차 합격 자체가 되지 않는다. 극복의 기회가 없다는 의미가 된다. 물론, 최근에는 학원 모의지원이 있기 때문에 거의 정확하게 1차 합격 여부를 알 수 있다.

최종합격은 리트 성적순이 아니다.

리트 1000등이 넘어가는 점수에서 연세대 로스쿨 합격자가, 리트 2000등이 넘어가는 점수에서 한양대 로스쿨 합격자가, 리트 4000등을 넘어가는 점수에서도 로스쿨 합격자가 나온다는 점을 확인할 수 있다. 수험생들 사이에서 '고정량 의문사'가 회자되는 것으로 알고 있다. 고정량 1차 합격, 최종 불합격자일 수는 있으나, 의문사라고 말하기는 어렵다. 정성요소로 극복한 수험생들이 의문의 합격은 아니기 때문이다.

특히 2025학년도 로스쿨 입시에서는 1차 합격의 리트 점수 차가 더 적을 것으로 예상된다. 1만 9천 명이 지원했기 때문에 점수 간격이 촘촘해질 수밖에 없다. 그렇기 때문에 1차 합격 이후로는 정성요소, 즉 자소서와 면접의 차이가 최종합격을 결정할 것이다.

2024학년도의 합격생 스펙은 필자가 직접 가르친 학생들의 것이다. 직접 가르친 학생들이기 때문에 이 합격자들이 7~15분의 말하기를 위해 얼마나 많이 공부하고 말하기를 연습했는지 잘 알고 있다. 공부와 연습을 많이 했다고 하여 모두 합격하는 것은 아니지만, 합격자는 그만한 이유가 있는 법이다. 극복하고 역전한 지원자의 사례를 통해 공부할 의지를 갖기 바란다.

(2) 2023 합격생의 정량스펙

합격 로스쿨	LEET	학점	GPA	TOEIC	대학/학과	특이사항
100등	152.0					
300등	145.0					
고려대/경희대	142.2	4.12/4.5	95.7%	985	서연고/사회대	1차 추합/최초합
500등	141.0					
연세대	136.1	4.22/4.3	98.4%	텝스 431	서연고/경영대	최초합
성균관대	136.0	3.92/4.3	95.2%	텝스 587	서연고/사회대	최초합
1,000등	135.0					
고려대	134.0	4.34/4.5	98.2%	토플 118	서연고/경영대	1차 추합
중앙대	134.0	3.88/4.3	94.8%	980	서연고/사범대	최초합
한양대/건국대	131.9	4.05/4.3	98.1%	815	서울권/사회대	최초합
1,500등	130.0					
연세대/한국외대	129.8	4.13/4.3	97.3%	940	서연고/인문대	1차 추합
경희대/충북대	129.8	3.43/4.3	91.9%	795	서울권/경영대	최초합
아주대	127.7	4.03/4.5	94.3%	920	수도권/공대	최초합
전남대	127.6	3.93/4.5	93.5%	960	서울권/법대	최초합
2,000등	127.0					
충남대	123.7		98.6%	955		최초합
인하대	123.7	3.3/4.0	92.9%	975	해외대/법대	최초합
전남대	123.6	4.44/4.5	96.6%	755	학점은행	추합/직장인/전문자격증/40대
충남대/전남대	123.4	4.11/4.5	95.5%	870	서울권/경영대	최초합
전남대	121.7	4.02/4.3	96.7%	875	서울권/사범대	최초합/석사
경북대	121.3	4.15/4.3	97.5%	990	서연고/인문대	최초합

합격 로스쿨	LEET	학점	GPA	TOEIC	대학/학과	특이사항
3,000등	121.0					
강원대/충남대	119.5		97.0%	930		1월합/2월합
영남대	117.4	4.14/4.5	95.9%	965	서연고/사회대	최초합
동아대	117.4	3.41/4.5	87.5%	935	서울권/경영대	최초합/직장인
경북대	117.3	4.43/4.5	99.2%	940	서울권/사회대	최초합/직장인
전북대	117.3	3.92/4.5	93.7%	955	서울권/사회대	최초합/직장인
원광대	115.3	4.23/4.5	96.9%	915	서울권/사회대	1차 추합
충남대	115.2	4.09/4.5	95.3%	970	서연고/인문대	1차 추합
원광대	115.1	3.75/4.3	93.9%	990	특수대/사회대	최초합/직장인
4,000등	115.0					
영남대	111.1	4.3/4.5	97.0%	965	서울권/사회대	최초합
제주대	111.0	4.42/4.5	99.1%	970	서울권/법대	최초합
제주대	108.9	4.46/4.5	99.5%	980	서연고/인문대	최초합
경북대/충남대	107.1	4.08/4.3	96.8%	900	서연고/사범대	최초합
7,285등	100.0					
9,372등	90					
14,000명 지원						

(3) 2022 합격생의 정량스펙

합격 로스쿨	LEET	학점	GPA	TOEIC	대학/학과	특이사항
100등	150.0					
서울대/고려대	148.0	4.07/4.5	95.1%	900	서연고/공과대	
300등	144.0					
서울대	142.1	4.16/4.3	97.6%	텝스 578	서연고/경영대	최초합
성균관대	142.0	4.22/4.5	96.8%	985	서울권/경영대	최초합/직장인
500등	140.0					
성균관대/시립대	137.9	3.68/4.3	92.8%	990	서연고/인문대	최초합
시립대/인하대	137.5		81.8%	965	특수대/법대	인하 최초합/시립대 추합/직장인
1,000등	134.0					
연세대	133.9		97.1%	975	서연고/인문대	최초합
서강대	133.8	4.11/4.5	95.8%	910	서울권/인문대	
서강대	131.5	3.95/4.5	93.9%	970	서울권/경영대	1차 추합
시립대/충북대	131.5	3.09/4.5	85.9%	935	서울권/공과대	시립대 추합/충북대 최초합
인하대	129.8		95.1%	970	서울권/사회대	최초합/반수
전남대/충북대	129.5		90.4%	955	서울권/사회대	최초합

합격 로스쿨	LEET	학점	GPA	TOEIC	대학/학과	특이사항
이화여대	129.2	4.02/4.5	94.5%	985	서울권/사회대	
1,500등	128.0					
전남대	127.5	4.5/4.5	98.0%	900	수도권/법대	최초합
이화여대/건국대	127.5	4.01/4.3	96.1%	955	서연고/인문대	최초합
한양대	127.3		93.3%	845	서울권/경영대	최초합
부산대/한국외대	127.3	4.13/4.5	95.8%	950	서연고/사회대	1차 추합
동아대	125.6	3.3/4.5	86.3%	860	서연고/사회대	최초합/직장인
충북대	125.1		90.0%	950	수도권/법대	최초합
2,000등	125.0					
중앙대	123.2	4.34/4.5	98.2%	토플 120	서연고/경영대	
충남대	123.2	4.19/4.5	96.8%	970	서울권/사회대	최초합
충남대	123.1	4.13/4.5	95.8%	975	서울권/인문대	최초합
전북대	123.1	4.04/4.5	95.4%	935	수도권/법대	최초합
충북대/전남대	122.9	3.52/4.5	88.8%	945	서울권/인문대	
건국대/충남대	119.3	4.25/4.5	97.2%	930	서울권/인문대	최초합
전북대/전남대	119.3	4.20/4.3	98.1%	935	서울권/사회대	
3,000등	119.0					
충남대	117.2	3.78/4.3	94.2%	895	KAIST/공과대	최초합/석사
강원대	117.0	4.11/4.5	95.0%	955	서울권/법대	1차 추합/직장인
전남대/강원대	116.7	4.27/4.5	97.2%	855	서울권/법대	
전북대	115.1	3.93/4.3	95.3%	990	서연고/인문대	1차 추합
4,000등	115.0					
영남대	114.8	3.86/4.5	92.7%	930	서연고/사회대	최초합
7,300등	100.0					
9,000등	90.0					
14,000명 지원						

2. 합격생의 합격수기: 면접과 자소서

필자가 지도한 합격생들의 공부법을 소개한다. POST-LEET에 관련된 면접과 자소서 부분을 발췌하여 소개한다. 물론 수험생마다 자신의 공부법이 있고 공부에 왕도는 없다. 소개된 방법들을 참고해서 자신에게 맞게 활용하기 바란다. 그리고 합격수기 전체는 김종수 블로그 (blog.naver.com/lawschool_kjs)[2]에 게시되어 있고, QR코드를 통해 접속할 수 있다. 면접 관련 콘텐츠는 유튜브[3]에서, 추천도서 관련 콘텐츠는 인스타그램[4]에서 제공 중이며 QR코드를 촬영하면 연결된다.

특히 합격수기 전체가 게재된 블로그를 통해 다양한 경험을 가진 합격생 사례를 살펴보기 바란다. 특이한 경력을 가진 수험생들은 자소서를 작성하기 어려운 면이 있으나 특별한 자소서가 되기도 한다. 강렬한 학습 의욕을 가진 수험생들은 낮은 정량요소를 면접 실력으로 극복해 합격한다. 합격생 사례들을 통해 나와 비슷한 상황에 놓인 선배 합격생들의 의욕과 방법, 마음가짐을 배우기 바란다.

2)

김종수 블로그

3)

김종수 유튜브채널

4)

김종수 인스타그램

 2024 한양대, 서울시립대 로스쿨 최초합

(LEET 135, GPA 97.4%, 텝스 324, 비법대, 졸업생, 재시)

안녕하세요! 저는 이번에 서울시립대, 한양대 법학전문대학원에 동시 최초합격을 한 김종수 선생님 수강생입니다. 학부 졸업 무렵 로스쿨 입시에 도전할 것인지에 대하여 많은 고민을 하였지만 김종수 선생님의 블로그와 유튜브 영상을 둘러보고 입시를 결심했던 것이 작년 초였는데 이렇게 합격수기를 쓰게 되어 기쁩니다.

초시 때는 밀린 학점을 메꿔야 했고, 진로 설정을 확실히 하지 않아 리트를 본격적으로 공부하지 않았습니다. 때문에 부족한 공부량으로 인하여 매우 낮은 리트성적을 받았지만 포기하지 않고 포스트리트를 완주했습니다. 덕분에 재시에 대한 자신감이 생겨 전업으로 리트 준비를 다시 해보기로 했고, 그것이 좋은 결과로 이어진 것 같습니다.

한양대 로스쿨은 TOEIC이 P/F라 토익 점수에서 불이익이 없었고, 모의지원 당시 배수도 좋았습니다. 그런데 서울시립대 로스쿨의 경우 부족한 TOEIC 점수(TEPS 환산점수 830점으로 반영)와 촘촘한 지원자의 정량으로 인해 배수가 크게 밀려 2.6~2.7배수대의 불안한 배수였기에 추가합격만 했으면 좋겠다고 생각했습니다. 그럼에도 서울시립대마저 최초합을 하였다는 것은 포스트리트의 파급력을 입증한다고 생각합니다.

혼자 집리트를 쳐보아도 130~140점대의 고득점이 나오시는 분이 계십니다. 저는 그런 학생이 아니고 70~80점대 점수가 나오던 나쁜 머리를 가진 학생이었습니다. 본 합격수기는 그러한 상황에서 135점까지 올린 경험을 담아낸 것이기 때문에 원래 좋은 점수를 가진 분들이 아니라 80~115점대의 낮은 점수대에 머물러 계신 분들이 참고하시면 더 좋을 것이라 봅니다.

제가 2021년 말에 로스쿨 입시를 고민하며 2022학년도 기출로 첫 집리트를 풀어 보았을 때 찍은 것을 포함해 언어 11개, 추리 14개였습니다. 저에겐 리트 재능이 없었던 셈입니다. 그럼에도 로스쿨 진학의 꿈을 놓지 않고 해볼 수 있는 것은 모두 해본 결과, 오늘에 이를 수 있었던 것 같습니다.

합격수기 **2024 경희대 로스쿨 합격**(LEET 133.3, GPA 90.8%, TOEIC 920, 비법대, 졸업생, 재시)

저는 대학생 때에는 꿈이 없는 채로 학생회 활동 등 외부활동에만 집중하고 학점을 챙기지 않아서 학점이 낮았으나, 이후에 전문직에 대한 꿈이 생겨서 로스쿨 입시를 준비하였다가 떨어졌습니다. 그러고 부족한 정성요소 및 플랜B를 위하여 공인노무사 수험과 로스쿨준비를 병행하였습니다. 그 과정에서 김종수 선생님의 강의를 약 2년간 수강하였고, 이번에 경희대 로스쿨에 최종 합격하게 되었습니다.

그러나 노무사 수험을 병행하였기 때문에 포스트 리트를 준비할 시간이 다른 수험생에 비하여 많이 부족하였습니다. 또한, 학점도 다른 수험생들에 비하여 많이 낮은 편이었습니다. 그런 적은 시간동안 자기소개서와 면접준비를 가장 효율적으로 하여 부족한 정량과 정성을 채우고자 김종수 선생님의 강의를 선택하였습니다.

제가 수많은 로스쿨 입시학원과 강사들 중 김종수 교수님을 선택한 이유는 크게 2가지였습니다. 첫 번째는 수년간 해당 분야에서 다른 배경의 변화에도 불구하고 1위를 놓치지 않으시고 유지 중이시라는 점에서 이미 검증이 되었다고 생각했습니다. 그리고 두 번째는 로스쿨 입시 초시의 수강 경험 및 상담에서 면접과 자기소개서 강의의 실력과 실적은 물론이고, 진정으로 수강생을 위하여 노력하시고 신경써주신다고 느꼈기 때문입니다.

<자기소개서 대면첨삭>

저는 초시에서 자기소개서를 쓴 적이 있으나, 상황이 모두 바뀌어 새롭게 준비해야 했습니다. 특히 2024학년도 입시는 포스트 리트 준비시간이 아주 짧아, 자기소개서를 처음부터 새로 쓰기에 어려움이 컸습니다. 제가 혼자서 쓸 때에는 막막하던 자소서를 김종수 선생님이 봐주시니까 굉장히 빠르게 구체화되어갔습니다. 특히 공인노무사 1차 합격 및 2차 응시경험을 구체화하여 저보다 더 세세하게 학습경험과 지원동기의 가이드를 잡아 주셨습니다. 그리고 정해진 횟수와 시간을 넘어서 완성이 될 때까지 무제한적인 첨삭과 가이드를 해주셨습니다. 그 덕에 거의 1주일 만에 가군과 나군 모든 지원교 자기소개의 전체적인 완성을 할 수 있었고, 그 외에도 현직 변호사 상담 및 첨삭과 대학교수님의 마무리 첨삭까지 하여 높은 완성도의 자기소개서를 작성할 수 있었습니다.

<로스쿨 면접 현강>

저는 초시를 준비하며 논술 강의와 면접 강의를 모두 수강한 경험이 있기 때문에, 올해에는 면접파이널 현장강의만 들었습니다. 일반적인 경우에는 파이널 강의만 수강하면 수업 자체를 따라가기가 쉽지 않고, 기존 소수반 수강자들과의 격차가 있습니다. 그러나 저의 경우에는 이전에 김종수 선생님의 면접과 논술 강의를 수강한 적이 있어서 면접 쟁점에 대한 기초가 있었고, 부족한 면접 쟁점정리의 경우에는 김종수 교수님의 책으로 혼자 공부하여 보충할 수 있었습니다.

파이널 강의의 경우 학교별 기출문제를 실전과 유사한 방식으로 준비하고 답변하는 방식으로 이루어지며, 현장보다 압박감이 적지 않습니다. 특히, 김종수 선생님의 추가질문은 실제 면접보다 더 다양하고 날카로운 질문을 해주셔서 현장 대비는 물론 추가질문에서 일어날 여러 사건들을 대비할 수 있습니다. 그리고 매주 다른 수강생 지원교의 문제를 맞춰서 풀어보고 답변과 피드백 과정을 직접 보면서, 직접 면접 발표를 하지 않더라도 매 수업시간마다 실제 면접에 준하는 수준의 대비를 할 수 있습니다. 그에 더하여 외부전문가 모의 면접과 김종수 선생님의 모의면접의 경우 올해 가장 출제 가능성이 높은 최신이슈 신작 문제들로 실전을 연습해 볼 수 있습니다. 이런 다양하고 많은 면접 경험이 실전에서 현장 적응력을 높이고 현장에서 일어나는 다양한 사건들에도 당황하지 않고 준수한 답변을 이끌어 낼 수 있도록 합니다. 저의 경우에도 실제 면접 과정에서 질문에 답변을 잘못하였으나, 파이널 경험을 바탕으로 빠르게 수습하여 합격할 수 있었다고 생각합니다.

자기소개서와 면접은 리트가 끝난 이후 개인이 바꿀 수 있는 유일한 변수입니다. 김종수 선생님은 십수년간 증명이 된 포스트 리트 최고의 전문가십니다. 자신의 정량과 정성으로 갈 수 있는 최선의 로스쿨을 가시기 위해서는 최고의 전문가와 함께 하시기를 추천드립니다. 감사합니다.

합격수기 **건국대, 전남대 로스쿨 합격**(LEET 131.5, GPA 94.4%, TOEIC 845, 비법대, 졸업생, 재시)

제가 로스쿨 입시를 치르는 동안 가장 불안했던 점은 낮은 학부였습니다. 이를 극복하기 위해 리트와 포스트 리트 모두에 매진하였고, 그 결과 올해 건국대 합격, 전남대 최초합이라는 좋은 결과를 낼 수 있었습니다.

특히 포스트 리트는 단순 객관식 시험이 아니라는 점에서 준비에 앞서 매우 막막하였습니다. 그러던 중 김종수 선생님의 현장 강의를 접하였고, 풀커리를 수강하였습니다. 그 결과 막연하게만 느껴졌던 포스트 리트를 체계적으로 준비할 수 있었고, 이것이 최초합이라는 결과로 이어지는 데 결정적이었다고 생각합니다.

<자기소개서>

먼저 저는 이전 입시에서 김종수 선생님과 자기소개서를 작성하였습니다. 당시 포스트 리트를 준비하기에는 부족한 리트 점수였지만, 내년 입시를 결심하였기에 내린 결정이었습니다. 결과적으로 이 결정이 저의 올해 입시에 매우 큰 도움이 되었습니다. 당시 자기소개서를 작성하면서 저만의 스토리와 결부된 법조인상을 도출할 수 있었습니다. 이를 바탕으로 저의 부족했던 정성 요소를 확인하였고, 이후에 이 부분을 채울 수 있었습니다. 저만의 법조인상과 관련된 법 정성요소를 발견하고 이를 보충하였던 것이 올해 자소서를 작성하는 데 매우 중요하게 작용하였다고 생각합니다.

올해 자기소개서 작성은 작년에 작성해 둔 자기소개서가 있었기에 훨씬 수월하였습니다. 3개월이라는 짧은 포스트리트 기간에 하루라도 벌 수 있는 시간은 매우 소중했습니다. 또한, 김종수 선생님께서 새롭게 추가된 저의 경험들이 이전 자기소개서와 잘 어우러질 수 있도록 도와주셨습니다.

김종수 선생님께서는 학생 입장이 아닌 전문가의 입장에서 첨삭을 진행하십니다. 특히 학생이 혼자 판단하기에는 적절해 보이는 경험과 법조인상의 모순을 찾아, 단순한 자기소개서가 로스쿨 자기소개서로 나아가기에 적합한 방향으로 이끌어 주십니다. 이 과정에서 학생의 고통은 매우 크게 느껴지지만, 이를 극복한다면 결과적으로 좋은 자기소개서를 완성할 수 있을 것이라 확신합니다.

<면접>

제가 포스트 리트를 준비하기에 앞서 가장 막막했던 것은 면접 준비였습니다. 취업 준비의 경험도 없었고, 대입에서도 면접을 치르지 않았기 때문에 면접을 한 번도 경험해 보지 못했습니다. 특히 지원하려는 학교의 입학설명회를 통해 면접이 최종 불합격을 결정하는데 중요하게 작용할 것이라 판단했습니다. 따라서 저는 김종수 선생님의 소수 면접 현장 강의를 선택하였습니다.

솔직히 처음 면접 책을 펼쳐 보았을 때는 너무 당연한 말들이 나열되어 있어 잘할 수 있을 거란 자신감이 있었습니다. 그러나 면접 현장 강의에서 직접 말하기를 체험해 보니 책의 도움 없이 논리 구조를 갖춘 답변을 완성하는 것은 거의 불가능하였습니다. 직접 시뮬레이션을 통해 말로 풀어내는 것은 더욱 어려웠습니다.

그러나 면접 강의 시간에서 느낀 고통만큼 면접 준비는 더욱 탄탄하게 되어가고 있음을 느꼈습니다. 또한 김종수 선생님께서 구성해 주신 스터디를 통해 책의 모든 주제에 대한 대비를 할 수 있었습니다. 결과적으로 수업 회차가 지남에 따라 김종수 선생님께서 '맞다', '그렇다'라고 피드백해 주시는 내용이 늘었고, 답변 준비도 더욱 논리적으로 할 수 있게 되었습니다.

따라서 저는 김종수 선생님의 면접 강의만큼은 꼭 현장 강의로 수강하시기를 추천드립니다. 처음에는 너무 괴롭고 힘든 과정이지만, 그 과정의 끝은 좋은 결과로 마무리 될 것이라 생각합니다.

합격수기 **인하대 로스쿨 최초합**(LEET 127.0, GPA 88.1%, TOEIC 985, 해외대, 직장인, 재시)

저는 초시 때 김종수 선생님의 소수 면접반을 수강하였고, 재시 때는 필독서 특강과 대면자소서 첨삭반을 수강하였습니다.

우선 종수쌤의 소수 면접반 때 배웠던 철학, 사회, 법학 등을 아우르는 전 분야의 기본적 이론과 지식을 쌓은 것이 리트 점수의 상승과 이번 입시 면접에서 좋은 결과를 거두게 하였다고 생각합니다.

<면접 소수반의 장점>

저는 초등학교 때부터 해외에서 거주하고 교육을 받아 국내 교과 과정에 대한 경험이 전무하여 처음 종수쌤의 면접 수업을 들었을 때는 자유주의, 공동체주의라는 단어조차도 모른 상태였습니다. 현강, 인강과 강의 후 스터디를 통해 지식이 점차 늘어나는 것을 체감하였고 이는 그다음 해 리트 시험을 다시 준비할 때에도 배경지식으로 활용할 수 있었습니다.

또한, 종수 쌤의 면접 수업에서 매번 스파르타식으로 여러 학교의 기출을 경험하고 기조 발언을 연습하고 종수쌤의 혹독한 추가질문을 버텨낸 경험은 올해 인하대학교 면접에서 만족스러운 답변을 거둘 수 있게 저를 성장시켰습니다. 올해 모의지원 기준 3배수였음에도 불구하고 면접에서 종수쌤이 매번 강조하시던 논리적 일관성을 잃지 않고 추가질문에서도 교수님들의 함정을 피해 가 면접시험 시간 내내 티키타카가 잘 되었다는 느낌을 받았고 이는 곧바로 최초합격의 결실로 이루어졌다고 생각합니다.

<자소서 대면첨삭의 장점>

재시이다 보니 올해는 로스쿨에 꼭 들어가고 싶다는 열망이 매우 강했습니다. 그러나 GPA가 산출되지 않는 해외국가 대학에서 공부를 하였기에 성적을 변환할 때 GPA환산이 매우 낮아 현실적으로 로스쿨 입시가 거의 불가능한 점수라고 판단했습니다. 이에 자기소개서와 서류 점수로 역전을 해야만 하는 상황이었습니다. 저는 종수 쌤의 자소서 대면첨삭반을 통해 단기간에 최상의 퀄리티의 자소서를 뽑아낼 수 있었습니다. 직장 생활과 로스쿨 입시를 병행하였기에 시간적으로 매우 힘들었음에도 종수 쌤의 가이드대로 묵묵히 버티며 따라가다 보니 합격의 결과를 얻을 수 있었다고 생각합니다.

종수쌤은 나도 모르던 내 장점을 발견해 주시고 그를 부각하여 자소서를 작성하는 방법을 알려주셨습니다. 해외 법대와 해외 로스쿨 졸업이라는 특이한 정성요소를 십분 활용하는 자소서를 작성할 수 있었던 것은 모두 종수쌤의 코칭과 가이드 덕분입니다.

<리트 필독서 책읽기 특강>

초시 때 불합격의 결과를 받아들이고, 종수쌤과의 면담을 통해 재시 계획을 세웠습니다. 우선 부족한 배경지식이 가장 큰 문제점이라는 것을 초시 때 면접 수업을 수강하면서 깨달았기에 필독서 특강을 통해 지식을 늘리자는 생각으로 시작했습니다. 허나 종수쌤의 필독서 특강은 단순히 지식만을 늘리는 것이 아닌 올바른 독서법과 이에 기반한 정확하고 효율적인 독해법을 배울 수 있는 기회가 되었습니다. 종수쌤의 강의를 통해 주요 내용을 함께 읽고 분석하며 독해를 하는 법을 배웠고 이는 올해 리트에서 백분위 94.5%를 달성하는 성과로 이어졌다고 생각합니다.

이처럼 종수쌤은 제 초시와 재시, 그리고 매우 낮은 학점을 극복하여 최초합격을 달성하는 모든 과정에 큰 도움을 주셨습니다. 예비 로스쿨생, 법조인 분들도 종수쌤의 강의를 통해 저와 같은 기적의 결과를 경험하시기를 바랍니다.

합격수기 **경북대 로스쿨 최초합**(LEET 126, GPA 95.1%, TOEIC 960, 비법대, 직장인, 초시)

저는 직장생활 도중 변호사가 되고 싶다는 꿈을 가지고 로스쿨 진학을 계획했습니다. 이에 퇴사 후 전업으로 리트를 공부하여 응시했고, 로스쿨에 지원할 만한 점수를 받을 수 있었습니다. 올해 승부를 보고 싶었기 때문에 포스트리트를 후회 없이 마무리할 수 있도록 최선의 방법을 고민하다가 평소 관심을 가지고 유튜브 채널로 보던 김종수 선생님의 현장강의를 들어보고 싶었고, 변호사 친구의 적극 추천을 받아 김종수 선생님의 포스트리트 강의를 듣게 되었습니다.

<자기소개서 대면첨삭>

저는 석사과정 및 직장경력에서 활용할 만한 자소서 소재는 많이 있었지만, 다양한 경험 및 경력을 어떻게 일관된 스토리로 잘 표현할 수 있을지 고민이 되었고, 로스쿨 지원자들 중 나이가 상당히 많은 편이라 이것을 잘 극복하고 합격할 수 있을지에 대한 걱정이 많았습니다.

고민 끝에 포스트리트에서 독보적 1위를 유지하고 계시는 김종수 선생님의 자기소개서 첨삭을 받고 저의 긴 인생으로부터 로스쿨 입시를 위해 최대한의 가치를 발휘할 수 있는 멋진 자소서를 작성해 보기로 결정하였습니다.

정형화된 로스쿨 인재상의 틀에 맞춘 자기소개서, 무조건 법학 수업과 관련지어 소재를 찾는 자소서와 다르게, 김종수 선생님은 학생의 특성에 맞추어 최적화된 자소서를 완성할 수 있도록 도와주셨습니다.

최초 첨삭을 받기 전 자기소개서 관련 강의와 엄선된 25개 로스쿨 합격생의 자소서를 제공받아 좋은 자소서가 무엇인지에 구체적인 방향성을 확인할 수 있었고, 합격생들의 개성 있는 인생 스토리들을 관통하는 로스쿨 선호 인재상이 무엇인지 감을 잡을 수 있었습니다.

저는 왜 로스쿨을 가고 싶은지 나름대로 분명한 결론을 내린 상태였는데, 이것을 효과적으로 표현할 수 있도록 지원동기 방향을 잘 잡아 주셔서 후회나 미련 없이 만족할 수 있는 자소서를 작성할 수 있었습니다.

김종수 선생님은 수많은 학생들의 자소서를 첨삭해 보셔서 어떤 학생이라도 그 사람의 상황에서 최선의 소재와 자소서를 뽑아내실 수 있습니다. 저는 정말 특이한 이력의 인생을 살았다고 생각했는데 저와 비슷한 조건의 합격생들을 바로 떠올리시며 최적의 방향을 잡아 주셨습니다.

저는 로스쿨 입시 외에도 인생의 수많은 도전들 속에서 자소서를 혼자 작성하여 서류에 합격한 경험이 많았기 때문에 나름대로 글을 잘 쓴다고 생각하고 있었고, 활용할 수 있는 소재도 많다고 생각하여 이 정도면 잘 쓴 자소서이지 않나 하는 생각도 몇 번 했습니다. 그러나 선생님께서 '너는 이것보다 훨씬 대단한 사람이다'라고 말씀해 주신 것이 많은 위로와 도전이 되어, 제가 표현할 수 있는 최상의 가치를 구현하기 위해 마지막의 마지막까지 후회 없이 불태우며 자소서의 퀄리티를 끌어올릴 수 있었습니다.

두 달 넘는 시간 동안 매번 새로운 내용의 자소서를 작성하고 첨삭 받으며 동시에 면접까지 준비하느라 몸이 아픈 날도 있었고 많이 힘들기는 했지만, 마음은 가장 행복했습니다. 대학 졸업 이후로 10년이 넘는 긴 시간 동안 끝없는 도전과 실패, 성취의 굴곡을 꿰뚫는 최상의 가치를 발견할 수 있었기 때문입니다.

저처럼 나이가 많고 인생의 우여곡절을 많이 겪은 직장경력자들은 꼭 김종수 선생님의 대면 자소서 첨삭을 받으시는 것을 추천 드립니다. 아무리 나이가 많더라도 김종수 선생님과 함께 치열하게 고민하면, 나이의 약점을 뛰어넘을 수 있는 자신의 빛나는 강점을 드러내는 멋진 자소서를 완성할 수 있을 것이라고 확신합니다.

<로스쿨 면접>

로스쿨의 면접은 보통의 입사 면접과는 다르게 지성면접이기 때문에 주어진 문제에 대해 어떤 방향으로 대답을 해야 하는지를 정확하게 이해하고 답을 하는 것이 중요합니다.

저는 그동안 수많은 면접을 준비 해보았고 전국 단위 토론대회에서 수상 경력도 있기 때문에 말을 유창하게 잘하는 것에는 굉장히 자신이 있었습니다. 그러나 로스쿨 면접을 스스로 준비할 수 있을지 판단하기 위해 김종수 선생님의 교재 목차를 보고 이것을 2개월 안에 다 소화할 수 있을지 생각해 보니 그러기 어려울 것 같다고 생각했고, 학생들과 스터디를 통해 면접 실력을 향상시키는 것은 위험부담이 크다고 판단했습니다. 이에 김종수 선생님의 소수반 로스쿨 면접 현장강의를 수강하였습니다.

현장 수업시간과 제공되는 법학적 사고력 동영상 강의에서 총 200개의 주제를 다루고, 현장 강의에서 만난 스터디원들과 열정 넘치게 추가 조사를 하여 공부하면 로스쿨 면접장에서 처음 보는 문제가 나와 당황할 확률은 매우 낮습니다. 설사 그러한 상황이 발생한다고 하더라도 다른 경쟁자들보다는 더 나은 대처를 할 수 있을 것입니다.

또한 선생님과 많은 학생들 앞에서 여러 번 모의면접을 보고 예리한 추가질문을 받으며 실시간으로 대응하는 훈련을 거칩니다. 추가적으로 외부전문가의 모의면접과 김종수 선생님과의 모의면접을 통해 실전보다 더 엄격한 연습을 여러 번 하게 됩니다. 이 과정을 거치다 보면 어떠한 비판적인 피드백을 받더라도 의연할 수 있을 만큼 대범한 태도를 가질 수 있게 되고, 실전 면접에서도 면접관 분들이 비교적 온화하고 젠틀하게 느껴져 당황하지 않고 면접을 잘 볼 수 있었습니다.

저 같은 경우 처음에는 직장생활을 하다가 갑자기 로스쿨 면접 준비를 하려니 배경 지식이 부족한 부분도 많고 살을 붙여서 말하는 연습이 되어 있지 않아서 주어진 시간을 다 채워서 말하기가 어려웠습니다.

하지만 김종수 선생님의 기본 강의, 심화 강의, 파이널 강의를 현장 강의로 수강하면서 로스쿨 면접의 기본기를 탄탄하게 다지고 면접 시뮬레이션을 통해 다양한 문제와 상황에 대응하는 연습을 반복하면서 점차 자신감이 생겼고 어떤 문제가 나와도 당황하지 않고 침착하게 대처할 수 있게 되었습니다.

특히 김종수 선생님의 수업을 들으며 문제에서 물어보는 것이 무엇인지 쟁점을 파악하는 능력을 기른 덕분에 올해 면접에서 면접관 분들이 정말로 궁금해하는 것에 대해 만족할 만한 답변을 드릴 수 있었고, 미련이 남지 않을 정도로 본인의 역량을 최대한 발휘하는 데 큰 도움이 되었습니다.

나이가 많을수록 한 해 한 해가 소중하고, 직장을 퇴사하고 로스쿨 입시를 준비하시는 분도 있는데 이런 경우 확실한 합격이 정말 중요합니다. 본인의 모든 것을 쏟아부어서 최선의 결과를 얻을 수 있도록 포스트리트 전문가 김종수 선생님과 마지막 도전을 함께 하시길 추천 드립니다.

합격수기 **부산대, 경북대 로스쿨 최초합**(LEET 121.8, GPA 98.5%, TOEIC 985, 비법대, 졸업생, 초시)

"슈루루룩~ 지나가… 그러다가 여기서, '빵!'이야. 여기서 터뜨릴 거야.", "넌 여기를 강조하고 싶어? 난 여기인데." 김종수 선생님께서는 종종 자기소개서를 각각의 부분들이 조화를 이루는 음악, 혹은 요리에 비유하셨습니다. 법에 관련된 내용으로 칸을 채워내는 것은 누구나 할 수 있는 일이지만, 글에 리듬감, 그리고 감칠맛을 부여하는 것은 아무나 할 수 있는 일이 아닙니다. 이것이야말로 자기소개서 '전문가'의 영역이라고 생각합니다. 각각의 부분이 절묘하게 제 역할을 하다, 강조될 부분에서 그 힘이 모여 터지는 음악이나 요리와 같은 맛깔 나는 자소서를 써 보고프신 분들이라면, 자소서의 마에스트로, 김종수 선생님의 수업을 추천드리고 싶습니다.

<김종수 선생님의 포스트리트 수강 필요성>

저는 이번 시험에서 기대보다 낮은 점수를 거두었고, 마지막까지도 포스트리트를 고민했습니다. 하지만 김종수 선생님 말씀대로, '만약 내년 리트에서 원하는 점수를 거뒀는데, 포스트리트는 처음'이라면, 포스트리트의 과정에서 큰 부담감을 느끼고, 해당 입시를 성공적으로 마치지 못할 가능성이 존재합니다. 저처럼 주저하시는 분이 계신다면, 그 경험의 가치가 충분한 일이라고 말씀드려 보고 싶습니다. 포스트 리트의 중요성은 절대 작지 않음을 실감했기 때문입니다.

먼저 제가 그 한 실례입니다. 정량으로는 약 2배수로 밀려나, 위에 매우 우수한 50명 이상의 응시생이 있었음에도 저는 최초 합격했습니다. 정량에 두는 비중이 작지 않은 학교임에도, 정성으로 정량을 뒤집는 일이 일어났습니다. '정량대로 간다.'는 견해가 맞다면, 등수로는 2000등대 후반임에도(2000~3000등) 두 군데 모두에 최초 합격한 저와 같은 경우는 존재하기 어렵습니다. 저뿐만이 아니라, 김종수 선생님을 뵙고 간 다수의 제자 분들은 '결국은 정량'이라는 통념이 반드시 사실은 아님을 입증하고 있습니다.

학교별 입학전형 요강에서 정성 요소가 차지하는 비중을 살펴보면, 부족한 법학적성시험점수를 만회할 기회를 제공하는 학교들이 다수 존재함을 확인할 수 있습니다. 면접에 큰 가중을 두어, 면접 점수가 매우 낮으면 정량 점수와 관계없이 실격처리되는 학교도 존재합니다.

이처럼 입시에 직접 관련되는 측면 외에도, 김종수 선생님의 자기소개서와 면접 과정은 열정 가득하신 선생님과 함께 자신의 삶 전체를 돌아볼 기회를 제공합니다. 보다 논리적으로 글을 쓰고, 말하는 습관을 얻는 것은 덤입니다. 특히, 저는 저 자신조차 비관하던 삶을 가치롭게 보아주신 선생님께 큰 감동을 받았습니다. 돌아본 저의 삶은 암울했던 직장생활도 있었고, 끝까지 해내지 못하고 포기했던 좌절의 경험들도 존재했습니다. 하지만 그런 어두운 과정마저도 김종수 선생님의 열정 가득한 에너지 속에서 법조인으로서의 강점으로 재해석되었고, 새로운 색깔이 덧입혀졌습니다. 긍정과 열정으로 무장하신 선생님께 용기를 받으며, 혼자서라면 하기 어려울 노력을 기울이면서 자신의 삶, 그리고 노력하는 자신을 긍정하게 되는 기회를 얻는 경험은 결코 흔하지 않은 소중한 경험이라고 할 수 있습니다.

저는 김종수 선생님을 선택했고, 선생님의 자소서 지도 덕분에 단 한 글자도 더하거나 뺄 수 없는 멋진 음악과 같은 자소서를 완성할 수 있었습니다. 글을 읽어주시는 여러분께도 선생님의 포스트리트 수업이 새로운 희망으로 다가올 수 있기를 바라봅니다.

합격수기 **경북대, 영남대 로스쿨 합격**(LEET 117.6, GPA 99.6%, TOEIC 990, 비법대, 재학생, 초시)

저는 8월부터 김종수 선생님의 자소서+면접반을 수강했고, 그 결과 로스쿨 합격을 이뤄낼 수 있었습니다.

리트 이후 자칫하면 마음도 해이해지고 생활습관도 흐트러지기 쉬운 시기에 선생님의 면접반을 수강하면서 많은 도움을 얻었습니다. 선생님 면접반의 장점 중 하나는 랜덤하게 학원 내에서 면접스터디를 조직해 주신다는 것입니다. 학교 내에서 조직하는 면접스터디는 대개 서류 제출 이후 10월부터 시작되는데, 리트 이후의 2개월 동안 혼자 공부하는 것보다 스터디원들과 함께 공부하는 것이 더 수험효율이 좋다고 생각합니다. 리트 성적에 연연하고 불안해하기보다, 학원수업을 통해 만난 다른 학생들과 함께 모여서 공부를 했기 때문에 좋은 결실을 맺을 수 있었다고 생각합니다.

스터디원들과 함께 선생님의 교재를 다회독하고 다양한 기출문제와 예상문제에 대한 답변을 준비하면서 면접에서 많은 자신감을 얻을 수 있었습니다. 실제로 영남대학교 면접에서는 시험 직전 수업에서 다루었던 문제가 거의 그대로 나와 더욱 수월하게 답변할 수 있었습니다.

결국 로스쿨 입시에서 가장 중요한 것은 꺾이지 않는 마음이라고 생각합니다. 1년이라는 기간 동안 리트공부와 포스트리트 준비를 통해 많이 지칠 수밖에 없습니다. 그러나 좌절하더라도 포기하지 않고 노력한다면 좋은 결과는 반드시 올 것이라고 생각합니다. 저 또한 모의지원 당시 2배수 내외의 정량이었음에도 불구하고, 포스트리트를 통해 최초합과 예비합격을 이뤄내었습니다. 리트 점수가 낮더라도 남은 포스트리트까지 최선을 다한다면 정량을 뒤집고 합격할 수 있으니 포기하지 마시기 바랍니다.

Chapter
06 시험당일 반드시 기억해야 할 실전 팁

(1) 긴장하고 떨리는 것은 당연하다.

면접 시험은 수험생이 1년간 준비한 모든 것이 결정되는 중요한 순간이다. 누구나 긴장할 수밖에 없고 누구나 실수할 가능성이 있다. 긴장되는 것을 막을 방법은 없다. 이는 채점교수 역시 알고 있다. 긴장으로 인해 실수하는 것은 점수에 큰 영향을 주지 않는다. 그러나 그 실수에 연연해서 이후의 모든 것을 망치면 문제가 된다. 시험장의 긴장감을 받아들여야 한다.

가장 중요한 것은 긴장감의 원인이 시험장의 다른 수험생이 되어서는 안 된다는 것이다. 타인과 비교하지 않아야 한다. 시험장에서 "옆에 있는 저 학생은 준비를 많이 한 것 같은데, 나와 같은 조가 되어서 비교당하면 어떡하지"와 같은 생각이 바로 그것이다. 긴장감은 나 자신과 관련된 것이어야 한다. 끊임없이 나를 중심으로 리마인드해야 한다. "이런 주제가 나오면 이렇게 답변하자. 면접관의 추가질문이 나오면 어떻게 반응해야 할까?" 등과 같은 시뮬레이션을 하기 바란다.

(2) 전년도 면접 진행방법을 참고하되, 올해도 그대로 될 것이라 여기지 말자.

이 책의 면접 기출문제 부분을 보면, 각 로스쿨별로 면접 진행방법이 간략하게 소개되어 있다. 면접 시험이라는 특성상 진행방법이 비슷한 부분도 있으나, 25개 로스쿨 모두 다 세부적인 진행방법은 다르다. 심지어 동일한 로스쿨이라 하더라도 전년도와 올해의 면접 시험 문제 형식, 진행방법, 시험시간, 준비시간 등이 판이하게 달라지는 경우도 많다. 대부분의 수험생들이 "내가 지원한 학교는 작년에 이런 식으로 시험을 출제했고 이런 방식으로 시험을 보니까 이에 맞춰서 준비해야지"라고 생각한다. 그리고 실제 시험장에 가서 자신이 준비한 방식과 다르면 당황한다. 버트란드 러셀이 말한 것처럼 칠면조에게 100일 동안 먹이를 준 손이 101일째 되는 추수감사절에는 칠면조의 목을 비트는 손이 될 수도 있는 것이다. 참고해서 준비하는 것은 좋으나 이를 맹신하면 안 된다. 가장 좋은 방법은 면접스터디에서 다른 학교를 지원한 스터디원들이 어떻게 준비하는지 보는 것이다. 내가 지원한 학교와 다른 학교라 하더라도 잘 살펴두면, 면접시험의 특성상 결국 말하기를 통해 학생의 능력과 적성을 평가하고자 하는 것이므로 방식이 바뀌더라도 유사점이 있다.

(3) 메모 허용 여부를 확인해야 한다.

로스쿨별로 메모가 허용되는 학교가 있고 허용되지 않는 학교가 있다. 준비시간에는 메모를 허용하되 시험장에서 답변 시에는 메모를 볼 수 없는 학교도 있다. 일반적으로 메모가 허용되지 않는 학교는 면접문제가 단순하게 출제되는 경우가 많다. 단순한 형태의 문제이기 때문에 눈으로 굳이 확인하지 않아도 머릿속의 논리가 말로 흘러나와야 한다는 의도의 시험방식이다. 메모가 허용되는 학교라 하더라도, 메모는 내가 말해야 할 논리가 누락되지 않았는지 혹은 반드시 말해야 할 것은 무엇인지 확인하는 용도에 불과하다. 메모를 보고 대본처럼 읽는 것은 점수 획득에 도움이 되지 않는다.

(4) 면접복장은 깔끔한 정장이 가장 좋다.

면접 복장은 깔끔한 정장이 가장 좋다. 그 이유는 시험장에서 신경 쓸 일이 적기 때문이다. 시험장에 가보면 99%의 지원자가 흰 셔츠에 검은 정장이다. 시험장에서는 긴장되어서 주눅 들고 끊임없이 비교하고 한없이 작아지기 마련이다. 내가 멋있어 보인다고 생각하는, 나를 주눅 들게 하는 내 옆의 지원자도 겉으로 드러나지 않을 뿐 주눅들어있다. 예방하는 방법은 그중에 한 사람으로 튀지 않고 묻혀 있는 것이다. 어차피 아무리 멋있는 정장을 입었더라도 논리적으로 답변하지 못하면 점수를 얻을 수 없다. 면접교수는 한순간의 인상으로 합격 여부를 결정하지는 않는다. 그러나 이미 마음속으로 지고 들어간 면접시험장에서 좋은 답변을 하는 것도 현실적으로는 어렵다.

이러한 모든 점을 감안했을 때 흰색 셔츠, 흰색 블라우스에 양복, 정장이 적합하다. 넥타이, 구두 등도 미리 준비하여 불편한지 여부를 확인하고 익숙해지거나 교체한다. 운이 없는 경우 면접시험장에서 6시간 이상 대기할 수도 있다.

여성 수험생의 경우, 액세서리는 과하지 않아야 한다. 과함의 정도는 부모님이나 40대 이상 주변 지인의 시선으로 확인하면 좋다. 면접교수의 시각에서 판단해야 하기 때문에 그러하다. 치마가 너무 짧으면 면접시험장에서 앉아 있을 때 지원자 스스로 신경이 쓰여 답변에 집중하지 못하는 경우가 많다. 면접시험장에 앞이 막혀있는 책상이 놓여있는 학교도 있으나 의자만 놓여있는 학교도 있으니 앉았을 때의 치마 길이를 확인해야 한다. 머리를 묶어야 하는지도 고민이 될 텐데 묶는 것이 좋은 방법이다. 앞에서 말했듯이 운이 없으면 시험장에서 6시간 이상 대기하는 경우도 있기 때문에 아침에 세팅한 머리가 무너져 신경을 쓰이게 하는 경우가 있기 때문이다.

물론, 이 모든 것을 극복하는 것은 실력이다. 필자가 지도한 학생 중에 정장을 입고 가지 않았는데도 합격한 학생이 있다. 시험장에서 주변에 위축되지 않고 자신감 있게 답변할 수 있는 지원자라면 걱정할 필요는 없다. 그래도 상황에 맞는 단정한 복장은 사회인으로서의 예의이니 정장이 아니더라도 깔끔하고 예의를 갖췄다는 인상은 주어야 한다.

(5) 목소리는 크게, 손은 무릎 위에, 제스처는 자연스럽게, 시선은 면접관을 향해야 한다.

시험장에서 목소리는 크고 또렷하게 발성해야 한다. 면접교수의 입장에서 보자면, 지원자의 답변에 따라 채점을 하는데 지원자의 목소리가 안 들리면 크게 말해달라고 하는 것도 한 번이지 두 번이나 요청하지는 않는다. 안 들리면 안 들리는 대로 채점할 수밖에 없다. 목소리의 크기, 톤 등을 확인하는 가장 좋은 방법은 자신의 답변을 스마트폰으로 촬영하는 것인데, 면접시험장에서 채점교수와의 거리가 최대 3미터 정도이기 때문에 스마트폰을 3미터 거리에 두고 촬영하고 목소리의 크기를 확인하면 된다. 특히 타인이 듣게 되는 자신의 목소리는 자신이 듣고 인식하는 그것과 매우 다르기 때문에 반드시 촬영하거나 녹음해서 확인해야 한다.

필자가 면접수업을 진행하다 보면 어찌할 바 모르는 손을 보는 경우가 있다. 손은 가볍게 주먹을 쥐고 무릎 위에 올려두는 것이 좋다. 특히 긴장하고 떨리면 손을 움직이는 수험생들이 있는데, 자신은 손을 움직이고 있는지도 모르는 경우가 대부분이다. 이것도 자신의 답변을 촬영해서 확인한 후 대처해야 한다. 이런 학생의 경우 추천할 만한 방법은 한 손으로 다른 손을 꽉 잡은 후에 무릎 위에 올려두는 방법이 있다. 긴장되면 자신의 손을 꽉 쥐었다 폈다 하는 편이 면접교수에게 자신의 불안감을 보이지 않는 방법이 된다.

제스처가 과하면 좋지 않다. 면접수업을 진행하다 보면, 제스처가 있으면 좋다는 이야기를 듣고서 아무 의미 없이 팔을 흔들어 대는 수험생도 있다. 제스처는 자신의 말하기를 보조하는 역할을 하는 것으로 생각해야 한다. 예를 들어 서로 대립하는 가치에 대해 말하고 있다고 하자. A와 B의 가치가 대립하는 것을 답변하고 있다면, A를 설명할 때 왼손을 자연스럽게 들어서 이를 표현하고 B를 설명할 때 오른손을 들어서, 두 가치가 대립하는 모습을 왼손과 오른손을 가볍게 부딪치면서 설명하는 방식이 과하지 않은 제스처가 된다.

시선을 처리할 때, 가장 중요한 것은 눈을 바라보는 것이다. 면접교수는 2명에서 3명 정도이고, 집단면접의 경우 지원자끼리 답변해야 하는 경우도 있다. 일단 시선 처리의 원칙은 질문한 사람의 눈을 바라보는 것이다. 어느 정도 답변이 진행되었다고 생각하면 자연스럽게 다른 사람의 눈을 바라보아 설득력을 주려 노력해야 한다. 시선 처리는 째려보는 것이 아니라 자신의 답변에 공감해 주기를 바라는 태도를 드러낸다고 생각하면 좋다. 눈을 바라보는 것이 어려운 수험생은 끊임없이 연습해서 익숙해지는 방법밖에 없다. 눈과 눈 사이를 보면 된다거나, 인중을 보라거나 하는 방법은 결국 눈을 보게 하는 과정인 것이지 실제 시험장에서 그렇게 할 수 없다.

수험생과 면접관의 거리는 일반적인 경우 1~3미터 정도이고, 직접 연습을 해보면 알겠지만 가까운 거리에서 눈이 아닌 다른 곳을 보면 상대방이 알아챌 수밖에 없다. 이 경우 면접교수도 불편하기 때문에 아예 지원자를 바라보지 않고 채점지만 바라보는 경우도 많다.

Part 2

기본 이론

Chapter 01

법의 철학적 기초

법은 그 자체로 목적이 되지 못하고, 수단에 불과하다. 그렇기 때문에 모든 법의 1조는 해당 법의 목적이 된다. 법학은 그 자체로 목적적 학문이 될 수 없는 수단적 학문이기 때문에 목적적 학문의 도움을 받아야만 한다. 그렇기 때문에 법학은 철학적 기초가 필요하다. 철학의 아버지인 플라톤이 법률이라는 책을 쓴 이유가 바로 이것이다.

법은 인간이 집단을 이루어 살기 시작한 이래로 항상 존재했다. 고대 중국의 전설적인 국가인 하(夏), 은(殷), 주(周)는 문자를 갖고 있었고 이 문자는 법을 기록하는 역할을 했다. 메소포타미아 문명 역시 쐐기 문자를 이용했고 함무라비 법전을 남겼다. 고조선에도 10개조 법이 있었다. 이처럼 법은 인간 집단을 유지하고 존속하기 위해 꼭 필요한 것이었다. 그렇다면 법을 이해하기 위해서는 인간과 인간 집단, 규범, 도덕, 윤리, 자유, 이익, 공익에 대한 이해가 선행되어야 한다는 의미가 된다.

법의 철학적 기초 영역에서는 인간 자체에 대한 논쟁부터 현대 철학의 영역까지 대단히 넓고 깊은 논쟁을 담을 수밖에 없다. 어려운 영역이지만 한번 이해해두면 다른 영역의 문제까지 좋은 답변을 할 수 있는 중요한 부분이기 때문에 잘 학습해두기를 바란다.

이 영역은 특히 서울대, 고려대, 연세대, 성균관대, 한양대 로스쿨을 비롯한 상위권 로스쿨이 면접 문제로 자주 출제하기 때문에 상위권 로스쿨에 지원하고자 하는 수험생은 더 큰 관심을 기울여야 한다.

사실과 당위

2024 건국대/한국외대·2022 부산대/서울대/이화여대·2021 서울대/이화여대·2019 서울대 기출

1. 기본 개념

(1) 사실과 당위의 의의

사실이란 사전적으로 실제로 발생했던 일이나 현재에 있는 일 혹은 역사적 의미에서 실제로 있었던 일을 말한다. 사실에는 자연적 사실과 역사적 사실이 있다. 지구가 태양을 중심으로 돌고 있는 것은 자연적 사실이다. 조선이 1392년 건국되었고 안중근 의사가 이토 히로부미를 저격한 것은 역사적 사실이다. 태양이 지구를 중심으로 돌고 있다든지 이토 히로부미를 이완용이 저격했다고 주장하는 것은 사실에 반하는 것으로 타당하지 않다.

당위란 마땅히 그렇게 해야 하거나 그렇게 되어야 한다는 것을 의미한다. 규범이란 일정한 가치관에 따라 그렇게 해야 할 행위규칙이다. 따라서 당위는 규범과 관련이 깊고 규범은 특정한 가치 판단을 전제로 하기 때문에 가치와 관련이 깊다. "절도하지 말라", "살인하지 말라", "부모에게 효도하라"는 것은 사실이 아니라 규범이다. 규범에는 도덕규범, 법규범이 있다. 이러한 규범은 사람의 행위나 역사적 사실을 판단하는 기준이 되기도 한다.

(2) 자연법칙과 사회규범

자연법칙은 인간이 창조한 것이 아니라 발견한 것에 불과하다. 그리고 자연법칙은 보편적이고 영구적인 것으로 어느 사회에서도 어느 시대에서도 타당하다. 자연법칙은 사실의 존부를 밝힐 수 있는 근거가 된다. 과학법칙은 사실을 인정하거나 부정하는 근거가 될 수 있다.

그러나 사회규범은 사실 그 자체의 존부를 부정하는 근거가 될 수는 없다. 사회규범은 그 사회구성원들이 합의한 것이므로 사회나 시대에 따라 다를 수 있는 상대적인 것이다. 그러나 규범은 어떤 행위가 사실인 경우 그 행위가 옳은 행위인지 옳지 않은 행위인지를 판단할 수 있는 기준이 된다.

(3) 윤리적 비난

뉴턴은 나무에서 떨어지는 사과를 관찰했다. 나무에서 사과가 떨어지는 것은 자연적 사실이다. 사과가 나무에서 떨어지는 것은 만유인력의 법칙이라는 자연법칙 때문이다. 자연법칙은 사실의 존부를 판단할 수 있는 기준은 되지만 어떤 행위나 일이 윤리적으로 옳은지를 판단할 수 있는 근거는 되지 않는다. 예를 들어, 사과나무에서 사과가 떨어져 뉴턴의 머리 위에 떨어졌다고 하자. 사과나무가 나쁘다거나 사과가 잘못했다거나 중력이 옳지 않다고 평가할 수 없다.

도둑이 주인 몰래 사과 100개를 따서 시장에 팔았다고 하자. 우리는 "도둑질해서는 안 된다."는 사회규범을 가지고 있다. 이 규범에 비추어 보면 도둑의 행위는 나쁜 행위이다. 따라서 사회규범에 반하는 행위는 윤리적으로 옳지 않다고 할 수 있다. 어떤 행위가 윤리적으로 옳지 않다는 것은 가치 판단에 따른 규범에 반하기 때문이다. 도둑의 행위를 나쁜 행위라고 말할 수 있는 것은 "남의 물건을 훔쳐서는 안 된다."라는 가치 명제를 우리가 인정하고 있기 때문이다.

그러나 "나무에서 사과가 떨어져서는 안 된다."라는 가치 명제를 우리가 인정할 수 없으므로 뉴턴의 사과나무는 비난받을 이유가 없다. 따라서 자연법칙에 따른 행위는 윤리적 비난대상이 되지 않는다.

(4) 사실명제와 가치명제

사실명제는 자연적 사실이나 역사적 사실에 관한 명제이다. 이 명제는 사실에 부합하느냐가 문제일 뿐, 가치 판단과는 무관하다. "1 + 1 = 2"와 같은 사실명제는 가치관에 따라 다르게 답할 수 없다. 물론 사실과 부합하지 않는 사실명제도 있다. "삼국사기는 일연이 저술했다."는 옳지 않은 사실명제이다. 그러나 "삼국사기는 일연이 저술했다."는 사실명제를 누군가 주장했다고 하더라도 윤리적으로 나쁜 사람이라고 할 수 없다. 사실명제는 가치관과 관계없이 옳고 그름을 결정할 수 있다. 가치 판단과는 달리, 사실문제는 명백히 옳은 것을 찾을 수 있기 때문이다. 예를 들어, 삼국사기는 일연이 쓴 것이 아니라는 사실은 분명하다.

가치문제에서는 완전한 진리를 찾을 수 없다. 그러므로 가치명제는 주장하는 사람의 가치관에 따라 서로 다른 가치명제를 주장할 수 있다. 위와 같이 어떤 가치관을 가지느냐에 따라 다른 가치명제를 주장할 수 있고, 따라서 가치가 포함되어 있는 문제는 사회적 합의가 어려운 경우가 많다. 학생 두발 규제, 사형제도, 안락사, 영리병원 허용과 같은 문제는 가치관이 다른 사람들 간에 이견이 있기 마련이다.

(5) 자연주의적 오류

사실로부터 당위를 도출하는 것을 자연주의적 오류라고 한다. 사실명제로부터 가치명제 또는 당위명제를 도출하는 오류를 말한다.

- 남녀의 성행위로 인한 임신은 자연스럽고, 인공수정을 통한 시험관 아기는 자연스럽지 않다.
  (과거의 사실)
- 인공수정을 통한 시험관 아기는 시간이 흐름에 따라 많은 사람들에게 받아들여져 자연스럽다.
  (현재의 바뀐 사실)
  → 자연스럽지 않은 것은 옳지 않다.
  (가치명제)
  → 인공수정을 통한 시험관 아기는 자연스럽지 않으므로 시험관 시술은 옳지 않다.
  (과거의 사실에 따른 가치명제)
  → 인공수정을 통한 시험관 아기는 자연스러우므로 시험관 시술은 옳다.
  (현재의 바뀐 사실에 따른 가치명제)

(6) 자연주의적 오류의 사례

나치의 우생학이 대표적인 오류 사례이다. 나치는 아리안 민족의 유전자는 우월하고 유대인의 유전자는 열등하다고 했다. 물론 현대에 들어서는 우생학의 문제점이 증명되었으나, 당시에는 우생학이 과학적 사실로 여겨졌다. 이러한 우생학적 사실에 근거해 각종 법률이 제정되었다.

나치는 유대인과의 성관계 금지법을 제정했다. 열등한 유전자가 성관계를 통해 후대에 전달되면 아리안 민족의 유전자가 오염되기 때문이다. 나치의 논리는 다음과 같다. 유대인의 유전자는 열등하다. 이 열등한 유전자가 후대에 이어지는 것을 막아야 한다. 따라서 유대인과의 성관계를 금지시켜야 한다.

이는 결국 우생학적 사실이 가치명제, 당위명제로 곧바로 전환된 것이다. 사실과 당위는 동일할 수 없다. 당위적 판단을 하기 위해서는 사실에 근거해야 하나, 사실과 당위 사이에 논리적 증명이 필요하다. 법은 목적을 실현하기 위한 수단이며, 법의 목적은 가치이기 때문에 현실의 사실과 목적이 되는 가치 사이에 반드시 논증이 있어야만 한다.

2. 쟁점과 논거

사실	당위
• 존재하는 것 • 과학적 사실, 역사적 사실이 그 대상이다. • 사실적 표현은 "~이다"가 된다. • 사실이 당위로 연결될 때, 과학적 사실의 대표적인 사례로 나치 독일의 우생학이 있다. 역사적 사실의 대표적인 사례로 과거 일본제국의 식민지 통치가 있다. • 최근 AI 도입에 대한 논쟁이 많다. AI의 원리가 빅데이터를 기반으로 하는 귀납적, 확률적 시스템이기 때문에 사실과 당위 논쟁을 기반에 두고 있다. 이 교재의 AI 관련 문제를 참고하기 바란다.	• 마땅히 그렇게 되어야 하는 것 • 당위는 가치와 유사한 의미가 되는데, 정의를 의미하는 경우도 많다. • 당위적 표현은 "~해야 한다"가 된다. • 법은 특정 목적을 실현하기 위한 수단인데, 이 특정 목적이 가치를 갖고 있기 때문에 당위적이다. 법의 일정 부분은 사실적인 것이나 목적은 당위적이다. • 예를 들어, 사회복지법은 사회 불평등을 해소하기 위한 목적으로 일정금액의 보조금을 지급한다. 사회불평등의 해소는 당위적이고 보조금 지급은 사실이다.

3. 읽기 자료

이상완, <인공지능과 뇌는 어떻게 생각하는가>, 솔출판사, 2022

001 문제 사실과 당위

답변 준비 시간 10분 | 답변 시간 10분

Q1. 아래 <사례>의 세 가지 경우에 있어서 공통점과 차이점을 제시하시오.

> <사례>
> ① A는 기분이 나쁘다는 이유로 길을 지나가던 행인을 칼로 찔러 죽였다.
> ② B는 군인으로 자국민을 위협하는 적군의 군인을 상관의 명령에 따라 발포하여 사살했다.
> ③ C는 일반 여성으로 자신의 집에 무단 침입하여 강간하려 한 자를 저항 중에 죽였다.

Q2. 위 문제의 공통점과 차이점을 반영하여, <사례>의 A, B, C 각각에 대한 처벌 여부를 밝히고 왜 그렇게 생각하는지 논변하시오.

Q3. 위 문제의 세 가지 사례에서 처벌 여부가 달라지는 이유를 반영하여, 법은 사실과 가치 중 무엇을 위한 것인지 밝히시오.

추가질문

Q4. 의료 AI는 기존의 진료차트 기록을 기반으로 인간 의사보다 더 정확한 진단을 하는 것으로 알려져 있다. AI 의사의 진단이 인간 의사보다 더 정확한 이유는 무엇이라고 생각하는가?

Q5. 최근 빅데이터와 AI의 결합으로 놀라운 성과가 나타나고 있다. 이에 따라 법 영역에서도 AI가 판사로 활동한다면 정확한 판결을 내릴 것으로 기대하는 여론이 있다. AI 판사의 도입에 대한 자신의 견해를 논하시오.

Q6. 위 문제의 AI 의사의 진단이 정확한 이유를 반영해서, 자신이 선택한 AI 판사 도입 여부에 대한 입장에 대해 해결방안 혹은 보완책을 논하시오.

001 해설 사실과 당위

Q1. 모범답변

<사례>의 공통점은 타인을 죽였다는 사실이 동일하다는 점입니다. 차이점은 처벌 여부입니다. A는 처벌받아야 하고, B는 처벌해서는 안 되고, C 역시 처벌해서는 안 됩니다.

Q2. 모범답변

A는 자신의 자유로운 선택에 따라 타인의 생명을 합리적 이유 없이 해쳐 생명권을 침해하였으므로 처벌이라는 책임을 져야 합니다.

B는 자국민의 생명을 위협하는 적군 군인을 사살하여 국민의 안전을 보호하고 국가안보라는 가치를 지켰으므로 처벌받아서는 안 됩니다. 오히려 국민의 생명과 신체의 자유를 지킨 것으로 보아 국가 훈장 수여를 검토해야 할 것입니다.

C는 자신의 성적 자기결정권을 보호하고자 할 때 이를 지킬 수 있는 다른 선택의 여지가 없었습니다. C는 저항 외의 다른 선택을 할 수 없었으므로 자유로운 선택을 한 것이라 볼 수 없어 그 책임 또한 없습니다. 따라서 처벌받아서는 안 됩니다.

Q3. 모범답변

법은 가치를 보호하기 위한 목적을 가진 것으로 수단적 성격을 지닙니다. 위의 사례에 따르면, A, B, C 모두 타인을 죽였다는 점에서 살인을 했다는 것은 사실입니다. 그러나 사실과 가치는 동일하지 않기 때문에 살인을 했다는 사실 그 자체로부터, 처벌해야 한다는 가치적이고 당위적인 판단이 도출되는 것은 아닙니다. 그리고 사실과 가치가 다르기 때문에 살인을 했다는 사실과 그로 인해 발생하는 가치의 훼손이나 증진에 대한 논리적 연결이 필요합니다. 즉, 법이 지키고자 하는 가치와 발생한 사실 간의 논리적 증명이 꼭 필요합니다. 이 점에서 A, B, C는 사람을 죽였다는 사실만 동일하고 그 행위로 인해 침해되거나 보호되는 가치가 다르기 때문에 처벌 유무와 정도가 달라지는 것입니다.

Q4. 모범답변

의료 AI가 인간 의사보다 정확한 진단을 내릴 수 있는 이유는 인간 의사보다 압도적으로 많은 데이터, 즉 빅데이터를 기반으로 진단하기 때문입니다. AI는 수많은 데이터, 즉 빅데이터를 바탕으로 결정합니다. 의학적인 부분에서 보면 기존 의료차트의 엄청나게 많은 데이터를 분석한 결과, 인간이 알아낼 수 없었던 새로운 상관관계를 귀납적으로 발견할 것이라 할 수 있습니다. 예를 들어 경력이 짧은 의사와 경력이 긴 의사는 모두 의학적 지식을 갖추고 있다는 점에서 동일하나, 환자에 대한 경험적 데이터가 많은 의사가 직관력을 발휘할 가능성이 높습니다. AI는 수많은 의사의 모든 의료차트를 데이터로 확보했을 뿐만 아니라, 인간처럼 수면시간이나 식사시간 등 생활을 위한 시간이 필요 없습니다. 이에 더해 인간 의사는 대학, 병원, 학회 등을 통해 자신의 노하우를 동료 의사에게 전달하는데, 의사소통 과정에서 오류가 발생합니다. 그러나 AI는 인간과 달리 컴퓨팅 자원이 추가적으로 연결되어도 오류 없이 자료 전달과 의사소통이 가능합니다. 따라서 의료 AI는 인간 의사보다 더 정확한 사실적 진단을 할 수 있습니다.

Q5. 모범답변

AI 판사의 도입은 타당하지 않습니다. 국민의 공정한 재판받을 권리를 침해하기 때문입니다. 국민은 자신의 권리를 안정적으로 보장받기 위해 국가를 설립했고 사법부를 통해 권리 침해 여부와 정도를 판단 받고자 했습니다. 국민은 자신이 국가를 통해 실현하고자 하는 가치를 법으로 명문화하고 그에 대한 전문적 판단은 사법부와 법관에게 담당하도록 규정하였습니다. 그러므로 법은 사실에 대한 판단이 아니라 가치에 대한 판단입니다. AI는 수많은 사실로부터 귀납적으로 결론을 도출하는 것입니다. 이는 사실에 있어서 일정 정도의 유용한 패턴을 발견할 수 있으나, 이것이 정당한 결정이라 볼 수는 없다는 한계가 있습니다. 100만 마리의 백조를 관찰했는데 100만 마리의 백조가 하얗다는 결론을 내렸더라도, 이후 단 한 마리의 검은 백조가 관찰되면 그 결론은 반증되는 것입니다. 이와 마찬가지로 범죄자 100만 명의 데이터를 수집하여 특정요소 A가 범죄의 원인이라 판단하고, 이에 근거해 특정 범죄자에 대해 판결을 했다고 하더라도 그것이 정당하다고 볼 수 없습니다. 이는 위 문제에서 동일한 살인이라는 사실로부터 처벌이라는 가치 판단을 동일하게 내릴 수 없는 것과 마찬가지입니다. 따라서 국민의 공정한 재판받을 권리에 반하므로 AI 판사의 도입은 타당하지 않습니다.

Q6. 모범답변

AI 판사를 도입하는 것은 타당하지 않으나, AI 법률비서를 도입하는 해결방안을 제시할 수 있습니다. AI 의사의 경우에서 알 수 있듯이, 사실 판단에 있어서 AI와 빅데이터의 유용성은 대단히 큰 것이 사실입니다. 따라서 인간 법관의 선택과 결정을 돕는 AI 법률비서를 도입하거나, 일반 국민이 수행해야 하는 각종 법률 절차를 안내하고 돕는 AI의 도입은 타당합니다.

AI 판사는 의사결정의 기반이 되는 빅데이터, 즉 법률과 지금까지 누적된 판례를 데이터로 삼아 귀납적 판단을 하게 될 것입니다. 이 누적된 사실에 기반하여 내린 판단은 기존의 판례에 부합하는 판결일 수 있습니다. 그러나 이것이 가치에 기반한 정당한 판결이라 보기 어렵습니다. 예를 들어 생활고에 시달리는 20세의 고아가 10만 원을 절도한 것과 20세의 재벌 3세가 재미삼아 10만 원을 절도한 것은 절도 여부와 절도액이라는 사실에서는 동일합니다. 그러나 이는 가치 측면에서 엄연히 다른 것으로 보아야 합니다. 그렇지만 법관이 가치 판단을 위해서는 여러 복잡한 사실에 대한 이해가 선행되어야 합니다. AI가 사실 판단 업무를 보조하는 것은 AI의 강점을 살리는 것입니다. AI가 사실 판단 업무를 효율적으로 수행함으로써 법관의 의사결정을 보조하도록 하는 것은 국민의 공정한 재판받을 권리의 효율적 실현을 위해 타당합니다.

002 개념 인간본성론

2024 경북대·2023 서울대·충남대 기출

1. 기본 개념

(1) 인간본성론의 역사

인류는 자신의 존재, 즉 인간 자체에 대해 알고자 했다. 인간이 동물과 다른 점은 무엇인가, 즉 인간 고유의 성질은 무엇인지 고민해온 것이다. 인간의 본성을 파악할 수 있다면 인간의 원인을 알게 되는 것으로서 인간 사회의 원리 또한 파악하는 것이 된다. 법 역시 인간 사회를 위한 수단이기 때문에 인간본성론과 깊은 관련을 맺고 발전해왔다.

인간본성에 대한 논의는 역사적으로 아래 그림과 같이 변화해왔다. 역사적으로 인간본성론은 ⓐ → ⓑ → ⓒ → ⓓ의 순서로 논의되었고, 논리적으로는 ⓐ, ⓒ, ⓓ가 인간본성이 고정불변이라는 관점을 ⓑ가 인간본성이 가변적이라는 관점을 가진다.

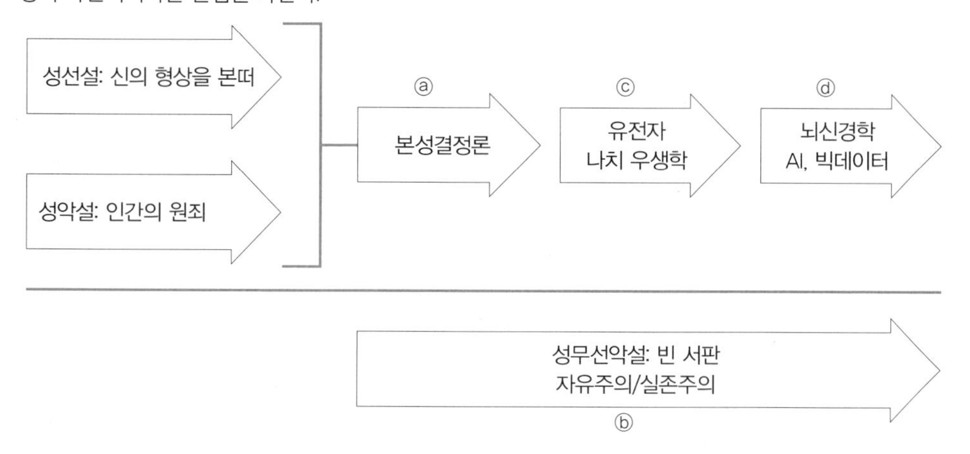

(2) 성선설과 성악설 : 인간본성 결정론

인간본성론은 인간이 신(神)에 의해 창조되었기 때문에 무엇인가 정해진 본성이 있을 것이라는 생각에서 시작되었다. 신이 인간을 창조하였기 때문에 인간은 신으로부터 어떤 목적을 부여받았고 이는 창조주인 신에 의해 결정된 것이다. 따라서 인간에게는 고정불변의 본성이 있다는 대전제가 성립한다. 특히 인간본성론은 플라톤의 이데아론, 기독교의 원죄론과 관련이 깊다. 인간의 본성이 이미 결정되어 있다면, 이를 결정한 존재가 있을 것이고, 그 존재의 특정한 목적에 따라 인간이 만들어져 인간은 그 한계를 극복할 수 없다는 의미가 된다. 이는 절대자, 혹은 신(神)을 상정한 개념이 될 수밖에 없다. 서양의 기독교는 신에 의해 만들어진 인간을 전제하고 인간은 신이 목적한 바대로 살아갈 수밖에 없음을 강변했다. 이것을 잘 보여주는 사례가 성경에서 말하는 "돌아온 탕자"라고 할 수 있다. 인간이 무슨 생각을 하고 무슨 행동을 했는지와 관계없이 그는 신(神)의 품으로 돌아올 것으로 이미 결정되고 예정되어 있다는 것이다. 이를 예정설이라고도 한다.

성선설에 따르면, 인간의 본성은 선하게 결정되어 있다. 인간의 본성은 선하게 태어났음에도 현실의 인간은 악한 행동을 한다. 그 이유는 선한 인간의 본성이 주변 환경에 의해 가려지고 왜곡되었기 때문이다. 이 입장에 따르면, 악한 행동에 대한 책임은 선한 본성을 왜곡시킨 주변 환경에 있는 것이지 결코 당사자의 책임이 아니다. 사회와 국가는 선한 인간의 본성이 그대로 드러날 수 있도록 주변 환경을 잘 정비해주면 충분하다. 반면, 성악설에 따르면 인간의 본성은 악한 것으로 결정되어 있다. 인간의 본성은 그 자체가 악하기 때문에 현실의 인간이 악한 행동을 하는 것이 당연하다. 인간을 선하게 만들려면 사회 전체가 나서서 악한 본성을 강하게 억제해야 한다. 사회와 국가가 이런 역할을 하지 않는다면 인간의 악한 본성이 모두 드러나 서로가 서로를 공격하여 사회는 유지될 수 없을 것이다.

(3) 성무선악설

근대 자유주의자인 로크에 의해 정립된 성무선악설은 인간의 본성이 정해져 있지 않다고 한다. 성무선악설은 인간의 본성은 백지와 같아서 그 종이에 무엇을 쓸 것인지는 미리 정해져 있는 것이 아니라고 한다. 로크는 인간을 빈 서판(Tabula rasa)으로 보고 인간이 태어난 이후 어떤 경험을 하는가에 따라 이 서판이 채워진다고 했다. 인간은 신에 의해 미리 목적이 정해져 있는 존재가 아니며 인간 그 자체로 자유로운 존재가 된다. 개인은 자기 자신의 주체로 자신이 어떤 가치관을 추구할 것인지 선택하여 자신의 삶의 목적을 스스로 결정하고 이를 실현하기 위해 자유롭게 선택하고 노력하며 그 결과에 대해 책임을 져야 한다. 그렇다면 국가의 역할은 소극적일 수밖에 없으며 이를 소극국가 혹은 최소국가라 한다. 국가는 개인의 자유를 최대한 보장하고, 주체로서 자유로운 선택이 가져올 책임을 예측할 수 있도록 이성적 판단능력을 키워주고, 개인에게 삶의 목적이 될 수 있는 가치관을 객관적으로 제시해야 한다. 그리고 타인의 자유에 대한 직접적 해악을 가한 자들을 처벌하여 개인의 자유가 안정적으로 보장될 수 있도록 해야 한다.

성무선악설에 의하면 정교분리(政敎分離)의 원칙이 도출된다. 헌법에는 정교분리의 원칙이 꽤 중요하게 선언되어 있다. 헌법은 근대 서양의 문제의식에서 시작된 것이기 때문에 이를 이해할 필요가 있다. 서양의 신분제는 왕권신수설(王權神授說)과 깊은 관계를 맺고 있다. 왕권신수설에 의하면 왕과 귀족, 농노는 신(神)에 의해 그렇게 태어나도록 결정된 것이다. 이처럼 개인의 모든 삶은 절대자인 신에 의해 정해져 있고 예정되어 있기 때문에 개인은 이렇게 정해진 대로 사는 것이 옳은 것이다. 그러나 절대자인 신(神)이 없다면 혹은 신에 의해 개인의 삶이 결정되어 있지 않다면, 아무것도 정해지지 않은 채 태어난 개인은 자기 삶의 목적이 될 만한 가치를 스스로 자유롭게 결정하고 실현하고 그 결과에 대해 책임져야 한다. 이처럼 개인에게 자유와 책임을 부여하려면 절대적인 예정자가 존재하는 종교로부터 개인을 분리시켜야 한다.

(4) 유전학과 우생학

근대 이후 자유 민주주의가 전 세계로 확산되었으나, 유전학의 발전이 전체주의와 결합되며 2차 세계대전으로 이어졌다. 유전학이 발전하면서 유전자가 인간을 결정짓는 요소이며 인간의 본성이라는 생각으로 이어졌다. 다윈의 진화론에서 시작한 자연선택이론은 유전의 원리와 함께 생물세계를 설명할 수 있는 법칙이 되었다. 인간 역시 생물 중 하나이므로 인류 역시 진화론으로 설명할 수 있다는 관점에서 스펜서의 사회진화론이 출현하였다. 사회진화론은 인간사회의 자연선택의 원동력은 이성이며, 이성이 우월한 자가 열등한 자를 지배해야 한다고 주장했다. 특히 과학기술의 발전을 이뤄낸 서양 백인의 이성이 우월하다는 것이 이미 증명되었으므로 서양이 동양을 지배해야 한다는 오리엔탈리즘과 제국주의로 이어졌다. 우생학이 가세하면서 히틀러와 나치는 유전적으로 아리아인이 지성과 육체적 능력 모두 우월하다는 전제하에 '인종의 쓰레기'인 유대인과 흑인종, 황인종, 더 나아가 아리아인이 아닌 백인까지 적극적으로 제거해야 인류의 진화가 빨라진다는 주장을 하였고 실행에 옮기기까지 하였다.

(5) 뇌신경학과 AI 알고리즘

뇌신경학이 발전하면서 인간의 의사 결정의 알고리즘을 파악할 수 있을 것이라는 기대감이 커지고 있다. 이에 더해 인간 뇌신경 구조를 인공지능으로 구현하고 인공지능이 스스로 학습을 해나가는 머신러닝 기술이 발전하고 있다. 이세돌 9단과 알파고의 바둑 대결이 이를 보여주는 대표적 사례이다. 뇌신경학과 AI의 발전으로 이전에 알 수 없었던 인간의 의사 결정과정을 알고리즘의 형태로 구현할 수 있을 뿐만 아니라 예측할 수도 있을 것이라는 기대가 현실화되고 있다. 만약 어떤 개인의 정보를 대규모로 집적하여 과거의 결정과 데이터로부터 어떤 결정을 내릴 것인지 예측할 수 있고 이 예측의 정확도가 높다면, 개인의 자유로운 의사 결정이라 생각해왔던 것이 사실은 알고리즘과 정보의 결합에 의한 것이 될 수도 있다. 인간의 본성은 경험과 데이터, 알고리즘이 지배하는 것이지 개인의 자유의사에 의한 것은 아니라는 해석도 가능하다.

우리의 뇌를 진화의 결과로 만들어진 일종의 화학 컴퓨터나 바이오 컴퓨터라고 생각해보자. 인간의 뇌를 화학 컴퓨터나 바이오 컴퓨터라 생각한다면, 일종의 목적을 가진 프로그램이 수행되고 있는 것이다. 진화의 목적은 생존과 번식에 있으므로 인간의 뇌, 즉 생화학적 알고리즘은 생존과 번식에 유리하도록 강화되었을 것이다. 인간이 다른 생물을 지배할 수 있었던 이유는 대규모의 집단 협력이 가능했기 때문이다. 그렇다면 우리의 도덕적 감정은 집단 협력이 가능하도록 진화한 신경 메커니즘에서 나오는 것이고 생화학적 알고리즘은 이를 강화하는 형태로 진화해왔을 것이다. 만약 우리 선조 중 하나가 실수를 했다면 그의 유전자는 후대에 전달되지 못했을 것이다. 따라서 감정은 합리성의 반대가 아니라 감정의 체화가 진화적 합리성이 되는 것이다. 우리는 감정이 계산의 결과라는 생각을 전혀 하지 못하는데 이 계산 과정이 자각의 훨씬 하부 구조에서 일어나고 있기 때문이다. 우리의 뇌, 즉 수백만 개의 뉴런은 순식간에 생존과 번식의 확률을 계산해서 결과를 내린다. 우리가 이것을 자유의지라고 생각하는 이유는 내 의지가 나의 내부 힘들의 상호작용에 의해 만들어지고 이 과정을 외부의 어떤 존재도 알 수 없기 때문이다. 그러나 현대 과학기술은 뉴런의 상호작용에 의해 내 생각이 만들어지는 과정과 결과를 외부에서 파악할 수 있고 예측할 수 있도록 했다. 대표적인 예가 fMRI, PET와 같은 영상의학 장비이다.

우리는 생명기술 혁명과 정보기술 혁명이 융합되는 시대에 살고 있다. 생물학자들은 인간의 뇌와 감정을 설명하고 해독하고 예측하려는 시도를 하고 있다. 컴퓨터 과학자들은 상상할 수 없을 정도로 많은 양의 데이터를 처리하는 능력을 가능케 하고 있다. 이 두 가지가 합쳐지면 빅데이터 알고리즘이 만들어져 내 감정을 나보다 더 잘 알고 이해하고 예측할 수 있다. 그렇다면 나에 대한 결정을 내가 직접 하는 것보다 컴퓨터가 더 잘 하게 될 것이다. 그렇다면 권위는 개인으로부터 알고리즘으로 이동하게 될 것이다.[1)]

2. 읽기 자료

유발 하라리, <사피엔스>, 김영사

유발 하라리, <호모 데우스>, 김영사

1) 유발 하라리, <21세기를 위한 21가지 제언>, 김영사, 86~87p 참조

002 문제 인간본성론

답변 준비 시간 20분 | 답변 시간 10분

※ 다음 제시문을 20분간 읽으시오. 문제는 20분이 지난 후에 볼 수 있고, 문제를 본 후에는 곧바로 답변해야 합니다.

(가) 사람의 본성이 선한 것은 물이 아래로 흘러 내려가는 것과 같다. 낮은 곳으로 흘러 내려가지 않는 물이 없듯이 그 본성이 선하지 않은 사람은 없다. 지금 물을 손으로 쳐서 사람의 이마 위로 튀어 오르게 할 수가 있고, 또 거세게 흘러가게 한다면 산에라도 올라가게 할 수가 있다. 그러나 그것은 물의 본성이 아니다. 물에다 외부의 힘을 가하면 그렇게 되는 것이다. 사람이 선하지 않은 일을 할 수 있는 것은 그 본성 또한 이와 같이 바깥으로부터 영향을 받기 때문이다. 선하지 않은 행위를 하는 경우도 있지만 그건 타고난 성질이 잘못되었기 때문이 아니다. 불쌍히 여기는 마음은 사람이면 누구나 가지고 있으며, 부끄러워하는 마음은 사람이면 누구나 가지고 있고, 공경하는 마음은 사람이면 누구나 가지고 있으며, 옳고 그름을 구별하는 마음은 사람이면 누구나 가지고 있다. 측은지심(惻隱之心)은 인(仁)이고, 수오지심(羞惡之心)은 의(義)이며, 공경지심은 예(禮)이고, 시비지심은 지(智)이다. 인의예지(仁義禮智)는 밖에서 안으로 밀고 들어온 것이 아니라 내 자신에게 본래부터 있던 것이다. 사람들이 이것을 생각하지 않고 있을 뿐이다. 그래서 '구하면 얻을 것이요, 버리면 잃을 것이다'라고 말하는 것이다.

(나) 사람의 천성은 원래 악한 것이요, 선이란 인위적이라는 것을 알 수 있다. 그러기에 구부러진 나무는 반드시 곧은 목을 대고 불에 쬐어 바로잡아야 꼿꼿해지고, 무딘 칼은 반드시 숫돌에 갈아야 날이 서고, 사람도 반드시 스승이 있어야 바로잡히고, 예의를 얻어야 다스려질 것이니, 만일 스승이 없으면 편벽된 데로 기울어져 부정해질 것이요, 예의가 없으면 난폭해져서 다스리지 못할 것이다. 그러므로 성현이 이를 위하여 예의를 일으키고 법도를 세워서, 성정을 교정하고 훈련함으로써 사회 규범에 따르고 도리에 맞도록 한 것이다.

이제 사람들을 살펴보면 스승의 감화를 받고 학문을 쌓아서 예의를 숭상하는 사람은 군자가 되고, 제 성정대로 하고 싶은 것만 하고 예의를 지키지 않는 사람은 소인이 되니, 이것만 봐도 사람의 본성은 악이요, 선은 인위적인 것을 알 것이다. 맹자는 "사람이 학문을 하는 것은 그 본성이 선이기 때문이다"라고 했다. 그러나 그것은 잘못된 생각이다. 사람의 본성을 채 모르고, 타고난 본성과 후천적으로 교정된 성정(性情)을 구분하지 못한 것이다.

무릇 본성이란 타고난 그대로를 말하는 것이니, 배워서 되는 것도 아니요, 해서 되는 것도 아니다. 그러나 예의는 성현이 인위적으로 만들어 낸 것이니, 배우면 되고 노력하면 되는 것이다. 이제 사람의 본성은 눈으로 보고 귀로 듣는 것이니, 볼 수 있는 밝은 것은 눈을 떠나서 있지 않고, 들을 수 있는 밝은 것은 귀를 떠나서 있을 수 없으니, 눈이 밝고 귀가 밝은 것은 배워서 된 것이 아니다.

(다) 인간의 자유를 위한 투쟁은 자유롭고자 하는 의지 때문이 아니라 인간 유기체의 특징을 이루는 어떤 행동 과정 때문에 발생한다. 이 행동 과정의 주된 효과는 환경의 혐오 회피이다. 물리학적, 생물학적 공학은 주로 자연적 혐오자극을 상대해 왔다.

실험 분석은 행동의 결정요인을 자율적 인간으로부터 환경으로 돌린다. 이런 환경은 종(種)의 진화와 종의 각 구성원이 습득하는 행동 목록을 결정한다. 초기 환경론자들은 환경이 어떻게 작용하는지를 설명하지 못했기에 무력했고, 그런 입장들은 자율적 인간이 활약할 여지를 많이 주었다. 그러나 과거에 자율적 인간으로부터 기인한다고 생각했던 기능들이 지금은 환경 조건이 그 원인이라고 생각하게 되었고 몇몇 새로운 의문들이 등장하였다. 그렇다고 해서 인간이 '폐지'되는 것은 아니며, 하나의 종으로서나 성취를 하는 개인으로서는 폐지되지 않는다. 폐지되는 것은 자율적인, 내적 인간(the inner man)이다. 이는 하나의 진보라 할 수 있다.

(라) 본질보다 존재가 앞선다는 것은 무엇을 의미하는 것일까? 그것은 사람은 먼저 존재가 있고 난 후에야 세상에서 존재하고 세상에 나타난다는 것을 의미하며, 그는 그다음에 정의된다는 것을 의미한다. 실존주의자가 상상하는 사람이라는 것은 정의될 수 없는 것이다. 그것은 처음에는 아무것도 아니기 때문이다. 그는 나중에야 비로소 무엇이 되는 것이고, 그는 스스로가 만들어 내는 것이 될 것이다. 이처럼 인간성이란 정해진 것이 아닌데, 그것을 상상할 신이 없기 때문이다. 사람은 다만 그가 스스로를 생각하는 그대로일 뿐 아니라, 또한 그가 원하는 그대로이다. 그리고 사람은 존재 이후에 스스로를 원하는 것이기 때문에 사람은 스스로가 만들어 가는 것 이외엔 아무것도 아니다. …(중략)…

정말 존재가 본질에 앞선다면 사람은 자기가 어떤 것인가에 대해서 책임이 있다. 이래서 실존주의의 첫걸음은 모든 사람으로 하여금 그의 존재의 주인이 되게 하고, 그에게 그의 존재에 대한 전적인 책임을 돌리는 것이다. 그래서 사람은 자기 자신에 대해서 책임이 있다고 우리가 말할 때 우리는 사람이 자신의 엄격한 개성에 대해서 책임이 있다는 말이 아니라, 사람은 모든 타인에 대해서 책임이 있다는 말이다. …(중략)… 이처럼 나는 나 자신과 모든 사람에 대해서 책임이 있으며, 내가 선택하는 어떤 인간의 개념을 창조한다. 즉, 스스로를 선택함으로써 나는 '인간'을 선택한다. 이것은 우리에게 불안, 고독, 절망과 같은 용어들이 지닌 뜻을 이해시켜 준다. 그것은 극히 단순하다. 먼저 불안이란 무엇을 의미하는가? 실존주의자는 사람은 불안한 것이라고 즐겨 단언한다.

Q1. 제시문 (가)~(라)의 공통점과 차이점을 제시하고, 이를 반영하여 각 제시문을 각 한 문장으로 요약하시오.

Q2. 제시문 (가)와 (나)가 주장하는 바는 각각 무엇인가? 그리고 각각의 주장에 따르면 우리는 인간의 악행(惡行)에 어떻게 대처해야 하는가?

Q3. 히틀러는 2차 세계대전이 독일의 패배로 귀결되려 하자 초토화 명령, 소위 네로 명령을 내렸다. 히틀러는 연합국이 독일 영토를 점령하기 전에 생활 유지를 위해 필요한 모든 것을 파괴하라고 명령했다. 이 명령에 따르면 배급 카드 기록, 혼인 관계 서류, 주민등록, 은행계정 기록 등을 파괴해야 하고, 농장을 불태우고 가축을 죽이며 식량도 소각하여야 하며, 예술품과 문화재, 기념비, 궁전, 성, 교회, 극장 등을 모두 파괴하고, 상수도와 전기, 병원 등과 같은 사회 인프라 역시 파괴해야 한다.
제시문 (가)와 (나) 각각의 관점에서 히틀러의 초토화 명령에 대해 평가하시오.

Q4. (가)와 (나) 각각의 관점에서 Q3의 히틀러에게 책임이 있는지 논하시오.

Q5. 제시문 (다)와 (라)의 유사점은 무엇이고, 차이점은 무엇인가?

Q6. 제시문 (다)와 (라)의 입장 중 윤리적 측면에서 문제점을 갖고 있는 것은 어떤 입장이라고 생각하는가?

002 해설 인간본성론

Q1. 모범답변

제시문 (가)~(라)의 공통점은 인간의 본성에 대해 논하고 있다는 점이고, 차이점은 본성에 대해 다른 관점을 보인다는 점입니다.

(가)는 인간 본성이 선하다고 합니다. (나)는 인간의 본성이 악하다고 합니다. (다)는 인간의 본성은 환경에 대한 대응과 학습에 의해 결정된다고 합니다. (라)는 인간의 본성은 고정되어 있지 않고 자유롭게 스스로 만든다고 합니다.

Q2. 모범답변

제시문 (가)는 인간의 본성이 선하다고 보는 반면, (나)는 인간의 본성이 악하다고 주장합니다.

제시문 (가)에 따르면, 인간의 본성은 선합니다. 인간이 간혹 선하지 않은 행위를 한다고 하더라도 이는 자신의 탓이 아니라 주변의 환경이나 상황이 그를 방해했기 때문입니다. 그러므로 (가)의 관점에 따르면, 우리는 인간을 둘러싼 환경을 통제해야 합니다. 이처럼 주변 환경을 통제하면 인간은 누구나 자신의 선한 본성이 그대로 발현되어 선한 행동을 할 것입니다.

제시문 (나)에 의하면, 인간의 본성은 악합니다. 본성이 악하므로 인간이 악한 행동을 하는 것은 본성에 그대로 따른 것입니다. (나)의 관점에 따르면, 인간이 악한 행동을 하는 것은 당연한 것입니다. 따라서 인간이 선한 행동을 하도록 하려면 성현의 가르침을 받아 이를 행동으로 습관을 들여야 하고 때로는 폭력의 대상이 되는 수밖에 없습니다. 그러나 이 역시도 인간의 본성은 여전히 악하지만 선한 것처럼 보이는 결과가 드러날 뿐입니다. 이는 마치 양복을 입은 침팬지와 같은 상태라 할 수 있습니다.

Q3. 모범답변

(가)의 성선설에 따르면, 히틀러의 초토화 명령은 그의 책임이 아니라고 평가할 수 있습니다. (가)의 성선설에 따르면, 히틀러의 초토화 명령은 독일의 승리를 위한 선한 목적으로 행해진 군사적·정치적 전략입니다. 나폴레옹이 러시아를 공격했을 때, 러시아는 도시와 식량을 파괴하는 초토화 작전으로 승리한바 있습니다. 히틀러의 초토화 명령도 이와 유사한 군사적인 승리를 거두기 위한 선한 의도에서 비롯된 것입니다. 인간의 본성은 선하므로 히틀러의 초토화 전략은 독일의 승리라는 선한 목적을 위한 군사전략이라고 해석할 수 있습니다. 적이 독일을 점령했을 때 독일의 자원과 기록을 이용할 수 없도록 하면 독일을 점령할 필요성이 제거되는 셈이므로 독일의 승리 혹은 패배를 막을 수 있는 전략이 됩니다. 따라서 히틀러의 초토화 전략은 독일의 승리라는 선한 목적으로 세워진 이성적이고 군사적인 승리 전략에 불과할 뿐입니다.

(나)의 성악설에 따르면 히틀러의 초토화 명령은 인간 본성에 내재한 공격성과 파괴본능 때문입니다. 히틀러의 초토화 전략은 군사적 전략이 아니라 파괴를 즐기는 인간의 악한 본성이 발현된 것입니다. 악한 본성에 더해 독일의 총통이라는 권한까지 있었으므로 자신의 악한 본성을 거리낌 없이 발산할 수 있었던 것입니다. 따라서 히틀러는 악한 본성에 따라 도시 파괴를 명령한 것입니다.

Q4. 모범답변

(가)의 성선설과 (나)의 성악설 모두 인간의 본성이 이미 정해져 있다고 본다는 점에서 히틀러는 책임이 없습니다. 책임이 있으려면 자유가 전제되어야 합니다. 자유로운 선택이 불가능한데 책임을 지울 수는 없습니다. 성선설이나 성악설에 따르면, 히틀러는 자신의 본성에 정해진 대로 행동한 것에 불과하기 때문에 책임이 없습니다. 만약 책임을 묻고자 한다면 히틀러의 본성을 그렇게 만든 존재, 예를 들어 신(神)이나 유전자를 처벌하는 등으로 책임을 물을 수 있을 것입니다. 이는 마치 범죄자가 칼을 이용해 사람을 살해했을 때, 피해자를 직접 죽인 것은 칼이라며 칼을 처벌할 수 없으며, 그 칼을 이용해 범죄를 자유롭게 선택한 범죄자에게 책임을 물어야 하는 것과 동일합니다. 신이나 유전자가 인간의 본성을 고정불변의 것으로 결정했다면, 인간은 단지 고정불변의 본성을 행한 것에 불과할 뿐 스스로 선택한 것이 아니므로 책임이 없습니다. 따라서 인간의 본성을 선하거나 악한 것으로 정해진 고정불변의 것으로 본다면 히틀러는 책임이 없고 그의 악행을 처벌할 수 없습니다.

Q5. 모범답변

제시문 (다)와 (라)의 유사점은 인간의 본성을 고정적 실체로 보지 않는다는 점입니다. 제시문 (다)는 인간의 본질을 정해진 것으로 보지 않고 환경에 대한 대응과 학습에 따라 인간의 본질이 결정된다고 합니다. 따라서 무조건 반사와 같은 생리적 반사 이외의 인간의 본성은 고정된 것이 아닙니다. 제시문 (라)는 인간의 자유의지에 따른 선택에 의해 인간의 본질이 결정된다고 합니다. 따라서 인간의 본질은 고정되어 있지 않고 스스로 만들어가는 것이기 때문에 가변적이라고 합니다.

제시문 (다)와 (라)의 차이점은 인격 형성의 원인입니다. 제시문 (다)는 인간의 인격 형성이 환경에 의해 이루어진다고 보는 반면, 제시문 (라)는 인격의 형성은 개인의 자유로운 선택의 결과로 본다는 차이점이 있습니다. 제시문 (다)에 따르면 개인의 행동은 위험을 회피하기 위한, 환경에 대한 대응이지 자유를 위한 투쟁이 아닙니다. 즉 개인의 행동을 결정하는 요인은 인간의 자유의지가 아니라 환경이 됩니다. 제시문 (라)에 따르면 인간의 존재는 본질보다 앞서있기 때문에 인간이라는 존재는 자신이 어떠한 선택을 하는가에 따라 끊임없이 결정되고 다시 정의되고 변화합니다. 그러므로 인간의 본질은 정해져 있지 않고 자신의 선택과 결정에 따라 변화합니다.

Q6. 모범답변

제시문 (다)는 윤리적 측면의 문제점을 갖고 있습니다. (다)의 논리에 따르면, 인간의 모든 행동은 주변 환경에 대한 대응입니다. 그렇다면 인간이 윤리적으로 악행(惡行)을 저질렀다고 하더라도 이는 도덕적 자유의 결과물이 아니라 단지 주변 환경에 대한 대응에 불과합니다. 인간에게 도덕적 자유가 없었다면 그 결과로서의 악행 역시 반사적 작용에 불과한 것이 되어 도덕적 책임이 없습니다. 이는 마치 파블로프의 개처럼 종을 쳤더니 침을 흘리는 것에 대해 처벌하지 못하는 것과 마찬가지입니다. 따라서 제시문 (다)의 입장은 인간의 부도덕한 행위에 대한 면책을 가능하게 하므로 윤리적 문제가 있습니다.

003 개념 의무론적 윤리설, 목적론적 윤리설

2024 서울대·2023 아주대/영남대·2022 서울대·2021 경북대/경희대/서강대/아주대 기출

1. 기본 개념

(1) 의무론적 윤리설

의무론적 윤리설은 행위 결과의 이익과 관련 없이 일반적인 도덕 규칙에 반하는 행위는 정당하지 않다고 보는 관점이고 칸트가 대표적인 학자이다.

칸트는 보편적인 윤리 원칙에 따른 행위인지 여부가 옳고 그름의 판단 기준이라고 하였다. 칸트의 보편적 윤리 원칙은 특정한 사람이나 상황에 따르는 것이 아니라 보편적인 기준인 원칙을 따라야 한다.

보편적 원칙이란 언제 어디서나 옳은 것, 시간과 공간을 초월해서 성립하는 것을 의미한다. 보편적이라 할 때 대부분은 객관적인 과학 원칙이 그에 해당한다. 예를 들어, 뉴턴이 만유인력의 법칙을 발견하기 이전에는 인력, 중력의 개념이 존재하지 않다가 뉴턴이 만유인력의 법칙을 생각한 이후에야 중력이 생긴 것은 아니다. 원래 있었던 사실을 뉴턴이 발견한 것이다. 이러한 점에서 과학 법칙이 보편성을 가진다고 보는 것이다.

칸트는 행위의 결과보다 동기를 중시했기 때문에 어떤 다른 목적을 달성하기 위한 수단으로서의 명령이 아니라, 그 자체가 목적이 되는 무조건적인 명령으로서의 도덕 법칙을 요구했다. 어떤 목적의 조건이 되는 가언명령(假言命令)이 아니라, 의무의 성격을 띤 정언명령(定言命令)을 제시한 것이다. 가언명령은 어떤 조건이나 상황에 따라 적용되고 요구되는 것이지만, 정언명령은 어떤 특정한 조건에 좌우되지 않는 무조건적인 것이다.

칸트가 도덕 법칙으로서 제시한 정언명령은 "네 의지의 격률(格律)이 언제나 동시에 보편적 입법의 원리가 될 수 있도록 행위하라."는 것이다. 이는 우리로 하여금 행위할 때 항상 보편적 입장에 설 것을 요구하는 것이며, 도덕적 원리는 모두에게 똑같이 적용될 수 있는 보편적 타당성을 지녀야 한다는 것이다. 칸트의 이러한 보편주의의 밑바탕에는 절대적 가치를 지닌 인격체로서의 인간 존엄성에 대한 이념이 깔려 있다. 이로부터 그는 다음과 같은 또 하나의 정언명령을 제시하고 있다. "너 자신과 다른 모든 사람의 인격을 결코 단순히 수단으로 취급하지 말고, 언제나 동시에 목적으로 대우하도록 행위하라."

칸트에게 있어서, 모두에게 보편적 타당성을 지니는 것, 나 자신과 다른 모든 개인의 인격을 목적으로 대우하는 것은 개인의 자유와 관련된다. 칸트의 자유는 우리가 흔히 생각하는 자유와 다르다. 이를 대표적으로 보여주는 것이 자살(自殺)에 대한 관점이다. 칸트에 따르면, 자살은 보편적 도덕준칙에 반하는 것이다. 보편적 도덕준칙이 될 수 있는 것은 생명의 고무와 촉진이다. 만약 생명이 보편적 도덕준칙이 아니라면 지구상에 생명이 번성할 수 없다. 따라서 자살은 자신의 특수한 상황에서 자신의 생명을 수단으로 내린 결정이기 때문에 가언명령적 행위이며 보편적 도덕준칙에 반하는 것이다.

(2) 목적론적 윤리설

목적론적 윤리설은 특정한 목적을 달성할 수 있다면 정당한 것이라 보는 관점이고, 벤담이 대표적인 학자이다. 벤담(J. Bentham)은 효용의 원리가 공공정책의 기조라고 강조한다. 효용의 원리는 입법행위의 목적이 되어야 하고 사회정의의 원리가 된다. 벤담은 행복이 곧 쾌락이고 고통이 없는 상태라고 주장했다. 벤담은 개인들이 모여서 사회를 이루기 때문에 개개인의 행복은 곧 사회 전체의 행복과 동일하며, 더 많은 사람이 행복을 누리게 되는 일이 더 좋은 것임이 분명하다고 주장했다. 벤담이 생각하는 도덕과 입법의 원리가 바로 최대 다수의 최대 행복인 이유가 여기에 있다.

특히 벤담은 모든 쾌락은 질적으로 동일하기 때문에 양적으로 쾌락이 늘어나는 것에 집중하면 된다고 했다. 쾌락을 늘리고 고통을 줄이는 것은 곧 옳은 일이고, 쾌락이 줄어들고 고통이 늘어나는 것은 곧 그른 일이 된다.

2. 쟁점과 논거

규범론적 윤리설	목적론적 윤리설
[보편적 윤리기준 제공] 규범론적 윤리설에 의하면 사회 구성원 누구라도 직관적으로 옳다고 생각하는 보편타당한 윤리 기준이 존재한다. '타인을 살해하지 마라', '타인의 물건을 훔치지 마라'와 같은 윤리 기준이 그러하다. 이러한 윤리적 가치는 시대상이나 사회 인식의 변화에도 불구하고 언제나 옳은 가치로 인식된다.	[문제 해결을 위한 구체적 기준 제공] 목적론적 윤리설은 절대적인 윤리 가치를 부정하며, 상황에 따라 구체적인 선(善), 목적 가치 등을 고려해 사회 공중의 이익을 극대화할 수 있는 윤리적 가치를 최선인 것으로 판단한다. 그렇기 때문에 구체적인 사안에 대한 윤리적 판단 기준을 제공할 수 있다.
[사회 질서 유지] 규범론에 따른 윤리 가치는 어느 사회, 어떤 누구라도 언제나 옳다고 생각하는 것이다. 그렇기 때문에 어떤 상황에서도 규범론적 윤리 가치에 따라 사안을 판단할 수 있고, 이 판단의 결론에 따라 자신의 행동을 결정할 수 있다. 이러한 윤리적 판단이 확산됨에 따라 사회 질서를 더 잘 지킬 수 있다.	[사회 변화에 조응] 목적론적 윤리설에 의하면 윤리 가치는 보편타당한 것이 아니라 상황에 따른 구체적인 타당성, 사회 구성원 다수에 미치는 긍정적 영향을 유발하는 것으로 규정할 수 있다. 이에 따라 시대상이나 사회의 변화에 윤리관, 가치 판단의 기준을 조응시킬 수 있다.
[규범에 대한 신뢰 배양] 사회 구성원은 언제나 규범이 지켜질 것이라는 신뢰가 형성되지 않는다면 해당 규범을 지키려 하지 않을 것이다. 규범론적 윤리설은 모든 상황에 적용할 수 있는 보편타당한 도덕규범을 제공하여 규범에 대한 신뢰를 배양한다.	[사회적 이익 증진] 현대는 복잡하고 다양한 윤리적 갈등으로 인해 사회문제가 격화되고 있는 것이 현실이다. 목적론적 윤리설은 이러한 사회문제 각각의 구체성과 특수성을 고려한 적합한 윤리적 해결책을 제시해 문제를 해결하고, 사회적 이익을 증진시킬 수 있다.

3. 읽기 자료

마이클 샌델, <정의란 무엇인가>, 와이즈베리

리하르트 다비트 프레히트, <철학하는 철학사 2, 너 자신을 알라>, 열린책들

의무론적 윤리설, 목적론적 윤리설

답변 준비 시간 15분 | 답변 시간 15분

※ 다음 제시문을 읽고, 문제에 답하시오.

(가) 벤담(J. Bentham)은 '효용의 원리'가 공공정책의 기조라고 강조한다. 효용의 원리야말로 입법자들이 법을 제정할 때 반드시 염두에 두어야 하는 사회정의의 원리로서 입법행위의 규범적 원리가 되는 셈이다. 벤담에 따르면 행복이란 다름 아닌 쾌락이고, 고통이 없는 상태를 의미한다고 주장하였다. 또한, 그는 사회는 개인의 집합체이므로 개개인의 행복은 사회 전체의 행복과 연결되며, 더 많은 사람이 행복을 누리게 되는 것은 그만큼 더 좋은 일이라고 생각하였다. 그리하여 이른바 '최대 다수의 최대 행복'을 도덕과 입법의 원리로 제시하였다. 그리고 모든 쾌락이 질적으로 동일하다고 생각한 벤담은 쾌락과 고통의 양을 측정할 수 있는 계산법까지 제시하였다.

(나) 행위의 결과보다는 동기를 중시한 칸트(I. Kant, 1724~1804)는 어떤 다른 목적을 달성하기 위한 수단으로서의 명령이 아니라, 그 자체가 목적인 무조건적 명령으로서의 도덕 법칙을 제시하였다. 즉, 조건이 붙는 가언명령(假言命令)이 아니라, 의무의 성격을 띤 정언명령(定言命令)을 제시한 것[2)]이다. 칸트가 도덕 법칙으로서 첫째로 제시한 정언명령은 "네 의지의 격률(格律)이 언제나 동시에 보편적 입법의 원리가 될 수 있도록 행위하라."는 것이다. 이는 우리로 하여금 행위할 때 항상 보편적 입장에 설 것을 요구하는 것이며, 도덕적 원리는 모두에게 똑같이 적용될 수 있는 보편적 타당성을 지녀야 한다는 것이다. 칸트의 이러한 보편주의의 밑바탕에는 절대적 가치를 지닌 인격체로서의 인간 존엄성에 대한 이념이 깔려 있다. 이로부터 그는 다음과 같은 또 하나의 정언명령을 제시하고 있다. "너 자신과 다른 모든 사람의 인격을 결코 단순히 수단으로 취급하지 말고, 언제나 동시에 목적으로 대우하도록 행위하라."

(1) 초나라 군대가 성급히 강을 건너 공격해왔다. 그들을 격파할 수 있는 좋은 기회였지만, 송나라 군대는 그들이 강을 건너 전열을 갖추기를 기다렸다가 맞서 싸웠다. 결과는 송나라의 참패였다. 신하들이 "왜 진작 공격 명령을 내리지 않았습니까?"라고 묻자, 송양왕은 다음과 같이 답했다. "적이 곤란한 상황일 때 공격하는 것은 군자의 도(道)가 아니다. 상대의 전열이 갖추어지지 않았는데 어찌 공격하겠는가?"

(2) 건달들은 그것으로 끝내지 않고 계속 아Q를 놀려댔고, 마침내 때리기까지 했다. 그는 사실상 패배했다. 심지어 놈들은 노란 변발을 휘어잡고 벽에 그의 머리를 너덧 번 쿵쿵 짓찧었다. 건달들은 그제야 만족해하며 의기양양하게 돌아갔다. 아Q는 잠시 선 채로 생각했다. "자식에게 얻어맞은 셈 치자. 요즘 세상은 정말 개판이야." 그 역시 만족해하며 의기양양하게 돌아갔다.

2) 가언명령(假言命令)은 어떤 조건이나 상황에 따라 적용되고 요구되는 도덕명령을, 정언명령(定言命令)은 어떤 특정한 조건에 좌우되지 않는 무조건적인 도덕명령을 말한다.

Q1. 제시문 (가)와 (나)의 옳고 그름의 판단의 근거는 각각 무엇인가?

Q2. 제시문 (1)과 제시문 (2)에서, 문제 상황에 대처하는 송양왕과 아Q의 자세에는 어떤 공통점과 차이점이 있는지 제시문 (가)와 (나)를 참고하여 설명하시오.

Q3. 아Q가 보여준 삶의 태도가 갖는 긍정적 측면과 부정적 측면을 제시하시오.

Q4. A는 잠실 롯데월드와 삼성 코엑스에 강력한 폭발물을 설치하였다는 혐의를 받아 경찰에 체포되었다. 테러범 A는 폭발물 설치를 시인하였으나 폭발물의 설치 장소를 밝히지 않고 있다. 폭발물을 제거하지 않는다면 100명 이상의 사망자가 나올 것이 분명하다. 이때 제시문 (가)와 (나)의 입장 각각에서 A를 고문하여 폭발물의 설치 장소를 밝히는 것이 윤리적으로 타당하다고 생각하는지 여부를 밝히고 왜 그러한지 논하시오.

Q5. 지원자가 A의 폭발물 문제를 해결해야 할 책임자라면 이 문제를 어떻게 해결할 것인지 논하시오.

003 해설 의무론적 윤리설, 목적론적 윤리설

Q1. 모범답변

제시문 (가)의 벤담에 따르면 옳고 그름의 기준은 쾌락의 증가입니다. 따라서 행위의 동기 등은 중시되지 않고 오로지 행위의 결과가 쾌락을 가져왔는가를 기준으로 옳고 그름을 판단합니다.

제시문 (나)의 칸트에 따르면 보편적인 윤리 원칙에 따른 행위였는지를 기준으로 옳고 그름이 판단됩니다. 따라서 행위의 결과와 관계없이 행위의 동기가 옳고 그른 것인지를 판단합니다.

Q2. 모범답변

송양왕과 아Q의 공통점은, 문제 해결에 필요한 가치관에 근거해서 행동을 선택하였다는 점입니다. 송양왕은 군자의 도(道)라는 가치관에 근거하여 공격하지 않는 선택을 했습니다. 아Q는 "요즘 세상이 개판이라서 그렇다."면서 상황에 따른 구체적 타당성을 판단하는 가치관에 근거하여 행동하고 있습니다.

송양왕과 아Q의 차이점은, 송양왕은 의무론적 윤리설에 근거하여 행동을 선택한 반면, 아Q는 목적론적 윤리설에 근거하여 상황에 대처하였다는 것입니다.

먼저, 송양왕은 의무론적 윤리설에 따라 상황에 대처하였습니다. 의무론적 윤리설은 사회 구성원 누구나 직관적으로 옳다고 생각하는 보편타당한 윤리적 기준이 존재한다고 합니다. 송양왕은 "타인이 곤란한 상황에서 공격하는 것은 옳지 않은 행위이다." 혹은 "정정당당하게 싸워야 한다."는 원칙은 보편타당한 원칙이라는 판단하에 적군이 전열을 갖추기 기다렸다가 싸움을 하는 선택을 하였습니다.

반면, 아Q는 목적론적 윤리설에 근거하여 상황에 대처하였습니다. 목적론적 윤리설은 절대적 윤리 기준은 없고 상황에 따라 구체적인 목적 가치 등을 고려하여 사회 다수의 이익을 극대화할 수 있는 가치가 최선이라고 생각합니다. 아Q는 자신이 건달들에게 덤벼봐야 이길 가능성이 전혀 없고 오히려 자신이 건달들에게 더 큰 피해를 입을 가능성이 있다는 판단하에 자신의 이익을 극대화할 수 있는 선택을 하였습니다. "세상이 말세라 이런 일이 있다."고 생각하고 혼자 피해를 감수하는 것이 오히려 자신에게 이익이 되므로 이를 정당화한 것입니다.

Q3. 모범답변

아Q가 보여준 삶의 태도가 갖는 긍정적인 측면은 상황에 적합하고 구체적 문제 해결이 가능하다는 점입니다.

반면 부정적인 측면은 구체적인 상황이 있어야만 판단을 할 수 있으므로 구체적 상황이 발생하기 전에 행동을 결정할 수 있는 원칙이 될 수 없다는 점입니다.

Q4. 모범답변

제시문 (가)의 입장에서 A에 대한 고문은 허용됩니다. A에 대한 고문이 사회의 고통을 줄이는 것으로 사회의 쾌락을 증가시키는 행위이기 때문입니다. 제시문 (가)의 목적론적 윤리설에 따르면 사회 전체의 쾌락이 증가하는 선택을 해야 합니다. 이러한 쾌락은 양적으로 측정될 수 있고, 모든 사람의 쾌락은 동등하게 취급되는 것입니다. 그리고 사회의 고통을 줄이는 것 역시 쾌락의 증가라 할 수 있습니다. A를 고문함으로써 폭발물 설치 장소를 알아내어 100명의 생명을 구할 수 있다면, A를 고문함으로써 야기되는 A의 고통 증가와 100명의 생명을 구제함으로써 얻을 수 있는 고통 감소를 비교할 때 후자의 고통 감소량이 더 큽니다. A는 혼자서 단순한 고통을 겪을 뿐이지만, 100명의 생명을 잃는 것이 더 큰 고통이기 때문입니다. 따라서 A에 대한 고문은 사회의 쾌락을 증대시키므로 허용됩니다.

반면, 제시문 (나)에 따르면 A에 대한 고문은 허용되지 않습니다. 제시문 (나)의 의무론적 윤리설에 따르면 보편적 도덕원리를 위배해서는 안 됩니다. 보편적 도덕원리에 의하면 인간은 그 자체로 목적이 되며, 다른 것을 위한 수단으로 취급되어서는 안 됩니다. A에 대한 고문은 인간을 수단으로 대하는 것입니다. 피해 예방이라는 사회적인 목적 실현을 위해 A라는 인간을 수단으로 대하는 것이기 때문입니다. 따라서 A에 대한 고문은 보편적 도덕원리에 반하므로 허용되지 않습니다.

Q5. 모범답변

제가 책임자라면, 테러범 A를 고문하여 다수의 피해를 막는 선택을 하되 고문 행위를 선택한 것에 대한 처벌을 감수할 것입니다.

원칙적으로 테러 혐의자에 대한 고문은 정당화되지 않습니다. 사회적 피해를 예방하고 다수의 생명을 구할 수 있다는 이유로 고문을 허용한다면 인간의 존엄성을 침해할 수 있기 때문입니다. 인간은 존엄한 존재로 목적으로 대해야 하며 결코 수단으로 대해서는 안 됩니다. 고문의 허용은 수사나 진실의 발견, 테러범죄의 예방이라는 사회적 목적을 위해 인간의 생명, 신체를 수단으로 대하는 것으로서 인권에 대한 명백한 침해입니다. 범죄자 역시 인간이기 때문에 인간의 존엄성을 존중받아야 하고 인권의 보호 대상이 됩니다. 따라서 테러범 A에게 고문을 가하는 것은 허용되지 않습니다.

그러나 현실적으로 볼 때, 현재 상황에서 100명의 생명을 잃게 될 테러 범죄를 막는 유일한 방법이 고문일 수 있습니다. 특히 폭발물 해체 시간이 촉박한 상황에서는 A만이 폭발물의 위치를 정확하게 알고 있기 때문에 A에 대한 고문 외에는 다른 방법이 없을 수도 있습니다. 제가 만약 다수의 생명과 관련한 테러범죄를 막아야 하는 책임자라면 진지한 숙고 끝에 테러범죄를 막기 위한 목적으로 필요 최소한의 고문을 직접 행할 것입니다. 다만 제가 인권침해 행위를 행했음을 공개적으로 알리고 이에 대한 책임과 처벌을 스스로 감수할 것입니다.

004 개념 절대주의, 상대주의

2022 서울대·2021 서강대·2020 성균관대 기출

1. 절대주의와 상대주의

절대주의는 절대적으로 옳은 가치가 있으므로 그에 따라 옳고 그름을 판단할 수 있다고 믿는다. 이에 반해, 상대주의는 절대적으로 옳은 가치는 존재할 수 없으므로 모든 가치는 상대적이고 그 누구도 옳음을 전제할 수 없다고 한다. 절대주의와 상대주의의 대립은 학문의 역사에서 빠질 수 없는 주제이자 인류의 역사 전체를 관통하는 것이기도 하다. 절대주의와 상대주의는, 절대적으로 옳은 신과 그렇지 않은 인간의 관계로부터 시작하여 신학(神學)과 철학(哲學)으로 이어졌다. 이후 신의 말씀을 따르는 삶을 사는 것이 절대적으로 옳은 것이라는 생각으로부터, 신이 없거나 혹은 신의 뜻을 인간이 알 수 없다면 모든 개인들 각각의 생각을 상대적으로 존중해야 한다는 자유주의로 연결되기도 한다. 이러한 관점에서 절대주의와 상대주의의 대립은, 윤리 상대주의와 윤리 절대주의, 실정법과 자연법, 현대 과학철학의 상대주의와 합리주의, 문화상대주의와 문화절대주의 등의 주제로 구체화된다.

2. 소피스트와 소크라테스

그리스의 소피스트[3]들은 옳고 그름의 객관적 기준을 부정했다. 소피스트들은 옳고 그름이 자기 이익에 부합하는지 여부일 뿐이라고 생각했다. 그들에 따르면 사람은 각자의 이익이 다르니 옳고 그름의 객관적 기준은 없다. 이러한 의미에서 프로타고라스는 "인간은 만물의 척도이다."라고 하였다.

이에 반해 소크라테스는 옳고 그름의 객관적 기준이 있음을 밝히고자 했다. 소크라테스의 제자인 플라톤은 절대적 진리의 세계인 이데아가 있고 현실은 이데아의 그림자에 불과하다고 했다.

3. 주관과 객관

객관성은 해당 진술의 옳고 그름이 진술하는 자에 의존하지 않는다는 의미이고, 주관성은 그 진술의 옳고 그름이 진술하는 자에 의존한다는 의미이고, 다른 사람에게는 수용될 수 없다는 의미가 깔려 있다. 예를 들어, "1 + 1 = 2"라는 명제가 참이냐는 것은 말하는 사람에 달려있지 않다. 공산주의, 자본주의, 진보, 보수 중 어떤 입장을 취하더라도 "1 + 1 = 2"는 옳은 명제이다. 진술하는 자의 정치, 경제, 사회적 입장에 의존하지 않으므로 "1 + 1 = 2"라는 명제는 객관적이다.

절대주의자들은 옳고 그름의 기준, 선과 악의 기준은 객관적이라고 한다. 그러나 상대주의자들은 옳고 그름의 기준, 선과 악의 기준은 주관적이라고 한다.

3) 소피스트(sophist): 기원전 5세기 무렵 주로 아테네의 자유민으로서 교양이나 학예, 특히 변론술을 가르치는 일을 직업으로 삼던 사람들을 이르는 말. 프로타고라스, 고르기아스 등이 대표자였는데, 후기에는 자기의 이익을 위하여 변론술을 악용하는 경향이 있었기 때문에 궤변가를 뜻하게 되었다.

4. 서양의 절대주의 사상

서양은 근세까지 절대주의가 대체적으로 지배해왔다고 할 수 있다. 그 이유는, 플라톤의 이데아론과 기독교의 영향력 때문이라고 거칠게 표현할 수 있다.

먼저, 플라톤의 이데아론은 절대적으로 옳은 진리의 세계를 상정한다. 플라톤은 현상계(現象界)와 이데아계(idea界)를 구별한다. 현상계는 우리들이 경험하는 세상이며, 계속 변하고 일률적인 것을 찾기 힘든 세상이다. 이에 반해 이데아계는 불변이고 참된 진리의 세계이다. 예를 들어 원은 한 점에서 동일한 거리에 있는 점을 연결한 선이다. 우리가 아무리 정밀한 도구를 사용해도 완벽한 원을 그리는 것은 불가능하다. 원을 잇는 선의 굵기와 면적이 있어 원을 우리 눈에 보이도록 그렸다면 매우 미미한 오차일지라도 존재할 것이기 때문이다. 따라서 한 점에서 동일한 거리에 있는 점들을 연결하는 선을 그릴 수 없다. 그래서 현상계에는 완벽한 원이 존재하지 않는다. 그러나 이데아 세계에는 완벽한 선이 존재한다고 한다. 이와 마찬가지로 이데아 세계는 원, 삼각형, 정의(Justice), 선(善)의 완전한 형태가 존재한다. 그러나 현실의 세계는 그렇지 않으므로 이 세상은 이데아의 그림자에 불과한 것이 된다. 이처럼 이데아 세계의 원을 기준으로 현상계의 원에 대한 평가가 가능하다. 플라톤에 따르면, 인간은 태어나기 전에는 이데아 세계를 알고 있었으나 인간으로 태어나면서 이를 망각했다고 한다. 그러나 인간은 이것을 완전히 잊어버린 것은 아니고 이성을 통해 형상(形象)을 인식할 수 있다고 한다. 그렇다면 인간은 옳고 그름의 객관적 기준을 알 수 있으므로 절대주의로 이어지게 된다. 플라톤은 그래서 불변의 세계를 전제로 하고(존재론, ontology), 인간은 이성을 통해 이를 알 수 있다고 한다(인식론, epistemology). 그에 따르면 우리가 감각기관을 통해 보고, 만지고, 냄새 맡는 이 세상은 이데아의 그림자로 가득 찬 세상일 뿐이다. 영원히 변하지 않는 이데아 세계는 우리들의 이상이요, 꿈이라고 한다. 서양철학에서 플라톤의 전통에 따라 이성을 통해 진리를 인식할 수 있다는 합리주의가 나오게 되며 절대주의의 경향을 보이게 된다. 그러나 이에 반대해 인간의 감각을 통해 참된 지식을 얻을 수 있다는 견해가 경험주의이며 상대주의의 경향을 보이게 된다.

둘째로, 기독교의 영향력이 절대주의를 강화했다. 기독교는 절대적인 선(善)인 신(神)의 말씀을 따라야 한다고 한다. 신은 그 자체로 진리이며 옳음 그 자체이기 때문에 신의 존재는 객관적으로 확인되는 절대적 가치가 된다. 플라톤의 이데아론은 중세의 기독교로 쉽게 전환되어 절대주의를 강화하는 역할을 했다. 플라톤의 이데아와 진리를 기독교의 신으로 대치할 수 있었기 때문이다.

5. 절대주의의 문제점

절대주의는 지배와 폭력을 낳았다는 엉뚱하지만 근거 있는 비난을 받고 있다. 절대주의에 의하면, 이성을 통해 진리를 알고 있는 사람과 그렇지 못한 사람이 있다. 플라톤은 진리를 알고 있는 사람들을 철인(哲人)이라고 했다. 진리를 알고 있는 철인은 매우 소수일 수밖에 없다. 나머지는 진리를 모르고 있는 대중이다. 따라서 무지몽매(無知蒙昧)한 대중은 소수의 지혜로운 자들의 결정에 복종해야 한다. 플라톤 철학은 자연스럽게 소수 지배자들의 다수에 대한 지배를 정당화시킬 수 있다는 비판을 받는다.

제국주의, 오리엔탈리즘처럼 서양의 아프리카와 아시아 지배에 대해, 플라톤의 이성주의와 절대주의에 책임을 돌리는 이들마저 있다. 문화를 평가할 수 있는 객관적 기준이 있다고 한다면 선진문화, 후진문화와 미개문화가 있을 수 있다. 서양 제국주의자들은 객관적으로 볼 때 선진문화를 가진 자기들이 아시아, 아프리카를 지배하여 후진문화를 발전시켜주겠다고 했다. 제국주의 시대의 일본은 이런 논리를 차용(借用)하여 아시아를 자신들이 지배하여 발전시키겠다는 대동아공영권이라는 논리를 내세웠다. 이에 따르면, 아시아 민족이 서양 세력의 식민지배로부터 해방되려면 일본을 중심으로 대동아공영권을 결성하여 서양 세력을 몰아내야 한다는 것이다. 이에 따라 제국주의 일본의 조선 지배 논리가 만들어졌다. 그 지배 논리는 다음과 같다. 조선은 자생적으로 근대화를 실현할 능력이 없었다. 그런데 일본이 조선을 지배하여 조선의 근대화에 기여했다. 따라서 일본의 조선 지배는 정당하다.

거칠게 말하자면, 일본의 문화는 선진적이므로 100점이고 조선의 문화는 후진적이어서 60점이었는데, 일본이 조선을 지배하여 조선의 문화가 80점이 되어 더 선진적이 되었으니 정당하다는 것이다. 이런 논리에는 문화의 발전 정도를 평가할 객관적 기준이 있다는 전제가 깔려있다.

이러한 이성주의, 절대주의의 폐해를 인식한 학자들의 반론이 제기되어 왔다.

6. 상대주의의 비판

상대주의의 절대주의에 대한 비판은 레비스트로스[4]의 <슬픈 열대>로부터 시작되었다. 그는 서양인들이 미개문화, 원시문화로 평가하는 아프리카 문화와 문명화된 문화, 고등문화로 평가하는 유럽의 문화 사이의 우열을 판단할 수 없다고 반박했다.

우리가 가장 객관적인 영역이라고 생각하는 자연과학마저 주관적 이념과 사상으로부터 자유로울 수 없다는 주장이 제기되기 시작했다. 토마스[5]의 <과학혁명의 구조>는 과학의 발전사를 통해 과학자들의 세계관이 과학연구에 어떻게 영향을 끼쳤는지 보여준 바 있다. 더 나아가 과학철학자 파이어아벤트[6]는 현대과학이 점성술사의 견해보다 더 우월한 것은 아니라는 주장까지도 하고 있다.

과거에는 신학자, 철학자들이 진리의 독점을 주장하면서 다른 주장을 한 자들을 탄압해온 것이 사실이었다. 그러나 이제 와서는 누구도 진리의 왕관을 쓰고 있다고 자처할 수 없게 되었다. 그렇다고 해도 지식의 상대성이 지식의 우열을 완전히 부정한다는 것도 어리석은 일이다. 예를 들어 갑자기 맹장에 이상이 생겼다고 한다면, 현대인들은 주술사에게 갈 것인가, 혹은 병원 의사에게 갈 것인가? 대답은 명확하다. 현대인들은 병원 의사에게 갈 것이다. 그 이유는 주술사보다 의사가 맹장 치료에 대한 더 나은 지식을 가지고 있다고 생각하기 때문이다.

따라서 문제 해결에 더 적합한 수단으로 알려진 지식은 우리가 수용해야 하지만, 그 지식은 완전한 진리라기보다는 현재 수준에서는 상대적으로 유용한 지식일 뿐이라고 생각해야 한다. 따라서 나와 다른 주장을 하는 사람을 존중하고, 열린 사고방식으로 진리를 추구하는 자세를 가져야 한다.

4)
레비스트로스(Levi-Strauss, Claude, 1908~1991): 프랑스의 사회인류학자로 문화체계를 이루는 요소들의 구조적 관계라는 관점에서 문화체계를 분석하였다.

5)
토마스 쿤(Kuhn, Thomas S. 1922~1996): 미국의 과학철학자로 과학연구에서 사회적·문화적 요인도 중요한 역할을 한다는 주장으로 과학사와 과학철학에 혁명을 일으켰고, '패러다임'이라는 전문용어를 일반적으로 널리 쓰도록 만든 <과학혁명의 구조>라는 책을 썼다.

6)
파이어아벤트(PaulFeyerabend,1924~1994): 오스트리아의 과학철학자로 과학적 방법의 기본이 되는 법칙을 찾으려는 시도를 전면적으로 거부하여 과학 무정부주의자로 불리기도 한다.

004 문제 절대주의, 상대주의

답변 준비 시간 20분 | 답변 시간 20분

※ 다음 제시문을 읽고, 문제에 답하시오.

(1) 수술을 하여 산모와 태아 둘 중 하나의 생명을 건질 수 있다면, 누구를 살리겠는가? 그 이유는 무엇인가? 수술을 하였을 경우 한 사람이 확실히 죽는다는 근거가 있으면, 그 행위는 행해질 수 없지만, 수술을 해서 두 사람 다 살릴 수 있는 확률이 있고 그것이 수술을 하지 않았을 때보다 더 높다면 수술의 행위는 이루어질 수 있다. 만약 수술을 하다가 한 사람만을 살려야 한다면, 수술 전에 먼저 산모의 의견을 들어서 산모의 의견대로 행해야 할 것이다. 일단 태아는 아직 태어나지 않은 상태이므로, 산모에게 그 책임과 권리가 있다. 이 경우 태아 생명의 결정권은 산모에게 있는 것이다.

(2) 만약 하혈을 하도록 그냥 두면 산모는 죽고 태아는 살고, 의도적으로 태아를 죽게 하면 산모를 살릴 수 있다면 어떻게 하겠는가? 하혈을 하도록 그냥 둬야 한다. 산모보다 태아의 생명이 존귀하다거나 태아보다 산모의 생명이 존귀하다는 판단을 할 수 있는 절대적 가치가 없다. 또한 의도적으로 태아를 죽게 하는 의료 행위는 태아에 대해 피해를 주는 것이므로, 피해 회피의 원칙에 어긋나기 때문에 이런 의료 행위는 행해져서는 안 된다. 그러므로 태아도 한 인격체로 인정하고, 산모가 태아의 생명에 대한 결정권을 가져서는 안 된다.

(3) 모든 사람이 인격체인 것은 아니다. 태아, 유아, 정신박약아, 회복 불가능한 혼수상태에 빠진 사람 등은 인격체가 될 수 없는 사람들의 예이다. 자기의식, 이성, 도덕 감각이라는 세 가지 특징이 도덕에 관해 논의할 수 있는 존재를 결정한다.
우리가 인격을 문제시하는 것은 우리들이 정당한 이유로 상벌을 내릴 수도 있고, 또 도덕 생활의 핵심부에서 어떤 구실을 할 수 있는 존재를 결정하기 위해서이다. 그 같은 존재가 도덕적 논의에 참가하기 위해서는 먼저 그들이 그들 스스로를 반성할 필요가 있을 것이다. 그 때문에 그들은 자신을 끊임없이 의식하고 있지 않으면 안 된다. 도덕 공동체의 가능성을 고안해 내기 위해서는 자신이나 타인에 관한 행위 규칙을 생각할 수 있는, 즉 이성적 존재자가 아니면 안 되는 것이다.

(4) 도덕적 절대주의는 도덕적 진리에 대한 객관적인 기준이 우리와 독립적으로 존재하거나 또는 행위의 옳고 그름이 그 결과와 상관없이 결정된다는 신념이다. 자연법 윤리학은 두 가지 의미 모두에서 절대주의적 도덕 이론이다. 자연법 윤리학자에 의하면 자연적 경향성에 의해 구체화된 가치들 중 어느 것도 직접적으로 침해될 수는 없다. 설사 죄 있는 사람을 살해함으로써 다른 죄 없는 사람을 구할 수 있다고 하더라도, 어떠한 이유로도 사람을 죽여서는 안 된다. 우리의 생물학적 본성의 일부인 출산 기능은 피임과 불임, 중절 수술 같은 관행에 의해 침해되지 않아야 한다. 설사 그러한 관행들이 자식들의 교육, 모체의 생명과 같은 다른 가치들을 보존하는데 필수적이라고 하더라도 침해되지 않아야 한다.

(5) 자연은 인류를 고통과 쾌락이라는 두 주권자의 지배하에 두었다. 우리가 무엇을 하지 않으면 안 되는가를 지시하고 우리가 무엇을 할 것인가를 결정하는 것은 고통과 쾌락뿐이다. 한편에서는 선악의 기준이, 다른 한편에서는 인과의 사슬이 이 옥좌에 걸려 있다.

공리성의 원리란 그 이익을 문제시하는 사람들의 행복을 증대시킬지, 그렇지 않으면 감소시킬지에 따라, 환언하면 그 행복을 촉진시킬지, 혹은 행복에 대립할지에 따라 모든 행위를 인정하고 또 부정하는 원리를 의미한다.

공리 혹은 최대 행복의 원리를 도덕의 기초라고 한다면, 행위는 행복의 촉진에 도움이 되는 만큼 선이며, 행복에 반하는 것을 산출하는 만큼 악이라고 할 수 있다. 행복이란 쾌락과 고통의 결여를 의미하며 불행이란 고통과 쾌락의 상실을 의미한다.

(6) 어떤 사람이 잇달아 발생한 불행으로 인해 절망한 나머지, 삶에 대한 어떤 애착도 느끼지 못하게 되었다고 하자. 그는 자살이라는 행위의 준칙이 보편적 법칙이 될 수 있는지를 검토한다. 그의 준칙이란, "생명을 앞으로 당분간 연장하더라도 쾌락을 보장받기보다는 오히려 엄청난 불행만이 계속될 경우에 자기애(自己愛)에 의거해서 자신의 목숨을 끊는다"는 것이다. 그러나 감각의 본분은 생명을 고무하고 촉진하는 데에 있다. 그 감각에 의해서 생명 그 자체를 파괴하는 것을 자연 법칙으로 삼는다면, 자연은 자기모순이 되고 자연으로서 존립하지 못하게 된다. 이 준칙은 보편적인 자연 법칙으로서 성립할 수 없다. 그러므로 의무의 최고 원리에 완전히 위배된다.

나는 의지가 한 법칙을 수행하려 할 때 생길 수도 있는 모든 충동을 의지로부터 빼앗아 버렸다. 따라서 이제 남은 것은 행위 일반의 보편적 합법칙성뿐이다. 이것만이 의지에게 원리가 되어야 한다. 다시 말하면 나는 나의 준칙이 보편적 법칙으로 되기를 스스로 원할 수 있도록 그렇게밖에는 결코 달리 행동해서는 안 된다.

<사례 A>

임신 7개월의 30세 임산부가 있었다. 그녀는 출산 전 진단을 계속 받아왔고 이상이 없다는 이야기를 들었다. 그녀는 자기 고향인 섬으로 여행을 갔다가 갑자기 찾아온 폭풍우가 몰아치는 밤에 갑자기 하혈을 심하게 하였다. 그 섬에는 산부인과 전문의가 없었고 공중보건의가 있었으나, 그 의사는 하혈의 원인도 잘 알 수 없었다. 산모는 현재 정신을 잃은 상태이고, 보호자와도 연락이 되지 않는다. 의사는 태아를 구할 전문성은 없으나, 태아를 제거하는 수술은 가능하다.

<사례 B>

1975년 4월 14일, 당시 21세였던 미국 여성 카렌 퀸란(Karen Quinlan)은 몇 알의 약을 먹은 뒤 친구의 생일 파티에 참석해 술을 마시고 혼수상태에 빠졌다. 그녀는 뉴저지에 있는 성 클라라 병원에서 6개월간 정맥 주사와 산소호흡기로 연명하는 지속적 식물 상태(PVS)가 되었다. 그녀의 부모는 소생이 불가능하다는 의사의 판단과, 가톨릭 교회법에는 희망 없는 환자에게 비통상적인 방법을 사용하면서까지 연명시켜야 할 윤리적 의무가 없다는 본당 신부의 신학적 해석에 따라 카렌 퀸란이 품위와 존엄 속에 죽을 수 있도록 산소호흡기를 제거해줄 것을 요청했다. 담당 의사가 이를 거절하자 이 문제는 법정으로 옮겨졌고, 산소호흡기 제거는 명백한 살인 행위라는 판정을 받았다.

그 후 1976년 3월 31일, 뉴저지 주 대법원은 의사와 병원 당국이 찬성한다면 산소호흡기를 제거해도 좋다는 판결을 내렸다. 이에 따라 1976년 5월 23일 산소호흡기를 제거했다. 그런데 놀랍게도 그녀는 산소호흡기의 도움 없이 9년간을 더 생존하다가 1985년 6월 13일 감염 합병증으로 사망했다.

Q1. 제시문 (1)~(6)을 각각 요약하시오.

Q2. <사례 1>의 낙태 결정을 허용할 수 있다는 입장과 허용할 수 없다는 각각의 입장에 연결되는 제시문을 분류하고, 연결과정과 타당성을 평가하시오.

Q3. **Q2**에서 논리적으로 연결한 분류 중 <사례 B>의 퀸란 부모의 안락사 결정 허용 견해를 정당화할 수 있는 분류를 선택하고 이에 대한 연결과정과 타당성을 논하시오.

Q4. **Q2**에서 논리적으로 연결한 분류 중 <사례 B>의 퀸란 부모의 안락사 결정 불허 견해를 정당화할 수 있는 분류를 선택하고 이에 대한 연결과정과 타당성을 논하시오.

004 해설 절대주의, 상대주의

Q1. 모범답변

제시문 (1)은 산모의 자기결정권에 따라 낙태를 허용할 수 있다고 합니다. 태아는 산모에게 전적으로 의존하고 있으나, 산모는 독립적인 생명체입니다. 또한 산모는 자기결정권을 온전히 행사할 수 있는 독립적 인격체이나 태아는 그렇지 않습니다. 따라서 산모는 낙태 결정을 할 수 있습니다.

제시문 (2)는 낙태를 허용할 수 없다고 합니다. 산모와 태아의 생명은 모두 존엄하므로 생명으로서 동등한 것입니다. 산모는 태아의 생명에 대해 결정할 권리가 없고, 의료인 또한 태아의 생명을 결정할 권리가 없으므로 낙태를 허용할 수 없습니다.

제시문 (3)은 인격체와 비인격체를 구분하고 있습니다. 인격체는 자기의식, 이성, 도덕 감각을 갖추어야 하기 때문에 태아와 의식불명 상태의 자녀는 비인격체입니다. 이 경우 비인격체를 전적으로 책임지고 있는 이성적 존재이자 인격체인 산모와 부모가 그에 대한 결정을 대신할 수 있습니다.

제시문 (4)는 도덕적 절대주의에 따라 절대적 가치가 있다고 합니다. 절대적 가치는 어떠한 이유로도 침해될 수 없습니다. 대표적으로 인간의 생명은 절대적 가치이기 때문에 사회정의나 다른 이의 생명 보호, 다수의 생명 구제 등의 어떤 이유로도 침해될 수 없습니다.

제시문 (5)는 공리주의 입장으로 쾌락이 늘어나는 선택은 옳고 고통이 늘어나는 선택은 옳지 않다고 합니다. 이에 따르면 어떤 선택의 옳고 그름을 판단하려면 관련된 모든 주체들의 쾌락과 고통을 합산해야 합니다. 인격체는 고통과 쾌락을 느낄 수 있고 효용성을 판단할 수 있는 반면, 비인격체는 고통과 쾌락의 판단 주체가 아니기 때문에 공리 계산에서 배제됩니다. 따라서 인격체의 쾌락을 증가시키는 선택을 하는 것이 타당합니다.

제시문 (6)은 보편적 도덕원칙으로 생명의 고무와 촉진을 제시합니다. 만약 자살(自殺)이 보편적 도덕원칙이라면 현재 지구상에 생명이 다양하게 번성할 수 없습니다. 따라서 생명의 고무와 촉진이 보편적 도덕원칙이며, 살인과 자살 모두 이에 반하므로 허용될 수 없습니다.

Q2. 모범답변

<사례 A>의 낙태 결정이 타당하다는 입장에서 제시문 (1), (3), (5)가 연결됩니다.

(1)은 산모의 의견에 따라 낙태 여부를 결정할 수 있다고 합니다. 만약 산모의 의견을 물을 수 없는 상황이라면 의료인이 산모의 생명을 살리는 방향으로 결정해야 합니다. (3)에 따르면 산모는 자기의식, 이성, 도덕감각을 가지므로 인격체이나, 태아는 그렇지 못하므로 인격체가 아닙니다. 따라서 인격체가 아닌 태아에 대한 선택권은 인격체인 산모에게 있습니다. (5)는 쾌락과 고통의 관점에서 선악을 판단해야 한다고 합니다. 산모의 생명을 포기할 때의 고통과 태아의 생명을 포기할 때의 고통을 계산하면, 산모는 온전한 생명체이므로 전자의 고통이 더 클 수밖에 없습니다. 제시문 (1), (3), (5)를 연결하면, <사례A>에서 산모의 생명을 우선 보호하기 위한 낙태를 허용할 수 있고, 그 연결은 타당합니다.

<사례 A>의 낙태 결정을 허용할 수 없다는 입장에서 제시문 (2), (4), (6)이 연결됩니다.

(2)는 태아의 생명보다 산모의 생명이 존귀하다고 판단할 수 없다고 합니다. 따라서 산모의 생명을 태아의 생명보다 우선시하여 낙태하는 것을 인정할 수 없습니다. (4)의 도덕적 절대주의는 사람을 죽이는 행위는 도덕적 기준에 위반된다고 합니다. 따라서 산모의 생명을 우선시하여 태아의 생명을 단절해서는 안 된다는 결론이 도출됩니다. (6)은 보편적 합법칙성에 따라 행동해야 한다고 합니다. 낙태는 생명을 고무하고 촉진해야 한다는 보편적 원칙에 위반되므로 허용할 수 없습니다.

Q3. 모범답변

<사례 B>의 퀸란에 대한 부모의 안락사 결정 허용은 (1), (3), (5)의 분류입장에서 정당화할 수 있습니다. (1)에 따르면 산모가 태아의 생명을 책임지고 있으므로 산모에게 태아의 생명을 결정할 권리가 있습니다. 마찬가지로 퀸란은 의식불명 상태에 있어 그 부모가 퀸란의 생명을 전적으로 책임지고 있으므로 부모가 안락사를 결정할 수 있습니다. (3)은 인격체는 비인격체에 대한 결정권이 있다고 합니다. 퀸란은 의식불명 상태로 이성적 판단이 불가능해 인격적 존재가 아니지만, 부모는 인격적 존재로 이성적 판단이 가능한 존재입니다. 따라서 비인격체인 퀸란을 대신해 부모가 안락사를 결정할 수 있습니다. (5)에 따르면, 고통을 줄이는 선택은 허용될 수 있습니다. 퀸란의 산소호흡기를 제거함으로써 인격체인 부모의 고통 감소가 존재하는 반면, 비인격체인 퀸란은 고통의 주체가 아니며 고통을 느낄 수 없으므로 고통 자체가 존재하지 않습니다. 따라서 부모의 안락사 결정을 허용할 수 있습니다.

Q4. 모범답변

<사례 B>의 퀸란에 대한 부모의 안락사 결정 불허 입장은 (2), (4), (6)의 분류입장에서 정당화할 수 있습니다. (2)에 의하면, 인격체인 산모와 비인격체인 태아는 생명에 있어 존귀함을 비교할 수 없습니다. 이와 마찬가지로 퀸란이 의식불명 상태라 하더라도 생명임이 분명하므로 퀸란의 생명을 위협하는 산소호흡기 제거를 부모가 결정할 수 없습니다. (4)는 도덕적 절대주의에 따라 생명에 피해를 주는 어떤 행위도 허용될 수 없다고 합니다. 퀸란의 산소호흡기 제거는 부모가 퀸란의 생명에 피해를 입히는 행위이므로 허용될 수 없습니다. (6)에 따르면, 보편적인 도덕원칙에 따라야 하는데, 생명의 고무·촉진이 그 원칙에 해당합니다. 퀸란의 산소호흡기 제거는 생명의 고무·촉진에 명백하게 반하는 것이므로 보편적 도덕원칙에 어긋나는 선택입니다. 따라서 부모의 안락사 결정을 허용할 수 없습니다.

005 개념 법의 형식과 내용

2024 중앙대

법은 형식과 내용이 결합된 것이다. 인간이 개인으로서 나타나 집단을 이루고 살면서 개인과 타인이 서로 함께 살아가기 위해 필요한 규칙이 발생했다. 이 규칙이 발전하여 법이 되었다. 따라서 법은 그 자체로 목적이 될 수 없고 특정 목적을 달성하기 위한 수단이다. 법이 달성하고자 하는 목적은 해당집단과 사회가 달성하고자 하는 특정한 내용, 즉 가치이다. 그러나 이를 위한 수단으로서 법은 문구에 불과하므로 형식이라 할 수 있다.

1. 법의 내용과 의미

법은 그 자체로 목적이 되지 못하고 어떤 특정한 가치를 실현하는 수단이다. 이처럼 법이 달성하고자 하는 특정한 가치가 바로 법의 내용과 의미이다. 우리나라의 법을 보아도 어떤 법이라도 1조는 그 법의 목적이다. 예를 들어 공직선거법의 경우, 공직선거법 1조는 다음과 같다. "이 법은 「대한민국 헌법」과 「지방자치법」에 의한 선거가 국민의 자유로운 의사와 민주적인 절차에 의하여 공정히 행하여지도록 하고, 선거와 관련한 부정을 방지함으로써 민주정치의 발전에 기여함을 목적으로 한다." 결국 공직선거법이라는 수단이 달성하려는 내용과 의미는 '공정한 선거'라고 할 수 있다.

2. 법의 형식과 절차

법이 특정한 가치 실현이라는 목적을 달성하려는 수단이라면, 특정한 형식과 절차를 거칠 수밖에 없다. 위에서 살펴본 공직선거법의 목적이 공정한 선거라는 내용과 의미를 달성하는 것이라면 이를 위해 준비되는 형식적인 절차가 있어야 한다. 예를 들어 19세 이상의 국민은 모두 선거권을 준다거나, 대통령으로 출마하고자 하는 국민은 40세 이상이어야 한다는 등이 바로 그것이다. 여기에서 이것이 형식과 절차에 해당하는 이유는 어떤 특정한 국민만 출마하거나 출마할 수 없거나 하는 등으로 내용적인 규정을 하지 않고 단지 40세 이상인 모든 국민은 대통령으로 출마할 수 있다는 형식적 규정에 그치기 때문이다. 이러한 점에서 법의 형식과 절차는 개인의 자유와 밀접한 관련을 지닌다. 모든 개인은 선거에 입후보할 권리가 있으며 다만 국민들이 스스로 정한 형식적 요건에 따라 일부 제한을 둘 수 있을 뿐이기 때문이다. 이에 따르면 40세 이상의 국민은 누구든지 대통령으로 출마할 형식적 권리는 갖고 있다. 그러나 누가 대통령이 되어야 할 것인지, 행정부를 통해 어떤 가치를 추구할 것인지 구체적인 내용은 선거권을 가진 국민이 어떤 대통령 후보를 선출할 것인지 투표를 통해 결정한다. 민주주의 국가에서 법에 내용과 의미를 부여하는 것은 국가의 주권을 가진 국민만이 할 수 있다.

3. 자유주의와 법실증주의의 문제점

자유주의와 법실증주의는 형식과 절차를 중요시하고, 정당한 형식과 절차를 거쳐 결정된 내용은 옳다고 의제했다. 즉, 많은 수의 개인들의 결정은 내용적으로 옳다고 보았다. 그러나 다수가 곧 옳음을 보장한다고 볼 수는 없다. 예를 들어 나치와 히틀러는 독일 국민 90% 이상의 지지를 받았다. 선거를 통해 구성된 의회에서 유대인 학살에 관련한 법을 제정하였고 히틀러 정부는 이 법에 근거하여 유대인 학살정책을 펼쳤다. 이 과정에서 형식적·절차적 정당성에 문제되는 부분은 전혀 없었으나, 600만 명의 유대인 학살이라는 명백하게 내용적으로 옳지 않은 결과가 발생했다.

4. 형식과 내용의 결합, 균형

법의 내용만을 중시할 경우, 개인의 자유가 심대하게 제한될 우려가 크다. 법의 목적이 되는 내용적 가치가 실현되기만 하면 어떤 수단을 사용하더라도 용인되기 때문이다. 예를 들어, 우리 사회가 범죄자에 대한 분노가 커졌다고 하자. 범죄 예방이라는 사회적 가치가 중요하게 여겨져 이를 실현하기 위해 어떤 것이라도 허용할 수 있다는 사회적 합의가 있다고 하자. 그렇다면, 범죄자의 모든 정보나 사생활을 공개하고 범죄를 막기 위해서 모든 사람을 감시할 수 있을 것이다. 혹은 다섯 집씩 묶어 범죄가 일어나지 않도록 서로 감시하게 하고, 어느 집에서 범죄자가 나올 경우 묶인 다섯 집을 모두 처벌하는 것도 방법이 될 수 있다. 이처럼 법의 내용을 실현하는 것이 지상목표가 되면 개인의 자유는 중요하지 않은 것이 된다.

그렇다고 해서 법의 형식만을 중요하게 여길 경우, 법이 어떤 내용을 담고 있더라도 용인해야 하는 문제가 발생한다. 법의 형식만이 중요하다면, 어떤 형식과 절차에 의해 법이 확정되었는지가 중요하다는 의미가 된다. 예를 들어, 국민투표라는 형식과 절차를 통해 법이 확정된다고 하자. 만 19세 이상의 국민 중 50% 이상의 투표율, 50% 이상의 찬성으로 법이 확정되도록 형식과 절차를 규정했다고 하자. 이 형식과 절차를 모두 만족하여 만 19세 이상의 국민 90%가 투표에 참여하고 90%가 찬성한 법안이 있다고 하자. 그 법안의 내용은 해당국가의 약 3% 비율에 해당하는 소수민족을 학살하는 내용이라 하더라도 그 법은 정당한 것이 된다.

따라서 법의 내용만을 추구해서도, 형식만을 추구해서도 안 된다. 법은 형식과 내용의 균형이 달성되어야만 한다.

5. 라드부르흐 공식: 형식 우선, 명백하게 부정의한 내용

법의 형식과 내용은 마치 인간의 육체와 정신처럼 나누어서 생각할 수 없는 것이다. 개인의 자유를 보장하기 위해서는 법의 형식을 보장해야 하고, 사회적 가치를 지키기 위해서는 법의 내용을 보장해야 한다. 따라서 개인의 자유를 보장하기 위해 법의 형식과 절차를 우선해야 한다. 그러나 형식·절차의 결과가 명백하게 내용적 문제점을 가질 때에는 이를 거부할 수 있어야 한다. 예를 들어, 국민 다수가 다수결에 의해 법을 제정하였다면 그 법의 형식적 정당성이 있고 개인은 이 법을 거부할 수 없다. 그러나 그 법의 내용이 고문이나 학살, 영장 없는 체포 등을 담고 있어 명백하게 반인권적인 내용을 담고 있는 경우 형식적 정당성이 있는 법률을 거부할 수 있다. 헌법재판소가 국민 다수의 지지를 받아 제정된 법률을 무력화할 수 있는 이유는, 국민 다수의 지지를 받은 형식적 정당성을 갖고 있는 법률이라 하더라도 그 법률의 내용이 명백하게 반인권적이거나 명백하게 부정의한 내용을 담고 있는 법률이기 때문이다.

그러나 헌법재판소는 해당 법률의 내용이 명백하게 부정의하다는 것을 증명해야 한다. 따라서 헌법재판소 재판관의 6/9 이상이 위헌을 선언해야만 하고, 판결문을 통해 해당법률의 위헌성이 명백하게 부정의함을 증명한다. 또한 헌법재판소는 국민 다수가 제정한 법률에 대해 위헌 결정을 하여 효력을 상실시킬 수는 있으나, 법률의 내용을 수정하거나 스스로 제정할 수는 없다. 법률의 내용은 주권자인 국민만이 결정할 수 있다.

6. 읽기 자료

방어적 민주주의 원리[7]

7)

방어적 민주주의 원리

005 문제 법의 형식과 내용

답변 준비 시간 20분 | 답변 시간 20분

※ 다음 제시문을 읽고, 문제에 답하시오.

(가) 민주주의 없는 인권이란 형용 모순이다. 민주주의가 부재한 곳에서 시민은 예속적인 위치에 처하므로 주체적인 삶을 영위할 수 없고, 자율적 인간으로서의 존엄성을 확보할 수도 없다. 시민에게 주체적인 삶이란 무엇인가? 그것은 사회 속에서 자신의 운명을 스스로 결정한다는 것을 의미하고, 구체적으로 자신에게 적용될 규칙을 제정하는 데 동등하게 참여할 수 있음을 의미한다. 따라서 민주주의의 부재는 시민의 주체성을 부정하는 것이고, 인권의 존립 기반을 허무는 것이다. 이러한 의미에서 민주주의는 인간 존엄의 한 요소이고, 민주주의에 대한 권리는 핵심적인 인권이라 할 수 있다.

민주주의가 결여된 상태에서는 타인의 간섭 없이 자유로운 선택에 따라 자신의 행동을 결정한다는 의미에서의 행동의 자유가 침해된다. 이러한 소극적 의미의 행동의 자유는 정치적 자유와 필연적으로 연관된다. 시민은 정치적 자유를 행사하여 자신의 행동에 대한 정부의 영향력을 통제할 수 있을 때 비로소 행동의 자유를 확보할 수 있기 때문이다. 만일 어떤 정부가 행동의 자유를 보장한다고 공언하면서도 시민에게 정치 과정에 참여할 권리를 부여하지 않는다면 이는 실제로 행동의 자유를 박탈하는 것이 된다.

행동의 자유의 범위는 본질적으로 정치 과정을 통해 결정되므로 정치적 참여권의 보장 없이는 행동의 자유가 존재할 수 없다. 민주주의는 인권을 적절하게 향유하는 데에도 필수 불가결한 조건이다. 우리는 인권 실현 과정의 역동적 성격에 주목할 필요가 있다. 인간이 어떤 권리를 가진다는 것은 갈색 눈이나 검정 모자를 소유하는 것과 같은 소극적 상태로 파악되어서는 안 된다. 권리를 가진다는 것은 그것의 해석을 통해 다른 이들과 의견을 공유하는 능동적 능력을 발휘할 수 있음을 의미한다. 이 능력은 인간이 자신의 견해를 공적으로 제약 없이 표현할 수 있는 경우에만 실현된다. 이처럼 자신의 권리를 해석하는 능력과 견해를 표현할 수 있는 자유는 민주주의 국가에서만 존재할 수 있다.

(나) 인권과 민주주의는 서로 다른 필요를 충족시키기 위해 탄생했다. 인권은 개인의 차원에서 인간 존엄, 생명, 자유, 평등을 보호하기 위해 발전했다. 그에 비해 민주주의는 동등한 지위를 갖는 구성원들로 이루어진 집단의 의사결정 절차로서 발전했다. 결과적으로 민주주의가 성립하기 위해서는 인권이 실현되기 위한 전제 조건 이외의 추가적인 조건들이 충족되어야 한다. 예컨대 민주주의는 정치 과정에 시민들이 동등하게 참여할 것을 요구하지만 인권의 요구는 거기까지 미치지 않는다. 또한 민주주의에 대해서는 일정 정도 양보가 가능하지만 인권에 대해서는 양보가 불가능하다. 인권은 민주주의보다 더 절박한 인간의 요구를 반영하기 때문이다. 인권은 민주주의와 마찬가지로 집단적 자기결정을 하나의 필수 요소로 규정하고 있다. 하지만 인권이 요구하는 집단적 자기결정의 수준은 민주주의가 요구하는 엄격한 수준보다 낮다. 예를 들어, 시민의 평등한 참여를 보장하는 민주적 절차를 갖추지 못했지만 시민의 이해관계를 반영하는 그 나름의 정치 과정을 통해 공공선을 실현하고, 시민에게 적정 수준의 건강, 교육, 경제적 안정, 신체적 안전 등을 보장해 주는 국가가 있을 수 있다. 시민에게 평등한 정치 참여를 보장하지 않는다는 이유로 이 국가가 인권을 침해했다고 말할 수는 없을 것이다.

민주주의가 현존하는 최선의 정치 제도라는 데에는 대체로 동의할 수 있다. 그렇다고 해서 정치 과정에의 평등한 참여를 배제하는 사회를 정의롭지 못하다고 비난할 수 있는가? 이는 간단히 대답할 수 있는 문제가 아니다. 복잡한 규범적인 문제와 관련해서는 얼마든지 다양한 의견이 있을 수 있다. 이때 서로의 의견이 일치하지 않더라도 그 의견이 합당하다면 이를 용인하는 것이 관용적인 태도이다. 이러한 태도는 정치 제도에도 적용할 수 있다. 물론 정치적 이유로 시민의 인권을 심각하게 유린하는 행위는 용납할 수 없겠지만, 고유한 문화와 전통에 입각하여 정치적 문제를 해결하고 공공선을 추구한다면 그러한 사회의 정치 제도는 합당한 것으로 용인해야 한다. 이 점에서도 우리는 민주주의와 인권의 요구가 다르게 취급되어야 한다는 것을 확인할 수 있다.

Q1. 제시문 (가)에서 민주주의가 뜻하는 바가 무엇인지 구체적으로 설명하고, 이에 의하면 특정사안에 대한 의사결정을 어떻게 하는 것이 정당한지 제시하시오.

Q2. 인권과 민주주의의 관계에 대한 제시문 (가)와 (나)의 관점을 각각 설명하시오.

Q3. 인권과 민주주의의 관계에 대한 제시문 (가)와 (나)의 관점에서 예상되는 문제점을 각각 제시하시오.

Q4. 위 논의의 논리적 연장선상에서 인권과 민주주의의 관계에 대한 자신의 견해를 제시하시오.

추가질문

Q5. 입법 과정에서 다수당과 소수당이 첨예하게 대립하고 있다. 다수당인 여당은 입법하고자 하는 법이 국민에게 진정으로 필요하며 시급성이 있다고 여긴다. 그러나 소수당인 야당은 그 법안이 국민을 위한 것이 아니라 판단하여 다수당의 입법을 저지하고자 한다. 만약 이 법안이 민주주의 발전에 꼭 필요한 법이라 한다면 비민주적인 방법, 즉 소위 날치기 통과를 시켜도 좋은가?

Q6. 그 법이 국가 이익을 위해 꼭 필요한 법이라면, 위 질문에 대한 답변이 달라질 수 있는가?

Q7. 다수당인 여당이 소수당인 야당 의원들에게 법안심의일시를 통지하지 않은 채 법안을 날치기 의결했다면 야당 의원들이 할 수 있는 조치는 어떤 것이 있는가? 예를 들어, 소수당 의원들의 헌법소원이 가능한가?

Q8. 날치기 법안 통과 시 국민이 저항권을 행사할 수 있는가?

005 해설 법의 형식과 내용

Q1. 모범답변

제시문 (가)에서 말하는 민주주의는 개인의 자유를 보장하는 체제를 뜻합니다. 개인의 자유 중에서도 특히 소극적 자유를 의미하고 있습니다. 이에 따르면 민주주의는 신, 왕, 절대군주, 국가, 사회, 타인 등의 압력으로부터 자신의 자유를 침해받지 않을 권리를 보장하는 체제를 의미합니다. 이러한 의미에서 자유 민주주의라고 부르는 경우도 있습니다.

이에 따르면, 민주주의는 특정사안에 대하여 무엇이 옳고 그른 것인지가 사전에 결정되어 있지 않고 개인이 자유롭게 판단할 수 있도록 허용합니다. 어떤 개인도 다른 개인의 의사결정에 간섭할 수 없고, 개개인의 의사결정은 각자의 가치관에 따라 심사숙고한 결과로서 모두 존중받아야 합니다. 이에 의하면 모든 개개인은 의사결정 기회를 동등하게 부여받아야 하고, 이 기회에 대하여 어떤 의사결정을 하더라도 틀린 것이라 볼 수 없으며, 개개인의 의사결정은 동등한 가치가 있습니다. 따라서 다수결에 따라 의사결정을 하는 것이 정당합니다.

Q2. 모범답변

제시문 (가)는 인권과 민주주의의 관계를 민주주의가 선행해야 인권이 실현된다고 보고 있습니다. 이에 따르면, 민주주의를 통해 개인은 스스로 목적이 되는 존재로 인간의 존엄성을 인정받고 국가의 주인으로서 정치적 자유를 행사할 수 있게 됩니다. 즉 민주주의는 모든 이에게 절차적, 형식적으로 자유를 보장하여 누구나 자유롭게 자신의 의사를 반영할 수 있도록 합니다. 모든 사람에게 형식적이고 절차적으로 보장되는 자유를 통해 인권의 내용이 결정됩니다. 예를 들어 모든 성인에게 형식적으로 보장되는 1표라는 선거권, 대의기관 선출, 대의기관의 다수결, 법률 공포 등의 절차가 선행되어야 합니다. 이 결과로써 각 개인들이 생각하는 인권의 내용을 담고 있는 법률과 정책의 내용이 구체적으로 합의, 조정, 타협되어 어떤 인권의 내용이 실현될 것인지가 결정됩니다.

제시문 (나)는 인권과 민주주의의 관계를 필연적으로 보지 않습니다. 인권과 민주주의는 서로 다른 목적을 충족시키는 것입니다. 인권은 인간의 존엄성이라는 내용적 정당성을 지닌 반면, 민주주의는 형식적인 것으로 집단의 의사결정방식에 불과합니다. 인권이라는 내용을 실현하는 형식이 반드시 서구의 자유 민주주의여야 할 이유는 없습니다. 예를 들어 인권의 보장을 위한 형식으로서 서구식 자유 민주주의가 역사적으로 먼저 나타났을 뿐이며, 서구식 민주주의 외에도 싱가포르의 리콴유가 주장했던 유교 민주주의를 통해 인권을 실현할 수 있습니다. 따라서 인권과 민주주의는 필연적 관계라고는 할 수 없습니다.

Q3. 모범답변

제시문 (가)와 같이 인권과 민주주의의 관계를 파악할 때, 인권의 형식적·절차적 측면만을 강조하여 인권의 내용을 침해할 가능성이 크다는 문제점이 예상됩니다. 민주주의가 선행되어 형식적으로 개인에게 정치적 참여의 권리가 인정된다고 하여 인권의 내용까지도 자연스럽게 실현된다고 할 수 없습니다. 1인 1표나 다수결 등의 형식적 절차만을 강조한다면 사회적 소수자에게 실제적으로 내용상 인권침해가 발생하더라도 이를 시정할 수 없습니다. 예를 들어 독일 국민 90% 이상의 지지를 받아 구성된 나치 정부는 형식적으로 정당한 정부입니다. 그러나 이 나치 정부는 2차 세계대전을 일으키고 600만 명 이상의 유대인을 학살하여 내용적으로 명백하게 반인권적인 인권침해를 저질렀습니다.

제시문 (나)처럼 인권의 내용만을 강조한다면, 절대국가의 우려가 크다는 문제점이 예상됩니다. 만약 옳은 인권의 내용을 실현하기 위해 민주주의 외의 다른 형식적 수단도 사용할 수 있다면, 마치 플라톤의 철인왕처럼 일반인보다 우월한 존재가 인권의 내용을 확정하고 이를 강제할 수 있습니다. 일반인의 참여를 보장하여 그 입장을 듣고 평가하는 형식적 절차보다 옳은 인권의 내용을 빨리 실현하는 것이 더 효율적이기 때문입니다. 인류는 이미 옳은 내용을 실현하겠다는 의지로 종교를 빌미로 한 인권침해를 자행한 중세 시대를 겪었고, 도덕을 앞세운 수많은 독재자를 역사적으로 경험하였습니다.

Q4. 모범답변

인권과 민주주의는 불가분의 관계로 보아야 합니다. 왜냐하면 인권의 내용과 민주주의의 형식이 결합하여야 진정으로 인권을 실현할 수 있기 때문입니다. 민주주의는 절차와 형식을 중시하여 인권의 실질적 내용을 안정적이고 장기적으로 보호할 수 있습니다. 민주적 제도를 통해 개인의 자유와 개별국가의 주권을 절차적으로 보장한다면 인권에 대한 개인의 가치관과 개별 국가의 주권을 존중할 수 있습니다. 민주적 절차·형식을 통해 인권에 대한 최소한의 합의가 가능하고 장기적이고 안정적인 인권 실현이 가능합니다. 또한, 인권의 내용은 민주주의 제도의 목적과 방향을 제시하여 민주적 제도 확립에 기여합니다. 올바른 인권의 내용을 합의하기는 어려우나 명백하게 반인권적 내용이 무엇인지는 합의할 수 있습니다. 고문이나 영장 없는 구속 등 명백한 반인권적 내용에 대한 합의를 통해 명백하게 인권을 훼손하는 민주적 결과를 배제함으로써 민주주의가 장기적으로 옳은 방향을 향하도록 유도해 민주주의를 발전시킬 수 있습니다.

Q5. 모범답변

다수당의 날치기 통과는 타당하지 않습니다. 민주주의를 훼손하기 때문입니다. 아무리 정당한 법이라 하더라도 잘못된 수단을 통해 목적을 달성하면 목적의 정당성도 의심을 받습니다. 민주주의는 비효율적인 면이 있더라도 대화와 토론을 통해 상대방을 설득하고, 이해관계를 조정하는 절차를 거쳐야 합니다. 절대왕정은 이미 옳은 가치가 전제되어 있는 정치체제입니다. 신(神)의 뜻처럼 이미 정당하고 옳은 가치가 정해져 있다면 대화와 토론의 절차는 필요 없습니다. 정해져 있는 옳은 가치를 어떻게 효율적으로 잘 실현할 것인지만 고민하면 됩니다. 그러나 민주주의는 보편적으로 정해져 있는 옳음은 없다고 생각하여 국민 개개인의 옳고 그름에 대한 판단의 자유를 인정합니다. 그렇다면 이러한 개인들의 생각과 가치관의 자유를 인정하기 위해서는 대화와 토론이 필요합니다. 대화와 토론이 없다면 개인의 가치 판단이 틀렸음을 전제한 것이 되어 민주주의의 목적에 반합니다. 따라서 비민주적 절차를 통해 법을 통과시켜서는 안 됩니다.[8]

8)

96헌라2

Q6. 모범답변

해당법안이 국가 이익을 위해 바람직한 것이라면, 성실한 토론을 통해 상대방 의원들도 수용할 수 있을 것입니다. 그리고 토론과정을 통해 국민들이 납득을 하면 국민의 압력 때문이라도 상대방 의원들도 법안을 무조건 거부할 수는 없습니다. 대화가 잘 안된다고 성급하게 법안을 날치기하는 자세를 가진다면 국회의원 간에 불신만 가중될 뿐입니다. 물론 이것이 현실적으로는 쉽지 않을 것이고 대화와 토론이 잘되지 않을 수도 있습니다. 그러나 민주주의는 상대방을 인정하고 변화 가능성을 믿는 체제입니다. 단기적으로 날치기 통과가 더 쉽고 국가 이익을 위한다는 이유로 성급하게 날치기 통과를 시킨다면 민주주의의 장기적 발전을 저해하는 것입니다. 따라서 민주주의의 장기적 발전을 위해 성급하게 날치기 통과를 시켜서는 안 됩니다.

Q7. 모범답변

법안 심의·표결권은 국민의 기본권이 아니므로 헌법소원심판을 청구할 수는 없습니다. 법안 심의·표결권은 국회의원이 국가기관으로서 가지는 권한이므로 권한쟁의심판을 청구할 수 있습니다.

그 외의 방법으로는 국민의 지지를 호소하는 방법이 있습니다. 야당 의원은 국회의원이기 때문에 주권자인 국민의 의사를 공적으로 반영하는 역할을 수행할 의무와 권리가 동시에 있습니다. 야당은 소수당이기는 하나 주권자인 국민이 지지한 결과 의석을 얻은 것입니다. 입법부에서 대화와 소통의 기회 자체가 차단되었다면 주권자인 국민의 의사를 들을 필요가 없다고 선언한 것이나 마찬가지입니다.

Q8. 모범답변

날치기 법안 통과에 대해 국민이 저항권을 행사할 수 없습니다. 저항권은 헌법질서가 전면적으로 침해되었을 때 행사할 수 있습니다. 날치기법안 통과는 위법하나 헌법질서를 전면적으로 침해하는 것은 아니므로 저항권을 행사할 수 없습니다.[9] 국민이 저항권을 행사할 수는 없으나, 국민은 국회나 정부에 법개정을 청원할 수 있고, 개정된 법이 권리를 침해한 경우 헌법소원을 청구할 수 있습니다. 또한 법에 대한 시민불복종운동을 펼칠 수도 있습니다.

Part 1 Part 2 Part 3 Part 4 Part 5 Part 6 Part 7

해커스 김종수 로스쿨 면접 200주제

9)

97헌가4

006 개념 롤스의 절차적 정의

2021 고려대·2020 전북대 기출

1. 기본 개념

(1) 롤스의 절차적 정의

법의 형식과 절차는 개인의 자유와 관련되고, 법의 내용과 의미는 사회적 정의와 옳음과 관련된다.

존 롤스는 자유주의자로 법이 절차적 정의를 추구해야 한다고 주장했다. 실체적 정의로서 옳은 내용을 보장할 수 없기 때문이다. 롤스는 <정의론>에서 이를 케이크 자르기 게임으로 설명했다.

(2) 케이크 자르기 게임

A와 B라는 두 사람이 모두 다 케이크를 먹기를 원하는데, 케이크는 단 하나만 있다고 가정하자. 이때 케이크를 A와 B에게 정확하게 1/2씩 나누어줄 수 있을까? 롤스는 정확하게 1/2이라는 실체적 정의를 달성할 수 없다고 했다. 왜냐하면 인간은 신(神)이 아니기 때문에 미세한 오차라도 발생할 수밖에 없다. 만약 신이 케이크를 정확하게 1/2로 잘랐다고 하더라도 인간은 이것이 정확한 1/2인지 인식할 수 없다. 정부나 법원과 같은 객관적 제3자가 케이크를 자른다고 하더라도, A와 B가 1/2일 것임을 신뢰하지 못한다. 따라서 롤스에게 있어서 옳은 내용이란 존재할 수 없으며, 실체적 정의는 결코 달성할 수 없다.

롤스는 인간은 절차적·형식적 정의를 추구해야 하고 이를 달성할 수는 있다고 주장했다. 케이크 자르기 게임에서 A와 B에게 케이크를 나누어야 한다면 모두가 동의하는 절차와 형식을 통해 정의로운 결과에 도달할 수 있다. A가 케이크를 자르고, B가 자른 조각 중 어떤 것을 가져갈 것인지 먼저 고르도록 절차를 구성하면 A와 B 모두 이 결과를 신뢰할 수 있다는 것이다. A는 자신이 케이크 중 한쪽을 더 크게 자른다면 B가 더 큰 조각을 먼저 고를 것이고 결국 자신의 몫이 줄어들 것이다. 따라서 A는 자신의 모든 노력을 기울여 1/2 크기로 케이크를 자르려고 할 것이다. 그리고 B는 자신의 온 힘을 다해 더 큰 조각을 고르려 할 것이다. 만약 B가 실제로는 더 작은 케이크 조각을 선택했다고 하더라도 자신은 그것이 더 크다고 인식했기 때문에 그 결과가 정당하다고 믿을 것이다. 그러나 실제로도 A가 자르고 B가 먼저 선택한 케이크가 1/2의 크기라는 실체적·내용적 정당성은 없다. 따라서 롤스에 따르면 인간은 옳은 내용을 알 수 없으므로 절차적 정의를 추구해야 한다.

2. 읽기 자료

마이클 샌델, <정의란 무엇인가>, 와이즈베리

존 롤스, <정의론>, 이학사

006 문제 롤스의 절차적 정의

답변 준비 시간 10분 | 답변 시간 10분

※ 다음 제시문을 읽고, 문제에 답하시오.

(가) 아리스토텔레스 이래로 정의론은 어떤 결과를 실현하는 것이 정의인지를 논해왔다. '개개인에게 그들의 것을' 또는 '동등한 자에 대해 평등하게'를 설명하는 경우, 어떤 절차로 개개인에게 그들의 것을 부여하고 또 평등하게 다룰 것인지는 직접적인 관심사가 아니다. 오히려 그 결과로서 개개인이 그들의 것을 얻고 동등한 자가 평등하게 다루어진다면 정의가 실현된 것이다. 이렇게 정의를 보는 방법을 실체적 정의(또는 실질적 정의, substantive justice)라고 한다. 이것은 극단적으로 말해 결과가 좋으면 모든 것이 좋다는 생각이다. 그러나 우리들은 무의식중에 이와 같은 발상에 이끌리기 쉽다.

인간사회에 있어서 일정한 상태를 만들어내기 위해서는 일정한 시간경과를 가지고 행해지는 인간활동과정이 필요하다. 이것을 넓게 절차라고 한다. 실체적 정의에 중점을 둘 때 절차에는 2차적인 중요성만 주어진다. 그러나 어떤 절차를 거치느냐에 따라서 결과가 크게 다를 수 있다는 것은 누가 보더라도 확실하다. 그 점에서 절차의 독자적인 존재 이유가 인정되어 정의로운 절차와 그렇지 않은 절차로 생각할 수 있다. 이러한 절차의 차원에서 문제되는 정의를 절차적 정의(procedural justice)라고 한다.

절차적 정의가 정의론의 체계 속에 들어온 것은 비교적 최근이다. 절차적 정의를 들여와 정의론의 체계를 세웠다고 하는 현대 미국 철학자인 롤스는 절차적 정의를 세 가지로 분류했다. 첫 번째로는 순수절차적 정의이다. 이것은 도박의 룰이 정확하게 지켜졌을 때에는 그 결과가 어떻게 나오든 공정하다고 여겨지는 것처럼 무엇이 공정한 결과인가에 관해 기준 없이 절차만이 존재하는 경우이다. 이 룰이 어떤 경기자에게만 유리하게 짜여 있지 않다면, 절차는 정의를 이루게 되고 정의는 결과에 의존하지 않는다.

두 번째는 완전절차적 정의이다. 이것은 절차 외에 무엇이 공정한가를 정하는 기준이 존재하며, 또한 이 같은 기준을 만족시키는 결과를 낳는 절차가 존재할 경우에 문제가 된다. 예를 들어 케이크를 몇 명이 동등하게 나누는 것이 공정하다고 여겨질 경우, 실제로 그것을 동등하게 나눌 수 있는 절차가 존재한다. 즉, 어떤 한 사람이 케이크를 자르고, 그 사람이 마지막 조각을 가져가게 하면 된다. 케이크를 자르는 사람이 최대한 자기 몫을 확보하려고 노력한 결과 케이크는 저절로 동등하게 나누어지게 된다. 그 때문에 이 절차는 정의롭다.

세 번째는 불완전절차의 정의이고, 객관적으로 공정하다고 여겨지는 결과를 얻기 위한 100% 확실한 절차가 존재하지 않는 경우에 문제가 된다. 예를 들어 형사재판절차는 아무리 절차를 정비한다고 해도 유죄인 자를 무죄로, 또는 그 반대로 일어나는 일을 피할 수 없다.

절차적 정의의 세 분류는 절차적 정의의 성격을 잘 나타내고 있다. 즉 절차적 정의는 절차가 가져오는 결과와 정의와의 관계에 있어 계속 논의될 수 있다. 순수절차적 정의만이 결과의 공정성을 측정하는 척도가 없기 때문에 결과와 관계없이 존재할 수 있다. 이념적으로는 위와 같은 세 가지 분류를 인정하더라도 현실적으로 이것들의 구별은 그렇게 확실한 것이 아니다. 예를 들어 도박의 결과에서도 공정함을 평가할 수 없는 것은 아니다. 대략적으로 누구나 이길 수 있는 기회가 평등하게 보장되어 있다는 것을 공정하다고 말할 수 있고, 배짱 좋은 사람이 이기는 것을 공정하다고 보는 시각도 있을 것이다. 따라서 도박에서는 다른 룰이 있을 수 있다. 이렇게 생각하면 도박의 룰도 완전 또는 불완전절차적 정의로 해소될 수 있다. 또 완전절차적 정의도 일상적인 차원에서 보면 결과의 공정성을 검증하는 절차가 가까이 있지 않기 때문에 절차 그 자체를 신뢰해 결과를 수용하는 것은 생활의 지혜에 속한다. 예를 들면 롤스의 케이크 분할의 예에서도 자르는 사람이 정밀한 기계를 사용하여 잘랐다면 이야기한 바와 같을 것이다. 그러나 실제로는 그렇게 자르지 않으며 결과를 측정하려는 것도 아니다. 자르는 사람이 마지막 조각을 가져가게 하는 절차를 취함으로써 다른 사람은 결과의 공정성에 안심하는 것뿐이다. 이렇게 보면 이것은 실제로 순수절차적 정의의 한 변화라고 생각할 수 있다.

(나) 미국은 형사재판에서 배심제를 시행하고 있다. 배심제(陪審制)란, 일반 시민이 배심원으로 재판 또는 기소에 참여하여 사실문제에 관한 평결을 하는 제도를 말한다. 시민과 직업재판관이 재판에 함께 참여한다. 시민 배심원은 해당 형사사건의 사실문제에 대한 판단만을 한다. 직업재판관은 소송의 지휘, 증거조사, 법률의 해석 및 적용을 한다. 해당 형사사건에서 일반시민으로 구성된 배심원이 범죄사실을 판단해 만장일치로 무죄를 결정하면 그대로 무죄가 되고, 직업재판관은 배심원의 결정을 뒤집을 수 없다. 그러나 배심원 중 일부라도 유죄라 여겨 만장일치로 무죄가 평결되지 않는다면, 직업재판관이 형량을 결정한다.

Q1. 제시문 (가)를 활용해, 형사재판에서 실체적 정의(내용적 정의)를 우선해야 하는지 혹은 절차적 정의(형식적 정의)를 우선해야 하는지 자신의 견해를 정하고, 논거를 들어 자신의 입장을 강화하시오.

Q2. 제시문 (가)의 절차적 정의와 관련하여 제시문 (나)의 배심제의 타당성을 설명하시오.

추가질문

Q3. 배심재판제도의 절차상 의의는 무엇인가?

Q4. 배심재판은 변호인에게 어떤 영향을 주는가?

006 해설 롤스의 절차적 정의

Q1. 모범답변

형사재판에서 개인의 자유와 권리를 보호하기 위해 절차적 정의를 우선해야 합니다. 형사재판에서 실체적 정의, 즉 진실을 모두 파악하는 것은 불가능합니다. 인간은 神이 아니므로 범죄자의 범죄 진위뿐만 아니라 범죄에 기여한 정도나 적당한 형벌 등을 모든 범죄 상황에 비추어 완벽하게 알 수 없습니다. 특히 형사재판은 국민의 생명과 신체의 자유를 제한할 수 있는 것이므로 오판 가능성을 줄여야 합니다. 인간은 神이 아니므로 실제로 범죄를 저지르지 않은 사람을 범죄를 저지른 것으로 오인할 수 있습니다. 이처럼 실체적 진실을 알 수 없는 인간이 실체적 진실을 우선한다면 오판 가능성이 커져 개인의 자유와 권리를 명백한 이유 없이 가능성만으로 제한할 가능성이 커지게 됩니다. 따라서 형사재판에서 실체적 정의를 우선해서는 안 됩니다.

법 신뢰를 위해 절차적 정의를 우선해야 합니다. 만약 실체적 정의를 우선한다면 일반 국민의 생각과는 관계없이 실체적 정의를 발견할 수 있는 전문성을 가진 엘리트의 판단이 절대적으로 옳은 것이 됩니다. 그러나 인간은 실체적 정의를 완벽하게 파악할 수 없고, 전문가인 판사와 검사, 사법조직이 모두 나선다고 하더라도 형사재판에서 실체적 진실을 완벽하게 파악하는 것은 불가능합니다. 이처럼 실체적 정의를 파악할 수 없다면 형사재판의 결과 역시 신뢰할 수 없습니다. 우리는 공정한 절차를 합의하고, 공개된 절차의 적용과정을 확인하고, 여러 절차가 공정하게 적용되었다는 결과를 신뢰하는 것입니다. 예를 들어, A라는 피의자가 수사를 받고 있다고 하겠습니다. A가 진실로 범죄를 저질렀는지는 누구도 알 수가 없습니다. 따라서 A는 단지 피의자일 뿐, 범죄자라 예단해서는 안 됩니다. A는 무죄추정의 원칙에 따라, 변호사의 조력을 받고, 구속적부심사(拘束適否審査)를 통해 구속 여부를 결정받고, 피의자가 범죄를 저지르지 않았음을 증명하는 것이 아니라 국가를 대리하는 검사가 증거주의에 따라 A가 범인임을 증명해야 하며, 3번의 재판을 받을 권리를 인정받습니다. 이처럼 일반 국민 모두가 합의할 수 있는 공정한 절차를 공개적으로 적용받아 A가 범인이라는 결과가 도출되었다고 했을 때, A는 진실로 그자가 범죄를 저질렀기 때문에 처벌을 받는 것이 아니라 이 모든 절차의 결과로서의 처벌을 받는 것입니다. 따라서 일반 국민의 법 신뢰를 유지하여 인권을 안정적으로 보호하기 위해 실체적 정의를 우선해서는 안 됩니다.

Q2. 모범답변

배심제는 인권 보호를 위해 타당합니다. 배심제는 일반 국민들이 재판 절차에 참여하는 것입니다. 앞서 언급한 바와 같이 인간은 神이 아니므로 실체적 진실을 완벽하게 알 수 없습니다. 법과 형사재판의 전문가인 판사와 검사, 사법조직이 모두 나선다고 하더라도 형사재판에서 실체적 진실을 완벽하게 파악하는 것은 불가능합니다. 따라서 우리는 공정한 절차를 합의하고, 공개된 절차의 적용과정을 확인하고, 여러 절차가 공정하게 적용되었다는 결과를 신뢰하는 것입니다. 직업재판관에 의해서만 진행되는 형사재판은 판사와 검사가 주도함으로써 피고인은 재판의 객체일 뿐, 주체로서 대접받지 못하게 됩니다. 그러나 배심제는 형사사건의 최종적 절차인 재판에 일반 국민이 직접 참여하여 형사사건 절차의 공정성과 신뢰성을 판단합니다. 배심제를 통해 일반 국민이 재판에 참여하면 법조인이 배심원인 국민을 설득하고, 이해시키는 공판절차가 형성될 것입니다. 이 과정에서 피고인에게 실질적으로 자신을 방어할 기회가 보장되어 피고인의 인권을 보호할 수 있습니다. 그뿐만 아니라 일반 국민들이 법적용을 직접 경험하면서 입법과정의 대화와 토론이 중요함을 깨닫게 될 것입니다. 따라서 일반 국민이 어떤 내용의 인권을, 어떤 절차를 통해 지켜나가야 할 것인지를 심사숙고하여 인권 보호에 도움이 됩니다.

Q3. 모범답변

배심재판제도는 국민의 참여를 확보하여 공개성을 확보할 수 있고 절차적 정당성에 대한 신뢰를 높일 수 있다는 점에서 타당합니다. 형사재판절차는 국민이 동의하고 합의한 여러 형사절차에 의해 이루어집니다. 그러나 형사재판절차는 국민의 자유와 권리를 직접적으로 제한할 수 있는 것이기 때문에 전문성 있는 법조인에 의해서 행해지고 있습니다. 형사재판절차에서 일반적인 국민이 개입할 수 있는 절차는 거의 없는 것이나 다름없습니다. 그러나 배심재판제도는 일반 국민이 형사재판절차에 참여할 수 있는 기회가 되고 국민의 판단에 따라 최종적으로 형사재판을 결정하는 것입니다. 이를 통해 형사재판절차에 대한 공개성을 확보하여 국민이 형사재판절차를 신뢰할 수 있도록 하는 것입니다.

Q4. 모범답변

배심재판은 변호인에게 의뢰인이나 범죄 피해자와 같은 일반 국민을 설득하도록 강제하는 영향을 줍니다. 배심재판이 없다면 변호인은 검사나 판사와 같은 전문 법조인을 설득하는 것이 효과적입니다. 그렇다면 일반 국민은 전문 법조인 간의 논의를 이해하기 어렵고, 형사재판절차가 국민에게 형식적으로 공개되어 있을 뿐이라고 생각할 수 있습니다. 그렇다면 일반 국민은 형사재판절차가 전문 법조인들이 비공개적으로 불공정하게 진행하는 것이라고 생각하여 형사재판절차를 신뢰하기 어렵습니다. 전관예우 등에 대한 국민의 불신은 이로부터 시작된다고 할 수 있습니다. 그러나 배심재판제도는 이러한 형사재판절차에 국민의 참여를 제도적으로 보장하여 국민이 형사재판절차에 직접 참여하도록 하고 최종적인 결정권을 갖게 합니다. 따라서 변호인은 전문 법조인인 검사와 판사를 설득하려 하기보다 최종결정권자인 일반 국민을 설득하려 노력하게 됩니다. 그리고 그 결과 형사재판절차에 대한 일반 국민의 신뢰를 높여 절차적 정당성을 제고하는 데 기여하게 됩니다.

007 개념 형식중심주의

2022 경북대/동아대/중앙대 기출

1. 중세의 내용중심주의: 철인정치와 왕정

플라톤은 천상계인 이데아를 알고 있는 수호자와 현상계인 그림자밖에 보지 못하는 일반인을 구별하였다. 플라톤은 옳은 진리의 내용을 알고 있는 철학자가 형식에 구애받아 이데아의 세계를 보지 못하는 일반 국민을 이끌어야 한다고 하였다. 이러한 관점에서 플라톤은 내용을 우선하고 형식과 절차를 중요하게 여기지 않았다.

왕정 역시 플라톤의 생각을 이어받았다고 할 수 있다. 교육을 많이 받은 왕과 귀족은 국정 운영의 옳은 내용과 의미를 알고 있으므로, 교육도 받지 못한 일반 국민에게 형식적이고 절차적인 정당성을 확인하는 과정이 필요 없다고 생각하였다. 고대 중국의 공자는, "예(禮)는 아래까지 내려가지 않고, 형벌(刑罰)은 위까지 미치지 않는다"고 하였으며, 서양의 중세에는 교황으로 대변되는 교권(敎權)과 왕으로 대변되는 속권(俗權)이 일반 국민을 지배하였다.

법이 그 목적이 되는 가치, 즉 내용을 추구하는 것이라면, 법은 결국 그 실체인 내용을 달성하는 것이 정의로운 것이 된다. 이를 실체적 정의라 한다. 실체적 정의의 추구는 고전적 공동체주의와 매우 깊은 관련이 있다. 고대와 중세를 지배한 고전적 공동체주의는 공동체가 지켜야 할 공동체적 가치를 신(神)으로 설정했고 신의 말씀은 그 자체로 절대적인 사실이며 가치가 되었다. 신의 말씀은 절대적으로 옳은 가치이며 이를 해석하는 것은 교회만 가능한 것이고 개인은 신의 말씀과 교회의 해석에 다른 생각을 할 자유가 없다.

2. 형식중심주의: 자유주의와 법실증주의

근대에 자유주의와 민주주의가 태동하면서 형식과 절차에 대한 관심이 커졌다. 이는 누구도 내용적 정당성을 담보하지 못한다는 전제에서 비롯한다. 신(神)과 같은 절대적으로 옳은 권위를 지닌 자가 없다면, 누구도 타인에게 생각과 행동, 가치관을 강제할 수 없다. 그렇다면 모든 개인은 자신의 가치관을 자유롭게 가질 수 있고 이를 타인에게 강제할 수 없다. 밀은 "자기 자신의 주체인 개인의 자유를 제한할 수 있는 유일한 경우는 타인의 자유에 직접적 해악을 가할 때"만 개인의 자유를 제한할 수 있다고 하였다.

르네상스와 근대로 접어들면서, 절대적인 가치이자 사실인 신(神)으로부터 벗어나고자 인간은 사실과 가치의 분리를 시도하였다. 신(神)이 없다면 혹은 신이 있다고 하더라도 인간이 신의 뜻이 무엇인지 알 수 없다면, 절대적으로 옳은 가치는 없는 것이 된다. 절대적으로 옳은 가치이자 행복이 정해져 있지 않다면 모든 개인은 자신이 생각하는 행복 혹은 자신이 추구하고자 하는 가치를 추구해야 한다. 그렇다면 행복이나 가치의 내용이 미리 절대적으로 정해져 있어서는 안 되고, 단지 모든 개인은 행복을 추구할 수 있는 자유만 보장되어야 한다. 즉 사회와 법은 개인이 자유롭게 자신의 가치관을 추구할 수 있다는 형식적이고 절차적인 보장만 하면 충분하고, 무엇이 옳고 그른 것인지 무엇이 나를 행복하게 할 수 있는 옳은 가치인지 그 내용은 각자 개인이 스스로 판단하여 결정하는 것이다.

그렇다면 법은 옳은 내용을 실현하는 목적에서 벗어나 타인의 자유에 직접적 해악을 가하는 경우에 대한 판단을 해야 한다. 이것이 바로 법실증주의이다. 한스 켈젠은 <순수법학>에서 “법은 실제로 증명할 수 있는 것만을 그 대상으로 삼아야 한다”고 하였다. 이에 따르면 실제로 증명할 수 없는 종교, 도덕 등은 법에 들어와서는 안 된다. 예를 들어, “신(神)은 동성애를 금지하였다”는 명제는 증명할 수 없는 것이므로 법에 들어와서는 안 된다. 만약 동성혼을 금지하려면, 형식적으로 부여된 개인의 1인 1표에 근거하여 모든 개인에게 동성혼의 타당성을 묻는 절차를 거쳐 결정된 내용이라야 한다는 것이다.

007 문제 형식중심주의

답변 준비 시간 10분 | 답변 시간 10분

Q1. 신(神)이 재판할 때와 인간이 재판할 때의 차이는 무엇인가?

Q2. 인간이 신(神)이 아닌 이상 진실을 아는 데 한계가 있다. 피고인이 죄를 지은 자인지를 법관이 확실히 안다는 주장은 인간의 오만이다. 그럼에도 불구하고 법관이 피고인의 유죄를 인정하고 처벌할 수 있는 이유는 무엇인가? 그리고 형사처벌이 정당화되려면 어떤 요건을 갖추어야 하는가?

Q3. 형사재판절차에서 절차의 공정성이 중요한 이유를 구체적인 예를 들어 설명하시오.

Q4. 형사재판은 3심제를 원칙으로 한다. 왜 4·5·6심 재판은 없는가?

007 해설 형식중심주의

Q1. 모범답변

신이 재판할 때와 인간이 재판할 때의 차이는 실체적 진실의 구현 여부입니다.

신의 재판은 실체적 진실 그 자체이므로 절대적으로 옳은 결정입니다. 그러므로 신은 단지 결정만 하면 될 뿐 재판 절차와 과정은 중요하지 않습니다. 인간이 결코 알 수 없는 진실을 신은 이미 알고 있으므로 인간은 신의 결정을 그대로 따르기만 하면 됩니다. 이미 그 자체로 진실인 신의 결정에 대해 인간이 왈가왈부할 수 없습니다.

그러나 인간이 재판을 하게 된다면 그 재판의 결과는 실체적 진실이라 할 수 없습니다. 인간이 행하는 재판에는 오류와 오판의 가능성이 언제나 존재하고 있습니다. 대규모 국가조직이 동원되고 법 전문가인 재판관이 최대한의 노력을 기울인다고 하더라도 재판 결과의 정당성 또한 완벽하다고 할 수는 없습니다.

Q2. 모범답변

먼저, 법관이 피고인의 유죄를 인정하고 처벌할 수 있는 이유는 국민 모두가 정한 절차에 따라 판결을 내렸기 때문입니다. 인간은 신이 아니기 때문에 실체적 진실을 알 수 없습니다. 그러므로 우리는 논리적으로 판단하여 우리 모두가 동의할 수 있는 절차를 논의하고 합의하여 법제화합니다. 영장주의, 구속적부심, 변호인의 조력 받을 권리 보장, 증거주의, 3심제도 등은 모두 우리가 동의한 결과로서 공정한 절차라 할 수 있습니다. 이러한 법적 절차를 모두 거쳐 도출된 결과는 그 자체로 실체적 진실이라 할 수는 없으나 우리 모두가 동의한 절차에 따른 결과로서 절차로서의 정당성을 갖고 있습니다. 그리고 우리는 그 결과를 진실로서 의제합니다.

형사처벌이 정당화되려면 절차적 정당성을 지니고 있어야 합니다. 왜냐하면 형사재판의 결과 자체가 실체적 진실이라 할 수 없고 단지 절차적 진실로서의 효력만을 지니고 있기 때문입니다. 형사 절차는 국민에 의해 합의된 형법에 의해 행해져야 하고, 이 절차는 국민 모두에게 원칙적으로 공개되어 국민 모두가 형사절차의 공정성을 신뢰할 수 있어야 합니다. 형사절차에 대한 국민의 신뢰가 곧 절차적 정의로서 작동하는 것이므로 모든 형사절차는 원칙적으로 공개되어야 합니다.

Q3. 모범답변

형사재판절차에서 절차의 공정성이 곧 국민의 공정한 재판받을 권리를 보장하기 때문입니다. 국민은 자신의 자유와 권리를 안정적으로 보장받고자 국가를 설립하였습니다. 국가의 작용으로서 형사재판절차는 국민의 자유와 권리를 보장하는 역할을 해야 하며 이를 국민의 공정한 재판 받을 권리라 합니다. 그러나 인간은 신이 아니기 때문에 실체적 진실을 알지 못하고 아무리 전문성 있는 재판관이 공정한 재판을 하였다고 하더라도 이를 실체적 진실이라 할 수는 없습니다. 그렇기 때문에 형사재판절차에서는 절차적 정당성이 곧 실체적 진실로 의제됩니다.

롤스는 이를 '케이크 자르기'로 비유한 바 있습니다. A와 B 두 사람이 케이크를 아무리 공정하게 1/2로 자르려고 하더라도 인간인 이상 이는 불가능하고 만약 정확하게 1/2로 잘린 케이크가 있다고 하더라도 인간은 이를 인지하고 확인할 수 없습니다. 공정하고 전문적인 능력을 갖춘 제3자가 케이크를 대신 자른다고 하여도 정확하게 1/2이라는 보장은 없으며 만약 우연히 정확하게 1/2로 잘렸다고 하더라도 A와 B 모두 이를 알 수 없어 공정성에 대한 의심이 일어날 것입니다. 그래서 롤스는 인간이 케이크를 정확하게 1/2로 자른다는 실체적 정당성은 있을 수 없기 때문에 절차적 정당성에 대한 신뢰로부터 정의가 의제된다고 하였습니다. 만약 A가 케이크를 자르고 B가 먼저 자신의 케이크를 고르게 한다면 설령 B가 고른 케이크가 실제로는 더 작은 것이라 하여도 B와 A 모두 이를 공정하다고 신뢰할 것이라고 하였습니다.

이처럼 형사재판절차는 결국 모두에게 공개되어 모두의 동의를 받은 형식적이고 절차적인 정당성에 대한 신뢰로부터 정의롭다는 결과를 의제 받는 것이므로 절차의 공정성이 중요합니다.

Q4. 모범답변

형사재판이 3심제를 원칙으로 하는 이유는 국민의 공정한 재판 받을 권리에 대한 균형성을 달성하기 위함입니다. 공정한 재판받을 권리라 함은 국민 모두에게 공정하게 실현되어야 합니다. 범죄자는 자신이 저지른 범죄에 상응하는 처벌만을 받아야 하고 이를 상회하는 처벌을 받는 것은 자기 책임의 범위를 벗어난 것으로 이는 개인의 자유를 과도하게 제한한 것으로 공정한 재판이라 할 수 없습니다. 또한 범죄 피해자 역시도 공정한 재판의 결과 범죄 피해에 대한 응보감을 충족할 수 있어야 합니다. 그런데 만약 4심, 5심, 6심 등과 같이 끝도 없이 항소를 할 수 있다면, 범죄자는 현실적으로 항소만을 반복하여 실제로는 처벌을 받지 않는 것이나 마찬가지인 상황을 이어갈 수 있고, 범죄 피해자는 현실적으로 자신의 응보감을 충족할 수 없는 것이나 마찬가지가 됩니다. 따라서 형사재판은 이를 고려하여 3심을 원칙으로 한다고 할 수 있습니다.

형사정의를 실현한다는 측면에서 3심제를 원칙으로 하고 있습니다. 앞서 언급했듯이 형사재판절차는 절차적 정당성으로서 그 정당성을 의제하고 있습니다. 국민은 자신이 스스로 정한 형사절차에 대해 신뢰하고 그 형사절차를 공개적으로 적용하여 최종적으로 도출된 결과를 정의롭다고 의제합니다. 3심제 역시 국민이 스스로 정한 형사절차로서 이를 준수하는 것은 형사정의에 부합합니다.

소송 효율성을 실현하기 위해 3심제를 원칙으로 하고 있습니다. 형사재판절차는 국민의 자유와 권리를 안정적으로 실현하기 위해 국민의 세금으로 운영됩니다. 그렇기 때문에 국민은 절차적으로 볼 때 3심이면 충분히 절차적으로 정의롭다고 합의하여 3심을 결정하였습니다. 그러므로 국민의 자유와 권리를 안정적으로 보장하기 위해서는 소송의 효율성이 달성되어야 합니다. 이를 위해 3심제를 운영하고 있습니다.

008 개념 사적 처벌

2021 성균관대 기출

1. 기본 개념

(1) 실체적 정의와 절차적 정의의 관계

만약 실체적 정의를 우선한다면 일반 국민의 생각과는 관계없이 실체적 정의를 발견할 수 있는 전문성을 가진 엘리트의 판단이 절대적으로 옳은 것이 된다. 그러나 인간은 실체적 정의를 완벽하게 파악할 수 없고, 전문가인 판사와 검사, 사법조직이 모두 나선다고 하더라도 형사재판에서 실체적 진실을 완벽하게 파악하는 것은 불가능하다. 이처럼 실체적 정의를 파악할 수 없다면 형사재판의 결과 역시 신뢰할 수 없다.

우리는 절차적 정의에 따른 결과물을 옳은 것으로 의제한다. 공정한 절차를 합의하고, 공개된 절차의 적용과정을 확인하고, 여러 절차가 공정하게 적용되었다는 결과를 신뢰하는 것이다. 따라서 절차적 정의의 핵심은 절차와 형식이 온당하게 지켜졌는지 여부가 된다. 누가 보더라도 진범으로 보이는 자에 대해 절차의 미비를 이유로 증거능력이 무력화되는 경우가 대표적인 사례이다.

(2) 미란다 원칙

경찰이 범인을 검거할 때, 미란다 원칙의 고지라는 절차가 지켜져야 한다. 피의자(가해자)에게는 진술거부권 및 변호인 선임권이 있고, 수사기관은 피의자를 신문하기 전에 반드시 그 사실을 알려줘야 하는 것이다. 이 절차가 지켜지지 않은 상태에서 이루어진 피의자의 진술은 유죄의 증거로 사용할 수 없다. 우리는 형식과 절차를 지켜나간 결과를 옳은 것으로 의제하기 때문이다.

(3) 형사처벌의 공적 성격

형사처벌은 공적(公的)으로 이루어져야 하고, 사적(私的)으로 이루어져서는 안 된다. 우리는 신(神)이 아니기 때문에 실체적 진실을 알 수 없다. 따라서 우리가 동의한 형사절차가 공개적으로 형식과 절차에 따라 행해졌다는 절차적 신뢰를 통해 형사처벌의 정당성이 부여되는 것이다.

그러나 사적 제재, 사적 처벌이 논란이 되는 이유는 사법적 절차에 대한 국민적 신뢰가 없기 때문이다. 돈이 있고 힘이 있는 자는 사법절차, 형사절차를 우회하거나 전관(前官) 등에 의해 부정행위가 통용되리라는 사회적 불신이 존재하는 것이다.

2. 쟁점과 논거

찬성론: 정의	반대론: 법적 안정성
[정의 실현] 정의는 각자에게 정당한 몫을 주는 것이다. 범죄자는 자신의 죄에 상응하는 처벌을 받는 것이 정의롭다. 그러나 국가가 모든 범죄를 정확하게 판단하고 처벌하는 것은 현실적으로 불가능하다. 사적 보복을 통해 국가 형벌체계에서 누락된 죄에 대한 응보가 실현되어 정의가 실현된다.	[사회 질서 유지] 피해자나 그 가족은 억울한 감정이 크므로 범죄자의 죄보다 더 큰 응보를 원하기 마련이다. 범죄자는 자신의 책임에 비해 과도한 응징을 받게 되면 억울함이 생기고 이를 해소하고자 사적 보복을 감행하므로 복수의 악순환이 나타날 수 있다. 사회 구성원이 자신의 삶을 영위하지 못하고 복수를 위해서만 살아갈 수 있다.
[범죄 예방] 범죄자는 범죄 이익과 이로 인한 비용을 예측하여 범죄를 선택한다. 사적 보복이 가능해지면, 범죄자는 국가로부터 처벌받을 수 있을 뿐만 아니라 피해자로부터도 응징을 받을 수 있다고 인식할 것이다. 사적 보복이 허용되면, 범죄자가 인식하는 범죄 비용이 커지고 위하력이 발생해 범죄를 예방할 수 있다.	[사회 갈등 예방] 사적 보복이 허용되면, 개인의 능력에 따라 보복 실현 가능성과 정도가 결정된다. 부유층이나 권력층은 자신의 복수 감정을 사적 보복을 통해 해소할 수 있다. 하지만 사회적 약자, 소수자는 사적 보복이 불가능하다. 이러한 응보의 불평등은 계층 간 갈등과 같은 사회 문제를 야기한다.
[사회 발전] 사적 보복을 허용하면 범죄자의 범죄 의지가 억제되어 범죄가 줄어들고 국가의 형무예산이 대폭 감소할 수 있다. 범죄 피해자의 억울함이 상당부분 해소되어 사회갈등 요소가 줄어든다. 이를 통해 사회 발전이 촉진된다.	[실질적 정의 실현] 인간은 신이 아니므로 범죄자를 정확하게 특정하거나 범죄 내용을 정확하게 알 수 없다. 그렇기 때문에 모두가 동의할 수 있는 절차와 형식에 의해 범죄자를 처벌해야 한다. 사적 보복을 허용하면 피해자와 그 가족은 절차를 지키지 않을 것이므로 절차적 정의가 훼손될 수밖에 없다.

3. 읽기 자료

고대사회 사적 보복[10]

10)

고대사회 사적 보복

008 문제 사적 처벌

답변 준비 시간 10분 | 답변 시간 10분

※ 다음 제시문과 QR코드를 촬영하면 연결되는 제시문을 읽고, 문제에 답하시오.

(가) 박찬욱 감독의 영화 '친절한 금자씨'에서, 뛰어난 미모의 금자는 스무 살의 나이에 유괴범이라는 누명을 쓰고 감옥에 가게 된다. 그녀는 성실하고 모범적인 수감생활을 하여 '친절한 금자씨'라는 별명을 얻게 된다. 금자는 수감기간 동안 주변 사람들을 도와주고, 복역 후 그들의 도움으로 유괴를 한 진범에게 복수를 계획한다. 교묘한 방법으로 여러 명의 아이를 유괴하여 살해한 범인은 증거 부족 등으로 현행법상 처벌하기가 어렵다. 그리하여 금자와 사건의 피해자들은 자신들의 힘으로 유괴범을 잡아 잔인하게 죽임으로써 사적(私的)으로 처벌하였다.

(나) '부산 돌려차기' 사건 가해자의 신상정보가 유튜버에 의해 공개되면서 사적 제재 논란이 재점화됐다. 제도화된 신상공개나 사법절차가 시민들의 법감정과 일치하지 않을 때, 사인에 의한 신상정보 공개가 통쾌하게 느껴질 수 있지만, 이는 범죄 행위로 사법처리 대상이 될 수 있다.

사적 처벌

Q1. 만약 어떤 사람이, 자기 가족을 살해한 범죄자가 무죄 방면되자 개인적으로 복수를 하여 사망하게 했다고 하자. 이 사람을 처벌해야 하는가?

Q2. 제시문 (가)의 금자와 피해자들이 행한 것은 사적(私的) 처벌이다. 제시문 (가)와 (나)를 참고하여, 사적 처벌의 문제점을 두 가지 이상 제시하고, 그 해결방안을 제시하시오.

추가질문

Q3. 제시문 (나)를 보더라도 많은 국민들이 사적 처벌에 대해 속이 후련하다, 국가가 못한 일을 했다고 생각하는 경향이 크다는 것을 알 수 있다. 이는 국가의 형벌권 행사에 대해 국민들이 불만을 갖고 있는 것이라 해석할 수 있다. 이에 대해서는 어떻게 생각하는가?

Q4. 필리핀의 두테르테 전(前) 대통령은 필리핀의 범죄를 뿌리 뽑겠다면서, 마약상을 사살하는 경찰에게 포상금을 지급하고 일반 국민이 마약상을 사살하더라도 죄를 묻지 않을 것이며 오히려 포상하겠다고 공언한 바 있다. 국가가 사적 처벌을 허용하는 것은 타당한가?

008 해설 사적 처벌

Q1. 모범답변

처벌해야 합니다. 이는 형법을 어긴 것으로서 명백한 살인행위이기 때문입니다. 가족을 살해한 범죄자가 무죄 방면되었다는 이유로 복수하여 사망에 이르게 한 것은 명백한 살인행위입니다. 가족을 살해한 범죄자가 무죄 방면되었다는 것은 국가의 사법체계에 따라 절차적으로 판단한 결과 증거가 불충분하거나 하는 등의 이유로 무죄로 인정된 것입니다. 우리는 신이 아니기 때문에 가족을 살해한 범죄자가 진범인지 알 수 없습니다. 개인은 자유의 주체로 자신의 자유와 권리를 안정적으로 보장받고자 국가와 사법체계를 만들고 그에 따를 것을 동의했습니다. 그런데 아무리 자기 가족을 살해했다고 의심을 받고 있다 하더라도 국가의 사법체계에 따라 절차적으로 무죄가 선고되었다면 우리는 이를 수용해야 하고 그를 처벌할 수 없습니다. 그럼에도 불구하고 사법체계에 의해 무죄 방면된 자를 개인적인 판단으로 복수하고자 살해할 것을 스스로 선택한 것입니다. 따라서 이는 정의라는 명목을 내세우고 있으나, 명백하게 살인할 것을 자유롭게 선택한 것이며 스스로 동의한 법을 어긴 것이므로 처벌받아야 마땅합니다.

Q2. 모범답변

사적 처벌의 첫 번째 문제점은 끝없는 피의 보복이라는 악순환을 불러일으킬 수 있다는 점입니다. 물론 공적인 법체계로는 도저히 잡을 수 없는 중죄인이 엄연히 존재하고 그들에 대한 처벌의 필요성은 인정됩니다. 형벌의 기원은 복수[11]에서 시작된다고 할 수 있습니다. 그러나 복수는 감정에 의하여 지배되고, 사적 복수는 복수를 부르고 결국 끝없는 피의 보복이라는 악순환을 낳는 폐단이 있습니다. 제시문 (가)의 '친절한 금자씨'의 금자처럼 억울하다고 하여 사적 보복을 허용한다면 사회의 평화는 깨지고 사회구성원들은 생명과 신체의 자유를 위협받게 됩니다. 사적 보복을 처음 시작하는 금자는 자신의 고통을 객관적으로 느끼는 것이 아니라 주관적으로 인식하므로 특히 자신의 고통을 더 크게 인식할 가능성이 높습니다. 그렇다면 복수는 더 가혹해질 것입니다. 그렇다면 금자의 복수 대상이 된 자와 그 가족은 다시금 금자와 그 가족에게 복수하고 싶은 욕구를 느끼게 될 것입니다. 가혹한 복수가 반복되면 복수가 복수를 부르는 상황에 처하게 될 것입니다. 특히 당사자에 더해 가족이나 지인까지 복수에 휘말리게 되면 사회 전체가 복수에 가담하는 상황에 직면합니다. 예를 들어, 과거 많은 사회에서 개인의 범죄가 집안 전체, 지역 전체의 피의 살육이 되는 경우가 많았습니다. 이처럼 금자가 진범에 대한 사적 보복을 통해 얻을 수 있는 통쾌함보다는 사회질서의 훼손에 따른 폐해가 더 크다는 문제점이 있습니다.

사적 처벌의 또 다른 문제점은 억울한 피해자가 발생할 수 있다는 점입니다. 인간은 신이 아니기 때문에 진실을 알 수 없습니다. 그렇기 때문에 국가가 정해진 절차와 형식을 통해 국가조직의 공적 노력을 통해 범죄자를 처벌하는 것입니다. 그런데 사적 처벌은 국가보다 약한 정보력과 판단력을 가진 일반인이 자신이 알고 있는 정보를 진실로 오인하여 복수를 통해 정의를 실현하겠다고 나서는 것입니다. 국가는 국민의 자유와 권리를 지키기 위해 국민으로부터 권력을 위임받아 충분한 예산과 공적 조직을 운용하며 필요시 전문가를 동원할 행정적 역량을 가지고 있습니다. 그럼에도 국가기관의 수사가 진실이라는 보장을 할 수 없습니다. 그렇기 때문에 우리는 절차적이고 형식적인 사법과정을 통해 객관적으로 타당한 처벌을 하려 하는 것입니다. 그러나 사적 처벌은 전문성이 부족한 일반인이 절차와 형식을 무시하거나 약화시킨 상태에서 주관적인 처벌을 시도하는 것입니다. 이 과정에서 범죄에 관련이 없는

11) 탈리오 법칙(lex talionis): 피해자가 입은 피해와 같은 정도의 손해를 가해자에게 가한다는 보복의 법칙을 말한다. 응보(應報)원칙의 가장 소박한 형태이며, 원시 미개사회규범 중에서 볼 수 있는 정의 관념의 원시적 표현인데, 무제한 복수를 허용하던 단계에서 동해보복(同害報復)의 정도까지 보복을 제한하여 권력적 질서하에 둔 것은 큰 진보라고 할 수 있다. 이 법칙은 함무라비법전(法典)에 규정되어 있다. 이는 가해와 복수의 균형을 취하여 응보적 정의감을 만족시킴으로써 사투(私鬪)를 종결시키려는 것이므로 가해자 측의 재복수는 허용되지 아니한다. 고대국가가 형성되면서 그때까지 무차별·무제약적(無制約的)으로 행사되었던 집단적인 복수로부터 가해자 개인에 대한 복수라는 관념이 나타남에 따라서, 제재(制裁)도 피해자가 입은 피해와 동일한 보복으로 법률을 정하여 제약한 점이 주목할 만하다.

사람을 범죄자로 인식하여 관련 없는 사람에 대한 복수를 하거나, 명예를 실추시키려는 목적으로 범죄와 관련 없는 사람의 사진이나 정보를 공개하는 등의 사적 처벌을 할 수 있습니다. 그렇다면 억울한 피해자가 발생하게 되고, 비가역적인 피해로 인한 자유와 권리 침해가 우려됩니다.

사적 처벌의 문제점을 해결하기 위해서는, 국가가 형벌권 행사를 전담하여 사회 질서를 유지하는 것이 타당합니다. 국가는 공적인 입장에서 객관적인 태도로 억울한 피해자가 발생하지 않도록 하면서 형벌을 부과할 수 있기 때문입니다.

Q3. 모범답변

이는 국가형벌권의 행사가 모든 국민에 대해 일률적으로 행해지지 않는다고 국민들이 불신하기 때문입니다. 우리 사회는 권력과 돈이 있는 자는 죄를 저질러도 처벌받지 않거나 솜방망이 처벌을 받는 반면, 권력과 돈이 없는 자는 억울하게 처벌받거나 더 큰 처벌을 받는다는 인식이 널리 퍼져 있습니다. 이른바 유전무죄, 무전유죄가 바로 이를 보여주는 말입니다.

그러나 국가의 형벌권 행사에 대한 국민적 불신을 사적 처벌을 허용함으로써 해결할 일은 아닙니다. 이는 국민적 불신을 해소함으로써 해결할 일입니다. 법조비리에 대한 엄단, 법제도의 정비, 법조인들의 자정노력 등을 통해 사법과정에 대한 신뢰를 키워야 할 것입니다.

Q4. 모범답변

국가가 사적 처벌을 허용하는 것은 타당하지 않습니다. 장기적으로 볼 때, 사회 질서 확립이 어려울 수 있기 때문입니다. 민주주의 국가는 국가의 주인이 국민이므로 국민의 생명을 위협할 수 있는 사적 폭력을 금지하고 있습니다. 그러므로 국가의 주인인 국민이 선출하고 통제하는 민주정부가 폭력을 독점하고 국민의 자유 보호를 위해서만 이 폭력을 사용하도록 강제하고 통제해야 합니다. 그런데 두테르테 전(前) 대통령이 집권하던 시기의 필리핀은 국가가 폭력을 독점하지 못하여 마약상과 같은 사적 폭력을 행사하는 집단이 존재하고 있는 상황입니다. 이 상황에서 일반 국민이 마약상을 상대로 폭력을 사용하라는 것은 사적 폭력의 범위를 더 확대하는 것입니다. 국가가 폭력을 독점하여 공적화하고 이를 바탕으로 사적 폭력을 줄여나가 궁극적으로는 제거해야 하는 것인데, 대통령은 이러한 방향성에 정반대의 공언을 하고 있습니다. 따라서 필리핀의 사적 처벌 허용은 국민들에게 통쾌하다는 인상을 주고 단기적 효과를 기대할 수는 있겠으나 장기적으로 사회 질서를 확립할 수는 없습니다.

009 개념 자유주의: 안락사

2021 성균관대/충남대·2019 충남대 기출

1. 기본 개념

(1) 공동체로부터 개인의 분리: 자유주의의 출현

중세에서 르네상스를 거쳐 공동체와 종교로부터 개인을 분리하려는 시도가 나타났다. 이를 인본주의(人本主義)라 한다. 인본주의는 공동체에 예속되어 있던 개인을, 독립적인 존재로 격상시키려는 시도라 할 수 있다. 중세 장원경제와 봉건제하에서 농노로 일하며, 영주와 교회에 육체적·정신적으로 속박되어 있었던 대부분의 인간은 신의 섭리를 실현해야 한다는 공동체적 목적을 위한 수단으로 취급되었다. 르네상스 시대에 접어들면서 신이 아니라 인간이 자신의 삶의 주인이며 나를 위한 삶을 살아야 한다는 의식이 커지기 시작했다.

인본주의로부터 자유주의가 시작되었다. 자유주의는 내가 나의 주인으로서 내 삶의 목적을 결정하고 이를 위해 어떤 노력을 기울일 것이며 그에 대한 책임을 진다는 생각이다. 신과 공동체를 위해 사는 집단의 일부에 불과한 '나'를 벗어나, '나' 자체인 개인이 모여 공동체를 이룬다는 의식의 변화가 일어났다. 이에 기초해 홉스와 로크의 사회계약론이 출현했다. 자연 상태의 개인이 스스로 원해 다른 개인과 자유로운 의사의 결합으로 계약을 하여 사회가 구성되었다는 것이다. 국가라고 하여 개인을 뛰어넘는 대단한 무엇인가가 있는 것이 아니라, 내가 스스로 원하여 결혼을 하거나 동업을 해서 장사를 하거나 등과 유사하게 계약의 결과물이 곧 국가라는 의미가 된다.

근대 영국에서 시작된 자유주의는, 고대와 중세를 지배한 가족주의와 같은 공동체주의와 대립하였다. 가부장이 지배하는 가족과 국왕이 지배하는 절대왕정으로부터 개인을 분리시켜 개인의 자유를 보장하는 체제, 즉 자유주의에 기반한 민주주의인 자유민주주의가 시작되었다.

(2) 인간의 존엄성과 자유의 관계

존엄성이란, 목적으로 대하고 수단으로 대해서는 안 되는 것이다. 그렇다면 인간의 존엄성이란 인간을 목적으로 대하고 수단으로 대하지 말라는 의미가 된다. 만약 신이 존재하고 신의 뜻을 실현하는 것이 인간의 존재 목적이라면 인간은 수단이기 때문에 존엄할 수 없고 정해진 뜻을 실현하는 기계와 같은 존재가 된다. 그러나 인간이 정해진 목적이 없는 존재라면 내가 스스로 내 목적을 설정하고 자유로운 선택과 그 책임을 짐으로써 존엄한 존재가 된다. 따라서 자유주의에서 존엄성이란 개인의 자유 그 자체와 동일한 개념이 된다.

(3) 자유

자유주의는 정의의 기준으로서 자유를 제시하고, 개인의 자유를 보장하는 것이 정의로운 것이라 한다. 개인은 자기 자신의 주인으로서 자신의 삶의 목적이 될 가치관을 스스로 결정할 권리가 있다. 개인이 스스로 자유롭게 정한 가치관을 실현할 자유 역시 개인에게 있다. 개인은 스스로 정한 가치관을 실현하기 위해 얼마나 노력할 것인지 어떤 방법으로 노력할 것인지를 스스로 결정한다. 결국 개인이 스스로 결정하고 노력한 정도에 따라 결과가 도출되는 것이다.

사회의 기본 단위는 개인이고 개인들이 모여 사회를 이룬다. 결국 원인은 개인이며 사회는 결과인 것이다. 자유주의는 개인의 자유를 보장하면 결과적으로 사회가 이루어질 것이라 한다. 따라서 사회와 국가의 존재 목적은 개인의 자유를 보장하는 것이어야 한다. 사회 다수가 중요하게 생각하는 가치를 개인에게 강요하게 된다면 개인은 자기 삶을 통해 실현하고자 하는 가치를 스스로 결정할 수 없다는 뜻이 된다. 개인에게 사회적 가치를 권유하고 권장할 수는 있으나, 이를 강제할 수는 없다.

다만, 개인의 자유를 보장한다고 하여 무제한적 자유가 인정되는 것은 아니다. 개인이라는 말의 의미는 특정한 '나'를 의미하는 것이 아니기 때문이다. 개인의 자유를 보장한 결과가 다른 개인의 자유를 침해하는 것이 된다면, 결국 개인의 자유를 보장한 것이 아니라 특정인의 자유만을 보장하는 것이 된다. 이것이 바로 왕정이다. 따라서 개인의 자유를 보장하기 위해서는 자유를 일정 정도 제한해야 한다. 타인의 자유에 대한 직접적 해악을 미치는 행위는 제한되어야 한다. 자유주의는 개인의 자유를 보장하기 위한 목적으로 개인의 자유를 제한하는 법을 필요로 한다.

이에 대해, 존 스튜어트 밀은 <자유론>에서 개인의 자유를 극대화할 수 있는 원칙으로 해악의 원칙을 제시한다. 인간의 의사에 반해서 권력을 행사하더라도 정당하게 인정되는 유일한 목적이란 다른 구성원에게 미치는 해악을 방지하는 것이다. 그렇게 하는 것이 그에게 더 바람직하다거나 그를 더 행복하게 한다거나, 남들이 보더라도 그렇게 하는 것이 현명할 뿐만 아니라 정당하기도 하다는 이유로 자유를 제한할 수 없다. 개인이 사회에 대해서 책임을 져야 할 유일한 부분은 타인과 관계되는 부분이다. 자기 자신에게만 관계되는 행위에 있어서 그의 독립성은 당연히 절대적이므로, 국가의 개입은 타당하지 않다. 이러한 주장은 오직 성숙되고 여러 능력을 갖춘 성인들에게만 적용된다. 어린이나 법률이 규정하는 성인 남녀에 도달하지 않은 젊은이는 여전히 타인의 보살핌이 필요하고 외부의 위해로부터 뿐만 아니라 자신의 행위로부터도 보호되어야 한다.

(4) 예측가능성

자유주의는 개인의 자유로운 선택을 존중하기 위해 예측가능성이 전제되어야 한다고 주장한다. 자유로운 선택의 결과가 가져올 책임을 예측하여 선택했을 때 진정으로 자유로운 선택이라 할 수 있기 때문이다. 예를 들어, A라는 사람이 B라는 사람의 행동에 분노를 느껴 폭행을 하려는 욕구를 가지게 되었다고 하자. A는 B를 폭행하는 선택을 할 경우에 자신의 욕구는 해소되는 반면 처벌이라는 책임이 돌아올 것임을 예측한다. 또한 A가 B를 폭행하지 않는 선택을 할 경우에 자신의 욕구는 해소되지 않을 것이나 처벌을 받지 않는다는 것을 예측한다. A는 이를 예측한 상황에서 B에 대한 폭행 여부를 자유롭게 결정한 것이므로 그에 상응하는 처벌을 받아야 한다.

자유주의 국가의 존재 목적은 개인의 자유를 보장하는 것이다. 따라서 개인이 자유와 책임의 주체가 될 수 있도록 교육을 해야 할 의무가 국가에 부여된다. 개인의 이성을 증진하기 위한 교육은 개인의 자유로운 선택이 가져올 책임에 대한 예측가능성을 위해 꼭 필요하다. 그렇기 때문에 자유주의 국가는 모든 국민에게 교육받을 권리를 보장하고 보통교육의 실시를 국가의 의무로 하고 있다.

자유주의에서는 개인의 자유를 보장하기 위해서는 예측가능성이 전제되어야 하기 때문에 처벌 등과 같이 개인의 자유를 제한하는 법적 규제는 반드시 미리 정해져야 한다. 이를 소급금지의 원칙이라 한다.

(5) 책임

자유에는 책임이 뒤따른다. 단, 자유주의에 따르면 개인의 자유로운 선택이 아닌 결과에 대해서는 책임이 없다. 예를 들어, A가 B를 때렸다고 하자. A가 B를 때린 것만으로 처벌이라는 책임을 져야 하는 것은 아니다. A가 길을 걷다가 빙판길에 넘어지면서 B를 때린 것이라면 B의 기분이 나쁠 수는 있으나 A는 B를 때리겠다는 자유를 실현한 것이 아니기 때문에 책임이 없다. 이러한 점에서 책임은 자유에 대한 예측가능성의 결과가 된다.

2. 사례

(1) 보라매병원 사건

① 사건개요

1997년 12월 김 모 씨는 보라매병원에서 뇌수술을 받고 인공호흡기에 의존해서 의식을 회복하는 단계에 있었다. 김 씨의 부인은 병원비의 부담과 회생 가능성이 희박하다는 진단에 따라 퇴원을 요구했다. 병원 측은 사망하더라도 법적인 이의를 제기하지 않겠다는 서약서를 받은 뒤 김 씨를 퇴원시켰으며 김 씨는 집으로 호송된 뒤 인공호흡장치를 제거하고 5분 만에 사망했다. 검찰은 "의학적 판단에 따라 관리해야 할 중환자를 보호자의 퇴원 요구만으로 내보내 죽게 한 것은 살인 행위"라면서 사법사상 처음으로 살인죄를 적용, 불구속 기소했다.

② 판례

의료행위의 중지가 곧바로 환자의 사망이라는 중대한 결과를 초래하는 경우에 있어서는 의료행위의 중지, 즉 퇴원을 요구받은 의사로서는 환자의 생명을 보호하기 위하여 의료행위를 계속하여야 할 의무와 환자의 요구에 따라 환자를 퇴원시킬 의무와의 사이에 충돌이 일어나게 되는바, 그러한 의무의 충돌이 있는 경우 의사로서는 더 높은 가치인 환자의 생명을 보호할 의무가 우선하여 환자의 퇴원 요구에도 불구하고 환자를 보호하여야 할 지위나 의무가 종료되지는 아니한다고 할 것이고, 이는 의료행위의 중지가 곧바로 환자의 사망이라는 결과를 초래하는 경우 부작위에 의한 살인이라는 결과에 이를 수 있고, 우리 형법이 일반적인 살인행위뿐만 아니라 촉탁, 승낙에 의한 살인행위와 자살을 방조하는 행위에 대하여도 처벌을 하고 있는 점에 비추어서도 그러한바, 위와 같은 경우 의사로서는 의료행위를 중지할 시점에 있어 환자의 자기결정권에 기한 진정한 의료행위의 중지 요구가 있었는지 여부와 환자의 상태, 회복가능성 등에 대하여 진지하게 고려하고, 그것이 법률상 허용되는 것인가 여부에 대한 검토를 하여야 할 것이며, 환자를 보호하여야 할 지위나 의무가 종료되지 아니하였음에도 불구하고 회복가능성이 높은 환자에 대하여 환자의 자기결정권만을 존중하여 의료행위를 중지하거나, 의료행위의 중지 요구가 환자의 자기결정권에 기한 진정한 의사표시라고 보기 어려움에도 이를 오인하여 의료행위를 중지하고, 그것이 직접적인 원인이 되어 환자를 사망케 한 경우에는 특별한 사정이 없는 한 그 행위는 위법하다고 할 것이다.

(2) 카렌 퀸란 사건

1975년 미국에서 당시 21세이던 카렌은 급성 약물중독으로 의식상실 후 인공호흡기에 의해 생명을 연장하게 되었다. 5개월 후 카렌의 부모는 의사에게 안락사를 요구하였으나 의사는 이를 거절하였다. 부모는 고등법원에 카렌의 안락사를 요청하였고 고등법원은 청구를 기각하였다. 주 대법원에서는 "인명존중의 대원칙보다는 죽음을 선택하는 개인의 권리가 우선되어야 한다. 치료를 하여도 회복가능성이 전혀 없는 경우에는 인공호흡기를 제거하여도 된다."고 하여 부모의 요청을 수용하였다. 카렌은 인공호흡기를 제거하고 독자적인 호흡을 9년간 계속하여 생존하다가 1985년 폐렴에 의한 호흡곤란으로 사망하였다.

(3) 잭 케보키언 사건

케보키언은 죽음의 의사라고 불리는 병리학자로 말기 환자 수십 명을 안락사시킨 바 있다. 그는 1991년 미시간과 캘리포니아주의 의사 면허증을 박탈당하고, 안락사와 관련해 6차례 기소되어 4차례 법정에 섰으나 매번 무죄 판결을 받았다. 미국 대부분의 주는 자살방조의 금지와 함께 안락사를 금지하고 있다. 1999년 2월까지 그가 행한 안락사는 130건 이상으로 알려진다. 미시간주의 오클랜드 카운티 법정은 1999년 7월 케보키언 박사에게 2급 살인죄를 적용, 최고 징역 10~15년 형을 선고했다.

(4) 김 할머니 사건

① 사건개요

김 할머니는 2008년 폐암 조직검사를 받다가 과다출혈로 식물인간이 되었다. 자녀들은 연명치료의 중단을 요구하였고 의료진은 자녀들의 요구를 거부했다. 재판 끝에 자녀들이 2009년 대법원에서 승소했다. 김 할머니는 연명치료를 중단한 후에도 생존하다가 2010년 사망했다.

② 판례[12)]

이미 의식의 회복가능성을 상실하여 더 이상 인격체로서의 활동을 기대할 수 없고 자연적으로는 이미 죽음의 과정이 시작되었다고 볼 수 있는 회복 불가능한 사망의 단계에 이른 후에는, 의학적으로 무의미한 신체 침해 행위에 해당하는 연명치료를 환자에게 강요하는 것이 오히려 인간의 존엄과 가치를 해하게 되므로, 이와 같은 예외적인 상황에서 죽음을 맞이하려는 환자의 의사결정을 존중하여 환자의 인간으로서의 존엄과 가치 및 행복추구권을 보호하는 것이 사회상규에 부합되고 헌법정신에도 어긋나지 아니한다. 그러므로 회복 불가능한 사망의 단계에 이른 후에 환자가 인간으로서의 존엄과 가치 및 행복추구권에 기초하여 자기결정권을 행사하는 것으로 인정되는 경우에는 특별한 사정이 없는 한 연명치료의 중단이 허용될 수 있다.

12)

김 할머니 대판

3. 쟁점과 논거

찬성론: 죽음에 대한 자기결정권	반대론: 사회적 악영향 예방
[환자의 자기결정권 보호] 인간은 자기 삶의 목적이 될 가치관을 스스로 설정하고 이를 추구할 자유를 가진다. 불치병에 걸린 환자가 연명치료를 선택하는 것이 자기 삶의 가치관에 명백하게 반한다고 판단하였고, 이 결정은 타인의 자유에 직접적 해악을 주지 않는다. 개인이 자기 삶의 가치관의 실현방법을 안락사로 선택한다고 하더라도 국가는 이를 강제할 수 없다.	[공동체의 유지·존속] 공동체는 공유된 가치를 보존해야 유지된다. 생명은 공유된 가치로 안락사를 허용하는 것은 명백하게 생명을 해한다. 안락사는 생명과 고통 회피를 교환할 수 있다는 의식을 공동체 구성원들에게 심어준다. 경시된 생명의 가치가 구성원들에게 확산되어 생명경시풍조가 만연하면 사회는 유지·존속될 수 없다.
[평등원칙] 같은 것을 다르게 대하는 것은 평등원칙에 위배된다. 생명을 이어가겠다는 가치관을 가진 자는 연명치료를 선택할 권리가 인정되나, 죽음으로써 가치관을 실현하고자 하는 자는 안락사를 선택할 권리가 인정되지 않는다면, 이는 같은 자유를 다르게 대한 것으로 평등원칙에 위배된다.	[사회갈등 예방] 생명은 공동체의 공유된 가치로 공동체 구성원 모두에게 동등하게 지켜져야 한다. 연명치료에는 큰 비용이 들어가므로 안락사를 허용하면, 부유한 자는 안락사를 선택하지 않을 것인 반면 가난한 자는 안락사를 선택할 수밖에 없을 것이다. 이로 인해 사회갈등이 발생할 것이다.
[공공복리] 당사자가 스스로 선택한 안락사를 금지함으로써 가족의 사회적·경제적·심리적 부담이 증가하고, 연명치료를 원하는 환자 혹은 회복 가능한 다른 환자에게 의료자원 분배가 저해되며, 심지어 안락사를 원하는 환자가 안락사가 허용되는 외국에서 안락사를 하는 등 사회비용이 매우 크다.	[개인의 자기결정권의 실질적 보호] 고통은 주관적이어서 환자 본인 외에 누구도 이를 알 수 없다. 연명치료를 선택할 경우 가족의 경제적 고통이 커질 것임을 예상할 수 있기 때문에 환자는 안락사를 선택하고 싶지 않더라도 가족의 고통을 줄이고자 원하지도 않는 안락사를 선택할 것이다.

4. 읽기 자료

(1) 학계의 찬성 입장

① 자기결정권

우리는 적극적 안락사의 예외적 허용을 무엇보다도 생명에 대한 개인의 '自己決定權'의 관점에서 숙고해보아야 한다고 생각한다. 인간은 삶과 죽음의 기로에 처해서는 그중 '무엇을' 선택할 것인가의 자유, 죽음의 선택에 있어서는 '언제', '어떻게' 죽을 것인가 하는 선택의 자유를 원초적으로 누리고 있다고 본다. '언제'에서는 自然이 가르치는 죽음의 시기를, '어떻게'에서는 인간다운 존엄한 죽음을 선택할 자유가 있어야 한다. 헌법상 인간으로서의 존엄과 가치의 보장은 삶에 있어서의 존엄뿐만 아니라 죽음에 있어서도 인간으로서의 존엄을 보장받고자 함이 당연하고, 이 보장은 다름 아닌 尊嚴死할 권리, '인간다운 죽음을 할 권리'로서 인정된다고 하겠다.

소극적 안락사는 원칙적으로 환자 자신의 자기결정권, 즉 명시적 또는 추정적 승낙[13]에 근거해서만 위법성이 조각될 수 있다. 환자가 의식불명의 상태였기에 명시적 승낙이 불가능하다면 추정적 승낙이 있었는지 조사되어야 한다. 그런데 추정적 승낙이 있었다고 판단할 자료도 없는 경우 가족 등 신뢰할 수 있는 주변인의 합리적 판단에 의해 치료중단이 요구되고, 의사 또한 합리적으로 치료중단을 결정한 경우에만 위법성의 조각을 인정할 수 있다. 그러나 회복불능상태에 있는 환자와 달리 회복단계에 있는 환자의 생명을 그의 자기결정권에 전혀 근거함 없이, 특히 단순한 치료비라는 경제적 이유만으로 죽게 하는 것에 대해서는 절대로 위법성 조각이 인정되어서는 안 된다.

13)
추정적 승낙: 피해자의 현실적인 승낙은 없었으나 행위당시의 사정에 비추어 볼 때 만약 피해자 혹은 승낙권자가 그 사태를 인식하였더라면 당연히 승낙할 것으로 기대되는 것을 말한다. 이 경우 위법성이 조각된다.

② 행복추구권

행복추구권에는 고통을 회피할 권리도 있다. 회복이 불가능한데 고통스러운 치료와 통증을 강요하는 것은 행복추구권 침해이다. 국가와 제3자가 고통을 대신해 줄 것도 아닌 바에야 안락사를 금지하고, 환자에게 고통과 통증을 지속하라고 강요해서는 안 된다.

우리는 매우 심하게 다치거나 병든 동물이 고통 속에 있는데 그 회복가능성이 무시할 수 있는 정도라면 그 동물을 쏘아 죽이는 것이 옳다는 것을 믿어 의심하지 않는다. 죽이기를 거부하고 치료도 보류하며 '자연적으로 되돌아가도록 버려두는 것'은 명백히 그릇된 일일 것이다. 말에게 그렇게 할 경우에는 그것이 명백히 그릇된 일이라고 보면서도 장애를 가진 유아에게 그렇게 하는 것이 마찬가지로 그릇된 일이라고 생각하지 않는 까닭은 인간생명의 신성함이라는 교리에 대한 우리의 잘못된 존경, 오직 그것 때문이다.

(2) 학계의 반대 입장

① 생명권 침해

고통이 아무리 극심해도 촉탁, 승낙에 의한 살인이 금지되듯이 타인에 의한 적극적 안락사도 허용이 되어서는 안 된다. 적극적 안락사를 허용하는 것 역시 남용의 위험성이 매우 크며, 절대적으로 보호해야 할 생명을 상대화시키는 문제점이 있다. 적극적 안락사를 허용하자는 입장에서는 의료인의 시술을 통하면 남용의 위험이 줄어들 수 있으며, 안락사도 치료행위의 일종이므로 의료인이 이를 행해야 한다고 주장한다. 그러나 의료행위라 함은 질병의 예방 또는 치료행위 및 그 밖에 의료인이 행하지 아니하면 보건위생상 위해가 생길 우려가 있는 행위를 의미하므로 타인의 생명을 감축시키는 행위가 의료행위에 포함된다고 해석하는 것은 모순이고 의료인들에게 이러한 행위를 제도적으로 강요하는 것도 의료인의 기본윤리와 어긋나며 기본권 침해의 소지가 있다.

안락사에 대한 세계적 추세는 그 허용범위가 점점 확장되고, 방법에 있어서 소극적 안락사에 대한 현대적 논의가 인간의 자율성 존중이라는 인도적 차원에서 시작되었지만 점차 인간 생명의 가벼움으로 흐르고 있다. '죽을 권리'의 확대는 '삶의 의지'를 무력화시킬 수 있으며, '죽음과 죽임'이 아무리 엄격한 법적 제한 조치를 가진다 해도 오남용으로 인한 '안락사 생활화'의 위험에서 자유롭지 못할 것이다. 안락사가 입법을 통해 시민들의 정당한 법적 권리로 인정되기 시작하면 자체가 지닌 동력에 의해 그 범위를 확대시켜 이론적 가능성에만 머무는 것이 아니라 현실이 되는 것이다. 우리는 '미끄러운 경사길'에 한 발을 딛고 있다.

② 사회적 문제 발생 우려

안락사를 합법화할 경우, 의료보험 혜택도 모두에게 공평하게 돌아가지 않는 지금과 같은 상황에서는 많은 소수민족, 빈곤층, 노인들과 같은 의료의 사각지대에 사람들이 자신의 의도와는 달리 가족의 강압이나 경제적 부담으로 인해 죽어갈 것이라는 심각한 우려를 표명하고 있다. 그리고 안락사가 허용될 경우, 말기 환자들의 가족들이 심리적인 고통과 경제적 부담을 줄이기 위해 이를 악용할 소지가 있다는 점도 우려하고 있다.

(3) 헌법재판소 판례[14)]

'연명치료 중단, 즉 생명단축에 관한 자기결정'은 '생명권 보호'의 헌법적 가치와 충돌하므로 '연명치료 중단에 관한 자기결정권'의 인정 여부가 문제되는 '죽음에 임박한 환자'란 '의학적으로 환자가 의식의 회복 가능성이 없고 생명과 관련된 중요한 생체기능의 상실을 회복할 수 없으며 환자의 신체 상태에 비추어 짧은 시간 내에 사망에 이를 수 있음이 명백한 경우', 즉 '회복 불가능한 사망의 단계'에 이른 경우를 의미한다 할 것이다. 이와 같이 '죽음에 임박한 환자'는 전적으로 기계적인 장치에 의존하여 연명할 수밖에 없고, 전혀 회복가능성이 없는 상태에서 결국 신체의 다른 기능까지 상실되어 기계적인 장치에 의하여서도 연명할 수 없는 상태에 이르기를 기다리고 있을 뿐이므로, '죽음에 임박한 환자'에 대한 연명치료는 의학적인 의미에서 치료의 목적을 상실한 신체침해 행위가 계속적으로 이루어지는 것이라 할 수 있고, 죽음의 과정이 시작되는 것을 막는 것이 아니라 자연적으로는 이미 시작된 죽음의 과정에서의 종기를 인위적으로 연장시키는 것으로 볼 수 있어, 비록 연명치료 중단에 관한 결정 및 그 실행이 환자의 생명단축을 초래한다 하더라도 이를 생명에 대한 임의적 처분으로서 자살이라고 평가할 수 없고, 오히려 인위적인 신체침해 행위에서 벗어나서 자신의 생명을 자연적인 상태에 맡기고자 하는 것으로서 인간의 존엄과 가치에 부합한다 할 것이다. 그렇다면 환자가 장차 죽음에 임박한 상태에 이를 경우에 대비하여 미리 의료인 등에게 연명치료 거부 또는 중단에 관한 의사를 밝히는 등의 방법으로 죽음에 임박한 상태에서 인간으로서의 존엄과 가치를 지키기 위하여 연명치료의 거부 또는 중단을 결정할 수 있다 할 것이고, 위 결정은 헌법상 기본권인 자기결정권의 한 내용으로서 보장된다 할 것이다.

(4) 대법원 판례[15)]

생명권이 가장 중요한 기본권이라고 하더라도 인간의 생명 역시 인간으로서의 존엄성이라는 인간 존재의 근원적인 가치에 부합하는 방식으로 보호되어야 할 것이다. 따라서 이미 의식의 회복가능성을 상실하여 더 이상 인격체로서의 활동을 기대할 수 없고 자연적으로는 이미 죽음의 과정이 시작되었다고 볼 수 있는 회복 불가능한 사망의 단계에 이른 후에는, 의학적으로 무의미한 신체 침해 행위에 해당하는 연명치료를 환자에게 강요하는 것이 오히려 인간의 존엄과 가치를 해하게 되므로, 이와 같은 예외적인 상황에서 죽음을 맞이하려는 환자의 의사결정을 존중하여 환자의 인간으로서의 존엄과 가치 및 행복추구권을 보호하는 것이 사회상규에 부합되고 헌법정신에도 어긋나지 아니한다고 할 것이다. 그러므로 회복 불가능한 사망의 단계에 이른 후에 환자가 인간으로서의 존엄과 가치 및 행복추구권에 기초하여 자기결정권을 행사하는 것으로 인정되는 경우에는 특별한 사정이 없는 한 연명치료의 중단이 허용될 수 있다.

14)

2008헌마385

15)

2009다17417

009 문제 자유주의: 안락사

답변 준비 시간 15분 | 답변 시간 15분

※ 다음 제시문을 읽고, 문제에 답하시오.

(가) 개인은 자기 자신의 주인으로서 삶을 스스로 계획하여 의미 있는 삶을 만들어나간다. 그러므로 우리의 삶보다 타인의 삶을 도덕적으로 보다 중요한 것으로 간주하여, 보다 큰 전반적인 사회적 선을 도모하려 해서는 안 된다. 개인은 그 자체로 목적이며, 그 어떤 사회적 선의 수단으로 취급되어서는 안 되는 존엄한 존재이다.

(나) 사회가 유지되고 존속하기 위해서는 사회의 공유된 가치를 지켜야 한다. 서로 다른 생각을 가진 구성원들로 이루어진 사회를 결속시키는 토대는 공통의 가치가 가진 응집력이다. 이러한 공유된 가치 중 가장 근본적인 것은 생명존중사상이다. 생명을 존중하지 않는 사회적 분위기가 만연한 공동체가 장기적으로 유지되고 존속할 수 없음은 너무나도 자명하다.

(다) 연명의료결정법이 시행되면서 호스피스 서비스와 연명치료 중단이 가능해졌다. 그 대상은 담당의사와 해당분야 전문의 1명으로부터 임종과정에 있다는 의학적 판단을 받은 환자이다. 이때 환자는 연명의료 중단 의사를 직접 표시하고, 담당의사가 확인해야 한다. 환자의 의사능력이 없을 때는 가족 2인 이상의 일치하는 진술과 의사 2인의 확인이 필요하다. 연명의료 중단 결정이 내려지면 심폐소생술, 혈액 투석, 항암제 투여, 인공호흡기 착용 등 치료적 효과 없이 임종과정의 기간만을 연장하는 연명의료를 중단할 수 있다. 다만 통증 완화, 영양 공급, 물 공급, 산소의 단순공급(일반연명의료)은 어떠한 경우에도 중단할 수 없다.

(라) 60세의 윤리학과 대학교수인 A는 심한 두통으로 인해 병원을 찾은 결과 뇌종양 진단을 받았다. 최초에는 뇌종양으로 인해 최대 10년간 살 수 있을 것이라 진단을 받았으나, 이후 추가정밀진단 결과 A의 뇌종양은 악성에 해당해 치료를 받지 않을 경우 6개월밖에 살지 못한다는 것을 알게 되었다.

만약 A가 항암치료를 받을 경우 1년은 살 수 있어 6개월의 생명을 연장할 수는 있으나 여전히 죽음을 피할 수는 없다. 그리고 이 항암치료를 받을 경우, 매일 2시간의 집중치료가 필요한데 이 과정에서 극심한 고통이 수반되며 주변사람들에게 욕설을 퍼붓거나 하는 등으로 자신이 의도하지 않은 이상행동을 하는 경우가 많다. 집중치료 시간 이외의 시간에도 몽롱한 상태이거나 의사소통이 어려운 상태가 된다. 그리고 이 항암치료는 최신기술이 적용되어 의료보험이 적용되지 않기 때문에 A는 한 달에 1억 원의 치료비를 부담해야 한다.

A는 평소 고결한 삶을 살겠다고 말해왔고, 대학에서도 고결함에 관한 윤리 등의 수업을 진행했으며, 이에 대한 논문과 저서를 꾸준히 발표해왔다. A는 진지하게 고민한 끝에 항암치료를 받지 않고 안락사를 선택할 것을 결정했다. 그리고 안락사가 허용되는 국가로 여행을 떠나 의료진 입회하에 자신이 직접 약물을 주사하여 안락사를 하려 한다.

A는 자신의 결정을 가족들에게 말했다. A의 가족들 중 A의 아내는 안락사 결정을 지지했으나, A의 아들과 딸은 안락사 결정에 반대하고 있다. 특히 A의 아들은 7살이 된 손자에게 A의 결정이 악영향을 미칠 것이라며 반대하고 있다.

A의 안락사 결정이 미디어를 통해 알려지면서 이 국가에서 안락사 합법화에 대한 논쟁이 벌어졌다.

Q1. 회복 불가능한 환자가 스스로 무의미한 연명치료의 중단을 결정하는 것을 학문적으로 안락사라 하나, 사회적으로는 흔히 존엄사라 하고 있다. 왜 존엄사라 하는지 논하시오.

Q2. 안락사란 심한 육체적 고통에 시달리며 사기(死期)가 임박한 불치 또는 난치 환자의 고통을 제거하거나 완화하기 위한 의료적 조처가 생명의 단축을 가져오는 경우를 말한다. 안락사는 자발적 안락사, 비자발적 안락사, 반자발적 안락사로 나뉘는데, 회복 불가능한 불치병을 앓고 있는 환자가 자신이 원하는 경우, 즉 자발적 안락사의 경우에는 죽을 권리를 인정해야 한다는 주장이 있다.
안락사를 허용해야 한다는 주장의 논거를 제시하고 이를 논변하시오.

Q3. 안락사를 허용해서는 안 된다는 입장의 논거를 제시하고 이를 논변하시오.

Q4. 안락사 허용 여부에 대한 자신의 입장을 논하시오.

추가질문

Q5. 안락사를 허용했을 때 예상되는 문제점을 다각도로 제시하고 이 문제점에 대한 자신의 생각을 논하시오.

Q6. 최근 안락사의 대안으로 죽음의 순간까지 인간다운 삶을 살도록 하자는 호스피스 운동이 확대되고 있다. 안락사를 허용하는 것보다 호스피스를 확대하면 될 것이라는 주장이 있다. 이에 대해 어떻게 생각하는지 논하시오.

009 해설 자유주의: 안락사

Q1. 모범답변

안락사를 사회적으로 존엄사라 하는 이유는, 환자 개인이 갖고 있는 인간의 존엄성을 존중하는 결정이기 때문입니다. 인간은 자기 삶의 주인으로서 삶의 목적으로 삼을 가치관을 스스로 결정하고 이를 추구할 자유가 있습니다. 우리는 생명을 통해 가치관을 찾고 실현하는 삶을 사는 것입니다. 그런데 회복 불가능한 불치병으로 인해 개인의 삶의 종점이 다가올 때 고통으로 가득 찬 생명의 연장보다는 가치관을 고민하고 실현하는 인간으로서 삶을 완결하고 싶다는 심사숙고한 판단 끝에 무의미한 연명치료를 중단하는 결정을 하는 것입니다. 따라서 존엄성을 실현할 수 있는 방법이라는 의미에서 존엄사라 한다고 생각합니다.

Q2. 모범답변

불치병을 앓고 있는 환자 개인이 진정으로 원한다면 안락사를 허용해야 한다는 주장의 논거는, 환자 개인의 생명의 자기결정권을 보호하고, 평등원칙을 실현할 수 있기 때문입니다.

환자 개인의 생명의 자기결정권을 보호하기 위해 안락사를 허용해야 합니다. 개인은 자기 삶의 주인으로서 자기 삶의 의미를 자유롭게 결정하고 이를 실현할 자유가 있습니다. 자기 삶의 가치 추구를 제한당한다면 개인은 자기 삶의 주체가 아니라 사회적 가치 실현을 위한 객체로 전락하게 됩니다. 예를 들어, 제시문 (라)의 윤리학 교수인 A가 자기 삶을 통해 고결함이라는 삶의 가치를 추구해왔다면 이는 자기 삶의 가치관으로서 존중받을 가치가 있습니다. A가 불치병에 걸려 6개월의 생명을 유지하기 위해 A 자신이 판단하기에 고결함을 저해하는 치료를 받아야만 한다면, A는 60여 년의 삶을 통해 고결함이라는 가치를 일관되게 추구했으나 단지 6개월의 생을 연장하기 위해서는 자신이 일생을 통해 일관되게 추구해온 가치를 스스로 부정해야 합니다. A는 안락사를 선택함으로써 자신의 가치관을 부정하는 연명치료를 선택하지 않고자 한 것입니다. A는 안락사를 선택함으로써 자신의 삶의 가치관을 실현할 수 있게 됩니다. 더군다나 A가 안락사를 결정할 경우 자기 생명을 잃게 되어 더 이상 자기 삶의 가치를 추구할 수 없게 되는 것이므로 그 누구보다도 심사숙고하여 결정한 것임은 자명합니다. 만약 A의 안락사를 허용하지 않는다면, A는 자기 삶의 주체가 아니라 생명경시풍조 예방을 위한 객체로 전락하는 셈입니다.

평등원칙 실현을 위해 안락사를 허용해야 합니다. 평등원칙이란 같은 것은 같게, 다른 것은 다르게 대하라는 원칙입니다. 따라서 합리적 이유 없이 같은 것을 다르게 대한다면 평등원칙에 위반됩니다. 생명 존중이라는 가치와 고결함이라는 가치는 개인이 추구할 만한 가치로서 동등한 가치임에 분명합니다. 그럼에도 불구하고 생명 존중이라는 가치를 추구하는 개인은 연명치료를 선택할 자유를 보장받고, 고결함을 추구하는 개인은 그 자유를 제한받는 것은, 같은 것을 다르게 대한 것으로서 평등원칙에 위반됩니다.

Q3. 모범답변

안락사를 허용해서는 안 된다는 입장에서는 생명경시풍조 예방을 논거로 제시할 것입니다. 생명경시풍조를 예방하기 위해 안락사를 허용해서는 안 됩니다. 공동체는 서로 다른 가치를 가진 사람들이 모여 사는 것이므로 이들을 하나로 묶어줄 공유된 가치가 존재합니다. 이러한 공유된 가치가 훼손된다면 사회는 필연적으로 무너질 것이고 해체될 것입니다. 이러한 공유된 가치 중 근본적인 것으로 생명존중사상이 있습니다. 이러한 근본적이고 공유된 가치에 해당하는 생명존중은 공유되지 않은 가치와 교환되는 것을 허용해서는 안 됩니다. 만약 공유된 가치와 그렇지 않은 가치를 교환할 수 있다는 것은 공유된 가치의 중요성이 저하되는 것이고 공유된 가치의 훼손은 막을 수 없게 됩니다. 그런데 안락사는 고통 회피를 위해 생명을 버릴 수 있다는 것이고 생명을 자기의 소유물처럼 여기는 것입니다. 이와 같이 생명이라는 근본적이고 공유된 가치를, 그렇지 않은 고통 회피와 교환할 수 있다는 생각은, 생명을 경시하는 것이 분명합니다. 안락사를 허용하면 이러한 교환을 사회가 허용하는 것이고 생명경시풍조의 확산을 국가와 사회가 조장하는 것입니다. 마이클 샌델은, 국가가 안락사를 선택할 수 있도록 개인의 권리를 인정하는 시스템에서는 단순히 선택 범위만 확장되는 것이 아니라 생명을 선물이라기보다는 소유물로 간주하는 경향이 늘어날 것이라 주장합니다. 이는 결국 자율적이고 독립적인 사람들에게 부여되는 신뢰는 강화되고, 의존적인 사람들의 주장은 폄훼되는 것으로 이어질 것입니다. 그리고 이는 노인과 장애인, 빈자와 병약한 자들에 대한 국가정책에, 그리고 의사가 환자를 대하는 태도에, 자녀가 늙어가는 부모를 대하는 태도에 영향을 미칠 것이라 합니다.[16] 제시문 (라)의 윤리학 교수인 A가 생명을 버리는 선택을 하게 된다면, 그 가족, 제자, 학계, 사회에 미치는 악영향이 분명히 있을 것입니다. 이처럼 생명경시풍조는 우리 사회에 널리 확산되고 이후 세대에까지 악영향을 미치게 될 것입니다. 따라서 안락사를 허용해서는 안 됩니다.

16) 마이클 샌델, <왜 도덕인가?>

Q4. 모범답변

안락사를 허용해야 합니다. 환자 개인의 생명의 자기결정권을 보호하고, 평등원칙을 실현할 수 있기 때문입니다.

물론 이에 대해 안락사를 허용하면 절대적으로 보호되어야 할 생명권을 경시하는 것이라는 반론이 제기될 수 있습니다. 그러나 이 반론은 타당하지 않습니다. 생명권은 절대적 권리라고 할 수 없습니다. 전쟁에서의 살인이나 정당행위·정당방위에 따른 살인은 법적으로도 허용되고 있습니다. 생명권이 절대적 권리라면 이러한 행위도 금지되어야 하나 그렇지 않습니다. 생명권이 신성불가침한 권리라는 것은 기독교사상의 지나친 영향입니다. 한일합병 시 매천 황현은 자살했지만 우리는 이를 신념을 위한 자살이라고 하여 칭송하고 있습니다. 따라서 생명권은 귀한 권리이고 보호가치가 큰 권리이기는 하나, 절대적 권리라고 할 수는 없습니다. 당사자가 회복 불가능한 상태에서 큰 고통을 느끼면서 살기를 원하지 않는데 살기를 강요한다면 이것이야말로 생명권을 경시하는 것입니다. 개인은 생명이라는 수단을 통해 자신이 일생동안 추구해온 가치라는 목적을 실현한다고 볼 수 있습니다. 제시문 (라)의 윤리학 교수인 A는 자신의 삶을 통해 고결함을 추구해왔습니다. 고결함이라는 가치는 개인이 일생을 통해 추구할 만한 가치임에 분명하고 사회적으로도 중요한 가치입니다. 이러한 가치를 스스로 훼손하지 않기 위해 심사숙고한 선택을 내림으로써 자신의 삶을 완성하고자 하는 것입니다. 이 관점에서 본다면 안락사를 인정하는 것은 오히려 생명권을 존중하는 것이라 볼 수 있습니다.

또한 안락사를 허용하면 안락사를 선택한 환자의 가족이나 친지 혹은 친구들의 정신적 고통이 클 것이므로, 주변 사람들의 피해와 악영향을 막기 위해 안락사를 금지해야 한다는 반론이 제기될 수 있습니다. 그러나 타인에 대한 해악이 직접적이지 않으므로 이 반론은 타당하지 않습니다. 개인은 자기 삶의 주체로 심사숙고하여 스스로 결정한 가치관을 추구할 때 행복할 수 있습니다. 단, 이 가치관의 추구가 타인의 자유에 직접적 해악이 있다면 제한할 수 있습니다. 안락사는 개인이 자신의 생명을 통해 지속적으로 추구해온 가치관을 완성하고자 하는 것입니다. 이 결정은 살인이나 폭행 등 타인에 대한 직접적 해악이 아니라 간접적 영향을 주는 정도에 머무를 뿐입니다. 개인의 안락사 결정으로 인해 가장 큰 해악을 입을 것이라 예상되는 주체는 결정 당사자의 배우자나 자녀입니다. 그러나 이들에게 예상되는 해악조차도 감정적 슬픔이나 상실감 등으로 직접적 해악이라 할 수 없습니다. 가장 큰 해악을 입을 것이라 예상되는 주체들의 해악이 이 정도에 머무른다면 다른 사회구성원들에 대한 해악은 지극히 미미할 것입니다. 타인에게 발생할 가능성이 있는 정신적 고통을 예방하고자 개인의 진지한 의사결정의 자유를 제한할 수는 없습니다. 따라서 타인에 대한 해악이 있기 때문에 안락사를 금지해야 한다는 반론은 이유 없습니다.

Q5. 모범답변

안락사를 허용했을 때, 반자발적 안락사까지 허용될 수 있다는 문제점을 제기할 수 있습니다. 그러나 안락사를 허용하더라도 법률에 그 요건과 절차를 엄격히 정한다면 반자발적 안락사의 위험을 방지할 수 있습니다. 예를 들어 불치병을 앓는 환자가 직접 의사를 결정하고 이를 확인하는 절차를 두고 안락사 심사위원회나 법원의 판단하에서만 안락사를 허용하도록 법에 규정하면 반자발적 안락사를 막을 수 있습니다. 따라서 반자발적 안락사까지 허용될 것이라는 문제점은 타당하지 않습니다.

또한 환자 가족이 상속 등을 위해 당사자의 의사를 왜곡해 안락사를 남용할 위험이 있다는 문제점을 제기할 수 있습니다. 이러한 위험을 예방하기 위해 법에 안락사의 요건과 절차를 명확히 하고 위반 시 처벌을 강화해야 합니다. 특히 당사자의 진정한 의사를 확인하는 장치가 마련되어야 합니다. 예를 들어 네덜란드의 경우 안락사를 허용하면서 의료보험제도를 강화하여 연명치료에 대한 의료비용 부담을 '0'으로 제거하였습니다. 이는 환자 가족들의 경제적 사정이나 당사자의 경제적 고통을 제거해야만 당사자의 진정한 의사를 확인할 수 있기 때문입니다. 또한 가족들이 환자의 의사를 왜곡하여 안락사를 남용할 수 없도록 하기 위해 일반인들이 안락사에 대한 설명을 듣고 사전에 문서로 규정하는 생전의사확인서(Living Will[17]) 제도를 도입할 필요가 있습니다. 제도적인 보완을 통해 당사자의 의사가 왜곡되고 안락사가 남용될 위험을 막을 수 있습니다.

Q6. 모범답변

호스피스 확대와 안락사 허용은 양립할 수 있습니다. 따라서 호스피스를 확대한다고 하여 안락사를 금지해서는 안 됩니다. 호스피스나 안락사 모두 환자의 선택에 맡겨야 할 문제입니다. 종교를 가진 환자는 동일 종교 재단에서 운영하는 호스피스를 안락사의 대안으로 할 수 있을 것입니다. 다만, 비용 문제 등은 국가와 사회가 해결할 필요가 있습니다. 비용 문제 때문에 안락사를 원하는 환자가 있어서는 안 되기 때문입니다. 그러나 회생 불가능한 환자가 호스피스를 원하지 않고 안락사를 원할 경우 안락사를 허용해야 합니다. 양자는 선택의 문제이지 호스피스 제도를 확대하자는 주장이 안락사를 금지해야 할 이유는 되지 않습니다.

17) Living Will: 본인이 직접 결정을 내릴 수 없을 정도로 위독한 상태가 되었을 때 존엄사를 할 수 있게 해달라는 뜻을 밝힌 유언을 말한다.

010 개념 자유주의: 성인 간 성매매

2023 한국외대 기출

1. 기본 개념

(1) 개인의 자유와 자유 제한의 필요성

자유주의는 개인의 자유를 최대화하는 것을 그 목적으로 하는 사상이다. 이를 위해서는 개인의 자유를 제한해야 한다. 모순적인 이 말의 의미는 다음과 같다.

개인의 자유를 증진시키기 위해 개인의 자유를 극대화시킨다고 가정하자. 그렇다면 나는 타인을 죽일 자유가 있다. '나'에게 타인을 죽일 자유가 있다면, '나'를 포함한 다른 개인 역시 그 사람에게는 타인인 '나'를 죽일 자유가 있다. 서로가 서로를 자유롭게 죽일 수 있는 자유가 있다면 모든 개인은 타인에게 죽임을 당하지 않기 위해, 즉 개인의 모든 자유의 원천이 되는 생명을 지키기 위해 만인을 경계해야 한다. 이것이 바로 홉스가 말한 '만인의 만인에 대한 전쟁상태'이다.

(2) 존 스튜어트 밀의 해악의 원칙

개인의 자유를 최대한 보장하기 위해서는 개인의 자유를 제한해야 한다. 이 모순적인 논증을 해낸 사상가가 바로 존 스튜어트 밀이다. 이를 해악의 원칙이라 하고, 그 내용은 다음과 같다.

개인의 자유는 최대한 보장되어야 한다. 그러나 그 개인의 자유 실현이 타인의 자유에 대한 직접적 해악을 입힐 경우 그 자유는 제한될 수 있다. 만약 개인의 선택이 타인의 자유에 직접적 해악을 입히지 않는다면, 어떤 선택이 그에게 더 좋다거나 그렇게 하는 것이 더 현명하다거나 사회적으로 더 좋은 결정이라 하더라도 이를 강제할 수 없다. 다만, 그에게 그렇게 할 것을 권유하거나 권장하여 그가 그것을 선택해줄 것을 바랄 수 있을 뿐이다.

예를 들어, 나이 든 부모가 보기에 이제 막 성인이 된 자녀의 선택이 철없어 보일 수도 있다. 그러나 성인이 된 자녀는 자유의 주체로 자신의 인생에 대한 옳고 그름을 스스로 판단할 자유가 있다. 그리고 그 선택에 대한 책임은 스스로 지는 것이다. 부모는 자녀의 선택에 대한 조언을 할 수 있을 뿐, 강제할 수는 없다. 이와 마찬가지로 국가 역시 개인의 자유로운 선택을 존중해야 하며 강제할 수 없다.

(3) 해악의 원칙 적용 사례: 성인 간 성매매

개인은 자신의 삶의 목적이 될 가치를 스스로 결정할 권리가 있다. 이를 자기결정권이라 한다. 개인이 결정한 삶의 가치가 타인이 보기에 부도덕하다거나 현명하지 않은 선택일 수도 있으나, 이는 개인의 자유와 책임의 문제로 타인이 간섭할 문제가 아니다. 성(性) 역시 자기결정권의 대상으로 개인은 성적 자기결정권을 행사할 수 있고 그 선택에 대한 책임을 진다. 다만, 강간 등과 같이 타인의 자유에 직접적 해악을 입힌 경우 그 자유는 제한될 수 있다.

자유주의와 해악의 원칙에 따르면, 성인 간 성매매는 개인의 자유로운 의사 선택이 합치한 결과이며, 제3자의 자유에 직접적 해악을 주지 않으므로 허용되어야 한다. 성매수자, 성판매자의 배우자나 자녀, 부모가 겪는 것은 자유에 대한 해악이 아니라 감정적 불편함이나 배신감, 분노심 정도에 그친다. 해악의 원칙에서 해악의 기준은 개인의 자유 외의 다른 것이 될 수 없다. 불편함, 배신감, 분노감, 도덕심, 사회적인 문제에 대한 우려 등은 해악의 원칙에서 말하는 해악이 될 수 없다.

2. 쟁점과 논거

찬성론: 개인의 성적 자기결정권	반대론: 사회공동체 유지
[개인의 성적 자기결정권] 성행위의 대상과 방식은 개인의 내밀한 영역에 해당하며 개인의 성적 자기결정권의 대상이 된다. 성매매는 두 개인이 성적 자기결정권을 행사한 결과 성을 판매하고 구매할 것을 선택해 그 자유의사가 서로 합치한 것이다. 이를 건전한 성풍속이라는 모호한 가치로 국가가 나서 제한할 수 없다. 또한 성인 간의 자발적 성매매는 강제적 성매매나 미성년자의 성매매와는 엄연히 다르다.	[사회공동체 유지] 사회공동체는 서로 다른 생각을 가진 개인들이 모인 것이므로, 공유된 도덕적 가치가 지켜져야 유지될 수 있다. 성이란 단순히 쾌락의 도구가 아닌 남녀 간의 사랑과 자녀의 출산을 위한 것이므로 건전한 성도덕은 공유된 가치이며 우리 사회는 이를 지켜야 한다. 하지만 성매매를 허용하게 되면 건전한 성도덕과 돈이 교환될 수 있다는 가치 전도현상이 일어날 것이다.
[평등원칙] 평등원칙은 같은 것은 같게 다른 것은 다르게 대하라는 원칙이다. 성인의 자유로운 의사의 합치로 계약이 성립했다면 이를 존중해야 한다. 두 성인의 성판매와 성매수의 의사가 합치된 계약과 노동력 판매와 매수의 의사가 합치된 계약은 동일한 자유의사의 합치에 해당한다. 그러나 성매매 계약은 금지하고 노동 계약은 허용하는 것은, 같은 것을 다르게 대하는 것이다.	[사회 갈등 예방] 사회 다수는 사회적 가치의 실현에 부합하는 노동행위를 하며 생계를 유지한다. 그러나 성매매는 건전한 성도덕을 해치는 행위를 통해 부를 축적한다. 사회적 가치에 반하는 행위, 사회적으로 범죄 행위를 통해서 부를 축적해도 된다면 정당한 노동의 대가로서의 부는 의미를 잃게 된다. 성매매를 합법화하면 사회적 가치에 대한 사회 갈등이 발생할 것이다.
[온정적 후견주의 예방] 성인 간 성매매는 판단능력을 갖춘 성인들이 스스로 판단하여 선택한 것이다. 이를 국가가 윤리적 혹은 사회적 기준을 들어 옳지 못하다고 판단하고, 금지하는 것은 개인을 온전한 판단능력이 없는 존재로 여기고, 국가가 대신 판단해 주겠다는 것과 같다. 이로 인해 개인의 자유는 부당하게 제한된다.	[개인의 자기결정권의 실질적 보호] 성매매 여성은 경제적으로 궁핍한 상황에 처해 자신의 진정한 의사에 반해 결정하는 경우가 많다. 그렇다면 국민의 자유 보장을 의무로 하는 국가가 개인이 진정한 의사에 반하는 결정을 하지 않도록 성매매 행위를 규제하는 것이 개인의 성적 자기결정권을 실질적으로 보장하는 것이다.

3. 읽기 자료: 성매매알선 등 행위의 처벌에 관한 법률 제21조 제1항 위헌제청[18)]

(1) 합헌 의견

개인의 성행위 그 자체는 사생활의 내밀영역에 속하고 개인의 성적 자기결정권의 보호대상에 속한다고 할지라도, 그것이 외부에 표출되어 사회의 건전한 성풍속을 해칠 때에는 법률의 규제를 받아야 하는 것이다. 외관상 강요되지 않은 자발적인 성매매행위도 인간의 성을 상품화함으로써 성판매자의 인격적 자율성을 침해할 수 있고, 성매매산업이 번창하는 것은 자금과 노동력의 정상적인 흐름을 왜곡하여 산업구조를 기형화시키는 점에서 사회적으로 매우 유해한 것이다. 성매매는 그 자체로 폭력적, 착취적 성격을 가진 것으로 경제적 대가를 매개로 하여 경제적 약자인 성판매자의 신체와 인격을 지배하는 형태를 띠므로 대등한 당사자 사이의 자유로운 거래 행위로 볼 수 없고, 인간의 성을 상품화하여 성범죄가 발생하기 쉬운 환경을 만드는 등 사회 전반의 성풍속과 성도덕을 허물어뜨린다. 성매매를 형사처벌함에 따라 성매매 집결지를 중심으로 한 성매매 업소와 성판매 여성이 감소하는 추세에 있고, 성구매사범 대부분이 성매매처벌법에 따라 성매매가 처벌된다는 사실을 안 후 성구매를 자제하게 되었다고 응답하고 있는 점 등에 비추어 보면, 성매매를 형사처벌함으로써 사회 전반의 건전한 성풍속 및 성도덕을 확립하려는 심판대상조항의 입법목적은 정당하고 수단의 적절성도 인정된다.

18) 헌재 2016.3.31. 2013헌가2, 공보 제234호, 508

자신의 성뿐만 아니라 타인의 성을 고귀한 것으로 여기고 이를 수단화하지 않는 것은 모든 인간의 존엄과 평등이 전제된 공동체의 발전을 위한 기본전제가 되는 가치관이므로, 사회 전반의 건전한 성풍속과 성도덕이라는 공익적 가치는 개인의 성적 자기결정권 등 기본권 제한의 정도에 비해 결코 작다고 볼 수 없어 법익균형성원칙에도 위배되지 아니한다. 따라서 심판대상조항은 개인의 성적 자기결정권, 사생활의 비밀과 자유, 직업선택의 자유를 침해하지 아니한다.

불특정인을 상대로 한 성매매와 특정인을 상대로 한 성매매는, 건전한 성풍속 및 성도덕에 미치는 영향, 제3자의 착취 문제 등에 있어 다르다고 할 것이므로, 불특정인에 대한 성매매만을 금지대상으로 규정하고 있는 것이 평등권을 침해한다고 볼 수도 없다.

(2) 재판관 김이수, 재판관 강일원의 일부 위헌의견

심판대상조항의 입법목적이 정당하고, 성구매자에 대한 처벌이 헌법에 위반되지 않는다는 점은 다수의 견과 같으나, 성판매자에 대한 형사처벌은 과잉금지원칙에 위배되는 과도한 형벌권 행사로 헌법에 위반된다.

성매매는 본질적으로 남성의 성적 지배와 여성의 성적 종속을 정당화하는 수단이자 성판매자의 인격과 존엄을 침해하는 행위이고, 여성과 모성 보호라는 헌법정신에 비추어도 여성 성판매자를 특별히 보호해야 한다. 이들이 성매매를 할 수밖에 없는 이유는 절박한 생존 문제 때문이고, 이는 사회구조적인 것으로 개인이 쉽게 해결할 수 있는 것이 아니다. 성판매자에 대한 형사처벌은 여성의 성이 억압되고 착취되는 상황을 악화시키고, 성매매 시장을 음성화하여 오히려 성매매 근절에 장해가 되므로 수단의 적합성이 인정되지 않는다. 성판매자로 하여금 성매매 이탈을 촉진하고 유입을 억제하려면 형사처벌 대신, 다른 경제활동을 할 수 있는 지원과 보호를 하는 것이 바람직하며, 성매매 예방교육, 성매매로 인하여 수익을 얻는 제3자에 대한 제재와 몰수, 추징 등의 방법으로 성산업 자체를 억제하는 방법이나 보호나 선도 조치 등과 같이 기본권을 보다 덜 제한하는 방법도 있으므로 성판매자에 대한 형사처벌은 침해최소성에도 반한다. 건전한 성풍속 내지 성도덕의 확립이라는 공익은 추상적이고 막연한 반면, 성판매자들이 받게 되는 기본권 침해의 정도는 중대하고 절박하다고 할 것이므로 법익균형성원칙에도 위배된다.

(3) 재판관 조용호의 전부 위헌의견

심판대상조항은 과잉금지원칙에 위배되어 성매매자(성판매자 및 성매수자)의 성적 자기결정권 및 사생활의 비밀과 자유를 침해하므로 헌법에 위반된다.

성인 간의 자발적 성매매는 본질적으로 개인의 사생활 중에서도 극히 내밀한 영역에 속하고, 그 자체로 타인에게 피해를 주거나 건전한 성풍속 및 성도덕에 해악을 미친다고 보기 어렵다. 건전한 성풍속 및 성도덕이라는 개념 자체가 추상적·관념적이고, 내밀한 성생활의 영역에 국가가 개입하여 형벌의 대상으로 삼는 것은 입법자가 특정한 도덕관을 확인하고 강제하는 것이다. 심판대상조항은 성매매 여성들의 생존을 위협하는 인권유린의 결과를 낳고 있으며, 국민에 대한 최소보호의무조차 다하지 못한 국가가 오히려 생계형 자발적 성매매 여성들을 형사처벌하는 것은 또 다른 사회적 폭력이므로 입법목적의 정당성을 인정할 수 없다. 성매매처벌법이 시행된 지 10여 년이 지났음에도 심판대상조항은 성매매 근절에 전혀 기여하고 있지 못하므로 수단의 적합성도 인정되지 않는다. 성매매에 대한 최선의 해결책은 사회보장·사회복지정책의 확충을 통하여 성매매여성이 성매매로부터 벗어날 수 있도록 지원하는 것이다. 성매매 예방교육의 실시, 성산업 자체의 억제 또는 일정구역 안에서만 성매매를 허용하는 등 덜 제약적인 방법이 가능하므로 심판대상조항은 침해최소성원칙에도 위배된다. 특히 심판대상조항의 대향범(對向犯)적 성격에 비추어 볼 때, 성매수자만 처벌하는 것은 처벌의 불균형성과 성적 이중잣대를 강화할 수 있다. 지체장애인, 홀로 된 노인, 독거남 등 성적 소외자의 경우는 심판대상조항 때문에 인간으로서 가장 기본적인 성적 욕구를 충족시킬 수 없는 상황으로 내몰릴 수도 있다. 건전한 성풍속 및 성도덕의 확립은 추상적이거나 모호하여 헌법적 가치에 해당한다고 볼 수 없는 반면, 형사처벌이 가져오는 사적 불이익은 실질적이고 구체적이며 그 불이익의 정도가 크므로 법익균형성도 상실하였다.

한편, 특정인을 상대로 하든 불특정인을 상대로 하든 본질적으로 동일한 성매매임에도 불구하고, 불특정인을 상대로 한 경우에만 처벌하는 것은 합리적인 이유가 없으므로 심판대상조항은 평등원칙에도 위배된다.

(4) 재판관 이정미, 재판관 안창호의 다수의견에 대한 보충의견[19)]

헌법 제10조의 행복추구권에서 파생된 성적 자기결정권은 성적 폭력·착취·억압으로부터의 자유에서 연유하므로, 성을 상품화하여 거래 대상으로 삼으면서 사회의 건전한 성풍속과 성도덕을 해하는 성매매가 '성적 자기결정권'이라는 헌법적 테두리 안에서 보호되어야 하는지에 대하여는 강한 의문이 있다.

우리나라와 같이 성구매 경험자의 수치가 높은 나라에서 성매매를 전면 비범죄화할 경우 성산업의 팽창, 성풍속과 성도덕의 훼손이 우려된다. 성매매를 허용하는 국가들의 경우 공통적으로 성산업 팽창 및 저개발국 여성들의 성매매 유입 증가와 같은 사회문제를 안고 있으므로 전부 위헌의견은 타당하지 않다. 성판매자를 비범죄화해야 한다는 일부 위헌의견 역시 다른 범죄와의 처벌상 형평성 문제, 보호의 필요성이 없는 성판매자들에 대해서까지 법적인 제재가 이루어지지 않는 점, 일반 국민의 근로의욕을 저하시키는 점, 청소년들이 쉽게 돈을 벌 목적으로 성매매에 빠지도록 유인할 가능성이 큰 점, 성판매자의 포주나 범죄조직에의 예속에 대한 해결책이 되지 못하는 점 등에 비추어 타당하지 않다. 다만, 구체적인 사안을 고려하여 성매매처벌법상의 '성매매피해자' 개념을 유연하게 해석해야 하고, 성매매처벌법상 보호처분을 적극 활용함으로써 성판매자들의 보호 및 선도에 노력해야 하며, 입법목적과 부합하지 않는 단속이 있다면 이는 지양되어야 할 것이다.

19)

2013헌가2

010 문제 자유주의: 성인 간 성매매

답변 준비 시간 15분 | 답변 시간 20분

※ 다음 제시문을 읽고, 문제에 답하시오.

(가) 이 논문의 원칙은 하나의 아주 단순한 원칙을 주장하는 것인데, 이 원칙은 사회가 강제와 통제의 방법 - 그 수단이 법적 처벌의 형태로 가해지는 물리적 힘이건, 아니면 공론의 도덕적 강제이건 - 으로 개인을 다루는 방식을 절대적으로 억제할 자격이 있다. 이 원칙이란, 인간이 개인적으로나 집단적으로 어느 한 사람의 자유에 정당하게 개입할 수 있는 유일한 경우는 자기 보호를 위한 경우밖에 없다는 것이다. 또 문명화된 공동체의 어느 한 구성원에게 그의 의지에 반해서 권력이 정당하게 행사될 수 있는 유일한 경우는 타인들에게 해를 가하는 것을 막기 위한 경우밖에 없다는 것이다. 물리적 이익이든 도덕적 이익이든 그 자신의 이익은 충분한 근거가 되지 못한다. 어떤 행동을 하는 것이 그에게 더 좋다는 이유로, 그것이 그를 더 행복하게 만들 것이라는 이유로, 타인들이 보기에 그렇게 하는 것이 더 현명하다거나 혹은 심지어 올바르다는 이유로 그가 어떤 행동을 하거나 하지 않도록 강제되는 것은 정당화될 수 없다. 이것들은 그에게 충고하거나, 그와 함께 따져보거나, 그를 설득하거나, 나아가 그에게 간청하기에는 좋은 이유들이지만, 그를 강제하거나 혹은 그가 달리 행동할 경우 그에게 해를 가하기에는 좋은 이유들이 아니다. 이를 정당화하기 위해서는, 그의 행동이 저지되지 않으면 다른 누군가에게 해를 낳을 것임이 예측되어야 한다. 한 사람의 행동 가운데 그가 사회에 책임을 지는 유일한 부분은 타인들과 관련된 부분이다. 단지 그 자신에 대해서는, 그 자신의 신체와 정신에 대해서는 그 개인이 주권자이다.
이 원리가 정신 능력이 성숙기에 있는 사람들에게만 적용되어야 한다는 것은 아마 거의 말할 필요가 없을 것이다. 우리는 지금 법으로 성인 남성 혹은 성인 여성이라 정할 수 있는 나이 이하에 있는 아이들이나 젊은이들에 대해 말하고 있는 것이 아니다. 아직 타인에 의해 보살핌을 받아야 하는 사람들은 외적 상해에 대해서는 물론, 그들 자신의 행동에 대해서도 보호받아야 한다.
인류가 자유롭고 평등한 토론을 통해 개선을 이룰 수 있는 능력을 가지기 전까지는 하나의 원칙으로서의 자유는 어떤 상황에서도 적용되지 않는다. 그때까지는, 악바르나 샤를마뉴 같은 사람 - 인류가 운이 좋아 그런 사람을 찾는다면 - 에 대한 절대적 복종밖에는 인류가 할 것이 아무것도 없다. 그러나 인류가 신념이나 설득을 통해 그들 자신의 개선을 기할 수 있는 능력을 획득하자마자(우리가 여기에서 관심을 가져야 할 모든 나라들이 오래전에 도달한 시기), 직접적인 형태의 강제든, 불복종에 대해 고통과 처벌을 가하는 형태의 강제든, 강제는 그들 자신의 이익을 위한 수단으로서는 더 이상 허용될 수 없고, 오직 타인들의 안전을 위해서만 정당화될 수 있다.

(나) 사회는 이상(理想), 신념(信念), 관념(觀念)의 공동체이다. 정치(政治), 도덕(道德), 윤리(倫理)에 대한 공유된 사상 없이 사회는 존재할 수 없다. 만일 일군의 남녀들이 선과 악에 대한 근본적인 합의점 없이 사회를 건설하려고 한다면 반드시 실패할 것이다. 그리고 근본적인 가치(價値)에 대한 공통된 합의에 기반을 둔 사회에서 그 공동합의가 허물어져 가면 그 사회는 반드시 해체되고 말 것이다. 왜냐하면 사회란 물리적으로 유지될 수 있는 어떤 것이 아니라 공통된 사상이라는 보이지 않는 연결 끈으로 유지되기 때문이다. 이 연결 끈이 너무 느슨해지면

사회 구성원들은 뿔뿔이 흩어질 것이다. 사회의 공공선(公共善)에 관한 인식이 이러한 연결끈의 한 부분이다. 도덕(道德)이 한 사회의 유지에 필수적인가 여부는 그 도덕(道德)이 사회통합적(社會統合的) 기능을 하는가에 따라 판별되며, 사회를 구성하는 도덕을 훼손할 수 있는 행위는 무엇이든지 사회통합을 위협할 수 있다. 따라서 사회적인 혼란은 명약관화(明若觀火)하게 공적(公的)인 중대 사안이므로, 사회통합적인 도덕을 위협할 우려가 있는 행위는 그것이 사적(私的)인 행위라는 이유로 국가의 규제로부터 면제될 수 없다. 각각의 사회는 도덕과 관련하여 서로 다른 규범(規範)을 가지지만, 어떤 사회든지 공통적으로 가지고 있는 태도는 그 사회가 존속하는 한 계속해서 유지되어야 한다는 것이다. 이는 보편적인 사회적 사실로서 모든 사회가 유지되기 위한 필수조건이다.

Q1. 제시문 (가)는 존 스튜어트 밀의 <자유론>의 일부이다. 여기에서 밀은, 개인의 자유는 타인의 자유에 직접적 해악을 가하지 않는 한 결코 제한되어서는 안 된다는 해악의 원칙을 제시하였다. 해악의 원칙의 의미를 자유와 책임이라는 키워드를 사용하여 구체적으로 설명하시오.

Q2. 자유주의 입장과 공동체주의 입장 모두 교육을 대단히 중요하게 여긴다. 자유주의자들이 교육을 중요하게 생각하는 이유가 무엇이라 생각하는지 논하고, 공동체주의자들이 교육을 중요하게 생각하는 이유가 무엇이라 생각하는지 각각 논하시오. 그리고 하나의 사례를 들어, 자유주의자와 공동체주의자가 생각하는 교육에 대한 관점을 각각 적용하여 이 사례를 해설하시오.

Q3. 성인 간 성매매를 금지할 필요가 없다는 입장의 핵심논거를 제시하고 이를 논증하시오.

Q4. 성인 간 성매매를 금지해야 한다는 입장의 핵심논거를 제시하고 이를 논증하시오.

Q5. 성인 간 성매매 금지에 대한 자신의 견해를 제시하시오.

Q6-1. [성인 간 성매매 금지 반대 견해를 선택한 경우] 성인 간 성매매를 허용하면 사회의 선량한 성풍속이 무너져 성문란행위가 만연할 것이라는 견해가 있다. 이 견해에 대한 자신의 입장을 논하시오.

Q6-2. [성인 간 성매매 금지 찬성 견해를 선택한 경우] 성인 간 성매매를 허용하면 사회의 선량한 성풍속이 무너져 성문란행위가 만연할 것이라는 견해가 있다. 이에 대한 구체적인 예시를 들어보시오.

Q7. 위에서 답변한 자신의 견해의 논리적 연장선상에서, 성인이 미성년자의 성을 매수하는 행위를 허용할 수 있는가?

Q8. 법원은, 성인이 가출한 미성년자 소녀를 만나 밥을 사주고 잠자리를 제공하고 우발적으로 성관계를 가진 후 헤어질 때 호의로 차비를 준 사건에 대해 청소년 성매매로 처벌할 수 없다고 판결하였다. 법원의 판단은 타당한가?

Q9. 성착취자나 성알선자는 처벌하되 단순성매매행위자는 처벌하지 않아야 한다는 주장이 있다. 이에 대한 자신의 견해를 논하시오.

Q10. 성판매자는 성을 매매의 대상으로 삼는다. 성매매를 직업이라 볼 수 있는가?

010 해설 자유주의: 성인 간 성매매

Q1. 모범답변

밀의 해악의 원칙은 개인의 자유를 극대화하기 위한 원칙입니다. 개인은 자기 자신의 자유로운 선택이 가져올 결과를 예측하고 그 결과가 가져올 책임에도 불구하고 이를 선택했기 때문에 책임을 지는 것입니다. 설령 개인의 선택이 자신에게 불리하다거나 잘못된 결과를 가져온다고 하더라도 이는 개인의 자유의 결과로서 본인이 감당해야 합니다. 그런데 개인은 이 과정에서 자신의 생각과 행동은 예측가능하나, 타인의 생각이나 행동 혹은 자신의 행동이 가져올 사회적 파장 등을 예측할 수 없습니다. 해악의 원칙에서 말하는 '타인의 자유에 대한 직접적 해악'이란 자기 자신의 적극적 의사결정과 행위로 인해 발생할 타인의 자유 침해를 의미합니다. 예를 들어 A가 B를 폭행할 것인지 여부는, A가 B를 폭행했을 때 예측되는 처벌과, 폭행을 하지 않을 때 예측되는 자신의 불쾌감을 스스로 판단해 결정한 것입니다. A는 자신의 행위가 B의 신체의 자유에 해악을 입힐 것임을 직접적으로 예측할 수 있습니다. 그러나 A가 B를 폭행한 결과 B가 마음의 상처를 입고 격투기를 배워 C를 폭행했다면, B의 C에 대한 폭행 문제에서 A는 이를 직접적으로 예측할 수 없었으므로 그에 대한 책임은 없습니다.

Q2. 모범답변

자유주의 입장에서 교육의 목적은 개인의 자유 보장입니다. 즉, 교육이 개인의 자유와 밀접하게 관련이 있기 때문에 중요하게 여기는 것입니다. 개인의 자유에는 필연적으로 책임이 수반됩니다. 따라서 개인은 자신의 자유로운 선택으로 인해 발생하게 될 책임을 예측할 수 있어야 합니다. 만약 이를 예측할 수 없다면 자유로운 선택이라 할 수 없습니다. 예를 들어, 5세의 일반적인 아이가 돌을 던져 타인이 맞았다고 하더라도 이를 처벌할 수 없으나, 20세의 일반적인 성인이 동일한 행위를 한 경우에는 처벌할 수 있습니다. 이처럼 개인의 자유를 보장하기 위해서는 책임에 대한 예측가능성이 있어야 하고, 예측능력을 위해서는 이성적 판단능력이 있어야 하기 때문에 교육이 꼭 필요합니다.

공동체주의 입장에서 교육의 목적은 공동체의 유지·존속입니다. 교육은 공동체 구성원이 지켜야 할 공동체의 공유된 가치에 대한 학습을 위해 필수적인 것입니다. 만약 공동체 구성원이 공유된 가치를 모른다면 공유된 가치를 지키지 않게 되고 이러한 가치의 훼손이 커져 공동체는 필연적으로 붕괴될 것입니다. 따라서 공동체주의는 사회의 유지와 존속을 위해 필요한 사회공유된 가치에 대한 학습을 위해 공동체 구성원에 대한 교육이 필요하다고 생각합니다.

교육에 대한 상반된 두 입장을 보여주는 대표적인 사례로서, 종교 교육을 들 수 있습니다. 먼저, 자유주의 입장에서는 종교교육을 해야 하는 이유를 개인의 자유로운 선택의 가능성을 보장하기 위함이라고 생각합니다. 특정 개인이 종교의 자유를 실현하려면, 기독교, 불교, 가톨릭, 이슬람교가 추구하는 가치가 무엇인지, 이로 인해 자신이 수행해야 할 종교적 의무는 무엇인지, 각 종교가 갖고 있는 의례는 무엇인지를 알아야 이에 대해 자신이 부담해야 할 책임을 예측해서 자유롭게 선택할 수 있습니다. 반면, 공동체주의의 입장에서는 종교교육을 해야 할 이유를 공동체의 가치에 대해 학습하기 위함이라고 생각합니다. 공동체 구성원은 다양한 종교를 갖고 있으며 각 종교에 대한 이해가 있어야만 공동체가 유지되고 존속할 수 있습니다. 그뿐만 아니라 종교가 공통적으로 갖고 있는 가치에 대해 학습하여 우리 공동체가 역사적으로 지향해온 공유된 가치가 무엇인지 깨닫고 이를 미래세대에 물려줄 수 있습니다.

Q3. 모범답변

성인 간 성매매를 금지할 필요 없다는 입장에서는 개인의 성적 자기결정권 실현을 논거로 제시할 것입니다. 개인은 자기 삶의 주체로서 타인의 자유에 직접적 해악이 없는 한 자유롭게 의사를 결정하고 그에 대한 책임을 지는 존재입니다. 이러한 개인이 자유롭게 의사를 결정하고 개인 간의 의사가 합치한 결과가 타인에게 해악이 없다면 이는 제한되어서는 안 됩니다. 성인 간 성매매는 성인인 성매수자와 성매매자의 자유로운 의사결정이 합치된 결과로, 타인에게 해악을 주지 않습니다. 가장 큰 해악이 있을 것이라 예상되는 배우자 혹은 부모의 경우도 배신감이나 실망감 정도의 정신적 해악에 머무를 뿐 강간이나 강도와 같은 직접적 해악이 있다고 할 수 없습니다. 그렇다면 이외의 다른 사회구성원에 대한 해악은 전무하다고 보아야 합니다. 물론 이것이 부도덕한 일임에는 분명하나, 부도덕에 대한 책임은 사회적 비난 등을 감수하는 것으로써 개인이 스스로 책임질 일인 것이지 사회가 이를 강제할 일은 아닙니다. 따라서 성인 간 성매매는 개인의 성적 자기결정권의 실현이므로 금지할 필요는 없습니다.

Q4. 모범답변

성인 간 성매매를 금지해야 한다는 입장에서는 사회의 유지와 존속을 위한다는 논거를 제시할 것입니다. 사회는 서로 다른 생각을 가진 개인들로 이루어져 있으므로, 공통의 공유된 가치가 없다면 필연적으로 사회는 붕괴할 것입니다. 사회는 이러한 공유된 가치를 보호할 의무가 있습니다. 사회를 유지하는 공유된 가치 중 건전한 성도덕이 있습니다. 건전한 성도덕이 무엇인지 합의하기는 어려우나 공유된 가치인 건전한 성도덕과 공유된 가치라 볼 수 없는 돈을 교환할 수 있다는 것은 건전한 성도덕을 훼손하는 것이라 분명히 말할 수 있습니다. 그러므로 성인 간 성매매는 건전한 성도덕에 반하여 이러한 행위를 사회에서 허용하면 성과 돈을 맞바꾸어도 된다는 인식을 사회구성원에게 심어줄 수 있습니다. 이러한 인식이 널리 퍼지면 사회는 유지·존속될 수 없습니다. 따라서 성인 간 성매매는 사회의 유지와 존속을 위협하므로 금지되어야 합니다.

Q5. 모범답변

성인 간 성매매 금지는 타당하지 않습니다. 개인의 성적 자기결정권 보장과, 온정적 후견주의 예방 때문입니다.

개인의 성적 자기결정권의 보장을 위해 성인 간 성매매를 금지해서는 안 됩니다. 개인은 자기 삶의 주체로서 타인의 자유에 직접적 해악이 없는 한 자유롭게 의사를 결정하고 그에 대한 책임을 지는 존재입니다. 이러한 개인이 자유롭게 의사를 결정하고 개인 간의 의사가 합치한 결과가 타인에게 해악이 없다면 이는 제한되어서는 안 됩니다. 성인 간 성매매는 성인인 성매수자와 성매매자의 자유로운 의사결정이 합치된 결과로, 제3자에게 직접적 해악을 주지 않습니다. 사회적으로 부도덕한 일이라 하여 이를 개인에게 강제해서는 안 됩니다. 물론 성인 간 성매매의 부도덕성을 가르치고 이를 행하지 말 것을 권유하고 권장할 수는 있습니다. 그러나 어떤 선택이 더 좋다거나 현명하다거나 옳은 것이라 하여 개인에게 특정행위를 할 것을 강제해서는 안 됩니다. 따라서 개인의 성적 자기결정권의 보호를 위해 성인 간 성매매를 금지해서는 안 됩니다.

온정적 후견주의 국가를 예방하기 위해 성인 간 성매매를 금지해서는 안 됩니다. 온정적 후견주의란 그렇게 하는 것이 더 현명하거나 더 좋은 결과를 가져올 것이라는 이유로 국가가 개인의 선택을 지도하고 정하려 하는 것을 말합니다. 마치 미성년자 자녀의 미래를 위해 부모가 간섭하는 것과 같이 현명한 국가가 국민의 더 나은 미래를 위해 개인의 자유를 일정 정도 제한할 수 있다는 것입니다. 성(性)은 개인의 내밀한 영역으로 개인의 자유로운 성적인 선택으로 인해 타인의 자유에 직접적 해악이 발생하지 않는 한, 국가가 이에 대해 특정한 선택이 옳다거나 그렇지 않다고 강제할 수 없습니다. 성인 간 성매매 역시 그 선택이 현명하다거나 좋은 선택일 수 없고 오히려 부도덕한 것으로서 권장할 만한 것이 아닌 것은 분명합니다. 그러나 이를 개인이 스스로 선택하였다면 국가는 이에 간섭해서는 안 됩니다. 만약 도덕적 행위를 국가가 강제한다면 개인은 도덕적 판단의 주체가 되지 못하고 국가의 도덕적 명령을 실현하는 수단으로 전락하게 될 것입니다.

Q6-1. 모범답변

성인 간 성매매로 인해 사회의 선량한 성풍속이 무너지기 때문에 성인 간 성매매를 처벌해야 한다는 주장은 타당하지 않습니다. 건전한 성풍속의 유지는 개인의 권리를 제한할 법익이라고 할 수 없습니다. 국가가 도덕적인 목적을 가지고 개인의 권리를 제한해서는 안 됩니다. 성을 사는 자와 성을 파는 자가 모두 성인인 경우, 그들은 자유로운 의사에 따라 성관계를 맺을 것을 결정할 자유가 있습니다. 그들의 자유로운 의사가 합치되어 계약이 형성된 경우, 이 계약으로 인하여 제3자의 자유에 직접적 해악이 발생하지 않는 한, 이 계약이 부도덕하다는 이유로 처벌할 수 없습니다.

물론 성매매를 허용한 결과 선량한 성풍속이 무너져 사회질서의 혼란이 실제로 발생한다면 성적 자기결정권의 제한을 고려해볼 수도 있습니다. 그러나 성매매가 허용되는 네덜란드의 사회질서가 성인 간 성매매로 인해 붕괴되었다고 볼 수 없습니다. 따라서 건전한 성풍속 유지는 국가가 나서서 형벌까지 동원해가며 지켜야 할 법익으로 볼 수 없습니다. 성인 간 성매매의 금지는 특정한 사회도덕을 옳은 것으로 규정하고 이를 실현하고자 개인의 자유를 지나치게 제한하는 것으로 타당하지 않습니다.

Q6-2.

Comment 성인 간 성매매가 허용된 국가에서 성문란행위가 만연하다는 논리적 연결관계가 성립하지 않는다.

Q7. 모범답변

[성인 간 성매매 금지 반대 입장] 성인의 미성년자 성매수 행위는 허용해서는 안 됩니다. 이는 미성년자의 자유를 보호하기 위함입니다. 미성년자는 성행위에 대한 사리판단력이 없습니다. 따라서 성인 간의 성매매 행위와 미성년자의 성매매 행위는 엄연히 다릅니다. 성인의 성매매는 사리판단능력이 있는 자들 간의 합의로 이루어지는 것이므로, 국가가 개입할 필요는 없습니다. 그러나 미성년자는 사리판단능력이 떨어지므로 국가가 미성년자의 진정한 의사를 대신하여 미성년자의 성을 보호해야 합니다. 따라서 성인의 미성년자 성매수 행위는 허용해서는 안 되며 강력하게 처벌해야 합니다.

[성인 간 성매매 금지 찬성 입장] 성인의 미성년자 성매수 행위는 허용해서는 안 됩니다. 이는 청소년의 성 보호라는 사회적 가치를 보호하기 위함입니다. 건전한 성풍속은 우리 사회의 공유된 가치임에 분명하고, 청소년의 보호 역시 우리 사회의 공유된 가치임이 분명합니다. 청소년은 성장하여 우리 사회의 주역이 될 존재이므로 공동체가 보호해야 합니다. 청소년의 성 보호라는 가치가 훼손되도록 방치해서는 안 됩니다. 따라서 국가는 건전한 성풍속의 보호와 청소년의 성 보호라는 두 가치를 동시에 실현할 수 있도록 성인의 미성년자 성매수 행위를 강력하게 처벌하여야 합니다.

Q8. 모범답변

이 사건에서 청소년 성매매로 처벌할 수 없다고 한 법원의 판결은 타당하지 않습니다. 미성년자는 자신의 자유 선택이 가져올 책임과 결과를 진정으로 예측하기 어렵습니다. 정신적으로 미약한 미성년자는 성행위에 대한 판별력이 약해 작은 유혹에도 쉽게 넘어갑니다. 국가는 이러한 미성년자를 보호할 필요가 있습니다. 미성년자의 성매매는 가출하여 잘 곳이 없고 먹을 것이 없어 어려운 상황에서 벌어집니다. 성인이 미성년자에게 호의를 베풀었기 때문에 성매매가 아니라고 판단할 수 있다면, 성인은 이를 예측하여 가출 청소년의 성을 매수하려 시도할 것입니다. 오히려 이러한 일이 발생하지 않도록 국가는 성인의 미성년자 성매수 행위를 강력하게 처벌하고, 국가나 지방자치단체가 가출한 청소년을 보호할 장소를 적극적으로 마련해야 청소년 성매매 행위를 줄일 수 있을 것입니다.

Q9. 모범답변

성착취자나 알선자는 처벌하되 단순성매매 행위자는 처벌하지 않아야 한다는 주장은 타당합니다. 단순성매매 행위자는 자유로운 두 개인의 선택의 결과에 따라 행위하였으므로 도덕적 비난을 받는 것으로 충분하며 형벌을 동원할 문제는 아닙니다. 그러나 성착취자나 성알선자의 경우 개인의 자유의사에 반하여 성을 착취한 것이므로 처벌하여야 합니다. 형법은 불가피한 경우에 한해 사용되어야 합니다. 목적이 옳다고 하더라도 형벌의 실효성이 없다면 형벌을 동원해서는 안 됩니다. 성매매를 금지하더라도 은밀하게 성매매가 이루어집니다. 국가의 강력한 규제로 인해 집창촌이 없어졌는데, 최근에는 오피스텔이나 일반 가정집을 빌려 은밀한 성매매가 이루어지고 있습니다. 성매매를 금지하고 이를 처벌하더라도 성매매를 없앨 수 없습니다. 어차피 목적을 달성할 수 없는데 형벌을 동원하는 것은 무익할 뿐입니다. 따라서 자유로운 당사자들의 합의에 따른 단순성매매에 대해 당사자들을 처벌할 필요는 없습니다. 다만, 성착취자는 성을 착취하고 강제적으로 개인의 의사에 반하여 성매매를 하도록 한 자에 해당하여 타인의 자유에 대한 직접적 해악을 주었으므로 처벌해야 합니다.

Q10. 모범답변

성매매 역시 직업이라 볼 수 있습니다. 직업은 인간이 생활을 하기 위해 필요한 기본적 소득을 얻기 위해 행하는 소득활동을 의미합니다. 물론 성인 간 성매매는 부도덕한 행위로서 사회적 비난 가능성이 존재합니다. 그러나 그와 별개로 성판매자에게는 성매매가 생활을 위해 필요한 기본적 소득을 얻기 위한 소득활동임이 분명합니다. 따라서 직업이라 봄이 타당합니다.

011 개념 공동체주의: 공원 음주 금지

2023 한국외대 기출

1. 법철학: 공동체의 유지와 개인의 자유

법은 그 자체로 목적일 수 없고, 특정한 목적을 위한 수단이다. 따라서 법의 목적이 될 수 있는 가치가 있어야만 법은 의미를 가질 수 있다. 법철학은 법의 목적이 될 수 있는 가치에 대한 논의라 할 수 있다. 법철학은 법의 목적에 대한 논의이기 때문에 법이나 법학 그 자체를 출제할 수 없는 로스쿨 입시에서 출제가능성이 매우 높다. 법의 목적과 가치에 대한 이해도가 높은 학생이라면 이 목적을 구현하는 수단을 학습하는 로스쿨 학업과정에서 논리적 정합성을 발휘할 가능성이 높기 때문이다.

이러한 법철학적 접근에서 기본이 되는 것은 개인과 집단의 관계를 이해하는 것이다. 법은 인간이 집단을 이루어 살아야 한다는 전제에서 비롯된다. 만약 인간이 집단을 이루어 살 필요가 없다면 법이라는 강제력을 스스로 인정하여 자신을 구속하고 처벌할 수 있는 가능성을 용인한 필요가 없기 때문이다. 따라서 법은 인간 집단을 전제로 한다. 우리가 고대 국가를 배울 때 타인을 죽이지 말라거나 타인의 물건을 훔치지 말라는 등 단순한 형태의 법이 있음을 배우는 이유가 여기에 있다. 고대 수메르의 함무라비 법전이나 고조선의 8조법이 대표적인 사례이다.

한편 인간 집단이 구성되고 유지·존속하기 위해서는 집단을 이루는 기본단위인 개인이 있어야만 한다. 개인에게 집단을 구성하는 이유가 없다면 해당집단은 필연적으로 붕괴될 것이다. 개인이 스스로 동의, 납득할 수 없는 행위를 할 것을 강제하는 집단이 있다면 단기적으로는 유지될 수 있을 것이지만 장기적으로는 해체될 수밖에 없다. 인류의 역사 전반을 볼 때, 개인을 필요 이상으로 억압하고 강제하는 국가는 멸망하고 새로운 국가로 대체되었다는 점이 이를 증명한다. 이러한 국가의 멸망과 대체의 방법이 폭력적 수단에 의한 것이었는가, 평화적 방법이었는가가 현대 이전의 국가와 현대 국가를 구별하는 기준이 되기도 한다.

바로 이 지점에서 법철학의 논쟁이 시작된다. 집단이 있어야만 비로소 개인이 결과적으로 존재할 수 있는 것인지, 혹은 개인이 스스로 원하여 노력한 결과로 집단이 발생한 것인지, 원인과 결과에 대한 논쟁이 바로 그것이다. 이를 공동체주의와 자유주의라 한다.

공동체주의와 자유주의 논쟁은 사실과 가치, 사실과 당위 논쟁과도 매우 관련이 깊다. 공동체주의는 공동체의 유지와 존속을 그 목적으로 한다. 공동체는 가장 작은 단위로 가족이 있다. 가족은 내가 태어났을 때부터 이미 존재하는 '사실'적 관계라 할 수 있다. 반면, 자유주의는 개인의 자유를 그 목적으로 하는데, 개인의 자유는 가족과 사회로부터 '나'를 분리시켜야만 비로소 얻을 수 있는 '가치'이기 때문이다.

이뿐만 아니라 공동체주의와 자유주의의 논쟁은 도덕과 법이라는 논쟁과도 연결된다. 공동체주의는 공동체의 유지와 존속을 목적으로 하므로 사회도덕을 지키고자 한다. 부모에게 효도하고, 연장자를 공경하는 등의 도덕을 지켜나가는 일이 공동체를 유지하고 존속하는 핵심이 된다. 따라서 사회도덕을 훼손한 자들은 공동체의 유지·존속을 해한 것이므로 법이라는 수단을 통해 처벌하여야 한다. 우리 공동체가 사회도덕의 훼손을 결코 좌시하지 않겠다는 의지를 공동체 구성원 전체에게 선언할 필요가 있다. 그러나 자유주의는 개인의 자유 보장을 목적으로 하기 때문에 이에 따르면 사회도덕은 개인의 가치관이 모여 다수가 동의한 가치 판단에 불과하고 이를 개인에게 강제할 수 없다. 따라서 법은 개인의 자유를 보장하기 위한 수단이므로 사회도덕은 법이 될 수 없으며 오히려 최대한 제거해야 한다.

2. 가족주의와 고전적 공화주의

가족주의에 따르면, 모든 가족은 각기 다른 조상으로부터 기원했기 때문에 자기만의 신을 갖고 있다. 각 가족의 조상신은 자기 가족만을 보호했기 때문에 가족 숭배로부터 배제되는 것은 그 개인의 죽음을 의미하는 것이나 다름없었다. 고대 그리스와 로마의 신이 그토록 많았던 이유는 여기에서 기인한다. 각 가족들의 조상신을 인정해야 하기 때문이다. 가족의 연합으로 고대 국가가 형성되었기 때문에 조상신보다 더 상위의 신이 나타났고 이에 대한 숭배를 요구했다.

고전적 공화주의는 고대 그리스의 도시국가, 특히 아테네에서 중시되었다. 우리가 세계사에서도 배웠듯이 고대 아테네에서는 민주주의를 시행했으나, 성인 남성이면서 부모가 모두 아테네인인 경우에만 시민권을 주었다. 현대의 우리는 아테네의 폐쇄적인 시민권 제도가 이해되지 않을 수 있다. 그러나 이는 고대의 가족주의의 연장선에서 생각해야 이해할 수 있다. 고대 아테네인들은 조상들이 살았던 땅을 중시했다. 고대 시민들의 조상은 아테네에 살았고 현재의 시민들을 낳았고 길렀고 죽어 아테네에 묻혀 조상신이 되었다. 이들에게 아테네 땅을 잃는 것은 가족의 신을 잃는 것이고 모든 것을 잃는 것이다. 그러므로 자신의 도시를 적으로부터 방어하는 것은 고대 시민들에게 자신의 정체성의 핵심을 지키는 것이다.

고대 아테네인들에게 종교와 가족, 영토는 떼어놓고 생각할 수 있는 것이 아니기 때문에 '애국심'은 고대 아테네인들에게 가장 중요한 것이 된다. 당연히 고대 아테네인들은 공동체의 목적을 공동체 구성원들에게 시민으로서 살 수 있도록 '애국심'을 키우는 것에 있다고 보았다. 소크라테스가 아테네 민회로부터 사형 선고를 받고 다른 도시국가로 도망칠 수도 있었으나 독배를 마신 이유도 여기에 있다. 또한 아리스토텔레스가 살 만한 가치가 있는 것은 시민의 삶뿐이라고 한 이유도 마찬가지이다.

고전적 공화주의에 따르면 시민은 도시국가에 대한 애국심을 발휘해야 할 의무가 있다. 시민이라면 누구나 도시의 통치에 역할을 담당해야만 했다. 시민은 민회에 출석하고, 토론장에서 자신의 의견을 발표하고, 논쟁에 대한 판단을 하고, 논쟁 중 어느 한 의견을 지지할 특권과 의무가 있다. 또한 추첨을 통해 행정관으로 일해야 하고, 필요하다면 배심원으로서 시민의 불법에 대한 판단을 해야 한다. 고전적 공화주의는 공동체에 대한 무관심을 허용하지 않으며 구성원들에게 공적인 일에 참여할 의무를 부여한다. 따라서 고전적 공화주의는 개인보다 공동체를 더 중시하며 특정 공동체의 구성원으로서 능동적인 역할을 할 것을 요구한다.

고전적 공화주의는 고대 그리스와 로마에서 잘 드러난다. 특히 아리스토텔레스는 정치 참여가 좋은 삶을 위해 꼭 필요하다고 주장했다. 아리스토텔레스는 정치 참여가 우리의 본성에 부합하는 것이라 했다. 꿀벌이나 개미와 같이 모여 사는 동물보다 인간이 우월하고 구별되는 이유는 인간은 정치적 연대를 하기 때문이다. 우리는 동물과 달리 언어를 구사하는 특징을 갖고 있는데, 언어를 통해 다른 이와 연대하고 함께 살아가기 위한 도덕을 생각하는 능력을 계발해나간다. 따라서 우리는 언어를 통해 연대하여 공동체를 구성하고, 정치 참여를 통해 도덕적으로 옳은 것이 무엇인지를 생각하고, 정치 공동체를 통해 이를 후대에 전승하며 문화와 역사를 함께 만들어나간다.

3. 공동체주의

공동체주의는 앞서 제시한 가족주의나 고전적 공화주의와 유사점도 있고 차이점도 있다. 유사점은 공동체가 개인에 우선한다고 보지만, 차이점은 공동체주의는 공동체를 위해 개인의 자유를 박탈하지는 않는다는 점이다. 공동체 그 자체가 목적이며 가치라고 여기는 가족주의나 고전적 공화주의와 달리, 근대 이후의 공동체주의는 공동체 유지와 존속을 위해서는 공동체가 공유하고 있는 가치를 지켜야 한다는 입장이다. 공동체는 단순히 개인들의 모임이라 할 수 없다. 자연 상태의 동물들도 단순히 모여 살기는 한다. 군집을 이루는 벌이나 개미를 공동체라 하지는 않는다. 따라서 공동체는 단순히 개인들의 집합이 아니라 목적을 갖고 있으며 가치를 지향한다.

공동체주의는 공동체의 유지·존속을 가장 중요한 목적이자 가치로 삼는다. 고전적 공화주의 역시 공동체주의와 이 점에서 목적을 같이한다. 그러나 고전적 공화주의는 가족이나 민족과 같은 혈연이 공동체가 형성되는 핵심원인이 되지만, 공동체주의는 공유된 가치를 중심으로 공동체가 형성된다고 본다는 점에서 차이가 있다. 고대 아테네에서 아무리 아테네에 오래 살았고 아테네에 공헌을 했다고 하더라도 아테네인 아버지와 어머니 아래에서 태어나지 않은 자는 아테네 시민이 될 수 없고 공동체 구성원으로 인정받지 못했다. 그러나 근대 프랑스에서 프랑스 혁명에 함께 피를 흘린 자는 혈통과 언어가 다르더라도 프랑스 민족 구성원으로 인정받을 수 있었다.

공동체주의에 따르면, 공동체는 서로 다른 생각을 가진 구성원들이 모여 이루어지기 때문에 공통의 생각과 가치가 있어야 한다. 인간은 최초부터 가족과 같은 공동체의 일원으로 태어나 공동체의 보호를 받으며 공동체의 가치를 학습 받으며 살아간다. 이러한 공동체의 유지와 존속에 직결되는 필수적인 공유된 가치가 있다. 만약 공동체 구성원 모두에게 공유된 사회적 가치가 훼손된다면 공동체는 필연적으로 붕괴될 것이다. 이러한 공유된 가치는 하나인 것은 아니며, 개인의 자유는 이러한 공유된 가치 중 하나에 불과하다. 따라서 개인의 자유로운 행위가 모두 용인될 수는 없으며, 개인의 자유로운 행위가 공동체의 공유된 필수 가치를 훼손한다면 개인의 자유를 제한할 수 있다. 공동체는 공유된 가치의 약화와 훼손을 막기 위해 노력해야 하고, 공동체 구성원은 누구나 이를 따를 것이므로 이를 강제라 말할 수 없다.

이처럼 공동체주의는 사회의 공유된 가치를 지켜야 한다고 주장한다. 공동체주의자는 사회의 공유된 가치 중 하나가 개인의 자유라고 한다. 따라서 공동체주의자라고 하여 개인의 자유를 가볍게 여기는 것은 결코 아니다. 그러나 모든 경우에서 개인의 자유가 최고의 가치인 것은 아니며, 실제 사례마다 어떤 가치가 더 공동체에게 중요한 것인지 실질적으로 파악해야지 일률적으로 개인의 자유만 추구해서는 안 된다고 한다. 즉 자유주의자는 모든 사안에서 개인의 자유 보장을 목적으로 삼는 반면, 공동체주의자는 특정사안마다 추구해야 할 공동체의 가치를 파악해야 한다고 본다.

공동체의 유지와 존속을 위해 필수적인 가치는 여러 가지가 있다. 이러한 공유된 가치는 자유주의와는 달리 개인의 합의를 필요로 하지 않는다. 왜냐하면 공동체의 구성원 모두가 공유하고 있는 가치이므로 개인의 합의가 필요 없다. 물론 개인은 자신의 이익에 따라 이를 거부할 수도 있으나, 공동체 구성원으로서 누구나 공유된 가치를 지켜야 함을 이미 알고 있다. 루소는 전자를 사적 의지, 후자를 일반 의지라 했다.

공동체적 가치는 해당 사안마다 다르게 설정해야 한다. 예를 들어, 프랑스혁명 직전 시기의 프랑스 민중들을 생각해보자. 자유주의 입장에서는 개인의 자유를 보장해야 하므로 절대왕정은 무너뜨려야 한다. 반면, 공동체주의 입장에서 프랑스 민중들이 공유하고 있는 공동체적 가치는 자유의 보장이 된다. 공동체가 유지되고 존속되려면 프랑스 민중들의 자유가 억압되어서는 안 된다는 것이다. 따라서 프랑스혁명은 자유주의와 공동체주의 모두가 정의롭다고 여겼다. 이는 마치 일제 강점기의 우리나라에서 자유주의자와 공동체주의자 모두가 민족주의를 표방하며 독립운동을 지지했던 것과 유사하다. 그러나 현대사회로 접어들면서 민주주의 사회가 확립된 이후, 여전히 개인의 자유가 중요하다고 생각하는 자유주의와는 달리, 공동체주의는 공동체의 유지와 존속을 위협하는 가치 훼손을 막아야 한다고 판단했다. 이는 바로 극심한 경제적 불평등이다. 절대왕정을 무너뜨리고 개인의 자유를 확보한 이후, 공동체가 지켜야 할 가치는 평등이 되었다. 이처럼 공동체주의는 사회의 변화에 따라 공동체가 지켜야 할 가치가 변한다고 한다. 이러한 의미에서 공동체주의를 진보 혹은 좌파라 하고, 여전히 자유를 중요한 가치로 지켜나가야 한다고 주장한다는 점에서 자유주의를 보수 혹은 우파라 한다.

4. 울펜덴 보고서: 도덕의 비범죄화

1954년 8월, 영국의 울펜덴 남작을 위원장으로 하는 위원회는, 동성 간의 연애는 사사로이 행해지는 한 형법이 관여할 문제가 아니라고 하였다. 형법으로 시민의 사생활을 강요해서는 안 되고, 타인에게 직접 해를 주는 행위만 규제할 수 있다고 하였다.

5. 데블린-하트 논쟁

울펜덴 보고서에 대해, 판사였던 데블린은 '도덕의 집행'이라는 유명한 강연에서 다음과 같이 주장했다. 데블린은, 사회는 단순히 개인의 이익을 확보하기 위한 장(場)이 아니라 도덕적 이념 공동체라 한다. 기본도덕은 사회를 결속시키는 접착제와 같아서 기본도덕 없이 사회는 유지될 수 없다. 따라서 사회를 유지하고 존속하기 위해 사회의 지배도덕에 반하는 행위를 형법으로 처벌하여야 한다. 사회는 공유된 지배도덕을 통해 유지되기 때문에 이를 훼손하는 행위는 사회통합을 저해하는 것으로서 해당행위에 대한 규제는 정당하다. 다음 내용은 데블린의 주장이다.

"사회는 이상·신념·관념의 공동체이다. 정치·도덕·윤리에 대한 공유된 사상 없이는 사회는 존재할 수 없다. 우리 각자는 무엇이 정당하고 바람직하며 무엇이 악한 것인지에 대해서 생각들을 가지고 있다. 그런데 이 생각들은 우리가 살고 있는 사회와 동떨어져서 가질 수 있는 것은 아니다. 만일 일군의 남녀들이 선과 악에 대한 근본적인 합의점이 없는 사회를 설립하려고 한다면 반드시 실패할 것이다. 그리고 근본적인 가치들에 대한 공통된 합의에 기반을 둔 사회에서 그 공통합의가 허물어져 가면 그 사회는 해체되어 갈 것이다. 왜냐하면 사회란 물리적으로 유지될 수 있는 어떤 것이 아니라 공통된 사상이라는 보이지 않는 연결 끈으로 유지되기 때문이다. 이 연결 끈이 너무 느슨해지면 사회구성원들은 뿔뿔이 흩어질 것이다. 공통도덕은 이러한 연결 끈의 한 부분이다. 각각의 사회는 성도덕과 관련해서 서로 다른 규범을 가진다. 어떤 사회는 일부일처제를, 어떤 사회는 일처다부제를, 어떤 사회는 일부다처제를, 어떤 사회는 동성애를 반도덕적 행위로, 어떤 사회는 가벼운 잘못으로, 어떤 사회는 전적으로 받아들일 수도 있다. 이러한 상이한 태도에도 불구하고 어떤 사회든지 공통되게 가지는 태도는 사회가 계속해서 유지되어야 한다는 것이다. 이는 '보편적인 사회적 사실'이다. 따라서 영국 사회의 지배도덕인 건전한 영국 시민들의 도덕, 즉 영국 시민들을 묶어 주는 선량한 성적 도덕의 관념이 동성애를 비난한다면 법으로 동성애를 금지해야만 영국 사회가 존속할 수 있다."

그러나 하트는 데블린의 주장을 비판한다. 데블린은 부도덕이 사회를 해체한다고 주장하였으나, 이에 대해 하트는 데블린의 주장은 동성 간의 음행(淫行)이 지진의 원인이라는 주장과 마찬가지로 아무 근거 없는 주장이라고 비판한다. 하트는, 우리 사회가 유지해야 할 공동체의 도덕이 무엇인지 명확하게 제시할 수 없기 때문에 데블린의 주장은 모호하다고 비판한다. 하트는 밀의 해악의 원칙에 따라 타인에게 해악을 주는 행위만 규제하더라도 공동체는 충분히 유지되고 존속할 수 있다고 한다. 다음은 하트의 주장이다.

"사회의 구성은 개인을 통해서 이루어지므로 개인은 사회제도나 사회구조보다 앞서고, 개인의 자유와 권리는 사회의 역할보다 우선한다. 사회의 유지는 사회 구성원들이 하나의 지배적인 도덕을 공유하는 데서 나오는 것이 아니라, 각 개인이 서로 다른 도덕을 가지고 있다는 사실을 인정하고, 다른 도덕을 가진 사람들의 행위를 관용하는 데서 나오는 것이다. 분개심, 편협함, 혐오감 등에 기초한 도덕은 한 사회를 유지하는 지배적인 도덕이라 말할 수 없다. 부도덕이 무조건 사회를 약화시키고 종국에는 사회를 해체시킨다고 보는 것은, 마치 동성 간의 음행이 지진의 원인이라고 보는 유스티니아누스 황제의 말처럼 논리적이지 않다. 따라서 한 사회의 도덕관념은 한 곳이 손상되기 시작하면 전체가 망가지게 된다고 보는 견해는 설득력이 없다. 뿐만 아니라 사회의 존속을 위해 공통적 도덕이 필요하다는 전제에서 사회를 곧 도덕공동체로 보는 것도 논리적 비약일 따름이다. 국가는 국민을 도덕적으로 훈육하기 위해서 과도하게 개인의 생활에 개입해서는 안 되며, 다만 외부의 침해로부터 개인을 보호할 필요가 있을 때만 간섭할 수 있을 뿐이다. 문명사회의 각 구성원에 대하여 강제력을 행사하는 일은 그 목적이 타인에 의한 해악을 방지하기 위한 경우에만 정당하다."

011 문제 공동체주의: 공원 음주 금지

답변 준비 시간 10분 | 답변 시간 10분

※ 다음 QR코드를 촬영하면 연결되는 제시문을 읽고, 문제에 답하시오.

> 대학생이 한강공원에서 술을 마시다 사망한 사건과 코로나19 등을 계기로 하여 공원에서 음주를 금지하는 방안이 논의되고 있다. 현재는 음주 후 소음이나 악취를 유발하는 경우에 대해 과태료를 부과할 수 있을 뿐이고 음주 자체를 금지하는 것은 아니다.
>
> 
>
> 한강공원 금주구역

Q1. 공원을 음주 금지구역으로 지정해야 한다는 견해가 있다. 이 입장의 논거를 제시하고 이를 논하시오.

Q2. 공원을 음주 금지구역으로 지정해서는 안 된다는 입장의 논거를 제시하고 이를 논하시오.

Q3. 공원에서의 음주를 금지해야 하는지 찬반 견해를 정해 논하시오.

Q4. 자신이 선택한 견해가 가지고 있는 문제점을 제시하고, 그 해결방안을 제시하시오.

011 해설 공동체주의: 공원 음주 금지

Q1. 모범답변

공원을 음주 금지구역으로 지정해야 한다는 입장에서는 안전사고 예방을 논거로 제시할 것입니다. 공동체는 서로 다른 생각을 가진 구성원들이 모여 이루어져 있고, 서로 공유된 가치를 중심으로 하여 이 공동체는 연결되어 있습니다. 만약 이 공유된 가치가 훼손된다면 공동체는 필연적으로 해체되고 붕괴하고 말 것입니다. 이러한 공유된 가치 중 하나가 사회 안전입니다. 공동체가 구성원들에게 안전한 사회라는 가치를 제공할 수 없다면 공동체를 이루어 살 필요가 없을 것입니다. 공원은 모든 공동체 구성원이 함께 사용하는 공적 공간이고 어린이, 청소년, 가족 등이 사용하는 공용 공간입니다. 그런데 특정 구성원이 자신들의 즐거움을 위해 음주를 하는 경우, 사회 다수의 안전이 위협될 뿐만 아니라 해당 구성원의 안전 역시 위협됩니다. 공원에 음주를 한 사람들이 많을 경우, 시비가 붙어 폭행이 일어나거나 공원을 이용하는 미성년자에 대한 위협이 됩니다. 얼마 전 한강공원에서 일어난 음주 사망사고처럼 과도한 음주로 몸을 가누지 못해 사망하거나 다치는 등의 사고가 발생할 수도 있습니다. 이처럼 공원에서의 음주는 다양한 안전사고를 일으킬 우려가 매우 크기 때문에 사회 다수의 안전을 지키기 위해 음주 금지구역으로 설정하는 것이 타당합니다.

Q2. 모범답변

공원에서의 음주를 금지해서는 안 된다는 입장에서는 개인의 자유를 과도하게 제한하기 때문이라는 논거를 제시할 것입니다. 개인은 스스로 심사숙고하여 자신의 선택이 가져올 결과를 예측하고 결정하여 행동하며, 그 결과에 대해 책임을 지는 존재입니다. 개인의 자유 실현의 결과가 타인의 자유에 직접적 해악을 주는 것이 아니라면 강제해서는 안 됩니다. 물론 그렇게 하는 것이 더 현명한 선택이고 개인에게도 더 좋으며 사회적으로 좋은 결과를 가져온다고 하더라도 이를 권유할 수는 있으나 결코 강제해서는 안 됩니다. 공원에서 음주를 하는 행위는 타인에게 직접적 해악을 주는 행위가 아닙니다. 물론 만취자의 경우 공원을 찾은 다른 이용자를 폭행하는 등의 직접적 해악을 줄 수는 있으나, 이는 가능성에 불과한 것이므로 그 당사자에 대한 처벌이라는 책임을 물리면 충분합니다. 단지 가능성이 있다는 이유만으로 개인의 자유를 전적으로 제한해서는 안 됩니다. 부모가 미성년자의 행위를 규제하듯이 국가가 특정행위가 더 좋다거나 옳은 행위라 하여 강제하는 것은 국가가 개인의 자유에 과도하게 개입하는 것입니다. 만취해 사회적 물의를 일으키는 자가 발생할 것이라는 우려와 가능성만으로 공원에서 경치를 즐기며 음주를 하는 문화를 향유하는 대부분의 시민의 자유를 제한하는 것은 국가의 과도한 개입이며 개인의 자유에 대한 과도한 제한이 되므로 타당하지 않습니다.

Q3. 모범답변

공원에서의 음주를 금지해서는 안 됩니다. 개인의 자유를 과도하게 제한하고, 공공복리를 저해할 수 있기 때문입니다.

공원에서의 음주를 금지하는 것은 오히려 공공복리를 저해합니다. 공원에서의 음주를 금지하려는 이유는 만취해 폭행 등과 같은 안전사고를 일으킬 우려가 있다는 점 때문입니다. 그러나 공원에서 음주를 하는 모든 사람이 만취를 하는 것도 아니고 더군다나 타인을 폭행하거나 위협하는 등의 행위를 하는 것도 아닙니다. 극소수의 몇몇 사람만이 만취로 인한 사고를 일으키기 때문에 공원에서의 음주를 금지하면 극소수의 몇몇 사례를 막을 수 있을 뿐입니다. 이는 마치 음주로 인한 교통사고를 막기 위해 자동차 운행 자체를 금지하는 것이나 다름없습니다. 반면, 공원에서의 음주를 금지하면, 수많은 사람들이 공원에서 가볍게 음주를 하며 주변 사람들과 즐거운 시간을 즐기는 기회 자체를 제한당하게 됩니다. 이에 더해 최근 한국 문화로 세계에 널리 알려지고 있는 공원 치맥 등이 자리 잡을 기회가 차단됩니다. 따라서 공원에서의 음주 금지는 공공복리를 저해합니다.

Q4. 모범답변

공원에서의 음주를 허용하면 공원에서의 음주로 인한 음주 사고와 만취자로 인한 시민의 피해가 발생할 수 있습니다. 그러나 이 문제점은 공원에서의 음주를 전면 금지하여 해결할 일이 아니라 공적 노력과 함께 시민의 자정 노력이라는 방안을 통해 최소화할 수 있습니다. 먼저, 사고 예방을 위한 CCTV 설치, 인력 배치, 경찰의 순찰 강화 등이 가능할 것입니다. 또한 건전한 음주 문화를 위한 캠페인과 공원에서 적정량의 음주를 할 것을 홍보하는 방안이 있습니다.

다만, 어린이 공원이나 노인 공원과 같이 특정계층이 주로 사용하도록 지정된 특수한 목적의 공원에서의 음주는 금지하는 것이 타당합니다.

공동체주의: 존속대상범죄 가중처벌

2022 서울대·2021 경북대/경희대/서강대/아주대·2020 성균관대 기출

1. 기본 개념

(1) 존속대상범죄 가중처벌

우리 형법은 존속을 대상으로 한 범죄에 대해 가중처벌을 규정하고 있다. 존속(尊屬)이란, 조상으로부터 직계로 내려와 자기에 이르는 사이의 혈족으로, 부모나 조부모 등을 이른다. 존속대상범죄 가중처벌의 대표적인 것은 존속살해죄이다. 보통살인죄의 법정형의 최하한은 5년 이상의 징역인 것에 반해, 존속살해죄의 법정형의 최하한은 7년 이하의 징역으로 규정한다. 두 범죄의 처벌 최하한에서 징역 5년과 7년의 2년이라는 차이는 보호하려는 법익이 추가되었기 때문이다. 보통살인죄에서 보호하고자 하는 법익은 생명인 것에 반해, 존속살해죄에서 보호하려는 법익은 생명과 효라는 두 가지 법익이기 때문이다. 결국 존속살해죄는 생명과 효라는 두 가지 법익을 동시에 침해한 범죄가 된다.

그러나 존속대상범죄 가중처벌의 이유가 되는 효라는 사회도덕은 대단히 모호한 개념이다. 형을 가중시키는 이유로 제시되고 있는 것은, 사회관념, 근본적인 인륜, 인류보편의 원리, 비속의 패륜성 등으로 지극히 추상적이다. 비속(卑屬)이란, 아들 이하의 항렬에 속하는 친족을 통틀어 이르는 말이다. 범죄 동기를 묻지도 따지지도 않고 단지 범죄주체가 비속이고 범죄대상이 존속이기만 하면 형을 예외 없이 가중시키는 것은 개인의 책임 범위를 넘어서는 형벌을 가하게 될 수 있다는 문제점이 있다.

(2) 형법상의 규정

제259조(상해치사) ① 사람의 신체를 상해하여 사망에 이르게 한 자는 3년 이상의 유기징역에 처한다.
② 자기 또는 배우자의 직계존속에 대하여 전항의 죄를 범한 때에는 무기 또는 5년 이상의 징역에 처한다.

(3) 존속상해치사 가중처벌 합헌설[20)]

① 혼인과 혈연에 의하여 형성되는 친족에 있어서는 존경과 사랑이 그 존재의 기반이라고 말할 수 있고, 이를 바탕으로 직계존속은 비속에 대하여 경제적 측면에서는 물론 정신적·육체적 측면에서 올바른 사회구성원으로 성장할 수 있도록 양육하며 보호하고 그 비속의 행위에 대하여 법률상·도의상 책임까지 부담하는 한편, 비속은 직계존속에 대하여 가족으로서의 책임 분담과 존경과 보은(報恩)의 기본적 의무를 부담하게 되는데, 이는 인류가 가족을 구성하고 사회를 형성하기 시작한 이래 확립되어진 친족 내지 가족에 있어서의 자연적·보편적 윤리로서, 이러한 윤리는 가정은 물론 사회를 유지·발전시키는 기본질서를 형성하게 된다는 점에서 형법상 보호되어야 할 가치이며, 이는 배우자의 직계존속에 대하여도 마찬가지이다. 따라서 존속상해치사의 범행은 위와 같은 보편적 사회질서나 도덕원리, 나아가 인륜에도 반하는 행위로 인식되어 그 패륜성에 대하여는 통상의 상해치사죄에 비하여 고도의 사회적 비난을 받아야 할 이유가 충분하므로, 이를 엄벌하여 반인륜·패륜행위를 억제하는 것이 꼭 불합리하다고만은 할 수 없으며, 우리의 윤리관에 비추어 볼 때 아직은 합리적이라 할 것이다.

20)

2000헌바53

② 이 사건 법률조항에 대하여는 위 규정이 도덕원리를 법에 반영시켜 이를 강제한다는 비판이 있으나, 비록 법과 도덕이 준별된다 하더라도 책임판단에 있어서 윤리적 요소를 완전히 제거할 수는 없는 것이고, 이 사건 법률조항은 법에 의한 도덕의 강제가 아니라 패륜으로 인한 책임의 가중을 근거로 형을 가중하는데 지나지 않는 것이며, 법에 의하여 도덕이 강제될 수 없다 하더라도 사회도덕의 유지를 위한 형법의 역할을 전적으로 부정할 수는 없을 뿐만 아니라, 구체적 사건의 양형에 있어서 직계존속이 피해자라는 점이 범정(犯情)의 하나로 중시되는 것이 허용되는 이상 이를 법규의 형식으로 유형화하여 형의 가중요건으로 삼는다 하더라도 그러한 차별적 취급이 곧 합리적 근거를 결하는 것이라고 말할 수도 없다. 또한, 이 사건 법률조항에 의하여 존속인 피해자가 통상인인 피해자보다 두텁게 보호받는 차별적 결과가 된다는 비판이 있으나, 이 사건 법률조항은 법률로써 비속의 직계존속에 대한 도덕적 의무를 특히 중요시한 것으로, 그 입법목적은 가해자인 비속의 패륜성 내지 반윤리성을 엄벌하여 그와 같은 죄의 발생을 특히 억제하고자 함에 있는 것이지 피해자인 존속을 더 보호하고자 함에 있는 것은 아닐 뿐만 아니라, 결과적으로 존속이 강한 보호를 받게 된다 하더라도 이는 반사적 이익에 불과하고 개개인의 일생을 통하여 보면 결국에는 각자 동등한 보호를 받게 된다는 점에서, 이 사건 법률조항이 처벌의 정도를 달리함에 대하여 그 합리적 근거를 부인할 수는 없다.

(4) 존속상해치사 가중처벌 위헌설[21)]

① 이 사건 법률조항은 자기 또는 배우자의 직계존속을 살해한 경우 가중처벌하도록 규정함으로써, 직계비속 또는 배우자와 같은 다른 법적 신분관계에 있는 사람을 살해한 경우, 또는 아무런 법적 신분관계가 없는 사람을 살해한 경우에 비하여 차별 취급하고 있다.

또한 그 규율 내용을 살펴보더라도, 서로 부양하고 협조하여야 할 배우자 또는 보호하고 교양하여야 할 직계비속을 살해하는 경우, 또는 그와 같은 신분관계는 없으나 가해자를 보호하고 교양하여 존경(尊敬)과 보은(報恩)을 받아 마땅한 사람을 살해하는 경우 등은 일반살인죄로 처벌하거나, 심지어 직계존속이 치욕은폐 등의 동기로 영아를 살해하는 경우는 처벌을 감경하는 것과는 달리, 직계존속을 살해하는 경우에는 양육이나 보호 여부, 애착관계의 형성 등 다른 사정은 전혀 묻지 아니하고 그 형식적 신분관계만으로 가중처벌하도록 하고 있다.

사정이 이러하다면, 이 사건 법률조항은 여전히 봉건적 윤리관념에 그 근거를 두고 있고, 그 차별 목적은 존속과 비속 간의 지배복종관계에 기반한 권위주의적이고 가부장적인 가족질서를 유지하기 위한 것이라고 보아야 할 것이다.

그런데, 헌법 제36조 제1항은 "혼인과 가족생활은 개인의 존엄과 양성의 평등을 기초로 성립되고 유지되어야 하며, 국가는 이를 보장한다."고 규정하고 있다. 또한 인간의 존엄과 자유로운 인격발현은 헌법의 핵심가치를, 민주적 기본질서는 헌법질서의 근간을 이루고 있는바, 이는 가족생활관계에도 당연히 영향을 미칠 뿐만 아니라, 가족생활관계는 사회생활관계 및 국가생활관계의 구성요소이자 그 기초가 되는 것으로서 가족생활관계에서부터 이러한 헌법적 가치 및 질서가 관철되지 않는다면 이를 제대로 실현할 수 없다. 결국 헌법이 보장하는 가족제도는 가족 구성원 모두가 인격을 가진 개인으로서 평등하게 존중받는 민주적인 가족관계를 그 내용으로 한다고 할 것인바, 결국 이와 같은 차별 취급은 헌법이 보장하고자 하는 민주적인 가족관계 또는 가족제도와도 조화될 수 없는 것이다.

21)

2011헌바267

② 또한 다수의견은 1995년 개정으로 이 사건 법률조항에 7년 이상의 유기징역형이 추가됨에 따라 개별 사안에서 합리적인 양형이 가능하다고 설시하고 있다.

그러나 존속살해범죄의 실태에 관한 최근의 연구에 따르면, 존속살해의 범행동기 중 그 패륜성이 명백한 이욕(利慾)에 의한 경우는 7.1%에 불과하고, 오히려 가해자의 정신이상에 의한 경우가 36.9%, 피해자의 가해자 또는 다른 가족구성원에 대한 학대에 의한 경우가 26.2%를 차지한다. 결국 존속살해범죄에 있어서는 정신이상에 의하여 존속을 살해하는 경우와 함께, 피해자의 가해자 또는 다른 가족구성원에 대한 상습적 학대에 관한 누적된 분노로 인하여 존속을 살해하는 경우가 대표적인 유형에 해당한다고 할 수 있으며, 후자의 경우 일반적인 살해범죄에 비하여 결코 그 불법이나 책임이 더 무겁다고 볼 수 없다. 가해자가 장기간 가정폭력·성폭행 등 지속적인 육체적·정신적 피해를 당하거나 또는 피해자로부터 실질적인 살해 위협에 시달리는 등 오히려 더 큰 피해자인 경우가 존재하고, 이와 같은 경우 존속은 비속을 둘 것인지 여부를 선택할 수 있을 뿐만 아니라 그를 교화할 기회도 가질 수 있는 것과 달리, 비속은 존속을 전혀 선택할 수 없다는 점에서도 비속에 대하여 형을 가중하는 것은 지나치게 가혹하다.

③ 비교법적인 측면에서 보더라도, 현재 이 사건 법률조항과 같이 존속살해만을 가중처벌하는 규정은 그 예를 찾기가 어렵다.

영국과 미국 등 영미법계 국가는 물론 스위스, 덴마크, 노르웨이, 러시아, 중국 등도 존속살해에 관한 가중처벌규정을 두고 있지 않고, 독일은 1941년, 오스트리아는 1974년에 존속살인 중벌규정을 폐지하였다. 프랑스, 이탈리아, 아르헨티나, 대만 등 존속살해에 관한 가중처벌을 두고 있는 국가들도 대체로 존속뿐만 아니라 비속 또는 배우자를 살해한 경우 이를 가중처벌하는 규정을 함께 두고 있다.

이 사건 법률조항이 계수하고 있는 일본의 존속살해 가중처벌규정 또한 1973년 일본 최고재판소에서 위헌결정이 내려진 다음, 1995년 다른 존속범죄 가중처벌규정들과 함께 폐지된 바 있다.

2. 쟁점과 논거

찬성론: 사회 공동체 유지	반대론: 개인의 자유 침해
[공동체 유지·존속] 사회는 공통된 이념의 끈에 의해 결속, 유지된다. 효(孝) 사상은 한국사회의 근간을 이루는 공통된 이념의 역할을 한다. 존속상해치사는 효사상에 반하는 패륜범죄로 사회를 지탱하는 필수 연결 끈인 효사상을 저해해 사회 공동체의 결속, 유지를 약화시킨다. 존속범죄를 가중처벌하는 것은 사회 공동체 유지를 위한 적절한 개입에 해당한다.	[책임주의 위배] 개인은 자신의 주인으로 스스로 자유롭게 선택하고 책임을 진다. 존속상해치사 가중처벌은 살해에 대한 책임 외에 사회적 가치인 효(孝)를 저해한 것에 대한 책임을 더하는 것이다. 효는 모호한 가치로 무엇이 효도이고 무엇이 불효인지 개인마다 그 판단이 모두 달라 개인은 명확하게 이를 예측할 수 없다. 사회 다수의 도덕에 반한다는 이유로 예측하지 못한 행위에 대한 책임을 지는 것은 타당하지 않다.
[평등원칙] 평등은 같은 것은 같게, 다른 것을 다르게 대하라는 원칙이다. 존속상해치사는 효사상을 명백하게 훼손한 것이고 단순상해치사는 그렇지 않다. 따라서 침해한 가치가 다른 것에 대해, 존속상해치사를 무겁게 처벌하고 단순상해치사는 가볍게 처벌하여 다르게 대할 수 있다.	[평등원칙] 평등은 같은 것은 같게, 다른 것을 다르게 대하라는 원칙이다. 존속상해치사는 직계비속이라는 이유로 가중처벌하는 반면, 영아유기죄는 직계존속이라는 이유로 처벌을 감경한다. 가족공동체의 결속이라는 같은 가치를 침해하였음에도, 영아유기죄는 약하게 존속상해치사는 강하게 처벌함으로써 다르게 대하는 것은 평등원칙 위반이다.
[실질적 법치주의 실현] 법은 국민의 의식에 부합되어야 한다. 자녀가 부모에게 자행하는 패륜범죄에 대한 분노감과 혐오감은 우리나라 국민이라면 누구나 공감할 수 있다. 존속상해치사 가중처벌은 국민적 법감정에 대한 법적 고려가 반영된 규제로 합리적 이유가 있다.	[범죄 예방 불가] 실증연구에 따르면 존속에 대한 범죄는 존속의 가족구성원에 대한 학대와 반인륜적 행위에서 기인하는 바가 크다. 따라서 존속상해치사를 가중처벌하더라도 존속의 가족 학대와 그로부터 기인하는 비속의 범죄를 막을 수 없으므로 범죄를 예방할 수 없다.

3. 읽기 자료

존속대상범죄 가중처벌[22)]

2011헌바267[23)]

22)

존속살해죄와 비속살해

23)

2011헌바267

012 문제 공동체주의: 존속대상범죄 가중처벌

답변 준비 시간 10분 | 답변 시간 10분

※ 다음 제시문을 읽고, 문제에 답하시오.

(가) 형법 제259조(상해치사)
① 사람의 신체를 상해하여 사망에 이르게 한 자는 3년 이상의 유기징역에 처한다.
② 자기 또는 배우자의 직계존속에 대하여 전항의 죄를 범한 때에는 무기 또는 5년 이상의 징역에 처한다.

(나) 우리 형법에도 똑같은 상해치사라 할지라도 존속에 대한 상해치사는 일반인에 대한 상해치사보다 가중처벌하잖아. 부모에 대한 상해치사는 일반인에 대한 상해치사보다 도덕적으로 더 비난받아야 한다고 생각해. 그렇기 때문에 비속의 존속에 대한 상해치사를 가중처벌하는 법을 폐지하자는 주장은 부도덕한 주장이야. 불효를 저지른 자에 대한 처벌이 가중되는 것은 사회도덕을 지키기 위해서 꼭 필요해.

(다) 도덕이 법에 들어온다면 너무 주관적이라고 생각해. 예를 들면 조선시대에는 조상에 대해 제사지내지 않는 것이 큰 죄에 해당해 사형에 처했지만, 오늘날에는 그렇지 않아. 도덕 자체가 상대적인데 이러한 상대적인 개념을 최대한 법에 반영한다면 억울하게 처벌되는 자가 많이 생길 수밖에 없어. 단순히 사회 다수가 부도덕하다고 비난하는 행위를 저질렀다는 이유만으로 개인을 처벌하는 것은 타당하지 않아.

Q1. 존속상해치사 가중처벌이 타당하다는 입장의 핵심논거를 제시하고 이를 논증하시오.

Q2. 존속상해치사 가중처벌은 개인의 자유를 침해하므로 타당하지 않다는 입장이 있다. 이 입장에 대한 핵심논거를 제시하고 이를 논증하시오.

Q3. 존속상해치사 가중처벌을 존치해야 하는지 혹은 폐지해야 하는지, 본인의 견해를 정하고 이에 대해 새로운 논거를 들어 답변하시오.

추가질문

Q4. 자신이 선택한 입장에 대해 예상되는 반론이나 문제점을 제시하고, 그에 대한 재반론 혹은 해결방안을 제시하시오.

012 해설 공동체주의: 존속대상범죄 가중처벌

Q1. 모범답변

공동체 유지·존속을 위해 존속상해치사 가중처벌은 타당합니다. 공동체는 공유된 가치가 존재함으로써 유지됩니다. 만약 이 공유된 가치가 훼손된다면 공동체는 해체되고 말 것입니다. 이러한 사회를 유지하는 공유된 가치로 효(孝)사상이 있습니다. 효사상은 한국사회의 근간을 이루는 공통된 이념이라 할 수 있습니다. 존속상해치사는 자신을 낳고 기른 부모를 단순 폭행한 것이 아니라 죽음에 이를 정도로 폭행한 것으로 사회구성원 누가 보더라도 명백하게 효사상에 반합니다. 만약 이러한 명백한 불효 행위를 타인에 의한 상해치사와 동일하게 처벌한다면 우리 사회가 효사상을 공유된 가치로 인정하지 않는다는 신호를 주거나, 혹은 공유된 가치를 지킬 필요가 없다고 사회구성원에게 강변하는 것이나 다름없습니다.[24] 이처럼 공유된 가치인 효사상이 훼손되기 시작하면 시간이 갈수록 세대를 거듭해 갈수록 공동체의 해체가 가속화될 것입니다. 따라서 공동체의 유지와 존속을 위해 존속상해치사 가중처벌은 타당합니다.

Q2. 모범답변

개인의 자유에 대한 과도한 제한이므로 존속상해치사 가중처벌은 타당하지 않습니다. 개인은 자기 자신의 주인으로 심사숙고하여 판단하고 선택하여 그에 대한 책임을 집니다. 따라서 형벌 역시 개인이 자율적으로 선택한 행위에 대한 책임만을 부여할 수 있을 뿐이며 그 외의 사회적 가치를 형벌에 개입시켜서는 안 됩니다. 아들이 아버지를 살해하였다고 해서 가중처벌한다면 살해에 대한 책임 외에 사회적 가치인 효(孝)를 저해한 것에 대한 책임을 더하는 것입니다. 그러나 효는 모호한 가치로 무엇이 효도이고 무엇이 불효인지 개인마다 그 판단이 모두 달라 개인은 명확하게 이를 예측할 수 없습니다. 이처럼 개인이 예측할 수 없는 것을 실현해야 한다고 강제한다면 개인은 모든 생각과 행위를 사회의 판단과 반응에 따라야 합니다. 그리고 궁극적으로 개인은 사회적 가치의 실현을 위한 객체로 전락하여 자신의 생각과 행동을 주체적으로 할 수 없게 됩니다. 그뿐만 아니라 효라는 사회적 가치는 자녀가 부모에게 일방적으로 행하는 것이 아니라 부모와 자녀 간의 쌍방향적인 사랑과 신뢰를 담은 것입니다. 그런데 이 경우 아버지가 자녀를 지속적으로 무시해온 것으로 부모는 자녀에게 사랑과 신뢰를 주지 않았음에도 불구하고, 자녀는 부모에게 일반적인 효를 실현할 것을 강제하는 것입니다. 따라서 존속상해치사 가중처벌은 효라는 사회적 가치를 실현한다고 볼 수 없습니다.

24) 조선시대 이래 현재에 이르기까지 존속살해죄에 대한 가중처벌은 계속되어 왔고, 그러한 입법의 배경에는 우리 사회의 효를 강조하는 유교적 관념 내지 전통사상이 자리 잡고 있는 점, 존속살해는 그 패륜성에 비추어 일반 살인죄에 비하여 고도의 사회적 비난을 받아야 할 이유가 충분한 점, 1995년 이 사건 법률조항의 법정형이 종래의 '사형 또는 무기징역'에서 '사형, 무기 또는 7년 이상의 징역'으로 개정되어 기존에 제기되었던 양형에 있어서의 구체적 불균형의 문제도 해소된 점을 고려할 때 이 사건 법률조항이 형벌체계상 균형을 잃은 자의적 입법으로서 평등원칙에 위반된다고 볼 수 없다. (헌재 2011헌바267)

Q3. 모범답변

존속상해치사 가중처벌을 폐지해야 합니다. 평등원칙에 위배되기 때문입니다. 평등원칙이란 같은 것은 같게, 다른 것은 다르게 대하라는 원칙입니다. 합리적인 이유 없이 같은 것을 다르게 대하거나 다른 것을 같게 대하면 평등원칙에 위배됩니다. 부모가 학대하여 자녀가 결과적으로 범죄를 저지르게 된 경우는 부모가 먼저 가족관계를 파괴한 것으로서 범죄의 동기가 부모에게 있는 것이기 때문에 자녀가 패륜적인 범죄를 저지른 경우와 엄연히 다른 이유가 있습니다. 그러나 존속상해치사 가중처벌은 범죄 동기와 관계없이 단순히 범죄의 대상이 부모이기만 하면 그 동기와 책임을 막론하고 동일하게 처벌을 가중하는 것입니다. 이는 다른 것을 같게 대하는 것으로서 평등원칙에 위배됩니다.

또한 존속살해와 영아살해는 모두 가족관계를 파괴하는 행위임에 분명합니다. 그러나 존속살해는 가중하여 처벌하고, 영아살해는 처벌을 감경하고 있습니다. 이는 자녀를 부모의 소유물로 보는 생각에서 기인하는 것입니다. 이처럼 같은 가족관계 파괴행위에 대해 가중처벌과 감경으로 다른 취급을 하는 것은 같은 것을 다르게 대하는 것으로서 평등원칙에 위배됩니다.

따라서 평등원칙에 위배되므로 존속상해치사 가중처벌은 폐지해야 합니다.

Q4. 모범답변

존속상해치사 가중처벌을 폐지한다면 효(孝)라는 사회도덕이 무너질 수 있다는 반론이 제기될 수 있습니다. 그러나 존속상해치사 가중처벌이 있어야만 사회도덕인 효가 지켜진다고 할 수 없습니다. 존속에 대한 상해치사범행은 도덕적으로 비난할 문제이지 법으로 가중처벌할 문제는 아닙니다. 존속상해치사 가중처벌은 비속의 존속에 대한 사랑, 효심을 높이기 위해 형법에 규정되었습니다. 효는 사람의 마음속에서 우러나와야 하므로 내면적인 문제일 뿐입니다. 효는 법으로 강제해서 실현할 수는 없습니다. 오히려 효를 법으로 강제하면 사회도덕이 무너질 수 있습니다. 법으로 효를 강제하려면 법적 기준이 정해져야 합니다. 예를 들어 만약 부모님에게 용돈을 일정금액 주는 것이 효라고 법제화된다면, 가정형편으로 인해 일정금액을 주지 못하는 자녀는 효심이 있더라도 처벌받고, 용돈을 드리고 있으나 부모를 무시하는 자녀는 오히려 효자로 인정받게 됩니다. 이처럼 사회도덕을 법으로 강제하여야만 사회도덕이 실현되는 것은 아닙니다.

존속상해치사행위를 가중처벌하여 패륜행위를 막아야 한다는 반론이 제기될 수 있습니다. 그러나 존속살해를 기준으로 보면, 패륜으로 볼 사건은 극히 적고, 오히려 부모의 가혹행위 등으로 야기된 사건이 많습니다. 존속상해치사 가중처벌이 지키고자 하는 가치는 부모와 자녀 간의 사랑, 가족 관계일 것입니다. 부모와 자녀 간의 쌍방향적인 사랑과 신뢰의 결과로 나타나는 것이 효라는 사회적 가치입니다. 그러나 부모가 자녀에게 사랑과 신뢰를 주지 않고 지속적인 학대와 폭행, 가혹행위를 행했음에도 불구하고, 자녀는 단지 부모가 나를 낳았다는 이유만으로 일방적인 효를 실천할 것을 강요당하는 것입니다. 부모는 자녀를 낳을 것인지 여부를 선택할 수 있으나 자녀는 부모를 선택할 수 없음을 고려할 때, 패륜행위는 단지 자녀의 것일 수만은 없고 부모 역시 자녀에 대한 패륜행위를 행할 수 있습니다. 따라서 존속상해치사 가중처벌이 패륜행위를 막는다는 반론은 타당하지 않습니다.

공동체주의: 사마리아인의 법

2024 성균관대·2023 충북대/한국외대·2022 성균관대
2021 경북대/경희대/제주대·2020 성균관대·2019 성균관대 기출

1. 기본 개념

(1) 구조 의무 강제[25)]

자유주의적 형법관을 옹호하는 법률가들은 '나쁜 사마리아인의 법'을 정립해서는 안 된다고 주장한다. 그들이 도입의 반대로 제시하는 논거로는 ① 최소한의 범죄화정책론, ② 자선의 강제론, ③ 자유에의 부당한 간섭론 등을 들고 있다.

반면, 사마리아인의 법을 제정해서는 안 된다는 입장은, ① 사회 방위를 위한 해악의 원리의 확대 해석, ② 최소한의 안전한 구조의 필요를 권리로 인정하여 보호할 필요성, ③ 사회적 책임원칙과 법적 도덕주의의 도입 필요성을 들고 있다.

(2) 구조 의무 강제의 요건

① 현존하는 급박한 위험이 있어야 한다. 먼저 구조에 앞서 위난을 당한 자가 존재해야 하고, 그 위난의 정도는 생명체 신체에 중대한 위험이 있는 상태이다. 그 밖의 것, 예를 들어 명예나 재산, 심지어 성적 자기결정권의 자유(흔히 정조라고 부르는 것)가 위험한 상태에 놓여 있을 때, 일반인에게 구조의무를 부과하지 않는다.

② 구조자에게 도울 힘이 있어야 한다. 구조의무자의 상황적 한계문제인데, 각국의 착한 사마리아인의 법규정은 '도울 힘이 있는 자'로 한정하고 있다. 여기에도 도울 능력 있는 자란 위험에 근접해 있는 정도, 위험의 인식도, 효과적인 구제의 가능성 등이 참작되고 있다. 즉 구조자가 본인의 의사와 관계없이 위난당한 사람과 만나게 되었고, 그 상황에서 그 위난당한 자를 돕는 것이 구조자의 동일한 법익에 대한 중대한 위험이 될 수 없는 상황이라면 구조를 제공해야 한다. 단순히 갈 길이 바빠서, 경제적 손실이 있기 때문에, 또한 귀찮아서라든가, 어쩌면 자신에게 미칠지 모르는 손실을 두려워하여 그 상황으로부터 도피적인 탈출을 한다면 나쁜 사마리아인의 적용을 받아 처벌받게 된다. 그러나 위난에 처한 자가 도움받기를 거부한 때에는 구조 의무가 강제되지 않는다.

③ 구조자에게는 최소한의 구조 의무가 있을 뿐이다. 구조 의무의 내용은 기대할 수 있는 만큼의 최소한이다. 적어도 구조의 능력과 의무를 진 당국에 신고하거나, 이웃에 도움을 요청하는 것 내지 알리는 것이 최소한의 의무라 할 수 있다. 그러한 가능성이 없을 때, 자신에게 기대되는 범위 안에서 스스로 구조를 제공해야 한다. 자신의 승용차로 위난에 처한 자를 싣고 인근 병원으로 옮기는 등의 조치를 예상할 수 있다.

25)

긴급구조의무

(3) 우리 법의 구조 의무 강제 조항

응급의료에 관한 법률 제5조의2(선의의 응급의료에 대한 면책) 생명이 위급한 응급환자에게 다음 각호의 어느 하나에 해당하는 응급의료 또는 응급처치를 제공하여 발생한 재산상 손해와 사상(死傷)에 대하여 고의 또는 중대한 과실이 없는 경우 그 행위자는 민사책임과 상해(傷害)에 대한 형사책임을 지지 아니하며 사망에 대한 형사책임은 감면한다.

의사상자 등 예우 및 지원에 관한 법률 제1조(목적) 이 법은 직무 외의 행위로 위해(危害)에 처한 다른 사람의 생명·신체 또는 재산을 구하다가 사망하거나 부상을 입은 사람과 그 유족 또는 가족에 대하여 그 희생과 피해의 정도 등에 알맞은 예우와 지원을 함으로써 의사상자의 숭고한 뜻을 기리고 사회정의를 실현하는 데에 이바지하는 것을 목적으로 한다.

도로교통법 제29조(긴급자동차의 우선 통행) ⑤ 모든 차와 노면전차의 운전자는 제4항에 따른 곳 외의 곳에서 긴급자동차가 접근한 경우에는 긴급자동차가 우선통행할 수 있도록 진로를 양보하여야 한다.

2. 쟁점과 논거

찬성론: 사회적 가치 보호	반대론: 개인의 자유
[공동체 유지·존속] 공동체가 유지·존속되려면 공유된 가치를 지켜야 한다. 사회구성원으로서 어려움에 처했을 때 서로 도와야 한다는 상호부조의 가치는 공유된 가치이다. 사마리아인의 법은 자신이 위험에 처하지도 않는데 타인의 위험을 방관하는 것으로, 구조 의무를 행하지 않는 것은 상호부조라는 공유된 가치를 훼손하여 공동체를 위협하는 행위이므로 공동체의 유지와 존속을 위해 처벌해야 한다.	[개인의 자유 제한] 개인의 자유는 타인의 자유와 권리를 직접적으로 침해할 경우 법률에 의해서만 제한 가능하다. 하지만 사마리아인의 법은 개인이 타인에게 그 어떠한 직접적 해악을 가할 것인지 자유롭게 선택하지도, 타인에게 해악을 줄 수 있음을 예측할 수도 없는데 개인의 자유를 제한하겠다는 것이다. 이는 사회적 다수가 옳다고 여기는 도덕을 실현하기 위해, 개인에게 주변에 위험이 처한 사람들이 없는지 살피도록 행동을 강제하는 것이다.
[평등 실현] 공동체 구성원 모두는 상호부조라는 사회적 가치의 실현에 있어서 동일한 취급을 받아야 한다. 사마리아인의 법이 없다면, 위험에 처했을 때 주변에 어떤 사람이 있느냐에 따라 도움의 유무가 달라진다. 사마리아인의 법을 제정하여 모든 사회구성원이 위험상황에서 안정적으로 도움을 받을 수 있도록 해야 한다.	[평등원칙 위배] 평등원칙은 다른 것을 같게 대해서는 안 된다는 원칙이다. 타인의 자유에 대한 직접적인 해악을 가하는 행위와 타인을 돕지 않은 행위는 명백하게 다름에도 불구하고, 이를 동일하게 처벌하는 것은 평등원칙에 위배된다.
[개인의 자유의 실질적 보호] 누구나 한 번쯤 위험에 처할 수 있으며, 일생에 그 위험이 없는 사람은 없다. 사마리아인의 법을 제정하게 되면 다른 구성원이 위험에 처했을 경우 자의든 타의든 이를 구제하기 위해 행동하게 된다. 그 결과 위험에 처한 사람의 생명이나 신체의 위해를 실질적으로 지킬 수 있다.	[절대국가 우려] 도덕적 행위는 내면의 문제이므로 판단이 모호한데 이를 처벌한다면 개인은 무엇이 도덕적 행위인지 스스로 판단할 수 없다. 사마리아인의 법은 위험에 처한 사람을 도우라는 것인데, 이보다 더 모호한 도덕 영역까지 사회 다수의 생각을 개인에게 강요하게 될 것이다. 모든 도덕적 판단을 국가가 대신하는 절대국가가 우려된다.

3. 읽기 자료

甲과 집으로 걸어가던 중 乙과 동행하게 되었다. 둘은 모두 술에 취해 실족하여 2미터 아래 개울로 미끄러져 떨어져서 약 5시간가량 잠을 자다가 술과 잠에서 깨어났다. 甲과 乙은 도로 위로 올라가려 하였으나 야간이므로 도로로 올라가는 길을 발견치 못하여 헤매다가 乙은 미끄러져 움직일 수 없게 되었다. 당시는 영하 15도의 추운 날씨이고 40미터 떨어진 곳에 민가가 있었는데, 甲은 혼자 길을 발견하고 집으로 귀가하였고, 乙은 사망하였다. 甲에게 민가에 가서 구조를 요청하든가 스스로 乙을 데리고 올라와서 병원으로 데려가 치료케 하는 등 긴급히 구조조치를 취하여야 할 의무를 인정할 수 있는지가 문제된 사건이다.

원심은 乙의 사망에 대하여 甲에게 유기죄를 인정하였으나 대법원은 "우리 형법은 유기죄에 있어서 보호책임 없는 자의 유기죄의 주체가 될 수 없고, 법률상 또는 계약상 의무 있는 자만을 유기죄의 주체로 규정하고 있어 명문상 사회상규상의 보호책임을 관념할 수 없다."고 하여 甲에게 유기죄가 인정되지 않는다고 판단하였다.[26]

26)

76도3419

013 문제 공동체주의: 사마리아인의 법

답변 준비 시간 15분 | 답변 시간 10분

※ 다음 제시문을 읽고, 문제에 답하시오.

(가) 최근 들어 쉽게 해결할 수 없는 도덕적 사안들이 등장하고 있다. 과거에는 도덕률을 위반한 사례들에 대하여 법이 간섭해서는 안 된다고 주장하는 사람들이 드물었다. 그러나 오늘날에는 도박과 같은 부도덕이 자유의 이름으로 보호되어야 한다고 생각하는 사람들이 많이 있다. 사회는 스스로를 보존하기 위해 법을 만든다. 이때 법의 목적은 사회의 도덕을 수호하는 것이고, 법원의 임무는 어떤 시스템을 창조하는 것이 아니라 사회의 유산을 방호하는 것이다. 자유로운 사회라도, 그 사회를 결속시키는 토대는 공통의 정서가 가지는 응집력이다. 사회를 만드는 것은 공통의 생각들이며, 여기에는 정치이념뿐만 아니라 그 구성원들이 어떻게 행동하고 삶을 이끌어가야 하는가에 관한 생각들도 포함된다.

그러나 입법자는 무엇이 좋고 나쁜지에 대한 판단을 내릴 필요가 없다. 입법을 통해 강제되는 도덕은, 그 사회에 의해 이미 받아들여지고 있는 옳고 그름에 대한 생각들이기 때문이다. 그러한 생각들은 사회의 온전한 보존을 위해 필수적이며, 입법자는 그러한 생각들을 법으로 제정한다. 예를 들어 그는 일부일처제와 일부다처제의 장단점에 대해 따져볼 필요가 없다. 그는 일부일처제가 자기가 속한 사회 구조의 본질적 부분이라는 사실을 확인하기만 하면 된다. 이 경우 그는 자연스럽게 자기가 속한 사회의 도덕이 좋은 것이고 옳은 것이라고 받아들여야 할 것이다. 그러나 입법자가 이러한 도덕의 좋음과 옳음을 보증할 필요는 없다. 그에게 위임된 권한은 사회의 토대를 보존하는 것이지, 자기 자신의 생각에 따라 그것을 재구성하는 것이 아니기 때문이다.

(나) 국가의 가장 중요한 기능은 시민들이 좋은 삶을 실현하도록 돕는 것이다. 좋음의 객관적인 내용은 보편적 이성에 의해 발견될 수 있으며, 국가의 역할은 좋음에 관한 이러한 관념을 시민들의 마음속에 불어넣는 것이다.

사람들이 도덕적 삶을 지향하도록 강제하기 위해서는 올바른 법이 필수적이다. 자발적으로 절제 있고 강인하게 사는 것은 대부분의 사람들에게 즐거운 일이 아니기 때문이다. 이성적 설득보다 힘이, 고귀한 가치보다 처벌의 위협이 대다수의 사람들을 올바른 삶으로 인도한다. 어떤 사람이 한두 차례 절제 있고 올바른 행위를 한다고 해서 곧바로 덕을 갖춘 사람이라고 말할 수는 없지만, 일단 익숙해지면 그러한 행위를 적어도 고통스럽게 느끼지는 않게 된다.

어떤 사람들은 국가가 이렇게 기능하는 것은 전제와 억압의 다른 형태라고 비판한다. 이들 주장의 핵심은 자유와 관용의 이름으로 여러 도덕적 관념들 가운데서 국가가 중립을 지켜야 한다는 것이다. 그러나 이러한 주장은 중립 자체도 일종의 도덕적 판단의 결과라는 점을 망각한 것이다. 불편부당한 도덕적 판단도 그 안에 어떤 근본적인 가치를 포함하지 않을 수 없다. 이 근본적인 가치가 없다면 이들이 주장하는 자유와 관용도 정당화될 수 없다. 국가는 도덕적 삶을 완성하기 위해 할 수 있는 일을 해야 한다.

(다) 자유에의 부당한 간섭론은 첫째의 형법의 역할과 한계론과 관련이 있다. 형사법에 의한 구조의무의 법적 강제는 다른 사람에게 피해를 야기시키지 말아야 할 법적 의무보다도 더 심각한 자유의 제약이 될 수 있음을 지적한다. 살인, 강도, 상해행위 등 다른 사람에게 피해를 야기시키는 행위를 하지 못하도록 금지하는 형법규범은 확실히 행위자의 행동의 자유를 제약한다.

그러나 이 자유의 제약은 적어도 국가, 사회, 개인의 이익을 보호하기 위하여 필요하고, 형법 규정으로 인하여 제약의 정도와 그 위반의 효과가 예측가능하다. 형법으로 인한 자유의 제약이 싫으면 금지된 행위를 하지 않으면 된다. 이것은 행위자의 예측과 선택에 달려있다고 말할 수 있다. 사람은 누구나 자신의 생활방식과 행동유형을 스스로 선택하고 결정할 수 있을 때 자유롭고 자신이 자기 삶의 주인이 된다. 그런데 자신이 사전에 예측하지 않던 행위를 돌연히 하도록 요구하도록 강제하는 법이 제정된다면, 그에 따른 작위[27] 의무가 있기 때문에 항상 주변을 살펴보고 돌발 사태에 대처해야만 한다. 이와 같이 주변사에 대한 관찰과 경계 의무는 자신을 위한 것이라기보다는 이웃과 사회의 이익을 더 위한 것이다. 한적한 숲길을 산책하면서 세상잡사를 잊고 자신만의 자유로운 철학적 사색을 즐길 수 있는 자유 허용의 가치와 항상 주변의 돌발 사태를 예측하고 이웃사람의 긴급한 위험에 대처할 준비를 할 때에 파생되는 자유 제약과 그로 인해 도모되는 사회적 이익을 비교할 때에 자유주의자들은 전자를 더 높이 평가해야 된다는 것이다. 따라서 자유 제한적 형법 규범은 인정될 수 없다는 것이다.

Q1. 제시문 (가)의 주장과 논거는 무엇인지 간략하게 답변하시오. 그리고 이 견해에 따르면, 위험에 처한 타인을 구조할 의무를 부과하고 이를 행하지 않을 경우 처벌하는 법, 즉 사마리아인의 법 제정에 대해 어떤 입장을 취하겠는가?

Q2. 제시문 (나)의 주장과 논거는 무엇인지 간략하게 답변하시오. 그리고 이 견해에 따르면 사마리아인의 법 제정에 대해 어떤 입장을 취하겠는가?

Q3. 제시문 (다)의 주장과 논거는 무엇인지 간략하게 답변하시오. 그리고 이 견해에 따르면 사마리아인의 법 제정에 대해 어떤 입장을 취하겠는가?

Q4. 위 입장을 참고하여, 사마리아인의 법 제정에 대한 자신의 견해를 제시하시오.

27)
작위(作爲)/부작위(不作爲): 작위란 의식적인 의사에 의한 적극적 행위를 말한다. 부작위는 마땅히 해야 할 것으로 기대되는 조치를 취하지 않는 것을 말한다. 사람의 행위에는 '밥을 먹는다', '자동차를 운전한다' 따위와 같은 적극적 동작과, '아이에게 젖을 먹이지 아니한다'처럼 소극적 태도가 있다. 앞의 동작을 작위(作爲)라고 하고 뒤의 태도를 부작위(不作爲)라 한다. 그러나 엄밀히 말하면 그 구별은 행위 자체에 의해서 이루어지는 것이 아니고 보는 관점에 의해 구별되어지는 것이다. 예컨대 아이 어머니가 시장에 갈 경우 그 자체는 작위가 될지라도 젖을 준다는 관점에서는 부작위가 된다. 이와 같이 부작위란 아무것도 하지 아니하는 것을 의미하는 것이 아니라 규범적으로 기대된 일정한 행위를 하지 않는 것을 말한다.

013 해설 공동체주의: 사마리아인의 법

Q1. 모범답변

제시문 (가)는 사회공동체를 유지하기 위해 사회도덕을 법제화할 수 있다는 입장입니다. 이 입장에 따르면 사회공동체는 서로 다른 생각을 가진 개인들이 모여 구성되므로 사회도덕이라는 공동의 끈 없이 사회는 존재할 수 없습니다. 공동체 안에서 개인의 생명이 보호되지 않는다면 굳이 공동체 구성원으로 살 이유가 없습니다. 따라서 구성원의 생명 보호는 공동체 유지에 필수적 가치라고 할 수 있습니다. 공동체를 구성해서 사는 인간은 고립된 개인이 아니라 다른 사람과 연대해서 살아가는 사회적 인간입니다. 다른 사람과 연대해서 사는 만큼, 안전한 사회를 위해 공동체 구성원에게는 자신의 생명이 위태롭지 않다면 구조가 필요한 타인의 생명을 구조해야 할 의무가 있습니다. 이는 공동체 유지를 위해 필요한 최소한의 의무라 할 수 있습니다. 따라서 모든 공동체 구성원에게는 위험에 빠진 타인을 구조할 의무가 있으므로 사회 유지를 위해 사마리아인의 법을 제정해야 한다고 주장할 것입니다.

Q2. 모범답변

제시문 (나)는 국가는 국민이 좋은 삶을 살 수 있도록 강제할 수 있다고 합니다. 이에 따르면, 국민은 좋은 삶이 무엇인지 잘 모르거나 그렇게 행동하기 어려우므로, 국가가 강제를 통해 이를 실현해야 한다는 입장입니다. 국민은 생명 구제가 옳은 가치임을 알고 있더라도 단지 번거로워 타인의 어려움을 돕지 않으려는 유혹에 빠지기 쉽습니다. 사마리아인의 법을 제정해 구조하지 않는 자를 처벌한다면, 개인은 구조 여부를 고민하는 심적 갈등 상황에서 구조를 결심할 것입니다. 이런 사례가 많아질수록 위험에 처한 자를 구조해야 한다는 사회적 압력은 강해지고, 타인의 생명을 구조해야 한다는 사회 분위기가 형성될 수 있습니다. 이러한 사회 분위기 안에서 자라난 새로운 세대도 자연스럽게 이를 배워나가 좋은 사회가 이룩됩니다. 따라서 (나)에 따르면 국민들이 좋은 삶을 실현하고 좋은 사회를 만들기 위해 사마리아인의 법을 제정해야 합니다.

Q3. 모범답변

제시문 (다)는 개인에게 특정한 사회도덕을 위한 삶을 살도록 강요해서는 안 된다고 주장합니다. 개인은 자기 삶의 주인으로서 자신의 삶의 목적이 되는 가치관을 스스로 설정하고 이를 추구합니다. 따라서 개인의 삶은 사회적 가치의 구현이라는 삶의 목적을 스스로 정하지 않은 이상 이러한 가치관을 가지라고 사회가 강요할 수 없습니다. 만약 이를 강제한다면 개인은 사회적 가치 실현의 수단으로 전락하게 되어 자기 삶의 주체성을 부정당하게 됩니다. 만약 개인에게 좋은 사회의 실현이라는 삶의 목적을 실현하기 위해 살라고 강요한다면 이는 개인을 노예로 다루는 것이나 다름없다고 합니다. 사마리아인의 법과 같이 타인을 구조할 의무를 개인에게 강제한다면, 이는 스스로 목적이어야 할 개인을 타인 구조를 위한 수단으로 전락시키는 것입니다. 사마리아인의 법은, 개인이 삶의 목적을 스스로 세우고 자유롭게 살기보다, 언제 어디서 일어날지 예측할 수 없는 타인의 위험을 막고 안전한 사회라는 사회적 가치를 실현하기 위한 삶을 살아야 한다고 강제하는 것입니다. 따라서 (다)에 따르면 개인의 자유를 과도하게 제한하므로 사마리아인의 법을 제정해서는 안 됩니다.

Q4. 모범답변

사마리아인의 법 제정은 타당하지 않습니다. 사마리아인의 법을 제정하는 목적은 공동체 구성원의 생명 구제입니다. 이를 위해서는 개인들의 자발적 참여가 필요하며, 이는 처벌이 아니라 개인의 자발적 성찰을 통해 가능합니다. 만약 이를 형벌로 강제하려 한다면 개인은 오히려 처벌을 회피하기 위해 타인의 위험을 모른 척할 가능성이 더 높습니다. 도덕적 행위는 내면적 문제이므로 판단 기준이 모호할 수밖에 없어, 개인은 위험에 처할 것이라 예상되는 타인을 회피하여 구조를 하지 않았을 때 자신이 받을 처벌을 면하고자 할 것입니다. 이로 인해 위험에 처한 사회 구성원의 생명을 구제할 가능성은 현저히 낮아질 것입니다. 따라서 사마리아인의 법은 사회 구성원의 생명은 구제하지 못하면서 개인의 자유를 제한하기만 할 뿐이므로 제정해서는 안 됩니다.

014 개념 공리주의: 핀토 리콜

2023 충북대·2022 서울대·2021 경북대·2020 성균관대/영남대·2019 영남대 기출

1. 공리주의의 판단 기준: 효용

공리주의는 옳고 그름의 판단 기준으로 효용을 제시한다. 효용이 증가하면 옳고 효용이 감소하면 옳지 않다. 이러한 효용의 판단 주체는 개인이므로 개인의 쾌락이 증가하면 효용이 큰 것이고 개인의 쾌락이 감소하면 효용이 작다. 이 점에서 공리주의는 공동체주의와 근본적으로 다르다. 공리주의는 자신의 쾌락의 증감 여부를 판단할 수 있는 주체는 개인이며 결코 타인이나 사회가 될 수 없다고 한다. 따라서 사회의 의사결정이나 국가 정책은 개인의 효용의 합을 극대화시키는 것이어야 정당하다.

2. 공리 판단: 효용 계산

공리주의는 효용 계산을 명확하게 해야 한다. 만약 효용 계산 과정을 구체적으로 증명하지 않는다면 공리주의에 대해 증명한 것이 아니다. 효용의 주체를 제시하고, 효용의 증가 혹은 감소를 증명해야 한다. 따라서 공리주의에 의하면 특정 사례가 옳을 수도, 그를 수도 있다. A라는 사람은 효용이 증가했음을 증명했는데, B라는 사람은 오히려 효용이 감소했음을 증명할 수도 있기 때문이다.

구체적인 효용 계산은 아래의 판례를 확인하기 바란다. 운전자가 좌석안전띠를 매는 것이 공리를 증가시킨다는 정도로 답변하는 것은 아무 증명도 시도하지 않은 것이다. 아래의 판례처럼 어떤 주체에게 어떤 효용이 어느 정도로 있는지를 구체적으로 증명해야 공리주의에 따른 효용 계산이 된 것이다.

3. 판례: 좌석안전벨트 강제[28)]

운전자가 좌석안전띠를 착용하면 교통사고로 사망하는 확률을 줄이고 부상의 정도를 가볍게 함으로써 운전자 본인이 직접적인 불이익을 면하게 된다. 또한 교통사고 발생 시에 동승자와의 차내 충돌을 방지하여 운전자 본인 및 다른 동승자의 피해를 감소시키고, 운전자가 사고차량의 조종기능을 잃지 않은 경우에는 2차 사고발생의 확률을 줄이며, 운전자의 차외방출로 다른 차량 등과 충격해 발생할 수 있는 2차 사고피해 및 다른 차량이 입을 운행의 장애를 감소시킨다. 좌석안전띠착용으로 운전자가 의식을 잃지 않게 되면 동승자 및 다른 사고당사자의 응급구호활동에 나설 수 있고 사고신고 및 구조요청을 신속하게 할 수 있어서 다른 사고관련자의 손해를 줄일 수 있다. 사회 전체적으로는 구조·의료·요양·간호비용 등의 지출을 감소시키고, 사고처리절차에 따른 행정부와 사법부의 비용을 줄인다. 또한 각종 사보험 및 국민연금, 산업재해보상보험 등의 지출을 감소시켜서 사회적 비용을 감소시키며, 이러한 사회적 비용의 감소는 곧 다른 보험가입자 및 각종 연금가입자의 보험료 또는 연금보험료의 부담을 감소시킨다.

좌석안전띠를 매지 않는 행위는 그로 인하여 받을 위험이나 불이익을 운전자 스스로 회피하지 못하고 매우 큰 사회적 부담을 발생시키는 점, 좌석안전띠를 매지 않고 운전하는 행위에 익숙해진다고 하여 위험이 감소하지도 않는다는 점, 동승자의 피해를 증가시키는 점 등에 비추어 볼 때, 운전자 자신뿐만이 아니라 사회공동체 전체의 이익에 해를 끼치고 있으므로 국가의 개입이 정당화된다.

28)

2002헌마518

이 사건 심판대상조항들로 인하여 청구인은 운전 중 좌석안전띠를 착용할 의무를 지게 되는바, 이는 운전자의 약간의 답답함이라는 경미한 부담이고 좌석안전띠미착용으로 청구인이 부담하는 범칙금이 소액인데 비하여, 좌석안전띠착용으로 인하여 달성하려는 공익인 동승자를 비롯한 국민의 생명과 신체의 보호는 재산적인 가치로 환산할 수 없는 것일 뿐만 아니라 교통사고로 인한 사회적인 비용을 줄여 사회공동체의 이익을 증진하기 위한 것이므로, 달성하고자 하는 공익이 침해되는 청구인의 좌석안전띠를 매지 않을 자유의 제한이라는 사익보다 크다고 할 것이어서 법익의 균형성도 갖추었다고 하겠다.

014 문제 공리주의: 핀토 리콜

답변 준비 시간 5분 | 답변 시간 5분

※ 다음 제시문을 읽고, 문제에 답하시오.

(가) 인간은 고통과 쾌락에 지배받는다. 고통과 쾌락은 옳고 그름의 기준이다. 행복을 증가시키느냐 또는 감소시키느냐에 따라 어떤 행동이 칭찬할 행동인지 비난할 행동인지가 결정된다. 효용성은 개인의 행위뿐 아니라 국가의 모든 정책의 판단기준이다. 효용성은 이익, 쾌락, 행복을 가져오고 불이익, 고통, 불행을 예방하는 속성이다. 공동체 이익은 도덕의 가장 일반적인 표현 중 하나이다. 공동체는 개인으로 구성된 허구체일 뿐이다. 공동체의 이익이란 그 공동체를 구성하는 구성원들의 이익을 합한 것이다. 따라서 개인의 이익을 별개로 하여 공동체의 이익을 논한다는 것은 무익하다.

(나) A사의 자동차인 핀토는 설계상의 문제가 있어 다른 차가 뒤에서 들이받을 경우 연료탱크가 폭발하는 결함이 있었다. 핀토 모델을 출시한 후, 설계담당자의 보고를 받은 경영진은 이러한 문제점을 인지하게 되었다. 경영진은 지금까지 판매된 자동차를 수리하는 비용과 연료탱크 결함으로 인해 사고가 발생할 경우 배상금을 계산하였다. 먼저, 판매된 자동차를 리콜하여 연료탱크를 수리하는 비용은 1대당 11달러이고 1,250만 대를 수리해야 한다.
반면, 리콜을 하지 않아 발생하게 될 자동차 운전자와 동승자의 예상피해는 180명의 사망과 180명의 화상사고가 일어날 것이라 계산되었다. 정부기관의 교통사고 산정기준에 의하면, 사망은 20만 달러를 배상하고 화상사고는 7만 5천 달러를 배상해야 한다.

(다) 행복한 도시, 축복받은 시민의 도시인 오멜라스는 왕도 노예도, 광고도 주식거래도, 원자폭탄도 없는 곳이다. 오멜라스에서 아름답기로 소문난 공공건물 지하실에, 어쩌면 대궐 같은 개인저택 천장에 방이 하나 있다. 방문은 잠겼고, 창문은 없다. 이 방에 아이가 하나 앉아 있다. 지능도 떨어지고 영양 상태도 안 좋은 아이는 방치된 채로 비참하게 하루하루를 연명해간다.
오멜라스 사람들은 아이가 그곳에 있음을 모두 알고 있다. 사람들은 그 아이가 왜 그곳에 있어야 하는지 잘 알고 있다. 오멜라스의 모든 행복과 쾌락이 전적으로 그 아이의 혐오스러울 만큼 비참한 처지에 달려 있다는 사실을 모두가 잘 알고 있다. 물론 아이를 그 지독한 곳에서 밝은 햇살이 비치는 바깥으로 데리고 나온다면, 아이를 깨끗하게 씻기고 잘 먹이고 편안하게 해준다면, 그것은 정말로 좋은 일일 것이다. 하지만 만약 그렇게 한다면, 당장 그날 그 시간부터 지금껏 오멜라스가 누렸던 모든 행복과 아름다움과 즐거움은 사라지고 말 것이다. 이것이 바로 오멜라스의 행복을 위한 계약이다.

Q1. 제시문 (가)의 공리주의의 입장에 따르면, 제시문 (나)의 A사의 경영진은 어떤 선택을 해야 하는가 답하고, 그 이유를 구체적으로 논증하시오.

Q2. 제시문 (가)의 입장에 따르면, 제시문 (다)의 오멜라스에서 지하실에 갇혀 있는 아이를 풀어주는 행위를 어떻게 평가할 것인지 답하고, 그 이유를 구체적으로 논증하시오.

014 해설 공리주의: 핀토 리콜

Q1. 모범답변

공리주의 입장에 따르면 A사의 경영진은 리콜을 하지 않는 선택을 해야 합니다. 리콜을 하지 않을 때 효용이 극대화되기 때문입니다. 리콜을 할 경우의 비용은 1,250만 대의 자동차에 대당 11달러의 수리비용이 들어 1억 3,750만 달러인 데 반해, 리콜을 하지 않을 경우 소요되는 비용은 4,950만 달러에 불과하기 때문입니다. 따라서 리콜을 하지 않았을 때 8,800만 달러의 금액을 절약할 수 있어 효용이 더 크기 때문에 A사의 경영진은 리콜을 하지 않는 선택을 해야 합니다.

Q2. 모범답변

제시문 (가)의 공리주의는 효용을 극대화하는 선택이 옳은 것이라 합니다. 공리주의에 따르면 개인의 쾌락의 합이 극대화되는 선택이 옳은 국가 정책이라 할 수 있습니다.

이러한 입장에서 제시문 (다)의 오멜라스에서 지하실에 갇혀 있는 아이를 풀어주는 행위는 옳지 않다고 평가할 것입니다. 아이가 갇혀 있는 것이 효용을 극대화하는 선택이며, 아이를 풀어준다면 개인의 쾌락의 합이 줄어들 것이기 때문입니다. 아이가 지하실에 갇혀 있을 때의 효용을 판단하면, 오멜라스의 모든 주민들의 쾌락은 극대화됩니다. 반면, 갇혀 있는 아이는 지능이 떨어져 자신이 어떤 상황에 있는지도 모르는 상태이므로 쾌락과 고통의 주체라 할 수 없어, 쾌락의 감소나 고통의 증대가 없습니다. 따라서 아이 한 명을 제외한 모든 오멜라스 주민들의 쾌락은 커지는 반면 아이의 고통은 존재하지 않으므로, 아이를 가두어두는 것이 효용이 극대화되는 선택입니다. 그러나 만약 아이를 풀어준다면 쾌락의 주체가 아닌 아이의 쾌락에는 아무 변화가 없으나 오멜라스의 주민들의 고통은 증대되기 때문에 아이를 풀어주는 행위는 효용을 감소시켜 옳지 않은 행위라 평가됩니다.

015 개념 공리주의: 죄와 벌

1. 공리주의와 자유주의의 공통점

공리주의와 자유주의는 대단히 유사하다. <자유론>을 쓴 존 스튜어트 밀은 공리주의자임에도 자유의 중요성을 논했다. 자유주의는 개인의 자유 증진을 목적으로 하고, 공리주의는 사회의 효용을 증대시키는 것을 목적으로 한다. 개인에게 자유가 부여되면 당연히 자기 자신에게 이익이 되는 선택을 할 것이다. 이러한 개인들의 이익이 증대되면 결국 공공복리가 증대된다. 결국 개인의 자유도, 공공복리도 실현 가능한 것이다. 개인의 자유와 공공복리는 밀접한 관계가 있기 때문에 자유주의와 공리주의는 유사한 측면이 있다.

2. 공리주의와 자유주의의 차이점

공리주의자인 존 스튜어트 밀이 <자유론>에서 해악의 원칙을 제시하면서 마치 자유주의자인 것처럼 오인하는 경우가 많다. 존 스튜어트 밀은 누가 뭐라 해도 공리주의자라 할 수 있다. 공리주의자를 마치 자유주의자인 것처럼 오인하는 이유는 자유주의와 공리주의의 결론이 동일한 경우가 많기 때문이다. 달리 말하면, 공리주의와 자유주의가 원리 차원에서 대립하는 사례에서는 그 차이를 명확하게 확인할 수 있다는 의미이다.

공리주의와 자유주의가 원리 차원에서 대립하는 경우는 다음과 같다. 밀이 살던 시대의 영국은 여성의 선거권이 인정되지 않았다. 밀은 여성의 선거권을 인정해야 한다고 주장했다. 만약 밀이 자유주의자라면 여성의 선거권을 인정해야 하는 이유가 개인의 자유 때문이어야 한다. 개인은 자기 자신의 주체로 자신의 가치관에 따라 스스로 선택하고 이에 대한 책임을 지는 존재이다. 개인은 자신의 자유를 안정적으로 보장받고자 국가를 형성하였다. 국가는 개인의 자유의사를 존중하고 보장해야 하므로 개인은 국가의 주인으로서 국가의사를 결정할 권리가 있다. 이것이 바로 선거권이다. 따라서 개인은 성별과 관련 없이 국가의 주인으로서 국가의사를 결정할 수 있는 선거권이 있다.

그러나 공리주의자인 밀은 다른 이유를 제시한다. 밀은 영국은 발전할 수 없다고 단언했다. 영국 인구의 절반을 가정에서 살림만 할 것을 강제했는데 어떻게 영국이 더 발전할 수 있을 것이냐고 반문했다. 절반의 인구 중에서 뛰어난 자들이 경쟁하여 영국이 이렇게 발전했으니, 나머지 절반의 인구가 더 경쟁에 뛰어든다면 영국은 더 발전할 것이라고 했다. 영국의 발전을 위해서는 여성의 권리를 인정해서 경쟁에 뛰어들게 하면 되고, 이를 위해서는 여성에게 선거권을 주어야 한다는 논리를 펼친 것이다. 자유주의자는 개인의 자유라는 목적을 위해 선거권이라는 수단이 있다면, 공리주의자는 개인의 효용의 합을 극대화하는 것, 즉 국가 발전이라는 목적을 위해 선거권이라는 수단이 필요하다고 주장한다.

015 문제 공리주의: 죄와 벌

답변 준비 시간 10분 | 답변 시간 15분

※ 다음 제시문을 읽고, 문제에 답하시오.

(가) 행복한 도시, 축복받은 시민의 도시인 오멜라스는 왕도 노예도, 광고도 주식거래도, 원자폭탄도 없는 곳이다. 오멜라스에서 아름답기로 소문난 공공건물 지하실에, 어쩌면 대궐 같은 개인저택 천장에 방이 하나 있다. 방문은 잠겼고, 창문은 없다. 이 방에 아이가 하나 앉아 있다. 지능도 떨어지고 영양 상태도 안 좋은 아이는 방치된 채로 비참하게 하루하루를 연명해간다.
오멜라스 사람들은 아이가 그곳에 있음을 모두 알고 있다. 사람들은 그 아이가 왜 그곳에 있어야 하는지 잘 알고 있다. 오멜라스의 모든 행복과 쾌락이 전적으로 그 아이의 혐오스러울 만큼 비참한 처지에 달려 있다는 사실을 모두가 잘 알고 있다. 물론 아이를 그 지독한 곳에서 밝은 햇살이 비치는 바깥으로 데리고 나온다면, 아이를 깨끗하게 씻기고 잘 먹이고 편안하게 해준다면, 그것은 정말로 좋은 일일 것이다. 하지만 만약 그렇게 한다면, 당장 그날 그 시간부터 지금껏 오멜라스가 누렸던 모든 행복과 아름다움과 즐거움은 사라지고 말 것이다. 이것이 바로 오멜라스의 행복을 위한 계약이다.

(나) <죄와 벌>의 주인공인 라스콜리니코프의 범행 동기는 다섯 가지이다. ① 빈곤, ② 가족에 대한 사랑과 자신의 무능, ③ 우연적 요소 - 살인에 대한 망상을 충동적으로 구체화시키는 우연의 연속, ④ 라스콜리니코프의 환경(페테르부르크의 빈민가에서 받는 압박), ⑤ 초인(超人) 사상이 바로 그것들이다.
라스콜리니코프는 자신을 둘러싼 빈곤과 무능함에서 탈피하기 위해 범행을 계획한다. 그는 자신의 범행을 정당화하기 위한 논리를 세우는데 그것은 초인(超人) 사상, 공리주의와 깊은 연관을 가진다. 공리주의적인 측면에서 전당포의 노파는 잘못된 부(富)를 축적한 존재이고, 따라서 노파의 부는 그 부를 가질 가치가 있는 가난한 사람들에게 분배하거나 자신이 인류를 위해 봉사할 수 있도록 학비를 충당하는 데 쓰여야 한다는 것이다.
초인(超人) 사상은 그가 실제로 살인을 저지르고 난 후 살인이라는 명백한 범죄를 합리화하기 위한 기제이다. 나폴레옹에게서 영감을 받은 듯한 초인 사상에 따르면, 인간을 범인(凡人)과 비범인(非凡人)으로 나누고 새로운 세상을 창조할 능력이 있는 소수의 비범인(非凡人)은 피를 흘리는 것이 허용된다. 초인(超人)은 스스로의 양심상 모든 장애를 제거할 권리를 가졌기 때문이다. 라스콜리니코프의 살인은 자신이 초인(超人)인지를 알아보기 위한 방법이었다.

Q1. 공리주의자인 존 스튜어트 밀은 <자유론>에서 해악의 원칙을 제시하면서 개인의 자유를 보장해야 한다고 주장하였다. 공리주의와 자유주의의 차이점을 제시하고 이를 논리적으로 답하시오.

Q2. 위 문제의 논리적 연장선상에서, 제시문 (가)의 오멜라스의 지하실에 갇혀 있는 아이를 풀어주는 행위에 대해 공리주의와 자유주의는 각각 어떻게 평가할 것인가?

Q3. 제시문 (나)의 주인공(라스콜리니코프)의 살인은 외부적 환경의 영향 때문인가?

Q4. 제시문 (나)의 주인공이 공리를 위해 노파를 살해한 것은 정당한가?

Q5. 제시문 (나)의 주인공(라스콜리니코프)이 진지한 윤리적 결정에 따라 노파를 살해했다고 한다면, 처벌이 면책될 수 있는가?

015 해설 공리주의: 죄와 벌

Q1. 모범답변

공리주의와 자유주의의 차이점은 목적에 차이가 있습니다. 공리주의는 효용의 극대화가 목적인 반면, 자유주의는 자유의 확대가 목적이라는 차이점이 있습니다.

공리주의는 효용을 극대화하기 위해 개인의 자유를 보장하는 것이 좋다는 입장입니다. 사회는 개인들로 이루어져 있기 때문에 사회 효용을 극대화하기 위해서는 개인들의 효용이 극대화되어야 합니다. 개인들의 쾌락은 자기 자신이 가장 잘 알기 때문에 개인들에게 자유를 준다면 결국 자신의 효용을 극대화하는 선택을 할 것입니다. 따라서 이러한 개인들의 쾌락이 극대화된 사회는 자연적으로 쾌락의 극대화가 항상 달성됩니다. 따라서 공리주의는 효용 극대화라는 목적을 실현하기 위해 개인의 자유를 보장해야 한다고 주장합니다.

반면, 자유주의는 개인의 자유를 극대화하고자 하는 목적을 가지고 있습니다. 개인은 자기 삶의 주체로서 자신의 자유로운 선택이 가져올 책임을 예측하고 자신의 편익을 극대화하는 선택을 합니다. 따라서 개인의 자유가 보장되면 결과적으로 개개인의 편익이 극대화되어 사회의 편익도 극대화되는 결과로 이어집니다.

이와 같이 공리주의는 효용을 극대화하기 위한 목적으로 개인의 자유를 인정해야 한다고 보는 반면, 자유주의는 개인의 자유 확대를 목적으로 하면 사회의 효용이 극대화되는 결과가 발생한다고 보는 차이점이 있습니다.

Q2. 모범답변

공리주의의 입장에서 오멜라스의 지하실에 갇혀 있는 아이를 풀어주는 행위가 옳지 않다고 평가할 것입니다. 오멜라스의 모든 행복은 지하실에 갇힌 아이로부터 비롯됩니다. 지하실에 갇힌 아이는 지능이 떨어지기 때문에 자신의 행복을 판단할 수 있는 주체가 아닙니다. 이 아이를 풀어준다고 하더라도 아이의 쾌락이 증가하지 않습니다. 반면, 오멜라스의 모든 주민들의 쾌락은 감소할 것이 분명합니다. 따라서 지하실의 아이를 풀어주는 것은 쾌락 감소를 가져오기 때문에 옳지 않습니다.

자유주의의 입장에서는 오멜라스의 지하실에 갇혀 있는 아이를 풀어주는 행위가 옳다고 평가할 것입니다. 자유주의는 개인의 자유를 극대화하는 것이 옳은 선택이라 여깁니다. 자유주의의 입장에서는 사회 전체의 이익이 증대된다고 하더라도 이것이 개인의 자유를 박탈한 결과라 한다면 이를 인정할 수 없다고 생각하기 때문입니다. 따라서 오멜라스의 지하실에 갇혀 있는 아이를 풀어주는 행위는 개인의 자유를 보장하는 것이므로 옳은 행위라 평가할 것입니다.

Q3. 모범답변

주인공의 살인은 외부적 환경의 영향 때문이라 할 수 없으며 자기 자신의 자유로운 선택 때문에 발생한 것입니다. 외부적 환경의 요인은 상관관계는 있을 수 있으나 이를 결정적 요인으로 볼 수는 없습니다. 만약 외부적 환경의 요인 때문에 살인을 한 것이라 한다면 주인공인 라스콜리니코프와 동일한 환경에 있었던 자들은 모두 예외 없이 살인을 저질러야 합니다. 그러나 동일한 환경에 처한 자들이 모두 주인공과 같이 살인을 선택하지 않았다는 점을 볼 때 주인공은 자신이 스스로 형성한 가치관에 따라 자신의 선택이 가져올 결과를 예측할 수 있었고, 그 예측에 따라 자유롭게 선택하였으므로 그에 대한 책임을 져야 합니다.

Q4. 모범답변

공리를 위해 노파를 살해한 것은 정당하지 않습니다. 먼저 타인의 생명권을 침해하였으며, 법치주의를 훼손하며, 공리를 달성할 수 없기 때문입니다.

첫 번째로 타인의 생명권을 침해하였으므로 노파를 살해한 것은 정당하지 않습니다. 개인은 자기 자신의 주체로서 자신의 생명을 통해 자신의 가치관을 실현할 자유를 갖고 있습니다. 자기 자신의 주권자로서 개인의 자유는 타인의 자유에 직접적 해악을 가하지 않는 한 침해되어서는 안 됩니다. 이 사례에서 주인공은 자기가 스스로 설정한 가치관이 옳은 것인지 확인하고자 노파의 생명을 해쳤습니다. 이는 타인의 자유에 직접적 해악을 가한 것으로 이를 주인공의 자유에 의해 보장되는 것이라 할 수 없습니다.

법치주의를 훼손한다는 점에서 주인공의 살해행위는 정당하지 않습니다. 개인은 자신의 자유를 안정적으로 보장받고자 국가를 형성하였고 국가에 의해 모든 개인은 권리를 보호받고 의무를 부여받습니다. 그런데 주인공과 같이 범인(凡人)과 비범인을 나누어 초인과 같은 비범인은 범인, 즉 일반 국민을 살해할 수 있는 자라고 한다면 초인은 법을 지키지 않아도 되는 존재가 됩니다. 그렇다면 일반 국민인 범인은 주인공과 같은 초인의 선택에 의해 언제든지 자신의 생명과 신체의 자유를 훼손당할 수 있는 존재가 됩니다. 따라서 주인공과 같은 초인의 존재로 인해 국민의 안정적인 자유 보호를 목적으로 하는 법치주의가 훼손됩니다.

공리를 달성할 수 없으므로 주인공의 살해행위는 정당하지 않습니다. 공리주의에 따르면, 개별주체들의 이익의 총합을 극대화하는 선택을 하는 것이 공리를 극대화하는 것이므로 정당한 행위입니다. 주인공은 노파를 살해한 행위가 공리를 극대화하는 선택이라 생각하여 이를 실행에 옮겼습니다. 그러나 노파의 살해행위는, 타인의 생명권을 침해하였고, 많은 사람들이 범죄에 대한 공포로 인해 일반적 행동의 자유를 제한당하는 것이며, 법치주의를 훼손하여 법에 대한 국민의 신뢰를 저하시키고, 사회경제활동을 위축시키는 악영향을 미치게 됩니다. 따라서 주인공의 행위는 공리를 극대화하는 선택이 아니라 오히려 공리를 최소화하는 선택이 될 수 있다는 점에서 정당하지 않습니다.

Q5. 모범답변

진지한 윤리적 결정에 따라 노파를 살해했다고 하더라도 처벌이 면책되지 않습니다. 주인공이 진지한 윤리적 결정에 의해 자신의 사상과 양심을 형성하는 것은 내심(內心)에 머무르는 한 절대적인 자유로서 그 누구도 이를 제한할 수 없습니다. 그러나 이러한 사상과 양심이 타인을 향해 외부적으로 표출될 경우에는 절대적인 자유가 아니라 타인의 자유에 직접적 해악을 입혀서는 안 된다는 한계를 지니게 됩니다. 만약 이러한 한계가 없다면 개인의 자유는 절대적으로 보장되는 것으로 오히려 모든 사람은 타인의 자유 침해로부터 자신의 자유를 보호할 수 없는 만인의 만인에 대한 투쟁 상태에 빠지는 모순적 상황에 놓이게 될 것입니다. 따라서 진지한 윤리적 결정에 따라 노파를 살해했다고 하더라도 처벌이 면책되지 않습니다.

016 개념 자유지상주의: 장기매매

2020 성균관대·2019 서강대/전남대 기출

1. 기본 개념

(1) 자유지상주의의 사상적 배경

자유지상주의는 정치적으로는 자유주의, 경제적으로는 공리주의 혹은 시장주의가 결합된 것이다. 정치적 철학자인 노직과 시장주의 경제학자인 하이에크로 대표되는 자유지상주의는 개인의 자유를 극대화해야 한다는 목적에서 시작된다. 전체주의와 민주주의 국가가 격돌한 2차 세계대전으로부터 개인의 자유에 대한 관심이 다시금 촉발되었고 이후 미국과 소련의 냉전 시기를 거치면서 이 의식이 더 강화되었다.

(2) 로크의 소유권 사상의 계승

자유지상주의는 로크의 천부인권과 소유권 사상을 이어받아 더욱 발전시킨 것이라 할 수 있다. 로크는 개인은 신으로부터 생명과 신체를 부여받았으므로 왕을 비롯한 어느 누구도 개인의 생명과 신체를 훼손할 수 없다고 주장했다. 그리고 신은 모든 인간에게 자연을 주었으므로 자연은 모든 인간의 공유물이 된다. 개인은 불가침의 생명과 신체의 자유를 이용하여 모두에게 부여된 자연자원을 이용할 권리가 있다. 따라서 개인의 생명과 신체의 자유를 자연에 투입하여 얻은 결과물은 자기 자신의 소유라 할 수 있으며 타인은 이를 당사자의 동의 없이 수취할 수 없다. 개인의 자유와 그 결과물로서의 소유권은 개인의 동의에 근거한 물물교환, 즉 시장경제로 이어진다.

노직은 개개인의 자유를 정당화할 방법으로 개별성과 자기 소유라는 기본개념을 전제로 한다. 우리는 모두 다른 생활을 하고 있으며, 완전히 별개의 존재이다. 개인은 각각 자기 몸의 소유자이며, 자신의 생활이나 자유에 관해 스스로 결정할 수 있다. 노직은 정의의 소유권 이론을 정립했다.

노직은 개인의 권리가 가지는 도덕적 기초를 '존재하는 어떤 것'으로 가정하고 추론하고자 했다. 노직에 따르면, 개인 권리의 도덕적 기초는 삶의 의미(the meaning of life)라는 개념과 연결되어 있다. 개인이 자기 삶에 어떤 가치를 추구하면서 살 것인지 스스로 결정할 수 있어야만, 그리고 이 결정을 어떻게 실현할 것인지 계획할 수 있어야만 하는 것이다. 이는 결국 어떤 좋은 가치를 개인에게 강요할 수 없다는 뜻이 된다. 노직에 의하면, 개인의 삶보다 타인의 삶을 도덕적으로 더 중요한 것으로 여기고 더 큰 사회적 선을 실현하려 해서는 안 된다. 그 자신이 스스로 원하지 않는 한, 우리 중 누구도 타인을 위해 희생되는 것을 정당화할 수 없다. 존재하는 것은 서로 독립된 삶을 영위하는 서로 다른 개인이고, 그 누구도 타인을 위해 희생되어서는 안 된다는 생각은 도덕적 측면의 제약사항의 기초가 된다. 그리고 이는 타인에 대한 공격을 금지하는 자유주의적 측면의 제약사항으로 귀결된다.

(3) 최소국가

이러한 자유지상주의의 이론에서 보자면 국가는 자유주의의 경우와 달리 '최소국가'를 지향한다. 노직에 따르면 '최소국가'의 역할은 '폭력·도난·사기로부터의 보호, 계약의 집행' 등으로 한정된다. 즉, 침략행위에서 시민을 보호하고 경찰이나 법원을 통해 시민을 보호하는 것이다. 그 이외의 것은 시민의 권리를 침해하는 것으로, 부당하다고 간주한다. 즉, 국방과 치안은 국가의 역할이 분명한데, 이는 개인의 자유를 보장하기 위한 최소한의 역할이기 때문이다. 따라서 국방과 치안을 위한 세금은 개인의 생명과 신체의 자유를 보장하기 위한 것이므로 개인의 자유를 제한하는 것이 아니며 누구나 동의할 수 있는 것이다.

(4) 개인의 자유를 증진하는 방식의 복지

통상 국가에서는 공공서비스를 제공하거나 복지 정책을 실시하는 등 그 외의 다른 역할도 담당한다. 또 온정주의(paternalism)라고 해서 사람들의 생활이나 활동을 그들을 위한 일이라는 명목으로 관리한다. 그런데 노직은 국가가 그러한 역할을 할 필요가 없다고 주장한다. 국가는 그저 시민의 신변과 소유를 보호하는 역할만을 담당하면 된다.

자유지상주의의 입장에서 보자면 국가가 개개인의 생활에 개입하여 소득을 재분배하거나 복지정책을 실시하는 것은 완전히 월권이다. 하물며 국민을 위해서라는 명목으로 시민의 생활에 간섭하는 온정주의는 단호히 거부해야 한다. 개개인은 어디까지나 개별적인 존재이며 자신의 생활과 자유에 대해 스스로 결정할 권리가 있기 때문이다.

노직의 자유지상주의에 따르면, 복지를 위한 세금은 개인의 자유와 소유권에 대한 과도한 제한이다. 어려움에 처한 타인을 도와야 한다는 사회 다수의 도덕적 판단을 개인에게 강요하고 개인의 소유권을 침해하는 것이다. 노직에 따르면 어려움에 처한 타인을 돕는 일은 좋은 일이지만 이를 개인의 동의 없이 강요해서는 안 된다. 노직은, 복지를 국가정책으로써 일률적으로 강제하는 것은 개인의 자유를 과도하게 제한하는 것이라 여긴다. 따라서 자유지상주의에 따르면, 국가가 복지를 국가적으로 행해서는 안 된다. 다만, 복지를 개인의 자유에 따르도록 권유하고 권장하는 것은 가능하다.

노직은 기부를 활성화하도록 세제 혜택을 주는 것은 타당하다고 주장한다. 이는 개인의 자유를 보장하고 국가가 도덕적인 일을 권유하는 것이다. 아무리 세제 혜택이 있더라도 기부하기 싫다면 하지 않을 자유가 보장된다. 기부를 원하는 사람은 나보다 더 복지를 실현할 사람이나 조직을 스스로 찾아 기부를 선택함으로써 사회에 더 좋은 결과가 발생하게 된다. 복지를 전담하는 사람이나 조직은 효율적인 복지를 위해 경쟁하게 되고, 기부자들은 이 경쟁하는 복지조직들을 잘 살펴 자신이 가장 원하는 곳에 기부를 자유롭게 선택하기만 하면 된다.

2. 쟁점과 논거

찬성론: 개인의 자기결정권	반대론: 사회공동체 유지
[신체에 대한 자기결정권] 개인의 신체에 대한 자기결정권은 타인에게 직접적 피해를 주지 않는 한 제한할 수 없다. 장기매매에 대한 계약은 판매자와 구매자 간에 자신의 의사를 심사숙고하여 대등한 입장에서 맺은 것으로 자유로운 결과이다. 이 장기매매 계약은 계약의 제3자에게 직접적 해악이 없으므로 금지하거나 제한할 수 없다.	[사회의 유지·존속] 사회공동체가 유지되기 위해서는 구성원들 간에 공통의 도덕이 공유되어야 한다. 생명존중사상은 사회 공통의 연결 끈에 해당하는 가치이다. 장기매매를 허용하면 인간의 생명을 수단으로 경제적 이익을 추구하게 된다. 더욱이 장기매매를 통해 손쉽게 많은 돈을 벌 수 있어 장기매매가 쉽게 확산되어 인간 생명에 대한 경시풍조가 확대된다.
[환자의 생명 구제] 현재의 의학으로는 다른 수단으로 인간의 장기를 완전히 대체할 수 없다. 따라서 장기에 문제가 발생할 경우 장기이식 외에는 실효성 있는 치료법이 없는 실정이다. 장기매매를 허용하면 많은 사람들이 장기를 제공하게 되어 환자의 생명을 구제할 수 있는 기회가 증가한다.	[사회적 약자 보호] 장기매매를 허용한다면 저소득층과 같이 경제적 능력이 부족한 계층은 장기이식을 통한 생명구제의 기회 자체를 박탈당하게 된다. 하지만 부유층은 자신의 부를 이용해 치료에 필요한 장기를 확보할 수 있다. 이로 인해 생명 가치의 차등이 발생함은 물론 사회적 약자 계층의 생명·신체 보호에 대한 불평등이 유발된다.
[공공복리] 장기매매를 법으로 규제하더라도 음성적으로 불법 장기매매는 지속된다. 불법 장기매매로 인해 장기 제공자의 안전도 보장하기 힘든 것이 현실이다. 장기매매를 합법화하여 장기 제공자의 안전을 확보하기 위한 조치를 마련해 생명을 위협하는 불법시술 가능성을 제거할 수 있고 불법적 이익을 노린 범죄 등을 막아야 한다.	[개인의 자유에 대한 실질적 보호] 장기매매를 허용한다면 저소득층만 장기를 매매하게 될 것이다. 저소득층은 건강 문제가 발생할 수 있음을 예측하면서도 당장의 생계유지 등을 위해 자신의 진정한 의사에 반해 장기를 매매할 수밖에 없다. 장기매매를 금지하여 개인의 진정한 자유의사를 보호해야 한다.

3. 읽기 자료

장기매매죄와 보상제도[29]

29)

장기매매죄와 보상제도

016 문제 자유지상주의: 장기매매

답변 준비 시간 10분 | 답변 시간 10분

※ 다음 제시문을 읽고, 문제에 답하시오.

(가) 누군가의 노동의 결과를 빼앗는 것은, 그에게서 시간을 빼앗고 여러 가지 일을 시키는 것과 마찬가지다. 누군가 당신에게 일정 시간 동안 어떤 노동 혹은 보수가 없는 노동을 강요한다면, 당신이 어떤 일을 어떤 목적으로 해야 하는가를 당신이 아닌 그가 결정하는 것이다. 이는 부분적으로나마 그를 당신의 소유주로 만드는 것이다. 이것은 당신에 대한 소유권을 그에게 넘겨주는 것이다.

(나) 영국에서 장기매매 금지법이 통과된 직후 은퇴한 한 교수는 <런던 타임스>지에 보낸 독자편지란에서 어떤 강압도 없이 자기의 자유의사로 신장을 다른 사람에게 팔려는 사람을 무슨 이유로 반대할 수 있겠는가 하고 반문했으며, 스스로 신장이식 대기자로 등록되어 있는 영국 보수당의 어느 국회의원도, 신장이 부족한 터에 자기 몸을 가지고 자기가 원하는 대로 하는데 뭐가 잘못되었는가 하고 항변했다.

Q1. 제시문 (가)의 입장을 요약하시오. 이 입장에 따를 때 국가의 국방정책을 위한 세금 부과에 대해 어떻게 평가할 것인지 논하시오. 그리고 마찬가지로 국가의 복지정책을 위한 세금 부과에 대해 어떻게 평가할 것인지 논하시오.

Q2. 제시문 (가)의 입장을 자유지상주의라 한다. 자유지상주의는 복지 자체를 반대하는 것은 아니라고 하는데, 자유지상주의는 복지에 대해 어떤 대안을 제시하겠는가?

Q3. 제시문 (가)의 입장에 따르면, 제시문 (나)의 장기매매 금지에 대해 어떻게 평가할 것인가?

Q4. 장기매매 허용 여부에 대한 자신의 견해를 정하고 논거를 들어 논변하시오.

추가질문

Q5. 장기매매를 결정할 경우 건강을 해칠 우려가 있는 것도 사실이다. 제시문 (가)의 입장에서는 이에 대해 무엇이라 할 것인가?

Q6. 제시문 (가)의 자유지상주의자들은 자신의 신체를 소유한다고 주장한다. 이에 대한 자신의 견해를 논변하시오.

Q7. 장기매매를 허용하면 장기 공급이 증가하여 장기 이식 대기자들의 생명 보호에 도움이 될 것이라는 주장이 있다. 이 주장에 대해 어떻게 생각하는가?

016 해설 자유지상주의: 장기매매

Q1. 모범답변

제시문 (가)의 입장은 개인은 자유로운 존재로 자기 자신을 소유하기에 그 누구도 그 자신이 원하지 않는 것을 강요할 수 없다고 주장합니다. 만약 타인이 혹은 국가가 특정 목적을 위해 개인의 의사에 반하는 것을 강제한다면 이는 개인의 자유를 침해하는 것으로 타당하지 않습니다. 이 입장에 따르면, 개인은 자유로운 존재로서 나 자신을 소유하고 있으며 나를 내가 사용하는 것이나 다름없는 내 노동도 소유하고 있는 것입니다.

이 입장에 따르면, 국가의 국방정책을 위한 세금 부과는 타당합니다. 개인이 자유로운 존재로 자기 자신을 소유하기 위해서는 기본적으로 생명과 신체의 자유를 보장받아야 합니다. 타인 혹은 타국으로부터 생명과 신체의 자유를 위협받는 상황에서 개인은 자유를 누릴 수 없고 자기 자신을 소유하고 있다고 할 수 없습니다. 따라서 개인은 자유를 누리기 위해 국방정책이 필요하기에 이를 위한 세금 부과에 기꺼이 동의할 것입니다.

(가)의 입장에 따르면, 복지정책을 위한 세금 부과는 타당하지 않습니다. 복지정책은 국가가 개인에게 특정한 행위, 즉 도덕적으로 좋다고 판단되는 '타인을 돕는 행위'를 하라고 강제하는 것입니다. 물론 개인이 스스로 타인을 돕겠다고 결심하고 자선행위를 하는 것은 좋은 일임에 분명합니다. 그러나 개인이 그러한 행위를 하지 않겠다고 결심한 것 역시 개인의 자유로운 행위이므로 도덕적으로 좋지 않다고 비난할 수는 있어도 국가가 개인의 자유의사에 반하여 이를 강제할 수는 없습니다. 만약 국가가 어려움에 빠진 타인을 돕기 위한 목적으로 세금을 부과한다면, 개인은 세금만큼의 시간 동안 강제노동을 한 것이며 국가가 나를 부분적으로 소유한 것이므로 일정시간 동안 국가의 노예가 된 것이나 같습니다. 따라서 국가의 복지정책을 위한 세금 부과는 개인의 자유를 제한하므로 타당하지 않다고 평가할 것입니다.

Q2. 모범답변

자유지상주의에 따르면, 복지 자체를 반대하는 것이 아니라 복지를 국가가 강제하는 것이 문제라는 것입니다. 자유지상주의자는 개인의 자유를 보장하면서도 복지가 가능하다고 합니다. 대표적 방식으로 기부 활성화가 있습니다. 국가가 기부를 활성화하면 복지를 강제하지 않고, 개인의 자유로운 선택을 보장하면서도 실현할 수 있습니다. 이 대안에 의하면, 개인이 스스로 어떤 복지가 중요한 것인지 판단한 후 가장 선호하는 자선단체에 기부를 하게 됩니다. 자선단체는 이 기부금으로 복지를 시행하고 이후에 기부금을 낸 개인에게 그 결과를 고지하는 것입니다. 기부금을 낸 개인은 기부금이 사용된 내역 등을 바탕으로 기부금을 기존 단체에 더 낼 것인지 혹은 다른 단체에 기부할 것인지를 결정할 수 있습니다. 국가는 복지를 강요하는 것이 아니라 개인의 기부에 대해 세제 혜택 등을 주어 개인이 복지를 자유의지로 결정할 수 있게 권장하는 역할만을 하게 됩니다.

Q3. 모범답변

제시문 (가)의 입장에 따르면 장기매매 금지는 타당하지 않다고 평가할 것입니다. 자유지상주의에 따르면, 개인은 자유로운 존재로 자기 자신을 소유합니다. 자신의 생명과 신체에 대한 소유권이 있다면 그에 대한 처분도 자유롭게 할 수 있습니다. 개인이 내 생명과 신체에 대한 주인으로서 심사숙고하여 판단한 결과 자신의 신체의 일부인 장기를 매매하겠다고 결정하였고, 이 과정에서 타인의 강제가 없었다면 이는 개인의 자유로운 결정으로서 존중받아야 합니다. 마찬가지로, 장기를 구매하고자 하는 개인도 심사숙고하여 장기 구매를 결정하였습니다. 구매자와 판매자의 자유로운 의사결정의 합치가 장기 매매이므로, 계약의 제3자에게 직접적 해악이 없는 한 누구도 이를 금지할 수 없습니다. 따라서 제시문 (나)의 장기매매 금지는 타당하지 않습니다.

Q4. 모범답변

장기매매를 허용해서는 안 됩니다. 생명존중사상을 훼손하여 사회의 유지와 존속을 위협하기 때문입니다. 사회가 유지되고 존속하기 위해서는 사회구성원의 공유된 가치가 지켜져야 합니다. 이러한 필수적인 공유된 가치 중 하나가 생명존중사상입니다. 생명존중사상이란, 사회구성원의 생명의 가치가 돈보다 우선한다는 생각입니다. 장기매매는 생명의 가치가 돈과 교환 가능한 것이라 여기는 것입니다. 만약 장기매매를 허용하면 부자들은 우선 배정을 받고 그렇지 못한 대기자는 장기 배정을 늦게 받거나 받을 수 없는 문제가 발생할 수 있습니다. 즉 돈이 있느냐에 따라 장기 배정 여부가 결정되어 돈 없는 대기자들의 생명이 무시되는 문제가 있습니다. 그렇다면 사회구성원들은 돈과 생명이 교환되는 것이라 인식할 것이어서 돈을 벌기 위해 생명을 해치거나 하는 등의 생명경시풍조가 만연할 것입니다.

또한 가난한 자들은 돈을 벌기 위해 장기 적출에 동의할 것입니다. 장기 적출 과정에서 의료사고, 후유증 등으로 이들의 생명과 건강을 크게 해칠 수 있습니다. 따라서 생명보호 차원에서 장기매매를 허용해서는 안 됩니다.

Q5. 모범답변

(가)의 입장에 의하면, 이 역시도 개인의 자유로운 결정에 따른 책임에 해당합니다. 물론 장기매매를 결정했다가 자신의 건강을 해치게 될 수도 있습니다. 그러나 이에 대한 정보를 주는 것은 가능하나 건강에 문제가 있을 수 있다고 하여 개인의 자유로운 매매 결정을 제한할 수는 없습니다. 예를 들어, 술을 마시거나 흡연을 하는 것도 건강에 문제가 있을 수 있지만 이에 대한 판단은 개인이 스스로 하여 그에 대한 책임을 지는 것입니다.

Q6. 모범답변

자신의 신체를 소유한다는 주장은 타당하지 않습니다. 개인이 자신의 생명과 신체를 소유한다고 본다면, 우리 사회가 지켜야 할 생명존중사상이 훼손되고 생명경시풍조가 확산될 수 있습니다. 내가 내 생명을 소유하고 신체를 마음대로 할 수 있다고 본다면, 자살이나 적극적 안락사 등이 무제한적으로 허용될 수 있다는 문제까지 발생할 수 있습니다.

Q7. 모범답변

이로 인해 더 큰 사회적 문제가 발생할 수 있으므로 타당하지 않습니다. 장기매매를 허용한다면 장기 공급 자체는 증가할 수 있습니다. 다만, 누구의 장기가 공급되는지가 문제될 수 있습니다. 가난한 사람이나 가난한 국가의 어린이 등의 장기가 시장에 나올 가능성이 높습니다. 부모의 강요로 장기를 내놓은 아이들마저 있을 수 있습니다. 장기 이식 대기자들의 문제는 장기 기증 활성화나 인공장기 연구 등을 통해 해결해야 할 문제이지, 가난한 이들을 희생시키는 장기매매를 통해 해결할 문제는 아닙니다.

017 개념 롤스의 자유주의: 가산점 제도

2022 제주대·2021 서강대/인하대/충남대·2020 서강대/서울대/연세대·2019 부산대 기출

롤스는 자유주의를 현대적으로 재정립한 학자라 할 수 있다. 롤스의 논리는 이미 우리 사회 전반, 각종 법과 제도, 현실에 적용되어 있다. 따라서 롤스의 논리를 이해하는 것이 손쉽기도 하지만 오해하기도 쉽다는 문제점이 있다. 특히 롤스는 자유지상주의의 한계와 공리주의의 문제점을 비판한 학자이기 때문에 발전일변도의 국가정책이 한계에 봉착하고 그 문제점이 드러나고 있는 우리나라의 현실을 볼 때 그 중요도가 매우 높다.

1. 진정한 자유 보장을 위한 우연의 배제

롤스는 자유주의자로 개인의 자유를 중시한다. 개인의 자유로운 선택과 노력의 결과물은 보장되어야 한다. 그러나 개인의 자유로부터 기인한 것이 아닌 것까지 그의 몫이라 할 수는 없다. 개인의 자유와 노력의 결과로 소득과 부가 발생한다. 이때 소득과 부는 결과물이기 때문에 개인의 자유와 노력 외의 다른 요소들이 영향을 미칠 수밖에 없다. 이러한 다른 요소들은 개인의 자유에 의한 결과가 아니므로 개인의 정당한 몫이라 할 수 없다는 것이다. 소득과 부에 영향을 미치지만 개인의 자유와는 관계없는 요소에는 크게 두 가지가 있다. 이 두 요소는 역사적·사회적 우연과, 개인이 타고난 천부적이고 우연적인 재능이다.

첫째, 역사적·사회적 우연은 개인의 자유로운 노력의 결과물이 아니므로 소득과 부의 분배에 있어서 개인의 정당한 몫이 아니다. 이에 대한 대표적 사례로 중세의 신분제를 들 수 있다. 특정한 개인이 귀족 부모에게서 태어날 것인지 평민 부모에게서 태어날 것인지는 개인이 자유롭게 선택하거나 노력하여 얻을 수 있는 것이 아니라 단지 우연적인 사실에 불과하다. 그런데도 중세 신분제하에서 귀족 부모라는 우연적 사실이 개인의 소득과 부, 사회적 지위와 같은 결과를 거의 전적으로 결정하는 것은 부당하다. 만약 내가 조선시대에 태어났다면 내가 공부를 얼마나 열심히 했는지 노력의 정도보다 내가 양반인지 아닌지가 더 결정적일 것이다. 그런데 내가 조선시대에 태어날 것인지 현대에 태어날 것인지는 역사적인 우연이며, 현시대에 태어나 노력했다고 하더라도 우리 사회가 스포츠를 중시하는 사회인지 지적 영역을 중시하는 사회인지는 개인의 선택이나 노력이라 할 수 없다. 따라서 이러한 역사적·사회적 우연은 개인의 자유와 노력과 관계없는 우연에 불과하므로 소득과 부의 분배에 있어서 개인의 정당한 몫이 될 수 없다.

둘째, 개인이 타고난 천부적 재능 또한 우연에 불과하므로 소득과 부의 분배에서 개인의 정당한 몫이라 할 수 없다. 어떤 사람은 기억력이 좋고, 어떤 사람은 음감을 타고났으며, 어떤 사람은 운동을 잘한다. 이는 개인의 자유로운 선택이나 노력의 결과가 아니라 천부적으로 타고난 것이다. 천부적 재능을 갈고닦아 유사한 수준의 천부적 재능을 갖고 있는 자들 사이에서 더 뛰어난 능력을 발휘하는 것은 개인의 노력이라 할 수 있다. 그러나 천부적 재능 자체는 우연에 불과하며 개인의 자유와 노력이 아니다. 예를 들어, 신체적 조건이 좋은 사람과 신체적 조건이 나쁜 사람은 운동에 있어서 천부적 재능의 차이가 우연적으로 주어진 것이다. 그러나 신체적 조건이 좋은 사람들 사이에서 운동을 얼마나 잘하는가는 개인의 자유와 노력의 결과라 할 수 있다.

2. 기회의 평등

롤스는 이러한 두 가지 우연은 사실에 불과하며 그 자체가 잘못된 것은 아니라고 하였다. 그러나 사회가 이 우연을 마치 개인의 자유의 결과인 것처럼 대하는 것은 잘못된 것이라 하였다. 따라서 이러한 우연을 최대한 배제해야 하는데 이것이 현실적으로 불가능한 경우가 많으므로, 이에 대한 고민이 필요하다. 롤스에 따르면 우연에서 비롯된 이익은 개인의 정당한 몫이 아니기 때문에 이를 환수하여 사회적으로 사용해야 한다. 그러나 사회적 사용이라 하더라도 이것이 자동적으로 정당화되지는 않는다. 롤스는 역사적·사회적 우연과 천부적 재능으로 인한 우연이 행운으로 찾아온 자들에게서 자신의 정당한 몫이 아닌 부분을 환수하여, 이것이 불운으로 찾아온 자들에게 기회를 줄 수 있도록 사용해야 정당하다고 주장하였다. 이를 보상이라 한다. 예를 들어, 육체적으로 장애를 가진 사람은 선천적이거나 후천적인 불운을 겪은 것이다. 이들은 자유롭게 노력을 한다고 하더라도 육체적으로 장애가 없는 행운을 가진 자에 비해 결과물이 좋지 않을 것이다. 단지 결과물로만 이들의 소득과 부라는 결과물을 배분한다면 이는 자유를 보장하는 것이 아니라 장애 유무에 따라 결과물이 배분되는 셈이 된다. 롤스는 육체적 장애가 없는 행운을 가진 자의 결과물 중 일부를, 육체적 장애를 가진 자도 노력할 수 있는 기회를 부여하는 재원(財源)으로 사용해야 한다고 한다. 점자로 된 책을 공공도서관에 보급한다거나, 장애인들이 자유롭게 이동할 수 있도록 저상버스의 도입이나 지하철역에 승강기를 설치하는 등이 대표적 사례라 할 수 있다. 특히 장애인에게 직접적으로 결과를 주는 것이 아니라, 장애인이 노력할 수 있는 기회를 부여한다는 점에 주목해야 한다.

3. 불평등 해소방안

불평등이 정당하지 않거나 지나치게 심하면, 불평등의 사회 유지 기능보다 사회를 파괴하는 역기능이 심각해질 수 있다. 불평등은 불평등을 재생산·확대할 수 있다. 상위 계층이 하위 계층보다 경제, 교육 등의 경쟁에서 유리하므로 계층 간 불평등은 불평등을 재생산할 수 있다. 상위 계층의 자녀가 교육이나 취업의 기회에서 보다 유리한 지위를 가지므로, 기회균등을 해할 수 있다. 기회가 균등하지 않은 경우 공정한 경쟁이 확보될 수 없고 결과의 정당성도 인정될 수 없다는 문제가 있다.

칼 마르크스는 공산주의 혁명을 통해 계급 사회를 일소하고 불평등을 없앨 수 있다고 한다. 그러나 사람마다 능력과 노력의 차이가 있고 인간이 이기적 욕심을 가지는 한 성과가 다르므로 불평등은 생길 수밖에 없다. 불평등의 불가피성을 인정하는 관점에서 사회비용을 최소화하려면, 불평등으로 인한 사회갈등을 최소화할 필요가 있다.

불평등으로 인한 사회갈등을 최소하려면 불평등의 정당화 요건을 충족한 경쟁이 되도록 국가는 공정한 경쟁 규칙을 만들고, 이를 준수하도록 해야 한다.

불평등이 최소 수혜자에게 이득을 준 경우 최소 수혜자가 불평등을 수용할 수 있다. 따라서 불평등이 최소 수혜자에게 이득을 준다면 불평등으로 인한 사회갈등을 줄일 수 있다.

경쟁의 실패자도 최소한의 생계는 보장되어야 한다. 자유 경쟁은 개인이 존재할 때 가능하다. 최소한의 생계가 보장되어 생명과 신체의 자유가 안정적일 때 개인의 자유가 보장될 수 있다.

사회이동을 확대한다면 불평등으로 인한 사회갈등을 줄일 수 있다. 사회이동은 개인이 하나의 계층에서 다른 계층으로 이동하는 것을 뜻한다. 사회이동은 사회의 신진대사 현상이다. 사회이동이 활발할수록 계층 간 갈등은 완화된다. 자신이나 자신의 자녀가 합법적으로 상위계층으로 이동할 수단이 없다면 비합법적 수단으로 사회이동을 시도할 수 있다. 예를 들면 폭력이나 혁명을 통해 기존 사회 체제에 도전할 수 있다. 사회이동은 불평등에 따른 사회 불안을 제거해주고 사회 질서를 안정화시키는 안전판의 역할을 한다. 현대에 와서 교육은 불평등과 사회적 지위를 결정짓는 중요 요소이다. 저소득층에 대한 교육비 지원, 교육 여건 조성, 공교육 활성화를 통해 저소득층 자녀가 상위 계층으로 이동할 수 있는 기회를 보장해야 한다. 대학입시나 로스쿨 입시에서 실시하고 있는 저소득계층 자녀, 장애인, 농어촌 출신 특별전형은 사회이동을 용이하게 해주는 순기능을 할 것이다. 이를 적극적 우대조치라 한다.

4. 적극적 우대조치

현존하는 차별을 방치해서는 기회균등이 실현될 수 없고, 차별이 굳어져 계급화, 서열화될 여지가 높다. 이로 인한 사회갈등을 완화하기 위해서 사회적 약자에게 우선적 조치를 해야 한다는 주장이 제기되었다. 예를 들면 전체 공무원 중에서 여성이 차지하는 비율이 낮은 경우, 여성채용목표제를 실시하여 여성에 대한 차별 인식을 없애고 남녀평등을 실현할 수 있다. 이처럼 현존하는 차별을 해소하는 조치를 적극적 우대조치(Affirmative Action)라고 한다. 그러나 적극적 우대조치는 사회적 강자에게 역차별을 낳을 수 있다.

적극적 우대조치의 대표적인 사례가 대학입시나 고시에서의 지역할당제이다. 시험기회를 동등하게 인정하더라도 현존하는 차별로 소수자가 시험에 합격하기 어렵다. 이를 방치한다면 차별의 정도가 더욱 심화되어 계층 간 갈등의 골만 깊게 할 수 있다.

인재지역할당제 찬성론의 입장은 다음과 같다. 종래 사회에서 차별을 받아온 지방인에게 보상을 해주어야 한다. 지방대는 교육여건, 교육투자가 부족해 지방대 학생들은 부당한 차별을 받아왔다. 과거의 피해를 보상하기 위해서라도 지역할당제를 도입할 필요가 있다. 또한 지역할당제로 지방대 출신자의 고등고시 합격자가 늘어나면 서울·지방 간 갈등을 해소하고 사회통합을 할 수 있다. 또한 지방대 출신 인재를 등용함으로써 서울과 지방 간 균형발전을 달성할 수 있다.

인재지역할당제 반대론의 입장은 다음과 같다. 인재지역할당제는 서울소재대학 출신자들의 평등권과 공무담임권을 침해한다. 서울소재대학 졸업자가 지방대학 졸업자보다 점수가 높음에도 불구하고 불합격하고 후자가 합격하는 것은 평등원칙에 위반된다. 지방대 졸업자라고 하더라도 고시에 합격한 경우 서울 등에서 근무하므로 지방균형발전에 도움이 되지 않는다. 고시에 합격한 지방대 졸업자는 특혜 수혜자 그룹이라는 사회적 평가로 심리적 열등감을 느낄 수 있다. 지방대 졸업자는 지역할당제 없이는 합격할 수 없다는 인식을 확산시켜 유능한 지방대 졸업자에게 좌절감을 심어줄 수 있다.

017 문제 롤스의 자유주의: 가산점 제도

답변 준비 시간 20분 | 답변 시간 15분

※ 다음 제시문을 읽고, 문제에 답하시오.

(가) 아무런 사회적 규제가 없는 자연 경쟁 체제에서, 사회의 분배 제도는 재능 있는 사람은 누구나 출세할 수 있다는 관념에 의해 규제될 것이다. 여기서 최초의 자산 분배는 자연적·사회적 우연에 의해 강력한 영향을 받게 된다. 그리고 현재의 소득과 부의 분배는 타고난 자산, 곧 자질과 능력의 선행적 분배의 효과가 누적된 결과다. 다시 말해 타고난 자산의 선행적 분배가 사람들에게 일정 기간 동안 어떻게 유리하게 또는 불리하게 사용되었는가에 따른 결과다. 이런 경쟁 체제가 정의롭지 못하다는 것은 직관적으로 명백하다. 무엇보다도 그 체제에서는 도덕적 관점에서 아무런 본질적 중요성을 갖지 않는 요인들 때문에 배분의 몫이 부당하게 좌우된다. 그렇기 때문에 어떤 사람들은 재능이 있으면 출세할 수 있다는 요구 조건에 실질적 기회균등이라는 조건을 부가함으로써 이러한 부정의를 시정하자고 한다. 직위는 단지 형식적 의미에서만 개방되어서는 안 되고 모든 사람이 그것을 획득할 수 있는 실질적 기회를 가져야만 한다는 것이다. 다시 말해 유사한 능력과 재능을 가진 사람들은 유사한 삶의 전망을 가져야 한다.

그러나 이런 실질적 기회균등의 체제는 사회 속에서 우연적 요인의 작용을 줄이는 장점은 있어도 여전히 천부적인 재능과 능력에 따라 부나 소득의 분배가 결정되도록 내버려 둔다는 단점이 있다. 그래서 이러한 체제도 도덕적 관점에서 마찬가지로 정당화되기 어렵다. 소득과 부의 분배가 역사적·사회적 행운에 의하여 이루어지는 것을 허용할 이유가 없는 것과 마찬가지로, 그 분배가 천부적 자산에 따라 이루어지는 것을 용인할 이유도 없다. 천부적 재능의 불평등도 부당하며, 이러한 불평등 역시 어떤 식으로든 교정되어야 한다. 그래서 사회는 더 불리한 사회적 지위를 갖고 태어난 사람은 물론 천부적 자질을 더 적게 가진 사람에게도 마땅히 더 많은 관심을 가져야 한다.

(나) 순자(荀子)는 말했다. "대체로 양편이 모두 귀한 사람이면 서로 섬길 수가 없고, 양편이 모두 천하면 서로 부릴 수가 없는데, 이것은 하늘의 섭리이다. 세력과 지위가 같으면서 바라는 것과 싫어하는 것도 같으면, 물건이 충분할 수가 없을 것이므로 반드시 다투게 된다. 다투면 반드시 어지러워지고, 어지러워지면 반드시 궁해질 것이다. 옛 임금들은 그러한 혼란을 싫어했기 때문에 예(禮)의 제도로써 이들을 구별해 주어, 가난하고 부하며, 귀하고 천한 등급이 있게 하여 서로 아울러 다스리기 편하게 하였다. 이것이 천하의 백성들을 기르는 근본이 되는 것이다." 그는 또 말했다. "덕이 있고 없음을 검토하여 서열을 결정하고, 능력을 헤아려 벼슬을 주어 모든 사람들로 하여금 그의 할 일을 수행하며 각각 모두가 그의 합당한 자리를 차지하게 하는 것, 이것이 사람들을 잘 등용하는 것이다."

불평등의 긍정적 측면에 대한 순자의 이런 통찰은 오늘날의 민주주의 사회에서도 유효하다. 우리는 어떤 불평등은 도덕적으로 정당할 뿐만 아니라 또한 좋은 사회를 위해 중요한 역할을 수행한다는 점을 인식해야만 한다. 어떤 사회 체제에서든 '성층화(成層化)'는 불가피하다. 불평등(성층화)은 꼭 필요하지만 꺼리는 직업을 사람들이 수행하도록 하며 선호하는 직업에서도 더 열심히 일하도록 자극한다. 더 나아가 부의 불평등은 사람들이 경제적으로 더 나은 상태에 도달하기 위해 노력하도록 자극을 준다. 다시 말해 다른 사람들보다 더 잘살고 싶도록,

또는 자신이 느끼는 결핍 상태를 극복하도록 동기를 부여한다. 이런 불평등을 인위적으로 완화하려 하면, 사회는 활력을 잃고 혼란에 빠지고 말 것이다.

정의에 대한 상식적 관념에 비추어 보더라도 사람들이 누려야 할 응분의 몫은 다를 수밖에 없다. 특히 능력은 그 응분의 몫을 결정할 수 있는 가장 중요한 잣대다. 평등이 추구할 만한 좋은 가치이기는 하지만, 어떤 불평등은 불가피하고 정당하며 사회 전체에 대해 이롭다.

(다) 바람직한 민주주의 사회는 두 가지 원칙의 지배를 받아야 한다. 첫째, 인간은 성공적인 삶을 살기 원하며, 이런 지향은 누구에게나 똑같이 중요한 것으로 여겨져야 한다는 원칙이다. 둘째, 각자의 삶의 성공 여부에 대해서는 궁극적으로 오직 그 삶의 주인만이 책임을 져야 한다는 원칙이다.

첫 번째 원칙은 인간이 모든 점에서 동일하다거나 평등하다고 주장하지는 않는다. 여기서의 평등은 사람의 속성에 관한 것이 아니라 누구든 삶을 낭비하지 않고 가치 있게 살 수 있어야 한다는 의미다. 이 원칙에 따르면 시민에게 법에 충성하고 복종할 것을 요구하는 정치 공동체는 그들 모두에 대해서 공평한 태도를 취해야 한다. 정부는 시민이라는 점 이외의 다른 속성들, 예를 들어 경제적 배경, 성, 인종, 특별한 재능이나 장애 등에 의해 시민들의 운명이 가급적 좌우되지 않도록 법과 정책을 채택하여 그런 요인들에 따른 사회적 불평등을 가능한 한 최대한으로 교정해야 한다.

두 번째 원칙은 형이상학적이거나 사회학적인 것으로 이해하면 안 된다. 각자의 삶을 선택한 데에는 다양한 이유들이 있을 수 있다. 심리학적이거나 생물학적인 이유가 있을 수도 있으며, 더불어 문화나 교육이나 물질적 여건도 영향을 끼쳤을 수 있다. 그러나 자원과 문화에 의해 허용된 선택의 범위가 어떻든지 자기가 어떤 삶을 살지 스스로 선택하는 한, 그 선택에 대한 책임도 스스로 져야 한다는 것이 이 원칙의 핵심이다. 예를 들어 소비하기보다는 투자하기로 선택한 사람들이나 여가를 즐기기보다는 자기 계발을 위해 노력한 사람들은 이런 결정에서 나름의 이득을 누리는 것이 허용되어야 하고, 그 반대의 경우도 마찬가지다.

우리는 명백히 상반되는 이 두 원칙을 조화할 수 있는 길을 찾아야 한다. 사회적 불평등의 교정이라는 목적을 좇느라 개인적 책임의 중요성을 간과해서도 안 되지만, 개인의 포부를 이루기 위한 노력을 보상한다고 그에 따른 불평등이 지나치게 커지도록 내버려 두어서도 안 된다.

<사례>

A국 공공기관은 채용 시험을 통해 성적순으로 합격자를 선발하며, 대체로 매년 응시자의 3%만이 합격한다. 채용 시험의 합격은 직업적·경제적 안정을 보장하므로, 능력과 노력에 따른 합당한 보상으로 여겨졌다. 그런데 최근 10년간 응시자들의 사회적 배경, 즉 부모의 직업·수입·학력과 당사자의 출신 지역 등을 계량화하여 분석·비교한 연구 결과가 발표되었다. 이에 따르면 대다수 합격자의 '사회적 배경 지수'가 불합격자의 평균적인 사회적 배경지수를 훨씬 상회하였고, 또 이러한 격차는 계속 확대되어 왔다. 그 때문에 이런 채용 방식에 대한 부정적 여론이 들끓게 되자, A국 정부는 '공정사회 구현을 위한 공공기관 채용 제도 개선안'을 모색하는 공청회를 열었다. 공청회에서는 다음 1, 2, 3안이 개선안으로 제시되었다.

[1안] 모집 인원 전체를 채용 시험 성적순으로 채용하되, 사회적 하위 계층(사회적 배경 지수 하위 30% 이내)의 지원자에게 사회적 격차를 보정할 수 있는 수준의 가산점을 부여한다.

[2안] 모집 인원의 80%는 채용 시험 성적순으로 채용하고, 나머지 20%는 채용 시험 성적, 최종 학력, 학교 성적, 봉사 실적, 자기소개서 등을 종합 고려한 심사를 통하여 채용한다.

[3안] 모집 인원의 80%는 채용 시험 성적순으로 채용하고, 나머지 20%는 사회적 하위 계층 지원자 중 최소한의 직무 수행 기본능력을 고려하고 봉사활동 경력 등에 나타나는 공공적 지향과 태도를 평가하여 선발한다.

Q1. 제시문 (가)~(다)를 각각 요약하시오.

Q2. 제시문 (가), (나), (다) 각각의 입장에서 <사례>의 상황을 해결하기 위해 어떤 개선안을 연결하는 것이 가장 잘 어울리는지 답하고, 왜 그렇게 생각하는지 논리적으로 답변하시오.

Q3. <사례>의 상황을 해결하기에 가장 적절하다고 생각하는 개선안은 무엇인지 답하고, 다른 안과 비교하여 왜 적절한지 논하시오.

017 해설 롤스의 자유주의: 가산점 제도

Q1. 모범답변

제시문 (가)는 소득 분배가 우연에 의해 결정되지 않고 개인의 자유를 실질적으로 보장하기 위해서는 불평등한 기회를 보상해야 한다고 주장합니다. 이에 의하면 개인은 천부적 재능과 같은 우연적 요인을 타고 태어납니다. 그러나 이 우연적 요인은 사실적인 것이므로 이 자체는 잘못된 것이 아니지만, 이 우연적 요인이 결과를 결정하는 요인이 되도록 사회가 이를 방치하는 것은 부정의한 것입니다. 따라서 천부적 재능 등의 우연에 의한 요소를 보정할 수 있도록 보상하여 개인의 자유로운 노력에 의해서만 소득과 부의 분배가 일어나도록 평등한 기회가 보장되어야 한다고 주장합니다.

제시문 (나)는 부의 불평등은 개인의 노력할 의욕을 고취시키므로 오히려 권장해야 한다고 주장합니다. 부의 불평등이라는 결과를 예측할 수 있는 개인은 노력하고자 하는 동기와 유인을 갖게 되고 이러한 개인의 노력이 모여 사회를 발전시키게 됩니다. 만약 사회가 인위적으로 개입하여 불평등을 완화하고자 하면 오히려 개인의 의욕이 저하되어 사회의 활력이 저해됩니다. 따라서 개인의 자유와 그 결과물에 대해 사회는 철저히 보호해야 한다고 주장합니다.

제시문 (다)는 개인의 자유 보장과 사회적 가치 실현의 조화가 필요하다고 주장합니다. 개인의 자유를 보장하여 노력할 의욕을 고취시키는 것이 중요하다고 하여 사회적 불평등의 완화라는 사회적 가치 훼손을 방관해서는 안 됩니다. 또한 사회적 불평등의 완화라는 사회적 가치 실현을 위해 개인의 자유와 책임의 중요성을 간과해서도 안 됩니다.

Q2. 모범답변

제시문 (가)의 입장에 1안이 가장 잘 어울립니다. 제시문 (가)에 따르면, 소득 분배가 우연에 의해 결정되지 않도록 불평등한 기회를 보상해야 한다고 합니다. 1안은 사회적 하위계층의 지원자에게 사회적 격차를 보정할 수 있는 수준의 가산점을 부여합니다. 이 가산점을 통해 사회적 하위계층 부모 아래에서 태어났다는 우연으로 인해 발생한 불평등을 보정 받을 수 있습니다. 비록 이 보정으로 인해 가산점을 받았더라도 합격점에 미치지 못하는 지원자는 불합격하게 됩니다. 그러므로 여전히 개인은 기회를 보장받았을 뿐이며 개인의 자유로운 노력의 결과로 합격과 불합격이라는 결과가 결정됩니다. 따라서 가난한 가정에서 태어났다는 우연이 소득 분배가 결정되는 것을 막고, 개인의 자유로운 노력의 결과로 소득 분배가 결정되기 때문에 제시문 (가)는 1안과 가장 잘 어울립니다.

제시문 (나)의 입장에 2안이 가장 잘 어울립니다. 제시문 (나)에 따르면, 부의 불평등은 개인의 노력할 의욕을 고취시키기 때문에 오히려 권장해야 합니다. 2안은 모집인원의 80%는 시험성적순으로, 나머지 20%는 다양한 요소를 반영한 종합심사를 통해 선발하자고 합니다. 2안에 의하면 시험성적이라는 한 분야의 결과는 비록 낮을지라도, 다른 분야의 노력, 즉 최종학력, 학교성적, 봉사실적, 자기소개서 등과 같은 다양한 분야의 노력을 했다면 선발될 수 있습니다. 따라서 개인의 노력할 의욕을 고취시키고 다양한 가치를 실현하기 위해 노력할 것을 유도할 수 있으므로, 제시문 (나)는 2안과 가장 잘 어울립니다.

제시문 (다)의 입장에 3안이 가장 잘 어울립니다. 제시문 (다)에 따르면, 개인의 자유와 책임을 보장하고, 법과 정책 등을 통해 사회적 불평등을 최대한 교정해야 합니다. 3안은, 모집인원의 80%는 시험 성적순으로 선발하고, 나머지 20%는 최소한의 직무수행능력이 있는 자를 선발합니다. 개인이 각자 노력한 결과인 시험 성적과 최소한의 직무수행능력을 평가하는 것이기 때문에 개인의 자유로운 노력과 그 책임을 보장할 수 있습니다. 이는 개인의 노력할 의욕을 고취시킵니다. 또한 모집인원의 20%는 사회적 하위계층의 지원자에 한해 시험 성적이 아닌 공공적 지향과 태도를 측정하여 선발합니다. 이는 현재 문제되고 있는 사회적 불평등을 완화할 수 있습니다. 따라서 80%의 성적순 선발을 통해 개인의 노력할 의욕을 고취시키고, 20%의 사회적 하위계층 지원자 선발을 통해 사회적 불평등을 완화시킬 수 있습니다. 제시문 (다)는 3안과 가장 잘 어울립니다.

Q3. 모범답변

<사례>의 상황을 해결하기에 가장 적절한 개선안은, (가)의 입장에 따른 1안입니다. <사례>의 A국에서 공공기관 채용은 개인의 노력에 따른 능력에 기반하는 것이며, 채용시험 합격은 능력과 노력에 따른 합당한 보상으로 여기고 있습니다. 그러나 개인의 자유로운 노력과 능력의 결과에 사회적 배경이라는 우연이 함께 작동하여 채용시험 합격이라는 결과가 나타나고 있습니다. 1안은 전체 인원을 성적순으로 선발하여 개인의 자유로운 노력을 우선시하고, 사회적 하위계층 지원자에게 가산점을 부여함으로써 부모의 부와 같은 우연적 요인을 보정할 수 있도록 합니다. 따라서 1안은 개인의 자유로운 노력을 결정적 요인으로 만들기 때문에 공공기관 채용방법으로 적절합니다.

그러나 2안과 3안은 문제 해결에 적절하지 않습니다. 먼저, 2안은 최종학력, 학교성적, 봉사실적, 자기소개서 등을 심사하여 다양한 방향의 노력을 측정하고자 합니다. 그러나 노력할 의욕이 있더라도 가정형편이 매우 어려운 사회적 하위계층의 응시자의 경우 생계유지 등에 어려움이 있어 공공기관 채용을 위해 노력할 시간과 여력이 부족할 수밖에 없습니다. 이 경우 사회적 불평등을 완화할 수 없을 뿐만 아니라 이런 상황의 응시자는 어차피 자신이 선발될 가능성이 없다고 판단하여 의욕 자체를 상실하게 될 것입니다. 이는 형식적으로 기회를 부여하나 실질적인 기회를 배제하는 것이나 다름없습니다. 3안은 20%의 인원에 대해 공공적 지향을 평가함으로써 사회적 불평등을 완화하겠다는 사회적 가치 실현을 목적으로 개인의 자유로운 노력을 배제하는 것입니다. 공공기관 채용인원의 20%를 공공적 지향이라는 모호한 기준으로 선발하는 것은 채용시험이라는 결과를 합리적으로 예측하여 노력한 지원자들의 노력을 부정하는 것이나 다름없습니다.

따라서 (가)의 입장과 1안이 <사례>의 A국의 문제 해결에 적절합니다.

018 개념 롤스의 자유주의: 정의원칙

2022 서울대·2021 경북대/경희대/서강대/아주대·2020 성균관대 기출

1. 기본 개념

(1) 롤스의 자유주의와 재산권

가정환경이 다르다면 기회균등의 문제가 발생할 수 있으므로 A와 B의 가정환경이 동일하다고 가정해보자. A는 12시간을 공부하고 100점을, B는 6시간을 공부하고 70점을 받았다. A와 B의 불평등은 A와 B의 능력과 노력에 따른 불평등이므로 정당하다는 주장이 있을 수 있다. A는 나중에 의사가 되었고, B는 청소부가 되었다. A가 더 높은 보수와 위신을 차지하는 것은 정당하다. 자신의 능력과 노력에 따른 것이기 때문이다.

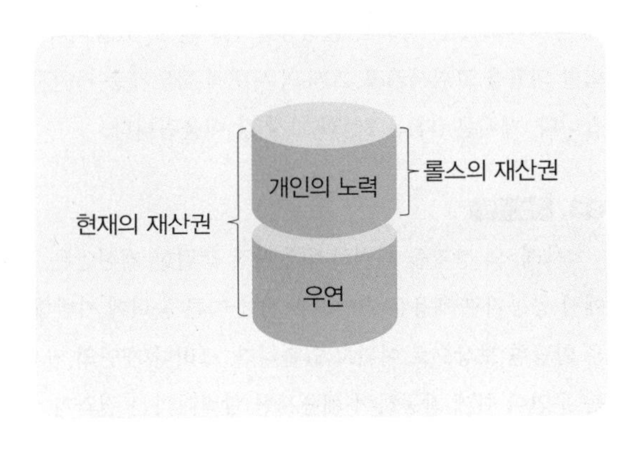

그러나 존 롤스는 A의 천부적 자질은 운에 따른 것이므로 사회적 자원이지 개인의 소유라고 볼 수 없다고 한다. A의 노력은 자신의 노력이므로 A가 노력으로 의사가 되었다면 더 높은 보수와 위신을 요구할 수 있다는 주장이 제기될 수 있다. 롤스는 노력을 가능하게 해준 탁월한 성품 또한 운 좋은 가정 배경이나 사회 환경에 따른 것이라고 한다. 따라서 A는 더 높은 보수를 주장할 수 없다고 한다.

(2) 롤스의 차등의 원칙

롤스는 경제적 불평등도 그것들이 사회에서 최소 수혜자에게 이득이 될 때만 정당화된다고 한다. A가 B보다 돈을 더 버는 것이 정당화되는 이유는 A의 능력 또는 노력 때문이 아니다. 의사의 보수가 너무 적어 누구도 의사가 되기 위한 교육을 받거나 비용을 투자하지 않는다면 B는 의사의 치료를 받을 수 없다. 의사인 A가 B보다 더 높은 보수를 받는 것은 A가 의사가 됨으로써 최소 수혜자인 B에게도 이득이 되어야 정당화된다. 따라서 롤스에 따르면 A가 의사가 되기 위해 노력했기 때문에 더 많은 보수를 얻을 자격이 있다고 할 수 없으며, 최소 수혜자에게 이득이 될 때에만 이것을 정당화할 수 있을 뿐이다.

2. 읽기 자료

정의론과 교육[30)]

30) 

정의론과 교육

018 문제 롤스의 자유주의: 정의원칙

답변 준비 시간 15분 | 답변 시간 10분

※ 다음 제시문을 읽고, 문제에 답하시오.

(가) 인간은 고통과 쾌락에 지배받는다. 고통과 쾌락은 옳고 그름의 기준이다. 행복을 증가시키느냐 또는 감소시키느냐에 따라 어떤 행동이 칭찬할 행동인지 비난할 행동인지가 결정된다. 효용성은 개인의 행위뿐 아니라 국가의 모든 정책의 판단기준이다. 효용성은 이익, 쾌락, 행복을 가져오고 불이익, 고통, 불행을 예방하는 속성이다. 공동체 이익은 도덕의 가장 일반적인 표현 중 하나이다. 공동체는 개인으로 구성된 허구체일 뿐이다. 공동체의 이익이란 그 공동체를 구성하는 구성원들의 이익을 합한 것이다. 따라서 개인의 이익을 별개로 하여 공동체의 이익을 논한다는 것은 무익하다.

(나) 롤스는, 정의로운 사회는 두 가지 원리에 기반을 둔다고 추론한다.
첫째, 개개인은 모든 사람에게 평등하게 주어진 가장 광범위한 체계의 권리와 자유를 가진다. 이 같은 권리와 자유에는 민주적 권리뿐만 아니라 표현, 양심, 평화적인 집회 등의 자유가 포함된다. 이 첫 번째 원리는 절대적인 것이며, 다음의 두 번째 원리를 위해서라도 결코 위배될 수 없다. 그러나 다양한 기본권들은 최대한의 권리를 획득하기 위해 상호 교환될 수 있다.
둘째, 경제적·사회적 불평등은 그것들이 사회 전체, 특히 사회에서 가장 혜택을 받지 못하는 구성원들에게 이득이 될 때만 정당화된다. 또한 경제적, 사회적으로 특권을 누리는 모든 지위는 모든 사람들에게 평등하게 열려 있어야 한다. 예를 들면, 의사가 식품점 점원보다 돈을 더 버는 것은, 만약 이것이 정반대일 경우라면 아무도 의사가 되기 위한 교육을 받지 않게 되고, 결국 식료품 점원은 의사의 치료를 받지 못하는 상황이 발생하게 된다는 가정하에서만 정당화된다. 따라서 의사가 봉급을 더 많이 받는 것은 의사에게 이득이 될 뿐만 아니라 의사의 치료를 받게 되는 식품점 점원을 포함하여 사회 모든 이들에게도 이득이 된다. 이와 같이 특정한 경제적 불평등은 모든 사회에 이득을 주고 모든 사회구성원들을 보다 더 나은 상태에 이르게 한다. 공리주의자들과 달리, 롤스의 정의의 이론은 일부 사람들의 더 많은 이익이나 행복을 위하여 다른 몇몇 사람들이 고통을 받도록 용인하지 않는다는 것이다.

(다) 소유 권리론의 시점에서 볼 때 재분배는, 실제 개인들의 권리의 침해를 포함하므로, 정말로 심각한 문제이다.
근로 소득에 대한 과세는 강제 노동과 동등한 것이다. 일부의 사람들은 이 주장이 명백한 진리라 생각한다; n시간분의 소득을 (세금으로) 취하는 것은 그 노동자로부터 n시간을 빼앗는 것과 같다. 이는 마치 그 사람으로 하여금 다른 사람을 위해 n시간 일하게 하는 것과 같다. 다른 일부의 사람들은 이 주장이 황당하다고 생각한다. 그러나 심지어 이들도, 이들이 강제 노동에 반대한다면, 히피 실업자들로 하여금 곤궁한 자들을 위해 일하도록 강요하는 데에는 반대할 것이다. 그리고 그들은 또한 모든 개인들에게 곤궁한 자들을 위해 매주 5시간씩 가외로 일하도록 강제하는 것에도 반대할 것이다. 그러나 세금으로 5시간분의 임금을 취하는 제도는, 5시간씩 일하게 강제하는 제도와 같은 것으로 그들에게 보이지는 않는다. 왜냐하면 이 제도는, 강제된 개인에게 명시된 특정의 노동을 강요하여 과세를 대체하는 경우보다, 다양한 행동의 선택 가능성을 제공한다. …(중략)…

자신의 기본적 욕구 충족에 필요한 것 이상의 수입을 벌기 위해 가외로 일하길 선택하는 사람은, 여가나 그가 일하지 않는 시간에 수행할 수 있는 활동보다는 가외의 재화나 서비스를 선호한다; 반면 가외로 일하지 않길 선택한 사람은 가외로 일함으로써 그가 얻을 수 있는 가외의 재화나 서비스보다는 여가의 활동을 선호한다. 이런 경우, 세제(稅制)가 한 사람의 여가의 일부를 취하여 곤궁한 자를 위해 원용(강제 노동)함이 비합법적이라면, 세제(稅制)가 한 사람의 재화의 일부를 취하여 그렇게 사용함은 어떻게 합법적일 수 있는가? 자신의 행복을 위해 어떤 물질적 재화나 서비스를 요구하는 사람과, 자신의 선호나 욕망이 그의 행복을 위해서 그러한 재화를 필요로 하지 않는 사람을 왜 우리는 달리 취급해야 하는가? 영화를 선호하는 (그래서 입장권 사기 위해 가외로 일해야 하는) 사람은 곤궁한 자를 돕도록 소집되어야 하고, 노을의 관조를 선호하는 (그래서 가외의 돈을 벌 필요가 없는) 사람은 왜 그렇지 않은가? 재분배론자들은 가외의 노동 없이도 자신의 쾌락을 쉽사리 성취할 수 있는 자는 무시하길 선택하나, 반면 자신의 쾌락을 취하기 위해 일해야 하는 그 가련한 불운아들에게는 설상가상의 짐을 얹어 주고 있다는 사실은 놀랍지 않은가? 무슨 대책이 있어야 한다면 그 역(逆)의 대책이 있어야 한다. 왜 비물질적 비소비적 욕망의 소유자는 방해받지 않고 그가 원하는 바를 취할 수 있으나, 그의 쾌락이나 욕망이 물질적인 것을 요구한다고 해서 가외로 일해야 하는 사람은 그가 실현할 수 있는 것에 있어 제약되어야 하는가? 아마도 원리적인 차이는 없겠다.

<사례>

우리 사회는 甲, 乙, 丙집단으로 구성되어 있다. A정책, B정책, C정책은 특정한 문제에 대한 의사결정 또는 상태를 의미한다. 각 집단의 행복지수는 다음과 같다.

구분	甲집단	乙집단	丙집단
A정책	6	6	6
B정책	7	10	15
C정책	4	15	20

Q1. (나)의 관점에서 (가)를 비판하시오.

Q2. (다)의 관점에서 (나)를 비판하시오.

Q3. 제시문 (가), (나)의 관점에서는 <사례>의 표에서 각각 어떤 정책을 선택하는 것이 타당한지 제시하고, 그 이유를 밝히시오.

Q4. 현재 상태는 <사례> 표의 C정책을 실현하고 있는 상황이다. 국가가 甲집단을 보호하기 위해 乙집단과 丙집단에 세금을 부과하여 B상태로 만들려는 정책을 추진하려 한다. 이 정책에 대해 (가), (나), (다)는 각각 어떤 입장을 취할 것인가?

018 해설 롤스의 자유주의: 정의원칙

Q1. 모범답변

(가)는 행복의 총량을 증가시키는 것이 옳다고 합니다. 사회의 이익이란 사회를 구성하는 개인들의 이익의 합(合)일 뿐입니다. (가)의 입장에 따르면 정의란 최대다수의 행복을 달성해 사회의 이익을 증가시키는 것입니다.

(가)의 공리주의는, 제시문 (나)에서 제시한 정의의 제1원칙인 평등한 자유를 희생시킬 수 있다는 점에서 비판 가능합니다. (가)에 따르면, 사회 전체의 이익에 도움이 된다면 소수자들의 자유를 희생시키는 것도 정당화될 수 있습니다. (나)에 따르면 평등한 자유원칙은 침해될 수 없는 절대적 원칙입니다. 그러나 (가)는 사회이익에 도움이 된다면 개인의 자유를 희생시킬 수 있다는 점에서 문제가 있습니다.

(가)의 공리주의는, (나)의 기회균등원칙에 위배되므로 비판할 수 있습니다. 공리주의는 사회 전체의 부를 증대시키는 것에만 관심이 있고 부의 분배에는 관심이 없습니다. 그렇다면 부유한 계층의 자녀와 가난한 계층의 자녀 간에 사회적 희소가치를 차지하는 경쟁에 있어서 기회가 균등하다고 할 수 없습니다. 아무래도 상위 계층의 자녀가 유리한 지위에서 경쟁할 수밖에 없기 때문입니다. 따라서 공리주의는 (나)의 기회균등을 해친다는 문제가 있습니다.

공리주의는 (나)의 최소 수혜자에게 최대한 이익이 돌아가야 한다는 차등의 원칙에 위배되므로 비판할 수 있습니다. 공리주의는 부의 증대만을 추구할 뿐 형성된 부의 재분배에 대해서는 무관심합니다. 이로 인해 공리주의는 부의 편중현상과 계층 간의 갈등문제를 해결할 수 없다는 문제점을 지닙니다. (나)에 따르면 사회이익이 커진다면 극단적인 부의 편중도 허용된다는 결과가 도출됩니다. 이는 최소 수혜자에게 최대이익이 돌아가야만 차별이 허용된다는 (나)의 입장에서는 허용될 수 없습니다.

Q2. 모범답변

(나)의 입장과 같이 최소 수혜자에게 최대이익이 돌아가도록 하기 위해서는, 소득재분배 정책이 필요합니다. 그러나 (다)에 의하면 이는 개인의 권리를 부당하게 침해하므로 타당하지 않습니다. (다)에 따르면, 소득재분배정책은 국가가 세금을 매개로 하여 개인의 자유를 강제하며, 실질적으로는 강제노동을 야기하므로 타당하지 않습니다. 최소 수혜자에게 최대이익을 주기 위해 근로소득에 대해 과세한다면 이는 근로자의 노동을 강제하는 문제가 발생합니다. 예를 들어 A와 B로 이루어진 사회가 있다고 했을 때, A는 영화 보기를 원하고 B는 노을을 관조(觀照)하기를 원한다고 하겠습니다. A가 영화 입장권을 사기 위해 가외(加外)로 일하는 경우, 국가는 A에게 곤궁한 자를 돕기 위한 조세를 부과합니다. 반면 B는 가외로 일하지 않기 때문에 곤궁한 자를 돕기 위한 조세를 부과받지 않습니다. A와 B를 달리 차별할 이유가 없음에도 불구하고, 곤궁한 자들을 돕는다는 사회적 목적 실현을 위한 과세는 B에 비해 A에 대한 불합리한 차별을 야기하므로 타당하지 않습니다.

Q3. 모범답변

(가)는 효용성이 크면 정당하다고 합니다. 따라서 甲, 乙, 丙집단의 행복지수를 합한 값이 가장 큰 C정책을 선택하는 것이 타당합니다.

(나)는 최소 수혜자에게 최대이익을 가져오는 한 차별은 정당화됩니다. 따라서 B정책으로 의사결정한 경우 최소 수혜집단인 甲집단의 이익이 7이 되어 다른 정책의 6, 4에 비해 가장 크므로 B정책으로 의사결정하는 것이 타당합니다.

Q4. 모범답변

(가)에 따르면 사회이익이 크면 정당합니다. 따라서 C의 총 행복지수는 39이나, B의 총 행복지수는 32이므로 B상태로 만들기 위한 조세정책을 추진하는 것은 타당하지 않습니다.

(나)는 최소 수혜자에게 최대이익을 가져온다면 차별이 정당화됩니다. C정책보다는 B정책을 실시할 때 최소 수혜자의 이익이 커지므로 B정책을 실시하는 것이 타당합니다.

(다)에 따르면 조세정책을 통해 가난한 자를 돕는 것은 노동 강제를 야기합니다. 따라서 조세를 부과하여 강제적으로 평등을 실현하려는 B정책을 실시하는 것은 타당하지 않습니다.

019 개념 롤스의 자유주의: 저축원칙

2024 경희대·2022 서울대·2021 경북대/경희대/서강대/아주대·2020 성균관대 기출

1. 원초적 입장

롤스는 원초적 입장을 최초계약 상황이면서 공정한 상황이라 생각했다. 롤스의 원초적 입장은 실제 상황은 아니고 거대한 사유(思惟) 실험이다. 사유 실험이란 실제상황이 아니라 우리의 머리로 생각하는 가상의 상황이라는 의미이다. 롤스는 원초적 입장이라는 사유실험을 통해 중립성을 확보하고자 했다.

롤스는 원초적 입장에서 모든 당사자들이 평등하며, 자유롭고 자율적인 인간이면서 서로에게 모든 것이 공개되어 있다고 가정했다. 그리고 무지의 베일, 혹은 무지의 장막하에서 자신의 이해관계를 벗어나 선택하게 된다고 가정했다. 여기에서 무지(無知)의 의미는 당사자의 구체적인 상황을 알 수 없다는 것이지 아무것도 모르는 백지상태를 의미하는 것은 아니다. 예를 들어, 드라마에 자주 나오는 것처럼 현실의 '나'의 기억은 잃어서 내 이름도 내 나이도 내 고향도 내 재산도 모르는 상태이지만, 한글을 읽고 쓰거나 산수를 하거나 물건을 사거나 버스를 타는 등의 활동은 할 수 있는 상태, 즉 이성이 살아있는 상태라 생각하면 된다.

롤스는 이러한 상황하에서 내린 선택이라야만 진정으로 자유로운 결정이 될 수 있다고 생각했다. 그리고 자신의 정의관을 제시한 후에, 원초적 입장이라는 사유실험에서 자신이 제시한 정의관이 정당화될 수 있음을 증명하는 방식을 취했다.

2. 정의원칙

롤스의 정의관, 정의원칙은 크게 두 가지로 구성되어 있다. 이를 제1정의원칙, 제2정의원칙이라 한다. 그리고 제2정의원칙은 또다시 세부적으로 두 가지 원칙으로 나뉜다.

롤스는 정의원칙을 다음과 같이 규정한다.

(1) 모두와 조화롭게 살 수 있는 평등권과 자유권이 구비된 최상의 체제에서 동등한 자격을 갖는다.

(2) 사회, 경제적인 불평등은 다음의 두 조건을 충족하는 범위 내에서 받아들일 수 있다. ① 모두에게 직무와 직위가 열려있는 공정한 기회균등의 조건하에서만 사회, 경제적인 불평등을 제한해야 하고, ② 그 사회의 최소 수혜자에게 혜택이 가장 큰 방향으로 사회, 경제적 불평등을 조정해야 한다.

먼저, (1)의 원칙을 제1정의원칙이라 하고 자유우선의 원칙이라 한다. 자유우선의 원칙은 롤스가 자유주의자로서 개인의 자유가 가장 큰 목적임을 선언한 것이다. 그리고 보편적으로 모든 사람은 자신의 자유를 보장받기를 원할 것임이 분명하고 이에 동의할 수 있음을 뜻하는 것이다.

둘째, (2)의 원칙을 제2정의원칙이라 하고, 평등제한원칙이라 한다. 제2정의원칙의 두 조건 중 앞의 조건은 공정한 기회균등을 위한 원칙이다. 그리고 후자의 조건은 불평등의 해소를 위한 원칙이다. 이 원칙을 차등의 원칙이라고도 한다.

이처럼 롤스는 원초적 입장에서 무지의 베일 아래에 놓인 당사자들은 정의로운 원칙에 동의할 것이라 여겼다.

3. 제2정의원칙: (1) 기회평등의 원칙

롤스는 자유주의자이지만 자유지상주의자와는 명백히 다르다. 노직과 같은 자유지상주의자는 자유를 형식적인 것으로 파악한다. 자유를 형식적인 것으로 본다는 말은 자유주의를 이해함에 있어서 대단히 중요하다. 이는 기회의 평등에 대한 관점의 차이점에서도 잘 드러난다.

자유주의는 자유를 최고의 가치로 여긴다. 자유는 모든 가치 중에 유일하게 형식적인 개념이기 때문이다. 자유는 아무런 내용을 갖고 있지 않은 것이다. 자유주의는 어떤 의미와 내용이 특정된 가치를 목적으로 삼아 실현하려 한다면 개인의 자유는 파괴된다고 여긴다. 중세국가는 성경의 말씀을 현실에서 실현하려 했고 그 결과 개인의 종교의 자유는 전적으로 제한되었던 것이 이를 증명한다. 종교의 자유를 보장한다면 그것이 어떤 종교인지 규정하지 않아도 된다. 예를 들어, 100명의 사람이 있을 때 개인의 종교의 자유를 인정한다면 개인들은 자신이 스스로 종교를 선택할 것이고 100가지의 내용과 의미가 결정될 것이다. 만약 1,000명의 사람이 있다고 하더라도 마찬가지가 된다.

자유주의자는 사회가 개인의 자유를 보장하기만 하면 결과적으로 다양한 가치가 도출되기 때문에 결과물인 가치를 목적으로 하지 말고 그 원인인 자유를 목적으로 해야 한다는 것이다. 반면, 자유지상주의는 개인의 자유를 극단적으로 추구하기 때문에 모든 개인에게 동등한 기회가 주어져야 하고 이 역시 형식적인 것이어야 한다고 여긴다. 기회를 준다는 것은 개인의 자유를 실현할 수 있었다는 뜻이다.

예를 들어, 선거권을 생각해보자. 모든 국민 개개인은 주권자로서 국가의 대표를 선출하는 선거권과 투표할 자유를 가진다. 선거는 개인이 자신의 자유와 그 책임을 규정할 법률과 국가정책을 제정하고 실현하는 입법부와 행정부의 대표를 선출하는 것이다. 선거할 기회 자체가 주어지지 않는다면 개인의 자유는 없는 것이나 마찬가지가 된다. 기회가 주어졌다면 투표를 할 것인지 하지 않을 것인지 선택할 자유가 있었던 것이고 투표를 했다면 어떤 후보를 뽑을 것인지 선택할 자유가 있었다는 것이다. 그러나 롤스는 형식적 기회를 준 것만으로는 개인의 자유를 보장하는 것이라 볼 수 없다고 생각했다. 형식적으로는 기회가 있었으나 실질적으로는 기회가 제한되었다면 개인의 자유가 보장되었다고 볼 수 없다는 것이다.

위 사례와 동일하게 선거권을 생각해보자. A와 B는 모두 선거권이 부여되었다. A는 투표를 했으나, B는 투표를 하지 않았다. B는 자신의 자유가 제한되었다고 주장한다. B는 휠체어를 이용하는 장애인인데 투표장소가 2층이어서 다른 사람의 도움 없이 자력으로 투표를 할 수 없었기 때문에 투표할 기회를 제한당했다고 주장한다. 롤스는 이처럼 실질적 기회가 제한된 것 역시 자유의 제한이 될 수 있다고 한다. B가 장애를 갖게 된 것은 선천적으로 혹은 후천적으로 우연적 요인이다. B가 스스로 투표를 하지 않겠다고 자유롭게 선택하지 않았다면 B에게는 자유가 제한된 것이다. 국가는 B의 자유로운 선택이 아닌 우연적 요인으로 B의 자유를 제한한 것이다. 따라서 국가는 엘리베이터가 설치된 장소에 투표소를 설치하는 등으로 개인의 투표할 자유의 실현 기회를 실질적으로 보장해야 한다.

이처럼 존 롤스는 개인의 자유를 보장하기 위해서는 실질적으로 기회의 평등이 달성되어야 한다고 주장한다.

4. 제2정의원칙: (2) 차등의 원칙

롤스는 개인의 노력의 결과라 하더라도 그 자체로 정당한 것은 아니라고 했다. 개인이 스스로 노력할 것을 선택했다고 하더라도, 개인의 재능이나 성품 등과 같은 우연적 요인이 분명히 있을 것이기 때문이다. 또한 개인이 노력했다는 것이 곧바로 불평등의 자격이 되는 것은 아닌데, 이는 사회를 이루는 개인들이 동의한 게임의 규칙에 따른 결과에 불과하기 때문이다. 롤스는 불평등을 정당화하기 위해서는 정의의 원칙이 전제되어야 한다고 했다. 먼저, 개인의 자유가 보장되어야 하고, 둘째 실질적인 기회의 평등이 실현되어야 한다. 롤스는 위의 두 조건들이 만족되어 그 결과로 발생한 불평등이라 하더라도 그것이 곧바로 정당한 것은 아니라고 생각했다. 이를 위해서는 최소 수혜자에게 이익이 될 때라는 조건이 하나 더 필요하다.

최소 수혜자에게 이익이 된다는 조건의 의미를 생각해보자. 롤스는 최소 수혜자의 이익이라는 개념을 설명하기 위해 변호사와 의사를 예로 든다. 변호사와 의사는 지적 능력에 재능을 타고난 우연이 있다고 하더라도 노력하지 않고서는 달성 불가능한 직업이고 우리 사회에서 부와 명예를 인정받는 직업이기 때문이다. 이에 더해 의사는 생명과 신체를 직접적으로 담당하고, 변호사는 생명과 신체의 자유에 직결되는 권리를 담당하기 때문이기도 하다.

예를 들어, 우리 사회가 의사가 된 자의 불평등을 인정하지 않기로 했다고 가정하자. 만약 의사의 평균 연봉이 1억 원이고, 우리 사회의 평균 연봉이 2천만 원이라고 하자. 의사라 하더라도 평균 연봉인 2천만 원을 받는 것이 정당하다고 생각하는 것이다. 그 결과는 최소 수혜자의 극단적 불이익이 될 수밖에 없다. 의사가 되기 위해서는 10년 넘는 기간 동안 막대한 분량의 공부와 실습, 수련을 거쳐야 한다. 내가 의사가 되고자 하는 사람이라 하자. 나는 지금 곧바로 취업을 할 수도 있고, 의사가 되기 위해 노력할 수도 있다. 그런데 이 상태에서 10년 후를 예측해보자. 곧바로 취업을 할 경우 연봉 2천만 원을 10년간 얻을 수 있으므로 2억 원의 예상소득이 있으나, 의사가 되고자 한다면 10년간 아무 소득 없이 학비만 들 것이고 이후에 기대할 수 있는 소득도 보잘것없다. 엄청난 소명 의식을 가진 극소수의 사람을 제외하면 현실적으로 의사가 되기 위해 그 긴 기간을 감내할 수 없다. 따라서 의사의 수는 극단적으로 줄어들게 된다. 우리 사회에 의사가 적은 편이 최소 수혜자에게 이익이 될까, 혹은 의사가 많은 편이 최소 수혜자에게 이익이 될까. 두말할 것도 없이 의사가 많은 편이 최소 수혜자에게 이익이 된다. 의사가 많으면 경쟁이 일어나고 가격이 낮아지고 다양한 서비스가 나올 수 있다.

변호사도 마찬가지이다. 법률 서비스 접근성이 좋아지려면 변호사가 많아야 한다. 개인이 자발적으로 그 오랜 기간의 어려운 공부와 노력을 감내할 것을 선택하게 유도하려면 그에 상응하는 불평등이 용인되어야 한다. 그러나 그 불평등이 최소 수혜자에게 이익이 되지 않는다면 최소 수혜자 역시 동의할 수 없을 것이다.

이처럼 롤스는 불평등이 정당화되기 위해 최소 수혜자의 이익을 실현하는 것이어야만 한다고 생각했다.

019 문제 롤스의 자유주의: 저축원칙

답변 준비 시간 15분 | 답변 시간 10분

※ 다음 제시문을 읽고, 문제에 답하시오.

(가) 가장 대표적인 민주적 의사결정 방식으로 다수결을 지칭하는 경우가 많다. 이는 다수결이 민주주의의 이념인 자유와 평등을 가장 잘 실현할 수 있다고 믿기 때문이다. 다수결의 정당성을 위한 전제로는 두 가지가 중요하다. 하나는 결정의 대상이 되는 사안이 다수결로 결정하기에 적합해야 한다는 것이다. 예컨대 학문적 진리를 다수결로 결정할 수 없으며, 유사한 맥락에서 고도의 전문성을 갖는 사안에 대해서는 비전문가의 다수결이 정당하지 않다. 다른 하나는 다수와 소수가 바뀔 수 있어야 한다는 것이다. 다수결의 한계로는 소수자가 납득할 수 있는 범위의 결정일 것, 즉 다수와 소수가 합의한 공동의 기초, 근본 가치를 침해하지 않는 것이 중요하다. 다수결이 다수의 횡포, 다수의 독재가 되어 소수자들의 극단적 저항을 불가피하게 만드는 경우에는 다수결의 정당성 또한 인정되기 어렵다.

(나) 세대 간의 문제는 정의의 문제이다. 후속 세대가 선행 세대로부터 과중한 부담을 떠안은 경우는 정의롭지 않다고 말할 수 있다. 세대 간의 문제를 정의의 관점에서 접근할 때 사회의 모든 구성원들은 선행 세대로부터 받아야 할 적정한 몫과 후속 세대를 위해 이행해야 할 본분과 관련해서 합당한 원칙을 채택할 수밖에 없다. 그렇게 되면 서로 다른 세대에 속하는 사람들이 마치 같은 세대의 사람들처럼 서로에 대해 책무를 지게 된다. 현세대는 미래 세대까지도 가상적인 협상 주체로 고려하여 정의로운 저축원칙에 도달할 것이다. 물론 정의로운 저축의 비율은 고정불변이 아니라 사회의 발전 단계에 따라 달라진다. 빈곤한 사회라면 높은 저축률이 필요한데도 저축률이 낮을 수밖에 없고, 부유한 사회라면 더 높은 저축률이 기대된다. 완전히 정의로운 사회에 근접하고 시민의 권리가 충실하게 실현된다면 요구되는 저축은 영(零)에 가깝게 될 것이다.

(다) 청년 세대가 직면하고 있는 취업과 경제적 어려움의 원인을 '세대 간 불평등'에서 찾는 시각이 있다. 이러한 시각은 청년 문제의 사회 구조적 측면을 가볍게 취급한다는 데에 문제가 있다. 본래 세대 간 갈등은 히피문화, X세대, Y세대와 같은 청년 문화와 기성 문화의 충돌과 관련된 사회 문화적 맥락에서 등장하였다. 그런데 사회 문화적인 범주에 속하는 세대 간 갈등 개념을 경제적 범주로 끌어들여 무비판적으로 사용하고 있다. 현재 우리 사회가 겪는 갈등의 대부분은 사회 문화적인 측면보다는 사회 구조적 모순에서 그 원인을 찾을 수 있다. 청년 세대에 속한다고 해서 다 가난한 것도, 장년 세대에 속한다고 해서 다 부유한 것도 아니다. 그러므로 우리 사회의 구조적 문제를 풀기 위해서는 세대 간 갈등보다는 오히려 부의 불평등에 관심을 기울여야 한다.

<사례>

우리나라에서 저출산·고령화의 파급 효과는 21세기에 들어와 본격적으로 문제 되기 시작했으며, 인구 구성비의 불균형으로 인한 다양한 경제적·사회적 문제들이 점차 세대 간의 갈등으로 번지고 있다. 정치적으로는 고령 인구의 비율 증가에 따른 보수화 경향이 짙어지는 가운데, 경제 활동 인구의 감소, 사회복지 부담의 증가 등으로 인하여 경제 성장도 둔화되고 있다. 그 결과 복지 재원이 축소되어 사회적 약자들 사이에서도 재원 배분의 우선순위를 둘러싼 갈등이 심화되고 있다. 한정된 재원의 투입에서 고령 인구를 위한 국민연금 및 건강보험의 강화를 우선할 것인지, 젊은 세대를 위한 교육 투자 및 실업 대책에 더 많은 재원을 사용할 것인지에 대하여 견해가 대립하고 있다.

Q1. 제시문 (가)~(다)를 각각 요약하시오.

Q2. 제시문 (가)~(다) 중 <사례>의 세대 간 갈등을 해결하기에 적절한 입장을 선택하여 논하시오.

Q3. 자신이 선택하지 않은 입장 모두에 대해 각각 반론하시오.

019 해설 롤스의 자유주의: 저축원칙

Q1. 모범답변

제시문 (가)는 민주적인 의사결정방식으로 다수결을 제시합니다. 다수결은 개인의 자유를 존중하는 의사결정방식인데, 각 개인은 자신이 스스로 정의가 무엇인지 판단할 권리가 있습니다. 만약 정의가 사회적으로 정해져 있어 개인에게 이를 강요하게 된다면 개인은 사회적 가치 실현의 객체로 전락하고 말 것입니다. 다수결이 정당화되기 위해서는, 첫째 다수결의 대상이 사실이나 전문적인 것이 아닐 것, 둘째 다수와 소수의 가변성이 있을 것이라는 전제조건이 필요합니다. 그리고 민주주의의 기본적 가치는 다수결의 대상이 되지 않는다는 한계가 있습니다.

제시문 (나)는 정의원칙으로 보상을 주장합니다. 정의는 각자에게 올바른 몫을 주는 것입니다. 정의원칙에 의하면 선행 세대가 후속 세대에게 과도한 부담을 지워서는 안 됩니다. 사회의 모든 구성원은 정의 원칙에 따라 자신이 선행 세대로부터 받아야 할 적절한 몫과 후속 세대를 위해 이행해야 할 몫을 합당하게 판단해야 합니다. 정의로운 사회는 이 몫에 따른 저축이 영(零)에 수렴하게 됩니다.

제시문 (다)는 부의 불평등을 해소해야 한다고 주장합니다. 세대 간 갈등의 원인은 부의 불평등이므로 세대 간 갈등의 원인은 부의 불평등입니다. 고령 세대가 많은 부를 가지고 있는 경우가 많고, 젊은 세대가 적은 부를 가진 경우가 많아 마치 세대 간 갈등이 있는 것으로 보이는 것일 뿐입니다. 부의 불평등이라는 사회 구조적인 모순이 세대를 통해 드러나고 있기 때문에 세대 간 갈등이 문제로 부각되고 있는 것입니다. 원인이 되는 사회 구조적 모순인 부의 불평등을 해소한다면 세대 간 갈등도 자연스레 해소될 것이라 주장합니다.

Q2. 모범답변

<사례>의 세대 간 갈등을 해결할 방안으로, 제시문 (가)는 다수결을, 제시문 (나)는 정의 원칙을, 제시문 (다)는 부의 불평등 해소를 제시하고 있습니다. 이 중 세대 간의 갈등을 최소화할 수 있는 방안으로 제시문 (나)의 입장이 타당합니다.

제시문 (나)의 정의원칙을 통해 <사례>의 세대 간 갈등을 해결할 수 있습니다. 정의란 각자에게 올바른 몫을 주는 것이므로, 사회 구성원 모두는 선행 세대로부터 받아야 할 적정한 몫과 후속 세대를 위해 이행해야 할 몫을 고려해야 합니다. 제시문 (나)에 따르면 <사례>의 세대 간 갈등은 고령 세대가 젊은 세대에게 사회복지 부담을 과도하게 지우고 젊은 세대를 위해 이행해야 할 몫을 과소부담하고 있어 발생합니다. 선행세대인 고령 세대가 자신들의 안정된 삶을 위한 국민연금과 건강을 위한 건강보험 강화를 요구한다면, 후속 세대인 젊은 세대는 안정된 삶은커녕 실업의 위협에 시달리는 등 과중한 부담을 지게 됩니다. 따라서 정의원칙에 따라 한정된 복지재원을 먼저 젊은 세대를 위한 교육투자와 실업대책에 사용하면 젊은 세대의 소득이 증가하고 이는 세수(稅收) 증대로 이어지게 됩니다. 이 재원을 고령 세대의 국민연금 및 건강보험 강화에 사용할 수 있습니다. 이처럼 사회의 저축을 영(零)으로 만드는 정의로운 절차를 적용해 세대 간의 갈등을 최소화할 수 있으므로 제시문 (나)의 방안이 적절합니다.

Q3. 모범답변[31]

제시문 (가)의 다수결을 통해 <사례>의 세대 간 갈등을 해결할 수 없으므로 타당하지 않습니다. 제시문 (가)의 다수결은 자유와 평등을 실현하는 의사결정방법이지만 다수결의 전제조건이 만족될 때에만 정당합니다. 만약 다수결의 전제조건 중 하나인 다수와 소수의 가변성이 없다면 다수결을 적용할 수 없습니다. 제시문 (가)에 따르면 <사례>의 세대 간 갈등은 국민투표를 통해 다수결로 해결해야 합니다. 그러나 저출산·고령화의 결과로 고령 인구는 지속적으로 늘어나는 반면, 젊은 세대는 상대적으로 줄어들 수밖에 없습니다. 고령 세대와 젊은 세대는 각각 자신들을 위한 정책을 지지할 것이므로, 다수와 소수의 가변성이 만족될 수 없습니다. 따라서 제시문 (가)의 국민투표 방안은 <사례>의 세대 간 갈등을 해결할 방법으로 적절하지 않습니다.

제시문 (다)의 부의 불평등 해소는 <사례>의 세대 간 갈등을 해결할 수 없으므로 타당하지 않습니다. 제시문 (다)는 세대 간 갈등의 원인은 저출산·고령화가 아니라 부의 불평등이기 때문에 원인인 부의 불평등 문제를 해결해야 한다고 주장합니다. 제시문 (다)에 따르면 <사례>의 세대 갈등은 고소득자에 대한 과세 강화로 해결할 문제입니다. 고령 세대나 젊은 세대 모두 경제적 부담능력이 적어 복지 재원이 부족하기 때문에 세대 간 갈등이 발생하는 것입니다. 그렇다면 고소득자에 대한 과세로 복지 재원을 늘려, 고령 세대에는 국민연금과 건강보험을 강화하고 젊은 세대에는 교육 투자와 실업 대책을 지원할 수 있습니다. 그러나 현재 복지 재원이 부족한 상황에서 고소득자에 대한 과세를 시행한다고 하더라도 모든 세대를 지원할 만큼의 복지 재원을 마련할 수 있다고 보기 어렵습니다. 따라서 제시문 (다)의 고소득자 과세 방안을 통해 세대 간의 갈등을 해소하는 것은 현실적으로 어렵기 때문에 타당하지 않습니다.

31)

정의로운 저축의 수준

샌델의 공동체주의: 가격폭리 규제

2023 인하대/전북대·2022 경희대/서강대/서울대·2021 경희대/중앙대/한양대
2020 부산대/성균관대/한국외대·2019 건국대/시립대 기출

1. 기본 개념

(1) 롤스의 자유주의와 독립적·중립적 개인

롤스는, 현실의 개인이 내리는 결정은 자신의 상황이 반영되어 있는 것이므로 순수하게 자유롭게 중립적인 결정이라 볼 수 없다고 하였다. 롤스의 개인은 내가 누구인지 모르는 무지의 베일 상태에서 순수하게 이성적인 결정을 내리는 개인이다. 예를 들어, 나는 이미 한국 사람이고 남성으로 태어났으며 천부적 재능은 신체적 조건에 있다고 하자. 이러한 사람이 어떤 결정을 내렸다면 이는 자유롭게 내린 결정이라 할 수 없다. 그렇기 때문에 내가 어떤 사람일지 알 수 없는 상황에서 이성적이고 합리적인 결정을 추론해야만 자유로운 결정이라 할 수 있다. 이러한 면에서 롤스는 칸트의 보편적 도덕준칙을 자유주의에 반영했다고 할 수 있다. 그리고 이에 의하면 개인은 자신의 자유를 훼손당하지 않을 위험회피적인 결정을 내릴 가능성이 크다.

(2) 현대적 공동체주의의 사상적 배경

현대적 공동체주의는 롤스의 자유주의에 대항하여 나타난 사조(思潮)라 할 수 있다. 대표적인 학자로는 매킨타이어, 왈저, 테일러, 샌델이 있다. 샌델과 같은 현대적 공동체주의자는 롤스가 말하는 자유주의적 인간상에 대해 비판하면서 공동체로부터 유리되어 있는 독립적인 개인이란 환상에 불과하다고 주장한다.

(3) 공동체 구성원으로서의 서사적 존재

현대적 공동체주의는, 공동체로부터 유리된 개인은 존재할 수 없다고 본다. 우리는 이미 태어났을 때부터 누군가의 자녀이고 손자일 수밖에 없다. 마치 식물의 씨앗이 스스로 발아하듯이 독립된 개인으로 태어나는 것이 아니라, 가족 공동체의 일원으로 태어나 가족, 친구, 사회의 도움을 받아 성장해 개인으로 독립하는 것이다. 매킨타이어는 이를 두고 인간은 '서사적 존재'라고 하였다. 이야기는 시간의 흐름에 따라 만들어지고, 나 혼자 독백은 가능할지언정 이야기를 만들어나갈 수는 없다. 매킨타이어에 의하면 서사적 존재로서의 인간을 부정하고 독립적 개인을 말하는 것은 현실의 인간을 부정하고 가상의 존재를 인간으로 상정하는 것이나 다름없다. 예를 들어, A와 B가 동시에 물에 빠졌는데, A와 B 중에 하나만 구할 수 있는 상황이라 하자. 자유주의에 따르면 A와 B 중 누구를 구할 것인지는 구하려는 사람의 자유에 달린 것이며 심지어 구하지 않는 선택을 해도 된다. 롤스의 자유주의에 따르더라도 이는 마찬가지이다. 그러나 A는 내 아들이고 B는 모르는 아이라 하자. B를 살릴 수 있는 가능성이 더 높고 A는 멀리 있어 구하기 어려운 상황이라 하더라도 우리는 A를 구하려 뛰어들 것이다. 매킨타이어는 우리가 이런 선택을 할 것임은 자명하고, 나와 이야기를 갖고 있는 존재를 더 중요하게 생각할 수밖에 없다고 하였다. 이것이 바로 매킨타이어의 서사적 존재의 개념이고, 우리가 가족을, 친구를, 민족을, 국민을, 타인보다 더 중요하게 여길 수밖에 없는 이유라 할 수 있다.

알레스데어 매킨타이어는 <덕의 상실>에서 모든 삶의 서사에는 목적론적 성격이 있다고 했다. 이 목적은 신과 같이 외적 권위가 부여되어 있는 고정된 것이 아니다. 목적론과 예측 불가능성은 공존할 수 있다. 우리는 앞으로 어떤 일이 벌어질 것인지 알지 못한다. 그럼에도 불구하고 우리는 미래를 향해 나아가는 목적과 목표의식이라는 이야기를 함께 공유하고 만들어나갈 수 있다. 우리가 삶을 살아가는 과정은 어떤 통합이나 일관성을 염원하는 서사적 탐색을 해나가는 과정이다. 그 과정에서 갈림길에 마주쳤을 때, 나는 내 삶의 전반에 가장 적합하고 마음이 가는 길을 찾아내려 애쓴다. 도덕적 고민은 자유주의에서 말하는 것과 같은 내 의지의 행사라기보다는 내 삶의 이야기를 해석하는 것에 가깝다. 여기에는 선택이 포함되지만, 그것은 해석에서 나오는 선택이지 의지의 주권적 행위가 아니다. 때로는 내 앞에 놓인 길 가운데 어느 길이 내 삶의 궤적과 가장 잘 어울리는지가 나보다 남에게 더 확실히 보일 수도 있다. 나에 대해 많이 생각해 본 친구가 나 자신보다 나를 더 잘 알 수도 있는 것이다. 도덕적 행위자를 서사로 설명하는 방식에는 이런 가능성을 허용하는 미덕이 존재한다.[32)]

2. 읽기 자료

마이클 샌델, <정의란 무엇인가>, 와이즈베리

알레스데어 매킨타이어, <덕의 상실>, 문예출판사

Part 1 Part 2 Part 3 Part 4 Part 5 Part 6 Part 7

해커스 김종수 로스쿨 면접 200주제

32)

매킨타이어 덕 윤리

020 문제 샌델의 공동체주의: 가격폭리 규제

답변 준비 시간 20분 | 답변 시간 15분

※ 다음 제시문을 읽고, 문제에 답하시오.

(가) 민주주의는 내적 평화와 개인의 자유를 보호하기 위한 실용적 도구(a utilitarian device)이다. 민주주의 그 자체가 결코 오류에 빠지지 않거나 확실한 것은 아니다. 또한 우리가 잊지 말아야 할 것은 민주 체제 아래에서보다도 독재적 지배 아래에서 문화적 자유와 정신적 자유가 더 컸던 적도 자주 있었다는 사실이다. 매우 동질적이면서도 교조주의적인 다수의 지배를 받는 민주정부가 오히려 최악의 독재만큼이나 압제적일 수 있다는 것은 전혀 불가능한 일이 아니다. 그러나 우리의 논점은 독재가 불가피하게 자유를 근절시킨다는 것이 아니라 오히려 계획이 독재로 귀결된다는 것이다. 왜냐하면 독재는 강제력을 행사하고 이상을 집행하는 데 가장 효과적인 도구일 뿐만 아니라, 대규모 중앙 계획이 가능하기 위해서는 본질적으로 필수적이기 때문이다.

계획과 민주주의가 서로 충돌하는 이유는 경제 활동의 지시를 위해 자유를 억압할 필요가 있으나 민주주의가 자유의 억압에 방해가 된다는 데 있다. 그러나 민주주의가 개인의 자유를 보장하는 수단으로 작용하지 않는 한, 민주주의는 전체주의 체제 아래에서도 지속될 수 있다. 진정한 프롤레타리아 독재(dictatorship of the proletariat)는 그 형태에서 민주적이라 하더라도, 중앙 집권 기관에서 경제 활동을 지시하기 위해서는 아마도 그 어떤 독재 정치 못지않게 철저하게 개인의 자유를 파괴할 것이다.

권력이 민주적 절차에 의해 부여되기만 하면 자의적일 수 없다는 믿음을 정당화하는 근거는 전혀 없다. 이런 믿음에 따라 민주적 절차와 자의성을 대비하는 것은 완전히 잘못된 것이다. 권력을 자의적이지 않도록 방지해 주는 것은 권력의 원천이 아니라 권력의 제한이다. 민주적 통제는 권력이 자의적으로 행사되지 않도록 억제할지도 모른다. 그러나 단지 민주적 통제가 존재한다고 해서 그렇게 되는 것은 아니다. 비록 민주적 절차를 통해 어떤 일을 하기로 결정하였더라도, 그 일의 달성을 위해 권력의 사용이 꼭 필요하며, 권력의 사용이 확고한 규칙들에 의해 제약될 수 없는 상황이라면, 그 권력은 틀림없이 자의적이 될 수밖에 없다.

(나) 인간은 고통과 쾌락에 지배받는다. 고통과 쾌락은 옳고 그름의 기준이다. 행복을 증가시키느냐 또는 감소시키느냐에 따라 어떤 행동이 칭찬할 행동인지 비난할 행동인지가 결정된다. 효용성은 개인의 행위뿐 아니라 국가의 모든 정책의 판단기준이다. 효용성은 이익, 쾌락, 행복을 가져오고 불이익, 고통, 불행을 예방하는 속성이다. 공동체 이익은 도덕의 가장 일반적인 표현 중 하나이다. 공동체는 개인으로 구성된 허구체일 뿐이다. 공동체의 이익이란 그 공동체를 구성하는 구성원들의 이익을 합한 것이다. 따라서 개인의 이익을 별개로 하여 공동체의 이익을 논한다는 것은 무익하다.

(다) 인간을 자발적 존재로 볼 것인가, 서사적 존재로 볼 것인가를 결정하는 한 가지 방법은 사회계약으로는 설명할 수 없는 세 번째 범주의 의무를 인정하는가를 묻는 것이다. 그 의무와 달리 연대 의무는 보편적이지 않고 특수하다. 그 의무에는 우리가 떠안아야 할 도덕적 책임이 있다. 이 책임은 상대를 이성적 존재가 아닌, 역사를 공유하는 존재로 인식한다. 그러나 자발적 의무와 달리, 합의에 좌우되지는 않는다. 이 책임에 담긴 도덕의 무게는 소속된 자아라는 도덕적 고민에서, 그리고 내 삶의 이야기는 다른 사람의 이야기에 포함된다는 인식에서 나온다.

제일 어려운 사람을 도와야 한다는 견해로 보면, 개방적인 이민 정책을 실시해야 옳을 듯하다. 그러나 평등을 주장하는 사람조차도 이에 선뜻 동의하지 않는다. 이런 태도에도 도덕적 근거가 있을까? 물론이다. 그러나 우리에게는 삶과 역사를 공유하는 시민의 행복을 추구할 특별한 의무가 있다는 사실을 인정할 때만 그러하다. 그리고 그것은 도덕적 행위자로서 우리의 정체성이 우리 공동체와 밀접하게 연관된다는 생각으로 인간을 서사적 존재로 인정하느냐에 달렸다. 왈저는 이렇게 말한다. "애국의 정서가 도덕에 기초할 때만이, 공동체의 결집이 의무와 공동의 의미에 이바지할 때만이, 이방인뿐만 아니라 자국 구성원이 있을 때만이, 국가 공무원은 자국민의 행복에, 그리고 자국의 문화와 정치 번영에 각별히 신경을 쓸 이유가 생긴다."

<사례 1>

당신이 예산 배분을 결정하는 직위에 있다고 하자. 현재 당신이 사용할 수 있는 최대 예산은 10억 원이다. 일단 이 한정된 예산으로 아래 <사례> ①, ②, ③ 중 하나에 지원하려 하는데, 동시에 2개 이상의 사례를 해결할 수 없고 예산을 나누어 사용할 수도 없다. 단, 예산은 앞으로 늘어날 수도 있기 때문에 미리 예산 지원의 우선순위를 정하려 한다.

① A국은 우리나라와 멀리 떨어져 있어 역사적으로 큰 관계가 없는 국가이며, 세계 최빈국 중 하나이다. 이 국가의 아동들은 개당 1천 원의 약품이 있으면 생명을 구할 수 있으나 그 돈이 없어 생명을 잃고 있는 상황이다. 약이 없어 생명의 위협에 놓인 A국 아동의 수는 100만 명이다.

② 우리나라와 국경을 마주하고 있는 B국은 갑자기 발생한 가뭄으로 인해 식량 생산에 차질이 발생한 상황이다. B국은 종교국가로 종교적 이유로 인해 우리나라와 50년 동안 크고 작은 분쟁을 겪어왔다. B국은 현재 극심한 가뭄으로 인해 식량 배급 중이다. B국 아동들은 생명은 유지할 수 있으나 아동들의 건강이 문제되고 있다. B국의 아동들에게 개당 5천 원인 영양식을 공급하면 이 위기를 해결할 수 있으며, 영양 문제에 직면한 B국의 아동은 20만 명에 달한다.

③ 우리나라의 아동들 중 소득불평등으로 인해 교육의 기회를 평등하게 가지지 못한 경우가 있다. 교육의 기회를 공평하게 제공하기 위해 아동 1명당 교육비가 50만 원이 소요된다. 교육의 기회를 제공받을 필요가 있는 저소득층 아동은 2천 명이다.

<사례 2>

예상 못한 태풍이 C지역을 강타하여 20여 명의 사상자와 1,000여 명의 이재민, 10조 원에 이르는 재산피해가 발생했다. 태풍으로 인해 상수도, 전기, 가스의 공급이 중단되었을 뿐만 아니라 도로, 철도 등이 유실되어 C지역 주민들은 큰 어려움을 겪었다.

재난 상황 중에 파렴치하고 부도덕한 행위를 하는 자들이 속출했다. 평소 500원이었던 생수를 1만 원에 파는가 하면, 리터당 1,500원이었던 휘발유 가격은 리터당 3만 원이 되었다. 77세의 할머니는 나이 든 남편과 장애가 있는 딸을 데리고 태풍을 피해 모텔에 묵었다가 하루 방값으로 20만 원을 지불해야 했다. 평소 요금은 4만 원이었다.

Q1. 제시문 (가), (나), (다)의 주장을 각각 요약하시오.

Q2. 제시문 (가), (나), (다) 각각의 입장에서 <사례 1> 상황을 해결할 때 <사례 1> ①, ②, ③의 우선순위를 정하시오.

Q3. 제시문 (가), (나), (다) 각각의 입장에서 <사례 2>의 재난 상황에서 가격폭리를 규제해야 한다는 주장을 평가하시오.

Q4. <사례 2>의 가격폭리 규제에 대한 자신의 견해를 제시하시오.

020 해설 샌델의 공동체주의: 가격폭리 규제

Q1. 모범답변

(가)는 자유 증진이 목적이어야 하며 이를 목적으로 하지 않는 것은 타당하지 않다고 합니다. 민주적 절차를 거친 법이라 하더라도 이것이 자유를 억압하는 것이라면 결코 정당화될 수 없다고 합니다.

(나)는 이익의 합이 커지는 것이 타당한 것이라 합니다. 고통과 쾌락을 계산해서 어떤 행위가 고통을 감소시키고, 쾌락을 증가시키면 정당하다고 합니다.

(다)는 공동체의 유지와 존속이 목적이어야 하며, 삶과 역사를 공유하는 시민들의 행복을 위해 연대할 의무도 의무 중의 하나라고 합니다.

Q2. 모범답변

(가)의 자유주의 입장에 따르면, 예산 지원은 ①, ②, ③의 순서로 이루어져야 합니다. 자유주의는 개인의 자유를 최대한 보장하는 것을 목적으로 합니다. 개인의 자유는 생명과 신체의 자유가 보장된 이후에야 다른 자유가 존재할 수 있습니다. 현재 A국의 아동들이 생명에 위협을 겪고 있으므로 가장 먼저 지원이 이루어져야 합니다. 그리고 B국의 아동들이 건강상의 문제, 즉 신체에 위협이 있기 때문에 그다음으로 지원이 이루어져야 합니다. 마지막으로 우리나라의 아동들의 자유를 확대하기 위해 교육을 확대함이 타당합니다.

(나)의 공리주의 입장에 따르더라도, 예산 지원은 ①, ②, ③의 순서로 이루어져야 합니다. 공리주의는 효용이 가장 극대화되는 선택이 옳은 선택이라 합니다. 동일한 예산을 사용했을 때, A국에 지원을 하면 100만 명의 생명을 구할 수 있어 최대 효용이 달성됩니다. 그리고 두 번째로 B국에 지원을 하면 20만 명의 건강을 회복할 수 있는 효용이 있습니다. 마지막으로 우리나라의 아동에게 지원하는 것이 이 사례들 중 효용이 가장 작습니다.

(다)의 공동체주의 입장에 따르면, 예산 지원은 ③, ②, ①의 순서로 이루어져야 합니다. 공동체를 이루는 구성원들은 단절된 개인으로 살아가는 것이 아니라 서로 관계를 맺으며 이야기를 만들어갑니다. 이러한 서사가 있는 인간은 우리와 이야기를 갖고 있는 존재를 우선하여 도울 의무가 있습니다. 이를 서사적 존재라 합니다. 이에 따르면 우리와 가장 많은 이야기를 오래 만들어온 우리나라의 아동들에게 먼저 지원을 해야 합니다. 그리고 우리나라의 인접국으로 관계를 맺어온 B국의 아동들을 지원해야 합니다. 마지막으로 우리와 가장 먼 국가인 A국의 아동들을 지원하는 것이 타당합니다.

Q3. 모범답변

제시문 (가)의 입장에서 가격폭리 규제는 타당하지 않다고 평가할 것입니다. 위 제시문 (가)는 민주적 절차를 거쳤다고 하더라도 자유를 억압하는 정책은 정당화될 수 없다고 합니다. 이에 따르면 국가의 가격 규제는 자유 억압이므로 정당화될 수 없습니다. C지역의 재난 상황의 해결을 개인의 자유와 시장에 맡겨놓을 경우 원활한 물품 공급이 이루어져 재난자에게도 도움이 됩니다. 물품의 가격이 오르면 수요자는 소비를 억제하고, 공급자는 C지역에 식수 등을 신속히 공급할 의지를 가지게 되어, 물품 부족을 해결할 수 있습니다. 그런데 가격폭리를 규제하여 물품 가격을 규제하면 식수에 대한 수요는 평상시보다 크게 증가한 데 반해 공급은 별다르게 증가하지 않을 것입니다. 이로 인해 식수가 더 시급하게 필요한 환자, 노인, 어린이에게 적시에 공급할 수 없어 피해만 가중시킬 수 있습니다. 따라서 가격 규제는 자유를 침해할 뿐 아니라 적절한 물품 공급이라는 목적 달성에도 도움이 되지 않습니다. 오히려 가격을 규제하지 않고 개인과 시장의 자유를 인정할 때 자원의 효율적 분배가 일어나 재난 상황을 해결할 수 있습니다.

제시문 (나)의 입장에 따르면 가격폭리 규제는 공리 계산에 따라 다르게 평가될 수 있습니다. 위 제시문 (나)는 고통과 쾌락을 계산해서 어떤 행위가 고통을 감소시키고, 쾌락을 증가시키면 정당하다고 합니다. 이에 따르면 C지역의 재난 상황에서 가격폭리행위가 행복에 어떤 영향을 미치는지에 따라 견해가 나뉠 수 있습니다. 만약 물품 가격이 올라 물품 공급이 늘어나 물품 부족을 신속히 해소할 수 있다면, 가격폭리행위는 정당하며 가격폭리 규제는 타당하지 않습니다. 반면, 가격폭리로 오른 가격을 부담할 수 없는 가난한 환자, 노인, 아이들이 위험에 그대로 방치되어 발생하는 고통이 오히려 쾌락보다 크다면, 가격폭리 규제는 타당할 것입니다. (이 답변은 공리 계산에 따라 규제 여부가 달라질 수 있음을 보인 것이다. 학생이 답변할 때에는 두 논리 중 하나를 선택하여 답변해야 한다.)

제시문 (다)의 입장에 따르면, 가격폭리 규제는 타당하다고 평가할 것입니다. 위 제시문 (다)는 삶과 역사를 공유하는 시민들의 행복을 위해 연대할 의무도 의무 중의 하나라고 합니다. C지역의 재난 상황에서 식수 등의 물품을 갖고 있는 자들은 개인의 노력을 통해 그 물품을 보유한 것이 아니고 단지 우연적으로 물품을 보유한 것입니다. 우연히 발생한 재난 상황에서 자신의 노력으로 얻은 것이 아닌 식수 등의 물품을 비싼 가격으로 팔아 폭리를 취하는 것은 재난 상황에 빠진 공동체 구성원들의 불행을 악용하는 것입니다. 부정의에 대해 공동체 구성원들은 공분(公憤)할 것이고 이 사회의 연대성은 파괴될 것입니다. 따라서 C지역 재난자들의 곤궁한 상태를 이용해 폭리를 취하는 행위는 부정의한 행동이며 연대 의무에 위반됩니다.

Q4. 모범답변

공동체의 해체를 막고 재난을 극복하기 위해 가격폭리를 규제해야 합니다. 인간은 고립된 섬처럼 자신의 삶을 영위한다기보다는 끊임없이 사회 공동체 내에서 타자와 함께 살아가는 존재입니다. 어려운 시기에 곤궁에 처한 이웃을 이용해 폭리를 취하는 사회에서 구성원들은 연대성을 가질 수 없습니다. 공동체 구성원은 삶과 역사를 공유하는 시민들의 행복을 위해 연대할 의무도 있습니다. 재난자들의 곤궁한 상태를 이용해 폭리를 취하는 행위는 연대 의무에 위반됩니다. 사회 구성원들을 이어주는 연대 정신이 파괴되면 사회는 해체될 수밖에 없습니다. 더 나아가 최근 예측할 수 없는 재해와 재난이 끊임없이 우리의 생존을 위협하고 있다는 점에서 어려운 시기에 서로 협력하는 연대 정신을 길러야 합니다. 이를 통해 예측할 수 없는 재난을 이기고 우리 모두가 생존할 수 있을 것입니다.

또한 가격폭리를 규제하는 것은 국가의 정당한 의무이기도 합니다. 국가의 1차적 존재 목적은 국민의 생명과 신체를 보호하기 위함입니다. 재난에 빠진 이웃을 이용해 폭리를 취하는 행위는 어려움에 빠진 재난자들의 재산은 물론 생명까지 위험에 빠뜨리게 하는 행위에 해당합니다. 따라서 재난을 당한 자의 정당한 권리인 생명권과 재산권을 보호하기 위해서라도 가격폭리를 규제해야 합니다.

샌델의 공동체주의: 과거사 문제

2024 고려대·2022 인하대·2021 경희대 기출

1. 과거의 인권침해를 해결해야 하는 이유와 목적

과거의 인권침해 문제는 공동체주의의 핵심개념인 서사적 존재가 아니라면 해결하기 어렵다. 이미 자행된 대규모의 인권침해를 되돌이킬 수는 없기 때문이다.

과거에 행해진 대규모의 인권침해라는 과오는 반드시 현재에 진상이 규명되어 사과를 해야만 한다. 그래야만 비극이 미래에 재발되는 것을 막을 수 있기 때문이다. 과거사 청산의 목적은 무엇보다도 재발 방지에 있다.

2. 책임의 소재와 정도

과거의 인권침해에 대한 역사적 책임은 문화와 역사를 공유하는 공동체 전체에 있다. 역사적 악행은 개인이 혼자 행한 것이 아니기 때문이다.

첫째, 악행 주도자와 공모자에게 책임이 있다. 이는 명백하게 부정의한 명령을 내리지 않거나 거부할 수 있었음에도 이행한 책임이다. 이들의 책임은 법적 처벌이 된다. 자신이 스스로 선택하고 행한 것이기 때문이다.

둘째, 당시 공동체 모두에게 책임이 있다. 선거 등을 통해 정부를 교체하거나 여론의 압박을 통해 역사적 악행을 막거나 축소할 수 있었음에도 이를 행하지 않은 책임이다. 당시 공동체, 즉 사회구성원의 책임은 진실을 규명하고 반성하는 자세를 보여주는 것이다.

마지막으로, 민족 모두에게 책임이 있다. 민족적 업적에 대한 자부심에는 민족적 악행에 대한 반성이 따른다. 이를 통해 역사적 악행의 재발을 막을 수 있다. 민족의 책임은 재발 방지에 대한 책임이다. 이를 위해서는 민족적이고 역사적인 악행을 역사 교육을 통해 지속적으로 미래 세대에게 알리고 미래의 우리가 그것을 되풀이하지 않을 것임을 선언하는 것이다.

샌델의 공동체주의: 과거사 문제

답변 준비 시간 10분 | 답변 시간 10분

※ 다음 제시문을 읽고, 문제에 답하시오.

(가) 제도적 행위자의 의무 - 예컨대 국제 전쟁법이 나토(NATO)에 부과하는 것과 같은 의무 - 를 거론할 때, 그 의무의 수행자는 기관의 구성원이 아니라 기관 자체가 되어야 한다. 이러한 주장은 개인의 도덕적 책임이 기관으로 손쉽게 전가되어 회피될 수 있다는 점을 말하려는 것은 아니다. 오히려 어떤 의무는 전혀 개인에게 돌릴 수 없기 때문에 이러한 주장을 하는 것이다. 예컨대 개별 군인은 민간인을 고의적으로 쏘지 않을 의무를 준수해야 한다. 그러나 그에게 침략 전쟁에 가담하지 말아야 할 의무를 부과할 수는 없다. 이 주장의 핵심적 논점은 대부분의 기관이 개인보다 더 큰 숙고 및 행위 능력을 가진다는 것이다. 이러한 능력에는 정보에 대한 포괄적인 접근, 정보의 취득과 처리를 위한 세련된 수단들, 그리고 결정의 실행을 위한 정교한 구조들이 포함된다. 사실상 기관은 막대한 사회적 재화를 확보할 수도 있고, 개별 행위자들의 능력범위를 넘어서는 중대한 위반을 저지를 수도 있다. 이러한 능력 때문에 기관은 어떠한 개인도 감당할 수 없는 특정한 의무를 지게 된다.

예를 들어 미국은 교토 의정서에 서명함으로써 - 실제로 미국이 서명하건 않건 간에 - 심각한 환경 위기에 대처할 수 있지만 개별 시민은 그렇게 할 수 없다. 그 시민은 일상생활에서 환경에 대한 의무를 가질 수는 있겠지만, 재화를 생산, 소비, 처리하는 구조의 변화를 조정하고 강제할 수 있는 시야나 능력을 갖고 있지는 않다. 따라서 기관이 아니라 개인만을 도덕적 행위자로 여긴다면, 어떤 행위에 대해서는 책임을 물을 수 없다. 도덕적 책임을 개인에게 국한시킨다면 지구적 차원의 문제는 해결할 수 없을 것이다.

(나) 과거의 인권침해에 대한 책임이 현재의 우리에게 없다는 주장이 있다. 이러한 주장의 문제점은 과거의 잘못에 대한 책임을 개인 중심으로 사고하는 것이다. 개인적 책임의 관점이 우리의 도덕적 사유에서 중요한 자리를 점할 수 있다. 그러나 우리는 사회적 존재이다. 그래서 우리는 많은 책임을 개인적으로가 아니라 집단적으로 지게 된다. 사회 역시 책임을 가지며, 우리는 공동체의 일원으로서 그 책임을 공유한다.

개인들을 사회 및 사회적 재화로부터 독립된 존재로 간주하고 이 개인들에게 사회적 재화를 분배하는 것을 정의의 문제로 인식하는 것은 잘못이다. 개인을 여러 속성을 지닌 하나의 독립된 실체로 간주하는 원자론적 관점으로는 개인의 정체성과 능력 자체가 사회적 과정과 관계의 산물이라는 점을 제대로 이해할 수 없다. 사회는 사회로부터 독립된 존재로서의 개인들에게 재화를 분배하는 것이 아니라, 정체성과 능력의 측면에서 개개인을 형성하는 것이다.

사회는 집단들로 이루어지며, 사회 집단은 구성원들의 속성이 아니라 그 집단의 정체성에 의해 규정되는 것이다. 때때로 구성원들이 공유하는 일련의 속성이 자신 또는 다른 사람을 어떤 사회 집단의 구성원으로 분류하는 필요조건이 되기도 한다. 그러나 개인을 집단의 구성원으로, 나아가 사회의 구성원으로 만드는 것은 특정한 사회적 지위와의 동일시, 사회적 지위가 산출하는 공통의 역사, 그리고 사회적 정체성의 내면화 과정이다.

(다) 민족적 책임은 자기 민족의 업적에 대해 자랑스럽게 생각하고 말하는 개인들에게 생긴다. 이러한 사실은 민족적 책임의 범위를 보여 준다. 왜냐하면 개개인이 자부심을 느끼도록 한 역사적 행위에만 민족적 책임이 미치기 때문이다. 민족적 자부심을 불러일으킨 행위가 어떤 잘못된 상황과 인과적 연관성을 가진다고 누군가 말할 때, 문제가 되는 잘못된 상황과 그 사람 사이에 잠재적 책임의 통로가 형성된다. 따라서 정치적 정체성 형성의 주요한 형태인 민족적 소속감은 어떤 책임을 수반한다.

이러한 형태의 귀속 과정에 참여한 개인은 자신이 스스로를 민족에 연관시키는 부분만큼 책임을 갖게 된다. 즉 그는 이러한 책임을 자신의 민족적 정체성을 통해서만 갖게 된다는 것이다. 이것은 중대한 인권침해 행위가 발생한 이후에 출생했다는 사실 자체가 그의 책임을 필연적으로 면제해 주지는 않는다는 것을 의미한다. 개인은 상상력을 통해 이 인권침해 행위의 원인과 자신을 연관시킬 수 있다. 그가 민족적 업적에 대해 자신이 그것을 이룬 사람이라고 상상함으로써 자부심을 가지게 될 때, 그는 그러한 업적을 초래한 역사적 행위의 책임이 자신에게 있다고 생각하게 된다. 이런 식으로 개인은 역사적 성취를 낳은 동일한 행위가 가져온 끔찍한 결과에 대해서도 책임을 느끼게 된다.

<사례>

영국민이 호주에 식민지를 건설한 이후, 역대 호주 정부는 원주민 아동들을 그들의 가족으로부터 강제로 격리하여 대규모 수용 시설에서 양육했다. 이 격리 정책은 1860년대부터 1960년대까지 시행되었다. 이 정책의 대상이 된 아동들은 '빼앗긴 세대들(The Stolen Generations)'이라 불렸다.「원주민 격리 아동 실태 보고서(Bringing Them Home, 1997)」에 의하면, 이 정책을 통해 원주민 공동체는 급속히 쇠퇴했으며 원주민들의 피해도 심각했다. 위 보고서에 대하여 당시의 호주 수상은 "오늘의 호주 시민들이 과거의 행위와 정책에 대하여 죄책감을 가질 필요도 없고, 비난을 받아서도 안 된다."라고 말했다. 이 발언은 국내외의 거센 비판을 불러일으켰다. 유엔 인권위원회는 호주 정부가 공식 사죄를 하지 않는 점을 비판했고, 호주의 시민 단체들은 정부의 공식 사죄를 촉구하는 운동을 전개했다. 이후 호주 연방의회는 2008년에 이 정책에 대해 사죄 결의안을 통과시켰다. 다음은 공식 사죄문의 일부이다.

우리는 동료 시민들에게 심각한 슬픔, 고통, 상실을 초래한 역대 의회와 정부의 정책에 대해 사죄합니다. 우리는 특히 호주 원주민과 토레스 해협 도서 거주자들의 자녀들을 가족, 공동체, 지역에서 강제로 떼어낸 것에 대해 사죄합니다. 이 빼앗긴 세대들, 또 그 후손들이 겪은 고통, 수난, 상처에 대해, 그리고 그들의 남겨진 가족들에게 사과의 말씀을 드립니다. 아울러 명예로운 종족과 명예로운 문화를 모욕하고 멸시했던 것에 대해 사과의 말씀을 드립니다. 오늘 우리는 과거를 인정하고, 모든 호주인을 끌어안는 미래를 천명함으로써 첫걸음을 내딛습니다.

Q1. 제시문 (가), (나), (다)를 핵심내용을 중심으로 각각 요약하시오.

Q2. 제시문 (가), (나), (다)의 핵심내용을 모두 활용하여, <사례>의 인권침해에 대한 책임을 현재 누가 져야 하는지 자신의 견해를 논변하시오.

Q3. 위 문제 답변의 논리적 연장선상에서, 과거의 인권침해에 대해 정부와 인권침해에 가담한 공무원, 국민 각각에게 구체적으로 어떤 책임이 있는지 답하시오.

021 해설 샌델의 공동체주의: 과거사 문제

Q1. 모범답변

(가)에 따르면, 인권침해에 대한 책임은 정부기관에 있습니다. 인권침해는 개인적 차원에서 일어나는 것이 아닙니다. 대규모 인권침해의 경우 기관 구성원 개인의 힘으로 행할 수 없고, 조직적인 능력을 동원할 수 있는 국가기관만이 행할 수 있습니다. 예를 들어 유대인 학살의 경우 가스실에서 실제로 가스를 살포하는 임무를 담당한 독일군인 개개인이 유대인을 학살한 것이 아닙니다. 나치 정부가 유대인을 선별하고, 분류한 후 수용소에 가두고 가스실에서 가스를 살포하라는 명령을 내렸기 때문입니다. 따라서 인권침해 행위에 대한 책임은 정부 구성원 개인보다는 정부와 같은 국가기관에 있습니다.

(나)에 따르면, 개인은 사회의 일부로서 인권침해의 책임을 공유합니다. 대규모 인권침해 행위에 대해 개인이 직접 인권침해 행위를 하지 않았으므로 책임을 질 필요가 없다고 생각할 수 있으나, 개인은 사회로부터 독립된 존재가 아니며 사회 공동체의 일원이므로 사회 공동체의 행위에는 그 구성원인 개인들의 영향도 분명히 존재합니다. 이러한 이유에서 사회구성원인 개인은 사회적인 인권침해 행위에 대한 구성원으로서의 책임이 일정 부분 있습니다. 예를 들어 유대인 학살의 경우 유대인을 차별하는 독일 사회 분위기가 널리 퍼져 있었고 당시 독일 국민 개개인들이 유대인에 대한 혐오를 공공연하게 드러내었던 히틀러와 나치를 지지했다는 점에서 독일 국민 개개인들에게도 책임이 있습니다.

(다)에 따르면, 현재의 개인들도 과거에 자행된 인권침해 행위에 대한 책임을 져야 합니다. 현재의 우리가 과거의 민족적 업적에 대한 자부심과 민족적 정체성을 갖고 있다면, 과거의 인권침해 행위에 대한 반성과 책임을 느껴야 합니다. 현재의 개인들은 자신이 직접 행동한 것이 아님에도 불구하고 자기 민족의 업적에 대해 자부심을 느끼고 이를 자랑스러워합니다. 예를 들어 세종대왕의 한글 창제는 우리 민족의 업적으로 한국 국민이라면 누구나 자부심을 느끼고 있을 것입니다. 그러나 세종대왕과 현재를 살고 있는 우리는 600년이 넘는 시간적 간격이 있습니다. 그럼에도 불구하고 현재의 우리가 한글 창제 이후에 출생했다는 사실은 우리가 민족적 정체성과 자부심을 갖는 데 영향을 미치지 않습니다. 그렇다면 과거의 인권침해 행위에 대한 반성을 하고 책임감을 느끼는 것에도 시간적 간격은 아무 영향을 미치지 않습니다. 따라서 민족적 소속감을 느끼는 현재의 민족 구성원 모두는 과거 우리 선조의 인권침해 행위에 대한 책임을 져야 합니다.

Q2. 모범답변

<사례>의 인권침해에 대한 책임은 정부공무원, 공동체 전체, 현재와 미래의 공동체 모두에게 있습니다. 지나간 인권침해에 대해 책임을 추궁하는 이유는 인권침해의 역사를 되풀이하지 않기 위함입니다. 인권침해의 재발을 막으려면 책임자의 반성, 국민의 과거사에 대한 책임 의식 공유가 필요하며, 인권침해의 역사적 기록을 공개하고 보존해야 합니다.

인권침해를 수행한 공무원이 살아 있다면 윤리적 책임을 추궁하고 이들의 진심 어린 반성을 이끌어내야 합니다. 제시문 (가)의 논리대로 인권침해의 원인이 정부일 수도 있습니다. 그러나 지나치게 국가의 책임을 강조하는 (가)의 견해는 인권침해를 자행한 공무원에게 변명거리를 제공할 수 있습니다. 그렇다면 훗날 <사례>의 상황과 유사하게 인권침해를 명령받을 경우, 공무원들이 다시 소수자들의 인권을 침해하여 재발 가능성이 높습니다. 이처럼 인권침해의 재발을 막기 위해서는 국가의 명령에 의해 인권을 침해했더라도 인권침해를 수행한 공무원의 책임을 물어야만 합니다.

인권침해의 책임은 공동체 구성원 전원에게 있습니다. '나는 직접적으로 인권침해에 관여하지 않았다'는 말로 변명한다면 인권침해는 재발할 수 있습니다. 2차 세계대전 당시 유대인들에 대한 격리, 학살의 책임은 침묵의 공모를 한 전체 독일 국민에게도 있습니다. 최소한 저항을 하지 않은 독일인의 행위는 나치의 인권침해에 대해 소극적 지지를 보냈다고 해석할 수 있기 때문입니다. 국민이 저항을 하지 않았기 때문에 나치는 유대인 학살로 발걸음을 과감하게 내디딜 수 있었습니다. 따라서 인권침해 예방을 위해서라도 인권침해의 책임은 국민 모두에게 있음을 명백히 해야 합니다. <사례>의 호주 원주민 아동격리에 대해서도 같은 논리가 적용될 수 있습니다. 특히 호주 정부는 100년 동안 국가정책으로 원주민에 대한 인권침해를 행했기 때문에, 호주 국민들은 100년간, 최소 20회의 선거를 통해 인권침해 정책을 막을 기회가 충분히 있었습니다. 따라서 인권침해 재발방지를 위해 사회 구성원 모두가 책임을 져야 합니다.

과거의 인권침해에 대해 관련이 없는 현대의 개인들도 역사적 책임을 져야 합니다. 그래야 불행한 역사를 되풀이하지 않을 수 있기 때문입니다. 한국인들은 일본을 걱정과 우려의 눈으로 보고 있습니다. 개화기와 유사한 상황이 발생한다면 일본의 군국주의가 또 발생할 수 있다고 생각하고 있기 때문입니다. 일본인들이 아직도 과거의 불법적 식민지 지배, 종군위안부 문제 등의 인권침해에 대해 진심으로 반성하고 있지 않으므로 재발의 위험성이 있기 때문입니다. 제시문 (다)에서 일본인들은 일본인이라는 민족적 정체성을 가지고 있는 것만큼 현재의 일본 국민들도 과거사에 대한 책임을 져야 합니다. 이와 마찬가지로 <사례>의 현재 호주 백인들도 책임을 져야 합니다. 호주 백인들이 원주민 아동의 인권침해에 대해 일종의 공동책임이라는 민족적 죄의식을 공유할 때 앞으로 소수 인종에 대한 인권침해를 예방할 수 있으리라고 신뢰할 수 있기 때문입니다.

Q3. 모범답변

정부에게는 인권침해의 피해자들에게 사죄와 배상의 책임이 있습니다. 대규모로 행해진 조직적 인권침해는 정부기관만 가능합니다. 정부가 인권침해를 행한 만큼 그에 대한 사죄와 배상 책임 역시 국가의 이름으로 행해야 합니다. 이를 통해 국가와 정부가 과거의 인권침해를 자행했음을 인정하고, 이를 반복하지 않겠다는 의지가 있음을 국제적이고 대외적으로 밝혀야 합니다.

인권침해에 가담한 공무원 중, 정책결정권이 있는 고위공무원은 법적 처벌이라는 책임을 져야 하고, 정책을 수행한 공무원에게는 진실을 밝힐 책임이 있습니다. 의사결정권이 있는 고위공무원은 조직적인 인권침해를 주도하였으므로 이에 대한 사법적 책임을 져야 합니다. 그렇지 않으면 미래에 인권침해를 자행하려는 고위공무원은 사법적 처벌을 받지 않는다고 생각하여 주저 없이 인권침해를 선택할 것입니다. 정책 수행 공무원의 경우 역사적 진실의 규명이라는 책임이 있습니다. 정부기관이 중심이 되어 대규모로 조직적인 인권침해를 가할 때, 정부조직이 비밀리에 인권침해를 자행하게 됩니다. 일반 국민에게 알려질 경우 여론의 동요와 국제적 비난이 가능하기 때문입니다. 따라서 결과적으로 대규모 인권침해가 벌어졌음에도 불구하고, 의사결정과정이나 정책집행과정 등이 명확하게 드러나기 어렵습니다. 이 대규모의 조직적 인권침해과정을 직접 수행한 공무원이 역사적 진실의 구체적인 모습을 밝혀야 합니다. 인권침해의 재발을 예방하기 위해서는 역사적 진실의 규명이 전제되어야 하기 때문입니다.

마지막으로 국민들은 역사적이고 민족적인 반성을 체화해야 하는 책임이 있습니다. 이를 위해 과거사에 대해 명확하게 규명하고 이를 교육과정을 통해 배워 역사적으로 민족이 무엇을 반성해야 하는 것인지 알아야만 합니다. 역사적, 도덕적, 법적 책임 모두 과거사에 대한 정확한 기억을 전제로 합니다. 일본처럼 과거사를 왜곡한다면 책임도 반성도 담보할 수 없고, 불행한 역사를 반복할 수도 있습니다. 과거사에 대한 정확한 기술을 통해 미래 세대에게도 역사적 경각심을 갖도록 해야 인권침해의 재발을 예방할 수 있습니다.

022 개념 철학적 딜레마: 능력주의

2024 서울대 기출

1. 기본 개념

(1) 의의

마이클 영은 능력주의(meritocracy)라는 용어를 처음 제시하면서, 능력을 지능과 노력의 합이라고 보았다. 이에 따르면 능력주의란, 한 사회의 모든 구성원을 성숙한 도덕적 주체로서 인정하는 보편적인 법적 관계와는 다른 차원에서 그 구성원들이 사회에 얼마나 기여했는가에 따라 평가하는 시스템이라 할 수 있다. 이러한 의미에서 능력주의는 신분제에 대응하는 개념으로, 부와 권력과 명예 등과 같은 사회적 재화를 어떤 사람의 타고난 혈통, 신분이나 계급 같은 것이 아니라 오로지 능력에 따라 사람들에게 할당하자는 이념이라 할 수 있다. 따라서 능력주의는 개인의 능력과 노력, 성과나 업적에 따라 부와 권력(지위)을 보상 내지는 차등분배하는 시스템이다.[33)]

(2) 능력주의의 장점

능력주의는 자유주의와 밀접한 관련이 있다. 자유주의는 자신의 자유로운 선택의 결과로써 노력 여부와 정도에 따라 나타난 결과물이 자신의 책임이 된다고 한다. 이 노력의 결과물이 능력이라는 점에서 유사하다. 능력주의는 개인의 자유로운 노력의 결과를 능력으로 인정해주기 때문에 일할 의욕과 동기를 촉발시킨다. 이 의욕과 동기는 결국 개인들의 경쟁으로 이어지고 이 경쟁이 사회 발전의 원동력이 된다.

(3) 능력주의의 단점

능력주의의 단점은 지나친 경쟁으로 인한 사회갈등, 결과 중심의 판단으로 인해 발생하는 문제점이다. 이 두 가지 단점은 연결되어 있는 경우가 많다. 우리 사회는 특히 능력주의가 강력하게 작동하는데, 능력을 발휘할 기회 자체가 부여되어 있지 않는 사람들에게도 왜 노력하지 않았는지를 추궁하게 되어 사회갈등으로 연결된다. 과도한 능력주의는 심지어 부유한 부모도 내 능력이라는 말을 정당화시키기도 한다.

2. 읽기 자료

마이클 샌델, <공정하다는 착각>, 와이즈베리

능력주의 반론[34)]

대입 추첨제[35)]

33)

능력주의 본질과 폐해

34)

능력주의 반론

35)

대입 추첨제

022 문제 철학적 딜레마: 능력주의

답변 준비 시간 10분 | 답변 시간 10분

※ 다음 제시문을 읽고, 문제에 답하시오.

(가) X국은 달리기를 중요한 능력으로 보기 때문에, X국에서는 달리기 대회에서 우승한 자가 사회적 명예와 부를 누린다. A는 경제적으로 풍족한 가정환경에서 전문 교육과 훈련을 받아 달리기 대회에서 우수한 성적을 거뒀다, 한편 B는 경제적으로 풍족하지 못한 부모 밑에서 태어나 아르바이트를 통해 생계를 유지하며 달리기 능력을 키우고자 노력했으나 우승하지 못했다. 이에 대해 A는 자신이 노력한 결과이므로 공정하다는 입장이다. 그러나 B는 자신도 A와 똑같이 노력했다며 이는 공정하지 못한 결과라고 했다.

(나) 능력주의(Meritocracy, 실력주의)는 모든 사람이 자신이 닦은 능력과 업적에 따라 보상받는 사회를 지향한다. 신분이나 연줄 대신 자유로운 개인의 노력을 중시하는 자유경쟁 시대에 직관적 호소력이 크다. 하지만 능력주의 담론의 기원은 자본주의보다 훨씬 오래됐다. '각자에게 각자의 몫을!(Suum Cuique)'이라는 명제가 기원전 700년경 호머의 서사시 '오디세이'에 처음 등장한 것이 단적인 증거다. 능력주의가 시대를 넘어선 보편적 소구력을 가졌다는 사실을 증명한다.

Q1. 제시문 (가)의 A의 주장은 타당한가?

Q2. 제시문 (가)의 B의 입장에서 '공정'이란 무엇인가?

Q3. 제시문 (나)의 능력주의에 대한 찬반 입장 중 한 입장을 선택해 논하시오.

Q4. 자신이 생각하는 '공정'이란 무엇인지 답하시오. 또한 공정한 사회로 나아가기 위한 해결방안에는 무엇이 있는지 논하시오.

022 해설 철학적 딜레마: 능력주의

Q1. 모범답변

A의 주장은 타당하지 않습니다. A의 달리기 대회 우승은 A의 노력의 결과뿐만 아니라 우연적 요인이 함께 작동한 결과이기 때문입니다. A의 우승은 자신이 선택할 수 없는 사회적, 개인적인 우연 또한 함께 작동한 결과입니다. 풍족한 가정환경은 부유한 부모를 만난 우연이고, 달리기의 재능을 갖고 태어난 것 또한 우연이며, 달리기를 높게 평가하는 사회적인 분위기 또한 우연입니다. A가 동일한 우연을 갖고 태어난 자들 사이에서도 노력한 결과로 우승한 것이기 때문에 A의 노력은 분명히 인정할 수 있습니다. 그러나 우연적 요인 또한 존재하므로 이에 대한 몫은 A의 정당한 몫이 아니며, 이에 대해서는 사회적으로 보상을 해야만 정의와 공정성이 실현되는 것입니다.

Q2. 모범답변

B의 공정이란, 우연을 보상하여 개인의 자유로운 노력을 인정하는 것을 의미합니다. 실질적인 기회의 평등을 보장하여 개인이 노력한 결과를 인정해야 합니다. 개인이 선택할 수 없고 노력으로 바꿀 수도 없는 우연적인 요인으로 인한 결과가 모두 개인의 노력으로 치부된다면 동일한 기회에서 노력하려는 유인을 이끌어낼 수 없을 것입니다.

Q3. 모범답변

[능력주의 찬성 입장]

자기책임의 원칙에 부합하기 때문에 능력주의는 타당합니다. 자기책임원칙이란 개인이 심사숙고하여 노력의 여부와 정도를 스스로 선택하고 그 결과에 대해 책임지는 것입니다. 능력주의는 개인이 스스로 선택한 삶의 방향과 노력의 결과를 그 개인의 것으로 인정하는 것입니다. 만약 능력주의를 부정한다면 개인은 자신의 삶의 주인이 아니라 정해진 운명 혹은 우연에 의해 지배되는 객체가 되는 것입니다.

공공복리 실현에 기여하므로 능력주의는 타당합니다. 능력주의는 개인의 자유로운 노력을 인정함으로써 개인들 간의 자유로운 경쟁을 자발적으로 유도합니다. 자신이 스스로 선택한 결과가 자신의 능력이 되어 자신에게 돌아오기 때문에 경쟁이 촉발되고 경쟁의 결과로 성층(成層)화가 나타나게 됩니다. 이처럼 개인들의 경쟁의 결과 개인으로서는 자신이 자연적으로는 달성할 수 없었던 성과를 달성할 수 있고, 사회적으로는 그러한 성과가 다른 구성원들에게 이익이 되는 효과를 달성하게 됩니다. 예를 들어, 부를 얻으려는 개인의 노력이 최첨단 기술을 탄생시키고 기술의 혜택을 사회 전체가 누리게 되는 것입니다.

[능력주의 반대 입장]

사회적 불평등을 심화시키므로 능력주의는 타당하지 않습니다. 능력주의로 인해 달성되는 개인의 성과는 후대에 상속되는 부의 대물림으로 이어집니다. 부의 대물림 현상은 사회의 불평등을 심화시킬 수밖에 없습니다. 이에 더해 부모의 부의 격차라는 우연적 요인이 교육 등에 영향을 주게 되고 이는 또다시 격차를 발생시키게 됩니다. 능력주의는 개인의 자유로운 선택의 결과가 그 자신의 능력이 된다는 논리적 기반 위에 성립하게 되는데, 부모의 부라는 우연적 요인이 개인의 능력에 영향을 준다는 점에서 능력주의의 한계가 있습니다. 예를 들어, 서울대 신입생을 대상으로 한 조사에서 저소득층 자녀의 비율이 점점 낮아지고 있다는 점을 볼 때 이를 확인할 수 있습니다. 이처럼 능력주의는 순수하게 개인의 자유에 근거한 것이라 할 수 없으며 사회 불평등을 심화시키기 때문에 타당하지 않습니다.

공공복리를 저해하므로 능력주의는 타당하지 않습니다. 공공복리가 증진되기 위해서는 사회적 비용 대비 사회적 성과가 높아져야 합니다. 그런데 사회적 불평등이 심화되면 범죄가 증가하고 복지비용 등이 증가하여 사회적 비용이 커지게 됩니다. 이에 더해 부모의 부가 자녀의 교육 등에 미치는 영향이 커지게 된다면 노력하려는 유인이 줄어들어 사회적 성과가 적어지게 됩니다. 이처럼 능력주의는 공공복리를 저해할 수 있으므로 타당하지 않습니다.

Q4. 모범답변

제가 생각하는 공정은, 우연적인 요인을 보상하여 실질적인 기회의 평등을 보장함으로써 개인의 자유로운 노력의 결과를 보장하는 것입니다.

이를 위한 해결방안으로는, 적극적 우대조치와 같은 보상제도가 있습니다. 현존하는 명백한 차별을 제거하기 위해서는 사회적으로 우연적 요인을 보상해야 합니다. 예를 들어, 교육 기회의 제공을 들 수 있습니다. 부모의 재력이나 개인적인 재능과 관계없이 누구나 공정한 교육 기회를 제공받아야 합니다. 실질적인 기회가 제공된 이후에는 개인의 노력 유무와 정도로 성과를 평가함이 타당합니다.

023 개념 철학적 딜레마: 선거제도

1. 기본 개념

(1) 투표의무제

일부 국가에서는 정치에 대한 국민의 관심을 높이기 위한 방안의 하나로 투표를 안 하면 벌금을 물리는 등의 벌칙을 가하고 있다. 기권도 의사표시의 하나인데 벌금 등의 제재는 지나치다는 비판도 강하지만, 이를 실시하는 국가는 늘어나고 있다.

벨기에는 벌금을 물리는데, 기권을 하면 할수록 벌금이 늘어난다. 15년 동안 4번 기권하면 10년간 선거인 명부에서 말소되고 공직에도 취임할 수 없게 된다. 국민으로서 중요한 권리를 박탈당하는 셈이다. 그리스는 기권하면 벌금 대신 일정 기간 신체적 자유를 제한하는 벌칙을 가하고 있다.

벌금 및 벌칙제를 채택하는 나라가 늘어나는 것은 투표율을 높이는 효과가 크기 때문이다. 오스트레일리아의 90%를 선두로 대부분의 나라가 80% 이상의 높은 투표율을 보이고 있다. 이는 선진국의 평균 투표율 60%를 훨씬 상회한다.

(2) 투표의 기회균등

투표참여 의무제 시행의 가장 성공적인 국가로 지목되고 있는 호주의 사례를 살펴볼 필요가 있다. 호주는 1960~1995년 기간의 하원의원 선거에서 세계에서 가장 높은 평균 95%의 투표율을 보인 것으로 밝혀졌다. 보통 토요일 오전 8시에서 오후 8시까지 투표가 실시되며, 선거관리위원회에서 투표의무를 면제받을 수 있는 사항은 질병, 임신 후반기 또는 정신질환 등에 국한된다. 그렇지 않고서, 투표의무를 완수하지 못할 경우, 약간의 벌금이 부과되며, 그것을 내지 않아 법정에 불려 갈 경우 벌금에 법정 경비가 더해진 벌금이 부과된다. 만약, 이것도 내지 않을 경우 형사 고발되고 인신 구속까지 이어진다.

이런 투표참여 의무제에도 불구하고 호주에서는 소위 양심범으로 불리는 투표기권자들이 나타나서 상당한 논란이 되기도 한다. 예를 들어, 헌법이 보장한 정치적 표현의 자유를 주장하며, 투표할 만한 가치가 있는 후보자들이 존재하지 않는 이유를 대면서 투표를 기권하고 벌금을 내지 않아 투옥되는 사람들이 종종 나타난다. 이럴 경우에 투표를 하지 않았다는 이유로 구속하는 것은 헌법이 보장한 정치적 표현의 자유에 반하기 때문에 벌금을 내지 않은 것에 대한 법정모독죄로 구속하는 것이 상례이다.

투표참여 의무제는 호주 사람들에 의해 압도적인 지지(1997년 70%)를 받고 있는 것으로 나타나고 있다. 심지어 그것을 적극적으로 옹호하는 사람들은 정치적 표현의 자유도 그 의무제 안에서 소화되고 있다고 주장하고 있다. 왜냐하면 투표장에 가서 등록을 하고 투표소에 들어가더라도 얼마든지 자신의 표를 무효로 만들 자유가 주어진다고 여겨지기 때문이다. 그렇기 때문에 투표참여 의무제는 국민의 대표성, 합법성, 책임성, 정치적 평등, 그리고 엘리트 권력의 최소화 등과 같은 민주주의의 필수요건들을 보호하는 데 기여하고 있다고 믿어지고 있다. 의원 선거에서 지역별 복수의 선거후보자들을 대상으로 선호순위를 매겨주는 소위 선호투표제(Preferential voting)를 실시하고 있는 호주의 투표결과에서, 의무제는 자유제에 비해 보수정당의 득표율에서 5% 정도 불리하게 작동하는 것 같지만, 전반적으로 정당체제의 장기적 안정에 크게 기여한 것으로 평가되고 있다. 모든 논리를 떠나서 투표참여 의무제는 "투표행위의 기회균등"을 확보하는 제도임에 틀림없다.

(3) 투표 기회의 평등

벨기에는 호주 못지않게 투표참여 의무제를 엄격하게 운영하는 나라이다. 벌금 조치 외에도 15년 동안에 최소한 4번 이상 기권하면 추후 투표 참정권이 박탈되며, 투표기권자는 공공부문의 직업을 얻는 데 불이익이 주어진다. 이런 연유로 1960~1995년 기간의 투표율 통계에서 유럽에서 가장 높은 것 중 하나인 평균 91%의 투표율을 보인 것으로 나타나고 있다. 그러나 최근에 헌법 제62조에 규정된 투표참여 의무제를 폐기하자는 주장이 정당들에 의해 제기되고 있는 것도 사실이다. 그렇게 될 경우, 투표참여 자유제로 전환한 네덜란드처럼 투표율이 60~70%대로 떨어질 것으로 예상된다. 투표참여 자유제가 채택될 경우 투표 의사를 묻는 한 여론 조사 결과에 따르면, 벨기에의 투표율은 이웃나라들인 네덜란드나 독일보다 조금 낮은 59%대일 것으로 나타나고 있다. 그리고 투표참여 의무제가 폐기되더라도 정당별 득표율에 1.5% 이내의 변화가 초래되기 때문에 근본적으로 벨기에의 권력구조를 바꾸지는 못할 것으로 예측된다. 그러나 전체적으로 엘리트 계층의 유권자들이 투표결과에 과대 대표될 것으로 예상되고 있다. 그 이유는 소득, 재산 및 교육에서 특권을 누린 계층이 그렇지 못한 사람들보다 투표에 더 많이 참여하는 경향이 있기 때문이다. 결국, 투표참여 자유제의 전환은 투표 기회의 불평등만을 조장할 것이라는 우려이다.

(4) 표현의 자유 침해

미국은 투표자유제를 시행하고 있으나, 19세기 말과 20세기 초에 몇 개 주(Virginia, Massachusetts, North Carolina 등)에서 이미 의무제를 실시해본 경험을 갖고 있다. 그러나 의무제는 침묵의 권리 내지 강요된 표현에 저항할 권리 등을 포함한 표현의 자유를 보장하고 있는 수정헌법 제1조항을 어기는 것으로 판결되어 금지되어 왔다. 즉, 투표에 불참 내지 거부하는 것도 하나의 표현 방법이고, 그런 자유가 주어지지 않는 의무제는 곧 헌법 위반이라는 것이다.

투표참여 자유제의 오랜 관행으로 여론조사 결과 미국 성인의 약 70%가 의무제 채택을 반대하고 있는 것으로 밝혀지고 있다. 그러나 지역 간 투표참여 시간을 다르게 하여 결과적으로 미국의 모든 지역에서 동시에 투표가 시작되고 마감되기 위한 24시간 투표참여제에 대해서는 60% 이상 찬성하는 것으로 밝혀지고 있다. 그럼에도 불구하고, 전(前) 미국정치학회장 Arend Lijphart는 학회 총회의 기조연설에서 투표참여 의무제 재도입을 강력하게 권고한 바 있다. 그렇지 않으면 지금과 같은 정치적 참여의 불평등을 해소할 길이 없다고 주장하고 있다. 그러나 투표의무제는 인간의 기본권인 표현의 자유에 우선되지 못한다는 것 때문에 거부되기도 한다.

2. 쟁점과 논거

찬성론: 국민주권	반대론: 국민주권
[국민주권] 대의제 민주주의하에서는 국민이 직접 의사결정을 하지 않고 투표를 통해 표출된 민의에 따라 선출된 대의기관이 국가의사를 결정한다. 투표의무제를 통해 많은 국민이 자신의 의사를 밝히고, 대의기관은 이러한 투표 결과에 따라 의사결정을 한다면 민주적 정당성을 확보할 수 있다.	[국민주권] 민주주의는 자유에 대해 책임지는 자율적 개인을 전제로 한다. 개인의 정치적 의사표현의 자유에 따라 투표 참여 여부부터 후보 선택까지 스스로 심사숙고하여 결정하고 그 결과에 책임지는 것이다. 투표의무제는 주권자인 국민 개개인의 정치적 의사표현의 자유를 제한한다.
[사회갈등 완화] 하위계층은 생계 등의 이유로 상위계층에 비해 투표에 참가하지 않는 비율이 높다. 결국 상위계층의 지지를 받는 대표가 선출되고, 그 결과 상위계층의 이익 위주로 국가의사결정이 이루어져 하위계층은 불이익을 겪게 된다. 투표의무제를 시행하여 사회갈등을 예방해야 한다.	[평등원칙 위배] 평등원칙은 같은 것을 다르게 대해서는 안 된다는 원칙이다. 모든 시민에게는 정치적 의사표현의 자유가 있다. 그러나 자신의 정치적 의사를 대변할 후보가 있는 자는 투표를 할 것이고, 그렇지 않은 자는 투표를 하지 않을 수 있다. 그런데 투표의무제는 이를 강제하므로 평등원칙에 반한다.
[장기적 민주주의 발전] 투표의무제 도입을 통해 대의기관의 정당성을 확보하여 국민주권을 실현하고, 사회갈등을 완화하며, 국민의 의사를 국가정책에 더 정확하게 반영할 수 있다. 이를 통해 정치에 대한 국민적 관심을 고조시키고 민주적 학습을 통해 장기적인 민주주의 발전에 기여한다.	[장기적 민주주의 저해] 국민 개개인이 심사숙고하여 대표자를 선출하는 과정을 거쳐 국민은 민주적으로 성장한다. 만약 국민이 국익에 반하는 대표자를 선출하였다고 하더라도 다음 선거에서는 이를 판단하고 반영하여 스스로 이를 교정할 수 있다. 투표의무제는 이러한 민주적 학습과정을 저해한다.

3. 읽기 자료: 투표의무제[36) 37) 38)]

선거는 일정한 절차에 따라 대표자를 선출하는 행위로서 대의기관을 구성하는 민주주의의 실현수단이다. 따라서 선거제도는 대의기관구성과 국가의 정책결정·집행과정에 국민의 의사가 가능한 한 굴절 없이 정확하게 반영될 수 있도록 마련되어야 한다. 그러므로 선거제도가 갖추어야 할 제1차적 요소가 대표형성의 정확성에 있음은 더 말할 나위도 없다.

그러나 입법자가 당선인 결정을 유효하도록 하기 위해 선거권자의 일정비율 이상이 반드시 투표에 참가해야만 한다는 의미의 최소투표율을 법률로 정할 것인지 여부, 또는 그러한 제도를 도입할 때 어느 정도의 수치로 지정할 것인지에 대한 명확한 헌법적 기준은 없으므로 청구인들의 위와 같은 주장은 헌법적으로 정당하지 않은 주장이라고 하지 않을 수 없다.

즉 우리 헌법 제41조 제1항은 국민의 보통·평등·직접·비밀 선거에 의해 국회를 구성하도록 하고 있다. 이는 제한선거제도를 부정하는 보통선거제를 제1의 원칙으로 채택함으로써 재력, 신분, 직업 등으로 차별대우를 받지 않고 평등한 참정권을 행사할 수 있도록 보장하여 실질적 국민주권주의를 구현하기 위한 것이라고 할 수 있다. 그러므로 헌법상의 선거원칙은 보통·평등·직접·비밀선거이고 이에 자유선거의 원칙이 더해진다고 할 수 있다. 그런데 현행 공선법 규정처럼 유효투표의 다수를 얻은 자를 당선인으로 결정하도록 하는 것이 헌법에서 선언된 위와 같은 선거원칙에 위반된다고 할 근거는 찾아볼 수 없다. 재·보궐선거가 실시되는 해당 선거구의 모든 선거권자들에게 성별, 재산, 사회적 신분, 학력 등에 의한 제한 없이 모두 투표참여의 기회를 부여하고(보통선거), 그들의 투표가치에 경중을 두지 않고 선거권자 1인의 투표를 모두 동등한 가치를 가진 1표로 계산하며(평등선거), 선거결과가 중간 선거인이나 정당이 아닌 선거권자에 의해 직접 결정되고 있고(직접선거), 투표의 비밀이 보장되며(비밀선거), 강제투표가 아닌 자유로운 투표를 보장

36)

2003헌마259

37)

의무투표제

38)

의무투표제 시행방안

함으로써(자유선거) 헌법상의 선거원칙은 모두 구현되는 것이므로, 이에 더하여 선거의 대표성 확보를 위해 최소투표율제를 채택할 것까지 요구할 수는 없다. 선거의 대표성 확보는 모든 선거권자들에게 차등 없이 투표참여의 기회를 부여하고, 그 투표에 참여한 선거권자들의 표를 동등한 가치로 평가하여 유효투표 중 다수의 득표를 얻은 자를 당선인으로 결정하는 현행 방식에 의해 충분히 구현된다고 해야 하는 것이다.

그리고 차등 없이 투표참여의 기회를 부여했음에도 불구하고 자발적으로 투표에 참가하지 않은 선거권자들의 의사도 존중해야 할 필요가 있다. 만약 청구인들이 주장하는바와 같은 최소투표율제도를 도입하게 되면 투표실시결과 그러한 최소투표율에 미달하는 투표율이 나왔을 때 그러한 최소투표율에 도달할 때까지 투표를 또다시 실시하지 않을 수 없게 되는데, 그것을 막기 위해 선거권자들로 하여금 투표를 하도록 강제하는 과태료나 벌금 등의 수단을 채택하게 된다면 자발적으로 투표에 참가하지 않은 선거권자들의 의사형성의 자유 내지 결심의 자유를 부당하게 축소하고 그 결과로 투표의 자유를 침해하여 결국 자유선거의 원칙을 위반할 우려도 있게 된다.

그럼에도 불구하고 저조한 투표율이 지니는 의미를 단지 재·보궐선거일이 평일이거나 투표시간이 근무시간 이후까지 연장되지 않았다는 것만에 기인한다고 여겨 당선인 결정방식을 선거권자들의 일정 비율 이상이 반드시 투표에 참여해야만 가능하다는 최소투표율제에 의해야 한다고 하면 결과적으로 선거인의 결정의 자유 내지 결심의 자유를 침해할 수도 있게 되는 것이다. 그러므로 저조한 투표율에 의해 실시된 재·보궐선거에서 유효투표의 다수를 얻은 후보자를 당선인으로 결정하는 것이 선거의 대표성을 훼손한다고 하기는 어렵다.

023 문제 철학적 딜레마: 선거제도

답변 준비 시간 15분 | 답변 시간 15분

Q1. 자유지상주의자인 로버트 노직은 개인의 자유를 최대한 보장해야 한다고 주장한다. 최근 투표율 하락 현상이 심각한데 이 현상에 대해 노직과 같은 자유지상주의자는 어떤 입장을 가지고 있으며, 어떤 해결책을 제시할 것인지 논증하시오.

Q2. 자유주의자인 롤스는 개인의 자유를 최대한 보장하되 개인이 어찌할 수 없는 우연적 요소는 보상해야 한다고 주장한다. 롤스의 입장에 따르면 투표율 하락현상을 어떻게 볼 것이며, 어떤 해결책을 제시할 것인지 논증하시오.

Q3. 공동체주의자인 샌델은 공동체의 유지와 존속을 위해 공동체의 공유된 가치를 지키는 것이 법의 목적이 되어야 한다고 주장한다. 샌델의 입장에서는 투표율 하락현상에 대해 어떤 해결책을 제시할 것인지 논증하시오.

Q4. 투표율 하락이 심각한 문제로 대두되면서 벨기에, 호주 등 일부 국가에서 시행 중인 투표의무제를 도입해야 한다는 주장이 있다. 투표의무제 도입에 대한 자신의 견해를 2개 이상의 논거를 들어 논변하시오.

Q5. 투표의무제에 대한 자신의 견해에 대해 예상되는 반론을 제시하고 그에 대한 재반론을 하시오.

023 해설 철학적 딜레마: 선거제도

Q1. 모범답변

로버트 노직과 같은 자유지상주의자는 선거는 유권자 개인이 선거의 효용과 비용을 자유롭게 판단해 투표 여부를 결정한 결과라고 볼 것입니다. 국민 중 많은 유권자가 투표로 인한 효용보다 투표장에 가는 등의 투표비용이 더 크다고 판단했고, 이런 판단을 내린 유권자가 많았기 때문에 결과적으로 투표율이 하락한 것이라고 생각할 것입니다.

따라서 이러한 입장에 따르면, 유권자 개인의 선거 참여 유인과 동기를 유발하여 개인의 자유와 책임을 극대화해야 합니다. 따라서 선거와 입후보자에 대한 정보를 손쉽게 얻을 수 있도록 선거 정보를 종합적으로 싣고 있는 인터넷 사이트 등을 만들어 국민들에게 적극 홍보해야 합니다. 이렇게 하면 유권자의 선거비용이 줄어들고, 유권자가 스스로 지난 당선자의 정책결과를 파악할 수 있어 선거의 효용을 깨달아 유권자의 투표 의욕을 높일 수 있습니다.

Q2. 모범답변

롤스의 입장에 따르면 투표율 하락현상은 투표의 기회를 실질적으로 보장하지 않은 결과라 볼 것입니다. 국민 개개인은 투표할 의지가 있으나 투표의 기회를 실질적으로 보장받지 못해 투표율이 하락한 것입니다. 모든 국민은 선거권이 있으나 현실적으로 이 기회가 제한되고 있는 것이 사실입니다. 생계 문제나 출퇴근 시간 등으로 인해 선거권을 행사할 기회가 제한당하는 상황이 명백히 현존하고 있습니다. 그렇다면 선거권 행사의 기회가 국민 모두에게 평등하게 보장된다고 보기 어렵습니다.

이 입장에 따르면 투표 기회를 저해하는 요소들을 제거해야 하지만 여전히 국민 개인이 투표 여부를 자유롭게 결정해야 한다고 볼 것입니다. 누구에게나 선거권은 형식적으로 존재하나 이를 실질적으로 실현할 수 없다면 실질적으로는 기회가 없는 것이나 마찬가지입니다. 이 입장에 따르면, 선거권 행사의 실질적 기회를 보장하면 국민은 스스로 판단하여 투표할 것입니다. 부재자 투표를 활성화한다면 투표가 힘든 자영업자의 투표참여 기회를 보장할 수 있고, 투표소 운영시간을 늘리면 직장에 근무하는 사람들이 출퇴근 시간 등에 구애받지 않고 투표할 기회를 보장받을 수 있습니다. 이처럼 롤스의 입장에서는 부재자 투표의 활성화나 선거가능시간의 연장 등과 같이 선거참여 기회를 실질적으로 보장하는 방안으로 투표율 하락현상을 해결할 수 있다고 볼 것입니다.

Q3. 모범답변

샌델과 같은 공동체주의자는 공동체의 유지·존속을 위해 공동체적 가치를 지켜야 한다고 생각합니다. 선거와 투표는 국민이 공동체적 가치가 무엇인지 확인하고 공동체 전체에 선언하는 것입니다. 따라서 이 입장에 따르면 투표는 공동체를 위해 공동체 구성원 모두가 참여해야 하는 의무입니다. 따라서 공동체주의자의 입장에 따르면, 공동체적 가치를 확인하고 실현하기 위해 투표를 의무화해야 한다고 할 것입니다.

Q4. 모범답변

투표의무제를 도입하는 것이 타당합니다. 민주적 정당성을 확보할 수 있고, 사회갈등을 예방할 수 있기 때문입니다.

대의기관의 민주적 정당성을 확보하기 위해 투표의무제를 시행해야 합니다. 대의제 민주주의하에서는 국민이 직접 의사결정을 하지 않고 대의기관이 국가의사를 결정합니다. 따라서 대의기관이 선거를 통해 많은 지지를 받을수록 대의기관의 의사결정이 정당화될 가능성이 높습니다. 우리나라 19대 국회의원 선거의 투표율은 54%에 그쳤고 20대 국회의원 선거 투표율은 58%에 불과했습니다. 다수당이 국민 과반수의 지지를 받았다고 하더라도 30% 미만의 지지를 받은 것에 불과합니다. 이런 낮은 투표율로는 대의기관의 정당성을 확보하기 어렵습니다. 투표 의무를 부과한 벨기에, 호주 등의 투표율은 80% 이상으로 투표의무제의 투표율 제고효과는 분명합니다. 따라서 투표의무제를 도입하여 대의기관의 민주적 정당성을 확보해야 합니다.

사회갈등을 예방하기 위해 투표의무제를 시행해야 합니다. 투표의무제를 규정하지 않은 경우, 엘리트 계층의 과대대표 문제가 발생하여 사회갈등이 심화될 수 있습니다. 우리나라 국회의원 선거에서도 문제되었듯이 부유한 상위 계층이 많은 지역과 그렇지 않은 지역 간의 투표율을 살펴보면 부유한 상위계층이 많은 지역의 투표율이 더 높습니다. 상위계층의 높은 투표율은 과대대표로 이어지고, 상위계층의 이익 위주로 국가의사결정이 이루어져 하위계층에게 불리할 수 있습니다. 상위계층의 과대대표로 상위계층의 이익을 위해 국가의사가 결정된다면 사회갈등은 심화되고, 사회적 약자는 보호받을 수 없습니다. 따라서 투표의무제를 도입하여 계층 간 균등한 대표를 선출하도록 할 필요가 있습니다.

Q5. 모범답변

투표의무제를 시행해야 한다는 입장에 대해 투표의무제는 정치적 의사표현의 자유를 침해한다는 반론이 제기될 수 있습니다. 선거권자 개인이 자신의 가치관에 부합하는 후보가 없다는 정치적 의사를 투표장에 가지 않는 방법으로 표현할 수 있다는 것입니다.

그러나 투표의무제를 도입하더라도 정치적 의사표현의 자유가 침해되는 것은 아닙니다. 투표의무제 하에서도 투표장에 가서 자신의 표를 무효로 만들거나 기권하여 정치권 전체에 대한 불신을 표현할 수 있습니다. 투표장에 가지 않는 것이 정치적 의사표현이라 할 수는 없습니다. 따라서 투표의무제를 시행한다고 해도 정치적 의사표현의 자유가 침해된다고 할 수 없습니다.

024 개념 자연법과 실정법

1. 기본 개념

(1) 자연법

자연법은 신이 제정한 법 또는 자연의 이치에 따른 법이다. 자연법은 인간이나 국가가 만든 법이 아니고, 자연법론자들에 따르면 인간이 계시 또는 이성을 통해 확인한 법이다. 자연법은 시대와 국가와 관계없이 보편적으로 인정되는 법이고, 옳고 그름의 최고 기준이 된다. 자연법은 신의 섭리가 될 수도 있고, 정의라 불리기도 하며, 도덕, 윤리, 종교가 자연법의 이치가 되기도 한다.

(2) 자연법사상

고대의 자연법사상은 스토아학파에 의해 시작되었다. 키케로는 법을 영구법, 자연법, 인정법(人定法)으로 나누었다. 먼저, 영구법이란 자연과 인간 모두에게 적용되는 법이다. 우주이성, 세계이성이라 한다. 둘째, 자연법은 영구법이 인간사회에 적용된 법으로서 인간사회의 최고가치 기준이다. 인간의 본성에 이성이 내재해 있고 정당한 이성이 가리키는 것이 자연법이다. 마지막으로, 인정법은 실정법으로서 특수한 민족, 국가에만 적용되는 법이다.

자연법사상은 중세에 들어 기독교 신학과 결합되었다. 아우구스티누스에 따르면 영구법은 하나님의 의지, 이성에 의해 창조된 원리이다. 토마스 아퀴나스에 따르면 인간은 이성을 통해 자연법을 인식할 수 있다고 한다. 이에 반해 실정법은 통치자가 정립한 법이다. 실정법은 자연법에 근거를 두고 있는 한 법에 해당하나, 자연법에 배치되는 경우 실정법은 법의 본질을 상실한다. 국가가 자연법에 반하는 실정법에 근거해 국가권력을 행사하는 경우 국민은 저항할 수 있다. 예를 들어, 신과 교회의 법에 위반되는 권력을 행사한 군주는 파문 등의 방법으로 군주의 권력을 제거할 수 있다.

근대에 들어 절대군주의 지배에 대항하기 위해 근대 자연법사상이 나타났다. 천부인권으로 대표되는 근대 자연법사상은 시민혁명을 정당화하는 이론이 되었다. 절대주의하에서 군주는 지배자이고 시민은 피지배자였다. 절대주의사상에 따르면 시민의 자유란 입법자인 군주가 실정법으로 인정한 자유이다. 따라서 절대주의체제의 실정법을 부정하지 않고서는 시민의 자유와 권리는 보장될 수 없었다. 군주와 대립했던 시민들은, 자유는 국가 이전부터 인간으로서 누릴 수 있는 권리라고 주장한다. 이런 자유를 보장하기 위해 사회계약을 통해 국가가 성립했다. 따라서 국가가 권력으로 시민의 자유를 침해한다면 이는 사회계약에 위반된다. 이러한 자연법사상은 시민혁명을 정당화시키는 이론이었고 시민혁명을 통해 성립한 근대입헌주의 헌법은 이러한 천부적 인권을 규정하였다.

(3) 실정법

이에 반해, 실정법이란 국가가 제정한 법이다. 실정법은 국가와 시대마다 다를 수 있고, 옳고 그름의 기준이 아니라 위법 여부의 기준이 된다. 실정법은 국가와 시대에 따라 지키기로 약속한 합의의 결과라고 볼 수 있다.

(4) 법실증주의

법실증주의는 19세기 독일 Karl Friedrich Von Gerber, Paul Laband, Georg Jellinek, Hans Kelsen에 의해 주도된 학파이다. 실증주의는 증명할 수 있는 것만을 학문의 대상으로 삼자는 학문조류이다. 법실증주의는 실제로 증명할 수 있는 실정법만을 법학의 연구대상으로 삼아야 한다고 하며, 신이나 도덕과 같은 자연법은 증명할 수 없으므로 법학의 연구대상에서 제외한다.

사실적 힘을 가진 자가 제정했기 때문에 효력을 가진다는 사실의 규범적 효력설(G. Jellinek), 상위법에 근거하여 제정했기 때문에 법이 되었다는 H. Kelsen의 법 단계설에 따라 실정법은 효력을 가진다. 만약 자연법사상에서 전제하듯이, 옳고 그름의 객관적 기준이 있고 우리가 이를 알 수 있다면, 법은 옳음을 반영해야 하고 법이 옳기 때문에 우리는 법을 준수해야 한다. 그러나 법실증주의는 옳고 그름이 객관적으로 존재하더라도 인간이 이를 인식할 수 없거나 옳고 그름의 객관적 기준은 없다고 한다.

법실증주의는 가치상대주의 혹은 가치중립주의를 기반으로 한다. 절대적이고 객관적인 옳고 그름을 알 수 없으므로 모든 개인의 옳고 그름에 대한 판단기준, 즉 개인의 가치관을 존중해야 한다. 개인이 자신의 가치관에 따라 판단하고, 이를 자유롭게 표현하고, 그 결과가 표결 등의 방법으로 공식화되면, 이것이 법률로써 성립한다. 결국 법실증주의자에 따르면, 법이 옳기 때문에 법을 지켜야 하는 것이 아니라, 입법자가 절차에 따라 제정했기 때문에 법률을 준수해야 한다고 한다. 이러한 법실증주의의 관점을 형식중심주의 혹은 절차중심주의라 한다. 이에 따르면 형식과 절차를 만족하여 결정된 법률은 정당한 내용으로 의제된다. 예를 들어, 헌법과 법률이 규정한 선거 절차에 의해 선출된 입법부가 마찬가지로 헌법과 법률에 규정된 절차대로 법률을 제정했다면 그 법률의 내용이 무엇인지는 상관없이 제정된 법률은 옳은 것으로 의제된다. 만약 제정된 법률이 옳지 않은 내용을 담고 있다면 국민들이 이 법률을 옳지 않다고 판단하여 법률에서 정한 절차에 따라 옳지 않은 법률을 폐지하거나 개정할 것이다.

구분	자연법 학파	법실증주의 학파
법의 효력 근거	• 법은 옳기 때문에 효력을 가진다.	• 법은 옳기 때문에 효력을 가지는 것이 아니라 입법자의 명령이기 때문에 효력을 가진다.
옳음의 존재	• 옳고 그름은 절대적 문제이다. • 따라서 옳음에 대한 보편적 기준이 있다.	• 옳고 그름은 상대적 문제이다. • 따라서 옳고 그름을 구별할 보편적 기준은 없다.
법과 도덕	• 법은 도덕, 옳음을 반영해야 한다.	• 법과 도덕은 구별된다. • "법이 있다는 것과 법이 좋고 나쁘다는 것은 별개의 문제다." • "어떤 내용도 법이 될 수 있다."

(5) 자연법과 실정법의 대립

법이 옳기 때문이 아니라 국가가 제정한 법이기 때문에 법을 준수해야 한다는 법실증주의의 논리는 옳지 않은 법이라도 준수해야 한다는 결론에 이른다. 따라서 옳지 않은 법에 따른 지배를 정당화시키는 이론이라는 비판을 받는다. 법실증주의에 따르면 나치가 제정한 악법이라도 법을 준수해야 한다. 이러한 주장은 악법에 의한 인권침해를 정당화시켰다는 비판을 받는다.

따라서 정의로운 법에 따라 통치를 해야 한다는 주장이 제기된다. 그러나 이 주장은 무엇이 정의로운가에 대해 학자마다 법관마다 다를 수 있다는 데 문제가 있다. 객관적인 옳고 그름이 있다면 일관성이 있어야 하나, 옳고 그름에 대한 견해가 학자나 종교인마다 다르므로 객관적 옳음이 존재하느냐에 대해 의문을 가질 수밖에 없다. 혼란이 있을 수밖에 없는 자연법에 근거하여 실정법의 효력을 부정한다면, 법적 안정성에 혼란이 생길 수밖에 없다. 따라서 자연법에 따른 통치는 법적 안정성을 해칠 수 있다는 점에서 문제가 있다.

어떤 사상이 옳다 하더라도 법적 강제력을 갖추지 못하는 한 현실세계를 변화시키기 어렵다. 신분제를 폐지해야 한다는 사상이 옳다고 하더라도 실정법이 신분제를 인정하고 있다면, 사상의 실효성은 없다. 따라서 당연한 법원리나 법사상도 실정법에 규정할 필요가 있다. 실정법에 규정된다면 실정법의 강제력에 의해 현실세계를 변화시킬 수 있기 때문이다. 예를 들어 신분제를 폐지하는 실정법이 제정되면 신분제도가 현실세계에서 점차 사라질 것이다. 자연법이나 이성법이 실질적 강제력을 확보하려면 실정법에 규정될 필요가 있다.

실정법은 자연법을 수용함으로써, 자연법사상이 현실 세계에서 실효성을 가지게 할 수 있다. 그리고 자연법은 실정법이 나가야 할 방향을 제시하고 실정법의 정당성 기준으로서, 실정법의 타락을 막아주는 최후의 보루로 기능해야 한다.

(6) 라드부르흐 공식

정의와 법적 안정성 사이의 갈등은 다음과 같이 해결할 수 있을 것이다. 즉, 규정과 권력에 의해 보장된 실정법은 그 내용이 정의롭지 못하고 합목적성이 없다고 할지라도 일단은 우선권을 갖는다. 그러나 실정법률의 정의에 대한 위반이 참을 수 없는 정도에 이르렀다면, "부정당한 법"인 그 법률은 정의에게 자리를 물려주어야 할 것이다. 물론 어떠한 경우에는 법률적 불법이며 어떠한 경우에는 비록 부정당한 내용을 지녔지만 그럼에도 효력을 갖는 법률인지를 확연하게 구별하는 것은 불가능하다. 그러나 한 가지 경계선만은 명백하게 확정할 수 있다. 즉, 결코 정의를 추구하지 않는 경우, 다시 말해서 실정법을 제정하면서 정의의 핵심을 이루는 평등을 의식적으로 부정한 경우, 그 법률은 단순히 "불법"에 그치지 않고, 법의 성질 자체를 갖고 있지 않다. 왜냐하면 실정법을 포함한 모든 법은 정의에 봉사하는 의미를 갖는 질서와 규정이라고 개념정의할 수밖에 없기 때문이다. 이러한 기준에 비추어 보면, 나치의 법은 결코 효력을 갖는 법이라고 말할 자격을 갖추고 있지 않다.

즉, 실정법의 법적 안정성이 우선 적용된다. 그러나 명백하게 부정의한 내용의 법률이라면 누구도 그 법이 정당하다고 여기지 않기 때문에 그 법률은 법률로서의 성질 자체가 없어 부정해도 된다.

(7) 안티고네와 크레온

안티고네는 소포클레스의 희곡의 등장인물이다. 안티고네라는 이름은 "꺾이지 않는" 혹은 "거슬러 걷는 자"라는 뜻이다. 안티고네는 오이디푸스의 딸이며, 장님이 되어 테베에서 쫓겨난 아버지 오이디푸스 왕의 길 안내를 하며 떠돌아다녔다. 아버지 오이디푸스가 죽자 안티고네는 테베로 돌아온다. 테베에서는 안티고네의 두 오빠인 폴리네이케스와 에테오클레스가 왕위를 놓고 싸우는 중이었다. 안티고네는 둘을 화해시키려 했지만 결국 둘은 서로를 죽였고 왕위는 안티고네의 외삼촌인 크레온에게 돌아간다.

크레온은 에테오클레스에게 성대한 장례를 치러주었다. 그러나 폴리네이케스는 내전을 일으킨 매국노라면서 시신을 매장하지 말고 길바닥에 방치하고 그의 시신을 거두어 장례를 치르는 자는 사형에 처하겠다고 명령했다.

안티고네는 오빠의 시신이 짐승의 밥이 되도록 방치할 수 없다며, 국왕인 외숙부 크레온의 명령을 어기고 폴리네이케스를 매장했다. 테베왕인 크레온은 분노하여 안티고네를 산 채로 무덤에 감금시켜 굶어 죽도록 한다. 이에 안티고네는 스스로 목숨을 끊었고, 이 사실을 알게 된 크레온의 아들이자 안티고네의 약혼자인 하이몬이 자살하였고, 뒤이어 하이몬의 어머니이자 크레온의 아내인 에우리디케도 크레온을 저주하며 자살한다.

2. 쟁점과 논거: 실정법을 거부한 안티고네의 처벌 찬반론

찬성론: 실정법 우선	반대론: 자연법 우선
[국가 유지·존속] 국가는 국민들이 법을 지킬 때 유지되고 존속할 수 있다. 국민들이 지키기로 약속한 실정법을 특정인이 지키지 않아도 된다면 사회의 질서는 결코 유지될 수 없다. 모든 사람이 법을 지켜야 하고 어길 경우 처벌된다는 국민의 신뢰가 유지되어야 법준수의식이 유지될 수 있다. 법준수의식이 사라진다면 사회 전반의 혼란을 가져올 것이다.	[사회 유지·존속] 사회는 옳고 그름에 대한 판단을 바탕으로 유지된다. 모든 시대와 사회, 국가에서 모든 사람이 인정할 수 있는 보편타당한 천부적 정의가 있다. 생명 존중, 가족에 대한 사랑 등이 이에 해당한다. 천부적인 정의인 자연법에 합치되지 않는 실정법은 누구나 이를 거부할 수 있다. 자연법에 배치되는 실정법은 사람들의 마음속에서 옳은 것이라 여겨지지 않기 때문에 자발적 법준수의식을 이끌어낼 수 없다.
[법치주의 훼손] 천부적 자연법의 존재 여부를 증명할 수 없고, 존재방식과 인식방법에 대해 논란의 여지가 있다. 사체 매장이 민족, 지역, 시대에 따라 다른 관습, 도덕의 문제일 수 있다는 점에서 보편적인 개념에 해당한다고 보기도 어렵다. 존재 자체가 모호하고 보편적이지 않은 자연법을 근거로 실정법의 적용을 거부할 수 있다면 사회 구성원 모두 각자의 정의를 말하며 법의 지배를 거부할 수 있다.	[실질적 법치주의] 법에 의한 지배가 실현되려면 법의 수범자인 사회 구성원이 자발적으로 동의할 수 있는 정당성을 갖춘 것이어야 한다. 특히 장례의식과 같은 전통이나 도덕은 국민 생활의 일부분으로 사회적 합의가 있다고 볼 수 있다. 인간은 국가 성립 이전부터 죽은 자를 애도하는 장례(葬禮)를 치러왔다. 그 형태가 시대나 국가에 따라 다르다고 해도 장례를 치르는 행위 자체는 보편적이다.
[개인의 자유에 대한 실질적 보호] 개인의 자유를 보장하기 위해 국가 등과 같은 사회적 기반이 갖추어져 있어야 한다. 하지만 개인의 도덕적 판단을 이유로 처벌하지 않는다면 법치주의의 저해, 모호한 자연법으로 인한 혼란 등으로 인해 사회 질서가 저해된다. 불안정한 사회에서는 다른 개인의 자유를 보장할 수 없다.	[개인의 자유 보호] 장례와 그 방식에 대한 선택은 자유로운 행위로 보호되어야 한다. 매장방법이나 종교의식은 순장 등과 같이 타인에게 해악을 주는 것이 아닌 한, 강제할 필요가 없다. 안티고네의 매장 행위는 크레온에게 불쾌감을 주었을 뿐 사회 일반의 전통에 따른 것으로 타인에게 해악이 없다.

024 문제 자연법과 실정법

답변 준비 시간 10분 | 답변 시간 10분

※ 다음 제시문을 읽고, 문제에 답하시오.

(가) 테베[39]의 왕, 크레온은 테베를 공격한 폴리네이케스(안티고네의 오빠)의 시신을 짐승의 먹이가 되도록 매장하지 못하게 한다.

- 안티고네: 나는 또 그대의 명령이, 신들의 확고부동한 불문율들을 죽게 마련인 한낱 인간이 무시할 수 있을 만큼, 강력하다고는 생각지 않아요. 왜냐하면 그 불문율들은 어제오늘에 생긴 것이 아니라 영원히 살아 있고, 어디서 왔는지 아무도 모르기 때문이지요. 나는 한 인간의 의지가 두려워서 그 불문율들을 어김으로써 신들 앞에서 벌을 받고 싶지 않았어요.

결국 크레온은 폴리네이케스를 매장하다가 잡혀온 안티고네를 석굴에 가둬 굶겨 죽이려 한다. 하이몬은 크레온의 아들이자 안티고네의 약혼자인데, 아버지인 크레온을 설득하려 한다.

- 크레온: 누구든지 도시를 세운 자에게는 큰일이든 작은 일이든, 옳은 일이든 옳지 않은 일이든 마땅히 복종해야 한다. 법에 복종하지 않는 자를 처벌하지 않으면 법이 곧 불의를 만드는 것이 된다. 그것은 또 동맹군의 전열을 무너뜨려 도망치게 하는 것이다. 그러나 법에 복종하는 것은 번영을 누리는 대부분의 사람들에게 안전을 보장해준다. 따라서 우리는 질서를 가져다주는 것을 보호하고, 결코 한 여인에게 져서는 안 된다. 내가 이 나라를 내가 아닌 다른 사람의 뜻에 따라 다스려야 한다고 생각하는가?
- 하이몬: 한 사람에 속하는 국가는 국가가 아닙니다.
- 크레온: 국가는 그 통치자의 것으로 간주되지 않느냐?
- 하이몬: 사막에서는 멋있게 독재를 하실 수 있겠지요.
- 크레온: 내 자신의 통치권을 존중하는 것도 과오냐?
- 하이몬: 신들의 명예를 짓밟으시면 그것은 존중하시는 것이 아닙니다.

예언자 테이레시아스는 크레온에게 그의 잘못을 일깨워주고 그가 그래도 고집을 부린다면 저주가 내린다고 예언한다. 크레온은 그제야 폴리네이케스의 시신을 묻고 안티고네를 풀어주기로 한다. 하지만 그가 안티고네가 갇힌 석굴에 갔을 때 이미 그녀는 목을 매어 세상을 떠난 뒤였다. 하이몬은 아버지를 원망하며 그를 공격하다가 그가 달아나자 자신의 옆구리를 찔러 자결한다.

(나) 애당초에 제가 이리로 이끌리어 오지 않았어야 했거나, 일단 이끌리어 온 이상에는, 제가 사형에 처하여지지 않을 수 없습니다. 그는 여러분을 상대로 주장하기를, 만약에 제가 방면되기라도 한다면, 여러분의 자제들은 소크라테스가 가르치는 것들을 실천함으로써 마침내 모두가 완전히 타락해 버릴 것이라고 했습니다. 만일에 여러분께서 이에 대응해서 제게 말씀하시기를, "소크라테스여, 이제 우리가 아니토스의 말대로 따르지 않고 그대를 무죄 방면하오. 그렇지만 이는 이런 조건으로, 즉 더 이상 이 탐구에 종사하지도 않으며, 지혜를 사랑하지(철학하지: philosophein)도 않는다는 조건으로 하는 것이오. 허나, 만약에 그대가 여전히 이를 행하다가 붙잡히게 된다면, 그대는 죽게 될 것이오"라고. 제가 말씀드린 대로, 정녕 이런 조건들로 저를 방면하려 하신다면, 저는 여러분께 말할 것입니다. "아테네인 여러분! 저는 여러분을

39) 테베: 고대 그리스의 주요도시이자 강국(強國)으로 아테네 북서쪽, 보이오티아 동부에 있었다. 오이디푸스 왕의 전설이 서린 곳으로 고대 그리스 비극의 대부분과 오이디푸스, 그의 아내이자 어머니, 그의 자녀들의 운명에 대한 여러 이야기가 테베를 무대로 하고 있다. 비극 중에서 아이스킬로스의 <테베 공략 7장군, Seven Against Thebes>과 소포클레스의 <오이디푸스 왕과 안티고네, Oedipus the King and Antigone>가 유명하다.

반기며 사랑합니다. 그러나 저는 여러분보다는 오히려 신께 복종할 것입니다. 그리고 제가 살아, 할 수 있는 동안까지는, 지혜를 사랑하는(철학하는) 것도, 여러분께 충고를 하는 것도, 그리고 언제고 여러분 가운데 누구든 만나게 되는 사람한테 이 점을 지적하는 것도 그만두지 않을 것입니다. 늘 해 오던 투로 말씀입니다."

(다) (크리톤은 소크라테스에게 탈옥하라고 권고한다. 다음은 소크라테스의 대답이다.)

법률은 아마도 말할 걸세. "그러니까, 소크라테스여, 만약에 우리가 하는 말이 진실이라면, 지금 그대가 꾀하고 있는 것들로 그대는 우리한테 올바르지 못한 짓들을 하려고 꾀하고 있다는 걸 생각하라. 우리는 그대를 태어나게 하여 양육하고 교육하였으며, 우리가 할 수 있는 것이면 온갖 훌륭한 것들을 그대에게 그리고 다른 모든 시민에게 나눠주었으니까. 그렇기는 하지만, 우리는 아테네인들 가운데 누구든 원하는 사람에게는 다음에 대해서 허용함으로써, 성인이 되어 나라에서 행하여지는 일들과 법률인 우리를 지켜본 다음에, 우리가 그의 마음에 들지 않을 경우에는, 자신의 것들을 갖고서 어디든 자기가 원하는 곳으로 떠나갈 수 있다는 것을 우리는 공표하고 있지. 또한 우리와 나라가 마음에 들지 않는다면, 여러분 가운데 누군가가 식민지 이주로 가기를 원하건, 또는 다른 어떤 곳으로 가서 거류민으로 살기를 원하건 간에, 자신의 것들을 갖고서 어디든 자기가 원하는 그곳으로 가는 것에 대해 법률인 우리 가운데서 어느 조항도 방해가 되거나 금지하고 있지 않아. 하지만 그대들 가운데서 누구든, 우리가 재판을 하거나 또는 다른 일들에 있어서 나라를 경영하는 방식을 보고서도 머무른다면, 우리는 이미 이 사람이, 우리가 시키는 것들은 이행하기로 우리와 사실상 합의한 것이라고 보네. 또한 복종하지 않는 자는 삼중으로 잘못을 저지르는 것이라고 보고. 그건 자기를 태어나게 한 우리에게 불복한 때문이요, 자기를 양육한 우리에게 불복한 때문이며, 그리고 우리에게 복종하기로 합의하고서도 복종도 하지 않고, 그렇다고 우리가 무언가 잘못할 경우에 우리를 납득시키지도 않기 때문이지. …(중략)…

생각해보라. 그대가 이를 어기고 이런 어떤 잘못을 저지르고서, 그대 자신과 그대의 친구들에게 해 줄 수 있는 좋은 일이 무엇일지를. 그대의 친구들도 자신들조차 추방되어 제 나라를 잃게 되거나 재산을 잃게 될 모험을 하게 될 것이 거의 명백하니까. 하지만 그대 자신이 먼저 가장 가까운 나라들 중의 한 나라로, 즉 테베나 메가라로 간다면 둘 다가 훌륭한 법질서를 갖추고 있으므로, 소크라테스여, 그대는 이들 나라의 정체(正體: politeia)에 대해 적대적인 사람으로서 가게 될 것이니라. 또한 자신들의 나라를 걱정하는 사람들은 모두가 그대를 법률을 망쳐 놓는 자로 여기고서 수상쩍게 볼 것이고, 따라서 재판관(배심원)들에게는 그들의 판단을 더욱 확신케 해 주어, 그 판결을 옳게 내렸다고 생각하게 할 것이니라. 법률을 망쳐 놓는 자는 누구든 아마도 젊은이들과 생각 없는 사람들을 타락시키는 자인 것으로 충분히 생각될 수 있을 것이기 때문이지."

Q1. 제시문 (가)에서 안티고네는 테베왕의 명령을 부정하고 있다. 안티고네의 주장을 요약하고, 테베왕의 입장에서 안티고네를 비판하시오.

Q2. 우리는 흔히, 소크라테스는 "악법도 법이다"라고 말했다고 알고 있다. 제시문 (나)와 (다)를 통해 소크라테스의 "악법도 법이다"라는 말의 의미가 무엇인지 답변하시오.

Q3. 제시문 (다)에서 소크라테스는 도주를 권하는 친구에게 법에 복종하여야 하기 때문에 도주할 수 없다고 대답했다. 이는 어떤 의미인가?

024 해설 자연법과 실정법

Q1. 모범답변

제시문 (가)의 안티고네의 행동은 영구적인 자연법에 근거하고 있는데, 자연법을 증명할 수 없다는 점에서 비판할 수 있습니다. 안티고네는, 오빠를 매장해서는 안 된다는 테베왕의 명령이 실정법으로서 인간이 만든 법이라고 합니다. 그러나 오빠를 매장하는 행위는 신들의 불문율로 영구적 법이라고 합니다. 그리고 안티고네는 신의 뜻인 영구적 자연법을 왕의 명령인 실정법보다 우선시하여 왕의 명령을 어기고 오빠를 매장할 것이라 말합니다.

안티고네의 주장은 자연법을 증명할 수 없다는 점에서 비판할 수 있습니다. 안티고네의 주장이 성립하기 위해서는, 존재론적으로 신의 뜻인 자연법이 존재하는지가 문제가 되고, 인식론적으로 신의 뜻이 있어도 인간이 자연법을 인식할 수 있는지가 문제됩니다. 신이 존재해야 신의 뜻이 있을 수 있습니다. 신이 존재한다는 것을 증명할 수 없고, 따라서 신의 뜻이 있는지 증명할 수 없습니다. 설사 신과 신의 뜻이 존재하더라도, 안티고네는 인간이 이를 어떻게 인식할 수 있는지 증명해야 합니다. 또한 사상이나 종교가 다르면 그들이 주장하는 자연법도 다릅니다. 티벳인들은 죽은 자의 시체를 산에 버리고 새의 먹이로 하는 조장(鳥葬)을 자연법으로 믿고 있습니다. 자연법이 안티고네의 주장대로 영구불변하고, 보편적인 율법이라면 안티고네와 티벳인의 자연법이 왜 다른지 설명할 수 없습니다. 따라서 안티고네의 행동은 자연법을 증명할 수 없다는 점에서 비판할 수 있습니다.

안티고네의 행동은 생활의 불안정을 초래한다는 점에서 비판할 수 있습니다. 실정법과 자연법 중 자연법을 우선시하는 태도는 법질서를 파괴합니다. 자연법은 종교, 사상마다 다릅니다. 이런 경우 실정법이 자연법에 반하므로 실정법의 효력을 부정한다면 법질서 파괴가 발생할 수 있습니다. 법은 모든 사람이 지켜야 한다는 강제력이 있어야만 사회질서 유지에 기여할 수 있습니다. 그런데 안티고네와 같이 주관적이고 독단적인 종교관, 사상관에 기초해 실정법의 효력을 부정한다면 사회 다수의 약속이 일방적으로 깨지게 되고 법질서는 붕괴될 수 있습니다.

Q2. 모범답변

소크라테스의 "악법도 법이다"라는 말의 의미는 실정법을 준수해야 한다는 의미입니다. 그러나 제시문 (나)를 볼 때, 소크라테스는 어떤 법이라도 반드시 지켜야 한다는 뜻으로 말하지 않았습니다. (나)에서 소크라테스는 시민들의 뜻에 복종하기보다 신에게 복종할 것이라고 합니다. 지혜를 사랑하지 않는 조건, 즉 철학하지 않는다는 조건으로 무죄방면된다면 자신의 목숨은 구하겠지만 신의 뜻에는 어긋난다고 여겼기 때문입니다. 이는 정당하지 않은 법이라면 따를 수 없다는 주장입니다. 따라서 소크라테스는 악법도 법이기 때문에 어떤 법이라도 반드시 준수해야 한다는 의미로 말한 것은 아닙니다.

Q3. 모범답변

법이 신의 뜻에 정면으로 위반한 경우에는 준수할 수 없지만 법이 자기의 이익에 반한다 하더라도 법을 준수해야 한다는 의미입니다. 소크라테스는 '철학하지 말라'는 명령은 신의 뜻에 정면으로 반하기 때문에 따를 수 없지만 법원의 판결이 다소 부당하거나 또는 자기 이익에 반하더라도 따라야 한다고 생각했습니다. 현대적으로 해석해 보면 '법이 인간의 존엄과 가치에 반한다'라고 하면 복종을 거부할 수 있습니다.

그러나 그 외의 경우에는 실정법을 준수해야 합니다. 예를 들어 세율이 다소 높은 법률로 인해 나의 이익이 다소 침해되더라도 이 법률을 준수해야 합니다. 왜냐하면 나의 이익에 반하거나 정의에 비추어 다소 문제가 있는 법률이라 하여 복종을 거부한다면 법적 안정성에 크게 해를 주기 때문입니다. 물론 지나치게 높은 세율이라면 법적인 절차로 다투거나 법개정을 청원하여 시정할 필요는 있습니다. 따라서 법적 안정성을 우선시하되 실정법의 정의 위반이 심각한 경우에 한해 그 효력을 부인하여야 할 것입니다.

025 개념 도덕과 법: 인치와 법치

2024 충남대 기출

1. 기본 개념

(1) 인치와 법치, 도덕과 법

인치(仁治), 덕치(德治), 예치(禮治)는 사람의 도리, 도덕에 따른 통치를 말한다. 도덕적 권위자인 통치자의 어질음과 감화로 국가를 다스리는 통치 체제를 의미한다. 대표적인 사례로 조선의 왕정을 들 수 있다. 조선의 왕은 백성을 사랑하는 아버지와 같은 존재로 끊임없는 유교 학습을 통해 도덕적 권위를 지닌 통치자가 된다. 조선의 왕이 아침마다 부모님께 인사를 드리고 부모가 돌아가시면 상복을 입고 3년상을 치르는 것은 권력자는 도덕적이어야 하기 때문이다.

이에 반해 법치(法治)는 법에 따라 통치하는 것을 말한다. 법에 정한 바대로 예외 없이 법대로 처리하는 통치체제이다. 대표적인 사례로 한비자의 법가 사상을 도입한 진시황의 진나라가 있다.

(2) 도덕과 법의 관계

인치와 법치는 도덕과 법이라는 쟁점을 중심으로 이해할 수 있다.

인치는 통치방법으로 도덕을 선택한 체제를 말한다. 도덕은 인간 집단이나 사회가 유지되기 위해 지켜야 할 규범을 말한다. 법은 이러한 도덕 중 사회가 유지되기 위해 필수적인 가치를 지키기 위해 합의한 강제규범을 말한다. 이러한 도덕과 법의 관계에 대해, 도덕과 법에 관해, 도덕적인 내용을 법에 적극 반영해야 한다는 입장과 법과 도덕을 엄격히 구별해서 도덕으로부터 법을 분리해야 한다는 입장이 있다.

일반적으로 도덕은 사회 유지를 위해 필요한 규범이고, 법은 개인의 자유를 제한하는 강제규범이라는 점에서 도덕과 법의 관계는 공동체주의와 자유주의와 관련이 깊다. 도덕과 법의 관계에서 공동체주의자는 도덕 중 많은 부분이 법으로써 강제되어야 한다는 입장을 지닌다. 반면, 자유주의자는 무엇이 도덕적인 행위인지는 개인의 자유로운 판단에 맡겨야 하고, 어떤 개인의 행위가 부도덕하다고 하더라도 비난할 수는 있으나 타인의 자유에 직접적 해악을 입히지 않은 경우 개인의 자유를 제한해서는 안 된다고 주장한다.

도덕과 법의 관계에서, 도덕을 법과 일치시켜야 한다는 견해, 도덕과 법이 분리되어야 한다는 견해, 도덕의 최소한이 법이라는 견해가 있다.

먼저, 도덕을 법과 일치시켜야 한다는 견해는 종교교리가 국가의 법이 되는 신정국가의 논리가 된다. 기독교의 교리를 실현하는 국가였던 서구 중세사회와 유교 원리를 실현하고자 했던 조선이 대표적 사례이다.

둘째로, 도덕과 법을 분리해야 한다는 견해는 극단적인 자유주의의 입장이라 할 수 있다. 이 입장에 따르면 법의 정당성은 개인들이 합의했기 때문이지 그것이 옳기 때문이라 할 수 없다.

마지막으로, 도덕의 최소한이 법이라는 견해는 현대의 관점이라 할 수 있는데 자유주의와 공동체주의의 대립이 현실적으로 나타나고 있기 때문이다. 도덕의 최소한이라 할 수 있는 기준이 무엇인지에 대해 여전히 철학자, 윤리학자, 법학자가 논의를 펼치고 있기 때문이다.

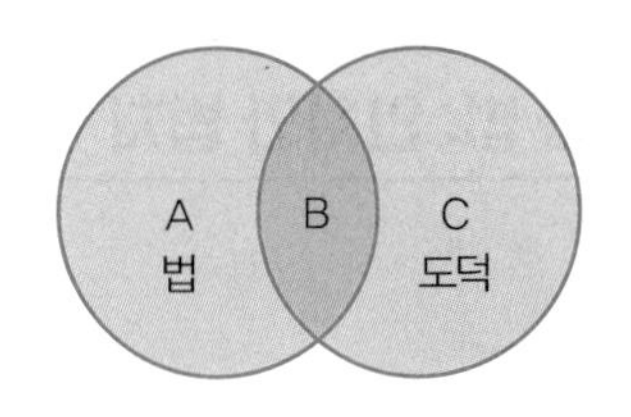

① 도덕과 무관한 법(A)

㉠ 주민등록법, 주차 위반 과태료 규정

㉡ 도로를 통행하는 보행자는 교통안전시설이 표시하는 신호에 따라야 한다는 규정

㉢ 기한 내 출생신고를 하지 않으면 과태료를 부과하는 규정

㉣ 채권을 일정한 기간 내에 행사하지 아니하면 소멸한다는 규정

② 도덕이면서 법(B)

㉠ 살인하지 말라 → 살인죄

㉡ 도둑질하지 말라 → 절도죄

㉢ 직계비속의 직계존속[40]에 대한 부양 의무

㉣ 직계존속에 대한 상해치사[41] 혹은 살해를, 일반인에 대한 그것보다 가중처벌하는 것

③ 법은 아니면서 도덕(C)

㉠ 어른을 만나면 인사를 하자.

㉡ 어른에게 존댓말을 쓰자.

㉢ 부모에게 거짓말하지 말자.

㉣ 공부를 열심히 하자.

(3) 도덕과 법의 개념상 차이

첫째, 도덕은 내적 행위를 규제 대상으로 하는 반면, 법은 외적 행위를 규제 대상으로 한다. 법은 아무리 내적으로 악한 의도를 가졌어도 그 의도가 외적으로 드러나지 않으면 규제하지 않는다. 그러나 도덕은 내적 동기를 문제 삼는다. 칸트에 따르면 도덕은 내적 동기, 즉 행위의 동기를 문제 삼는다. 예를 들어 甲이 친구 乙에게 100만 원을 빌렸다고 하자. 甲은 돈을 갚기 싫었으나 乙의 비난이 두려워 100만 원을 갚았다. 도덕 기준으로 보면 甲의 동기는 선하지 않았으므로 옳지 않다. 그러나 법은 甲의 동기를 문제 삼지 않는다. 甲이 돈을 갚았으므로 甲의 행위는 합법적이다. 그러나 법에서도 위법 행위를 동기에 따라 고의·과실로 구별하기도 한다. 고의로 사람을 죽인 경우(살인죄)와 과실로 사람을 죽인 경우(과실치사)와 같이 성립되는 범죄가 다르다.

둘째, 도덕은 자율성에 의해 실현되는 반면, 법은 타율적으로 실현된다. 법은 타율적인 외부적 강제를 통해 실현된다. 법을 위반한 경우 법원, 경찰이 나서서 제재를 하여 법을 보장한다. 이를 법의 타율성이라 한다. 그러나 도덕적 행위는 주체의 자율적 결정에 의해 이행된다. 이를 도덕의 자율성이라 한다.

40) 직계존속: 조상으로부터 직계로 내려와 자기에 이르는 사이의 혈족. 부모, 조부모 등을 이른다.

41) 상해치사: 고의로 남의 몸에 상처를 입혀 생명을 잃게 하는 것을 의미한다. 살인은 상대를 살해할 의도로 행해진 경우이며, 상해치사는 상대를 다치게 할 의사로 행하였는데 죽음에 이른 경우를 말한다.

(4) 도덕과 법의 구분

도덕과 법에 대해, 양자를 엄격하게 구별하는 이원론과, 양자를 동일시하는 일원론이 있다.

먼저, 이원론에 따르면 도덕과 법은 다른 것이므로 엄격하게 구별해야 한다. 칸트[42]는 강제 유무를 기준으로 법과 도덕을 구별한다. 법이란 타율이고 도덕은 자율이라고 한다. 법은 사람의 의무적 행동에 대한 강제 규범이고 도덕은 내심적 동기에 관한 자율적 규범이다. 거짓말하지 말라는 도덕 원칙을 어기고 거짓말을 했다고 하여 법적으로 처벌받지는 않는다. 타인의 물건을 도둑질했는데 발각되지 않아 처벌받지 않았다고 하더라도 내적으로는 양심의 가책을 받는다. 이처럼 도덕은 내적으로 나타난다. 그러나 도둑질이 발각되면 처벌받는다. 외부적 행동에 대한 타율적 제재영역이 법의 영역이다.

그러나 일원론에 따르면, '도둑질하지 말라'는 도덕이 결국 법에 절도죄로 도입된다. 따라서 도덕과 법은 형식이 다를지라도 그 내용은 같다는 점에서 양자는 동일하다.

이러한 이원론과 일원론에 대해, 이를 엄밀하게 구분할 수 없고 법과 도덕의 관련성을 강조하는 견해가 있다. 라드부르흐(Gustav Radbruch, 1878~1949)는 도덕은 법의 목적이자, 타당성의 근거라고 주장했다. 라드부르흐는 "극도로 부정의한 실정법은 법이 아니다."라고 하였고 이를 라드부르흐 공식이라 한다.

(5) 도덕과 법의 범위

'법은 도덕의 최소한'이라는 견해(G. Jellinek)와 '법은 도덕의 최대한'이라는 견해(G. Schmoller)가 있다. 도덕 중에서 사회를 보호하기 위해 꼭 필요한 것만 법에 규정해야 하므로, '법은 도덕의 최소한'이라고 할 수 있다. 다만, 도덕은 도덕에 위반되어도 강제할 수 있는 수단은 적은 반면, 법은 강제 수단을 통해 관철할 수 있다는 점에서 법은 '도덕의 최대한'이라고 할 수 있다.

2. 읽기 자료

김욱, <교양으로 읽는 법 이야기>, 인물과 사상사

42)
칸트(Immanuel Kant, 1724~1804): 독일의 대표적인 철학자로, 계몽주의 철학자이며 근대 철학의 초석을 놓은 인물로 평가된다. 인식론과 비판 철학으로 유명하다. 칸트는 서유럽 철학사에서 새로운 전기를 마련한 인물로, 전통적 형이상학을 비판하고 비판철학과 인식론에 바탕을 둔 철학의 세계를 열었다. 그는 합리주의와 경험론의 문제점을 찾아내어 비판하면서, 이른바 '학문으로서의 형이상학'인 철학의 체계를 세우고자 했다. 칸트는 주관적이거나 상황에 따라 변화하는 윤리학이 아닌, 언제 어디서나 통용되는 합리적 윤리학을 주장하여, 이를 도덕법칙이라고 명명하였다. 그는 도덕법칙으로서 수단으로서의 조건적 가언명령이 아닌, 명령 그 자체로서 목적의 기능을 하는 정언명령을 주장하였다. 그의 정언명령은 '네 의지의 격률이 언제나 동시에 보편적 입법의 원리가 될 수 있도록 행위하라.', '너 자신과 다른 모든 사람의 인격을 언제나 동시에 목적으로 대우하도록 행위하라.' 등 크게 두 가지로 볼 수 있다.

025 문제 도덕과 법: 인치와 법치

답변 준비 시간 15분 | 답변 시간 10분

※ 다음 제시문을 읽고, 문제에 답하시오.

(가) 子曰 爲政以德 譬如北辰 居其所 而衆星共之

공자께서 말씀하셨다. "정치하기를 덕으로써 하는 것은, 비유하면 북극성이 제자리에 머물러 있으면 모든 별들이 그에게로 향하는 것과 같다."

덕(德)은 득(得)의 뜻으로, 장구한 세월에 걸친 경험에서 얻은 인간생활의 기본이 되는 도덕력이다. 도덕력은 학문과 수양을 통해 기를 수 있는 것으로, 정치가가 법 내지 예제(禮制)의 구속력을 전제로 하는 것이 아니라 자발적으로 작용하는 국민의 도덕력을 전제하는 정치를 한다는 것으로 이른바 덕치주의(德治主義)다. 정(政)은 정(正)의 뜻으로, 사람들의 부정을 바로잡는다는 것이 기본 되는 뜻이다. 북신(北辰)은 북극성을 뜻한다. 북극성의 비유는 덕치를 하면 천하의 마음이 다 치자(治者)로 돌아와 일일이 따라다니며 부정을 교정하는 수고를 하지 않아도 나라가 다스려짐을 말한 것이다.

(나) 나라가 영원히 강성할 수 없고 영원히 약할 수도 없다. 법을 만드는 사람이 강하면 나라가 강해질 것이고 법을 받드는 자가 약하면 그 나라도 약해질 것이다.

초나라는 장왕(莊王)이 스물여섯 나라를 병합해서 영토를 삼천여 리나 확장시켰으나, 장왕이 죽어 사직을 관장하지 못하게 되자 세력을 잃고 말았다. 제나라의 환공(桓公)도 삼십여 나라를 병합해 삼천여 리에 달하는 영토를 늘렸으나, 환공이 죽은 뒤 제나라는 쇠퇴했다. 연나라의 소왕(昭王)은 황하를 국경으로 하고 계(薊)를 나라의 수도로 삼으며 탁현(涿縣)과 방성(方城)을 방패 삼아 제나라를 무찌르고 중산(中山) 지방을 평정했다. 이때 연나라와 연합한 나라들은 천하에 존중을 받았고 연나라와 사이가 먼 나라들은 경시됐다. 그러나 소왕이 죽자 연나라 역시 쇠퇴했다.

위(魏)나라의 안리왕(安釐王)은 연나라를 쳐서 조(趙)나라를 구하고, 하동(河東) 땅도 되찾았으며, 약소국인 도(陶)나라와 위(衛)나라의 영토를 침공했고, 제나라가 소유한 평륙(平陸)을 공격해 손에 넣기도 했다. 한(韓)나라를 공격해 관(管) 지방을 함락하고 기산(淇山) 아래에서 벌인 싸움에서 크게 승리했다. 수양(睢陽)의 전투에서는 대치하던 초나라가 지구전을 벌이다가 달아났고, 채(蔡)와 소릉(召陵) 전투에서는 초나라의 군대를 위나라가 무찔렀다. 이처럼 위나라의 군사력은 천하를 덮을 만했고 그 위세는 중원(中原)의 관대지국(冠帶之國, 문명국가를 빗댄 말)에 떨쳐졌지만 안리왕이 세상을 떠나자 위나라 또한 쇠망하게 됐다.

초나라 장왕과 제나라 환공 같은 군주가 있었기에 두 나라는 패업을 이룰 수 있었고, 연나라 소왕과 위나라 안리왕이 있었기에 두 나라는 강대국이 될 수 있었다. 지금 그 나라들이 모두 망한 것은 신하와 관료들이 나라를 어지럽히는 데만 힘을 쓰고 나라를 다스리는 일에는 힘을 쓰지 않았기 때문이다. 나라가 혼란하고 약해졌는데도 모두 국법을 따르지 않고 법이 미치지 못하는 곳에서 사리사욕만을 채우니, 이것은 땔나무를 짊어지고 불을 끄러 들어가는 것과 같아 혼란과 쇠퇴를 부채질하게 된다. 그러므로 오늘날 사사로이 법을 어기려는 마음을 없애고 공적으로 법률을 지킨다면 백성들은 편안해지고 나라는 잘 다스려질 것이다.

(다) "뛰어난 목수는 눈대중으로도 먹줄을 사용한 것처럼 맞출 수 있지만 반드시 먼저 자와 컴퍼스로 기준을 삼는다. 마찬가지로 지혜가 탁월한 사람은 민첩하게 일을 처리해도 사리에 들어맞지만 반드시 선왕의 법도를 귀감으로 삼는다."

그것은 먹줄이 곧아야 굽은 나무도 곧게 자를 수 있고, 수평기가 평평해야 고르지 못한 면도 다듬을 수 있으며, 저울로 무게를 가려야 무거우면 덜고 가벼우면 더할 수 있고, 되와 말을 갖춰야 많으면 줄이고 적으면 보탤 수 있는 것과 같다. 그러니 법도에 따라 나라를 다스린다면, 손을 들었다 내리는 것만큼 수월할 것이다.

법은 신분이 귀한 자에게 아부하지 않고, 먹줄은 나무가 굽은 모양에 따라 구부려 사용하지 않는다. 법률의 제재를 가하면 지혜로운 사람도 논쟁할 수 없으며, 용맹스러운 사람이라도 감히 다투지 못한다. 대신이라 해서 잘못을 저지르고도 형벌을 피할 수는 없으며, 착한 행동을 칭찬하고 상주는 일에는 평범한 백성이라 해서 제외되지 않는다. 그렇게 해야 윗자리에 있는 자의 잘못을 바로잡을 수 있고 신하와 백성의 사악함을 문책할 수 있다. 문란함을 다스리고 오류를 해결하며, 군더더기를 버리고 잘못된 것을 가지런히 해서 백성을 하나의 규범으로 통일시키는 데는 법보다 효과적인 것이 없다. 벼슬아치들을 격려하고, 백성들에게 위엄을 보이며, 음란함과 나태함을 일소하고, 모든 사기와 속임수를 근절하는 데는 형벌보다 나은 것이 없다. 형벌이 엄중하면 지위가 존귀하다 해서 비천한 사람을 능멸할 수 없으며, 법이 분명하면 군주는 존귀해져 침해당하지 않을 것이다. 군주의 지위가 존귀해져 침해를 받지 않으면, 군주의 권력이 강대해져 법술(法術)과 상벌(賞罰)의 권한을 지킬 수 있다.

(라) 子曰道之以政 齊之以形 民免而無恥 道之以德 齊之以禮 有恥且格

공자께서 말씀하셨다. "(백성을) 인도하기를 정치술로써 하고 질서 있게 하기를 형벌로써 하면 백성들은 (형벌을) 면하려고만 하고 부끄러워함은 없다. 덕(德)으로 이끌고 예(禮)로 다스리면 (백성들은) 수치심을 갖게 되고 또 올바르게 된다."

정(政)은 춘추시대 정치인들의 정치 수법을 말한다. 겉으로 백성들을 잘살게 하는 정책을 실시한다고 선전하면서 많은 세금을 걷고는, 대부분을 자신이 착복하고 나머지 돈으로 정책을 수행한 뒤, 일이 잘못되었을 경우 행정을 담당한 실무자에게 그 책임을 돌리는 수법인 것이다. 이러한 수법으로 정치를 하면 백성들은 납세의 부당함을 알기 때문에 수단과 방법을 가리지 않고 탈세를 하려고 하며, 정책이 수립될 때마다 손해를 본다는 걸 알기 때문에 정책에 반발하여 혼란에 빠진다. 이렇게 되면 정치하는 사람들은 혼란을 방지하기 위하여 형벌을 강화하고 혼란하면 혼란할수록 형벌은 강화된다. 백성들은 법에 걸리지 않는다면 탈세를 하는 등 자기 욕심을 차리기 위하여 무슨 짓이든 하게 되고, 설사 법에 저촉되어 형벌을 받게 되더라도 그 형벌이 정당하다고 생각하지 않으므로 수치스럽게 생각하지 않는다.

덕(德)을 가지고 정치를 하여 백성과 한마음이 된 상태에서 진정으로 백성들이 좋아하는 정책을 실시하면 모든 백성이 그 정책을 좋아하고 따를 것이다. 남과 조화를 이루는 개인의 일거수일투족이 다 예(禮)에 속하지만 여기서 말하는 정치적 견지에서의 예(禮)는 특정인에게 유리하거나 특정인에게 불리한 것이 아닌, 백성 전체의 입장에서 가장 공평한 제도를 말한다. 이러한 예를 가지고, 각각의 개성을 충분히 발휘하면서 전체적 조화를 이루도록 질서를 세운다면 백성들 가운데 혹 범법을 저지르는 사람이 생기더라도 그 이유를 제도나 정책의 탓으로 돌릴 수 없으므로 스스로 잘못을 시인하고 부끄러워하는 마음을 갖게 될 것이다. 춘추전국시대에는 살기 좋은 나라로 백성들이 늘 이동하였으므로 정치의 잘잘못을 판단하는 척도 중 하나는 인구의 증감이었다. 덕(德)으로 다스리고 예(禮)로써 질서를 세우면 외국에서 백성들이 몰려올 것이다.

Q1. (가), (나), (다), (라)의 공통점을 제시하고, 그 논리적 연장선상에서 두 가지 입장으로 분류하시오.

Q2. 위 문제에서 분류한 두 입장 중, 한 견해의 입장에서 다른 견해를 비판하시오.

Q3. 위 문제의 논리적 연장선상에서, 위 비판의 문제점을 제시하고 이를 해결할 수 있는 방안을 구체적인 사례를 들어 논하시오.

025 해설 도덕과 법: 인치와 법치

Q1. 모범답변

(가), (나), (다), (라)의 공통점은 국가통치원리에 대해 논하고 있다는 점입니다. (가)와 (라)는 국가통치원리로 인치를, (나)와 (다)는 국가통치원리로 법치를 제시하고 있습니다.

(가)와 (라)는 국가통치원리로서 인치를 해야 한다고 주장한다는 점에서 공통적입니다. (가)는 통치자가 인치를 하여 사람들의 마음에 변화를 일으키면 통치자가 일일이 간섭하지 않아도 나라가 알아서 다스려질 것이라 하고 있습니다. (라)는 통치자가 덕을 실현하여 국민과 한마음이 된다면 백성들이 스스로 잘못을 시인하고 부끄러워 잘못을 행하지 않을 것이라 하고 있습니다. 인치는 통치자의 도덕적 감화에 의해 피치자인 국민이 스스로 마음의 변화가 일어나 국가가 다스려지고 통치된다는 입장입니다.

반면, (나)와 (다)는 법치와 형벌에 의한 질서 유지를 강조하고 있습니다. (나)는 법이 없다면 모두 사리사욕만을 채울 것이므로 사회가 안정될 수 없다고 합니다. (다)는 귀천에 상관없이 일관되게 법을 적용하면 백성을 하나의 규범으로 통일할 수 있기 때문에 사회가 안정될 것이라 합니다.

Q2. 모범답변

법치의 관점에서 인치는 타당하지 않습니다. 덕과 예로 백성들의 위법행위를 예방하는 데에는 한계가 있기 때문입니다. 인치주의는 형별보다는 예로써 다스려 백성이 부끄러움을 스스로 알게 해야 한다고 주장합니다. 그러나 현대의 인간은 권리의식이 커졌고 더욱 계산에 밝아지고 있습니다. 현대의 경제적 인간은 범죄행위로 인해 얻을 수 있는 이익이, 제재로 인한 불이익보다 크다면 범죄행위를 할 가능성이 높습니다. 따라서 인치주의는 범죄 행위를 막을 수 없으므로 현대의 통치원리로서 한계가 있습니다.

국민 생활의 안정을 해하므로 인치는 타당하지 않습니다. 인치주의에 의하면, 통치권자가 바뀔 때마다 통치의 방향과 내용이 달라질 수밖에 없습니다. 그렇다면 국민은 통치권자가 어떤 도덕적 가치를 중요하게 여기는가에 따라 자신의 생활이 변할 것입니다. 따라서 국민 생활의 불안정이 심화됩니다.

현실적 한계로 인해 인치주의는 타당하지 않습니다. 춘추전국시대처럼 국가의 규모가 작다면 통치자와 피치자의 거리가 가까워 통치자의 도덕적 감화가 가능할 것입니다. 그러나 현대국가와 같이 국가의 규모가 커진 상황에서 통치자와 피치자의 거리는 매우 멀어져 인격적인 교감이 불가능합니다. 따라서 통치자에 의한 도덕적 감화는 현실적으로 불가능합니다. 이러한 관점에서 인치주의는 현실적으로 불가능하며 법치주의를 택함이 타당합니다.

Q3. 모범답변

법치의 관점에서 인치주의에 대한 비판은, 민주시민의식의 저해라는 문제점을 불러올 수 있다는 문제점이 있습니다. 현대국가는 민주주의 사회로 국가의 주인은 국민이며 국민이 자신이 스스로 원하는 규제를 원하여 법을 만들고 그 규제의 대상이 됩니다. 그러나 법치주의는 국민이 스스로 감화되어 법을 스스로 따른다기보다는 법이 가진 강제력과 형벌에 의해 위하력이 가해지므로 개개인은 마지못해 이를 따른다고 본다는 문제점이 있습니다. 따라서 자신이 국가의 주인으로서 스스로 법을 지켜야 한다는 민주시민의식의 저해가 발생할 수 있습니다.

이를 해결하기 위한 방안으로서, 법치주의에 인치주의의 요소를 가미하는 방법을 생각할 수 있습니다. 법치주의는 국가의 법을 개인이 지켜야 한다고 보는 것인데, 개인이 스스로 국가의 법을 만들고 지켜야 한다는 의식이 커진다면 법치주의의 문제점을 완화할 수 있습니다.

구체적인 사례로 법 제정절차에 국민의 의견 수렴을 강화하거나 법의 적용과정에서 국민의 의사를 반영하는 방법이 있습니다.

먼저, 법 제정절차에서 국민의 의견 수렴을 강화하는 방법으로서 공론화위원회나 국민발안제의 도입과 같은 방안이 있습니다. 전문가들이 제정한 법이 아니라 국민이 스스로 대화와 토론을 통해 법을 제정하는 데 참여하도록 하여 국민이 스스로 제정한 법을 스스로 따르도록 하는 방안이 타당합니다.

다음으로, 사법 과정에 국민이 직접 참여하도록 하는 방안을 제시할 수 있습니다. 배심제의 확대를 통해 국민이 스스로 제정한 법을 적용함에 있어 그 적용대상이 되는 국민이 법을 어긴 자에 대한 처벌을 결정하도록 하는 방안이 타당합니다. 국민은 자신이 제정한 법이 실제로 어떻게 적용되는지 알지 못하고 이를 결정할 수도 없습니다. 사법 전문가인 법관과 검사, 변호사에 의해 국민의 처벌이 결정된다면 국민은 법의 주인이라 할 수 없고 마음속에서 변화가 일어날 수 없습니다. 배심제를 강화하면 국민 자신이 정한 법을 국민이 스스로 적용하도록 함으로써 법을 지켜야 한다는 법준수의식을 일으킬 수 있습니다.

그리고 이 모든 전제로서 국민에 대한 법교육을 강화하여 국민이 법의 주인으로서 법을 스스로 지키고 따라야 함을 인식시켜야 합니다.

026 개념 법치주의: 명확성의 원칙

1. 기본 개념

(1) 의의

법치주의의 목적은 국가 권력으로부터 국민의 자유와 권리를 보호하는 것이다. 그렇기 때문에 국가의 통치권 행사가 반드시 국민의 의사인 법에 근거해야 한다는 발상에서 법치주의 원리가 도입되었다. 법치주의는 절대왕정국가에서는 발상조차 할 수 없고, 국가의 주인이 국민이라는 전제하에서만 가능하다. 국가의 주인인 국민의 의사는 헌법과 법률로 드러나고, 이에 근거해서 입법권과 행정권, 사법권이 작동해야 하는 것이다. 따라서 법치주의를 실현하기 위한 수단으로 권력분립, 법률의 우위, 법률에 의한 행정, 법률에 의한 재판 등을 헌법과 법률 등에 규정하고 있다.

구체적으로 보면, 법치주의는 정당한 법을 통한 통치의 원리를 의미한다. 국민의 자유와 권리를 제한하거나 국민에게 새로운 의무를 부과하려 할 때에는 반드시 국민의 대표기관인 의회가 제정한 법률로써 가능하게 하고, 행정과 사법도 법률에 의거하여 하도록 함으로써 국민의 자유와 권리 및 법적 안정성, 예측가능성을 보장하기 위함이다. 뿐만 아니라 법률은 자유·평등·정의의 실현을 내용으로 하여야 한다. 즉 법률의 목적과 내용 또한 기본권 보장의 헌법이념에 부합되어야 한다.

(2) 연혁

법치주의는 국가 권력으로부터 국민의 자유와 권리를 보호하겠다는 목적이 실현된 정치체제, 즉 민주주의의 역사와 궤를 함께한다.

먼저, 명예혁명으로 민주주의가 처음 시작된 영국은 법의 지배(rule of law)를 강조했다. 대헌장(Magna Carta)에서 적법절차원칙이 규정되었다. 적법절차의 원칙이란, 개인의 권리 보호를 위해 정해진 일련의 법적 절차를 말한다. 적법 절차에서 적(適)은 적정한(due)이란 뜻이고 절차는 권리의 실질적인 내용을 실현하기 위하여 택하여야 할 수단적, 기술적 방법을 말하는 것이다.

또한 Edward Coke는 '법의 지배'를 제시했는데, 코크는 왕도 보통법의 지배를 받아야 한다고 주장했다. 코크는 법에 반하는 왕의 명령을 따르지 않고 법원의 판례로 성립한 보통법에 따라 재판을 했다. 그리고 1688년 명예혁명 이후 의회가 제정한 제정법 우위사상이 확립되어 제정법에 따른 통치가 강조되었다.

프랑스는 프랑스 혁명을 통해 민주주의를 확립했다. 프랑스 혁명 전에는 왕이 자의적으로 통치권을 행사했다. 왕이 원하면 마음대로 세금을 걷기도 하고 처벌하기도 했다. 루이 14세는 "짐이 곧 국가다"라고 말하기까지 했다. 그러나 프랑스 혁명 후 시민들은 시민의 자유와 권리 보장을 위해 사람에 의한 통치(人治)를 부정하고 법에 의한 통치를 강조하였다. 프랑스 시민들은 왕정을 무너뜨리고 공화국을 새로운 통치체제로 삼아 법에 의한 통치를 국가체제로 확립했다.

(3) 법치주의의 확립과정

절대군주의 자의적 권력행사로 절대주의 체제하에서 성장한 시민사회의 자율성, 시민의 자유와 권리가 침해되자 이를 보호하고 유지하기 위해 시민대표의 동의 없는 또는 의회가 제정한 법률에 의하지 아니하고는 국가는 시민사회에 개입할 수 없다는 시민적 법치국가원리가 확립되었다. 시민적 법치국가원리는 절대군주와 대립하는 개념이므로 투쟁 개념이었다.

19세기에 접어들면서 법치주의는 형식적 법치국가원리로 변화한다. 경제적 불평등, 무산자계층의 확대와 착취 등 사회문제가 발생하면서 시민적 법치국가원리는 무산자계층으로부터 시민사회를 방어하기 위한 원리로 변해갔다. 유산자계층인 시민의 대표로서 의회는 유산자계층이 무산자계층을 착취할 수 있는 사회적 제도를 유지하기 위한 법률을 제정하여 이러한 불평등한 사회질서를 유지시켜야 한다는 원리가 되면서 시민적 법치국가원리는 형식적 법치국가원리가 되었다. 그러나 한편으로 형식적 법치국가원리는 국가권력의 합법성만을 강조하고 정당하지 않은 법률에 의한 국가권력행사를 허용함으로써 국가는 합법적 불법국가가 되게 된다. 바이마르(Weimar)공화국[43]은 법률의 내용과 관계없이 법률의 형식만 갖추면 된다는 법실증주의적 세계관에 따라 불법국가가 되었다.

나치의 경험 이후, 형식적 법치국가원리는 실질적 법치국가원리로 변화하였다. 바이마르 공화국의 형식적 법치국가원리로 인해 나치와 히틀러가 독일 국민 다수의 지지를 받아 2차 세계대전을 일으키고 유대인 학살을 자행했다. 이에 따라 단순히 국민 다수의 지지를 받으면 국가권력의 합법성이 있는 것으로 의제하는 형식적 법치국가원리의 한계가 드러났다. 이에 대한 반성으로, 사회의 경제적 불평등을 제거하여 사회적 안전, 정의실현과 사회적 약자의 생존권을 보장하기 위해 국가는 기존의 사회질서를 유지하는 데 그쳐서는 안 되고, 사회적 정의와 평화를 실현하는 새로운 사회질서를 형성하는 국가이어야 한다는 사회적 법치국가사상이 등장하였고 1949년 독일기본법은 이를 규정하기에 이르렀다. 사회적 정의, 평화, 안전을 실현하기 위해서는 올바른 법, 정당한 법이 요구되고 이러한 법에 따라 국가는 사회질서를 형성해야 하므로 국가는 실질적 법치국가이어야 한다.

(4) 형식적 법치주의

형식적 법치주의는 의회가 제정한 법률에 따라 행정과 재판이 이루어져야 한다는 것이다. 법률의 내용이 옳은지 그른지는 판단할 필요가 없다. 왜냐하면 이미 의회의 법률 제정 과정에서 그 내용의 정당성이 판단되었기 때문이다.

법률의 내용에 대한 정당성 판단 기준은 모든 사람이 서로 다르다. 이를 가치상대주의라 한다. 만약 법률의 내용이 옳다거나 그르다고 판단하여 법에 대한 복종을 거부한다면 법적 혼란이 발생하여 법적 안정성을 저해한다. 많은 사람들이 참여하여 법률을 제정하였으므로, 개인 자신만의 가치관을 들어 법에 대한 복종을 거부한다면 다수의 의견이 틀렸다고 말하는 것이나 다름없다. 그리고 만약 다수의 동의를 얻어 제정된 법률의 내용이 정당하지 않다면, 이에 불복종할 것이 아니라 다시 논의하여 다수의 동의를 얻으면 그 부정의의 상태가 해소될 것이다.

43) 바이마르공화국(Die Republik von Weimar): 제1차 세계대전 후인 1918년에 일어난 독일혁명으로 1919년에 성립하여 1933년 히틀러의 나치스 정권 수립으로 소멸된 독일 공화국을 통칭한 것이다. 바이마르에 소집된 국민의회(國民議會)에서 그 골격을 규정한 바이마르 헌법이 채택되었기 때문에 이 이름이 붙었다. 1919년 총선거에서 민주 공화파가 대승을 거두어 F.에베르트(1871~1925)가 대통령이 되고, 이어 P.샤이데만(1865~1939)이 총리가 된 민주공화파 3당의 연립내각(聯立內閣)이 성립되어 8월 11일에 바이마르 헌법, 즉 독일민주공화국 헌법이 반포됨에 따라 바이마르 공화국이 출범하였다. 이 헌법은 국민주권을 확인하고, 국민의 기본권을 상세히 규정한 민주적인 헌법이었으나 대통령에게 긴급명령권(緊急命令權)을 부여한 제48조는 뒤에 히틀러가 독재정권을 수립하는 길을 열어 주는 근거를 마련하기도 하였다.

형식적 법치주의의 문제점은 합법적 불법국가가 출현할 수 있다는 점이다. 다수가 동의하였다는 사실로부터 그 동의가 옳다는 당위는 도출할 수 없다. 형식적 법치주의의 문제점을 드러낸 사례가 나치의 유대인 학살이다. 나치의 당수인 히틀러는 1933년 2월에 독일의 수상이 되었다. 그리고 1933년 3월에 수권법(授權法), 즉 '국민 및 국가의 위기 극복에 관한 법률'을 공포하였고, 당시 90% 이상의 의석을 차지하고 있었던 나치당과 그보다 더 높은 개인적 지지율을 보인 히틀러에게 법을 제정할 권리가 부여되었다.[44] 히틀러 행정부의 정책은 법에 기반할 필요 없이 그 자체가 법적 정당성이 있는 것이 되었다. 이러한 수권법에 의해 히틀러는 수상(首相)이 아니라 입법부와 행정부를 동시에 지배하는 총통(總統)이 되었다.

(5) 실질적 법치주의

실질적 법치주의는 법률의 목적과 내용은 정의에 부합해야 한다는 것이다. 법에 의한 통치일지라도 그 법이 정의를 훼손하는 내용을 담고 있다면 불법적 통치일 수 있다. 다수가 지지하고 동의하여 제정된 법률이더라도 그 내용이 부정의할 수 있다. 예를 들어, 사회의 절대적 다수가 백인일 경우 제정된 법률은 백인과 흑인을 차별하는 부정의한 내용을 담고 있을 가능성이 크다.

실질적 법치주의는 나치 시대에 대한 반성으로 2차 세계대전 이후 본격적으로 도입되기 시작하였다. 실질적 법치주의는 통치의 정당성을 강조하고, 정의에 반하는 법률에 대해서는 시민불복종과 저항권을 인정할 수 있다는 입장이다. 그러나 시민불복종과 저항권은 법적 안정성을 심대하게 침해하기 때문에 이를 법적 안정성의 틀 안에 받아들이기 위해 위헌법률심판 제도와 헌법재판소 제도를 도입하였다. 다수의 지지를 받아 제정된 법률이 정의와 기본권에 반하는 내용을 담고 있을 때, 기존에는 다수의 생각이 바뀔 때까지 기다리거나 여론을 바꾸기 위한 노력을 하거나 직접행동을 해서 법적 처벌을 받거나 하는 등의 행동 외에 다른 수단이 없었다. 그러나 실질적 법치주의가 인정된 이후로는, 법률의 내용이 정의와 기본권에 반한다고 판단될 경우 법원이나 개인이 그 법률의 내용에 대해 판단해달라고 헌법재판소에 요청할 수 있게 되었다. 따라서 이에 따라 입법권에 의한 기본권의 침해를 배제할 수 있게 되었다.

(6) 처분적 법률

처분적 법률이란 일반적·추상적 법률과는 달리 개별적·구체적 사항을 규율하는 법률을 말한다. 처분적 법률은 정치적·경제적·사회적·구체적인 목표를 실현하기 위하여 입법자가 특정의 사람이나 특정의 사항을 대상으로 구체적으로 제정된다. 따라서 이로 인해 처분적 법률은 행정적 집행이나 사법적 재판을 매개로 하지 아니하고 직접 국민에게 권리와 의무를 발생하게 하는 자동적 집행력을 가질 수 있다.

법치주의와 법적 안정성의 측면에서 볼 때, 처분적 법률은 타당하지 않다. 법치주의는 일반적이고 추상적인 법률을 지향한다. 모든 사람이 동의한 절차와 형식에 따라 모든 사람이 법률의 수범자가 되어야 하는데, 처분적 법률은 특정인의 특정한 사항을 구체적인 내용으로 하여 제정되어 이에 반하기 때문이다.

그러나 처분적 법률의 성격이 있다고 하여 그것이 곧바로 법치주의에 반한다는 의미가 되는 것은 아니다. 합리적인 이유가 있는 처분적 법률의 경우 정당화할 수 있다. 이 경우 합리적인 이유가 될 수 있는 것은 처분적 법률이 명백한 부정의를 제거하기 위한 목적의 내용을 담고 있는 경우가 대표적이다.

44)
민족과 국가의 위난을 제거하기 위한 법률 제1조: 독일의 법률은 헌법에서 규정되고 있는 수속 외에 독일 정부에 의해서도 제정될 수 있다. 본조는 바이마르 헌법 제85조 제2항 및 제87조에 대하여도 적용된다.

현대의 평등은 실질적·상대적 평등이므로 사회적 약자의 보호를 위한 처분적 법률도 허용될 수 있다. 헌법재판소는 5·18 특별법 판례에서 특정규정이 개별 사건법률에 해당한다 하여 곧바로 위헌을 뜻하는 것은 아니라고 하였다. 비록 특정법률 또는 법률조항이 단지 하나의 사건만을 규율하려고 한다 하여도 이러한 차별적 규율이 합리적인 이유로 정당화될 수 있는 경우에는 합헌적일 수 있다. 5·18, 12·12 사건과 관련하여 집권과정에서의 불법적 요소나 올바른 헌정사의 정립을 위한 과거청산의 요청에 미루어 볼 때 비록 특별법이 개별사건법률이라고 하더라도 입법을 정당화할 수 있는 공익이 인정될 수 있다고 한 바 있다(1996.2.16. 96헌가2).

그러나 극단적인 개별적·구체적 처분을 내용으로 하는 처분적 법률은 허용되지 않는다. 또한 사회국가원리를 실현하기 위해 처분적 법률은 허용되는 면이 있으므로 사회적 기본권과 관련하여서는 허용될 여지가 상대적으로 넓으나 자유권 또는 참정권을 제한하는 처분적 법률은 특별한 사유가 없는 한 허용되어서는 아니 된다.

2. 읽기 자료: 5·18민주화운동 등에 관한 특별법 제2조 위헌제청[45)]

개별사건법률금지의 원칙은 "법률은 일반적으로 적용되어야지 어떤 개별사건에만 적용되어서는 아니된다"는 법원칙으로서 헌법상의 평등원칙에 근거하고 있는 것으로 풀이되고, 그 기본정신은 입법자에 대하여 기본권을 침해하는 법률은 일반적 성격을 가져야 한다는 형식을 요구함으로써 평등원칙위반의 위험성을 입법과정에서 미리 제거하려는 데 있다 할 것이다.

개별사건법률은 개별사건에만 적용되는 것이므로 원칙적으로 평등원칙에 위배되는 자의적인 규정이라는 강한 의심을 불러일으킨다. 그러나 개별사건법률금지의 원칙이 법률제정에 있어서 입법자가 평등원칙을 준수할 것을 요구하는 것이기 때문에, 특정규범이 개별사건법률에 해당한다 하여 곧바로 위헌을 뜻하는 것은 아니다. 비록 특정법률 또는 법률조항이 단지 하나의 사건만을 규율하려고 한다 하더라도 이러한 차별적 규율이 합리적인 이유로 정당화될 수 있는 경우에는 합헌적일 수 있다. 따라서 개별사건법률의 위헌여부는, 그 형식만으로 가려지는 것이 아니라, 나아가 평등의 원칙이 추구하는 실질적 내용이 정당한지 아닌지를 따져야 비로소 가려진다.

이른바 12·12 및 5·18 사건의 경우 그 이전에 있었던 다른 헌정질서파괴범과 비교해보면, 공소시효의 완성 여부에 관한 논의가 아직 진행 중이고, 집권과정에서의 불법적 요소나 올바른 헌정사의 정립을 위한 과거청산의 요청에 미루어볼 때 비록 특별법이 개별적사건법률이라고 하더라도 입법을 정당화할 수 있는 공익이 인정될 수 있다고 판단된다. 따라서 이 법률조항은 개별사건법률에 내재된 불평등 요소를 정당화할 수 있는 합리적인 이유가 있으므로 헌법에 위반되지 아니한다.

45)

96헌가2

026 문제 법치주의: 명확성의 원칙

답변 준비 시간 20분 | 답변 시간 15분

※ 다음 제시문을 읽고, 문제에 답하시오.

(가) 자산은 전제(田制)와 부세(賦稅)를 개혁한 기초 위에서 자기가 제정한 형서(刑書)를 정(鼎)에 새겨 대중에게 공포하였다. 이것은 중대한 의미를 갖는 개혁이었다.

관례에 따르면 서주 노예주 귀족의 노예에 대한 처벌은 완전히 그들 스스로 사안에 임하여 판단결정하며 임의로 살상하여 노예에게 항상 "형벌은 알 수 없고 위세는 예측할 수 없다"는 극단적인 공포에 빠지게 하였다. 이렇게 노예주 귀족은 독단적인 전횡을 휘두르고 자의적이었다. 춘추 시기에 이르러 사회 경제의 지속적인 발전으로 인민의 역량이 점차 강해져 노예주 귀족의 이와 같은 낡은 방법은 더 이상 계속할 수 없게 되었다. 동시에 신흥지주계급도 성문법을 제정하여 공포함으로써 노예주 귀족의 특권을 제한하고 그들의 경제·정치적 권리를 보호할 것을 요구하였다. 자산이 형서를 주조한 것은 바로 신흥지주계급의 이와 같은 요구에 부응하여 취했던 하나의 혁신적인 조치였다.

성문법의 공포 이후 죄와 무죄에 일정한 표준이 생기면서 노예주 귀족의 임의로운 살상의 특권에 제한이 가해지게 되었다. 이것과 과거 "사안에 부딪혔을 때 형을 만들고 미리 법을 설치하지 않는다"는 방법과 비교하면 커다란 진보임에는 틀림없다. 그래서 형서가 공포되자 곧 보수 세력의 반대에 부딪혔다. 진(晉)의 숙향(叔向)은 자산(子産)에게 편지를 보내 "옛날의 선왕들은 사건을 의논하여 제재를 했고 정해진 형법을 적용하지 않은 것은", "백성들이 법이 있는 줄 알면 윗사람을 두려워하지 않고", "백성들이 다툼의 시초를 알아 장차 예의를 법전에만 의지하여 송곳이나 칼끝만 한 것도 모두 다투게 될 것이다"라고 하였다. 숙향이 "옛날의 선왕들은 사건을 의논하여 제재를 했고 정해진 형법을 적용하지 않은" 것을 주장했음은 분명하여 이것은 여전히 노예주 귀족의 사안에 부딪혀서 판단하고 결정하여 임의로 살상하는 특권을 옹호하려는 것이었다. 이른바 "백성들이 법이 있는 줄 알면 윗사람을 두려워하지 않고", "백성들이 다툼의 시초를 알아 장차 예의를 법전에만 의지하여 송곳이나 칼끝만 한 것도 모두 다투게 될 것이다"라는 것은 곧 성문법의 공포 후 인민이 윗사람을 두려워하지 않고 성문법을 근거로 투쟁하게 될 것임을 의미한다. 이와 같이 하여 '예(禮)'는 폐기될 것이고 노예제도는 부정되게 되리라는 것이다. 숙향의 이 말은 그의 보수 입장을 충분히 표명한 것이고 또한 성문법의 공포가 확실히 노예주 귀족에게 불리하다는 것을 설명하고 있다. 그러므로 숙향의 그것을 망국의 징조로 보아 자산에게 경고했던 것이다.

그러나 자산은 숙향의 의견을 받아들이지 않고 "나는 재주가 없어 자손에까지 미칠 수가 없다. 그러나 나는 이것으로 세상을 구하려 한다"고 회답하였다. 형서를 주조하는 것은 정나라의 발전 과정에서 시급하게 필요한 일이며 이것은 곧 국가를 위급에서 구해내기 위함이라는 의미이다.

(나) 진나라 대부 조앙이 철을 징수해 형정(刑鼎: 형법 조항을 새겨 넣는 큰 솥)을 주조했는데 형정에 조앙이 제정한 형법 조문을 새겨 넣었다. 이를 두고 중니[46]가 말했다.

46) 중니(仲尼): 공자(孔子)의 자. 공자는 중국 고대 사상가이며 유교의 시조이다. 최고의 덕을 인(仁)이라고 보았다.

"진나라는 망하고 말 것이다. 그들은 국가의 법도를 잃어가고 있다. 진나라는 응당 당숙(唐叔)이 전한 법도[47]를 잘 지켜 백성을 다스리는 대강(大綱)으로 삼고 경대부들 또한 자신의 위치에서 이를 잘 준수해야만 한다. 이에 백성은 능히 귀인을 존중할 수 있고, 귀인은 능히 가업을 지킬 수 있고, 귀천의 차서에도 잘못이 없게 된다. 이것이 바로 소위 법도인 것이다. 이에 진문공이 집질지관(執秩之官: 관리들의 爵秩[48]을 담당하는 관원)을 두고 피려(被廬: 위치 미상)에서 법령을 제정하여 맹주가 되었던 것이다. 이제 진나라가 이 같은 법령을 버리고 형정을 만들었으니 백성들은 모두 형정의 조문만 찾을 것이다. 그리되면 무엇으로 귀인을 존중하고, 귀인은 어떻게 가업을 지켜나갈 것인가. 귀천에 차서가 없게 되면 무엇으로 나라를 다스릴 것인가. 범선자의 형서(刑書)는 이(夷: 위치 미상) 땅에서 열병할 때 지은 것으로 진나라의 난제(亂制: 舊禮를 어긴 법제)이다. 그러니 그것을 어찌 법령으로 삼을 수 있단 말인가."

Q1. 제시문 (가)의 자산과 숙향은 서로 다른 입장을 갖고 있다. 각각의 주장과 논거를 정리하시오.

Q2. 제시문 (나)의 공자의 주장을 간략하게 요약하고, 공자의 주장은 제시문 (가)의 자산과 숙향 중 누구의 입장과 유사한지 밝히시오.

Q3. 자산과 숙향 중 어느 입장이 타당한지 자신의 견해를 정하고 그 이유를 들어보시오.

Q4. 위 논리 연장선상에서, 법이 잘 지켜지려면 어떤 요건이 갖춰져야 한다고 생각하는가?

Q5. '유전무죄 무전유죄'라는 말의 의미는 무엇이고, 그 문제점은 무엇인가?

추가질문

Q6. 법은 모든 사람과 모든 사안에 동일하게 적용되는 것이어야 한다. 이러한 이유로 법은 특정한 개인과 특정사안에 한하여 적용되는 법률, 이른바 처분적 법률을 원칙적으로 금지한다. 처분적 법률의 문제점을 설명하시오.

Q7. 1979년 발생한 12·12 군사쿠데타와 1980년 일어난 5·18 민주화운동 사건에 관한 범죄에 대해 진상 규명을 위한 특별법을 제정하려 한다. 그런데 이 특별법은 전두환과 노태우라는 특정 인물과 특정 사건에 대한 처분적 법률에 해당하기 때문에 부당하다는 주장이 있다. 이에 대한 자신의 견해를 제시하시오.

47)
당숙(唐叔)이 전한 법도: 당숙(唐叔)은 주나라를 세운 무왕의 아들로 진나라의 시조이며, 당숙이 전한 법도를 잘 지켜 백성을 다스린다는 말은 주례(周禮)에 따른 봉건제도를 시행했음을 말한다.

48)
작질(爵秩): 작위(爵位)와 녹봉(祿俸)을 아울러 이르는 말이다.

026 해설 법치주의: 명확성의 원칙

Q1. 모범답변

자산은 형벌을 규정한 형정(刑鼎)을 만들어 백성들이 형법을 알아야 한다고 주장합니다. 국가 발전을 도모할 수 있기 때문입니다. 모든 백성들이 법을 알게 되면, 선택의 결과와 책임을 미리 알 수 있으므로 안정된 선택이 가능하며 그 결과는 국가 발전이 될 것입니다.

그러나 숙향은 형정을 주조하여 백성들이 형법을 알아서는 안 된다고 주장합니다. 첫 번째로, 형법을 백성들에게 공포하면 신분제가 무너지기 때문입니다. 백성들이 형벌을 예측할 수 있게 되면 윗사람을 두려워하지 않을 것이라 합니다. 둘째로 소송이 남발될 것이기 때문입니다. 백성들이 법을 알게 되면 사소한 사건도 모두 다투게 될 것이라 합니다.

Q2. 모범답변

공자는 형정을 주조해서는 안 된다고 주장합니다. 공자는 형정을 주조하면 귀천의 구별이 사라지고 위계질서가 무너져 국가가 멸망할 것이라 합니다. 형정 주조에 반대한다는 점에서 공자는 제시문 (가)의 숙향과 유사한 입장을 지니고 있습니다.

제시문 (가)의 숙향은 형정을 주조하여 백성들이 형벌을 예측하게 되면 윗사람을 두려워하지 않을 것이라 합니다. 제시문 (나)의 공자는 귀천의 구별이 사라지고 위계질서가 무너진다고 합니다. 형정을 주조하면 신분제도가 무너져 국가가 멸망할 것이라 본다는 점에서 공자와 숙향의 입장은 유사합니다.

Q3. 모범답변

형정을 주조해야 한다는 자산의 입장이 타당합니다. 국민의 생명과 신체의 자유를 보장할 수 있기 때문입니다. 개인이 자신의 생명과 신체의 자유를 보장받으려면 어떤 행동을 하면 처벌받는지 미리 알 수 있어야 합니다. 이러한 예측가능성을 가져야 행동을 자유롭게 선택할 수 있습니다. 그런데 공자와 숙향은 국민에게 형법의 내용을 알려서는 안 된다고 합니다. 공자는 "형벌은 알 수 없고 위세는 예측할 수 없다"고 하며, "사안에 부딪혔을 때 형을 만들고 미리 법을 설치하지 않는다"는 노예주 귀족 입장을 대변하고 있습니다. 법이 공포되지 않아 국민이 법의 내용을 알 수 없다면 지배계급이 자의적으로 법의 내용을 확정하고 적용하여 국민을 처벌할 수 있습니다. 이로 인해 국민이 형벌의 내용을 예측할 수 없어 국민의 생명과 신체의 자유는 보호될 수 없습니다. 따라서 형정을 주조하여 국민이 법의 내용을 예측할 수 있어야 생명과 신체의 자유를 보장할 수 있습니다.

평등의 원칙에 부합하므로 자산의 입장이 타당합니다. 평등의 원칙이란 같은 것은 같게, 다른 것은 다르게 대하라는 원칙입니다. 합리적 이유 없이 같은 것을 다르게 대하면 평등의 원칙에 반합니다. 공자는 귀천의 차서가 있어야 하므로, "예는 아래까지 내려가지 않고, 형은 위까지 미치지 않는다"고 하였습니다. 이 말은 귀족은 예(禮)를 알아 부끄러움을 알고 있으므로 처벌할 필요가 없으나, 일반인은 부끄러움을 모르므로 처벌해야 한다는 것입니다. 그렇다면 동일한 범죄를 저지르더라도, 귀족은 처벌받지 않고 일반 국민은 처벌받아 다른 처벌을 받게 됩니다. 이는 같은 법을 다르게 적용한 것으로 평등원칙에 반합니다. 따라서 형정을 주조하여 같은 범죄에 대해 동일한 처벌을 받을 수 있도록 해야 평등원칙에 부합합니다.

공자는 조앙과 자산의 주장대로 형정을 주조하면 진나라가 멸망할 것이라고 하였습니다. 그러나 형정 주조와 같은 성문법의 공포는 법질서 유지, 국민의 예측가능성 확보, 법 앞의 평등 실현에 기여합니다. 일반 국민이 신뢰할 수 있는 법질서가 확립된다면 그 국가는 강력한 국가가 될 수 있습니다. 고대 중국의 진나라는 법가를 받아들여 법을 공포하고 법을 엄격하게 적용하여 부국강병에 성공하여 전국시대를 통일했습니다. 반면, 형정 주조를 반대한 공자의 노나라는 멸망했습니다. 따라서 형정을 주조하면 진나라가 멸망할 것이라는 공자의 주장은 타당하지 않습니다.

Q4. 모범답변

법의 내용이 이해 가능하고 실행 가능하여야 합니다. 그리고 법의 집행이 명확하고, 공정해야 합니다. 권력이 있거나 돈이 있다고 하여 법을 지키지 않아도 된다면, 그리고 권력자의 위법행위를 처벌하지 않는다면 국민들에게 자발적 법준수의식이 생길 수 없습니다. 따라서 법적용이 평등하고, 법이 반드시 적용되어야 법이 잘 지켜집니다.

Q5. 모범답변

돈과 권력이 있는 자는 법을 위반해도 처벌되지 않거나 유죄판결을 받더라도 곧 사면됩니다. 이를 유전무죄 또는 유권무죄라고 합니다. 돈과 권력이 없는 자는 사소한 법위반에도 크게 처벌받거나 억지 법적용을 하여 처벌받습니다. 이를 무전유죄 또는 무권유죄라 합니다.

돈이나 권력을 가진 자에게 법적용이 느슨하게 되어 돈과 권력이 있는 자는 법을 위반하더라도 처벌당하지 않는다면 국민의 법준수의식이 낮아집니다. 또한 돈이 없는 자는 처벌당하면 자기 잘못을 반성하기보다 돈이 없어 처벌받은 것이라는 핑계를 일삼을 것입니다. 그렇다면 사회 전반에 법이 준수되기 어렵습니다.

Q6. 모범답변

처분적 법률은 자유에 대한 침해를 야기할 수 있다는 문제점이 있습니다. 처분적 법률은 누군가에는 허용되는 행위가 다른 누군가에게는 금지되는 행위가 되도록 할 수 있습니다. 예를 들어, 귀족인 A에게는 특정물품을 생산하도록 허용하고 평민인 B에게는 이를 금지하는 법이 있다면, B의 자유를 침해하는 것입니다. 직업의 자유는 어떠한 소득 활동을 할 것인지를 스스로 선택할 자유를 보장하는 권리입니다. 특정한 개인에게는 특정물품의 생산으로 인한 이익을 보장해주는 한편, 다른 개인에게는 이를 금지하는 것은 직업의 자유와 영업의 자유를 제한하는 것입니다.

처분적 법률은 특권 계층을 창출하고 유지하여 민주적 정당성을 해한다는 문제점이 있습니다. 위와 같이 특정한 자에 한해 특정 물품을 배타적으로 생산할 권리를 부여하면 특권을 창출합니다. 특권 계층은 특혜를 보장받기 위해 독점권을 부여할 수 있는 정치권력과 유착할 수밖에 없고, 정치권력은 부패할 수밖에 없습니다. 특권 계층은 생산을 독점하고 독점 물품에 부당한 가격을 매겨 독점 이익을 취할 것입니다. 특권 계층과 야합한 정치 세력은 국민의 이익을 보호하기보다는 특권 계층의 이익을 보호할 것입니다. 그렇다면 국가권력은 국민의 지지를 잃을 수밖에 없어 민주적 정당성을 상실할 것입니다.

처분적 법률은 국가 발전을 저해한다는 문제점이 있습니다. 특정 계층에게만 특정영역의 경제활동을 허용하는 경우 나머지 계층은 경제활동에 있어서 의욕을 가지기 어렵습니다. 이처럼 국민 대다수가 경제활동의 의욕을 잃는다면 경제 활력이 떨어지고 경쟁이 촉진되지 않으므로 경쟁을 통한 효율성 증진을 기대할 수 없습니다. 따라서 처분적 법률은 국가 발전을 저해합니다.

Q7. 모범답변

일반적으로 처분적 법률은 개인의 자유를 저해하고 평등원칙에 위반되기 때문에 타당하지 않은 것입니다. 그러나 이 경우는 오히려 개인의 자유를 보장하고 평등원칙에 부합하므로 타당합니다.[49)]

먼저 개인의 자유를 보장할 수 있기 때문에 해당 처분적 법률은 정당합니다. 1979년 발생한 12·12 군사쿠데타와 1980년 일어난 5·18 민주화운동 사건에 관한 범죄는 민주주의를 파괴하고 공권력이 국민을 무력으로 제압한 사건입니다. 이에 대한 진상을 규명하는 것은 역사적 악행이 재발되지 않도록 하기 위해 중요합니다. 악행의 재발 방지는 역사적 진실과 원인을 명확히 규명했을 때 적절한 대책을 세워야만 가능한 것입니다. 이 경우 처분적 법률을 통해서만 국민의 생명과 신체의 자유 제한과 국민주권 파괴 가능성을 예방할 수 있습니다. 따라서 해당 처분적 법률은 국민의 자유를 보장할 수 있다는 측면에서 정당합니다.

평등원칙이란 같은 것은 같게, 다른 것은 다르게 대하라는 원칙입니다. 만약 합리적 이유 없이 같은 것을 다르게 대하거나, 다른 것을 같게 대할 경우 평등원칙에 위반됩니다. 국가의 주인은 국민이므로 국가의 지도자를 선출할 권리는 국민에게 있습니다. 쿠데타는 이러한 국민주권의 원리에 대한 명백한 침해로 반민주적인 범죄입니다. 이러한 범죄를 단지 쿠데타가 성공했다는 이유로 처벌하지 않는다면 국민주권의 원리를 수호할 수 없습니다. 위 특별법은 국민주권 원리를 수호하기 위한 합리적 이유를 가진 법률로 같은 것을 다르게 대하였다거나 다른 것을 같게 대한 것이 아닙니다. 따라서 평등원칙에 위반되지 않으므로 처분적 법률에 해당하여 부당하다는 주장은 이유 없습니다.

49)
헌재 1996.2.16. 96헌가2 등, 판례집 8-1, 51 내용 참조

027 개념 정의와 법적 안정성: 불고지죄

1. 기본 개념

(1) 법의 이념 간의 관계

법의 이념은 정의, 합목적성, 법적 안정성이다. 정의, 합목적성, 법적 안정성이라는 법이념 간의 상호관계는 다음과 같다.

① 국가안전 보장, 사회질서와 공공복리라는 법의 합목적성을 지나치게 강조하면 개인의 자유가 침해당해, 정의 실현을 방해할 수도 있다. ② 법적 안정성만을 지나치게 강조하면 "악법도 법이다."라는 법언에 따라 정의가 훼손될 수 있다. ③ '정의를 지나치게 강조하면 법률이 정의에 반한다'하여 법의 효력을 부정하여 법적 안정성을 크게 훼손할 수 있다. '정의의 극치는 부정의의 극치'이므로 지나치게 정의만 우선해서는 안된다. ④ 헌법 제37조 제2항은, 국민의 모든 자유와 권리는 국가안전보장·질서유지 또는 공공복리(합목적성)를 위하여 필요한 경우에 한해 법률로써 제한하는 경우에는 본질적 내용을 침해할 수 없다고 규정하고 있다. 이에 따르면 합목적성, 법적 안정성, 정의 간 충돌을 조화롭게 해결하려고 한다.

(2) 합목적성

먼저, 법의 합목적성은 법은 국가나 사회가 추구하는 목적에 적합해야 한다는 의미이다. 그러나 법은 어떠한 목적을 실현하기 위한 수단이기 때문에 법이 무엇을 목적으로 삼는가에 따라 법의 합목적성의 내용이 달라진다. 예를 들어, 절대왕정에서 법의 목적은 왕권 강화이므로 법이 이에 기여한다면 합목적성이 달성된 것이다.

"국민이 원하는 것이 법이다."와 "민중의 행복이 법이다."는 법의 합목적성을 일컫는 법언이다. 그러나 합목적성을 지나치게 강조하면 국가와 사회이익을 위해 개인의 자유를 지나치게 제한할 수 있다. 예를 들어, 18~19세기 자유방임주의 시대의 법은 개인의 자유와 행복을 만족시키는 법이어야 했으나, 전체주의 시대의 법은 민족과 국가의 이익을 만족시키는 것이어야 했으며, 현대복지국가의 법은 개인과 사회의 이익을 조화시켜서 공공복리를 실현할 수 있는 것이어야 한다.

(3) 정의

정의는 각자에게 올바른 몫을 주어야 한다는 의미이다. 이에 따르면 각자에게 올바른 몫이 무엇인지가 문제된다. 그러므로 정의는 각자에게 그의 몫을 주어야 한다는 분배적 평등을 의미한다. 법에서 바라보는 정의는 권리와 의무의 올바른 분배가 된다.

먼저, 평균적 정의의 개념에 따르면 모든 인간은 동등한 대우를 받아야 한다. 대표적인 예로 모든 국민은 나이, 성별, 신체조건에 관계없이 동등한 선거권을 인정받는다. 그에 반해 배분적 정의는 필요, 능력과 공헌에 따라 다른 대우를 해야 한다고 본다. 예를 들어, 사회적 약자 보호를 위한 복지정책이 있다.

이 정의의 개념에 따라, 절대적 평등과 상대적 평등이 제시된다. 절대적 평등은, 평균적 정의의 관점에서 모든 인간을 똑같이 대우해야 한다고 보는 입장이다. 그러나 상대적 평등에 따르면, 배분적 정의의 관점에서 다른 것은 다르게, 같은 것은 같게 대우해야 한다.

평균적 정의	배분적 정의
• 모든 인간을 동등하게 대해야 한다. • 절대적·형식적 평등 • 돈이나 권력의 보유와 관계없이 동일한 범죄를 저지른 자에 대해서는 동일한 형벌이 부과되어야 한다. • 1억 원 소득과 3천만 원 소득, 동일하게 15%의 세율을 적용해야 한다. (비례세)	• 필요성, 능력, 공헌도에 따라 차등대우를 해야 한다. • 상대적·실질적 평등 • 가난한 사람들에게 벌금은 징역보다 더 무섭다. 총액벌금제를 폐지하고, 일수벌금제를 도입해야 한다. • 1억 원 소득에는 30%의 세율을, 3천만 원 소득에는 10%의 세율을 차등적용해야 한다. (누진세)

(4) 법적 안정성

법적 안정성은, 사회생활이 법에 의해 보호되어 안정적으로 이루어져야 한다는 법원리이다. 이를 나타낸 말로, “악법도 법이다.”, “정의의 극치는 부정의의 극치이다.”라는 법언이 있다.

법이 공포·시행되면 질서가 형성된다. 법적 안정성이란 현존하는 법을 준수하거나 실현해야 한다는 것을 뜻한다. 법의 정립을 통해 실현된 사회질서와 평화 유지가 법적 안정성의 목표이다. 법에 따르면 행인은 파란불에서는 건너고 빨간불일 때는 서야 한다. 국민은 이에 따라 행동하고 이 질서를 유지할 필요가 있다. 어제까지는 빨간불일 때 서야 했는데, 갑자기 오늘부터 파란불일 때 서야 한다면 혼란이 발생한다. 법이 수시로 바뀌면 법적 혼란이 발생한다. 법적 안정성을 유지해야만 무질서의 폐해를 막을 수 있다. 기존 법질서의 존속에 대한 정당한 신뢰는 보호되어야 한다는 원칙을 신뢰보호 원칙이라 한다. 법치국가의 본질적 요소인 법적 안정성은 현재 효력을 가지는 법에 따라 행위하면 그 법에 정해진 원래의 법적인 효과가 인정될 것이라는 것을 믿을 수 있어야 한다는 것을 의미한다. 따라서 법적 안정성은 국민에게 있어서는 신뢰보호를 뜻한다.

법적 안정성에 따른 보호를 받으려면, 다음과 같은 요건이 만족되어야 한다. 신뢰에 기초한 구체적 행위가 존재해야 하고, 구체적으로 존재하는 신뢰행위가 법적으로 보호할 만한 가치를 지니고 있어야 한다. 예를 들면, A라는 직장인이 법학전문대학원법의 실시에 따라 로스쿨에 진학하고자 결심했다. 이에 A는 직장을 그만두고 로스쿨 입학시험 공부를 시작하였다. 그런데 만약 국회가 법학전문대학원법을 폐지한다면 A의 신뢰 이익을 침해했다고 할 수 있다.

법적 안정성을 확보하기 위해 법은 다음과 같은 요건을 갖추어야 한다. 첫째, 법률의 내용이 명확해야 한다. 둘째, 법이 함부로 변경되어서는 안 된다. 셋째, 법이 실현가능해야 한다. 넷째, 사회구성원의 법의식과 합치되어야 한다.

법적 안정성은 국민의 사회생활을 안정적으로 보호하기 위한 원리이기 때문에, 국민의 법에 대한 신뢰를 보호한다. 이를 위해 법률불소급 원칙과 신뢰 보호를 중시한다. 먼저, 법률불소급 원칙은, 법률은 시행 이후 사건에 적용되어야 한다는 원칙이다. 시행 이전의 사건에 적용되는 법률은 소급입법 또는 소급효를 가지는 법이라고 한다. 소급입법은 기존의 법질서에 혼란을 초래하므로 법적 안정성과 국민의 신뢰 보호를 위해 금지되어야 한다.

법적 안정성의 중요성을 반영하는 대표적인 개념으로 시효, 신뢰 보호, 소급입법 금지가 있다.

먼저 시효란, 일정한 사실 상태가 일정기간 계속되어 온 경우에 그 사실상태가 진정한 권리관계와 합치하는지 여부를 묻지 않고 법률상 사실 상태에 대응하는 법률효과를 인정하여 주는 제도이다. 즉 일정한 사실상태가 일정한 기간 동안 계속됨으로써 법률상으로 권리의 취득 또는 권리의 소멸이 일어나게 하는 법률요건을 시효라 한다. 시효의 근거는, 일정한 사실이 영속됨으로써 형성된 여러 법률관계가 오랜 시간이 지난 뒤 진정한 권리자가 나타나 오랫동안 지속된 사실 상태를 뒤엎어버리게 되면 사회질서가 혼란에 빠진다는 점, 이 지속된 사실상태가 진정한 권리관계와 합치하는지 여부를 소송으로 가릴 수밖에 없는데 시간이 오래 지나 증거자료가 없어지거나 흩어져 소송에서 권리관계의 합치 여부를 입증하기 어렵다는 점, 권리 위에 잠자는 자는 보호할 필요가 없다(Lex vigilantibus, non dormientibus, subvent)는 원리에 따라 보호 가치가 없다는 점이 있다. 따라서 시효는 오랜 기간 동안 형성된 신뢰를 보호해야 한다는 법적 안정성에 따라 인정되는 것이다. 시효에는 민사상의 시효와 형사상의 시효가 있다. 먼저 민사상의 시효는 타인의 물건을 오랫동안 점유함으로써 권리를 취득하게 되는 취득시효와 장기간 권리를 행사하지 않음으로써 권리가 소멸되는 소멸시효가 있다. 형사상의 시효는 공소시효(公訴時效)인데, 어떤 범죄에 대하여 일정한 기간이 경과한 때에는 공소를 제기할 수 없는 것을 말한다. 시간이 경과함에 따라 사회의 응보감정이 소멸함으로써 형벌권이 소멸한다는 실체적 이유와, 시간의 경과에 따라서 증거가 흩어져서 진실의 발견이 곤란하다는 소송상의 이유로 설명된다. 공소시효의 기간은 법정형의 경중에 따라 차이가 있다. 현행 형법에 따르면 사형에 해당하는 범죄는 공소시효를 적용하지 않는다. 무기징역에 해당하는 범죄는 공소시효가 15년이다. 시효의 기산점은 범죄행위가 종료한 때이다. 시효는 당해 사건에 대하여 공소가 제기된 때에는 그 진행을 정지한다. 범인이 도주하거나 은닉되어 공소장부본이 송달되지 않았을 경우 및 범인이 형사처분을 면할 목적으로 국외에 있는 경우 공소시효의 진행을 정지한다.

둘째, 기존 법질서의 존속에 대한 정당한 신뢰는 보호되어야 한다는 원칙을 신뢰보호원칙이라 한다. 법치국가의 본질적 요소인 법적 안정성은 현재 효력을 가지는 법에 따라 행위를 하면 그 법에 정해진 원래의 법적인 효과가 인정될 것이라는 것을 믿을 수 있어야 한다는 것을 의미하므로 법적 안정성은 국민에게 있어서는 신뢰보호를 뜻한다.

셋째, 소급입법은 금지된다. 법률의 공포일보다 시행일이 과거로 소급하거나, 공포·시행일 전 과거의 사실관계, 법적 관계에 적용되어 기존의 법적 관계를 변경하는 경우, 법률이 소급효를 가진다고 한다. 소급입법을 통해 달성하고자 하는 공익적 목적이 신뢰보호 가치보다 크지 않으면 소급입법은 정당화될 수 없다. 소급적으로 공소시효를 정지시켜 실현하려는 고문 방지, 인권구제라는 공익이 피의자의 공소시효 완성에 대한 신뢰 이익보다 크면 정당화된다. 그러나 신뢰 이익이 크다면 정당화되지 않는다.

2. 쟁점과 논거

찬성론: 법치주의	반대론: 가족공동체 유지
[국가 유지·존속] 국가는 사회가 규정한 법을 지킴으로써 범죄를 막아 사회 공동체가 유지될 수 있도록 한다. 단지 가족이라는 이유로 법을 어겨 범죄를 저지른 자를 고발하지 않는다면, 범죄를 묵인하는 것이다. 이는 단기적으로 가족을 지킬 수는 있으나, 사회를 붕괴시켜 사회 안의 가족까지 위험에 빠뜨려 국가를 위협한다.	[사회 유지·존속] 사회는 공유된 가치를 근간으로 성립하므로 이 공유된 가치가 훼손되면 사회는 필연적으로 붕괴된다. 공유된 가치 중 효(孝)사상이 있는데, 아버지의 범죄를 자녀가 고발하도록 강제하면 효사상이 훼손되어 가족 간의 신뢰가 사라진다. 그 결과 사회의 기본단위인 가족이 해체되고 사회의 붕괴로 이어진다.
[법치주의 실현] 가족의 범죄에 대한 가족 구성원의 고발이 강제된다면, 누구도 법을 쉽사리 어길 수 없을 것이다. 범죄 적발에 대한 우려로 인해 누구도 쉽게 범죄를 저지를 수 없게 된다. 모든 사람이 법을 지켜야 한다는 일관된 생각과 범죄 예방 효과는 사회 안전과 국가질서 유지로 이어진다.	[법치주의 훼손] 법의 지배는 정당한 법에 대한 사회구성원의 자발적 복종을 전제로 한다. 법이 부정의한 법에 대한 복종을 강제한다면 단기적으로는 법이 실현될 것이나 장기적으로는 법이 사회규범으로 작동할 수 없다. 이는 사회구성원의 자발적 복종을 이끌어낼 수 없어 법치주의를 훼손한다.
[가족공동체의 실질적 유지] 가족은 가족구성원의 옳은 행위를 기대한다. 가족의 범죄는 이러한 신뢰를 저버리는 행위이다. 범죄에 대한 적절한 처벌을 통해 자신의 범죄에 대한 책임을 지도록 함으로써 가족 간의 신뢰를 회복할 수 있다.	[개인의 양심의 자유 보호] 가족을 고발할 것인지 여부는 개인의 자유에 맡겨야 한다. 개인이 자신의 양심에 비추어 가족을 고발하고 자신의 가치관을 지킬 것인지, 혹은 가족을 고발하지 않고 가족을 지킬 것인지는 자유로운 결정에 맡겨야 한다. 불고지죄는 개인이 가족을 고발하도록 강제하여 양심의 자유를 침해한다.

3. 읽기 자료

법을 통한 과거청산[50]

50)

법을 통한 과거청산

027 문제 정의와 법적 안정성: 불고지죄

답변 준비 시간 10분 | 답변 시간 5분

Q1. 만약 지원자가, 자신의 아버지가 가족을 위해 도덕적으로 부정한 방법으로 돈을 벌거나 사회적으로 용인될 수 없는 범죄를 저질러 부를 축적하고 있다는 것을 알게 되었다고 하자.
지원자는 아버지의 부정한 행위를 고발할 것인가? 그리고 부모의 부정행위를 고발하도록 법으로 강제해야 한다고 생각하는가?

Q2. 과거 군사정권은, 국가보안법 위반자의 소재를 알고 있으면서도 이를 국가기관에 신고하지 않은 자를 처벌하는 불고지죄를 국가보안법에 규정하였다. 그런데 국가보안법상 불고지죄는 위반자가 가족이라 하더라도 신고 의무가 있었다.
국가보안법상 불고지죄를 가족 간에도 적용하는 것이 옳은 것인지 자신의 견해를 밝히시오.

027 해설 정의와 법적 안정성: 불고지죄

Q1. 모범답변

저는 아버지의 부정행위를 고발할 것입니다. 아버지의 부정행위는 가족에 도움이 되지 않는 행위입니다. 자녀는 아버지의 부정행위 때문에 도덕적 갈등을 하거나 부정행위를 해도 된다는 잘못된 가치관이 자리 잡을 수 있습니다. 도덕적 갈등으로 부모와 자녀의 관계가 나빠진다면 결국 가족 간의 애정도 파괴될 수 있으므로 도움이 되지 않습니다. 또는 부정행위를 자녀가 받아들인다면 후에 자녀도 위법행위를 할 가능성이 높아져 자녀 역시 처벌받거나 사회에서 지탄의 대상이 될 수 있으므로 자녀에게도 좋지 않습니다. 아버지를 고발함으로써 아버지가 자신의 범죄를 인정하고 그 책임을 진 후, 새로운 삶을 살도록 하는 것이 진정한 행복을 바라는 가족이라 할 수 있습니다.

이에 대해 자녀가 아버지의 부정한 행위를 고발한다면, 부모와 자녀 간의 불신이 조장되어 사회신뢰가 붕괴될 수 있다는 반론이 제기될 수 있습니다. 그러나 아버지와 아들 간의 불신이 조장된다고 하려면, 부자간의 신뢰가 전제되어야 합니다. 신뢰는 일방에 의해 성립되는 것이 아니라 쌍방이 서로 믿을 수 있어야 하는 것입니다. 그러나 이 경우에는 아버지가 부정행위를 함으로써 아들의 불신을 자초한 것입니다. 옳지 않은 일을 묵인하여 지켜준다고 신뢰가 유지되지는 않습니다. 오히려 아버지가 고발되고 아버지가 속죄해야 부모와 자녀 간의 신뢰가 회복될 것입니다.

그러나 자녀가 부모의 범죄를 고발할 것을 국가와 법이 강제해서는 안 됩니다. 자녀가 처벌될 것을 두려워 해 고발을 해야 한다면 부모를 버리고 자신의 안위를 지킨다는 측면이 두드러지게 됩니다. 그러면 서로 감시하고 불신하는 풍조가 확산될 수 있습니다. 따라서 고발하지 않는 자녀를 처벌하는 것에 대해서는 반대합니다. 자녀가 자신의 판단으로 부모의 부정행위를 고발하는 것은 바람직하나, 부모의 부정행위를 고발할 것을 법으로 강제하는 것은 타당하지 않습니다.

Q2. 모범답변

국가보안법상 불고지죄를 가족 간에도 적용하는 것은 타당하지 않습니다. 불고지죄는 국가보안법에 위반한 자를 고지하도록 함으로써 국가안전보장을 실현하려는 목적을 가지고 있습니다. 불고지죄는 국가보안법 위반사항을 고지하지 않은 가족 간의 신뢰 파괴, 양심의 자유 침해 문제를 야기합니다. 불고지죄를 통해 실현하려는 공익보다는, 불고지죄로 인한 불이익인 사회신뢰 붕괴가 더 중하므로 폐지되어야 합니다. 사회구성원 간의 신뢰는 사회를 유지하는 핵심요소입니다. 신뢰가 사라진 사회는 무정부상태에 빠지게 됩니다. 신뢰 없이는 사인 간의 계약도 무용지물이 됩니다. 따라서 신뢰 부재로 인한 사회비용은 천문학적일 수밖에 없습니다. 가족은 사회의 기초단위이고 가족 간의 신뢰관계가 붕괴되면 사회의 신뢰도 붕괴될 수밖에 없습니다. 불고지죄가 가족 간의 관계에 적용되면 가족 간의 신뢰를 파괴하여 사회의 신뢰를 파괴합니다. 신뢰 파괴로 인한 사회적 비용을 고려하면 불고지죄는 폐지되어야 합니다. 가족 간의 범죄를 고지하도록 강요한다면 가족 간의 신뢰가 붕괴되어 사회에서 신뢰가 사라질 것입니다. 그렇다면 국가와 사회는 유지될 수 없습니다. 따라서 가족 구성원 간에 범죄의 고지를 강제하는 불고지죄는 타당하지 않습니다.

가족 간에 범죄사실을 고지하도록 하는 불고지죄는 양심의 자유를 침해하므로 타당하지 않습니다. 자녀의 범죄를 고지하지 않았다고 하여 부모를 처벌하는 불고지죄는 부모와 자녀 간의 신뢰와 사랑을 파괴하는 반인륜적 법률입니다. 불고지죄를 가족 간에 적용하는 것은 양심의 자유를 침해하는 것이므로 가족 간에 적용해서는 안 됩니다. 가족 간에 고지 강제는 윤리적으로 옳지 않다는 결정을 할 수 있습니다. 이러한 진지한 윤리적 결정은 우리 헌법상 양심의 자유[51)]에서 보호됩니다. 국가가 가족 간에도 범죄를 고지하도록 강제하는 것은 양심에 반하는 행위를 강제하는 것이어서 양심의 자유를 침해합니다. 따라서 불고지죄를 가족 간에 적용해서는 안 됩니다.

51)
양심의 자유: 인간의 존엄과 가치의 내면적 기초가 되는 각자의 윤리의식과 사상을 자유로이 형성하고 또 그것을 외부에 표명하도록 강제당하지 아니할 자유와, 더불어 그 윤리의식이나 사상에 반하는 행위를 강요당하지 아니할 자유를 말한다. 양심의 자유에서 의미하는 양심이란, 도덕심 정도의 개념이 아니라 만약 그것을 부정당하면 더 이상 내가 나로서 존재할 수 없을 정도의 가치관을 의미한다.

028 개념 상관의 부당한 명령에 대한 거부

1. 기본 개념

(1) 법적 안정성과 정의의 관계

무질서의 폐해를 막으려면 법적 안정성이 필요하다. 법이 제정된 후에는 정의는 법질서를 평가하는 기준이 된다. 정의에 반한다고 하여 실정법[52]을 반드시 폐기해야 하는 것은 아니다. 정의에 반한다고 하여 실정법을 폐기하면 법적 안정성을 해치기 때문이다. 새로운 법을 제정하여 새로운 법질서를 만드는 비용도 있다. 따라서 법을 폐지하고 새로운 법을 정립하는 데 드는 비용과 이를 통해 실현되는 정의를 비교형량하여 법의 폐지 여부를 결정해야 한다.

정의롭지 않은 실정법을 그대로 유지한다면 옳지 않은 법질서가 유지된다. 정의롭지 않다는 이유로 법을 폐지한다면 법적 안정성이 침해되어 법적 혼란이 발생한다. 그래서 G. Radbruch는 실정법이 단순히 정의롭지 못한 경우 법적 안정성이 우선권을 가진다고 한다. 다만 실정법률의 정의 위반이 참을 수 없을 정도에 이른 경우 실정법은 효력을 상실해야 한다고 주장한다.

"정의와 법적 안정성 간의 갈등은 아래와 같이 해결할 수 있을 것이다. 즉, 규정과 권력에 의해 보장된 실정법은 그 내용이 정의롭지 못하고 합목적성이 없다고 해도 일단은 우선권을 갖는다. 그러나 실정법률의 정의에 대한 위반이 참을 수 없을 정도에 이르렀다면, '부정당한 법'인 그 법률은 정의에게 자리를 물려주어야 할 것이다. 물론 어떠한 경우 법률적 불법이고 어떠한 경우 비록 부정당한 내용을 지녔지만 그럼에도 효력을 갖는 법률인지를 확연하게 구별하는 것은 불가능하다. 그러나 하나의 경계선만은 명백하게 확정할 수 있다. 즉, 결코 정의를 추구하지 않는 경우, 다시 말해 실정법을 제정하면서 정의의 핵심을 이루는 평등을 의식적으로 부정한 경우, 그 법률은 단순히 '불법'에 그치지 않고, 법의 성질 자체를 갖고 있지 않다.

왜냐하면 실정법을 포함한 모든 법은 정의에 봉사하는 의미를 갖는 질서와 규정이라고 개념정의할 수 밖에 없기 때문이다. 이러한 기준에 비추어 볼 때, 나치의 법은 결코 효력을 갖는 법이라고 말할 자격을 갖추고 있지 않다."[53]

(2) 성공한 쿠데타는 처벌할 수 없다는 견해[54]

군사반란 및 내란행위에 의하여 정권을 장악한 후 이를 토대로 헌법상 통치체제의 권력구조를 변혁하고 대통령, 국회 등 통치권의 중추인 국가기관을 새로 구성하거나 선출하는 내용의 헌법 개정이 국민투표를 거쳐 이루어지고 그 개정 헌법에 의하여 대통령이 새로 선출되고 국회가 새로 구성되는 등 통치권의 담당자가 교체되었다면, 그 군사반란 및 내란행위는 국가의 헌정질서의 변혁을 가져온 고도의 정치적 행위라고 할 것인바, 그와 같이 헌정질서 변혁의 기초가 된 고도의 정치적 행위에 대하여 법적 책임을 물을 수 있는지 또는 그 정치적 행위가 사후에 정당화되었는지 여부의 문제는 국가사회 내에서 정치적 과정을 거쳐 해결되어야 할 정치적·도덕적 문제를 불러일으키는 것으로서 그 본래의 성격상 정치적 책임을 지지 않는 법원이 사법적으로 심사하기에는 부적합한 것이고, 주권자인 국민의 정치적 의사형성과정을 통하여 해결하는 것이 가장 바람직하다. 따라서 그 군사반란 및 내란행위가 비록 형식적으로는 범죄를 구성한다고 할지라도 그 책임 문제는 국가사회의 평화와 정의의 실현을 위하여 움직이는 국민의 정치적 통합과정을 통하여 해결되어야 하는 고도의 정치문제로서, 이에 대하여는 이미 이를 수용하는 방향으로 여러 번에 걸친

52) 실정법: 사람이 현실적으로 제정하거나 경험적 사실에 의거하여 형성된 법. 초경험적인 성격을 지닌 자연법과 대립되는 개념이다.

53) 라드부르흐, ≪법률적 불법과 초법률적 법≫, <법철학>

54)

96도3376

국민의 정치적 판단과 결정이 형성되어 온 마당에 이제 와서 법원이 새삼 사법심사의 일환으로 그 죄책 여부를 가리기에는 적합하지 아니한 문제라 할 것이므로, 법원으로서는 이에 대한 재판권을 행사할 수 없다.

(3) 성공한 쿠데타라도 처벌할 수 있다는 견해[55)]

우리나라는 제헌헌법의 제정을 통하여 국민주권주의, 자유민주주의, 국민의 기본권 보장, 법치주의 등을 국가의 근본이념 및 기본원리로 하는 헌법질서를 수립한 이래 여러 차례에 걸친 헌법 개정이 있었으나, 지금까지 한결같이 위 헌법질서를 그대로 유지하여 오고 있는 터이므로, 군사반란과 내란을 통하여 폭력으로 헌법에 의하여 설치된 국가기관의 권능 행사를 사실상 불가능하게 하고 정권을 장악한 후 국민투표를 거쳐 헌법을 개정하고 개정된 헌법에 따라 국가를 통치하여 왔다고 하더라도 그 군사반란과 내란을 통하여 새로운 법질서를 수립한 것이라고 할 수는 없으며, 우리나라의 헌법질서 아래에서는 헌법에 정한 민주적 절차에 의하지 아니하고 폭력에 의하여 헌법기관의 권능행사를 불가능하게 하거나 정권을 장악하는 행위는 어떠한 경우에도 용인될 수 없다. 따라서 그 군사반란과 내란행위는 처벌의 대상이 된다.

2. 쟁점과 논거: 상관의 부당한 명령에 대한 거부행위 처벌 찬반론

찬성론: 법적 안정성	반대론: 정의
[공동체 유지·존속] 공동체가 유지되고 존속하려면 사회의 공유된 가치가 지켜져야 한다. 이러한 가치 중 하나가 국가안보이다. 상관의 명령에 따른 부하의 행위를 처벌한다면 군인, 경찰 등의 특수조직에서 개인의 판단이 우선시되어 항명행위(抗命行爲)가 나타나 조직 내의 질서 유지가 어렵게 되고 국가안보가 위협받는다. 특히 남북내치상황이라는 특수한 환경에서 항명행위는 국가 존립에 문제를 일으키는 중대사안이다.	[공동체 유지·존속] 공동체가 유지되고 존속하려면 사회의 공유된 가치로서 정의로운 법률이 필요하다. 군인의 존재 목적은 국민의 안전 보장이므로, 군인은 상관의 정당한 명령에 대해서만 복종할 의무가 있다. 시민을 향한 발포를 지시한 상관의 명령은 명백히 부정의한 명령이며, 국민 보호라는 군인의 본분에도 어긋나는 것이다. 이러한 학살행위에 참여한 자를 처벌함으로써 정의로운 법질서를 형성하여 공동체가 유지될 수 있다.
[사회 갈등] 상관의 명령을 따르도록 법률이 정해져 있다. 정해진 법률을 어겨도 처벌받지 않을 수 있고, 지켜도 처벌받을 수 있다면, 사회 구성원은 사례마다 판단을 내려야 한다. 사회 전체가 모든 사례마다 이를 어떻게 해결할 것인지 논의해야 하므로 사회갈등이 커진다.	[재발 방지] 시민을 향해 발포하는 등 명백하게 부정의한 행위에 참여한 자를 처벌함으로써 아무리 상관의 명령이라도 명백하게 부정의한 명령은 거부해야 한다는 인식을 줄 수 있다. 이를 통해 역사적으로 이러한 부정의한 행위가 재발되는 것을 막을 수 있다.
[국민의 자유 보호] 국민은 자신의 자유를 안정적으로 지키고자 국가안보를 실현하는 군(軍)을 유지하고 있다. 국민 스스로가 군의 명령체계를 만들었고 상관의 명령에 복종하게 함으로써 국가안보를 달성하고자 하였다. 국민 자신이 스스로 만든 체계를 상황에 따라 부정할 수 있게 한다면 자신의 자유를 지킬 수 없는 모순적 결과로 이어질 것이다.	[국민의 자유 보호] 국민은 자신의 자유를 보장받고자 국가를 형성하였고 공권력의 행사에 복종하는 것이다. 그런데 국가의 공권력과 폭력이 국민을 향한 것이라면 이는 국가의 존재목적에 반한다. 공무원이 국가의 주인인 국민을 향한 부당한 명령을 거부할 수 있어야 국민의 자유와 권리를 실질적으로 보호할 수 있다.

3. 읽기 자료

통치행위[56)]

55)

96도3376

56)

통치행위

028 문제 상관의 부당한 명령에 대한 거부

답변 준비 시간 15분 | 답변 시간 15분

※ 다음 제시문을 읽고, 문제에 답하시오.

(가) 라드부르흐는 실정법이 단순히 정의롭지 못한 경우 법적 안정성이 우선권을 가진다고 한다. 다만 실정법률의 정의 위반이 참을 수 없을 정도에 이른 경우 실정법은 효력을 상실해야 한다고 주장한다.

"정의와 법적 안정성 사이의 갈등은 다음과 같이 해결할 수 있을 것이다. 즉, 규정과 권력에 의해 보장된 실정법은 그 내용이 정의롭지 못하고 합목적성이 없다고 할지라도 일단은 우선권을 갖는다. 그러나 실정법률의 정의에 대한 위반이 참을 수 없는 정도에 이르렀다면, '부정당한 법'인 그 법률은 정의에게 자리를 물려주어야 할 것이다. 물론 어떠한 경우에는 법률적 불법이며 어떠한 경우에는 비록 부정당한 내용을 지녔지만 그럼에도 효력을 갖는 법률인지를 확연하게 구별하는 것은 불가능하다. 그러나 한 가지 경계선만은 명백하게 확정할 수 있다. 즉, 결코 정의를 추구하지 않는 경우, 다시 말해서 실정법을 제정하면서 정의의 핵심을 이루는 평등을 의식적으로 부정한 경우, 그 법률은 단순히 '불법'에 그치지 않고, 법의 성질 자체를 갖고 있지 않다.

왜냐하면 실정법을 포함한 모든 법은 정의에 봉사하는 의미를 갖는 질서와 규정이라고 개념 정의할 수밖에 없기 때문이다. 이러한 기준에 비추어 보면, 나치의 법은 결코 효력을 갖는 법이라고 말할 자격을 갖추고 있지 않다."

(나) 서독과 동독이 통일되기 전, 동독에 주둔하고 있던 국경수비대원 두 명이 국경법 제27조 제2항에 따라 베를린 장벽을 넘으려는 민간인을 사살했다. 독일 통일 후, 독일 검찰은 베를린 장벽을 넘으려는 민간인을 사살한 동독 국경수비대원 두 명을 기소했다. 국경수비대원들은 자신들이 동독의 국경법 제27조 제2항에 따라 이를 행했으므로 살인죄의 위법성이 조각[57]된다고 하였다. 그러나 독일연방법원은 위법성 조각 사유가 정의와 인간의 존엄과 가치에 명백히 위반된다면 고려될 수 없다면서, 국경법 제27조 제2항은 위법성 조각 사유가 될 수 없다는 점에서 국경수비대원의 살인죄를 인정했다.

(다) A국은 민주주의 국가로, 현재 국민 90%의 지지를 받아 당선된 甲대통령이 집권 중이다. A국은 다민족 국가로, 다양한 소수민족이 있으며 특히 이 중 B민족은 50년 전 A국에 편입된 후 지속적으로 독립 혹은 자치를 요구해왔다.

甲대통령 당선 이후 B민족은 자치 요구를 목적으로 하는 집회를 꾸준하게 열었고 최근 집회에는 10만 명이 모여들었다. 이처럼 B민족의 반발이 거세지자 甲대통령은 乙장군에게 이 집회를 무력 진압할 것을 명령하였다. 만약 乙장군이 이 명령을 따른다면 대규모 사상자가 발생할 것이 분명하나, A국의 법률에 따르면 상관의 명령을 거부할 경우 최고 사형에 해당하는 처벌을 받도록 규정되어있다.

이에 乙장군은 甲대통령의 무력진압명령을 거부하였고, 그 후임으로 임명된 丙장군이 결국 B민족 자치요구집회에 대해 총격을 가하는 등 무력진압을 하였다. 그리고 乙장군은 명령불복종행위에 대한 재판에 회부되었다.

57) 위법성 조각 사유: 형식적으로는 범죄 행위나 불법 행위로서의 조건을 갖추고 있어도 실질적으로는 위법이 아니라고 인정할 만한 특별한 사유를 말한다. 형법에서는 정당 행위, 정당방위, 긴급 피난 등을 규정하고 있다.

Q1. 제시문 (가)를 요약하시오.

Q2. 제시문 (나)의 독일연방법원의 판결을 요약하고, 이 판결의 타당성에 대한 자신의 입장을 논하시오.

Q3. 제시문 (다)의 乙장군의 명령불복종행위에 대한 처벌 여부를 정하고, 그 논거를 들어 논하시오.

추가질문

Q4. 乙장군의 명령불복종행위 처벌에 대한 자신의 입장이 가진 문제점이나 비판을 제시하고, 그에 대한 해결방안 혹은 재반론하시오.

Q5. 제시문 (나)의 국경수비대원에 대한 처벌과, 제시문 (라)의 乙장군의 명령불복종행위에 대한 처벌은, 어떤 공통점과 차이점이 있는가?

028 해설 상관의 부당한 명령에 대한 거부

Q1. 모범답변

라드부르흐는 정의와 법적 안정성의 균형을 주장하고 있습니다. 실정법이 정의로움보다 우선하기 때문에 단순 부정의의 경우 법적 안정성이 우선권을 가지므로 실정법을 어겨서는 안 됩니다. 그러나 실정법의 정의 위반이 명백하게 수인 한도를 넘어설 경우 그 법은 법으로서의 성격을 갖고 있지 않으므로 지킬 필요가 없습니다. 예를 들어, 나치 독일이 제정한 법률의 경우 일반적인 법률은 법적 안정성이 우선권을 가지기 때문에 지켜야 합니다. 그러나 유대인을 의도적으로 차별하고 인간의 존엄성을 침해하는 법률의 경우 정의 위반이 심대하므로 법으로서의 성격과 효력 자체가 없어 지킬 필요가 없습니다.

Q2. 모범답변

독일연방법원은 자연법과 정의에 명백히 반하는 법률은 더 이상 법률이 아니라는 견해를 취하고 있습니다. 국경법 제27조 제2항이 정의와 인간의 존엄과 가치에 명백히 위반하기 때문에 법률로서 효력을 유지할 수 없으므로 국경법 제27조 제2항이 위법성 조각 사유가 될 수 없다고 하였습니다.

그러나 독일연방법원의 판결은 타당하지 않습니다. 국경법 제27조 제2항의 적용을 거부한 독일연방법원의 판결은 법적 안정성을 심대하게 해치는 것입니다. 실정법이 정의에 위반된다는 이유로 실정법의 적용을 거부하고 국경수비대원을 처벌한다면, 실정법에 따른 행위를 함에 있어서도 그 결정을 군인 개개인이 결정해야 합니다. 개인의 판단에 따라 실정법 준수 여부가 결정된다면 법적 혼란이 발생할 수 있습니다. 특히 국가안보에 심대한 위해를 미칠 가능성이 높습니다.

국경법 제27조 제2항의 적용을 배제하고 군인을 처벌한 독일연방법원의 판결은 국가안보에 해를 초래할 수 있습니다. 국가안보의 안정적 실현을 위해서는 군인의 명령체계가 수립되어야 합니다. 군인은 상황마다 자의적으로 판단하지 않고 법률에 따른 명령을 일률적으로 이행해야 하고 이를 즉각적으로 수행할 수 있도록 체계적으로 반복 훈련하게 됩니다. 그런데 군인이 법률에 근거한 명령체계에 따른 행위를 하였음에도 불구하고, 사후적으로 판단하여 처벌한다면 국가안보를 실현할 수 없습니다. 예를 들어 남한과 북한이 분단되어 있는 우리나라의 현실에서 월경(越境)하는 자를 군인이 법이 정한 절차에 따라 사살했다고 하겠습니다. 통일이 되는 등의 사정이 있고 난 이후에 해당 법률이 정의에 명백히 반한다는 이유로 법을 따른 군인을 처벌한다면, 국가 방위에 적극적으로 나설 군인은 없을 것입니다. 군인은 반복적 훈련을 통해 긴급사태가 발생할 경우 어떻게 행동해야 하는가를 반복 숙달합니다. 동독 국경수비대원들은 국경법에 따라 베를린 장벽을 넘는 자에 대한 대처조치를 훈련해 왔을 것입니다. 만약 국경수비대원들이 베를린 장벽을 넘는 자에 대해 아무런 조치를 취하지 않았다면 그 당시 실정법에 따라 처벌되었을 것입니다. 그러나 조치를 취한다면 당시의 실정법에 따라 처벌되지 않으나, 이후에 부정의하다며 처벌될 것입니다. 결국 국경수비대원들은 처벌받게 될 수밖에 없으므로, 국경을 넘는 자들에 대해 어떤 조치도 취할 수 없고 묵인하거나 방조하는 등으로 걸리지 않기만 바라며 국경 수비라는 임무를 소홀히 하게 될 수밖에 없습니다.

만약 국경수비대원들이 국경인 베를린 장벽을 넘는 민간인들에 대한 법률상의 조치, 예를 들어 국경법에 규정된 경고 조치나 위협사격 등을 하지 않고 단지 사격을 하려는 목적으로 법률상의 절차 등을 이행하지 않고서 사살한 것이라면 실정법에 의해 처벌되어야 합니다. 그러나 군인이 실정법에 따라 조치를 취했음에도 불구하고, 정의를 앞세워 실정법의 적용을 거부하고, 군인을 처벌한다면 국가안보에 큰 위해를 가져올 수밖에 없습니다.

Q3. 모범답변

정의와 평등을 실현하기 위해 乙장군의 명령불복종행위를 처벌해서는 안 됩니다.

정의 실현을 위해 乙장군의 명령불복종행위를 처벌해서는 안 됩니다. 정의란 옳고 그름에 대한 판단으로 모든 사람은 옳고 그름에 대한 판단의 자유가 있습니다. 따라서 무엇이 정의인지는 합의하기 어려우나, 무엇이 명백하게 부정의한 것인지는 합의할 수 있습니다. 예를 들어 학살이나 고문 등은 명백하게 부정의한 것이라 합의할 수 있습니다. 甲대통령은 다수의 지지를 받는다는 이유만으로 A국의 국민인 B민족에 대한 무력진압을 명령했습니다. 대통령과 군인은 모두 공무원으로 공무원은 국민의 생명과 신체, 재산을 보호하는 역할을 하는 것을 목적으로 합니다. 그러나 甲대통령의 무력진압명령은 합리적 이유 없이 국민의 생명과 신체를 해하라는 것으로 명백하게 부정의한 명령입니다. 乙장군은 명백하게 부정의한 명령을 거부하여 국가의 주인인 국민의 생명을 보호하는 역할을 해 정의를 실현하였습니다. 따라서 乙장군의 명령불복종행위를 처벌해서는 안 됩니다.

평등을 실현하기 위해 乙장군의 명령불복종행위를 처벌해서는 안 됩니다. 평등이란 같은 것은 같게, 다른 것은 다르게 대하라는 원칙입니다. 합리적 이유 없이 다른 것을 같게 대한다면 평등원칙에 위배됩니다. 乙장군의 명령불복종행위는 명백하게 부정의한 B민족 학살 명령에 대한 불복종입니다. 이는 국민의 대표인 대통령의 정당한 명령을 거부하는 단순 명령불복종행위와 엄연히 다릅니다. 이처럼 목적이 다른 행위에 대해 같은 처벌을 하는 것은, 다른 것을 같게 대하는 것으로 평등원칙에 위배됩니다. 따라서 평등원칙을 실현하기 위해 乙장군의 명령불복종행위를 처벌해서는 안 됩니다.

Q4. 모범답변

이에 대해 乙장군의 명령불복종행위를 처벌하지 않는다면 모든 군인이 명령을 위반할 수 있어 법질서에 대한 혼란이 발생할 것이라는 반론이 제기될 수 있습니다. 그러나 법질서에 대한 혼란은 발생하지 않을 것이고, 오히려 법질서에 대한 국민의 준수의지가 더 크게 일어나 법질서가 강화될 것입니다. 국민이 법질서를 스스로 만들고 이를 준수할 것을 약속하는 이유는 그것이 정의로운 법질서일 것이라 기대하기 때문입니다. 국가의 주인인 국민이 명백하게 부정의한 법질서가 강력하게 실현되기를 원하지 않습니다. 오히려 명백하게 부정의한 명령에 대한 불복종행위를 통해 국민은 정의로운 법질서가 무엇인지 고민하고 이를 교정할 기회로 삼을 수 있습니다. 따라서 乙장군의 명령불복종행위가 법치주의를 훼손하고 법질서의 혼란을 불러온다는 반론은 타당하지 않습니다.

Q5. 모범답변

공통점은 상관의 명령에 복종해야 할 의무가 있다는 점입니다.

차이점은 상관의 명령이 명백하게 부정의한지 여부가 됩니다. 제시문 (나)의 국경수비대원은 상관의 명령이 명백하게 부정의한 명령이라 할 수 없습니다. 국경을 허가 없이 넘어가는 자에 대해 군사적 대응을 하라는 명령은 명백하게 부정의하다고 할 수 없습니다. 따라서 국경수비대원은 상관의 명령을 따를 의무가 있으며, 이를 따른 행위는 위법하다고 할 수 없습니다. 반면, 乙장군이 받은 시위 무력진압 명령은 명백하게 부정의합니다. 군인의 존재 목적은 국민 보호이고, 시위를 하고 있는 시민들은 국민으로서 국가의 적이 아니라 국가의 주권자입니다. 적군이 아닌 국민을 사살하라는 명령은 군인의 존재 목적에 명백하게 반하는 것이므로 乙장군은 명백하게 부정의한 상관의 명령을 따를 의무가 없습니다. 따라서 乙장군은 상관의 명령을 따를 의무가 없으며, 처벌해서는 안 됩니다.

029 개념 통치행위: 긴급조치 제9호

1. 기본 개념

(1) 유신헌법

박정희 정부는 유신헌법을 제정하여 국민의 기본권을 제약했다. 1972년 10월 17일, 박정희 대통령은 대통령 특별선언을 발표해 국회 해산, 정당 및 정치활동의 중지 등 헌법의 일부 기능을 정지시키고 전국에 비상계엄령을 선포했다.

10월 27일, '조국의 평화통일'을 지향하는 새 헌법개정안을 공고했다. 국민투표를 거쳐 확정된 이른바 유신헌법(1972.12.27.)에 의해 통일주체국민회의 대의원 선거법이 제정되었다. 2,359명의 대의원이 국민의 직접선거 대신 대통령을 선출했다. 통일주체국민회의 제1차 회의에서 박정희를 제8대 대통령으로 재차 선출했다. 이후 1979년 10월까지 근 7년간 이어진 유신체제는 민주주의의 틀을 완전히 벗어난 '한국 민주주의의 최대 암흑기'로 평가된다.

(2) 긴급조치

유신헌법 제53조 제1항, 제2항에서 대통령의 권한으로 행사 가능한 특별조치인 긴급조치권을 규정했다. 긴급조치는 '천재·지변 또는 중대한 재정·경제상의 위기에 처하거나 국가의 안전보장 또는 공공의 안녕질서가 중대한 위협을 받거나 받을 우려가 있어 신속한 조치를 할 필요'가 있을 때 그 극복을 위한 것으로 한정하고 있다.

긴급조치는 박정희 정부의 유신헌법에 규정된 대통령의 권한으로 행사할 수 있는 특별조치이다. 1975년까지 총 9차례의 긴급조치가 있었으며, 긴급조치 제9호는 마지막 조치였다. 긴급조치 제9호는 약 4년간 지속되면서 국민들의 기본권을 제약했다. 긴급조치 제9호는 1975년 5월 13일 선포된 긴급조치로, 박정희 정부에 의해 제정된 유신헌법을 부정·반대·비방하는 행위 등을 금지하고 이를 어길 경우 1년 이상의 징역에 처한다는 내용 등을 담고 있다. 긴급조치는 1979년 박정희 전 대통령 사망 직후 신군부의 주도로 헌법이 개정되어 사라졌다.

(3) 긴급조치의 위헌성

긴급조치 제9호가 발령될 당시의 국내외 정치상황 및 사회상황이 긴급조치권 발령의 대상이 되는 비상사태로서 국가의 중대한 위기상황 내지 국가적 안위에 직접 영향을 주는 중대한 위협을 받을 우려가 있는 상황에 해당한다고 할 수 없다. 나아가 긴급조치 제9호의 내용은 유신헌법에 대한 논의 자체를 전면 금지하는 것으로, 유신체제에 대한 국민적 저항을 탄압하기 위한 것임이 분명하여 긴급조치권의 목적상의 한계를 벗어난 것이다.

(4) 긴급조치 제9호의 주요내용

1. 다음 각호의 행위를 금한다.

가. 유언비어를 날조, 유포하거나 사실을 왜곡하여 전파하는 행위

나. 집회·시위 또는 신문, 방송, 통신 등 공중전파 수단이나 문서, 도화, 음반 등 표현물에 의하여 대한민국 헌법을 부정·반대·왜곡 또는 비방하거나 그 개정 또는 폐지를 주장·청원·선동 또는 선전하는 행위

다. 학교당국의 지도, 감독하에 행하는 수업, 연구 또는 학교장의 사전 허가를 받았거나 기타 의례적 비정치적 활동을 제외한 학생의 집회·시위 또는 정치관여행위

라. 이 조치를 공연히 비방하는 행위

2. 제1에 위반한 내용을 방송·보도 기타의 방법으로 공연히 전파하거나, 그 내용의 표현물을 제작·배포·판매·소지 또는 전시하는 행위를 금한다.

5. 주무부장관은 이 조치위반자·범행 당시의 그 소속 학교, 단체나 사업체 또는 그 대표자나 장에 대하여 다음 각호의 명령이나 조치를 할 수 있다.

가. 대표자나 장에 대한 소속임직원·교직원 또는 학생의 해임이나 제적의 명령

나. 대표자나 장·소속 임직원·교직원이나 학생의 해임 또는 제적의 조치

다. 방송·보도·제작·판매 또는 배포의 금지조치

라. 휴업·휴교·정간·폐간·해산 또는 폐쇄의 조치

마. 승인·등록·인가·허가 또는 면허의 취소 조치

6. 국회의원이 국회에서 직무상 행한 발언은 이 조치에 저촉되더라도 처벌하지 아니한다. 다만 그 발언을 방송·보도 기타의 방법으로 공연히 전파한 자는 그러하지 아니하다.

7. 이 조치 또는 이에 의한 주무부장관의 조치에 위반한 자는 1년 이상의 유기징역에 처한다. 이 경우에는 10년 이하의 자격정지를 병과한다. 미수에 그치거나 예비 또는 음모한 자도 또한 같다.

8. 이 조치 또는 이에 의한 주무부장관의 조치에 위반한 자는 법관의 영장 없이 체포·구금·압수 또는 수색할 수 있다.

12. 국방부장관은 서울특별시장·부산시장 또는 도지사로부터 치안질서 유지를 위한 병력출동의 요청을 받은 때에는 이에 응하여 지원할 수 있다.

13. 이 조치에 의한 주무부장관의 명령이나 조치는 사법적 심사의 대상이 되지 아니한다.

2. 읽기 자료

2013다217962[58)]

2018다212610[59)]

58)

2013다217962

59)

2018다212610

029 문제 통치행위: 긴급조치 제9호

답변 준비 시간 20분 | 답변 시간 15분

※ 다음 제시문을 읽고, 문제에 답하시오.

(가) 라드부르흐는 실정법이 단순히 정의롭지 못한 경우 법적 안정성이 우선권을 가진다고 한다. 다만 실정법률의 정의 위반이 참을 수 없을 정도에 이른 경우 실정법은 효력을 상실해야 한다고 주장한다.

"정의와 법적 안정성 사이의 갈등은 다음과 같이 해결할 수 있을 것이다. 즉, 규정과 권력에 의해 보장된 실정법은 그 내용이 정의롭지 못하고 합목적성이 없다고 할지라도 일단은 우선권을 갖는다. 그러나 실정법률의 정의에 대한 위반이 참을 수 없는 정도에 이르렀다면, '부정당한 법'인 그 법률은 정의에게 자리를 물려주어야 할 것이다. 물론 어떠한 경우에는 법률적 불법이며 어떠한 경우에는 비록 부정당한 내용을 지녔지만 그럼에도 효력을 갖는 법률인지를 확연하게 구별하는 것은 불가능하다. 그러나 한 가지 경계선만은 명백하게 확정할 수 있다. 즉, 결코 정의를 추구하지 않는 경우, 다시 말해서 실정법을 제정하면서 정의의 핵심을 이루는 평등을 의식적으로 부정한 경우, 그 법률은 단순히 '불법'에 그치지 않고, 법의 성질 자체를 갖고 있지 않다. 왜냐하면 실정법을 포함한 모든 법은 정의에 봉사하는 의미를 갖는 질서와 규정이라고 개념정의할 수밖에 없기 때문이다. 이러한 기준에 비추어 보면, 나치의 법은 결코 효력을 갖는 법이라고 말할 자격을 갖추고 있지 않다."

(나) 긴급조치는 박정희 정부의 유신헌법에 규정된 대통령의 권한으로 행사할 수 있는 특별조치이다. 1975년까지 총 9차례의 긴급조치가 있었으며, 긴급조치 제9호는 마지막 조치였다. 긴급조치 제9호는 약 4년간 지속되면서 국민들의 기본권을 제약했다. 긴급조치 제9호는 1975년 5월 13일 선포된 긴급조치로, 박정희 정부에 의해 제정된 유신헌법을 부정·반대·비방하는 행위 등을 금지하고 이를 어길 경우 1년 이상의 징역에 처한다는 내용 등을 담고 있다. 긴급조치는 1979년 박정희 전 대통령 사망 직후 신군부의 주도로 헌법이 개정되어 사라졌다.

유신헌법은 제53조 제1항, 제2항에서 긴급조치권 행사에 관하여 '천재·지변 또는 중대한 재정·경제상의 위기에 처하거나 국가의 안전보장 또는 공공의 안녕질서가 중대한 위협을 받거나 받을 우려가 있어 신속한 조치를 할 필요'가 있을 때 그 극복을 위한 것으로 한정하고 있다. 긴급조치 제9호가 발령될 당시의 국내외 정치상황 및 사회상황이 긴급조치권 발령의 대상이 되는 비상사태로서 국가의 중대한 위기상황 내지 국가적 안위에 직접 영향을 주는 중대한 위협을 받을 우려가 있는 상황에 해당한다고 할 수 없다. 나아가 긴급조치 제9호의 내용은 유신헌법에 대한 논의 자체를 전면 금지하는 것으로, 유신체제에 대한 국민적 저항을 탄압하기 위한 것임이 분명하여 긴급조치권의 목적상의 한계를 벗어난 것이다.

(다) 긴급조치 제9호는 그 발령 근거인 구 대한민국헌법(1980.10.27. 헌법 제9호로 전부 개정되기 전의 것, 이하 '유신헌법'이라 한다) 제53조에서 정하고 있는 요건 자체를 결여하였고 국민의 기본권을 침해한 것으로서 위헌·무효라고 하더라도, 당시 시행 중이던 긴급조치 제9호에 의하여 영장 없이 피의자를 체포·구금하여 수사를 진행하고 공소를 제기한 수사기관의 직무행위나 긴급조치 제9호를 적용하여 유죄판결을 선고한 법관의 재판상 직무행위는 유신헌법 제53조 제4항이 "제1항과 제2항의 긴급조치는 사법적 심사의 대상이 되지 아니한다."라고 규정하고 있었고 긴급조치 제9호가 위헌·무효임이 선언되지 아니하였던 이상, 공무원의 고의 또는 과실에 의한 불법행위에 해당한다고 보기 어렵다.[60]

60) 대법원 2014.10.27. 선고 2013다217962 판결

또한 긴급조치 제9호가 사후적으로 법원에서 위헌·무효로 선언되었다고 하더라도, 유신헌법에 근거한 대통령의 긴급조치권 행사는 고도의 정치성을 띤 국가행위로서 대통령은 국가긴급권의 행사에 관하여 원칙적으로 국민 전체에 대한 관계에서 정치적 책임을 질 뿐 국민 개개인의 권리에 대응하여 법적 의무를 지는 것은 아니므로, 대통령의 이러한 권력행사가 국민 개개인에 대한 관계에서 민사상 불법행위를 구성한다고는 볼 수 없다.

(라) 긴급조치 제9호는 유신헌법에 대하여 비판적 의견을 개진하는 것 자체를 금지하고 이를 위반한 사람에 대하여 법관의 영장 없이 체포·구속·압수·수색할 수 있으며, 긴급조치를 위반한 사람을 징역형에 처하도록 정하였다. 대통령은 긴급조치 제9호를 발령하면서 긴급조치 제9호의 내용에 따라 영장 없는 강제수사와 이에 기초한 재판 그리고 형의 집행이라는 절차까지 예정하였다고 보아야 하고, 발령된 긴급조치 제9호를 적용·집행하는 일련의 직무집행을 통하여 그 집행의 대상이 되었던 피해자들의 손해가 현실적으로 발생하게 되었다.

즉, 긴급조치 제9호에 의한 기본권 침해는 침해의 근거가 되는 일반적·추상적 규범의 발령과 이를 구체적으로 적용·집행하는 일련의 직무집행을 통해 이루어진 것이다.

이와 같이 긴급조치 제9호의 발령 및 적용·집행이라는 일련의 국가작용은 위법한 긴급조치 제9호의 발령행위와 긴급조치의 형식적 합법성에 기대어 이를 구체적으로 적용·집행하는 다수 공무원들의 행위가 전체적으로 모여 이루어졌다. 긴급조치 제9호의 발령행위가 위법하다고 하더라도 그 발령행위 자체만으로는 개별 국민에게 구체적인 손해가 발생하였다고 보기 어렵고, 긴급조치 제9호의 적용·집행과정에서 개별 공무원의 위법한 직무집행을 구체적으로 특정하거나 개별 공무원의 고의·과실을 증명 또는 인정하는 것은 쉽지 않다. 따라서 이처럼 광범위한 다수 공무원이 관여한 일련의 국가작용에 의한 기본권 침해에 대해서 국가배상책임의 성립이 문제되는 경우에는 전체적으로 보아 객관적 주의의무 위반이 인정되면 충분하다. 만약 이러한 국가배상책임의 성립에 개별 공무원의 구체적인 직무집행행위를 특정하고 그에 대한 고의 또는 과실을 개별적·구체적으로 엄격히 요구한다면 일련의 국가작용이 국민의 기본권을 침해한 경우에 오히려 국가배상책임이 인정되기 어려워지는 불합리한 결론에 이르게 된다.

Q1. 제시문 (가)를 요약하시오.

Q2. 제시문 (가)의 요약 내용을 활용하여, 제시문 (나)를 요약하시오.

Q3. 제시문 (다)와 (라)는 어떤 입장에 대해 상반된 주장을 하고 있다. 이 입장이 무엇인지 밝히고, 제시문 (다)와 (라)의 주장을 각각 제시하시오.

추가질문

Q4. 제시문 (다)와 (라) 중 자신의 입장을 정하고 그 이유를 논하시오.

Q5. 자신이 선택한 입장에 대해 예상되는 반론을 제시하고, 이에 대해 재반론하시오.

029 해설 통치행위: 긴급조치 제9호

Q1. 모범답변

라드부르흐는 정의와 법적 안정성의 균형을 주장하고 있습니다. 실정법이 정의로움보다 우선하기 때문에 단순 부정의의 경우 법적 안정성이 우선권을 가지므로 실정법을 어겨서는 안 됩니다. 그러나 실정법의 정의 위반이 명백하게 수인 한도를 넘어설 경우 그 법은 법으로서의 성격을 갖고 있지 않으므로 지킬 필요가 없습니다. 예를 들어, 나치 독일이 제정한 법률의 경우 일반적인 법률은 법적 안정성이 우선권을 가지기 때문에 지켜야 합니다. 그러나 유대인을 의도적으로 차별하고 인간의 존엄성을 침해하는 법률의 경우 정의 위반이 심대하므로 법으로서의 성격과 효력 자체가 없어 지킬 필요가 없습니다.

Q2. 모범답변

제시문 (나)에 따르면, 긴급조치 제9호는 주권자인 국민의 자유와 권리를 근본적으로 제한하려는 목적을 갖고 있으므로 위헌적인 것이며 법적 효력이 부정되어야 합니다. 물론 국가긴급상황에서 국가안보와 국민 보호를 위해 국가긴급권을 발동하는 것은 허용될 수 있습니다. 그러나 계엄령과 같은 국가긴급권이 이미 있음에도 불구하고, 이외에 긴급조치를 규정해 정부에 대한 비판 집회와 표현 등을 원천 금지하고 영장 없는 체포를 규정한 것은 명백하게 부정의한 것입니다. 특히 영장주의는 처벌권의 남용으로부터 국민의 인신의 자유 등의 기본권을 보호하는 중요한 제도입니다. 이러한 영장주의의 예외를 위해서는 국가의 중대한 위기상황임이 명백하여야 하고 예외적 상황에서 한시적으로만 가능합니다. 그러나 긴급조치 제9호는 4년이 넘는 기간 동안 영장주의를 배제하였는데, 이는 국가의 중대한 위기상황에 대응하기 위함이 아니라 정권의 위기에 대응하기 위함이라는 것이 명백한 것입니다. 심지어 해당행위를 행하지도 않은 미수, 예비, 음모의 경우에도 동일하게 처벌하는 것은 과도한 처벌에 해당하는 것으로서 정권의 유지를 위해 주권자인 국민의 권리를 제한하려는 목적임에 분명한 것입니다. 따라서 긴급조치 제9호는 명백하게 부정의한 실정법으로서 그 효력이 부정되어야 합니다.

Q3. 모범답변

제시문 (다)와 (라)는 긴급조치 제9호에 근거해 행해진 수사와 판결에 의해 피해받은 국민에 대한 국가배상 여부에 대해 상반된 주장을 하고 있습니다. 이 입장에 대해, 제시문 (다)는 국가배상을 할 필요가 없다는 주장을 하고 있는 반면, 제시문 (라)는 국가배상을 해야 한다는 주장을 하고 있습니다.

제시문 (다)는 국가배상을 할 필요가 없다고 주장합니다. 이에 따르면 긴급조치 제9호가 위헌적인 것은 인정할 수 있습니다. 그러나 대통령의 긴급조치는 고도의 정치적 행위로 사법심사의 대상이 아니라 국민이 정치적 책임을 물어야 하는 것이고, 긴급조치에 근거해 수사를 한 경찰 공무원과 판결을 한 법관은 불법을 행한 것이 아닙니다. 따라서 긴급조치 제9호에 의해 권리 침해를 받은 피해자에 대해 국가가 국가배상을 통해 금전적 배상을 해야 할 의무는 없다고 주장합니다.

제시문 (라)는 국가배상을 해야 한다고 주장합니다. 긴급조치 제9호에 의한 개별국민의 권리 침해는 정권 차원에서 이루어진 것으로서 다수의 공무원이 여러 절차를 밟아 결과적으로 발생한 것입니다. 이러한 상황에서 국가배상을 위해서 어떤 구체적인 불법행위가 있었는지 어떤 공무원이 불법행위를 저질렀는지를 특정해야 한다면, 국가와 정권 차원에서 이루어진 권리 침해는 위헌적 행위임에도 불구하고 국가배상이 되지 않는 문제가 발생할 수 있기 때문입니다. 따라서 긴급조치 제9호에 의해 권리 침해를 받은 피해자에 대해 국가가 국가배상을 통해 금전적 배상을 해야 합니다.

Q4. 모범답변

제시문 (라)의 입장에 따라 국가배상을 해야 합니다. 이는 국민의 기본권 보호라는 국가의 의무를 국가가 스스로 저버린 것에 대한 책임이기 때문입니다. 국민은 주권자로서 자신의 자유와 권리를 안정적으로 보호받고자 국가를 설립하였으므로 국가는 국민의 기본권을 보장할 의무가 있습니다. 이러한 의무를 지고 있는 국가가 오히려 국민의 기본권을 조직적으로 침해하였다면, 기본권 침해에 대한 책임을 져야 할 뿐만 아니라 국가가 민사적 배상까지 해야 하는 것입니다. 이는 국민이 국방의 의무나 납세의 의무 등 자신의 의무를 이행하지 않았을 때 책임을 지는 것과 동일한 것입니다. 이 사안의 경우, 국가가 국민의 기본권을 조직적으로 침해한 것이 명백할 뿐만 아니라 해당 국민에게 여전히 그 피해가 잔존하고 있음에도 불구하고 개별 공무원의 고의나 과실이 입증되지 않는다는 이유로 국가가 자신의 의무 위반에 대해 국가배상을 하지 않으려 하는 것입니다. 그렇다면 국민은 국가를 신뢰할 수 없을 것이고, 국가의 권력 행위에 대한 정당성이 훼손될 것입니다. 특히 이 사안의 경우, 국민의 기본권 보장을 위한 영장주의가 근본적으로 부정되고 있는데 수사기관이나 법관은 영장주의의 목적과 필요성을 이미 학습했음에 분명합니다. 그렇다면 영장주의의 부정은 국민의 기본권 침해로 이어진다는 점을 명백하게 알고 있었을 것이고, 이러한 예외적 조치가 4년 이상 지속될 수 없다는 점 또한 명백하게 알고 있었을 것임이 분명합니다. 따라서 위헌적 조치인 긴급조치 제9호에 따라 국가사무를 행하는 공무원들이 조직적으로 국민의 기본권을 침해한 것이므로 국가는 응당 배상을 해야 합니다.

그러나 국가작용 당시의 개별 공무원은 당시의 실정법에 따라 행위를 한 것임에 분명하므로 개별 공무원의 법적 책임을 묻기는 어렵습니다.[61] 다만, 개별 공무원이 단순히 법률과 정책을 이행한 것이 아니라 명백하게 부정의한 행위를 적극적으로 주도하고 수행한 경우에 한해 개별 공무원의 법적 책임을 물을 수는 있을 것입니다.

이러한 관점에서 긴급조치 제9호에 따라 피해를 본 국민에 대한 국가배상은 입법에 의해 행하는 것도 좋은 방법이 될 수 있을 것입니다. 해당 국민의 기본권 침해는 긴급조치 제9호라는 위헌적 입법에 따라 발생한 것입니다. 그렇다면 그 피해에 대한 배상과 보상 역시 입법에 의해 행하는 것이 타당합니다.[62] 피해자에 대한 국가배상을 국민적 합의에 따른 입법을 통해 규정하는 방안을 제안할 수 있을 것입니다.

61) 긴급조치 제9호를 적용하여 유죄판결을 한 법관에게 이상적인 법관상에 미치지 못하였다는 윤리적, 도덕적 비난을 할 수 있을지언정, 위법한 직무행위를 하였음을 전제로 법적인 책임까지 물을 수는 없다. (대법원 2018다212610 전원합의체 판결)

62) "과거는 여는 것이 아니라 닫는 것이다. 여는 것은 미래이다."라는 말이 있다. 그러나 미래를 아름답게 열기 위해서는 과거를 제대로 닫는 것이 필요하다. 헌법이 부여한 사법의 역할은 사회의 갈등과 분쟁을 해소하고 법적 평화를 통해 사회 통합을 이루는 것이다. 이러한 사법의 저울로 과거를 제대로 닫기에는 여러 가지 한계가 있다. 여기에 입법적 해결이 필요함을 알 수 있다. 긴급조치 제9호는 잘못된 입법이고, 잘못된 입법으로 인한 국가배상 문제는 입법을 통해 해결하는 것이 바람직한 모습이다. (대법원 2018다212610 전원합의체 판결)

Q5. 모범답변

국가배상을 할 필요 없다는 입장에서는, 대통령의 긴급조치는 고도의 정치적 행위로 사법심사 대상이 아니고 정치적 책임이 있을 뿐이라는 반론이 제기될 수 있습니다. 그러나 국민의 지지를 받아 선출된 대통령이 고도의 정치적 행위로 행한 긴급조치라 하더라도 그것이 국민의 기본권을 심대하게 훼손하는 것이고 민주주의 자체를 부정하는 것이라면 마땅히 사법적 판단의 대상이 된다고 보아야 합니다.[63] 긴급조치 제9호는 유신헌법에 대한 논의 그 자체를 허용하지 않는 것이고, 영장주의를 부정하는 것으로 국민의 기본권을 심대하게 훼손할 뿐만 아니라 정권의 유지를 위한 목적의 긴급조치이므로 민주적 기본질서를 부정하는 것입니다. 따라서 긴급조치 제9호와 그에 따른 권력 작용은 사법심사 대상이 될 수 있다는 점에서 이 반론은 타당하지 않습니다.

63) 고도의 정치성을 띤 국가행위에 대해서는 이른바 '통치행위'라 하여 법원 스스로 사법심사권의 행사를 억제하여 그 심사대상에서 제외하는 영역이 있지만, 통치행위 개념을 인정하더라도 사법심사의 과도한 자제가 기본권을 보장하고 법치주의 이념을 구현할 법원의 책무를 게을리하거나 포기하는 것이 되지 않도록 지극히 신중하게 해야 한다. 평상시의 헌법질서에 따른 권력행사 방법으로는 대처할 수 없는 중대한 위기상황이 발생한 경우 이를 수습함으로써 국가의 존립을 보장하기 위하여 행사하는 국가긴급권에 관한 대통령의 결단은 존중되어야 한다. 그러나 이러한 국가긴급권은 국가가 중대한 위기에 처하였을 때 그 위기의 직접적 원인을 제거하는 데 필수불가결한 최소한도에 그쳐야 한다. 국가긴급권의 행사는 헌법상 발동 요건과 한계에 부합하여야 하고, 이 점에서 유신헌법 제53조에 규정된 긴급조치권 역시 예외가 될 수 없다. 기본권 보장의 최후 보루인 법원으로서는 마땅히 긴급조치 제9호에 대하여 사법심사권을 행사함으로써, 대통령의 긴급조치권 행사로 국민의 기본권이 침해되고 나아가 헌법의 근본이념인 자유민주적 기본질서가 부정되는 사태가 발생하지 않도록 그 책무를 다하여야 한다. 이는 긴급조치 제9호의 발령행위가 불법행위를 구성하여 국가배상책임이 성립하는지를 판단하는 경우에도 마찬가지이다. 대통령의 긴급조치권 행사가 고도의 정치성을 띤 국가행위라는 사정만으로 사법심사 대상에서 제외된다고 보아 국가배상책임을 부정해서는 안 된다.

030 개념 시민불복종

2024 충북대 기출

1. 기본 개념

(1) 시민불복종의 개념

존 롤스에 의하면, 시민불복종은 정부의 정책이나 법률에 어떤 변화를 가져오려는 의도를 가지고 일반적으로 법에 반대해서 행해지는 공적이고, 비폭력적이며, 양심적인 행위이다. 법치주의가 지켜지는 법치국가에서도 나쁜 법률이나 정책이 추진될 수 있다. 이때 국가는 민주적 절차를 거쳐 이를 고쳐나가야 한다. 그러나 국가가 이러한 개혁 의지를 가지고 있지 않거나 거부할 경우, 시민이 국가의 주권자로서 국가 개혁을 요구하며 시민불복종을 통해 이를 관철할 수 있다. 따라서 시민불복종은 법치국가하에서 개별적인 불법행위 등에 대한 시정요구라고 할 수 있으며, 국가 자체를 부정하는 것은 아니다. 이러한 관점에서 시민불복종을 헌법 내적 저항 혹은 작은 저항권이라 한다.

(2) 시민불복종의 역사

먼저, 19세기 미국 소설가 헨리 데이비드 소로는 '시민불복종 운동'이란 단어를 제일 먼저 사용하였다. 소로는 1840년대 후반에 정부가 주도하는 멕시코 전쟁을 반대하면서 인두세 내기를 거부하였다. 이 일로 감옥에 투옥된 그는 출소한 뒤, 유명한 '시민불복종'이라는 글을 썼는데, 그는 "나는 옳다고 생각하는 일을 할 수밖에 없으며, 양심에 따라 행하는 자를 감옥에 집어넣는 사람에 대해 내가 할 수 있는 일은 감옥에 들어가는 일밖에 없다."고 하였다. 1850년대 북부 지역을 중심으로 한 미국의 노예 폐지론자들은 도주노예 상환법을 거부하면서 숨어 들어온 노예를 넘겨달라는 노예 추적자의 요구를 거절하기도 했다. 이들의 경우는 양심에 따라 국법을 거부한 일종의 시민불복종이요 양심적인 반대 운동이었다.

둘째로, 흑인민권운동을 이끌었던 마틴 루터 킹은 양심에 의한 대규모 시민불복종 운동을 이끌었다. 1950년대 중반 킹 목사가 주도한 흑인민권운동은 미국의 인종차별에 반발하며 인종차별법을 폐지하는 성과로 이어졌다. 앨라배마주의 몽고메리시에서 로자 파크스라는 흑인 여성이 버스 내에 비어있는 백인 전용 좌석에 앉아 일어나기를 거부한 일로 시작된 소위 버스 보이콧 사건은 킹 목사의 주도하에 조직적인 시민불복종 운동으로 발전하여 전개되었다. 킹 목사는 인종을 차별하는 법은 지킬 수가 없으며 마땅히 폐지되어야 한다고 주장하면서 버스 타기를 거부하는 운동을 전개했고 그 일로 투옥되었다. 이 운동은 미국 전역의 관심과 시선을 집중시켰고, 결국 국민적 여론을 등에 업고 인종차별법을 폐지하게 만들었다.

(3) 시민불복종의 요건

존 롤스는 시민불복종의 요건을 다음과 같이 들고 있다.

① 최후수단성

악법과 잘못된 정책을 다른 시정방법으로 바꿀 수 없을 경우, 시민불복종은 허용된다. 즉 다른 방법으로 해결할 수 있다면 시민불복종을 행해서는 안 된다.

② 정의에 중대하고도 명백한 위반이 있는 경우

시민불복종은 정의를 회복하기 위한 수단이다. 국가의 행위가 중대하고도 명백히 정의에 반해야 시민불복종은 인정된다. 정의는 앞서 언급한 제1원칙과 제2원칙이고, 중대한 위반이란 그 위반을 제거함으로써 다른 영역의 부정의까지 제거할 수 있는 위반이다. 명백한 위반이란 원칙의 위반이 누구에게나 뚜렷하게 인식될 수 있어야 한다는 의미이다.

③ 전략 선택의 합리성

시민불복종의 결과로 의도된 목적이 실현되어야 한다. 즉 시민불복종은 전략적으로 합리적이어야 한다. 시민불복종은 법과 국가정책이 명백히 정의에 위반되고, 효과적인 다른 시정방법이 없을 경우에 행사할 수 있다. 또한 시민불복종은 폭력적 방법으로 행사될 때에는 법질서를 붕괴시킬 수 있다. 시민불복종은 법치국가 내의 부정의를 시정하기 위한 시도이므로 국가질서 자체를 붕괴시킬 수 있는 폭력행위는 허용되어서는 안 된다.

(4) 시민불복종의 한계

시민불복종은 국가질서 자체를 부정해서는 안 된다는 한계가 있다. 시민불복종은 법치국가 내에서 악법과 잘못된 정책을 시정하기 위한 행위이기 때문에 법치주의 자체를 부정하지 않는다. 시민불복종은, 특정 시민이 자신이 부정의하다고 판단한 법률을 위반함으로써 다른 시민들의 관심을 이끌어내고자 하는 것이다. 따라서 특정법률은 위반하지만 이로 인한 처벌을 감수함으로써 법에 대한 존중 자체를 보여줄 필요가 있다. 처벌을 회피한다면 국가를 부정하는 자로 오인되거나 자신의 이익을 위해 불복종하는 것으로 간주되어, 시민불복종의 목적을 달성할 수 없다.

시민불복종은 악법과 잘못된 정책을 시정하기 위한 수단으로 인정된다. 따라서 자신의 희생을 통해 사회적 정의를 실현하기 위한 수단이므로 법적 처벌을 회피하려 해서는 안 된다. 또한 처벌을 받음으로써 언론매체를 통해 대중에게 자신의 주장을 확산시킬 수 있기 때문에 악법과 잘못된 정책을 시정한다는 목적을 달성하기 쉽다.

2. 쟁점과 논거

찬성론: 정의	반대론: 법적 안정성
[정의 회복] 고문, 영장 없는 체포, 보통선거 부정, 언론·출판 검열제 등은 명백히 정의에 반한다고 자신 있게 말할 수 있다. 이처럼 명백한 부정의에 대해 우리는 정의에 반한다고 합의할 수 있고, 이런 법과 정책에 대한 불복종은 필요하다. 명백히 정의에 반하는 국가의 행위에 대해 침묵하는 것은 인권침해와 정의 위반을 방치하는 결론에 이를 뿐이다.	[사회질서 유지] 법은 시민들의 합의로 성립된 것이고, 법과 법에 따른 판결에 복종하지 않는다면 국가질서는 유지될 수 없다. 정의에 대한 시민 각각의 가치관과 자유로운 해석을 인정하는 현대사회에서 자신의 관점에서 정의롭지 않다는 이유만으로 다수의 합의로 성립한 법에 불복종할 수 있다면 시민들의 토론과 합의도 의미 없는 것이 되고 법과 정책은 시행될 수 없을 것이다.
[불법국가 예방] 국민이 악법과 잘못된 정책에 복종한다면, 국가는 계속 불의를 행하여 불법국가로 전락할 수 있다. 시민들은 불의에 저항하여 다른 시민들의 공적 관심을 불러일으킬 수 있다. 주권자인 시민들의 노력을 통해 국가가 불법국가로 전락하는 것을 예방할 수 있다.	[사회 발전 저해] 어떤 법과 제도가 타당하지 않다면 법에 대한 불복종보다도 시민 간의 대화와 토론을 거친 후 다수결을 통해 시정해야 한다. 여론 형성이나 공식 절차를 거쳐 해결 가능한 대안이 있음에도 불구하고, 시민불복종을 인정한다면 사회적 혼란을 초래하여 사회 발전을 저해한다.
[개인의 자유와 권리 보호] 국민이 악법과 잘못된 정책에 복종한다면, 국가는 계속 불의를 행하여 국민의 자유와 권리를 제한하려 한다. 더욱이 기존의 법체계하에서 이를 개선하기 위해 노력하지만, 소기의 목적을 달성하기 힘든 것이 현실이다. 이러한 자유와 권리의 침해를 종식시키기 위해 시민은 법에 불복종하여 악법과 잘못된 정책을 무력화시킬 수 있어야 개인의 자유와 권리를 보호할 수 있다.	[개인의 자유와 권리 보호] 완전히 정의로운 법질서는 있을 수 없다. 법이 부정의하다는 이유로 법에 대한 복종을 거부한다면 법적 혼란이 생기고 나아가 무법상태에 빠지게 된다. 결함은 있지만 안정되어 있는 법적 체계하에서 누려왔던 자유와 권리를 무법상태에서는 누릴 수 없다. 따라서 다소 부정의하더라도 안정된 법질서를 존중하여 개인의 자유와 권리를 보호해야 한다.

3. 읽기 자료

불복종, 저항, 민주주의[64)]

시민불복종[65)]

시민불복종과 헌법소송[66)]

장애인 이동권 확보[67)]

64)

불복종, 저항, 민주주의

65)

시민불복종

66)

시민불복종과 헌법소송

67)

장애인 이동권 확보

030 문제 시민불복종

답변 준비 시간 20분 | 답변 시간 15분

※ 다음 제시문을 읽고, 문제에 답하시오.

(가) 우리 논의의 출발점은 부정의를 행하는 것은 결코 옳지 않으며, 어떤 사람이 나쁜 대접을 받았을 때 부정의로 되갚거나 나쁜 대접으로 보복하는 것은 옳지 않다는 것이었네.

만약 어떤 사람과 하겠다고 약속한 것이 정의로운 것이라면 그 약속한 사람은 그것을 해야 하겠는가 아니면 속여야 하겠는가? 만약 우리가 도시를 설득하지 아니하고 이곳을 떠난다면, 우리는 어떤 사람들 그리고 우리가 그러한 방식으로 대접해서는 안 되는 사람들을 나쁘게 대접하는 것은 아닌가? 우리는 정의로운 합의를 지켜야 하는 것은 아닌가?

도시의 법(laws of a city)이란, 행해야 할 것과 해서는 안 될 것에 관해 시민들이 합의한 것으로 성문화된 것이네. 도시에서 내려진 법적 판결이 힘을 가지지 못하고 권위를 빼앗기고 사인의 행위에 의해 침해되더라도 도시는 계속 존속하고 전복되지 않을 수 있다고 생각하는가?

자네는 이곳에서 태어나고, 자라왔고, 교육받았으므로, 자네의 조상을 포함하여 자네는 우리의 자손이나 노예라는 점을 자네가 부인할 수 있겠나? 그리고 만약 그것이 맞다면, 정의로운 것은 자네와 우리 간의 평등에 근거한 것이며, 우리가 자네에게 행하려고 한 것이 무엇이든 간에 자네가 우리에게 되갚는 것이 정의롭다고 생각하는가? 자네와 자네의 부친과의 관계에 있어서, 또한 만약 자네가 주인을 모시게 되었다면 자네와 주인과의 관계에 있어서, 정의로운 것은 평등관계에 근거한 것은 아니며, 자네가 받은 대우가 무엇이든 간에 똑같은 것을 되갚아 주어서는 아니 되네. 자네가 비난받았을 때 똑같이 비난해서는 아니 되며, 자네가 맞았을 때 똑같이 때려서는 아니 되며, 다른 많은 경우에도 그와 같은 짓을 해서는 아니 되네. 자네와 자네의 조국과 법 간에 그러한 것이 허용되는가? 만약 우리가 자네를 파괴하는 것이 옳다고 믿으면서 그렇게 하려고 할 때 자네는 온 힘을 다하여 우리 법과 자네의 조국을 파괴하려고 할 것인가? 그리고 참으로 덕에 신경 쓰는 자네가 그렇게 행동하는 것이 올바르다고 주장할 것인가? 그렇지 않다면 자네가 너무나 현명하여 자네의 조국이 자네의 모친과 부친 그리고 자네의 모든 조상보다 더 귀중하다는 사실, 자네의 조국이 보다 존귀하고 성스러우며 신들과 지각 있는 사람들 간에 더 커다란 평가를 받는다는 사실, 자네는 자네의 조국을 충성으로 대하고 그에 복종해야 하며 자네의 부친이 화가 났을 때 자네의 부친을 회유하는 것보다 자네의 조국을 더 잘 회유해야 한다는 사실, 자네는 조국을 설득하거나 아니면 조국이 명하는 바를 해야 한다는 사실, 자네는 자네의 행동에 유의하며 조국이 자네에게 지시한 처우, 그것이 폭력이든 감금이든 간에 감내해야 한다는 사실, 만약 조국이 자네를 전쟁으로 이끌어 자네를 다치게 하거나 죽게 한다면 그것이 자네가 해야 할 일일 뿐만 아니라 정의로운 것이며 자네는 자네가 주둔한 곳에서 퇴각해서는 아니 되며 반대로 전쟁터이든 법정이든 그 밖의 장소에서라도 자네는 자네의 도시나 조국이 명한 대로 하거나 아니면 정말로 정의로운 것에 대해 조국을 설득해야 한다는 사실, 그리고 자네의 모친이나 부친의 의지를 거스르는 것은 불경한 것이지만 자네의 조국의 의지를 거스르는 것보다는 덜 불경하다는 사실을 주목하지 못했는가?

(나) 인간은 불복종의 행위에 의해 끊임없이 진보했다. 양심이나 신념에 의해 권력 앞에서 '아니오'라고 용감하게 말한 사람들이 있었기 때문에 인간의 정신적 발전이 가능했을 뿐만 아니라, 지적 발전 또한 불복종-새로운 사상을 억누르는 권위들에 대한, 그리고 어떤 한 변화를 몰상식한 것으로 규정하려는 기존의 오랜 견해들의 권위에 대한 불복종-하는 능력에 의해 이루어졌다. 불복종의 능력이 인류 역사의 시초를 이루었다면, 이미 언급한 바와 같이 복종은 당연히 역사의 종말을 가져올 것이다. 이 말은 결코 상징적이거나 시적인 것은 아니다. 앞으로 5년 내지 10년 안에 인간이 문명을, 심지어는 지구상의 모든 삶을 파멸시킬 가능성 또는 확률이 존재한다. 거기에는 어떤 이성이나 분별을 필요로 하지 않는다. 실제로 우리가 기술적으로는 원자력 시대에 살고 있지만 인류의 대다수-권력층에 있는 사람들의 대부분을 포함해서-는 정서적으로는 아직도 석기 시대에 살고 있다.

그렇다고 해서 내가 모든 불복종은 선이고 모든 복종은 악이라고 주장하는 것은 아니다. 이와 같은 견해는 복종과 불복종 간의 변증법적 관계를 무시한 것이다. 복종해야 할 원칙과 불복종해야 할 원칙이 양립할 수 없을 때에는 항상 한 원칙에 대한 복종은 필연적으로 그에 대립되는 원칙에 대한 불복종을 의미하게 되고, 그 반대도 역시 그렇다. 안티고네(Antigone)는 이러한 이분법의 고전적인 예에 해당한다. 비인간적인 법률에 복종하면 도덕률에 불복종하게 되고, 도덕률에 복종하면 법률에 불복종하게 된다. 종교적 신앙과 자유, 그리고 과학을 위해 죽어 간 모든 순교자들은 그들 자신의 양심과 이성, 그리고 도덕률에 복종하기 위해 그들로 하여금 진실을 말하지 못하게 억압하는 자들에게는 불복종할 수밖에 없었다. 인간이 복종할 줄만 알고 불복종하지 못한다면 그는 노예이다. 반면에 불복종할 줄만 알고 복종할 줄 모른다면 그는 혁명가가 아니라 반도(叛徒)에 불과하다. 이와 같은 자는 확신과 원칙에 의해서가 아니라 분노와 실망과 원한에 의해 행동하기 때문이다.

(다) 불의의 법들이 존재한다. 우리는 그 법을 준수하는 것으로 만족할 것인가. 아니면 그 법을 개정하려고 노력하면서 개정에 성공할 때까지는 그 법을 준수할 것인가. 아니면 당장이라도 그 법을 어길 것인가?

사람들은 일반적으로, 지금과 같은 정부 밑에서는 다수를 설득시켜 법을 개정시킬 수 있을 때까지는 기다려야 한다고 생각한다. 그들은 만약 저항한다면 치료가 병보다 더 나쁠 것이라고 생각한다.

불의가 당신으로 하여금 다른 사람에게 불의를 행하는 하수인이 되라고 요구한다면, 분명히 말하는데, 그 법을 어기라. 당신의 생명으로 하여금 그 기계를 멈추는 역마찰이 되도록 하라. 내가 해야 할 일은, 내가 극력 비난하는 해악에게 나 자신을 빌려주는 일은 어쨌든 간에 없도록 하는 것이다.

악을 치료하기 위해 정부가 마련한 방법을 받아들이자는 얘기가 있는데, 나는 그런 방법들을 알지 못한다. 그런 방법들은 시간이 너무 오래 걸린다. 그전에 사람의 목숨이 끝날 것이다. 내게는 다른 할 일들이 있는 것이다. 내가 이 세상에 온 것은 세상을 살기 좋은 곳으로 만들려는 중요한 목적이 있어서가 아니라, 좋든 나쁘든 그 안에서 살기 위해서이다. 한 사람이 모든 일을 다 해야 하는 것은 아니다. 그중 어떤 일만 하면 된다. 그리고 그가 모든 일을 할 수 없다고 해서 어떤 나쁜 일을 해야만 하는 것은 아니다.

주지사나 주 의회에 탄원하는 것이 내가 할 일은 아니다. 그것은 그들이 내게 탄원하는 것이 그들의 일이 아님과 마찬가지다. 그리고 내가 탄원을 하더라도 그들이 나의 탄원을 들어주지 않는다면 그다음에 내가 할 일은 무엇인가? 그러나 이러한 경우에 대비하여 주 정부가 마련해 놓은 방법은 아무것도 없다. 주의 헌법 자체가 해악인 것이다.

나의 이런 말이 가혹하고 고집스럽고 비타협적으로 들릴는지도 모르겠다. 그러나 이것이야말로 그 헌법을 평가할 줄 알고 그것을 가질 자격이 있는 유일한 정신을 지극한 친절과 배려로 대접하는 것이다. 사람의 몸을 격동시키는 탄생이나 죽음처럼, 발전을 위한 모든 변화는 다 그러한 것이다.

나는 서슴없이 말한다.

노예제도 폐지론자로 자처하는 사람들은 몸으로나 재산으로나 매사추세츠주 정부를 지원하는 일을 지금 당장 중지하여야 한다고. 그리고 정의가 자신들을 통해 승리하도록 노력하지 않고, 한 표 앞선 다수가 될 때까지 기다려서는 안 된다고. 만약 그들이 하느님을 자기편으로 두었다면 그것으로 충분하며, 다른 사람을 기다릴 필요는 없다고 나는 생각한다. 더욱이, 어떤 사람이든지 그가 자기 이웃들보다 더 의롭다면 그는 이미 '한 사람으로서의 다수'[68]를 형성하고 있는 것이다.

Q1. 법에 대한 불복종 허용 여부를 중심으로 하여, 제시문 (가), (나), (다)를 각각 요약하시오.

Q2. 위 제시문을 모두 참고하여, 자신의 입장에서 특정법률이 정의롭지 않다고 판단된다면 그 법을 준수하지 않아도 되는지 논하시오.

Q3. 전국장애인연합회에서 장애인들의 이동권 보장과 확대를 위해 저상버스 도입 확대를 요구하면서 출퇴근 시간대에 버스의 출발을 막거나 지하철역에서 지하철 탑승을 시도하는 등으로 시위를 진행하고 있다. 이로 인해 국민들의 출퇴근 이동의 방해 등 여러 피해가 예상된다. 이러한 시위에 대해 찬반 입장을 정하여 논하시오.

추가질문

Q4. 시민불복종은 국민 다수의 합의로 성립한 법률에 대해 일부 개인이 이를 부정의하다고 판단해 불복종하는 것이므로 허용해서는 안 된다는 견해가 있다. 이 견해에 대한 자신의 생각을 논하시오.

Q5. 어떤 법이 부정의하다는 것은 매우 주관적인 판단일 수 있다. 즉 A는 특정법률이 부정의하다고 하나, B는 그렇지 않다고 생각할 수 있는 것이다. 주관적인 판단을 근거로 법률을 어겨도 되는 것인가?

Q6. 시민불복종을 허용해야 한다는 입장에 대해 국민들이 법률을 경시하여 무법상태를 야기할 수도 있다는 반론이 제기된다. 이 반론에 대한 자신의 견해를 논하시오.

Q7. 법에 대한 불복종은 국가와 일부 시민의 대립을 야기할 수 있다. 이로 인해 사회질서 혼란이 직접적으로 초래될 수 있는데 이에 대해 어떻게 생각하는가?

68) 한 사람으로서의 다수(majority of one): 단 한 사람이라도 도덕적으로 우위이면 그는 이미 다른 사람들을 이길 수 있다는 말로 19세기 미국의 지식인들 사이에 자주 사용되던 어구이다.

030 해설 시민불복종

Q1. 모범답변

제시문 (가)는 부정의한 법이라 하더라도 법에 대한 불복종은 허용되지 않는다고 주장합니다. 법은 시민들의 합의로 성립된 것이고, 법과 법에 따른 판결에 복종하지 않는다면 국가질서는 유지될 수 없기 때문입니다. 현대 시민들은 다양한 가치관을 가지고 있습니다. 만약 시민불복종을 허용한다면 자신의 가치관이나 이익에 맞지 않는 경우 불복종할 것입니다. 그렇다면 무엇이 부정의한가에 대해 시민들이 합의할 수 없는 현대사회에서 자신의 관점에서 정의롭지 않다는 이유로 불복종한다면 많은 법과 정책은 시행될 수 없을 것입니다. 또한 가치관이 다른 시민들이 공적영역에서 행위의 준거로 삼을 수 있는 것은 가치관, 도덕이 아니라 법입니다. 따라서 행위규범 부재를 야기하여 사회혼란을 가져오므로 법에 대한 불복종을 허용할 수 없습니다.

제시문 (나)는 법에 대한 불복종을 허용해야 한다고 주장합니다. (나)는 인간은 불복종행위로 인해 정신적으로 발전해왔다고 합니다. 사상이나 정신은 기존의 악습과 사상을 극복함으로써 성숙합니다. 따라서 불복종은 인간의 정신 발전에 이바지하는 것입니다. 국가법질서에 대한 무조건적 불복종은 국가의 발전보다는 국가의 쇠퇴를 초래하게 됩니다. 완전히 정의로운 법질서는 있을 수 없습니다. 법을 제정하는 사람이 완벽할 수 없기 때문입니다. 따라서 부정의한 법에 대한 불복종은 허용되어야 합니다.

제시문 (다)는 법에 대한 불복종을 허용해야 한다고 주장합니다. 명백한 부정의를 막기 위함입니다. 만약 명백하게 부정의하다고 생각되는 법률에 대해 복종한다면 나 자신도 부정의에 가담하는 것이나 다름없습니다. 나 자신부터 부정의한 법률을 거부하여 그것이 부정의함을 선언하고 이를 통해 다른 사람들에게 깨달음을 주어 부정의를 시정해야 합니다. 따라서 법에 대한 불복종을 허용해야 합니다.

Q2. 모범답변

자신의 입장에서 특정법률이 정의롭지 않다고 판단되더라도 법을 준수해야 합니다. 내용적으로 옳지 않다는 주관적 확신만으로 법을 준수하지 않으면 법적 안정성이 크게 훼손될 것입니다. 사람마다 옳고 그름이 다를 수 있는데 옳지 않다는 이유로 법을 준수하지 않는다면 무법상태에 이를 수 있습니다. 단순히 정의에 반하는 법을 준수함으로써 실현할 수도 있는 법적 안정성이 정의의 훼손보다 큽니다. 따라서 일단 법을 준수함이 타당합니다. 그리고 악법이라고 판단되면 여론을 조성해서 법개정이나 폐지를 위해 노력함이 타당합니다.

그러나 자신의 입장에서 특정법률의 부정의한 정도가 심각하다고 판단된다면, 법 준수를 거부하는 시민불복종 운동을 할 수 있습니다. 단, 이로 인해 발생하는 책임은 자신이 스스로 져야 합니다. 특정법률이 부정의하다고 생각하여 이에 대한 준수를 거부할 수는 있으나, 다른 모든 법률이 부정의한 것은 아니므로 특정법률에 대한 준수 거부로 인한 처벌은 마땅히 받아야 합니다.

Q3. 모범답변

전국장애인연합회의 출퇴근시간 시위는 집회의 자유와 시민불복종으로써 인정됨이 타당합니다. 개인은 주권자로서 집회의 자유를 행사할 수 있고, 시민불복종을 통해 법률에 반대되는 비폭력적인 행위를 할 수 있습니다. 장애인 역시 국민으로서 집회의 자유의 주체가 되며, 장애인의 이동권 보장과 확대를 주장하는 것은 정당한 사유에 해당합니다. 전국장애인연합회는 장애인의 이동권을 실질적으로 보장하기 위해 저상버스 도입을 확대할 것과 출근길 대중교통에서 장애인이 배제되지 않도록 해달라고 요구하고 있습니다. 이러한 요구를 관철하기 위해 출근길 버스의 운행을 일부 방해하거나 지하철의 정시운행을 방해하는 시위를 하였습니다. 이는 시민불복종에 해당하는 것입니다. 존 롤스에 의하면, 시민불복종은 정부의 정책이나 법률에 어떤 변화를 가져오려는 의도를 가지고 일반적으로 법에 반대해서 행해지는 공적이고, 비폭력적이며, 양심적인 행위입니다. 문제가 있는 법률이나 정책에 대해 국가가 개혁의지를 가지고 있지 않거나 거부할 경우, 시민이 국가의 주권자로서 국가 개혁을 요구하며 시민불복종을 통해 이를 관철할 수 있습니다. 시민불복종은 법치국가하에서 개별적인 불법행위 등에 대한 시정요구라고 할 수 있으며, 국가 자체를 부정하는 것은 아닙니다. 전장연의 출퇴근 시간 시위로 인해 출퇴근하는 다수 시민들의 불편을 초래한 것은 사실이나, 이에 대해서는 처벌을 감수하는 것이기 때문에 법질서에 대한 전면적 부정이라 할 수 없습니다.

Q4. 모범답변

국회가 다수의 지지를 받아 구성되어 다수결에 의해 법을 제정하였더라도, 그 법이 정의롭다는 보장은 없습니다. 다수결 원칙도 자유, 정의 등을 훼손해서는 안 된다는 한계가 있습니다. 히틀러나 나치도 국민 다수의 지지를 받았지만, 히틀러와 나치가 행한 정책은 인권을 명백하게 침해하였습니다. 따라서 다수의 지지를 받았다고 하너라도 정의롭지 않은 법이라면 문제를 제기하고 대화와 토론을 통해 디수를 설득하여 부정의를 시정해야 합니다. 이러한 노력을 했음에도 불구하고 부정의를 시정할 수 없을 때 불복종을 통해 부정의한 법이 존재함을 사회 다수에게 알려 사회적 경각심을 일깨우고 해당법률을 개정해야 함을 설득하는 것입니다.

Q5. 모범답변

물론 시민들은 다양한 가치관을 가지고 있고 이에 따른 입장 차이를 가질 수 있습니다. 그러나 국가가 국민을 고문한다든지, 5·18사건처럼 군인이 시민에게 총을 쏜다든지, TV뉴스에서 정권을 편파적으로 비호한다든지 하는 것은 입장의 차이와 관계없이 명백하게 정의롭지 않다고 시민들이 합의할 수 있습니다. 물론 시민 100%가 합의하는 것은 불가능합니다. 100%가 합의해야만 불복종할 수 있다면 명백히 정의에 반하는 법과 정책에 대해서도 불복종할 수 없어, 국가가 불법국가가 되는 것을 방치할 수밖에 없을 것입니다. 시민들이 대화, 토론을 통해 공론을 만들어내고, 법 개정이나 정책개선을 추구하였음에도 불구하고 국가가 법이나 정책을 개선할 의지가 없을 때에는 불복종하여야 합니다.

Q6. 모범답변

시민불복종은 법에 대한 존중을 근거로 합니다. 법체계는 정의에 부합되나 개별법령이나 정책이 정의에 반하는 경우, 이에 불복하여 정의롭지 않은 법령과 정책을 개선하려는 운동이 시민불복종입니다. 시민불복종은 더 좋은 법체계를 만들기 위한 운동이지만 실정법체계 전체를 부정하는 것이 아닙니다. 따라서 시민불복종하는 자는 실정법에 의한 처벌을 감수함으로써 자신이 법을 존중하고 있음을 보여주어야 합니다. 시민불복종하는 자들은 형법 등과 같이 관련법에 따라 처벌을 받기 때문에 법체계를 부정하는 것이 아니라 특정법률이 부정의함을 다른 시민들에게 알리고자 함입니다. 시민불복종은 법을 경시하는 것이라 볼 수 없으며 오히려 법을 존중하고 법체계가 정의로워져 국민의 법에 대한 준수의지를 높이고자 하는 것입니다.

Q7. 모범답변

정의롭지 않은 법에 복종함에 따라 발생하는 장기적 비용을 감안하면 불복종에 따른 사회질서 혼란비용은 불가피한 것으로서 감수해야 합니다. 만약 단기적으로 발생할 수 있는 사회질서 혼란비용을 우려해 정의롭지 않은 법을 방치한다면, 나치와 같은 전면적 불법국가로 이어져 폭력이 수반되는 저항권이 행사되어야 하는 극단적 혼란으로 이어질 수 있을 것입니다. 따라서 단기적으로는 사회질서 혼란이 발생할 수 있으나, 장기적으로 볼 때 저항권이 행사될 수 있는 불법국가 상황을 예방할 수 있으므로 시민불복종은 타당합니다.

그리고 시민불복종은 비폭력적 방법으로 행해져야 합니다. 비폭력적 수단으로 행해지기 때문에 사회질서의 혼란은 최소화됩니다. 따라서 사회질서의 혼란이 크지 않고 장기적으로 볼 때 더 큰 혼란을 예방할 수 있으므로 타당합니다.

031 개념 저항권

1. 기본 개념

(1) 개념

저항권이란 주권자로서의 국민이 공권력에 의해 침해된 헌법기본질서를 회복하기 위해 취할 수 있는 헌법보호수단이자 기본권 보장을 위한 기본권이기도 하다.

(2) 저항권의 인정 논거

로크에 따르면 자연 상태에서 인간은 자유, 생명, 재산권을 가진다. 인간은 자유, 생명, 재산권을 보호하기 위하여 사회계약을 체결하여 공동체를 구성하고 국가권력을 부여하는 위임계약을 체결한다. 따라서 사회계약의 목적은 자유, 생명, 재산의 보호에 있다. 국가기관이 자유, 생명, 재산을 침해하는 권력을 행사하는 경우 사회계약의 목적에 위반되므로 사회계약을 취소하는 저항권을 행사할 수 있다. 로크에 따르면, 개인의 자유는 국가를 통해서도 보호되지만 국가에 대해서도 보호되어야 한다고 한다. 저항권은, 국가에 의해 침해되는 개인의 자유를 보호할 마지막 보호수단이다.

(3) 저항권의 요건

목적상, 저항권은 인간의 존엄성의 유지와 민주주의적 헌법질서 유지라는 목적을 위해서 행사될 수 있으나 사회·경제적 개혁의 수단으로 행사될 수 없다.

상황적으로는, 민주적 기본질서가 전면 부인되고 있는 경우와 명백한 불법권력이 행해지는 경우에 저항권을 행사할 수 있다. 국가권력 행사가 헌법의 단순한 위반이 아니라 민주적, 법치국가적 기본질서를 전면 부인하는 경우에 저항권을 행사할 수 있으며, 저항권으로 투쟁할 수 있는 공권력의 불법은 객관적으로 명백해야 한다.

행사요건으로, 저항권은 보충성, 최후수단성, 성공가능성의 요건을 만족해야 한다. 보충성(예비성)은 헌법이나 법률에 법적 구제수단이 유효하지 않을 때만 행사해야 한다는 것이다. 최후수단성은 민주적 기본질서를 회복하기 위한 수단이 저항권밖에 없을 때 행사해야 한다는 것이다. 성공가능성은 저항권을 행사하여 민주적 기본질서 회복이라는 목적이 달성되어야 한다는 것이다. 그러나 저항권이 최후수단적으로 행사된다면 성공가능성이 거의 없고, 또한 성공가능성이 있을 때는 저항권 행사가 최후수단이 아니므로, 저항권의 행사요건을 전부 충족할 수 있는 저항권의 행사는 사실상 불가능하다. 따라서 저항권의 요건을 다 충족해야 한다는 주장은 타당하지 않다는 견해가 제기되고 있다.

(4) 행사방법과 효과

저항권을 행사하면 극심한 사회적 혼란이 발생할 수 있을 뿐만 아니라 때로는 악법에 복종하는 것보다 더 큰 해악을 초래할 수 있다. 그렇기 때문에 저항권의 행사는 목적 달성을 위해 필요 최소한에 국한되지 않으면 안 된다. 저항권 행사는 비례원칙에 따라 평화적 방법에 의하여 달성할 수 없는 예외적 경우에 한하여 폭력적인 방법도 허용된다.

저항권 행사는 외형상 공무집행방해죄 등이 성립되어 위법한 행위가 된다. 그러나 부당한 권력에 대한 정당한 저항권의 행사는 위법성이 조각된다. 저항권 행사가 성공하여 불법국가가 무너지고 법치국가 질서가 회복된다면 저항권 행사는 소급하여 유효하게 된다.

(5) 시민불복종과 저항권의 비교

시민불복종은 정부의 정책이나 법률에 어떤 변화를 가져오려는 의도를 가지고 일반적으로 법에 반대해서 행해지는 공적이고, 비폭력적이며, 양심적인 행위이다. 법치주의가 지켜지는 법치국가에서도 나쁜 법률이나 정책이 추진될 수 있다. 이때 국가는 민주적 절차를 거쳐 이를 고쳐나가야 한다. 그러나 국가가 이러한 개혁 의지를 가지고 있지 않거나 거부할 경우, 시민이 주권자로서 국가의 개혁을 요구하며 시민불복종을 통해 이를 관철할 수 있다. 따라서 시민불복종은 법치국가하에서 개별적인 불법행위 등에 대한 시정 요구라고 할 수 있으며, 국가 자체를 부정하는 것은 아니다. 이러한 관점에서 시민불복종을 헌법 내적 저항 혹은 작은 저항권이라 한다.

저항권은 개별적 불법행위에 대한 문제가 아니며, 국가가 인권을 유린한다거나 헌법 자체를 부정하는 경우에 이를 막고자 행사할 수 있는 권리이다. 즉 시민불복종이 법치국가 내의 부정의한 법과 정책의 시정수단이라면, 저항권은 불법국가 자체를 부정하는 권리이다. 저항권은 국가가 시민의 인권을 짓밟고 헌법 자체를 부정하는 상황하에서 통상의 법적 수단이 아무런 힘을 발휘하지 못하는 경우에 한정하여 인정된다. 법치국가가 불법국가로 전락하는 것을 막기 위한 행동이 시민불복종이라면, 이미 불법국가가 된 경우 최후수단으로서 행사하는 권리가 저항권이다.

구분	시민불복종	저항권
행사대상	법치국가	불법국가
적용대상	나쁜 법률이나 정책	인권 유린, 헌법 자체의 부정
관점	국가 자체를 부정하지 않음	국가를 부정
행사시기	사전적 대응	사후적 대응
행사상황	상대적으로 긴급하지 않음	매우 긴급하고 예외적 상황
수단	비폭력적 수단	때로는 폭력적 수단도 불사함

2. 쟁점과 논거

찬성론: 정의	반대론: 법적 안정성
[국민주권] 국민은 자신의 자유와 권리를 보장받기 위해 국가에 자신의 주권을 위임했다. 국민주권을 위임받은 국가가 오히려 이를 침해하는 상황은 주권 위임의 원칙에 위배되는 것이다. 국가의 주인인 국민이 자신의 주권을 되찾기 위한 마지막 수단으로서 저항권이 인정된다.	**[국민주권]** 국민은 주권자로서 자신이 스스로 정한 절차를 통해 국가권력을 선출하고 주권을 위임했다. 그렇다면 정의롭지 않은 국가권력도 국민 다수가 정당하게 선출한 것이고 이에 대한 견제와 문제 제기는 기존 체제와 법률에 의해 절차적으로 행해져야 한다. 주권자인 국민이 스스로 정한 절차와 형식을 통해 문제를 해결해야 한다.
[불법국가 시정] 저항권은 일반적인 국정 운영의 상태가 아니라 국민의 자유와 권리가 전면적으로 부정당하고 있는 상태에서 행사한다. 이를 종식시키기 위해 폭력적인 수단까지 포함하는 저항권을 행사해 무법정권을 몰아내고, 국민의 자유와 권리를 지키는 정의로운 정권을 수립할 수 있어야 한다.	**[법치주의 실현]** 저항권 행사는 국가질서 자체를 거부하는 것이다. 실정법 절차를 무시한 폭력적 주권 행사로 인해 법적 혼란과 사회적 혼란이 야기될 수 있다. 이러한 혼란은 비록 부분적 흠결이 있기는 하지만 사회 전반의 안정을 제공하는 법률과 제도에 의해 보장되던 개인의 자유와 권리를 침해하는 결과로 이어지고 법치주의는 훼손된다.
[국가의 장기적 발전] 국가 권력이 헌법을 무력화할 의도로 부정의한 법률을 의도적으로 제정하고 시행하는 경우, 국민이 저항하지 않는다면 국가에 의해 야기된 부정의한 상태가 지속될 것이다. 기존의 법률과 제도에 의거한 방법은 국가가 의도적으로 무시, 차단하기 때문에 실효성이 없다. 저항권의 행사만이 국가의 무법행위와 부정의한 상태를 종식시킬 수 있다.	**[개인의 자유·권리 파괴 우려]** 현대사회는 다원주의 사회이므로, 부정의에 대한 합의가 어렵다. 또한 대중매체의 영향력이 증대되어 여론을 호도하고 조작할 가능성도 높아졌다. 이러한 사회적 복잡성과 여론의 취약성으로 인해 정당한 저항권의 행사가 아니라 정치적으로 조작되고 남용된 저항권이 나타나 오히려 국민의 자유와 권리가 파괴될 우려가 크다.

3. 읽기 자료

저항권이론의 재조명[69]

69)

저항권이론의 재조명

031 문제 저항권

답변 준비 시간 10분 | 답변 시간 10분

Q1. 시민불복종과 저항권의 개념을 각각 간략하게 제시하시오.

Q2. 국민이 저항권을 행사할 수 있는 이유는 무엇인가? 저항권의 행사 대상이 되는 국가는 어떤 국가인가?

Q3. 국민이 저항권을 행사할 때 폭력적 수단도 허용되는가?

Q4. 만약 대통령이 장기집권을 위해 국회를 해산하고 일체의 집회와 시위를 금지했다고 하자. 그리고 야당 의원들을 한강고수부지 천막에 감금하였다. 이에 시민들이 시청 앞 광장에서 대통령의 사임을 요구하면서 시위를 하자 대통령은 군대를 동원하여 시민들에 대해 발포명령을 하였다. 국민들은 화염병과 쇠파이프로 무장하여 저항권을 행사하였다. 이러한 경우 국민의 저항권은 허용되는가?

Q5. 여당이 야당 의원들에게 회의일시를 통지하지 않은 채 법안을 가결시켰다고 하자. 이때 이 법안 가결을 이유로 국민이 저항권을 행사하는 것이 타당한가?

031 해설 저항권

Q1. 모범답변

시민불복종은 개인이 자신의 가치관에 비추어 특정법률이 정의롭지 않다고 판단하여 이를 거부하는 것을 말합니다. 그러나 저항권은 국민이 법률을 비롯한 국가체계 자체가 국민주권을 훼손하는 것이어서 국가의 주인으로서의 권리를 행사하는 것을 말합니다.

Q2. 모범답변

국민이 저항권을 행사할 수 있는 이유는, 국가의 주인인 국민이 주권을 갖기 때문입니다. 국민은 자신의 자유와 권리를 지키고자 하는 목적으로 국가를 형성하였습니다. 그런데 국민주권의 실현 수단인 국가가 오히려 국민주권에 명백하게 반하는 법을 제정하고 이를 의도적으로 유지하려고 한다면, 국민은 그 법에 복종을 거부해야 합니다. 어떤 법을 제정하더라도 국민이 복종할 것이 자명하다면 국가는 계속 정의에 반하는 법을 제정하려 할 것입니다. 그렇게 되면 국가는 전면적인 불법국가로 전락할 수 있습니다. 예를 들어, 나치는 정권을 잡은 후 인종차별적이고 반인권적인 법을 제정했고 이것에 대해 독일 국민이 반발하지 않음을 확인한 후 2차 세계대전과 유대인 학살에 이르게 된 것입니다. 따라서 명백한 악법에 대해서는 비겁하게 복종하기보다 불복종하여 일반 국민에게 경각심을 일으키고, 국가에 저항하여 경고하고 국민의 의사에 반하는 권력행위를 멈춰야 합니다.

헌법을 무력화시킬 목적으로 헌법에 명백히 저촉되는 법을 의도적으로 통과시켰다면, 그 정부는 저항의 대상이 됩니다. 또한 반대되는 세력을 제거하기 위해 참정권을 박탈하고, 반대되는 세력을 불법체포, 감금, 고문하는 국가는 명백히 헌법질서에 반하며 국민주권을 위협하는 불법국가입니다.[70] 이처럼 주권자인 국민이 저항권을 행사할 수 있는 대상이 되는 국가는 국민주권을 의도적으로 부정하고 명백한 부정의를 행사하는 국가입니다. 명백하게 정의에 반하는 법이란, 민주주의 자체를 부정하는 내용을 담고 있는 경우가 대표적이라 할 수 있습니다. 학살이나 고문을 허용하거나, 영장 없는 인신 구속, 재판 없는 처벌과 같이 국민의 자유를 전면적으로 부정하는 등의 내용을 담고 있는 법이라면 명백하게 정의에 반한다고 할 수 있습니다. 우리나라의 경우, 국민의 정치적 자유를 전면적으로 부정하는 내용을 담고 있었던 유신헌법이 대표적인 악법(惡法)의 사례입니다. 이처럼 주권자인 국민의 자유와 권리를 전면적으로 제한하려는 시도를 하는 국가가 바로 저항권의 행사 대상이 됩니다.

70) 서울고법 형사4부(재판장 구욱서 부장판사)는 19일 80년 비상계엄하에서 계엄포고령을 어기고 집회를 선동한 혐의로 기소돼 유죄가 확정됐던 한화갑, 김홍일, 김옥두 민주당 의원 등 6명에 대한 재심사건에서 무죄를 선고했다. 재판부는 판결문에서 "80년 5월 17일부터 81년 1월 24일까지의 비상계엄 시기 동안 신군부의 일련의 행위는 내란죄가 되어 헌정질서파괴범죄에 해당하는 사실을 인정할 수 있다"며 "신군부의 헌정질서파괴범행을 저지하거나 반대한 피고인들의 행위는 헌법의 존립과 헌정질서를 수호하기 위한 정당한 행위"라고 밝혔다.

Q3. 모범답변

저항권을 행사할 때 폭력적 수단이 허용됩니다. 국민주권을 실현할 수 있기 때문입니다. 불법국가가 국가의 주인인 국민의 주권을 전면적으로 부정하고, 국민을 보호할 목적으로 사용해야 하는 폭력적 수단을 국민을 향해 사용할 것입니다. 국민이 자신의 주권을 되찾고 불법국가의 불법행동을 멈추려면 폭력적 수단을 사용할 수밖에 없습니다. 그러나 폭력적 수단은 국민주권의 회복이라는 목적을 달성할 수 있는 최소한에 그쳐야 합니다. 따라서 국민들이 폭력을 사용하여 저항권을 행사해 불법국가를 제거하고 헌법질서를 회복한 이후에는, 폭력적 수단에 호소해서는 안 됩니다.

Q4. 모범답변

국가가 명백히 불법을 행하고 있을 때 헌법질서를 수호하고 유지하기 위한 저항은 허용됩니다. 우리나라 헌법에는 국회해산제도도 없고, 대통령이 일체의 집회와 시위를 금지할 수 있는 권한도 없습니다. 따라서 대통령의 행위는 명백히 헌법에 위반됩니다. 더불어 군대는 국민의 생명과 신체를 보호하기 위한 목적, 즉 국가안보에 대한 위해가 있을 때 무력을 행사할 수 있습니다. 대통령은 자신의 권력을 유지하기 위한 목적으로, 더군다나 국가안보의 적이 아니라 국가안보의 목적이 되는 국민을 향해 발포를 명령하였으므로 명백하게 부정의한 권력을 행사한 것입니다. 대통령이 야당 의원들을 감금하였고, 군대까지 동원한 상태이므로 정상적인 방법으로는 헌법질서를 수호할 수 없는 상태입니다. 따라서 저항권 행사는 타당합니다.

Q5. 모범답변

이 경우 국민의 저항권 행사는 허용될 수 없습니다. 저항권은 국가기관의 행위가 헌법질서의 근본정신을 해하는 경우에 한해서만 행사되어야 합니다. 왜냐하면 저항권은 국민이 직접 폭력을 행사할 수 있는 것이므로 실정법을 위반하는 면이 있기 때문입니다. 법안 날치기 통과가 국민주권을 규정하고 있는 헌법에 위반되는 것은 사실이나, 헌법의 기본질서를 해한다고 볼 수는 없으므로 저항권 행사는 타당하지 않습니다.[71] 그러나 국민이 날치기로 통과된 법률에 대해 헌법소원을 청구하거나, 시민불복종운동을 할 수는 있습니다. 물론 헌법소원의 청구나 시민불복종운동에 대해 국가기관이 폭력을 사용하여 이를 억압하려 하거나 하는 등으로 명백한 부정의를 행한다면 국민은 저항권을 행사할 수 있습니다.

71) 1996.12.26. 날치기 통과된 노동관계조정법 등이 위헌이라는 이유로 저항권의 수단으로서 불법적인 쟁의행위를 하였다고 주장하는 사건에서 헌법재판소는 저항권이 헌법이나 실정법에 규정이 있는지 여부를 가려볼 필요도 없이 제청법원이 주장하는 국회법소정의 협의 없는 개의시간의 변경과 회의일시를 통지하지 아니한 입법과정의 하자는 저항권 행사의 대상이 되지 아니한다. 저항권은 국가권력에 의하여 헌법의 기본원리에 대한 중대한 침해가 행하여지고, 그 침해가 헌법의 존재 자체를 부인하는 것으로서 다른 합법적인 구제수단으로서는 목적을 달성할 수 없을 때에, 국민이 자기의 권리와 자유를 지키기 위하여 실력으로 저항하는 권리이기 때문이다. (헌재 1997.9.25. 97헌가4)

Chapter 02

민주주의

국민주권은 국가의 주인이 국민이라는 전제에서 비롯된다. 따라서 국가와 개인의 관계가 그 핵심이 된다. 국가론은 국가는 어떤 것인가, 국가와 개인의 관계는 어떻게 설정해야 하는가를 다루는 것이다. 국가론의 변화는 정치체제와 관련이 깊고, 법이라는 수단을 통해 발현된다.

아래 표는 근대 민주주의의 성립과 관련한 철학자이자 국가론을 정립한 핵심사상가의 국가론을 정리한 것이다. 홉스 이후로, 개인이 자기 자신의 주인으로서 스스로 원하여 계약을 맺고 국가를 형성했다는 사회계약론이 정립되었다. 사회계약론의 결과물이 민주주의 국가이다. 개인이 어떤 존재인지, 즉 인간관으로부터 논리 필연적으로 자연 상태가 도출되고, 자연 상태로부터 개인이 원하는 계약이 도출되며, 이 계약의 구체적인 수단과 형태가 국가로 나타난다. 이를 논리적으로 일관되게 논리를 전개할 수 있어야 국민주권을 이해한 것이라 할 수 있다.

구분	홉스	로크	루소
인간관	이기적이고 자기보존을 추구하는 존재	이성적이며 협력 가능한 존재	사적 의지와 일반 의지를 동시에 지닌 이타적 존재
자연 상태	만인의 만인에 대한 투쟁 상태	자유로운 시장의 교환질서가 성립되었으나 폭력이나 권력으로 인해 질서가 깨질 위험이 있는 상태	공동체적 질서가 성립된 평화로운 상태
현실 인식	개인의 이기심이 극대화되어 협력이 불가능한 상태, 무질서하고 폭력이 난무하는 최악의 상황	신에 의해 제정된 자연법이 존재하는 상태, 협력이 깨질 수도 있는 위험과 불편이 남아있는 상태	잉여생산물로 인해 사유재산 발생 → 공동체적 질서 붕괴 → 국가는 불평등한 상태를 지속시킴
정부 구성방법	시민은 최악의 상황을 탈피하기 위해 자신의 권리를 국가에 모두 양도 → 파기하는 순간 최악의 상태에 직면하므로 파기 불가	시민이 자신의 권리와 재산을 지켜달라고 정부에 자신의 권리를 신탁, 정부가 시민의 자유와 권리를 지키지 못하면 정부를 다시 구성할 수 있음	시민의 자유와 권리는 양도되거나 대표될 수 없음, 공동체를 위한 일반의지를 발현하여 동일성 민주주의 정부 구성

민주주의는 헌법 총론과 연결되는 주제일 뿐만 아니라, 법조인의 존재 목적과 같다. 법조인은 국민주권에 기여해야 하고, 법조인은 국민의 자유와 권리를 보장하는 역할을 함으로써 이에 기여한다.

특히 총선, 대선 등 선거를 앞둔 해에는 민주주의와 관련한 주제가 로스쿨 면접에서 출제되는 경우가 많다. 그뿐만 아니라 지방자치와 관련한 주제가 지방대 로스쿨에서 출제되고 있다는 점을 유념해야 한다.

032 개념 권력의 속성과 통제

1. 기본 개념

(1) 홉스의 자연 상태와 국가론

홉스는 인간에 대해 본능적으로 이기적이라 생각했다. 인간은 자신감이 결여되어 있으며, 경쟁과 명예를 추구하는 본성을 지닌 존재이다. 인간은 자기보호를 위해 어떤 수단이라도 사용한다. 따라서 자연 상태는 전쟁 상태가 될 수밖에 없다. 자연 상태란 국가 이전의 상태로서 국가가 제정한 실정법, 형법 등과 같은 강제 규범이 없는 상태이다. 이러한 자연 상태는 만인의 만인에 대한 투쟁 상태이다.

자연은 인간을 신체적으로나 정신적인 기능에 있어서 평등하게 창조했다. 이런 능력의 평등으로부터 목적을 얻고자 하는 똑같은 희망이 생기게 된다. 두 사람이 동일한 대상에 대해 소유하고 싶은 욕구를 가지나 (양이 충분하지 못해) 서로 만족할 수 없을 때 두 사람은 적이 된다. 힘과 의지를 통해 더 이상 자신에게 위협이 되는 어떤 힘도 없다는 것을 볼 때까지 가능한 한 모든 사람을 지배하려는 것은 자연스럽다. 그리고 이것은 자기보호를 위해 요구되는 것으로 인정된다.

사람의 본성 가운데에는 분쟁의 세 가지 주된 원인이 있는데, 첫째 경쟁심은 사람들을 무엇인가 얻기 위해 타인을 공격하게 만든다. 둘째, 자기 확신의 결핍은 자신의 안전을 확보하기 위해 타인을 공격하게 만들며, 셋째, 영광에 대한 욕구는 명성을 얻기 위해 타인을 침략하게 만든다. 경쟁심은 그들 자신을 타인의 인신과 그들의 아내, 자녀 및 가축의 주인으로 만들기 위해 폭력을 사용하고, 명예욕은 한마디 말이나 눈웃음, 상이한 의견과 그밖에 자신에 대해 보이는 어떤 다른 과소평가를 눈치채는 일 등과 같은 사소한 것들로 인해 폭력을 사용한다. 따라서 모든 사람을 떨게 만드는 공통의 힘이 없는 동안 사람들은 '만인에 대한 만인의 투쟁' 같은 전쟁상태에 놓인다.

(2) 사회계약의 목적

홉스는 만인의 만인에 대한 투쟁 상태인 자연 상태에서 모든 개인은 죽음이라는 극단적인 공포에 직면한다고 보았다. 따라서 개인은 죽음이라는 극단적 공포를 벗어나기 위해 이성적 판단을 한다. 자신보다 힘이 센 존재가 얼마든지 있을 수 있고, 설령 이러한 개인이 있다고 하더라도 그자 역시 합리적이므로 힘이 약한 자신을 지켜줄 것이라 볼 수 없다. 따라서 홉스는 국가를 통해서만 최악의 상태인 자연 상태를 벗어날 수 있다고 하였다. 국가가 없는 상태에서 개인은 생명·신체에 대한 최소한의 보호를 받을 수 없다. 전쟁 상태를 종식시키고 생명·신체의 자유가 보호되는 사회 질서를 형성·유지하기 위해 사회계약을 체결한다.

(3) 절대 국가

홉스는 개인들이 만인의 만인에 대한 투쟁 상태인 자연 상태에서 벗어나 자신의 안전을 보장받기 위해 동의를 통해 하나의 합의체를 형성한다고 하였다. 이를 국가라 하고 이것이 리바이어던(Leviathan)이다. 국가에 의해 평화가 유지되고 개인의 안전이 보호된다. 개인은 안전을 보호받으려면 국가에 복종해야 하고, 국가는 평화와 안전을 위해 무제한적 권력을 행사할 수 있다.

국가는 '세속의 신'이다. 영원불멸의 초월적 존재가 아니다. 죽어 없어질 수 있다. 국가가 죽으면 세상은 다시 자연 상태로 돌아간다. 홉스는 이것을 두려워했다. 그는 강력하고 안정된 국가를 원했다. 그래서 '세속의 신'을 '불사(不死)의 신'으로 올려 세우기 위해 주권자인 왕에게 무소불위의 전제적 권력을 부여했다. 홉스는 이렇게 주장했다. 일단 신민(臣民)이 된 사람은 주권자에게 저항할 수 없다. 국가가 모든 사람을 하나의 인격으로 통일한 것인 만큼, 이론적으로 주권자의 행위는 곧 신민들 자신의 행위이기 때문이다. 한번 맺은 신약을 파기할 수 없다. 신약에 반대하는 사람도 다수의 동의를 받은 주권의 설립에 복종할 의무가 있다. 주권자의 어떤 행위도 백성의 권리를 침해하지 않는 것으로 간주한다. 입법권과 사법권, 전쟁선포권도 모두 주권자의 것이다. 주권은 분할할 수도 없고 견제를 받아서도 안 된다. 주권자의 명예는 백성 전체의 명예보다 위대하다. 주권자 앞에서 백성은 태양 앞의 별빛과 같다.

홉스에게는 모든 권력을 손아귀에 넣고 절대 권력을 행사하는 전제군주제가 가장 이상적인 국가형태였다. 그의 논리는 명확하다. 국가를 탄생시킨 신약의 목적은 사회 내부의 무질서와 범죄, 외부 침략의 위협에서 사람들의 생명과 안전을 지키는 것이다. 이것이 국가를 만든 유일한 목적이다. 다른 목적은 없다. 따라서 주권자 또는 통치권자가 이 목적을 달성하려고 하는 한, 그는 신약을 충실하게 이행하는 셈이다. 누구도 여기에 대항해서는 안 된다. 국가의 목적 수행을 방해하기 때문이다.

(4) 홉스의 사회계약과 왕권신수설의 차이

홉스에 따르면, 군주는 계약을 통해 형성된 국가의 주권을 가진다. 따라서 기존의 왕권신수설을 기초로 한 절대군주론과 차이가 없다는 반론이 제기될 수 있다.

왕권신수설에 따르면 신(神)이 직접 왕에게 권한을 부여했기 때문에 왕은 권력의 원천이다. 그러나 홉스의 사회계약론에 따르면, 권력의 원천은 개인이고 개인들의 합의로 국가와 군주가 세워지고 군주는 권력을 가지게 된다. 홉스의 사회계약론에서 군주는 권력의 원천이 아니라 계약에 의해 권력을 부여받은 권력의 소지자이다. 군주는 계약에 따라 외적의 침략으로부터 국민을 보호할 의무를 진다. 홉스의 절대국가론은 국가의 절대 권력을 우선시해 국가에 의한 개인의 자유와 권리 침해를 정당화시켰다는 비판을 받는다. 그러나 국가가 개인의 합의로 성립했다는 홉스의 사회계약론은 개인주의의 출발점이라는 평가도 동시에 받는다.

2. 읽기 자료

유시민, <국가란 무엇인가>, 돌베개

032 문제 권력의 속성과 통제

답변 준비 시간 15분 | 답변 시간 10분

※ 다음 제시문을 읽고, 문제에 답하시오.

(가) 트라시마코스: 들으십시오! 저로서는 올바른 것이란 '더 강한 자의 편익(이득)' 이외에 다른 것이 아니라고 주장합니다. 헌데, 선생께서는 왜 칭찬을 해 주시지 않죠? 그러고 싶지 않으신 것이로군요.

소크라테스: 우선 선생이 무슨 뜻으로 하는 말인지나 알고서 해야겠소. 아직은 그것을 모르겠기 때문이오. 선생은 더 강한 자의 편익이 올바른 것이라고 주장하오. 헌데, 트라시마코스 선생, 도대체 그건 무슨 뜻으로 하는 말이오?

트라시마코스: 적어도 법률을 제정함에 있어서 각 정권은 자기의 편익을 목적으로 하여서 합니다. 민주 정체는 민주적인 법률을, 참주 정체는 참주 체제의 법률을, 그리고 그 밖의 다른 정치 체제들도 다 이런 식으로 법률을 제정합니다. 일단 법 제정을 마친 다음에는 이를, 즉 자기들에게 편익이 되는 것을 다스림을 받는 자들에게 올바른 것으로서 공표하고서는, 이를 위반하는 자를 범법자 혹은 올바르지 못한 짓을 저지른 자로서 처벌하죠. 그러니까 보십시오. 이게 바로 제가 주장하고 있는 것입니다. 모든 나라에 있어서 동일한 것이, 즉 수립된 정권의 편익이 올바른 것이지요. 확실히 이 정권이 힘을 행사하기에, 바르게 추론하는 사람에게 있어서는 어디에서나 올바른 것은 동일한 것으로, 더 강한 자의 편익으로 귀결합니다.

…(중략)…

소크라테스: 그렇다면 다시 이야기해봅시다. 각각의 기술에는 저마다의 이익을 주는 영역이 있소. 즉 의술은 건강을, 항해술은 해상에서의 안전을 보장해줍니다.

트라시마코스: 그렇습니다.

소크라테스: 그럼 이익을 가져오는 것은 이익을 얻는 기술을 통해서 아니겠소? 그게 바로 보수를 얻는 기술의 특별한 기능일 테니까 말입니다. 그러나 우리는 이 기술과 저 기술을 혼동하지는 않소. 즉 항해를 하는 선장이 항해의 노동 덕에 건강이 좋아졌다고 해서 그 선장의 항해술을 의술과 혼동하지 않는 것처럼 말입니다. 항해술을 의술이라고 말하지는 않겠지요?

트라시마코스: 물론 그렇지 않습니다.

소크라테스: 그렇다면 선장이 보수를 받아 이익을 얻었을 때, 마침 건강 상태가 좋아졌다고 합시다. 그렇다고 그 보수 획득의 기술을 의술이라고 하지는 않겠지요?

트라시마코스: 그렇습니다.

소크라테스: 그렇지만 모든 전문가들이 공통으로 얻는 이익이 있다면, 해당 기술자의 전문 기술 이외에, 그 이익을 가져오는 공통적인 보수 획득의 기술이 있다고 보아야겠지요?

트라시마코스: (소크라테스의 질문에 트라시마코스는 마지못해 수긍했다.) 그렇습니다.

소크라테스: 그러나 트라시마코스여, 보수 획득은 전문가 특유의 기술로써만 이루어지는 것이 아니오. 의사가 의술로 환자를 치유하고 건축가가 건축술로 집을 짓기는 하지만 보수 획득은 그 나름의 기술을 통해 얻는다고 봐야 합니다. 그 밖의 다른 기술도 마찬가지입니다. 모든 기술은 각자의 영역을 갖고 있으면서 각각의 대상에 이득을 주는 것입니다. 즉 기술은 기술이 적용되는 대상에 이익을 줌으로써 그 기술을 구사하는 전문가에게 보수라는 이익을 부과하는 것입니다.

트라시마코스: 그렇습니다.

소크라테스: 그렇다면 트라시마코스, 결론은 자명해졌소. 어떤 기술이나 어떤 통치도 그 자신에게 이익을 주는 것이 아니라 그 대상, 즉 기술은 기술의 대상, 통치는 통치의 대상에 이익을 주는 것입니다. 그러니까 통치자로서의 강자는 자신의 이익을 도모한다기보다는 통치받고 있는 약자의 이익을 도모한다고 봐야 합니다. 그러므로 참된 통치자는 자신의 이익을 돌보지 않고 언제나 대상의 이익(국민의 이익)을 돌보기 마련입니다. 그런 의미에서 그들에게도 돈이건 명예건 보수가 주어져야 하며 그 지위를 거부할 경우엔 형벌이라도 주어져야 하는 것입니다.

(나) 우리는 권력을 소유하고 있는 자는 이를 남용하지 않을 윤리적인 의무를 동시에 지고 있다고 생각한다. 말하자면 그가 갖고 있는 권력에 버금가는 인격을 갖고 있을 것이라고 상정하는 것이다. 따라서 권력남용을 인격 상실, 즉 자만과 이기심 또는 지배 욕구의 표출이라고 평가한다. 그러나 권력을 소유하고 있다는 것이 그 자체로 권력을 소유하고 있지 않은 자보다 우월하다는 것을 의미하지 않는지, 그리고 이것이 권력을 소유하고 있는 자들로 하여금 타인을 지배하고자 하는 욕구에서 벗어나지 못하게 하는 것은 아닌지, 권력과 인간 본성으로부터 먼저 따져볼 일이다.

권력이 인간 본성과 관계되는 문제라면, 권력의 남용은 윤리적인 비판의 대상이 되기에 앞서 권력 그 자체가 일탈을 함축하고 있지 않나 하는 것으로 눈길을 돌릴 수밖에 없다. 홉스는 권력이 욕망에 일종의 안정감을 부여하고, 이 안정감이 새로운 욕망을 불러일으키는 원동력이 됨을 밝히고 있다. 따라서 일정한 테두리의 공식적인 권력이 존재하지 않을 경우 현존하는 권력은 본래 규정된 선을 넘어 비합법의 방향으로까지 확장되려고 할 것이다. 그러면 거의 생물학적이라고까지 할 이 권력남용의 본능 앞에 우리는 무엇을 해야 하나?

우리는 흔히 위인과 현자, 사심 없는 지도자가 나타나 윤리와 권력을 함께 수립해줄 것을 기대한다. 그러나 이것은 낭만적인 사고에 불과하다. 여기서 벗어나 정치시스템의 개선을 통해 권력남용을 방지하려고 하는 편이 낫지 않을까?

Q1. 제시문 (가)를 소크라테스의 권력 통제에 대한 견해를 중심으로 하여 트라시마코스의 견해와 비교하며 요약하시오.

Q2. 제시문 (나)를 요약하시오.

Q3. 제시문 (가)의 소크라테스의 견해에 따르면, 통치자는 어떤 존재이며, 이 통치자를 키우는 방법은 무엇인지 추론하여 답변하시오.

Q4. 제시문 (가)의 소크라테스의 견해를 비판 혹은 옹호하시오.

Q5. 소크라테스의 견해를 비판하였다면, 해결방안을 제시하시오. 소크라테스의 견해를 옹호하였다면 예상되는 반론에 재반론하시오.

032 해설 권력의 속성과 통제

Q1. 모범답변

소크라테스는 통치자는 피치자의 이익을 위해서 행위하기 때문에 국민이 통치자의 권력을 통제할 필요가 없다고 주장합니다. 소크라테스는 의사가 환자를 돌보듯이 통치자는 피치자의 이익을 위해 선택하고 행동한다고 합니다. 그러나 트라시마코스는 통치는 통치자의 편익을 위한 것일 뿐이라고 주장합니다. 트라시마코스는 정의의 객관적인 기준은 없고 정의는 강자가 누구냐에 따라 결정되기 때문에 결국 정의는 더 강한 자의 이익이라고 합니다. 그러나 소크라테스는 정의는 객관적이라고 하며, 통치는 통치자의 편익을 위한 것일 뿐이라는 트라시마코스의 입장을 비판합니다. 소크라테스는 의사가 환자를 위해 일하듯이 통치자는 국민을 위해 일하므로, 통치가 통치자의 편익을 위한 것이 아니라고 합니다.

트라시마코스는 마키아벨리처럼 정치를 현실적으로 이해하며, 통치는 통치하는 자의 편익을 위해 행사되기 때문에 권력을 통제해야 한다고 주장합니다. 그러나 소크라테스는 정치를 이상주의적 관점에서 이해하며, 통치는 통치를 받는 사회적 약자를 위해 행사되기 때문에 권력을 통제할 필요가 없다고 주장합니다.

Q2. 모범답변

권력은 확대되고 남용되는 속성이 있기 때문에, 권력에 대한 통제가 필요합니다. 권력은 다른 사람을 자기가 원하는 바대로 행위하도록 하는 힘이고, 권력은 타인을 지배하는 힘입니다. 권력자가 권력의 맛을 느끼면 자신의 권력을 확대하려는 욕구가 생기고, 권력을 통제하지 않으면 권력은 비합법적 영역까지 무한정 확대될 것입니다. 권력을 남용하지 말 것을 당부하는 것은 통치자의 선의에 우리의 자유와 권리를 맡기는 것과 별반 차이가 없습니다. 요순(堯舜)과 같은 선한 통치자는 극히 드물기 때문에 권력을 남용하지 않기를 바라는 희망보다는 권력에 대한 통제가 필요합니다.

Q3. 모범답변

소크라테스는 통치자가 통치의 대상인 국민에게 이익을 주는 이상적인 존재라고 합니다. 소크라테스는 전문가의 전문성의 발현 결과는 결국 그 대상에게 이익을 준다고 합니다. 통치 역시 전문적 기술로써 통치 전문가의 기술의 발현 결과는 결국 피통치자인 약자의 이익을 도모하는 것이라 합니다. 따라서 참된 통치자는 자신의 이익을 돌보지 않고 언제나 그 대상인 국민의 이익을 돌보는 것이라 하는 이상적 존재라 합니다.

소크라테스처럼 이상주의적 관점에서는 선한 통치자가 사회적 약자를 위해 통치하므로, 선한 통치자를 키우기 위한 윤리적 교육이 필요할 뿐입니다. 윤리적인 교육을 통해 피통치자를 위한 선한 마음과 통치 능력을 갖춘 자를 육성하는 것입니다. 소크라테스의 견해에 따르면, 플라톤이 말한 바처럼 지혜를 가진 철인왕이 결혼도 하지 않고 가족도 없이, 오로지 피통치자인 국민을 위해서 선한 통치를 베풀어 국민 전체를 행복하게 만들 것입니다.

Q4. 모범답변

(가)의 소크라테스의 견해는 타당하지 않습니다. 소크라테스는 이상주의적 관점에서 선한 통치자가 사회적 약자를 위해 통치하기 때문에 통치자의 권력을 통제할 필요가 없고, 선한 통치자를 키우기 위한 윤리적 교육만 하면 충분하다고 합니다.

권력은 그 자체로 남용되는 속성이 있으므로, 권력은 통제되어야 합니다. 그러나 (나)에서 주장하듯이, '절대 권력은 절대적으로 부패한다'는 말처럼 권력은 통제되지 않으면 남용되는 본능을 가지고 있습니다. 권력은 타인을 원하는 대로 지배할 수 있는 힘인데, 권력에 한번 맛들이면 지배욕구가 확산되어 권력을 남용하게 됩니다. 권력의 속성상 선한 자라고 하더라도 통제받지 않는 권력을 부여받으면 권력을 남용해 국민의 권리를 침해하기 쉽습니다. 예를 들어, 루이 필리프는 프랑스 혁명에 참여했고 인격자로 유명해 프랑스 시민들의 추대에 의해 왕위에 올라 시민왕이라 불리었지만 결국 전제군주가 되었고 왕위에서 추방되었습니다. 따라서 통치자가 국민을 보호할 것이므로 권력을 통제할 필요 없다는 소크라테스의 견해는 타당하지 않습니다.

선한 통치자를 기대할 수 없으므로, 권력은 통제되어야 합니다. (가)의 트라시마코스는 현실주의적 관점에서 통치는 통치자의 편익을 목적으로 한다고 합니다. 소크라테스의 주장은 요순과 같은 선한 통치자를 전제로 하고 있습니다. 그러나 권력을 남용하지 않는 선한 통치자는 극히 드문 것이 사실입니다. 역사를 살펴보면 선한 통치자보다는 자신의 이익을 위해 권력을 남용하여 인민의 권리를 침해한 통치자가 압도적으로 많았습니다. 따라서 현실정치를 보았을 때, 통치자의 선의를 기대하여 권력을 통제할 필요 없다는 소크라테스의 주장은 타당하지 않습니다.

결국 선한 통치자를 전제로 하는 통치는 인간에 의한 지배를 인정해 법치를 약화시킬 수 있습니다. 인간의 인간에 대한 지배는 인간의 본성과 권력의 속성상 권력남용으로 이어져 국민의 권익을 해할 수 있습니다.

Q5. 모범답변

권력을 통제할 필요가 없다는 소크라테스의 견해는 인간에 의한 지배로 인해 권력 남용이 발생하고 국민의 권익을 해할 수 있다는 문제점이 있습니다. 이를 해결하기 위해서는 민주주의와 법치주의의 강화가 필요합니다. 국가의 주권자는 국민이고 국민은 주권을 위임하여 대표자에게 권력을 부여해 통치의 주체이자 객체가 됩니다. 그러나 권력을 위임받은 대표자는 자신이 부여받은 권력을 남용하려는 속성이 있기 때문에 권력의 통제가 필요합니다. 주권자인 국민은 입법부와 행정부, 사법부의 권력을 나누어 권력 분립을 통해 권력을 견제하고 있습니다. 또한 복수 선택 가능한 대안으로서 복수정당제와 주기적인 선거를 실시해 권력을 통제합니다. 그리고 국민이 자신의 권익을 규율하는 법률을 직접 만들고, 법률에 의해서만 행정행위를 할 수 있으며, 법률에 근거하지 않은 권력행위를 처벌할 수 있도록 합니다. 이처럼 민주주의와 법치주의의 강화를 통해 권력 남용과 국민의 권익 침해를 막을 수 있습니다.

033 개념 소극적 자유와 적극적 자유

1. 기본 개념

민주주의는 주권자인 국민이 스스로 동의한 법률에 대해 스스로 복종하겠다는 것이다. 정치학자인 로버트 달이 제시하는 민주적 절차를 위한 기준은 다음과 같다.

(1) 효과적 참여(effective participation)

협회에 의해 어떤 정책이 채택되기 전에, 모든 성원들은 어떤 정책이 채택되어야 하는지에 관하여 다른 성원들에게 자신의 견해를 알릴 수 있는 동등하고 효과적인 기회를 가져야 한다.

(2) 투표의 평등(voting equality)

정책에 관한 결정이 최종적으로 내려져야 할 순간에 이르렀을 때, 모든 성원들은 평등하고 효과적인 투표의 기회를 가져야만 하며, 모든 투표는 평등하게 간주되어야 한다.

(3) 계몽적 이해(enlightened understanding)

합당한 시간적 제약 내에서, 각 성원은 관련된 정책대안들과 이 대안들이 가져올 수 있는 가능한 결과들을 이해할 수 있는 동등하고 효과적인 기회를 가져야만 한다.

(4) 의제의 통제(control of the agenda)

성원들은 어떻게, 그리고 만약 선정을 하여야만 한다면, 어떤 문제들이 의제에 상정되어야만 하는지를 결정할 배타적 기회를 가져야만 한다. 이렇게 하여, 앞에서의 세 가지 기준에 의해 요구되는 민주적 과정이 결코 폐쇄적이지 않게 되는 것이다. 협회의 정책이란 협회의 성원들이 변경하기를 선택한다면, 언제나 변경할 수 있는 것이다.

(5) 성인들의 수용(inclusion of adults)

모든, 또는 여하튼 대부분의 성인의 영구적 거주자들만이 앞의 네 가지 기준이 시사하는 완전한 시민의 권리를 향유해야만 한다. 20세기에 이르기 전에는 이 기준은 대부분의 민주주의의 옹호자들에게는 받아들여질 수 없는 것이었다. 이것을 정당화한다는 것은 다른 사람들을 우리의 정치적 동반자로 간주해야만 하는 이유를 검토할 것을 요구한다.

2. 읽기 자료

최장집, <민주화 이후의 민주주의>, 후마니타스

브레톨트 브레히트[72]

72)

브레톨트 브레히트

033 문제 소극적 자유와 적극적 자유

답변 준비 시간 20분 | 답변 시간 10분

※ 다음 제시문을 읽고, 문제에 답하시오.

(가) 개인에게 안전을 주었던 원초적 유대가 일단 끊어지면, 그리고 개인이 완전히 독립된 존재로서 외부 세계와 직면하면, 그는 참을 수 없이 무력하고 고독한 상태를 극복해야 하기 때문에 그에게는 두 가지 길이 열려 있다. 그중 하나의 길을 통해서 그는 '적극적인 자유'로 나아갈 수 있고, 사랑과 일 속에서 자신의 감정적·감각적·지적 능력을 진정으로 표현하면서 바깥 세계와 자연스럽게 관계를 맺을 수 있으며, 그리하여 자신의 개체적 자아의 독립성과 본래의 모습을 포기하지 않고도 인간과 자연 및 그 자신과 다시 일체가 될 수 있다. 그에게 열려있는 또 하나의 길은 뒤로 물러나 자신의 자유를 포기하고, 그의 개체적 자아와 세계 사이에 생겨난 간격을 제거함으로써 자신의 외로움을 극복하려고 애쓰는 것이다.

이 상황에서 도스토옙스키의 <카라마조프가의 형제들>에 나오는 뛰어난 서술을 인용하면, "인간이라는 불운한 동물은 자유라는 타고난 선물을 되도록 빨리 넘겨줄 수 있는 누군가를 찾고 싶은 욕구보다 더 긴급한 욕구를 갖고 있지 않다." 두려움에 사로잡힌 개인은 자신의 자아를 붙들어 맬 수 있는 사람이나 사물을 찾는다. 그는 자신의 개체적 자아로 존재하는 것을 더 이상 참을 수 없어서, 자아를 제거하고 이 부담에서 벗어나 다시 안전감을 느끼려고 미친 듯이 애쓴다.

피학증(마조히즘)은 이런 목표에 이르는 하나의 길이다. 피학적 충동의 여러 형태는 한 가지 목적을 갖고 있다. 즉 '개체적 자유를 제거하고 자기 자신을 잃는 것', 다른 말로 표현하면 '자유의 부담에서 벗어나는 것'이다. 이 목적은 개인이 압도적으로 강하다고 느끼는 사람이나 권력에 복종하려는 피학적 충동에서 분명히 드러난다.

(나) 계급이라는 보호 장벽의 붕괴는 정당을 지지하던 다수-성난 개인들로 구성되었지만 조직되지도 않고 분화되지도 않은-를 하나의 거대한 대중으로 변형시켰다.

계급사회가 붕괴하는 이런 분위기에서 유럽 대중의 특수한 심리가 탄생했다. 유럽 대중은 단조로우면서도 추상적으로는 획일적이라 볼 수 있는 동일한 운명을 겪었다. 그럼에도 불구하고 개인적 실패의 관점에서 스스로를 판단하거나 특정한 불의의 관점에서 세계를 판단했다. 이런 자기중심적 슬픔은 비록 개인적 고립 속에서 거듭 반복되었지만, 개인적 차이들을 소멸시키는 경향이 있었다. 그럼에도 불구하고 이런 자기중심주의는 그들을 묶는 공동의 끈은 아니었다. 왜냐하면 그것은 경제적이든 사회적이든 아니면 정치적이든, 공동의 이익에 기초를 두고 있지 않았기 때문이다. 그러므로 자기중심주의는 자기 보존 본능의 결정적 약화와 함께 했다. 스스로를 문제 삼지 않는다는 의미에서의 무욕, 즉 희생할 수 있다는 감정은 더 이상 개인적 이상주의의 표현이 아니라 대중적 현상이었다. 가난하고 억압받는 자가 자신을 묶는 굴레 외에는 잃을 것이 없다는 옛 속담은 더 이상 대중에게 적용되지 않았다. 그들이 자신들의 복지에 관한 관심을 잃어버렸을 때 고난의 굴레보다 더 많은 것을 잃어버렸기 때문이다. 인간의 삶을 고통스럽고 고뇌에 차게 만드는 걱정과 근심들의 원천은 사라져버렸다.

저명한 유럽의 학자들과 정치가들은 19세기 초부터 계속 대중적 인간의 출현과 대중시대의 도래를 예언해왔다. 대중 행동과 대중 심리에 관한 모든 문헌은 고대인들에게는 친숙한 민주주의와 독재, 폭민통치와 전제정치의 친화관계에 관한 지혜를 대중화시켰다. 그들은 정치적으로 의식이 있거나 지나치게 정치적 의식을 가진 서구세계의 지식 계층이 선동 정치가의 출현에 대비하도록 했고, 기만과 미신 그리고 야만성에 준비하도록 했다. 그렇지만 이런 모든 예견이 어떤 의미에서 실현되었을 때, 예상하지도 못하고 기대하지도 않은 현상들이 나타났다. 이 현상들은 자기 이익의 철저한 상실, 죽음이나 다른 개인적 파국 앞에서의 냉소적이거나 권태로운 무관심, 삶의 안내자가 되는 추상적 관념들을 향한 열정적 성향, 가장 명백한 상식의 규칙에 대한 일반적 경멸 등이었고, 이로 인해 예견의 중요성은 상당 부분 사라졌다.

대중이 고도로 원자화된 사회의 분열에서 생겨났다는 것은 사실이다. 이 사회의 경쟁 구조와 그로 인한 개인의 고독은 어떤 계급의 구성원이 됨으로써만 해소될 수 있었다. 대중적 인간의 주요 특징은 야만과 퇴보가 아니라 고립과 정상적 사회관계의 결여이다. 대중은 민족주의의 감정으로 그 틈새가 메워진 국민국가의 계급 지배 사회로부터 나타났다. 따라서 대중은 이 새로운 경험에 속수무책이었고, 자연스럽게 폭력적인 민족주의로 기울었다. 그리고 대중 지도자들은 순전히 선동을 위해 자신들의 본능과 목적과는 반대로 이 폭력적 민족주의에 굴복했다.

(다) 아래 <표>는 스페인 국민 다수가 프랑코 독재 체제를 지지하고 있었음을 보여준다. 그뿐 아니라 디오니시오 리드루에호도 "스페인의 프랑코 독재 체제가 여러 해 동안 다수의 지지를 받았다는 것은 의심할 수 없다"고 지적했다.

<표: 합의 대 반대>

질문 사항	예	아니오
프랑코 체제가 스페인 전 국민을 대표하고 있다.	50%	38%
스페인의 현 정치 체제를 바꾸지 않고서는 정의가 설 수 없다.	28%	59%
현 정치 체제가 30년 더 지속되기를 바란다.	57%	30%

그러면 왜 다수가 프랑코 체제를 지지했으며 노동자들은 왜 자신들의 '자연스러운' 이해관계를 떠나 체제를 지지하는 쪽으로 돌아섰을까? 이에 대해서는 절대 권력의 억압으로 표현의 자유가 결여되었기 때문이라고 설명할 수 있다. 이른바 강제의 효과다.

그러나 이런 이유만으로는 납득이 가지 않는 부분이 있다. 첫째, 독재 체제하에서는 강제와 폭압의 주요 희생자가 노동자들일 텐데 그들이 자유의 제약 때문에 다른 계층보다 체제에 대한 높은 합의 비율을 보여주었다고 보기에는 무리가 있다. 둘째, 절대 권력의 억압으로 자유가 결여된 사회의 국민들이 그러한 정치 체제가 30년이나 더 지속되기를 바랐다는 점도 선뜻 납득이 되지 않는다. 셋째, 한발 양보해 강제의 효과를 인정한다 하더라도 그것이 가능했던 시기는 프랑코 체제 전반기였지 이 설문을 실시한 프랑코 체제 후반기는 아니었다.

따라서 물리적 억압만이 아니라 국민 대중의 합의를 도출해내기 위한 다른 메커니즘이 존재했을 가능성이 높다.

Q1. 제시문 (가)~(다)를 각각 요약하시오.

Q2. 제시문 (가)의 입장에서, 제시문 (다)의 스페인 국민이 독재 체제를 지지한 이유를 설명하시오.

Q3. 제시문 (나)의 입장에서, 제시문 (다)의 스페인 국민이 독재 체제를 지지한 이유를 설명하시오.

Q4. 절대주의 시대에는 왕이 신(神)에게 권위를 부여받았기 때문에 왕의 명령에 복종해야 한다는 사상이 있었다. 그러나 민주주의가 정착되면서 국민이 국가권력행사에 복종해야 할 이유는 국민이 이에 대해 동의를 했기 때문이라는 것이라는 유력한 주장이 제기되었다. 국민의 자발적 복종을 이끌어내려면, 동의가 어떤 요건을 충족해야 한다고 생각하는가?

033 해설 소극적 자유와 적극적 자유

Q1. 모범답변

제시문 (가)는, 개인은 자유에 대한 부담으로 어떤 권위에 복종하려는 심리를 가지고 있다고 합니다. 개인은 자유를 행사하고 싶어 하지만, 자유에는 책임이 따르기 마련입니다. 개인이 적극적으로 자유를 행사할 경우 발생하는 책임이 부담스러운 개인은, 나보다 강력하다고 여겨지는 자 혹은 권위 있어 보이는 자에게 자유를 떠넘기고 책임이라는 부담으로부터 벗어나려 합니다.

제시문 (나)에 따르면, 사람은 어떤 집단의 일원이 되고자 하는 소속감과 정체감을 원하기 때문에 이를 부여한 자에게 복종합니다. 대중은 정당이나 조합과 같은 조직에 소속되지 않은 모래알 같은 존재입니다. 따라서 대중은 고립되어 있고 정상적 사회관계를 맺지 못합니다. 이런 개인들은 정체감과 소속감을 갖지 못한 원자화된 개인입니다. 따라서 권위체가 이런 개인들에게 존재의식을 주고 정체감을 부여한다면, 개인들은 권위체에 복종하기 쉽습니다.

제시문 (다)의 프랑코 독재 체제에 대해 스페인 국민은 지지를 보냈습니다. 지지율이 높은 것을 볼 때, 이런 지지는 단순히 국민들이 독재자에 의해 강제당한 효과라고 치부하기에는 납득이 가지 않는 부분이 있습니다. 따라서 자발적인 지지의 이유가 있을 것이라 예상할 수 있습니다.

Q2. 모범답변

제시문 (가)의 입장에 따르면, 스페인 국민은 개인적 책임으로부터 벗어나기 위해 독재 체제를 지지했다고 설명할 수 있습니다. (가)에 따르면 개인은 자유에 따르는 책임이라는 무거운 짐으로부터 벗어나기 위해 압도적으로 강하다고 느끼는 사람이나 힘에 복종하기 쉽습니다. 현대사회의 개인은 국가로부터의 자유, 즉 자신의 자유를 국가로부터 침해받지 않을 수 있는 소극적 의미의 자유를 획득하였습니다. 그러나 내가 무엇을 위해 자유를 행사해야 하는지, 즉 적극적 자유에 대한 책임이라는 부담을 느끼고 있습니다. 이때 프랑코와 같은 절대 권력자가 개인의 삶의 목적으로서 강력한 국가 건설이라는 삶의 목적을 정해주면, 개인은 이를 따름으로써 자유에 대한 책임이라는 부담감을 덜 수 있습니다. 따라서 스페인 국민은 개인적 책임으로부터 벗어나고자 독재 체제를 지지했습니다.

Q3. 모범답변

제시문 (나)의 입장에 따르면, 스페인 국민은 집단적 소속감을 얻고자 독재 체제를 지지했다고 설명할 수 있습니다. (나)에 의하면, 대중은 원자화되어 고립되어 있으며 집단 소속감과 같은 정체의식이 없습니다. 원자화된 대중은 고립감을 해소하고 더 큰 공동체의 일원이 됨으로써 자신의 존재 의의를 느끼게 됩니다. 이때 프랑코와 같은 지도자가 나서서 강력한 스페인 건설과 같은 공동체가 나아갈 방향을 지시하고 흩어진 대중을 조직할 때, 스페인 국민은 그 지도자를 적극 지지함으로써 정체감과 소속감을 획득하고 자신의 존재 의의를 높일 수 있습니다. 따라서 스페인 국민은 집단적 소속감을 얻기 위해 독재 체제를 지지했습니다.

Q4. 모범답변

국민의 자발적 복종을 이끌어내는 동의가 되려면, 첫째, 국민에게 충분한 정보가 제공되어 자신이 동의했을 때 어떤 결과가 초래되고, 자신이 부담해야 할 것이 무엇인지 알 수 있어야 합니다. 둘째로 다양한 대안을 선택할 자유가 보장되어야 합니다. 셋째로 반대할 수 있는 권리가 인정되어야 합니다.

먼저, 여러 대안들을 채택했을 때 야기되는 결과를 국민이 알 수 있어야 합니다. 이를 위해서는 충분하고 정확한 정보가 제공되어야 이에 근거하여 의사결정을 할 수 있습니다. 국민이 선택하기 위해서는 자신의 동의가 가져올 부담을 정확히 판단할 수 있도록 필요 정보가 충분히 제공되어야 합니다. 국민에게 제공된 정보가 부족해 국민이 동의한 결과가 발생시킬 결과를 예측할 수 없다면 국민에게 복종할 것을 요구할 수 없습니다.

둘째, 다양한 대안이 제시되고 검토된 후 의사결정을 해야 합니다. 지도자가 의안제출권을 독점하면, 일반 국민이 조작된 동의를 할 수 있습니다. 따라서 국민은 제시된 안이 만족스럽지 않은 경우 새로운 안을 제시할 수 있어야 합니다.

셋째, 의사표현의 자유와 효과적인 참여가 보장되어야 합니다. 반대자에게도 그 이유를 설명할 기회와 이런 의사를 전달할 통로가 보장되어야 합니다. 자유로운 논의를 거친 후 평등한 투표권이 인정되어야 하며, 전원합의가 안 될 경우, 다수결로 결정해야 하고, 비록 다수가 선택했더라도 그 결정이 합리성이 없거나 새로운 상황에 맞지 않으면 변경될 수 있어야 합니다.

이러한 모든 절차가 보장된 상태에서 국민이 스스로 판단해 동의한 결과만이 국민의 자발적 복종을 이끌어 낼 수 있습니다.

034 개념 유교민주주의: 온정적 후견주의

2021 중앙대 기출

1. 기본 개념

(1) 가족주의와 가부장권

역사적으로 볼 때 공동체주의가 먼저 힘을 얻었고, 근대 이후에 들어서야 자유주의가 나타났다. 이는 인간이 자연의 위협에 대응할 힘이 있는가 여부에서 결정된다. 인간의 힘이 미약해서 자연의 위협에 대항할 수 없고 간신히 생존할 수 있었던 고대, 중세 시대에는 공동체주의가 힘을 얻었다. 고대와 중세의 공동체주의는 가치를 지향하는 공동체주의라 할 수 없기 때문에 가족주의라 규정하는 경우도 있다. 그러나 가족 또한 공동체 중 하나이기 때문에 일반적으로 공동체주의로 포섭한다.

고대, 중세 시대에는 개인이 혼자 힘으로 자연의 위협에 대응할 수 없었다. 인간은 개인의 힘으로는 동물 한 마리 힘에도 못 미친다. 석기 이상의 도구는 인간집단이 공동의 목표를 가지고 대를 이어가며 노하우를 누적시킬 때 간신히 나타난다. 따라서 고대, 중세 시대에는 집단, 공동체가 있어야만 개인이 존재할 수 있다는 점에서 공동체주의가 힘을 얻을 수밖에 없다. 이 시대의 가장 큰 처벌이 공동체로부터 추방하는 것이었다는 점이 이를 증명한다. 결국 개인이 자기 힘으로 생존을 영위할 역량이 없는 상태에서 가족, 씨족, 부족, 원시국가가 집단 구성원을 보호하게 된다. 개인은 특정 집단의 구성원으로서 의미를 갖게 되기에 집단을 위해 개인이 존재하는 셈이 된다.

이 시작점이 바로 고대의 가족주의이다. 인간은 가장 기초적이고 자연발생적인 집단인 혈연으로 구성된 가족을 통해 자연의 위협에 대항하였다. 가족은 개인을 탄생시키고 양육하고 자연의 위협으로부터 구성원을 보호한다. 고대의 가족은 동물과 추위로부터 가족을 보호할 수 있는 기본적 수단인 '불'을 가정의 중심에 두고 불씨를 보호하는 것을 중요하게 여겼다. 그리고 과거의 선조가 터득한, 혹은 죽음을 통해 전달한 삶의 지혜를 가족 구성원에게 전승하는 것을 중요하게 여겼다.

자연의 위협에서 안정적으로 가족 구성원을 보호할 방법은 가족 수가 늘어나는 것이고 가족이 구성원의 보호를 성공적으로 행했다는 증거 또한 가족 수가 늘어나는 것이다. 가족 규모가 커질수록 가족을 더 잘 보호할 수 있다. 가족이 커지면서 가족, 씨족, 부족의 형태를 거쳐 가상의 확장된 가족인 국가로 발전하였다. 인간은 개인 각각의 힘으로 자연의 위협에 대항할 수 없다. 거대한 짐승, 가뭄이나 홍수, 일식이나 월식, 천체의 움직임 등이 끊임없이 인간 삶을 위협하고 이를 극복할 방법을 알지 못하는 인간은 두려움에 놓일 수밖에 없다. 이 위협과 두려움에서 벗어나고자, 정신적으로는 신을 믿으며 두려움을 극복하려 했고, 육체적으로는 국가를 만들어 위협에 대응하였다. 따라서 국가와 종교는 고대인에게 꼭 필요한 것이었고 자기 자신보다 훨씬 중요한 가치를 지닌 것이었다.

고대의 국가는 가족, 씨족, 부족의 확장판이 된다. 가족의 모든 권한은 자연의 위협을 가장 많이 겪어보았고 이를 극복한 경험이 가장 많은 연장자인 가부장이 가지게 되고, 가상의 확장된 가족인 국가의 가부장은 왕이 된다. 따라서 고대 국가는 자신을 지켜주고 자신을 벌할 수도 있는 엄한 아버지와 같다. 그리고 해당국가의 종교는, 가족의 선조인 조상신이 우리 가족을 지켜주듯이 우리 국가를 지켜주는 왕가의 조상을 섬기게 된다. 아버지는 곧 예비 신이고 아내는 남편의 일부이자 오직 남편을 통해 조상과 후손이 생긴다. 독신과 간통은 조상신과 후손의 연결을 위협하기 때문에 중죄로 처벌되었다. 이로부터 가부장권(家父長權)이 발생하였다.

(2) 온정적 후견주의

근대와 현대에 들어서도, 고대의 가족주의가 여전히 이어지고 있다. 아버지와 같이 국민을 보살피고 엄하게 가르치는 왕 혹은 국부(國父)가 필요하다는 입장이 있다. 이를 온정적 후견주의(paternalism)라 한다.

온정적 후견주의는 고대와 중세의 가족주의가 현대적으로 변형된 것이라 할 수 있다. 공동체주의가 사회의 공유된 가치 중 하나로 개인의 자유를 인정하는 것과 달리, 온정적 후견주의는 공동체를 위해 개인의 자유를 폭넓게 제한할 수 있다고 본다는 차이점이 있다. 온정적 후견주의는 엄한 아버지가 자녀의 행복을 더 잘 가르칠 수 있는 것처럼 현명한 국가가 국민의 삶을 더 좋은 방향으로 이끌 수 있다고 주장한다. 가족의 미래를 걱정하고 조언하는 엄한 아버지가 자녀의 미래를 강제로 정하고 가정의 독재자가 되는 경우가 있는 것처럼 온정적 후견주의는 전체주의로 변화하는 경우가 있다.

(3) 동아시아 발전국가 모델

온정적 후견주의는 동아시아의 경제발전 시기 발전국가 모델에서 나타났다. 1970~1990년대 미국과 유럽의 경제가 침체된 반면, 한국, 대만, 싱가포르, 홍콩 등 동아시아 국가들이 고도성장을 하면서 온정적 후견주의가 새로운 방향이 될 수 있을 것이라는 기대가 커졌다. 그러나 경제성장을 이끌어낸 이른바 국부(國父)의 장기독재가 문제되고, 동아시아 외환위기 사태 즉 소위 IMF 위기가 일어나면서 온정적 후견주의와 발전국가 모델이 한계를 드러냈다는 평가를 받는다.

온정적 후견주의는 동아시아 국가에서 발전국가 모델과 함께 나타나기 때문에 부모와 국가에 대한 충효(忠孝)를 강조하는 유교와 밀접하게 연결되어 있다. 이러한 점에서 온정적 후견주의를 정치적으로는 유교 민주주의라 부르기도 한다. 유교 민주주의와 온정적 후견주의의 대표적 사례는 싱가포르의 리콴유 수상이라 할 수 있다. 리콴유는 척박한 도시국가인 싱가포르를 선진국 수준의 경제적 발전으로 이끌었다. 정부가 중심이 되어 국가발전전략을 수립하고 국가 전체가 이 전략을 총력으로 실행하는 발전국가 모델을 수립하고 시행한 것이다. 그러나 한편으로는 껌을 씹지 못하게 하고, 무단횡단을 강력하게 제재하고, 심지어 공중화장실에서 물을 내리지 않는 행위를 처벌하는 등 부모가 아이를 훈육하듯이 국가가 국민을 다루고 있다.

특히 1970~1990년대 들어 동아시아가 크게 발전하면서, 개인의 자유와 민주주의가 인류 모두가 추구해야 할 보편적 가치가 아니라는 주장이 힘을 얻었다. 자유 민주주의 체제를 도입하여 서양국가가 발전한 것처럼 유교 민주주의가 동양국가의 발전을 이끌 수 있다는 주장이 나타난 것이다. 민주주의는 보편적으로 개인의 자유를 추구해야 하는 것이 아니라, 우리식 민주주의가 가능하다는 것이다. 한국의 유신헌법처럼 소위 한국식 민주주의가 가능하다는 입장이다. 그러나 이는 독재와 전체주의를 우리식의 민주주의라는 말로 포장한 것에 불과하다.

2. 읽기 자료

유교민주주의[73)]

73)

유교민주주의

034 문제 유교민주주의: 온정적 후견주의

답변 준비 시간 15분 | 답변 시간 15분

※ 다음 제시문을 읽고, 문제에 답하시오.

우리는 어떻게 민주주의를 정착시킬 수 있는가? 서구의 역사가 보여주는 교훈을 따라 종교, 계급, 인종, 지역 간의 갈등을 이용할 수 없다면 우리는 과연 어떠한 분열구조를 바탕으로 정당정치를 수행할 수 있는가? 여기에 한국 민주주의의 고민이 있다. 그리고 유교민주주의라는 개념의 적실성도 여기에서 찾아질 수 있다. 유교민주주의란 다름 아니라 종교, 계급, 인종, 지역 간의 갈등을 긍정하거나 활용하지 않고 보다 공통체주의적인 민주주의를 모색하고자 하는 문제의식에서 출발한다. 한국사회의 도덕적 합의를 바탕으로 한 강력한 통합력을 유지시키면서 건설적인 방향으로 유도하기 위한 제도적 장치를 마련하는 것이 유교민주주의의 핵심이다.

그렇다면 이처럼 동질성을 갖고 있고 정부의 도덕성을 요구하는 정치전통과 체제 속에서 과연 어떠한 정치적 갈등구조를 도출해 낼 수 있을까? 만일 이러한 패러다임을 유지한다면 그 속에서 나올 수 있는 핵심적인 '갈등구조' 중 하나는 '효율성 대 도덕성'의 구도다. 이것은 한국의 현대정치사의 경험을 바탕으로 한 것뿐만 아니라 전통사상 그 자체의 논쟁구도이기도 하다. 자본주의 시장경제를 도입하고 산업화를 통한 근대화를 이룩한 한국으로서는 국제경쟁력의 지속적인 제고는 이미 당위다. 따라서 효율성의 지속적인 강조와 신장 역시 당위의 차원에서 추구되어야 한다. 그러나 과거의 역사가 보여주듯이 효율성에 대한 지나친 강조는 곧 도덕성의 문제를 야기하게 마련이다. 따라서 효율성과 도덕성은 과거와 마찬가지로 앞으로도 한국정치의 가장 기본적인 논쟁거리로 작용할 것이다. 그리고 이 구도야말로 근대성 대 전통의 구도 즉, 자본주의 시장경제 대 유교도덕주의의 구도다.

아시아적 가치론과 유교민주주의론은 결코 복고적인 얘기가 아니다. 민주적인 절차가 이미 정착된 한국에서 이러한 문제들을 논하는 것은 비민주적인 국가에서 이러한 주장을 펴는 것과는 근본적으로 다르다. 한국이나 대만, 일본 등의 국가에서의 이러한 논의는 민주주의를 공고화시키는 과정에서 자유주의적인 전통이 부재한 것을 인식하고 인정하는 과정이다. 비록 미국 등 선진 국가들이 채택한 사상이지만 자유주의가 수반하는 여러 가지 철학적, 사상적 문제들은 앞에서 살펴본 바와 같다. 자유주의가 요구하는 가치관과 제도들을 수용하지 않는 가운데서도 민주주의를 정착시키고자 하는 것이 곧 아시아적 가치론과 유교민주주의론의 핵심이다.

이러한 문제의식은 비단 민주주의의 정착에만 국한되는 것이 아니다. 한국 지식인의 임무는 서구의 특정한 문물을 보다 잘 수용하는 방법을 모색하는 데 그치지 않고 한 걸음 더 나아가서 그러한 제도가 우리가 바라는 이상적인 사회를 건설하는 데 어떻게 기여할 수 있는가를 살피는 일이다. 그런 의미에서 민주주의와 시장경제는 수단에 불과하다. 그리고 이러한 수단이 보장해 주는 것은 물질적 풍요와 가장 기본적인 참정권뿐이다. 우리가 그려봐야 하는 사회는 그러한 기본적인 것들이 갖추어진 후에 도래할 사회의 모습이다.

우리는 자유주의가 제공하고 보장하는 제도와 절차에 만족해서는 안 된다. 개인의 기본적인 이해관계와 욕구의 충족을 위해서 가족과 국가 등 모든 제도를 도구화시키는 사상을 궁극적인 목표로 삼을 수는 없다. 우리가 추구해야 하는 사회의 모습은 기본권이 보장되는 데 그치는 사회가 아닌 도덕 공동체다. 윤리, 도덕, 인의예지 등의 말이 너무 고리타분하다면 그저 보다 '인간적'인 사회라고 해도 좋다. 그러나 그것을 무엇이라고 표현하든 우리가 바라고 추구할 만한 가치가 있는 사회를 건설하는 데 있어서는 유교사상에 대한 적극적인 이해와 재해석이 필요하다. 유교가 이미 우리의 가치관의 기저를 형성하고 있기 때문이기도 하지만 동시에 인간의 보편적인 가치와 이상을 담고 있는 사상이기 때문이다. 아시아적 가치론과 유교민주주의론은 이러한 현실인식과 문제의식에서 출발하는 담론이다.

Q1. 현대사회에서는 공동체와 개인의 단절, 무한경쟁에 따른 스트레스, 인간소외 등의 문제가 발생하고 있다. 특히 이런 문제점은 서구 사회에서 주로 나타나고 있어 그 원인을 자유주의·개인주의로 파악하는 경우가 많다. 이 문제점에 대한 해결책으로 제시문과 같이 동양적 가치, 즉 유교가 대안이 될 수 있다는 주장이 있다. 유교적 가치의 장점은 무엇인가?

Q2. 유교적 전통은 자기 집단이 아닌 자에게 배타적이라는 비판이 있다. 이 비판에 대해 재반론하시오.

Q3. 유교적 가치의 단점을 다각도로 제시하시오.

Q4. 유교가 사회공동체를 도덕적 공동체로 변화시키는 데 도움이 될 것이므로, 유교를 적극적으로 공동체에 받아들여야 한다는 주장이 있다. 이 주장에 대한 자신의 견해를 논변하시오.

034 해설 유교민주주의: 온정적 후견주의

Q1. 모범답변

먼저, 유교는 사회구성원 간의 공존을 추구한다는 점에서 공동체의 지침이 될 수 있다는 장점이 있습니다. 자유주의는 사회를 투쟁의 장으로 만들어 공동체 의식을 해칩니다. 예를 들어 2008년 세계금융위기는 개인주의의 폐해를 극단적으로 보여주고 있습니다. 뉴욕 월가의 엘리트들은 자기이익의 극대화를 추구한 나머지 다른 구성원을 위험에 빠뜨렸습니다. 그러나 유교는 개인을 사회와 고립된 개인으로 보지 않고, 공동체 구성원으로 이해합니다. 자신의 이익을 위해 다른 공동체 구성원에게 불이익을 준다면 공동체의 평화와 질서는 깨지기 때문에 유교는 다른 사람과의 공존을 요구합니다. 공자는 인(仁)을 충서(忠恕)라 하고, 서(恕)는 자신이 바라지 않는 바를 타인에게 행하지 말라는 의미입니다. 인과 덕은 사회구성원 간의 공존을 요구하는 유교적 덕목으로, 유교는 사회구성원 간의 공존을 통한, 인간적인 삶이 가능한 공동체 형성에 기여할 수 있습니다.

둘째로, 유교의 국가관은 사회질서 확립 차원에서 유효하다는 장점이 있습니다. 오도된 개인주의로 인해 미국은 인간 소외, 마약, 총기난사사건 등으로 몸살을 앓고 있습니다. 범죄의 공포로 밤의 운치를 즐기기도 힘든 나라에서 인간다운 삶을 누릴 수 없습니다. 자유주의에 따르면 국가는 이기적 개인들의 투쟁의 장소를 대여하고 관리하는 역할을 합니다. 그러나 유교는 가족이 구성원의 안전을 보호하듯이, 국가가 개인의 안정된 삶을 보호하기 위해 범죄로부터의 자유, 공포로부터의 자유를 확보하는 적극적인 역할을 해야 한다고 합니다. 유교의 국가관에 따르면 국가는 국민을 보호하는 역할을 하므로 사회질서를 확립해 개인의 삶을 안정되게 보호할 수 있습니다.

마지막으로, 유교는 국가 발전에 기여할 수 있다는 장점이 있습니다. 유교정신을 수신제가치국평천하(修身齊家治國平天下)라고 말합니다. 개인은 자신의 능력을 계발하여, 가정을 다스리고, 더 나아가 국가에 도움이 되는 역할을 해야 합니다. 따라서 개인은 사회와 국가의 이익이 되는 인재가 되기 위해 노력해야 합니다. 정보화 사회에서 지식과 정보습득능력은 경제 발전에 중요합니다. 유교의 교육에 대한 열의는 지적 능력이 탁월한 인재를 양성하는 순기능을 하여 국가 발전에 기여할 수 있습니다.

Q2. 모범답변

유교 전통은 배타주의를 낳기 때문에 공동체 가치로서는 부적절하다는 반론이 있습니다. 그러나 전통 농촌사회에서는 모내기, 제방 쌓기 등 협업적 노동이 필요해 마을 단위의 단합이 강조됨으로써 배타적 성향이 강했습니다. 이런 농촌사회의 특징과 유교가 결합하다 보니 배타적 파벌주의가 유교의 본질이라는 비판이 있을 수 있습니다. 그러나 배타주의의 원인은 유교라 볼 수 없고 협업적 노동이 필요한 농경사회라고 보는 것이 타당합니다. 예를 들어 서구의 중세사회도 외부인에게 배타적인 특성을 보였는데 유교사회가 아님에도 이러한 특성이 있는 이유는 협업적 노동이 필요한 농경사회이기 때문입니다. 따라서 유교 전통이 배타주의로 이어진다는 반론은 타당하지 않습니다.

Q3. 모범답변

먼저, 유교의 전통과 가치는 사회구성원 간의 소통을 방해한다는 단점이 있습니다. 사회구성원 간의 원활한 의사소통은 사회갈등을 해소하고 사회에 활력을 불어넣는다는 점에서 소통이 잘 되는지 여부는 사회 발전에 지대한 영향을 줍니다. 유교의 가족주의는 가족과 외부인을 구별하고 외집단에 대해서는 배타적 자세를 낳아 원활한 의사소통에 장애를 가져올 가능성이 큽니다. 의사소통의 장애는 이해당사자 간의 불화를 낳고 사회갈등을 심화시킬 수 있습니다. 따라서 유교의 가족주의로는 사회구성원 간의 원활한 의사소통이 어렵고 사회갈등을 해소하기 어렵습니다.

둘째로, 유교의 전통과 가치는 개인의 개성과 창의력을 발휘하기 어렵게 한다는 단점이 있습니다. 유교는 가족을 사회의 기초 단위로 보아 가족의 기능을 강조합니다. 국가를 가족의 확대로 생각하는 유교에 따르면, 국가는 개인의 도덕성 함양을 위해 개인의 행동을 엄격히 통제할 수 있습니다. 예를 들어, 리콴유가 이끌던 싱가포르 정부는 유교적 전통에 따라 풍선껌 씹기 등이 공중도덕에 반한다고 금지하여 개인의 자유를 억압한 바 있습니다. 우리나라의 경우도 박정희 정부 시절, 유교적 전통에 따라 아버지가 가족을 단속하듯 장발과 미니스커트 길이를 규제한 바 있습니다. 국가가 엄격한 아버지처럼 개인의 생활을 통제한다면, 국민은 주권자로서가 아니라 국가에 의해 훈육을 받아야 할 객체로 전락하고 말 것입니다. 국가가 국민 개인을 미성년자 자녀처럼 가르치고 돌보아야 할 존재로 인식하는 것을 온정적 후견주의라 합니다. "다 너 잘 되라고 하는 것이다. 시간이 지나면 너도 다 이해할 것이다."라는 식의 온정적 후견주의 관점의 국가정책은 국민 개개인이 자기 자신의 주체가 되어 자기 삶의 가치관을 적극적으로 실현하고 그 책임을 지는 존재로 성장하는 것을 저해합니다. 결국 유교적 전통과 가치는, 개인의 개성과 창의력을 저해하는 단점이 있습니다.

마지막으로, 유교적 가치와 전통은 국가 발전을 저해할 수 있다는 한계가 있습니다. 국가가 제시한 지침에 따라 행동하고 생각한다면, 개인은 창의력이나 유연한 사고를 가질 수 없어 급변하는 국제 환경에 대응하기 어렵습니다. 특히 현대사회는 창의적인 지식산업이 빠르게 발전하고 있어 사회 다수의 가치관에 부합하는 사고와 행동을 강조하는 유교는 정보화 사회의 국가 발전에 도움이 되지 않습니다.

Q4. 모범답변

유교를 적극적으로 공동체에 받아들여야 한다는 주장은 타당하지 않습니다. 유교에서 말하는 예와 인의 정신에 따라 다른 사회 구성원을 존중하고 함께 더불어 살아가는 도덕적 공동체를 만들자는 주장은 타당합니다. 그러나 도덕의 고양은 유교만이 아니라 기독교, 불교, 이슬람교 등 대부분의 종교와 사상에서도 강조하는 가치입니다. 보편적인 도덕과 종교에 따라서도 이를 실현할 수 있습니다. 도덕 공동체를 만들기 위해 반드시 유교적 가치만을 따를 필요는 없으며, 다양한 종교와 도덕적 가치를 자유롭게 인정하더라도 도덕 공동체 실현이 가능합니다. 따라서 도덕적 공동체 형성을 위해 유교의 가치를 수용하고 강제해야 한다는 주장은 타당하지 않습니다.

035 개념 대의제 민주주의와 직접 민주주의

1. 기본 개념

(1) 민주주의

국가를 운영하기 위해서는 운영체제가 필요하다. 예를 들어, 스마트폰을 구성하는 프로세서, 디스플레이, 배터리 등의 전자부품들이 모여 하드웨어가 구성되었다고 하더라도 ios나 안드로이드와 같은 운영체제가 없다면 쓸모없는 쇳덩어리에 불과하다. 이처럼 국가 역시 사람들이 모여 있는 것인데, 이를 운영할 체제가 필요하다. 인류는 국가의 운영체제를 여러 가지로 삼아본 역사가 있다. 대표적인 국가 운영체제는 왕정, 귀족정, 민주정이 있다.

인류는 결국 민주정, 민주주의를 국가 운영체제로 삼았는데, 그 이유는 개인의 자유와 권리를 보장하고 국가 발전을 안정적으로 실현할 수 있는 체제임이 증명되었기 때문이다. 역사적인 예를 들어 생각해보자. 1차 세계대전은 개혁군주정, 즉 왕정과 민주정의 싸움이었다. 개혁군주정은 프러시아의 빌헬름 2세와 철혈재상 비스마르크로 대표되었고, 민주정은 입헌군주정인 영국과 공화국 체제였던 프랑스로 대표되었다. 1차 세계대전의 승리는 민주정에 돌아갔고, 유럽의 모든 국가는 민주주의를 도입했다. 2차 세계대전은 국민의 참여를 하향식으로 만들어낸 전체주의 체제와 국민의 참여가 국가를 지배하는 민주주의 체제의 싸움이었다. 미국과 소련으로 대표되는 국민의 참여와 지지가 국가를 지배하는 상향식 민주주의가 2차 세계대전의 승리자가 되었다. 현재에는 미국과 중국이라는 민주주의 체제가 경쟁 중이다.

민주주의의 핵심 쟁점은 주권자인 국민에게 통치능력이 있는지 여부가 된다. 이에 따라 민주주의의 형태가 달라지는데, 대의제 민주주의와 직접 민주주의로 분류할 수 있다.

대의제 민주주의는 국민에게 주권은 있으나 통치능력은 없기 때문에 능력 있는 대표를 선출해 통치를 위임하고 임기기간 중의 능력을 평가하여 재신임할 것인지 통제하면 된다고 한다. 예를 들어, 기업 주주가 기업의 주인이지만 기업 경영의 전문가인 CEO를 선임하고 평가하는 것과 같다.

반면, 직접 민주주의는 국민이 주권자이며 통치능력도 있으나 자신의 생업으로 인해 대표를 선출해 자신의 뜻을 대신 행사할 대리인을 세운 것이라고 여긴다. 따라서 국민의 대표가 국민의 의사에 반하는 의사 결정을 한 경우 국민이 이를 판단하여 임기와 관계없이 즉각적인 통제를 할 수 있다고 한다.

(2) 대의제 민주주의

대의제 민주주의란 국민이 선거를 통해 주요 국가기관을 구성하고, 국가기관이 국민을 대신하여 국가의사를 결정하는 민주주의이다. 직접 민주주의는 국민이 선거를 통해 국가기관을 구성할 뿐만 아니라 직접 국가의사를 결정하는 민주주의이다.

대의제 민주주의는 국민이 선출한 대표자(국회의원, 대통령 등)가 국가의사결정권한을 행사하는 민주주의이다. 국민에 의한 주요 국가기관선출, 국가기관구성권과 정책결정권의 분리, 치자와 피치자의 구별, 대표기관의 정책결정권, 자유위임과 무기속위임, 대표자는 전체 국민을 대표해야 한다는 국민전체대표성, 추정적 의사중시 등을 본질적 요소로 한다. 국민은 국가기관구성권을 가지나 정책결정권은 대표자가 가진다. 국민은 선거를 통해 대표자만 결정하고 어떤 정책을 결정해야 한다는 명령을 할 수 없다. 따라서 대표자는 국민의 의사에 구속되지 않고(무기속위임), 자유롭게 국가의사를 결정할 수 있다(자유위임). 따라서 대표자는 통치권을 행사하는 치자(治者)이고, 일반적 국민은 통치권의 객체인 피치자(被治者)이다. 따라서 치자와 피치자는 구별된다. 대표자는 특정한 집단 또는 지역구 주민의 대표자가 아니라, 전체 국민의 대표자여야 한다. 즉 대표자는 특수이익과 국민 전체의 이익이 충돌한 경우 후자를 우선시해야 한다.

(3) 수호자주의와 대의제

대의제는 수호자주의의 연장선상에서 생각할 수 있다.

플라톤은 <국가>에서 다음과 같은 예를 통해 수호자주의가 타당함을 주장한다. A는 전문항해사이고, B, C, D는 일반선원이다. A는 항해에 대해 아는 자이고 B, C, D는 알지 못한다. 그렇다면 B, C, D는 A의 결정에 따라야 한다. 그렇지 않고 B, C, D가 다수결로 배의 방향을 결정한다면 배는 풍랑 속에서 침몰할 수 있다.

국가가 지향해야 할 방향, 공공선을 소수 지혜를 가진 자들만이 알고 있다고 가정해보자. 일반 국민은, 지혜를 가진 소수 지배자의 결정에 따라야 한다. 일반대중의 의사에 따라 국가를 운영한다면 국가는 난파선의 운명을 맞을 수밖에 없다. 일반대중의 의사에 따르기보다 소수 전문가가 통치권을 행사하는 것이 일반대중의 이익을 위해서도 바람직하다. 수호자주의는 다음과 같은 전제를 가지고 있다.

첫째, 일반대중은 진리 또는 공공선을 알 수 없다.

둘째, 뛰어난 지혜를 가진 소수의 엘리트만이 진리 또는 공공선을 알고 있다.

이런 전제하에 수호자주의는 국가의 통치권 행사는 일반 대중에게 맡겨서는 안 되며 소수의 지혜로운 엘리트에게 맡겨야 한다는 결론을 내린다.

일반 국민들은 올바른 지식과 식견이 없으므로 국정에 직접 참여해서는 안 된다. 전문적 지식과 지혜를 가진 전문가, 철학자, 군주가 국가의사를 결정하는 것이 국민의 이익을 위해서도 바람직하다는 엘리트 사상은 플라톤, 공자에 의해서도 제기되어왔다. 엘리트주의는 대중의 우매함, 대중에 대한 불신에 기초하고 있다. 현대 엘리트 이론가들은, 독일의 파시스트와 같은 전체주의자들이 수상해온 엘리트들의 유전학적, 선천적 우월성과 현대사회조직의 복합성으로 인해 엘리트가 국가의사를 결정할 수밖에 없다고 주장한다.

플라톤은 수호자주의를 창시한 이론가이다. 플라톤은 <국가>에서 일반 국민의 지식이 아니라 수호자들의 지식에 의해 통치되어야 국가가 올바르게 운영된다고 주장한다. 국가를 수호하는 기술(守護術)은 수호자들인 통치자들에게 있고 지혜를 가진 자, 즉 철인이 행해야 한다는 것이다. 이를 철인왕이라 한다. 플라톤에 따르면 철인(哲人)들만이 이데아 세계를 보고 선(善)의 이데아를 아는 자이다. 이런 철인들이 통치권을 행사하여 국민을 이끌어야 한다.

근대의 엘리트 이론가들 역시 수호자주의를 지지한다. 버크(E. Burke)에 따르면 자연이 위계질서로 구성되었듯이 인간 사회도 위계적이어야 한다. 평등이 아니라 불평등이 자연스럽다. 유력하고 현명한 소수가 통치권을 행사해야 한다. 다수에 의한 통치는 격렬한 의견 대립으로 이어져 무정부상태에 빠지기 쉽다.

근대에 들어서는 몽테스키외, 쉬에스 등도 엘리트주의에 입각한 대의제 민주주의를 주장했다. 미국헌법의 기초자 중 한 명인 메디슨은 "선출된 집단의 현명함은 자국의 진정한 관심사를 가장 훌륭하게 분별할 것이고 그들의 애국심과 정의에 대한 애정은 그들의 국가를 일시적 또는 부분적 이유 때문에 희생시킬 가능성을 가장 낮추기" 때문에 공화주의가 민주주의보다 낫다고 생각한다. 메디슨은 큰 공화국일수록 현명한 대표자의 수가 많으므로 확장된 공화국[74)]을 옹호했다.

토크빌은 <미국의 민주주의>에서 다수횡포를 우려했다. 국민이 직접 의사결정을 하는 민주주의는 다수에 의한 소수의 지배를 낳을 수 있다. 예를 들어 미국인의 다수인 백인은 A, 소수인 흑인은 B라는 정책을 지지한다고 가정해보자. 직접 민주주의는 국민이 직접 의사결정을 하는 민주주의이고, 국민의사가 나

74) 대규모 영토와 방대한 인구를 통치하는 공화국, 즉 미 연방국을 의미한다. 메디슨은 연방주의자였다. 메디슨은 공화국을 대의제라는 의미로 사용하고 있다.

될 경우 다수 국민의 의사에 따라 국가의사를 결정해야 한다. 그렇다면 백인들이 지지하는 A라는 정책이 채택될 수밖에 없다. 이로 인해 소수자인 흑인들의 이익은 보호될 수 없다. 직접 민주주의가 야기할 수 있는 다수의 횡포를 방지하려면 대의제 민주주의가 바람직하다. 대의제 민주주의는 국민이 직접 의사결정을 하지 않고 대표자가 국가이익을 기준으로 의사결정을 하는 민주주의이다. 대표자들이 국가이익의 관점에서 소수자인 흑인들의 이익 보호가 바람직하다고 생각한다면, B정책을 국가정책으로 결정할 수 있다. 따라서 대의제 민주주의는 다수의 횡포를 방지하고 소수자를 보호하는 기능을 할 수 있다. 이런 관점에서 대의제 민주주의가 요구된다.

밀에 따르면 전문성 때문이라도 직접 민주주의보다는 대의제 민주주의를 선택해야 한다. 한미 FTA, 핵발전소건설, 새만금간척사업, 통화량·이자율 조정과 같은 정책결정사항은 전문적 지식을 필요로 한다. 따라서 이런 전문성이 요구되는 정책사항은 국민이 직접 결정하기보다 전문가로 구성된 대표자들이 결정하는 것이 바람직하다. 또한 국가규모가 지나치게 큰 경우 직접민주주의는 현실적으로 실현 불가능하다. 아테네도 소규모 도시였고, 루소도 직접민주주의 실현이 가능한 공동체는 소규모 공동체라고 생각했다.

공산주의 역시 수호자주의와 대의제 민주주의의 일종이다. 레닌에 따르면, 노동자들의 노동 해방은 노동자계급이 주도할 수 없다. 다수의 노동자는 자신의 이해관계에 따라 부르주아가 제시하는 약간의 이익에도 쉽게 흔들리기 때문이다. 따라서 엘리트인 공산당이 민중 해방이라는 역사적 목표를 달성하기 위해 혁명가 집단으로서 헌신해야 한다. 레닌은, 엘리트인 공산당이 노동 해방을 위한 전략과 전술을 계획하고, 노동자들은 엘리트의 계획을 철저히 따라야만 노동 해방을 달성할 수 있다고 생각했다.

(4) 수호자주의, 대의제 찬성 입장

첫째로, 국가 발전을 논거로 제시할 수 있다. 지혜, 전문지식, 덕을 가진 수호자는 소수이고, 이들이 통치권을 전담하는 것이 국가와 다수 국민의 이익을 위해서 타당하다. 일반 국민이 알지 못하는 진리를 알고 있는 수호자가 국가의 통치를 담당해야 다수 국민도 행복할 수 있다.

둘째로, 독재정의 우려 때문이다. 다수의 지배는 민주정으로 시작하여 참주정 혹은 독재정으로 귀결될 것이다. 다수에 의한 지배는, 대중이 통치를 할 만큼의 충분한 지혜와 전문지식을 가지고 있어야만 가능하다. 그러나 실상은 그렇지 않다. 이처럼 충분한 지혜가 없는 대중은 쉽게 현혹되어 다수에 의한 지배는 독재정으로 이어진다. 플라톤은 <국가>에서 수호자에 의한 통치가 곧 귀족정으로 이어지고 곧 민주정으로 이어져 결국 참주정에 이른다고 보았다. 전문적 지식이 부족한 일반 국민이 통치하는 민주정은 곧 독재자의 출현으로 이어져 자기 자신을 파멸시키는 결과로 이어진다고 본 것이다. 토크빌도 <미국의 민주주의>에서 민주정이 다수에 의한 독재정, 즉 다수전제로 이어질 수 있음을 경고한다. 국민 다수는 국가에 자신의 안전, 즐거움, 어려운 문제의 해결을 요구한다. 이로 인해 국가의 권력은 확대된다. 토크빌에 따르면, 국민 다수는 평등에 대한 열망을 가지고 있으며, 민주정은 이 열망을 현실로 구현할 수 있는 힘을 부여하여 다수에 의한 소수에 대한 독재를 야기한다.[75]

셋째로, 일반 국민의 능력에 대한 불신 때문이다. 일반 국민들은 어린아이들처럼 자신들의 이익이 무엇인지, 그를 위해 필요한 국가정책이 무엇인지 알 수 없다. 심지어 일반 국민들은 자신들에게 불이익이 되는 정책을 지지하기도 한다. 능력이 뛰어나고 교육받은 소수가 지배하는 것이 일반 국민 다수의 이익을 위해서도 바람직하다. 오르테가 이 가세트는 <대중의 반란>에서 정당한 민주적 절차를 무시하고 직접행동에 나서는 대중을 말한다. 평균적인 대중은 사상을 밝히고 싶어 하나 이를 논리적으로 증명하거나 설득할 능력도 의지도 없다. 결국 자신의 사상이나 생각을 타인에게 설명하고 설득하는 토론은 중단되고, 대중은 다수라는 수적 힘을 통해 자신들의 욕망을 관철하게 된다. 이것이 바로 다수의 힘을 빌린 대중독재이고 직접행동이다.

75)
다수의 권력은 절대적이고 저항할 수 없기에 만약 제시된 길을 벗어나고자 한다면 시민으로서 자신의 권력을 포기해야 하고 인간으로서 자신의 질을 거의 포기해야 한다. (레오스트라우스·조셉 크랍시, <서양 정치철학사>)

(5) 수호자주의, 대의제 반대 입장

수호자주의에 따르면 소수의 수호자만이 진리를 알고 있으므로 소수 전문가가 국가의사를 결정해야 한다고 주장한다. 그러나 예전과는 다르게 현대의 국민들은 충분한 교육을 받아 과학적 지식을 가지고 있으므로 소수 전문가가 국가의사를 독점적으로 결정해서는 안 된다는 비판이 제기된다.

이 비판에 대해, 예를 들어 핵무기 전략에 대해 소수 전문가만이 지식을 가지고 있다는 반론이 제기될 수 있다. 그러나 '핵전쟁은 정당한가, 어떤 상황에서 어떤 핵무기가 사용되어야 하는가?'는 반드시 전문가가 결정할 문제는 아니고 오히려 핵전쟁으로 인해 피해를 감수해야 하는 국민 전체가 고민하고 결정하는 것이 타당하다. 그뿐만 아니라 핵전략 전문가라 할지라도 핵무기 사용의 윤리적 정당성에 대한 전문가는 아니므로 이 비판은 타당하지 않다.

첫째, 수호자주의는 국민주권 원리에 위배된다. 국가를 지배해 온 배운 자, 가진 자는, 항상 일반 국민의 저항을 두려워해, 일반 국민은 통치에 적합하지 않다고 강변해왔다. 프랑스 혁명 이후, 무산자는 책임의식이 없다는 이유로 선거권을 일정한 재산이 있는 자에게만 한정했다.[76] 일반대중이 선거권 투쟁을 통해 선거권을 가진 후에도 기득권 세력은 전문적 지식을 가진 자만이 국정에 참여해야 한다는 주장을 하고 있다. 최근의 사례를 본다면, 시민의 재판 참여를 반대하는 입장에서는 사법 전문가인 법조인이 재판을 해야지, 법에 대한 전문적 지식을 갖지 못한 일반 국민이 재판에 참여해서는 안 된다고 주장한다. 이런 주장은 국민을 국가권력으로부터 유리(遊離)시키려는 것이므로 국민주권 원리에 위반된다. 국민주권 원리에 의하면, 국민은 국가의 주인이자 자기 자신의 주인으로서 국가와 자기 자신의 운명과 행복을 스스로 결정할 권리가 있다. 인간은 스스로 자기운명을 결정할 수 있을 때 행복할 수 있다. 자기 운명을 타인에게 맡기는 것보다 자존심을 상하게 하는 일은 드물다. 국가의사결정에 있어 일반 국민이 배제된 상태에서 수호자가 내린 결정에 일방적으로 따라야 한다면 일반 국민은 행복할 수 없다. 일반 국민의 다소 서툰 결정으로 최선의 결과가 나오지 않더라도 공동체의 방향을 결정하고, 공동체를 만들어간다는 점에서 의의가 있다.

둘째, 오히려 수호자주의와 대의제는 전체주의의 우려가 있다. 민주주의는 통치자의 무오류성이 아니라 오류 가능성을 전제로 한다. 그러나 수호자주의에 따르면, 수호자만이 진리를 알고 있으므로 수호자의 실수나 오류 가능성, 수호자에 대한 비판을 허용하지 않는다. 정부나 수호자가 설정한 국가 목표와 수단에 대해 국민은 무조건적인 추종만 해야 한다면 결국 수호자주의는 전체주의에 빠지고 말 것이다. 한나 아렌트는 <전체주의의 기원>에서 개인들이 전체주의 운동의 도구로 전락해 한 사람이 된다고 한다. 전체주의는 모든 인간이 마치 하나의 개인인 것처럼 조직하고 복수의 다양성을 제거해 단수의 획일성으로 만들어나간다고 주장한다. 결국 대중은 하나의 의견을 같은 목소리로 말하고 동일하게 행동함으로써 결국 전체주의의 폭민(暴民)이 된다. 한나 아렌트는 전체주의 국가의 모범적 시민은 파블로프의 개와 같이 반응을 하는 존재에 불과하며 행위를 하는 인간은 아니라 한다.[77]

셋째, 수호자주의와 대의제는 국가 발전을 저해한다. 수호자가 의사결정을 독점한다면 국민들은 국가정책에 무관심해질 것이다. 국민이 직접 국가의사결정과정에 참여함으로써 대화와 토론, 관용, 자유와 같은 민주주의의 가치를 배울 수 있다. 물론 처음에는 국민들의 의사결정이 번거롭고 현명하지 못한 결정을 내릴 수도 있다. 그러나 이러한 자유로운 결정에 대해 책임을 지는 과정을 통해 시행착오가 최소화될 수 있다. 예를 들어, 어린아이들이 자라나는 과정에서 부모가 아이보다 현명하다는 이유로 모든 의사결정을 대신한다면 그 아이는 결코 자기 운명의 주체로 성장할 수 없다. 이와 같이 수호자주의는 국민의 민주적 학습과 교육 기회를 박탈한다는 점에서 문제가 있으며, 이러한 국민이 모여 국가를 이루기 때문에 국가의 발전 또한 저해될 수밖에 없다.

76) 빈민정치는 민회의 의원에게 재산 자격 자체를 요구하지 않거나 극히 소액만을 요구하지만, 과두정치는 고액의 재산 자격을 요구하는데, 그 어느 쪽도 공통적이지 않고 양자의 중간이 공통적인 것이다. (아리스토텔레스, <정치학>)

77) 한나 아렌트, <전체주의의 기원>

2. 쟁점과 논거

찬성론: 직접 민주주의	반대론: 대의제 민주주의
[국민주권 원리 실현] 국민은 주권자로서 국가의사결정 시 자신의 의사를 밝힐 수 있어야 한다. 그러나 현실적으로 거리, 비용상의 문제가 있다. 정보통신기술은 저비용으로 시공간의 한계를 극복하고 자신의 의사를 표출할 수 있게 하여 직접 민주주의 실현을 앞당긴다.	**[국민주권 원리 침해]** 국민은 주권자로서 국가의사결정 시 심사숙고한 견해를 가져야 한다. 그런데 국가의사를 잘못된 정보에 기초하여 결정한다면 오히려 국민이 진정으로 원하지 않는 결과가 발생한다. 정보통신기술 발달로 인해 소수세력이 정보를 왜곡해 여론을 조작할 수 있으며 이로 인해 국민 다수의 의사가 왜곡될 수 있다.
[평등원칙] 평등원칙이란, 같은 것은 같게, 다른 것은 다르게 대하라는 원칙이다. 모든 국민은 국가의 주인으로서 동일한 주권을 행사할 수 있어야 함에도, 현실적 한계로 인해 소수자나 소외계층은 자신의 의사를 국가의사에 반영할 수 없었다. 정보통신기술은 소수자나 소외계층의 의사를 반영할 수 있게 하여 평등한 권리 실현을 가능하게 한다.	**[사회 갈등 심화]** 국가의사결정에 있어 특정계층의 의사가 과대반영되면 사회갈등이 심화된다. 정보통신기술의 활용능력은 젊은층이 노년층보다, 남성이 여성보다 많이 사용하여 특정계층의 사용능력이 높다. 따라서 특정계층의 의사가 과대표출되고 반영되어 사회갈등이 심화될 것이다.
[장기적 민주주의 발전] 민주주의는 가치다원적 사회를 전제로 한다. 공정한 절차 속에서 상충되는 의견과 이해를 표출하고 이를 합의하는 과정에서 다양한 가치를 포용하고 상호 이해를 높일 수 있다. 정보통신기술은 이러한 대화와 토론의 장을 제공한다.	**[국가 발전 저해]** 정보통신기술의 발달로 사안에 대한 접근이 손쉬워져 즉각적이고 감정적인 대응이 많다. 정치권은 자신들의 집권을 위해 다수국민의 즉자적인 반응에 영합하는 근시안적인 정책만을 제시한다. 그 결과 국민을 위한 장기적 국가정책이 실현되지 못해 국가 발전이 저해된다.

3. 읽기 자료

직접 민주주의[78]

78)

직접 민주주의

대의제 민주주의와 직접 민주주의

답변 준비 시간 20분 | 답변 시간 20분

※ 다음 제시문을 20분간 읽으시오. 문제는 20분이 지난 후에 볼 수 있고, 문제를 본 후에는 곧바로 답변해야 합니다.

(가) 영국의 인민은 자유라고 생각하지만 그것은 큰 잘못이다. 그들이 자유인 것은 의원을 선출할 때 뿐이며, 의원이 선출되면 영국 인민은 노예가 되고 아무것도 아닌 존재가 되어 버린다. 그 짧은 자유로운 기간에 그들이 자유를 어떻게 쓰는지 보면 자유를 잃는 것도 당연하다.

대표자라는 생각은 근세의 것이다. 그것은 봉건 정치, 다시 말해서 사람이 타락하여 사람이라는 이름이 치욕스러웠던 부정하고 어리석은 정치에서 유래한다. 고대의 공화국에서는, 아니 군주국에서조차 인민은 대표자를 갖고 있지 않았다. 사람들은 이런 말을 알지도 못했다.

매우 기묘하게도 로마에서는 호민관이 극히 신성시되고 있었는데도 그것이 인민의 역할을 가로챌 수 있으리라고는 상상도 하지 못했다.

또 호민관은 그토록 많은 인민 집회 속에 있으면서도 단 한 건의 결의도 직권으로 통과시킨 자는 없었다. 물론 때로는 인민이 많기 때문에 혼란이 일어날 수 있다는 것도 생각해 두어야 한다. 그것은 그라쿠스 형제 시대에 일어난 일로도 알 수 있는데, 그때는 시민의 일부가 지붕 위에서 투표했다.

권리와 자유가 전부인 곳에서 불편은 큰 문제가 아니다. 이 현명한 인민 아래에서는 모든 일에 정당한 조처가 취해졌다. 인민은 호민관조차 감히 하지 않은 일을 그들의 호위관인 릭토르에게 시켰다. 릭토르들이 인민을 대표하고 싶어 하지 않을까 하는 우려는 갖지 않았다.

그러나 왜 호민관이 때로 인민을 대표했는가를 설명하려면 정부가 현재 왜 주권자를 대표하는지를 생각하면 충분하다. 법률은 일반 의지의 선언에 지나지 않으므로 입법권에 인민이 대표될 수 없는 것은 분명하다.

남의 자유를 희생해야만 자신의 자유를 지킬 수 있고, 시민이 완전히 자유로우려면 노예는 철저하게 노예 상태여야 한다는 불행한 상황이 있다. 그것이 스파르타의 상황이었다.

여러분 같은 근대인은 아무도 노예를 갖고 있지 않지만, 여러분 자신이 노예이다. 여러분은 자기 자유를 팔아 노예의 자유를 사고 있다. 그편이 좋다고 자만해선 안 된다. 나는 이러한 선택에서 인간성보다는 비굴함을 발견한다.

그렇다고 내가 노예가 필요하며 노예권이 합법적이라고 말하는 것은 아니다. 나는 노예소유권이 정당하지 못하다는 점을 이미 증명했다. 다만 나는 스스로 자유라고 믿는 근대인이 왜 대표자를 갖게 되는가, 또 고대인이 왜 대표자를 가지고 있지 않았는가를 하는 이유를 설명한데 지나지 않는다. 아무튼 인민은 이 대표자를 갖는 순간부터 이미 자유롭지 못하다. 더 이상 인민은 존재하지 않게 된다. 모든 것을 잘 검토해 보면 도시 국가가 아주 작지 않은 한, 주권자가 그 권리 행사를 보존하는 것은 우리나라에서는 앞으로 불가능하다고 생각한다.

그러나 만약 국가가 너무 작으면 정복당하지는 않을까? 그렇지 않다. 나는 나중에 어떻게 하면 큰 국가의 대외적인 힘과 작은 국가의 편한 통치 및 좋은 질서를 결부시킬 수 있는지 보여줄 것이다.

(나) 대중의 의견을 선출된 시민집단이라는 매개체에 통과시킴으로써 이를 정제하고 확대시키는 것이다. 선출된 집단의 현명함은 자국의 진정한 관심사를 가장 훌륭하게 분별할 것이고 그들의 애국심과 정의에 대한 애정은 그들의 국가를 일시적 또는 부분적 이유 때문에 희생시킬 가능성을 가장 낮게 해준다. 이러한 규정하에서 국민의 대표를 통한 대중의 목소리는 같은 목적으로 소집된 국민의 직접적인 의견보다 공익에 더욱더 조화될 수 있을 것이다. 반면 그 효과는 반대가 될 수 있다.

당파성, 지역적 선입관, 또는 불순한 목적을 가진 사람들이 음모, 부정 또는 다른 수단으로 우선 참정권을 얻은 다음 국민의 이익을 배신할 수 있다. 여기에 대한 의문은 공공복리의 올바른 수호인을 선출하기 위해 작은 공화국 또는 넓은 대규모의 공화국 중 어느 것이 더 바람직할 것인가 하는 문제이다. 그리고 두 가지 명백한 이유로 후자가 더 바람직하다는 것이 확실해진다.

우선 한 공화국이 아무리 작더라도 소수의 음모를 경계하기 위해 대표자는 최소한의 수를 유지해야 하며 그리고 공화국이 아무리 크더라도 다수의 혼란을 막기 위해선 대표자를 특정 수로 제한시켜야 한다는 점을 지적할 수 있다. 따라서 두 경우 모두 대표자의 수가 선거권자의 수에 비례하지 않으며 작은 공화국의 경우 대표자의 비율이 더 크다고 볼 수 있다. 그리고 큰 공화국에서의 대표자의 비율이 작은 공화국의 비율보다 낮지 않다면, 후자가 더 많은 선택권을 가지고 결과적으로 적절한 인물을 선택할 수 있는 가능성이 훨씬 더 높다는 논리가 따른다. 다음으로 작은 공화국보다 큰 공화국에서는 각 대표가 훨씬 더 많은 시민에 의해 선출되기 때문에 자격 없는 후보의 선거에 흔히 따르는 부도덕한 술책이 성공할 가능성이 줄어든다. 그리고 국민의 투표는 보다 자유로워지고 가장 매력적인 공적과 안정된 성품을 가진 사람에게 집중될 가능성이 높다.

(다) 방종과 무질서가 민주 체제를 파멸로 이끌 것이라고 생각되지 않나? 욕망의 속성에 따라 자유는 더 큰 자유를 원하게 되네. 그래서 어떤 지배자가 나타나 그들의 자유를 원하는 것만큼 허락해주지 않으면 그를 비민주적인 인물이라고 비난하게 되지. 지배자에게 순종하는 자를 가리켜선 노예 같은 놈이라고 욕할 것이고, 이렇게 되면 누가 지배하고 누가 지배당하는지 몰라 혼란은 극에 달할 것일세. 이러한 무질서는 개인의 가정에까지 스며들어 마침내 무정부 상태를 만들겠지. 아버지가 아들을 두려워하게 되고, 아들은 아버지를 무시하게 될 걸세. 자유가 질서를 위협해 혼혈인이든 이방이든 그리스인처럼 동등해지지. 학교에서도 선생이 학생을 두려워하게 되고, 학생은 선생을 얕잡아 볼 것이네. 이러한 기운이 만연하면 어떻게 되겠는가? 국민들은 매우 예민해져 작은 일에도 분노를 폭발할 것이네. 법도 상식도 없는 세상이 돼 결국은 체제가 무너지게 된다네. 이로써 참주가 등장하게 되지. 그런데 민주 체제에서 우리가 알아두어야 할 일이 있네. 이 체제가 발전하다보면 사람들은 세 부류의 계급으로 나뉘네. 우선 가장 힘이 강해 멋대로 날뛰는 계급이 있네. 이들은 파벌을 지어 최대의 자유를 누리면서 정권을 장악하고 있지. 다음으로 부자들의 계급이 있는데, 이들은 돈벌이에 관심이 많아 항상 재물을 모으지. 그렇긴 하지만 수벌(지배자)들에게 착취당하는 자들이네. 자신이 모은 꿀을 뺏기는 자들이지. 마지막으로 민중으로 분류되는 계급의 사람들이 있는데, 재산도 별로 없어 손수 밥벌이를 하는 사람들이네. 이들은 돈도 권력도 없지만 힘을 합치면 무서운 세력이 되지. 부자들은 늘 불만에 싸여 자위책을 세우기에 골몰하지만, 그럴 때마다 수벌과 결탁한 민중이 무서워 눈치만 보곤 하네. 하지만 이런 구도도 오래 가지는 않을 걸세. 수벌의 착취에 시달리던 부자들은 과거의 과두 체제를 그리워하며 변혁을 모색하고, 이를 핑계로 소위

민중의 지도자라고 하는 자들과 결탁하게 되지. 참주는 이런 과정을 거쳐 탄생하게 되네. 자신의 권력이 확고해질수록 그는 자신의 주위를 날카롭게 둘러보게 되네. 그의 날카로운 눈초리로 날이 갈수록 심해져 누가 용감하고 누가 부자인지 누가 현명하고 누가 고귀한지를 끊임없이 살피네.

그래서 그는 자신을 지키기 위한 호위대를 결성하고 그들을 부양하기 시작하네. 호위대는 규모가 점점 커져 나중에는 외국에서까지 용병을 사들이게 되지. 그런데 이 비대해진 군대를 그는 무엇으로 양육할지 상상해보게.

(라) 벌써 수년 전부터 유럽에 '기이한 일'이 일어나기 시작했다는 것은 삼척동자도 다 아는 사실이다. 구체적인 예로 생디칼리즘[79]과 파시즘 같은 정치운동을 들 수 있다. 그것들이 다만 새롭다고 해서 기이하다고 판단해서는 안 된다. 유럽인은 혁신에 대한 열정을 타고났기에 이제까지 알려진 것 가운데 가장 파란만장한 역사를 만들어냈다. 새로운 사실들이 기이한 것은 새롭기 때문이 아니라 기상천외한 모양을 지니고 있기 때문이다. 생디칼리즘과 파시즘이 전개되면서 유럽에서는 처음으로 근거를 제시하거나 마련하려 하지 않고 다만 자신의 견해를 강요하는 태도를 취하는 유형의 인간이 출현했다. 여기에 새로움이 존재한다. 그것은 권리를 갖지 않을 권리, 곧 무(無)근거의 근거이다. 나는 여기서 능력도 없으면서 사회를 지배하겠다는 결의를 보이는 매우 분명한 대중의 새로운 존재방식을 발견한다. 새로운 정신 구조가 가장 생생하고 뚜렷한 형태로 나타나는 곳은 대중의 정치 행동이지만 그 핵심은 지성의 폐쇄성에 놓여있다. 평균인은 자신의 머리에서 '견해'를 찾아내기는 하지만 견해를 만들어내지는 못한다. 견해에 생명을 불어넣는 매우 세밀한 요소가 무엇인지에 대해서는 관심이 없다. 그는 견해를 밝히고 싶어 하면서도 모든 견해의 기초가 되는 조건과 전제를 받아들이려고 하지 않는다. 따라서 그의 견해는 사실 연애시곡(戀愛詩曲)처럼 언어의 유희에 불과하다.

견해를 갖는다는 것은 그에 대한 근거를 갖는다는 말이고, 개념적인 진리의 세계인 이성이 존재한다고 보는 것이다. 견해를 표명하고 의견을 제시하는 것은 이성의 권위에 호소하고 그에 복종하는 것, 이성의 법전과 판결을 받아들이는 것과 동일하며, 따라서 견해의 근거를 주고받는 대화가 최상의 교류 형태라고 보는 것과 마찬가지다. 그러나 대중은 토론을 할 때면 어찌할 바를 모르고 자신의 외부에 존재하는 최고 권위를 본능적으로 거부한다. 따라서 유럽에 나타난 '새로운' 현상은 '토론의 중지'이다. 대화나 학문에서 의회에 이르기까지 객관적인 규칙을 존중하는 모든 형태의 상호 교류를 싫어한다. 이는 규칙에 따른 공존인 교양의 공존을 거부하고 야만적 공존으로 후퇴한 것을 의미한다. 정상적인 절차들을 모두 폐지하고 바라는 것은 직접 강요한다. 앞서 살펴봤듯이 대중으로 하여금 사회생활의 모든 면에 개입하도록 만든 마음의 폐쇄성이 이제는 직접행동이라는 단 하나의 개입 방식으로 대중을 이끌어간다.

79)
생디칼리즘(syndicalism): 19세기말부터 20세기초에 걸쳐 일어난 노동조합주의의 하나. '혁명적 조합주의'라고도 한다. 생디카(조합)를 노동자의 단 하나의 계급적 조직으로 간주하고, 정당과 선거 및 의회 등의 정치운동을 배척하고 동맹파업·사보타주·보이콧, 특히 총파업과 무장봉기 등의 직접적 행동에 의해 정부를 타도하고 생산과 분배의 관리권을 조합에서 장악하여 착취 없는 자유로운 새 사회체제를 실현한다는 사상 및 운동이다.

(마) 우리의 정체(政體)는 이웃의 관례에 따르지 않고, 남의 것을 모방한 것이 아니라 오히려 남들의 규범이 되고 있습니다. 그 명칭도, 정치 책임이 소수자에게 있지 않고 다수자 사이에 골고루 나뉘어 있기 때문에 공민통치(公民統治)라고 불리고 있습니다. 그리고 개인의 분규와 관련해서는 모든 사람이 법 앞에 평등하며, 이와 동시에 개인의 가치에 따라, 즉 각자가 얻은 성망(聲望)에 기초하여 계급에 논의하지 않고 능력 분위로 공직자를 선출합니다. 그리고 국가에 뭔가 기여를 할 수 있는 사람이라면 그 가난 때문에 이름도 없이 헛되이 죽는 일도 없습니다. 우리는 자유롭게 공직에 종사하고, 서로 일상생활에 힘씁니다. 서로 질투에 찬 감시를 하는 것과는 거리가 멀고, 이웃 사람이 자기가 좋아하는 일을 하든 무례해 보이는 손해 행위를 하든, 심지어 명백한 형벌 없이 위해를 가하든 우리는 분노하지 않으면서 그대로 방치해두지도 않습니다. 악의를 갖고 개인의 일을 간섭지 않고, 두려움을 품고 마땅히 공적인 일에서 법을 어기지 않으며, 언제나 법과 판사를 존중하고, 특히 학대받는 사람을 지키는 법과 모두에게 수치를 가르치는 불문율에 유념하고 있습니다. 우리는 아름다움을 추구하면서도 사치로 흐르지 않고, 지(智)를 사랑하면서도 유약함에 빠지지 않습니다. 부자는 부를 자랑하지 않고 그것을 활동의 바탕으로 삼고, 가난한 사람은 가난한 것을 부끄러워하지 않으며 부끄러워해야 하는 것은 그것을 이겨내나 사적으로 최선을 다 하고, 전사(戰士)도 정치에 소홀하지 않으며, 이에 참여하지 않는 자를 공명심이 없다고 보기보다는 쓸모없는 자로 생각하는 것은 우리뿐입니다. 우리는 문제를 비판하고 또 동시에 그것을 올바른 방향으로 촉진시킵니다. 비판이 실행을 방해한다고 생각하지 않고, 그렇다고 비판으로만 흘러 해야 할 행동을 소홀히 하는 일도 없습니다. 또 다음과 같은 점에서도 우리는 남들과는 전혀 다릅니다. 우리 각자 한 사람 한 사람은 목적을 신중히 검토하는 자세와 그것을 과감하게 단행하는 능력을 아울러 지니고 있습니다. 이에 반해 남들을 보면 무지가 만용을 불러일으키고, 신중한 생각은 망설이는 태도를 가져옵니다. 공포도 환희도 잘 알고, 게다가 또 위험에 겁을 먹지 않는 자야말로 참된 용자(勇者)라고 할 수 있을 것입니다. 또 우리가 말하는 착한 일도 남들과 달리 은혜를 받는 데 있지 않고 그것을 베풀어 친구를 만드는 데 있다고 봅니다. 요컨대 다른 사람에게 베푸는 선행자는 그 고마워하는 뜻을 잃지 않으려 하기 때문에 점점 더 신뢰받지만, 의리상 은혜를 갚으려는 자는 감사받기 위해서가 아니라는 것을 의식하기 때문에 성의를 잃게 됩니다. 나아가 우리의 또 다른 특질은 결과를 두려워하지 않고 이해를 따지지 않으며 자유를 신뢰하는 데 있습니다.

Q1. 제시문 (가)~(마)를 각각 핵심내용을 명확하게 하여 요약하시오.

Q2. 제시문 (가)~(마)를 분류 기준을 제시한 후, 두 입장으로 분류하시오.

Q3. 자신의 분류 기준을 제시문의 어느 부분에서 도출한 것인지 구체적으로 제시문을 인용하여 설명하시오.

Q4. 자신의 분류 기준에 따른 두 입장 중 어떤 입장이 타당하다고 생각하는지 자신의 견해를 정하여 논거를 제시하여 논하시오.

035 해설 대의제 민주주의와 직접 민주주의

Q1. 모범답변

(가)는 직접 민주주의를 옹호하는 입장입니다. 주권자는 자신의 자유를 행사하고 그에 대한 책임을 스스로 지는 존재입니다. 그렇기 때문에 (가)는 대표자를 통해 입법을 하는 영국의 인민은 선거를 하는 동안에만 자유로울 뿐이고 대표자의 임기 동안 인민은 자유롭지 못하다고 합니다. 대표자가 입법을 하게 될 경우 인민은 입법의 자유는 누리지 못하면서 입법의 책임을 져야 하기 때문입니다.

(나)는 대의제 민주주의를 옹호하는 입장입니다. 대중은 국가의 이익이나 장기적 공익보다는 개인의 이익이나 단기적이고 부분적인 이익을 신경 쓸 가능성이 높습니다. 그렇기 때문에 현명한 대표자를 선출하여 그들이 대중의 수많은 요구사항을 정제하고 선별하여 그중에서 국가의 이익과 장기적 공익에 부합하는 견해를 도출한 후 이를 입법해야 합니다. 이것이 대중에게도 도움이 될 것입니다.

(다)는 대의제 민주주의를 옹호하는 입장입니다. 현명한 자는 소수에 불과하고, 대부분의 다수 민중은 자신의 이익 외에 다른 것을 생각하지 못합니다. 다수의 민중은 자신에게 이익을 주는 자를 지지하여 결국은 자신의 불이익을 스스로 만들어냅니다. 현명한 선택을 하지 못하는 다수 민중이 직접 참정권을 행사할 경우 공익은 저해되고 결국 자기 자신의 이익마저도 스스로 저버리는 결과를 만들어낼 것입니다. 따라서 현명한 소수 대표자를 선출함으로써 국가를 지켜야 합니다.

(라)는 대의제 민주주의를 옹호하는 입장입니다. 대중은 이성적 판단 능력이 부족해 토론을 하지 못하고 합리적 설득을 할 수 없습니다. 그러나 대중은 다수이기 때문에 직접 행동을 통해 자신의 의사를 입법하는 등으로 국가의사를 결정할 수 있습니다. 대중은 이성적 판단이 아닌 감정적 판단으로 자신의 의사를 관철하고 싶어하기 때문에 이성적이고 합리적인 의사 결정 질차를 지키지 않고, 자신이 원하는 결과만을 만들어내고자 합니다. 결국 대중의 의사 결정은 비이성적이고 비합리적인 것이 될 수밖에 없어 공익과 국익은 물론 자신의 이익마저도 저해하게 됩니다. 따라서 이성적이고 합리적인 의사 결정이 가능한 소수의 대표자를 통해 국가를 다스려야 합니다.

(마)는 직접 민주주의를 옹호하는 입장입니다. (마)는 정치의 책임은 특별한 소수에게 있는 것이 아니라 모든 시민에게 있다고 합니다. 시민은 자유로운 존재로 부나 명망 등에 구애받지 않고 시민으로서 자신의 정치적 자유를 행사하고 이에 대한 책임을 기꺼이 지게 됩니다. 시민으로서 정치에 참여하지 않는 자는 공명심이 없는 것이 아니라 시민으로서 자신의 의무를 다하지 않은 자로 취급해야 한다고 합니다. 따라서 시민은 자유의 주체이자 그에 대한 책임을 지는 존재가 되어 주권자가 됩니다.

Q2. 모범답변

분류 기준은 시민의 통치능력 여부에 따라 대의제 민주주의와 직접 민주주의의 두 입장으로 분류할 수 있습니다.

시민의 통치능력이 없어 대의제 민주주의가 타당하다는 입장을 지지하는 제시문은 (나), (다), (라)입니다.

반면, 시민의 통치능력이 있기 때문에 직접 민주주의가 타당하다는 입장을 지지하는 제시문은 (가), (마)입니다.

Q3. 모범답변

스스로 답변을 구성할 것

Q4. 모범답변

스스로 답변을 구성하고, 다음 주제를 통해 확인할 것

036 개념 대의제: 지식인의 정치 참여

1. 기본 개념

(1) 지식인의 개념

계몽주의 시대의 지식인은 미신에 빠져 있는 대중을 이성의 빛으로 인도하는 자였다. 칼 만하임, 그람시, 사르트르도 근대적 지식인상을 가지고 있다. 근대적 지식인의 표상은 일반 대중을 올바른 논의로 이끌어 해방시키는 엘리트였다. 그러나 현대에 와서 지식인이 보편적 지식을 가지느냐에 대해 부정적인 견해가 나오고 있다. 일반 대중의 지적 능력이 성장함에 따라 지식인이 일반 대중보다 우월한 지식을 가지느냐에 대해서도 부정적 견해가 제기된다. 푸코는 지식인은 보편적 지식이 아닌, 특수한 지식을 가질 수 있을 뿐이라고 한다.

(2) 그람시의 지식인

그람시는 상부구조를 사회와 국가로 나누고 국가는 법률상의 정부를 통해 직접적 지배가 이루어지는 영역이고, 사회는 헤게모니를 통해 지배되는 영역이라고 하였다. 지식인은 사회적 헤게모니와 정치적 통치의 하위기능을 수행하는 지배집단의 대리인이다.

자본주의 사회에서 부르주아 계급의 지식인은 대중이 자발적 동의에 따라 부르주아의 지배를 수용하도록 하는 역할을 한다. 즉 부르주아 지식인은 부르주아 헤게모니를 정당화시키는 이데올로기를 창출하는 기능을 한다. 그에 따르면 프롤레타리아 계급의 지식인은 부르주아 헤게모니를 타파하고, 대항 헤게모니를 수립하기 위해 노력해야 한다. 프롤레타리아는 자본가 계급에 정신적으로 종속되어 있기 때문에 부르주아의 헤게모니에 대항할 준비가 되어 있지 않다. 프롤레타리아 계급의 지식인은 부르주아 계급의 이데올로기를 타파하고 프롤레타리아 혁명의 이데올로기를 제시해야 한다.

(3) 사르트르의 지식인

지식인은 지배계급에서 길러진다. 지배계급은 실용적 지식을 가진 전문가(회계사, 법률가, 경제학자, 의사)가 필요하기 때문에 지식인을 길러낸다. 그러나 전문가들은 휴머니즘과 평등주의에 기반한 보편적 지식을 배운다. 그들이 배운 보편적 지식은 자신들을 길러낸 지배계급인 부르주아 계급의 이익과 충돌한다. 부르주아는 자신들의 특수 이익을 위해 일반국민을 억압하고 착취하기 때문이다.

부르주아의 이익은 특수한 데 반해 지식인이 가지는 지식은 보편적이다. 따라서 지식 전문가들은 자신이 배운 보편적 지식과 자신이 처한 계급적 환경 사이에 심각한 모순을 느낀다. 그들은 지식은 인류를 위해 쓰여야 한다는 학문의 목적과 부르주아 계급의 특수 이익을 위해 봉사할 수밖에 없는 계급적 신분 사이에 갈등한다.

이 경우 지식 전문가들은 두 가지의 길 중 하나를 선택하게 된다. 어떤 지식 전문가들은 인류의 보편적 이익을 위해 봉사해야 한다는 사명을 버리고 지배계급의 이익을 위한 시녀 역할을 한다. 이들은 진정한 의미의 지식인이라고 할 수 없다. 이에 반해 다른 전문 지식인은 지배계급의 하수인이 되기를 부정하고 부르주아 계급의 이데올로기를 타파하여 진정한 보편주의를 실현한다. 이들이야말로 진정한 의미의 지식인이다.

사르트르와 그람시는 근대적 지식인들이 보편적 지식을 전제로 역사의 보편적 발전을 촉진시키는 역할을 해야 한다고 주장했다. 지식인은 부르주아 이데올로기 비판, 노동계급에 적절한 이데올로기 제공을 통해 사회주의적 혁명을 이론적으로 지원해야 한다고 하였다.

(4) 푸코의 지식인론

역사가 일정한 방향에 따라 진행된다고 할 때, 근대적 지식인은 이러한 보편적 역사 발전을 촉진시켜야 한다는 사명감을 가지고 있었다. 지식인들은 앞으로 일어날 사태를 예측하고, 역사 발전의 진리를 제시하려고 하였다. 마르크스, 그람시, 사르트르는 프롤레타리아 혁명은 역사 발전의 보편적 단계로 보고, 지식인은 이러한 보편적 역사의 대변인으로서 역할을 해야 한다고 주장했다.

푸코는 역사의 발전이 보편적으로 이루어진다는 근대의 역사관에 대해 비판적이다. 근대인은 이성의 확산을 역사 발전과정으로 보았으나 이성은 또 다른 억압을 낳았다. 광인, 정신지체아, 이성적 능력이 떨어지는 자를 이성과 역사 발전이라는 명목하에 억압하고, 격리시켰다. 따라서 역사가 이성의 확산이라는 주장은 억압을 낳는다.

푸코는 역사 발전의 보편성에 대해 회의적이므로, 지식인이 보편적 역사 발전과정의 대변인이어야 한다는 견해에 대해서도 부정적이다. 푸코에 따르면 지식인은 특수적 지식인일 수밖에 없다고 하고, 특수한 지식인은 대학, 감옥, 심리치료기관, 정부, 모든 영역에서 권력의 억압을 폭로하는 데 주력해야 한다고 주장한다. 지식인은 역사 발전의 보편적 지식을 주장해서는 안 된다. 왜냐하면 보편적 지식을 기준으로 한 위계와 억압이 생길 수밖에 없기 때문이다. 이보다는 지식인은 어떠한 이념이나 가치에 대해서도 문제를 제기하는 역할을 해야 한다.

2. 읽기 자료

드레퓌스 사건[80]

80)

드레퓌스 사건

036 문제 대의제: 지식인의 정치 참여

답변 준비 시간 15분 | 답변 시간 10분

※ 다음 제시문을 읽고, 문제에 답하시오.

리오타르에게 있어서 지식인이란 기본적으로 근대적인 개념이다. 무엇보다도 그것은 '보편적 주체'라고 하는 이념과 밀접히 결부되어 있다. 그에 의하면 "지식인은 자신을 인간, 인류, 민족, 국민, 프롤레타리아, 피조물 등과 같은 어떤 실체의 위치에 두는 정신적 존재이다. 말하자면 이런 관점으로부터 어떤 상황이나 조건을 묘사, 분석하게끔 그리고 자기실현 혹은 적어도 그 실현의 진전을 위해 행해져야 할 바를 규정하게끔 어떤 보편적 가치를 부여받는 주체와 자신을 동일시하는 자이다."

계몽주의 사상의 자녀인 지식인이 취하는 대표적인 행위 형태는 대중을 향해 공개적으로 발언하는 것이다. 이들의 발언은 스스로의 책임감과 부여된 지적 권위에 기초해서 이루어진다. 지식인의 책임감과 지적 권위는 일반적으로 어떤 한 영역에서 명성과 함께 획득되어 정치적 쟁점을 포함한 다른 영역에까지 확대된 것이다. 이것을 리오타르는 책임과 권위의 '전이'(transfer)라고 불렀다. 이러한 전이가 가능하기 위해서는 다양한 영역을 한 체계 속에서 상호 연관짓거나 적어도 공동의 목표에 종속시킬 수 있는 총체적 통일성 혹은 보편성이라는 사상이 전제되어야 한다. 그는 가난, 무지, 편견, 혹은 쾌락 부재 등으로부터의 '해방'이야말로 지식인의 책임감과 지적 권위를 정당화시킨 가장 중요한 공동의 목표였다고 보았다.

지식인의 종언을 선언한 리오타르의 논지는 기본적으로 근대성의 몰락과 탈근대적 조건의 등장에 관한 앞의 논의에 기초해 있다. 그는 무엇보다도 지식인의 지적 권위 및 행위의 근거가 되었던 보편적 이념이 그동안 퇴조한 것이 지식인 종언의 가장 중요한 이유라고 지적하였다. 마르크스주의자의 단일한 목표였던 프롤레타리아의 해방은 소련의 실상과 국제 노동자의 연대의 실패 등과 같은 역사적 경험 앞에서 그 위력을 잃었다. 무지와 예속으로부터의 해방을 외쳤던 자유주의자의 계몽적 이상 역시 이와 마찬가지로 오늘날 세계시장을 둘러싼 살벌한 경제전쟁과 서구사회에서의 학교교육의 현실 앞에서 좌초되고 말았다. 리오타르는 오늘날의 서구사회가 이처럼 지식인의 권위와 행위의 가장 중요한 토대였던 해방의 이념이 몰락해버린 상황 속에 놓여 있다고 보았던 것이다.

리오타르의 지식인 종언론이 보편적 이념의 쇠퇴 혹은 몰락이라는 객관적 조건의 결과를 묘사하는 데 그치는 것은 아니다. 그는 분명히 '보편적 이념' 속에서 그리고 이에 기반을 두고 행사되어 온 지식인의 지적 권위 속에서 심각한 위험성을 발견하였다. 그에 의하면 지시적 언어, 규범적 언어 그리고 수행적 언어 사이의 통약 불가능성이 부인된다는 것은, 그리고 지식인에게 진위와 선악의 판단 권한이 위임된다는 것은 곧 일치될 수 없는 차이의 배제를 초래한다. 이것이 바로 전체주의와 테러로 나아가는 첫걸음이라는 것이 그의 관점이었다. 따라서 그에게는 지적 권위의 대변자를 자처하고 대중에게 그들의 이름으로 혹은 그들을 위해 발언해 온 지식인이야말로 위험천만한 존재로서 여겨졌던 것이다.

Q1. 제시문의 주장과 논거를 제시하며 요약하시오.

Q2. 일반인이 알지 못하는 보편적 진리를 알고 있는 지식인이 국민의 뜻을 대신해 사회 발전을 선도해야 한다는 주장이 있다. 이에 대한 찬반 견해를 정하고, 자신이 정한 견해를 논증하시오.

Q3. 위 답변의 논리적 연장선상에서 지식인은 국가와 사회에 어떤 역할을 해야 하는지 제시하고, 지원자가 제시한 지식인의 역할이 드러나는 사례를 들어보시오.

036 해설 대의제: 지식인의 정치 참여

Q1. 모범답변

제시문의 리오타르는 지식인의 종언을 주장하고 있습니다. 그 이유는 첫째, 지식인의 지식이 보편적이라 할 수 없기 때문입니다. 둘째, 지식인의 계몽주의적 역할은 전체주의를 야기할 수 있기 때문입니다.

첫째로, 지식인의 지식은 보편적 지식이라 할 수 없기 때문입니다. 리오타르는 공동체의 목표를 제시할 수 있는 보편적 이념을 가진 지식인 개념에 대해 비판적입니다. 절대왕정 시대에 지식인들이 주창한 자유주의는 절대군주로부터 인권을 보호했던 이론이었으므로 보편적 지식이라 할 수 있었습니다. 그러나 현대에 와서 자유주의는 인류 모두를 위한 보편적 지식이 아니라 부르주아의 특수이익을 위한 특수지식으로 전락했습니다. 이에 더해 마르크스주의자들은 마르크시즘은 노동자 계급의 해방을 가져오는 보편적 지식이라고 생각했습니다. 그러나 마르크시즘도 프롤레타리아의 해방은커녕 소련정권에 의한 노동자 탄압으로 이어졌습니다. 따라서 지식인의 지식은 공동체의 공동목표에 부합되는 보편적 지식이고, 이 지식이 해방에 도움이 된다고 하여 정당성을 얻어 왔으나, 지식인들이 가진 지식이 보편적 지식이고, 이 지식이 인류를 예속으로부터 해방시켜주리라는 주장은 오늘날 타당하지 않습니다.

둘째로, 지식인의 계몽주의적 역할은 전체주의를 야기할 수 있다는 문제가 있습니다. 지식인은 일반대중이 모르는 보편적 지식을 알고 있고, 일반대중은 스스로 참된 지식을 가지기 어렵습니다. 지식인만이 참된 지식을 갖고 있다면, 대중은 묵묵히 지식인의 지도를 받아들여야만 합니다. 지식인의 지도에 대한 불복종은 역사 발전과 진리에 반하기 때문입니다. 이를 통해 지식인은 일반 국민을 말 잘 듣는 기계로 만들거나 국민으로 하여금 허위적 동의를 하게끔 유도하게 됩니다. 오히려 지식인은 이를 통해 지배계급의 이익에 봉사할 수 있습니다. 따라서 이런 관점에서 지식인에게 진위와 선악의 판단을 위임하는 것은 전체주의를 불러올 위험이 있습니다.

Q2. 모범답변

일반인이 알지 못하는 보편적 진리를 알고 있는 지식인이 사회발전을 선도해야 한다는 주장은 타당하지 않습니다. 국민의 자기결정권을 침해하고, 절대국가의 출현을 야기할 수 있으며, 사회발전에 도움이 되지 않기 때문입니다.

국민의 자기결정권을 침해하므로 지식인이 사회발전을 선도해야 한다는 주장은 타당하지 않습니다. 국민은 국가의 주인으로 국가의 발전 방향을 정할 수 있습니다. 국민은 국가발전의 방향을 결정하고 그에 대한 책임을 짐으로써 국가의 주인이 됩니다. 만약 국민이 국가발전의 미래와 그 방향을 결정할 수 없다면 국민은 국가의 주인이 아니라 노예나 다름없습니다. 지식인이 진리를 알고 있기 때문에 국민을 대신하여 사회발전의 방향을 정할 수 있다면 국민은 국가발전의 방향을 결정할 능력도 없고 단지 책임만을 져야 합니다. 그러나 지식인이 보편적 진리를 알고 있다는 전제는 성립하지 않습니다. 예를 들어 근대 시기 보편적 진리로 여겨졌던 자유주의와 사회주의는 현재에 이르러 보편적 진리가 아님이 증명되었습니다. 절대주의 시대에 지식인들이 주창한 자유주의는 절대군주로부터 인권을 보호했던 이론이었으므로 당시 보편적 지식으로 여겨졌습니다. 그러나 현대에 와서 자유주의는 인류 모두를 위한 보편적 지식이 아니라 부르주아의 특수이익을 위한 특수지식으로 전락했습니다. 지식인의 지식이 보편적 지식이고, 이를 이용해 인류를 억압과 예속으로부터 해방시킨다고 볼 수 없습니다. 따라서 지식인이 사회발전을 선도해야 한다는 주장은 타당하지 않습니다.

절대국가의 출현을 야기할 수 있으므로 지식인이 사회발전을 선도해야 한다는 주장은 타당하지 않습니다. 지식인은 일반대중이 모르는 지식을 알고 있고 일반대중은 스스로 참된 지식을 가지기 힘들다면 대중은 지식인의 지도를 받아들여야 합니다. 지식인의 지도에 불복종하는 것은 진리에 반하기 때문입니다. 이런 논리라면 대중은 지식인과 지식인을 조정하는 지도자에게 맹목적으로 복종해야 합니다. 지식인을 대중을 계몽시키는 선구자로 묘사하는 견해는 대중을 과소평가하고, 지식인의 우월성을 과대평가함으로써 전체주의로 흐를 수 있다는 문제가 있습니다. 플라톤은 통치의 전문가이자 윤리적인 통치자인 철인왕이 국가를 지배해야 한다는 철인왕 사상을 주장했습니다. 그러나 역사적으로 윤리적인 철인왕은 존재하지 않았습니다. 오히려 자신의 이익을 추구하고 권력을 추구한 통치자가 대다수였습니다. 예를 들어, 루이 필리프는 프랑스 혁명에 참여했고 인격자로 유명해 프랑스 시민들의 추대에 의해 왕위에 올라 시민왕이라 불리었지만 결국 루이 14세와 같은 전제군주가 되었습니다. 이처럼 지식인이 사회발전을 선도하고 일반국민을 이끌어야 한다는 주장은 일반국민의 모든 자유를 제한하는 절대국가로 이어질 수 있습니다.

사회발전을 저해할 수 있으므로 지식인이 사회발전을 선도해야 한다는 주장은 타당하지 않습니다. 지식인이 일반 국민에 비해 더 많은 지식을 알고 있는 것은 사실입니다. 그러나 지식인의 지식은 보편적이지 않고 특수한 지식입니다. 지식인의 의사결정 역시 일반 국민에 비해서는 적을 수 있으나 오류의 가능성을 여전히 가지고 있습니다. 소수의 지식인이 일반 국민을 대신해 국가의사 결정을 대신하면 국민을 위한 최고의 결정을 할 수도 있으나 최악의 실수를 할 가능성도 부정할 수 없습니다. 그러나 일반 국민 다수가 국가 의사를 결정한다면 지식인에 비해 더 좋은 결정을 할 가능성은 낮으나, 최악의 실수를 예방할 수 있습니다. 따라서 지식인이 결정하는 것에 비해 일반 국민이 국가 의사를 결정한다면 최악의 실수를 예방하여 사회의 발전을 안정적이고 장기적으로 달성할 수 있습니다. 따라서 지식인이 사회발전을 선도해야 한다는 주장은 타당하지 않습니다.

Q3. 모범답변

지식인은 사회에 나아갈 방향을 제시하는 역할을 해야 합니다. 지식인은 일반 국민을 대신해 사회 발전을 선도하기보다 일반 국민에게 사회 발전의 방향을 제시하는 역할을 해야 합니다.

지식인이 학문을 통해 알게 된 진리를 일반 국민에게 강요해서는 안 됩니다. 지식인의 지식도 보편적 진리라 할 수 없고, 지식인의 지식은 보편적 지식이 아니라 그 시대에 적합한 사상일 수밖에 없습니다. 다만, 지식인은 일반 국민에 비해 많은 공부를 하였기 때문에 그 시대와 앞으로 올 시대를 잘 예측할 수 있습니다. 지식인이 사회의 나아갈 방향을 자유롭게 제시하고 이 방향을 국민에게 제시하여 설득해야 합니다.

국가와 사회의 주인은 지식인이나 진리가 아니라 국민과 사회 구성원 그 자신입니다. 다양한 지식인이 사회의 발전 방향을 여러 방향에서 근거를 가지고 제시하고 주장할 때, 국민은 주권자로서 심사숙고해 우리 사회의 발전 방향을 결정해야 합니다. 지식인은 사회 발전의 방향을 제시하고 일반 국민을 설득하려 노력해야 하며, 지식인이 제시하는 삶의 방향과 사회 발전의 방향을 선택할지 여부는 온전히 국민의 선택에 맡겨져야 합니다.

이러한 지식인의 역할에 대한 사례로 공론화위원회의 전문위원을 들 수 있습니다. 공론화위원회는 특정한 사안에 대해 일반 국민이 직접 국가의사를 결정하는 제도입니다. 그러나 일반 국민이 특정사안에 대한 전문적 식견이 부족하여 잘못된 결정을 내릴 수 있기 때문에 공론화위원회에서 전문위원들이 해당사안에 대한 전문성을 발휘해 국민의 선택이 가져올 결과와 문제점 등을 제시하는 역할을 합니다. 이러한 전문위원들의 의견과 전문성을 바탕으로, 일반 국민인 공론화위원회 시민위원들은 자신의 결정이 가져올 결과와 책임을 예측하고 결정하게 됩니다.

037 개념 국민 참여 확대: 포퓰리즘

2024 중앙대·2020 원광대/중앙대·2019 경북대/중앙대/한국외대 기출

1. 기본 개념

(1) 직접 민주주의

직접 민주주의는 국민이 직접 국가의사를 결정하는 민주주의이다. 따라서 국민은 피치자(被治者)이면서도 치자(治者)가 되며, 이를 루소는 동일성 민주주의라 하였다. 국가기관은 국민의 대리인으로서 국민의 명령에 따라 국가의사를 결정해야 한다. 따라서 국민과 국가기관의 관계는 명령위임·기속위임 관계이다. 국민이 A라는 의사를 가지고 있다고 가정해보자. 직접 민주주의에서 의회는 국민의 의사에 기속되어 A라는 의사를 구체화할 수 있을 뿐이다. 따라서 국민은 국가의사를 결정하는 치자이다. 그러나 A라는 의사를 구체화시키는 법률이 제정되고, 국민투표로 법이 확정되면, 국민은 법률에 구속당한다. 따라서 국민은 치자이면서 피치자이다. 국민은 자기의사에 의해 지배를 받는다.

그러나 대의제 민주주의에서는 국민이 A라는 의사를 가졌다고 하더라도 대표기관은 국민의 의사에 기속당하지 않으므로 A가 아닌 B라는 국가의사가 결정될 수 있다. 이를 자유위임, 무기속위임이라 한다. 따라서 국민은 피치자일 뿐이다.

루소는 대의제 민주주의가 말하는 국민의 의사를 대변하는 대표에 대해, 주권자의 의사는 결코 대표될 수 없다고 한다. 대표자라는 개념은 인류의 품위를 훼손하고 인간이라는 말을 욕되게 만든 불공정하고 터무니없는 봉건 정부에서 유래한 것이라 한다.[81]

(2) 직접 민주주의의 장점

첫째, 국민은 합리적 의사결정을 할 수 있다. 집단지성론에 따르면 함께 사유하고 해결책을 찾아간다면 집단은 소수 전문가보다 탁월한 결정을 할 수 있다고 한다. 사이버 공간에서 다른 사람과 연계되어 실시간으로 의견을 교환하고, 상호의견을 조정한다면 인류의 지식역량을 총동원할 수 있기 때문에 타당한 지식을 형성할 수 있다. 최근 다국적 기업들도 디자인, 제품기능에 대한 대중의 다양한 의견을 수용하여 제품을 출시한다. 적절한 정보, 반대할 수 있는 분위기의 조성, 자유로운 의사교환 등이 보장되면 대중은 현명한 결정을 할 수 있다.

그러나 엘리트주의자들은, 일반 국민은 통치를 직접 하기에는 비이성적이고, 감정에 쉽게 휘말리고, 편견에 사로잡혀있고, 전문지식이 없다고 폄하한다. 소수 전문가들의 지식이 다수 국민의 지식보다 우월하므로 전문가에게 통치를 맡겨야 한다고 주장한다. 그러나 CIA, DIA(Defense Intelligence Agency) 등 엄청난 국가예산을 쓰는 정보기관들은 많은 전문가를 보유하고 있음에도 미국 당국은 9.11 테러를 예측할 수 없었다. 전문가라 하여 일반대중보다 더 나은 판단을 한다고 단언할 수 없다.

둘째, 국민의 책임의식을 고양시킬 수 있다. 사람은 자기운명을 스스로 결정할 권리가 있다. 자기가 스스로 결정했다면 자유에 대한 책임을 져야 한다. 그러나 자기가 스스로 결정하지 않은 결과에 대해 책임을 물어서는 안 된다. 국민이 직접 국가정책과정에 참여할 수 없다면 그 결과에 대해 책임을 지려는 의식을 갖기 힘들다. 대의제 민주주의는 필연적으로 국민의 책임의식, 참여의식 약화로 이어진다. 이로 인해 국민은 무책임한 주장을 한다든지, 인기영합적 정책에 찬성을 하기도 한다. 그러나 국민이 국가정책을 스스로 결정한다면 그 결과에 대한 책임을 져야 하므로 국민은 정책 결정에 신중할 수밖에 없다. 국민이 국가

81) 루소, <사회계약론>

의 주인으로서 책임감을 느끼고, 공동체 구성원으로서 자기를 계발해 나가려면 국민의 국가의사결정 참여는 필수적이다.

셋째, 국민의 정치적 소외감을 해소할 수 있다. 국가의사결정에 국민의 참여가 배제된다면 국민은 정치적으로 소외감을 느낄 수밖에 없다. 이러한 정치적 소외감으로 인해 제도 정치에 대한 불신이 커질 수 있다. 국민의 불신감 증대는 사회질서 혼란 등의 문제로 연결된다. 국민이 정책결정과정에 참여한다면 정치적 소외감을 털고 국민의식을 가질 수 있다.

넷째, 국민 참여는 전체주의를 야기하지 않는다. 20세기 초반 대중이 나치즘이나 파시즘에 열광한 적이 있고, 지금도 한나 아렌트[82]가 경고했듯이 전체주의의 위험이 없어진 것은 아니다. 그러나 그렇다고 하여 소수 엘리트에게 통치권을 전유시켜야 한다는 주장은 국민주권의 원리상 허용될 수 없다.

전체주의는 지도자가 정책발안권을 독점하고, 국민 간의 의사소통을 막은 채 지도자가 국민에게 일방적으로 자신의 견해만 주입했기 때문에 발생했다. 20세기 전체주의는 국민의 참여를 보장했기 때문이 아니라 국민의 참여를 보장하지 않았기 때문에 발생했다. 국민을 권력의 주체로 대하지 않고 오히려 자신의 권력 유지를 위한 조작의 대상으로 삼았기 때문이다. 예를 들어 파시즘하의 이탈리아, 나치즘하의 독일, 스탈린의 소련 등은 모두 언론과 집회, 표현의 자유를 억압하였다. 게슈타포나 KGB 등의 비밀경찰은 시민의 자유를 실질적으로 억눌렀고, 전체주의 정권은 선전부 등을 통해 시민의 여론을 조작하였다. 전체주의의 위험을 방지하려면 국민의 참여를 배제하기보다 국민이 참여할 수 있는 여건을 마련해야 한다. 국민 참여가 보장되려면 국민이 충분한 정보를 보유하고 있어서 대안을 채택했을 때 야기되는 결과를 예상할 수 있어야 한다. 또한 반대자에게도 반대하는 이유를 설명할 기회, 이를 전달할 기회가 보장되어야 한다. 만약 제시된 안이 만족스럽지 않은 경우 국민은 새로운 안을 제안할 권한을 가져야 한다. 지도자가 의제 제안권을 독점한다면 국민은 실질적인 선택의 기회를 가질 수 없기 때문이다. 이런 여건이 갖추어진다면 국민이 전체주의를 지지하는 함정에 빠지지 않을 것이다.

(3) 직접 민주주의의 단점

첫째, 대중조작과 독재의 가능성이 매우 크다. 플라톤은, 대중은 쉽게 조작당할 수 있다고 한다. 대중사회는 개인이 원자화된 사회이다. 개인은 불안에 사로잡혀 있다. 이 때문에 조작을 통해 쉽게 대중을 통제할 수 있다. 기계기술의 발달로 지배자가 각종 매스미디어를 이용하여 대중을 더 쉽게 조작할 수 있게 되었다. 지배자는 국민들이 스스로 결정한 것이라고 착각하도록 대중을 조작한다. 조작된 동의는 지배자가 국민을 강제하는 것보다 권력의 부담을 줄여준다. 국민이 직접 국가의사를 결정한다는 미명 아래, 정치 지배자는 국민투표를 통해 정책을 결정하고 국민 소환제를 통해 반대세력을 파면할 수 있다. 대중 조작에 성공한 정치 지배자는 국민의 지지를 받았다는 이유로 제왕적 권력을 행사할 수 있다. 직접 민주주의는 합의에 의한 지배를 가장한 독재체제로 이어지기 쉽다. 인간은 문예부흥, 종교개혁, 프랑스혁명을 통해 신(神)이나 군주와 같은 권위체로부터 자유를 얻었다. 그러나 구속으로부터는 자유를 얻었으나 무엇을 해야 할지, 무엇을 어떻게 해야 할지에 대해서 인간은 갈피를 잡지 못하고 있다. 이로 인해 인간은 불안에 빠져 삶의 목적과 방향을 결정해 줄 권위체를 찾는다. 어떤 권위자가 국민들에게 확실한 목적과 수단을 제시하면, 국민들은 권위자에게 복종한다. 에리히 프롬은 <자유로부터의 도피>에서 속박에서 풀려나 자유를 얻은 인간은 오히려 자유라는 무거운 짐으로부터 도피를 원한다고 한다. 왜냐하면 자유에는 반드시 책임이 따르기 때문에 책임으로부터 회피하고자 하는 인간은 오히려 자유를 버려 책임을 지지 않으려 하기 때문이다. 따라서 대중은 강력한 권위(국가, 정치지도자 등)에 종속함으로써 자유라는 무거운 짐으로부터 벗어나려 한다. 또한 타자

82)
한나 아렌트(Hanna Arendt, 1906~1975): 독일 태생의 유대인 철학사상가이며 나치를 피해 미국으로 이주하였다. 1, 2차 세계대전 등 세계사적 사건을 두루 겪으며 전체주의에 대해 통렬히 비판했다. 아렌트는 스승 하이데거의 현상학적 실존주의를 정치이론에 적용하여 현대사회에서 방향성을 잃은 군중들의 '세계 상실'을 이야기하였다. 파시즘과 스탈린주의 등 '전체주의'에 대한 그녀의 분석은 오늘날까지 인정받고 있으며 '악의 진부성'이란 개념은 나치스의 인종주의적 대학살의 성격을 정확하게 설명하였다는 평가를 받고 있다. 저서로는 <폭력의 세기>, <예루살렘의 아이히만: 악의 진부성에 대한 보고>, <전체주의의 기원>, <인간의 조건> 등이 있다.

와의 맹목적인 동조를 통해 고독감과 불안을 회피하려고 한다. 이런 상황에서 파시즘과 나치즘이 등장했다고 한다. 한나 아렌트(Hannah Arendt)는, 대중이 삶의 지향점을 잃어버렸다고 한다. 대중은 자기보존본능마저 잃어버리고 자신의 죽음에 대해서조차 무관심한 상태이다. 선동가들은 이들에게 민족적 사명감 등을 불러일으키고, 정체감을 부여함으로써 대중을 쉽게 동원할 수 있다. 국민을 이러한 대중으로 본다면 국민이 직접 국가의사결정을 하는 것은 타당하지 않다.

둘째, 일반 국민은 전문가가 아니기 때문에 국정에 직접 참여해서는 안 된다. 막스 베버(Max Weber)는, 근대사회의 규모나 복잡성을 감안할 때 대중의 정치참여는 비효율적이라고 한다. 대중이 직접 정책결정에 참여하기보다는 유능한 자와 무능한 자를 골라내어 유능한 자를 교육시켜 유능한 소수가 통치를 담당해야 한다고 한다.[83)]

셋째, 집단이기주의로 인해 소수 이익집단의 이익을 위해 국민 전체의 이익이 저해될 것이다. 국민의 참여는 국민 전체의 이익에 도움이 되기보다는 이익집단의 이익으로 이어질 수 있다. 사적 이익을 위한 결합된 집단들이 국가정책결정에 참여함으로써 국민의 이익을 해할 수 있다. 예를 들어, 장애인 시설의 건설 여부를 주민의 참여로 결정하는 상황이라면 아파트값이 떨어질 것을 두려워한 해당지역 주민들은 장애인 시설을 반대할 것이다. 따라서 국민 전체 이익에 반하는 결정으로 이어질 수 있다. 또 다른 예로, 쓰레기 소각장과 같이 국민 전체를 위한 시설이지만, 지역 주민이 혐오시설이라 반대하여 설치되지 않아 국가비용만 높아질 수 있다. 이에 더해 국민의 정책참여는 이익집단 간의 충돌로 인해 사회갈등을 키울 수 있다.

넷째, 국가 발전을 저해할 것이다. 국민의 정책결정 참여는 다수 국민의 참여를 위해 소요되는 시간이 길어져 정책결정의 적시를 놓쳐 비용을 증가시킬 수 있다. 빠르게 변화하는 사회에서 시급하게 결정해야 할 사안들이 늘어나고 있다. 국민의 참여는 정책결정시기를 늦어지게 한다. 시기를 놓치면 비용이 많이 들고, 정책의 효과도 떨어진다. 그 결과 국가 발전이 저해된다.

다섯째, 무책임한 정책 결정으로 인해 공익이 저해될 것이다. 대의제 민주주의하에서 대표자는 선거 등을 통해 국민에게 책임을 진다. 다음 선거 등을 고려한다면 대표자는 신중한 의사결정을 할 수밖에 없다. 국민의 정책결정은 시민단체나 이익단체 등의 활동으로 반영되는 경우가 많다. 그런데 시민단체나 이익집단의 참여로 정책을 결정했는데 공익에 해가 발생했다고 가정해 보자. 국민이 시민단체 구성원이나 이익집단에 대해서 책임을 추궁할 수 있는 방법이 없다. 따라서 책임지지 않는 시민단체 등은 무책임한 정책을 주장할 수 있다.

2. 읽기 자료

2007헌마1001[84)]

포퓰리즘과 헌법[85)]

83) 슘페터(Schumpeter)는 효율성의 관점에서 대중의 정치참여에 대해 소극적이다. 다만 국민은 선거 주기마다 경쟁하는 엘리트를 선택하고 응징할 수 있다. 그러나 유권자는 통치를 할 엘리트를 선택할 수는 있으나 엘리트에 의한 통치를 변화시킬 수 없다.

84)

2007헌마1001

85)

포퓰리즘과 헌법

037 문제 국민의 참여 확대: 포퓰리즘

답변 준비 시간 20분 | 답변 시간 20분

※ 다음 제시문을 읽고, 문제에 답하시오.

근대 민주주의가 이룩한 가장 빛나는 제도적 혁신은 대의제 민주주의였다. 그것은 기본적으로 선거라는 수단을 통해 시민들의 집단적 의사를 확인하고 그 집단적 의사를 시민들의 대표를 통해서 실현하려는 것이었다. 대의제 민주주의하에서도 시민들은 지배를 하지만(the rule of people), 그들은 자신의 대표를 통해서 간접적으로 지배하는 것이다.

그런데 이러한 대의제 민주주의가 실현될 수 있는가에 관한 의문이 제기된다.

첫째, 대의제 민주주의는 '대표의 실패' 문제를 극복하지 못하고 있다. 대의제 민주주의하에서 민주적으로 선출된 대표가 시민의 완벽한 대리인으로 행동하지 않고 자신의 사익을 추구할 가능성은 항상 존재하나, 선거는 주인인 시민과의 약속을 위반한 대표들을 처벌하기에는 미흡한 장치라는 것이 드러나고 있다.

많은 경우 선거는 정책의 선택이 아니고 인물 또는 정당의 선택이며, 설사 인물, 또는 정당의 선택이 특정 정책의 선택으로 연결된다는 것을 인정한다 하더라도 다음번 선거에서 시민들은 특정한 정책들을 개별적으로 평가해서 처벌과 보상을 내릴 수 없다. 선거를 통해 시민들은 정부가 수행한 전체 정책패키지에 대해서 심판을 내릴 수 있을 뿐이다. 또한, 실적과 과실에 대한 책임의 소재지가 불분명할 때 시민들은 선거를 통한 회고적 책임성을 확보하기가 어렵다. 연립 정부 하에서, 대통령과 의회가 다른 정당에 의해 장악되어 있을 때, 시민들은 책임의 소재지를 확인하는 데 어려움을 겪게 된다. 이 밖에도 정치인 또는 정당이 경쟁하지 않을 때, 정권교체의 가능성이 희박할 때, 정치인들이 재선을 추구하지 않거나 연임을 제한하는 제도적 장치에 의해 재선의 추구가 제한될 때 시민들이 현직의 정치인 또는 정당을 다음번 선거에서 심판함으로써 책임성을 확보하는 것은 힘들게 된다.

둘째, 대의제 민주주의하에서 주인인 시민과 대리인인 대표 간 거리는 좁혀지지 않고 확장되는 경향이 있다. 대의제 민주주의는 슘페터적인 엘리트 민주주의의 개념을 내포하고 있다. 대의제 민주주의는 정치인(대표)과 시민 간의 분업을 전제로 한다. 이러한 정치적 분업이 시민들의 정치적 소외감, 정치적 무관심, 냉소주의를 강화하고 있다. 시민들은 정치가 정치전문가(정치인, 선거운동가, 로비스트, 언론인, 여론조사전문가 등)의 영역이라고 생각하면서 정치는 자신과 상관없는 원거리에 있는 영역으로 간주한다. 그 결과 시민과 대표들 간의 거리는 더욱 넓어지고, 정치전문가들이 주권자인 시민을 대체하는 기술 관료적 민주주의가 강화된다.

셋째, 대의제 민주주의하에서 강력하게 조직되고 발언권이 강한 특수 이익집단이 민주적 토론 과정을 지배할 가능성이 크다. 이 경우 대표들은 시민들의 이익을 극대화하려 하기보다는 특수 이익집단의 이익을 극대화하려 할 것이다. 대의제 민주주의하에서 이러한 특수이익의 지배를 제어하고 시민공동체의 이익을 추구하도록 압력을 가할 수 있는 공론의 형성 장치는 미흡하다. 여론조사와 언론이 이를 대신하나 여론조사는 변덕스럽고 불완전한 정보를 제공하고 있으며, 많은 경우 언론은 공론의 형성자라기보다는 이익집단의 대변인이다.

마지막으로, 대의제 민주주의는 일반적으로 다수결주의에 의거하여 집단의 의사를 결정한다. 그런데 다수결주의는 소수파의 다수파에 대한 순응을 강제한다. 다수결주의는 기존의 여론조사, 국민투표와 같은 국민투표제적 민주주의에 의해 강화되고 이는 '다수의 독재'를 심화시키고, 소수파의 배제를 초래한다. 소수파의 의사가 공동체의 의사형성에서 경청될 수 있는 공간이 존재하지 않을 때 민주적 공동체는 심각한 해체의 위기에 직면한다.

Q1. 국가정책 결정에 국민이 적극적으로 참여하는 것이 타당한지 여부에 대해 자신의 견해를 정하고 논거를 들어 논증하시오.

Q2. 국가정책에 대한 국민의 참여 확대는 많은 문제점을 안고 있다. 특히 당시에는 획기적이라 평가될 만큼 국민의 참여 확대를 시도한 독일 바이마르 헌법 체제의 결과로 나치와 히틀러가 출현하여 전체주의가 발흥한 사례가 있다.
국민 참여 확대는 민주주의의 확대가 아니라 오히려 전체주의로 이어질 수 있다는 주장에 대해 어떻게 생각하는가?

Q3. 최근 인터넷을 이용한 국민의 정책정보 수집과 의사 형성이 활발하게 이루어지고 있다. 인터넷이 민주주의에 미치는 좋은 영향과 악영향을 제시하시오.

Q4. 민주주의는 국민의 의사를 국정에 반영하는 체제이다. 그러나 모든 국민의 의사를 확인한다는 것은 현실적으로 불가능하다는 점에서 대의제 민주주의가 도입되었다. 대의제는 국민이 자신의 의사를 추정할 수 있는 대표를 선출해 자신의 의사를 대변하도록 한 것이다. 그런데 정보통신기술이 발달하면서 국민의 의사를 대의기관이라는 매개체를 통하지 않고 직접 반영할 수 있다는 기대가 커지고 있다. 인터넷이나 SNS 등을 활용한 인터넷 정치를 참여 민주주의라고 볼 것인지, 포퓰리즘으로 보아야 하는지 자신의 견해를 논리적으로 제시하시오.

추가질문

Q5. 단지 참여의 기회가 많아졌다고 해서 민주주의가 실현된다는 뜻은 아니다. 많은 학자들이 인터넷 정치로 인한 포퓰리즘의 문제를 제기하고 있다. 그러나 민주주의가 확대되어야 하는 것 또한 인정하고 있다.
이에 대한 자신의 견해를 논하시오. 그리고 국민의 참여 확대로 인해 예상되는 포퓰리즘을 해결할 방안을 제시하시오.

Q6. 인터넷의 이용 확대를 통해, 현재의 대의제 민주주의를 직접 민주주의로 대체할 수 있는지 자신의 견해를 논하시오.

Q7. 스마트폰이 널리 보급되면서 SNS를 통한 민주주의 가능성이 제기되고 있다. 민주주의는 국가의 주인인 국민이 자신의 정치적 의사를 결정하기 위한 정보를 습득할 수 있어야 한다. 인터넷과 스마트폰은 국민이 이러한 정보를 습득하는 데 유용한 도구가 된다. 또한 SNS는 국민 개개인이 자신의 정치적 의사를 표현할 수 있도록 한다. 그러나 스마트폰 사용이 일반화되면서 SNS로 인한 문제점도 함께 발생하고 있다. SNS를 통한 국민 참여 확대의 장점과 단점은 무엇인가?

Q8. 포털사이트에서 영향력이 큰 블로그를 운영하는 파워블로거나 수십만 명의 팔로워를 둔 SNS 사용자, 유튜브에서 활동하는 1인 방송 진행자들을 통칭하여 인플루언서(Influencer)라고 한다. 인플루언서의 시초는 대중에게 널리 알려진 연예인이나 유명 정치인이라 할 수 있다. 인플루언서가 SNS 등 자신의 소통채널을 활용하여 정치적 발언을 하는 것의 장점과 단점은 무엇인가?

Q9. 소셜테이너[86] 혹은 인플루언서의 SNS를 활용한 정치적 발언을 규제하는 것에 대한 자신의 견해를 논리적으로 제시하고, 자신의 입장이 가져올 문제점과 그 해결방안을 논하시오.

86)
소셜테이너: 소셜(Social, 사회)과 엔터테이너(Entertainer, 연예인)의 합성어로, '사회적 발언을 하는 연예인'을 의미한다. 일반적인 연예인들이 대중 앞에서 자신의 개인적 성향·사상에 대한 발언을 자제했던 것에 비해, 소셜테이너로 불리는 연예인들은 사회의 여러 현안에 대해 직접 목소리를 내고 사회활동에 적극 참여하는 등의 활동을 병행한다. 이와 비슷하게 폴리테이너(Politainer)라는 개념이 존재한다. 폴리테이너란 폴리틱(Politics, 정치)과 엔터테이너의 합성어로, 미국의 정치학자 데이비드 슐츠(David Schultz)가 1999년 발표한 논문에서 처음 사용한 용어이다. 본래는 연예인 출신의 정치인을 의미하였으나, 최근에는 개념의 범위를 넓혀 정치인이 연예오락 프로그램에 출연하거나 정치적 소신을 가지고 특정 정당·정치인을 지지하는 정치적 행위를 하는 연예인을 의미한다.

037 해설 국민의 참여 확대: 포퓰리즘

Q1. 모범답변

국민의 국가정책 결정 참여는 타당합니다. 국민주권을 실현하고, 국가 발전을 도모할 수 있고, 민주주의의 장기적 발전을 가능하게 하기 때문입니다.

국민은 국가의 주인으로서 자기에게 영향을 미치는 국가정책 결정에 참여해야 합니다. 주인은 자유를 행사하고 그에 대해 책임을 지는 존재입니다. 대표자가 국민을 배제한 채 국가의사를 결정하는 자유를 행사하고 국민은 이에 복종하는 책임만을 진다면 국민은 국가의 주권자라 할 수 없습니다. 국민이 정책 결정에서 배제되는 한 국민은 책임의식을 가질 수 없고, 통치의 관객으로 머무를 수밖에 없습니다. 국민이 국가정책 결정에 참여할 수 있을 때 국민이 직접 자기의사를 국가의사에 반영하고 그에 따라 지배받아 자기지배의 원리를 실현할 수 있습니다.

국가 이익을 제고하기 위해 국민의 정책 결정 참여를 확대해야 합니다. 국가 이익을 제고하기 위해 정책의 효과는 높이고 정책 비용은 낮춰 정책 효율성을 제고해야 합니다. 물론 대표기관의 결정은 정책 결정 비용을 낮출 수 있습니다. 그러나 정책 결정 비용이 낮다고 하더라도 정책 집행 비용이 높다면 정책 효율성이 낮을 수밖에 없습니다. 국민을 배제한 대표기관의 의사결정은 국민의 지지를 이끌어내기 어렵습니다. 국민의 지지를 받지 못한 정책은 추진력을 잃기 때문에 결국 정책 비용을 증가시킵니다. 국민이 정책 결정과정에 참여한다면 정책 의의와 필요성을 인식하고 있어 정책 비용을 낮출 수 있습니다. 따라서 정책 효율성을 높일 수 있어 국가 발전에 도움이 됩니다.

장기적 민주주의 발전을 위해 국민의 국가정책 결정 참여가 필요합니다. 자신과 관련된 문제에 직접 참여함으로써 인간은 신중해지고, 그 결과에 책임지는 성숙한 공동체 구성원이 될 수 있습니다. 만약 국민의 참여가 배제된다면, 국민으로부터 실수할 기회, 반성할 기회, 과거의 틀에서 깨어나 발전할 기회를 영원히 빼앗는 결과를 초래합니다. 국민이 통치에 주인으로서 직접 참여할 때 국민은 국가정책안을 신중히 검토하는 자세와 그것을 과감하게 단행하는 능력을 배우게 될 것입니다. 이러한 민주적 학습을 통해 국민은 성숙한 주권자로서 성장할 수 있습니다.

Q2. 모범답변

국민 참여의 확대가 전체주의로 이어진다고 생각하지 않습니다. 20세기 독일 국민이 보여준 나치에 대한 적극적 지지를 거론하면서 국민의 참여에 반대하는 반론이 제기됩니다. 그러나 국민의 참여란 국민이 발안(發案)하고, 충분한 정보를 가지고 토론하고, 반대의사를 자유롭게 표명하고, 이를 전달할 기회를 가지고, 그런 후에 국가의사를 결정하는 것을 의미합니다. 나치의 발흥과정에서 이런 국민의 참여과정이 보장되지 않았습니다. 오히려 괴벨스의 여론 선동과 비밀경찰의 탄압 등과 같이 국민의 진정한 참여가 배제되었기 때문에 전체주의가 흥할 수 있었습니다. 이런 관점에서 본다면, 국민 참여의 과잉이 아니라 국민 참여의 부족이 전체주의의 발생원인입니다. 따라서 국민 참여의 확대가 전체주의로 이어졌다기보다 국민 참여의 결여로 인해 전체주의가 발생한 것이라 보아야 하기 때문에 이 주장은 타당하지 않습니다.

Q3. 모범답변

좋은 영향으로는 국민의 정보접근성이 높아지고, 민주적 의사결정에 기여할 수 있다는 점을 들 수 있습니다. 악영향으로는 허위정보 유포로 인한 사회혼란과 정보 불균형 문제가 심각해질 수 있다는 점을 들 수 있습니다.

인터넷을 통해 국민이 국가정책과 관련된 정보를 신속하게 획득할 수 있습니다. 많은 국민들이 평등하게 정보에 접근할 수 있기 때문에 엘리트들이 정보를 독점하는 시대가 끝나고 있습니다. 또한 인터넷을 통해 국민들이 쉽게 의사소통을 하여 피드백을 통한 의사결정을 신속하게 할 수 있습니다. 시민들은 인터넷을 통해 얻은 정보와 의사소통을 기반으로 국가와 경제 권력을 통제할 수 있습니다. 인터넷은 국민이 국가의사에 참여할 수 있는 인프라를 제공했다는 긍정적 측면이 있습니다.

인터넷을 통한 정보 확산은 적은 비용으로 빠르게 정보가 확산될 수 있다는 장점이 있으나, 정보 생산의 주체를 알기 어렵다는 단점이 있습니다. 가짜뉴스 등의 진위를 확인할 수 없는 정보가 생산되고 이것이 확증편향 등의 합리적이지 않은 판단과 결합되어 문제를 키우게 될 수 있습니다. 게다가 고급정보는 접근하기에 여전히 많은 비용이 들기 때문에 일반대중이 접근하기 어렵습니다. 이런 정보의 불균등은 쉽게 없어지지 않습니다. 이러한 허위정보와 정보 불균형으로 국민의 의사 참여는 국가 혼란과 비효율성을 낳을 수 있습니다.

Q4. 모범답변

인터넷 정치를 참여 민주주의로 보는 것이 타당합니다. 국민주권을 실현할 수 있기 때문입니다. 국민은 국가의 주권자로서 자신이 스스로 국가정책을 결정하고 그에 대한 책임을 지게 됩니다. 그런데 현실적 문제로 시행하고 있는 대의제는 주권자인 국민의 자유와 책임을 분리시켰습니다. 국회의원이나 대통령 등 대표가 국가정책을 결정하고 그 책임은 국민이 지는 것입니다. 결국 국민은 자유는 없으면서 책임만 지는 존재로 전락했다고 할 수 있습니다. 이로 인해 국민은 정치적 소외감, 무관심, 무력감을 겪게 되었습니다. 인터넷, SNS 등의 정보통신기술이 발달하여 국민이 자신의 의사를 적은 비용으로 표출하는 것이 가능하게 되었습니다. 국민의 의사가 국가의사결정에 반영된다면, 국민은 정치적 소외감과 무관심에서 벗어나 적극적 정치과정에 참여하려 할 것입니다. 따라서 인터넷 정치는 참여 민주주의 실현에 기여할 수 있습니다.

Q5. 모범답변

포퓰리즘의 문제가 발생할 수 있는 것은 사실이나, 이 문제를 막기 위해 국민의 참여를 줄여야 하는 것은 아닙니다. 정보통신기술의 발달로 인해 인터넷 정치가 현실화되면서 익명성에 의한 사이버 테러, 즉흥적인 의사표현, 정보격차로 인한 정치 과정의 분극화, 포퓰리즘적 의사결정으로 인터넷 정치가 포퓰리즘으로 흐를 수 있다는 반론이 제기될 수 있습니다. 이는 국민 일반이 합리적 이성을 갖추지 못해 대화와 토론을 이끌어 갈 수 없다는, 국민 불신에 기초하고 있습니다. 불완전한 시민들이 국가 의사결정에 참여한다면 인신공격, 허위정보 유포 등의 문제가 발생할 수 있습니다. 그러나 민주주의가 출발부터 성숙한 시민을 전제로 한다면 민주주의를 향한 여정은 시작될 수 없습니다. 전체주의는 지도자의 지시를 따라야 하므로 조용하나, 민주주의는 서로 다른 가치관을 가진 자들이 자신의 생각을 밝히고, 경쟁하고, 대화하다 보니 시끄러울 수밖에 없습니다. 그러나 참여할 기회를 가질수록 시민도 의사를 표현하고, 경청하고, 토론하고, 생산성 있는 결론을 도출하는 능력을 배우게 될 것입니다. 정보통신기술의 발달은 물리적으로 불가능한 공론의 장을 가상공간에서 구현하여 대규모 시민들의 공론의 장을 만들어낼 수 있습니다. 이를 통해 이른바 민주적 학습이 실현되어 직접 민주주의의 이상에 가깝게 갈 수 있을 것입니다. 따라서 민주주의 과정에서의 부작용을 두려워 해, 국민의 참여를 배제해서는 안 됩니다.

포퓰리즘의 우려를 해결하기 위해 참여기회 보장과 정보격차 해소, 시민의식 함양을 위한 대안이 필요합니다.

먼저, 전 국민에게 인터넷 정치의 참여 기회를 보장해야 합니다. 그동안 국민의 참여를 국정 운영에 받아들일 수 없었던 큰 이유가 물리적 거리로 인한 비용 문제였습니다. 정보통신기술의 발달로 인해 거리상의 문제를 해결할 수 있는 것은 사실입니다. 그러나 정보통신망의 구축에는 비용이 많이 들기 때문에 농촌이나 오지 등 인구가 적은 지역은 여전히 설치비용의 문제로 거리상의 문제가 발생할 것이고 오히려 참여 기회가 더 제한될 수도 있습니다. 따라서 전 국민에게 참여 기회를 보장하기 위해 국가가 농어촌 지역 등에 정보통신망을 구축해야 합니다. 그래야 모든 국민에게 정보통신기술을 활용한 민주적 참여 기회가 보장됩니다.

정보격차를 해소하기 위해 국가정책을 시행해야 합니다. 정보격차는 정보화 사회에서 정보통신망의 사용, 정보이용 요금 등으로 소득에 따라 얻을 수 있는 정보의 양과 질이 달라져 소득의 격차가 정보의 격차로 이어진다는 것입니다. 이는 결국 사회갈등의 증대로 이어질 수 있습니다. 따라서 국가는 정보통신기술 사용 기회를 보장하기 위해 저소득층에 대한 정보통신기술 사용 보조를 해야 합니다. 저소득층에 대한 보편적 정보통신기기 지급, 정보통신기술 활용 교육 등이 필요합니다.

시민의식 함양을 위한 시민윤리교육이 필요합니다. 인터넷상의 공론장은 익명성으로 인한 즉자적 반응, 유언비어의 유포, 인신공격성 발언 등의 문제가 발생할 수 있습니다. 교육과정 중에 인터넷 예절 교육을 강화하고 자정(自淨) 캠페인 등을 활성화해야 합니다. 이를 통해 국민의 참여 확대가 포퓰리즘으로 이어지는 것을 막을 수 있습니다.

Q6. 모범답변

현재 상황에서 인터넷을 통해 대의제를 직접 민주주의로 대체할 수는 없다고 생각합니다. 다만, 인터넷을 통해 대의제 민주주의의 단점을 보완하고 장기적으로 민주적 학습을 할 수 있어 직접 민주주의로 나아가는 데 도움이 될 것이라 생각합니다.

국민의 여론은 국가정책의 기본방향을 설정하는 데 도움이 되나, 국민여론으로 직접 국가의사를 결정하는데 한계가 있습니다. 만약 국민여론대로 국가정책을 결정한다면 국가발전에 역행하는 결과가 초래될 것입니다. 예를 들어, 군사정책의 경우 국민이 안보정책의 기본방향을 결정할 수는 있으나 무기체계 개발이나 구성, 군사전략이나 전술 등 구체적인 실천방법까지 결정할 수는 없습니다. 인터넷의 등장으로 국민의 정책에 대한 여론 수렴 등이 손쉬워졌습니다. 그러나 여전히 다원화된 사회에서 국민여론만으로 직접 국가의사를 결정하는 것은 한계가 있으므로, 인터넷은 직접 민주주의보다는 국가의사결정과정에서 국민의 의견을 표출하고 국가권력을 통제하는 데 유용합니다.

단, 인터넷을 활용한 국민의 정치 참여를 확대하는 시도를 꾸준히 해야 합니다. 현재 상황에서 국민의 국가의사결정에 한계가 있다고 하여 미래에도 불가능한 것은 아닙니다. 인터넷을 통해, 정부의 정책을 설명하고 그 결과를 공개하고 이에 대한 국민의 평가를 누적시켜나갈 필요가 있습니다. 지속적인 민주적 학습과정을 통해 국민의 국정 참여가 확대되어야 합니다.

Q7. 모범답변

SNS는 표현의 자유를 크게 신장시킬 수 있다는 장점이 있습니다. 개인의 의견을 타인에게 자유롭게 표출하고 다른 사용자와 손쉽게 의사소통을 할 수 있어 대화와 소통의 기회가 증대됩니다. 민주주의는 다양한 개인의 생각을 각자의 심사숙고한 가치관의 결과로 존중하고, 그 생각이 자신의 생각과 다르다고 하여 무시하거나 비방하지 않고 다른 견해로 받아들여, 다양한 의견이 표출되고 정제되고 발전해나가는 것입니다. SNS는 이러한 민주적 의사소통과정에 드는 비용을 획기적으로 낮추어 대화와 소통의 장(場)이 될 수 있습니다. 또한 허위정보가 나타난다고 하더라도 특유의 확산성으로 인해 자정작용(自淨作用)이 일어나 허위정보와 그렇지 않은 정보가 정제되는 효과가 있습니다.

SNS의 문제점으로 허위사실의 무분별한 확산을 들 수 있습니다. SNS는 정보를 생성하고 확산시키기 쉬워 정제되지 않은 부정확한 정보가 무차별적으로 퍼질 수 있습니다. 스마트폰을 기반으로 하는 SNS 사용자는 신중하게 생각하여 발언하는 것이 아니라 즉자적으로 발언하는 경향이 큽니다. 이처럼 무책임한 발언으로 인해 허위사실이나 타인의 권리를 침해하는 표현이 널리 퍼지게 됩니다. 특히 전자정보는 복제가 쉽고 널리 확산되어 한번 생성되면 100% 삭제가 어렵습니다. 이로 인해 무고한 개인의 자유와 권리가 회복 불가능한 수준으로 침해될 우려가 큽니다. SNS는 이러한 비가역적 피해를 발생시킬 수 있다는 점에서 그 문제점이 큽니다.

Q8. 모범답변

국민의 정치적 관심을 이끌어낼 수 있다는 장점이 있습니다. 민주주의는 여러 사회적 쟁점에 대한 국민적 관심을 전제로 유지됩니다. 최근 투표율이 지속적으로 낮아지고 있는 등, 민주주의의 전제가 위협받고 있습니다. 이러한 측면에서 대중적 관심을 받고 있는 연예인이나 정치인들, 인플루언서가 정치적 발언을 함으로써 국민들의 정치적 관심을 불러일으키는 데 기여할 수 있습니다.

그러나 국민의 정치적 의사가 왜곡될 우려가 있다는 문제점이 있습니다. 민주주의가 유지·발전되기 위해서는 국민의 정치적 의사가 왜곡되지 않고 온전히 반영되어야만 합니다. 그러나 연예인이나 정치인 등이 발언할 경우 정치적 의사가 정립되지 않은 많은 이들에게 영향을 미치게 되고 이들의 정치적 의사가 쏠림현상을 일으켜 왜곡될 수 있습니다. 개인이 스스로 자신의 가치관에 따라 결정하기보다 인플루언서의 영향에 의해 가치관이 흔들리거나 정치적 의사가 왜곡될 수 있다는 단점이 있습니다.

Q9. 모범답변

소셜테이너의 정치적 발언을 규제해서는 안 됩니다. 민주주의는 다양한 의견이 자유롭게 표현되고 검증되고 논의되면서 발전합니다. 최근의 정치 현실을 볼 때, 국민의 정치적 관심사를 이끌어내고 이를 공론화하는 것이 중요합니다. 소셜테이너의 정치적 발언은 이를 실현하는 데 기여한다는 점에서 규제되어서는 안 됩니다. 소셜테이너의 정치적 발언이 규제된다면 점차 이러한 규제가 확장되어 여러 사회적 이슈가 국민적 관심사로 주목받을 수 없게 될 것입니다. 국민이 올바른 정치적 견해를 가지려면 먼저 이슈에 대한 관심을 불러일으키는 것이 그 전제가 됩니다.

그러나 소셜테이너의 발언이 가짜뉴스이거나 혐오표현일 경우가 문제가 될 수 있습니다. 국민의 정치적 의사표현의 자유를 인정하는 목적은 민주주의의 실현과 개인의 자유·권리의 안정적 보장입니다. 가짜뉴스와 혐오표현은 이 목적을 훼손하므로 해결방안이 필요합니다.

그 해결방안으로서 법적 처벌의 강화와 시장의 자율 규제, 인터넷 사용 교육과 캠페인 강화를 제시할 수 있습니다.

첫째로, 법적 처벌의 강화가 필요합니다. 가짜뉴스나 악성댓글은 개인의 표현의 자유를 실현하는 것으로서 인정될 수 있습니다. 그러나 개인의 자유는 타인의 자유에 직접적 해악을 주지 않는 경우에 한하여 인정될 수 있습니다. 가짜뉴스와 악성댓글로 인해 타인의 인격권에 대한 심각한 위해를 미친 경우 이에 대한 처벌을 강화해야 합니다.

둘째로, 시장의 자율 규제가 필요합니다. 가짜뉴스나 악성댓글에 대한 시장 참여자들의 자율규제를 통해 인터넷의 확산성으로 인한 비가역적 피해를 막아야 합니다. 예를 들어, 유튜브는 가짜뉴스나 혐오표현을 드러내는 등의 방송채널에 대한 광고수익 지급을 거부하고 있습니다. 유튜브의 자율규제는 가짜뉴스나 악성댓글 자체를 막을 수는 없더라도 그것이 재생산되거나 널리 확산되는 것을 예방할 수 있습니다. 또한 방송채널 운영자는 이윤을 목적으로 하기 때문에 인터넷의 역기능을 자극하여 이윤을 얻을 수 없음을 예측한다면, 이러한 운영 방향 자체를 포기할 것이어서 문제 발생을 예방할 수 있습니다.

마지막으로, 인터넷 사용 교육과 캠페인 강화가 필요합니다. 학생들에 대한 인터넷 사용 교육을 강화해야 합니다. 인터넷 사용 교육을 통해 인터넷 사용자들이 자발적으로 가짜뉴스나 악성댓글의 행위를 하지 않도록 해야 합니다. 또한 캠페인을 활성화하여 인터넷상에서의 자신의 발언이 타인에게 큰 피해를 끼칠 수 있음을 인지하고 자발적으로 행동을 교정할 수 있도록 시민의식을 강화해야 합니다.

038 개념 국민 참여 확대: 공론화위원회

2021 부산대·2020 부산대·2019 전남대/충남대 기출

1. 기본 개념

(1) 대의제에 직접 민주주의 요소의 도입

국민소환제란 국민이 뽑은 대표자가 국민의 뜻을 제대로 반영하지 못할 때 국민이 이들 대표자를 임기 만료 전이라도 소환, 즉 파면할 수 있는 제도를 말한다. 이는 국민투표제, 국민발안제와 함께 대의민주주의를 보완하는 제도로 꼽힌다. 이 중 국민발안제는 국민이 직접 헌법 개정안이나 법률안을 제출할 수 있는 제도로 우리나라에서는 한때 실시된 적이 있으나 제7차 개헌 때 삭제되었다. 국민소환제는 국민파면, 국민해직으로도 불리며 고대 그리스의 도편추방제를 그 연원으로 삼는 것이 일반적이다.

국민소환제와 유사한 제도에는 주민소환제가 있다. 주민소환제는 주민에 의해 지방공직자를 불신임할 수 있는 제도다. 그 대상에는 지방자치단체의 장, 의원 그리고 공무원이 포함된다. 따라서 그 범위가 지방자치단체로 한정되어 있다는 점을 제외하고는 국민소환제와 동일한 목적성을 지니고 있다. 탄핵심판제도의 경우, 대통령을 비롯한 고위공직자의 비위(非違) 사실에 대하여 대의기관인 의회의 소추로 파면할 수 있다는 것을 본질로 하고 있다는 점에서 국민소환제도와 추구하는 목적에 있어서 일치한다. 하지만 그 실현 방법에 있어서 국민의 대의기관인 의회가 하느냐, 국민이 직접 책임을 추궁하느냐는 점에서 차이가 있다.

(2) 루소의 직접 민주주의의 조건

루소는 직접 민주주의를 주장하였으나, 현실적 조건을 무시한 것은 아니다. 다음은 루소가 <사회계약론>에서 제시한 직접 민주주의가 실현되기 위한 네 가지 조건이다.[87)]

① 국가가 작아 인민을 쉽게 모을 수 있고, 시민들이 서로를 알 수 있어야 한다.

② 단순한 관습에 의해 많은 사무나 성가신 논의를 생략할 수 있어야 한다.

③ 인민들이 지위와 재산에 있어서 대체로 평등해야 한다.

④ 시민의 풍속이 검소해야 한다. 시민들이 사치에 빠져서는 안 된다. 사치는 부자를 재산으로, 가난한 사람을 물욕으로 부패시켜서, 조국을 허영심에 팔아넘기도록 한다.

현대에 들어서 시민의 교육 수준 향상, 경제적 성장, 정보통신기술의 발달 등으로 인해 루소의 직접 민주주의의 실현 조건이 충족되고 있다. 이러한 상황에서 간접 민주주의의 문제점들이 커지고 있어 이제는 시민이 직접 의사결정에 참여할 때라는 주장이 힘을 얻고 있다.

87) 루소, <사회계약론>, 제3편 제4장

2. 쟁점과 논거: 국민의 과학기술정책 직접 결정 찬반론

찬성론: 국민주권	반대론: 국민주권
[국민주권] 국민은 국가의 주인으로서 자기 자신에게 영향을 줄 수 있는 국가정책을 결정할 최종결정권을 가진다. 현대사회에서 과학기술은 국민의 자유와 권리에 심대한 영향을 미친다. 원자력이나 에너지, 군사기술 등이 대표적이다. 전문가가 국민을 대신하여 결정하고 국민이 책임만 진다면 국민은 국가운영의 주체가 아닌 객체가 되는 것이다.	[국민주권] 국민은 국가의 주인으로서 전문가에게 자신의 주권을 위임하여 진정으로 국민이 원하는 바를 실현하도록 하였다. 과학기술 분야는 빠르게 변하고 전문적이어서 일반 국민이 이를 이해할 수 없다. 이해할 수 없는 것을 결정하면 자신에게 해가 되는 것조차 모를 수 있다. 과학기술의 전문가가 서로 견제하도록 하고 국민은 이를 감시하는 것이 최선이다.
[평등원칙] 평등원칙이란, 같은 것을 다르게 대하지 말라는 원칙이다. 국민은 주권자로서 국가정책을 결정할 권리가 있다. 사회·교육정책 등은 국민이 최종결정할 권리가 보장되고 있다. 그러나 과학기술정책은 국민이 최종결정할 권리가 없다. 그렇다면 같은 국가정책에 대해 최종결정권을 다르게 대하는 것으로 평등원칙에 위배된다.	[평등원칙] 평등원칙이란, 같은 것은 같게 다른 것은 다르게 대하라는 원칙이다. 대표는 국민이 진정으로 원하는 바를 실현하도록 주권을 위임받았다. 사회·교육정책 등은 국민이 직접 의사결정할 수 있도록 위임된 반면, 과학기술정책은 국민의 위임을 폭넓게 받았다. 따라서 국민의 이해정도에 따라 위임범위가 다르므로, 다른 것을 다르게 대하여 평등원칙에 부합한다.
[장기적 민주주의 발전] 국민은 과학기술의 전문가가 아니지만, 전문가의 설명을 통해 결정을 내릴 수 있다. 이러한 주체적인 결정을 통해 스스로 결정한 것에 대해 책임지는 자세를 함양할 수 있다. 이는 민주주의의 학습과정이 되어 장기적 발전을 가능하게 한다.	[국가발전] 과학기술은 빠르게 변하고 정책집행시점이 중요하다. 국민이 과학기술정책을 결정하려면 전문가의 설명, 국민의 이해, 결정, 시행착오 등 수많은 비효율적 과정이 필요해 과학기술정책의 적절한 시점을 놓치게 된다.

3. 읽기 자료

공론화위원회 - 과학정책[88]

공론화위원회 - 대입제도[89]

88)

공론화위원회 – 과학정책

89)

공론화위원회 – 대입제도

038 문제 국민 참여 확대: 공론화위원회

답변 준비 시간 15분 | 답변 시간 15분

Q1. 과학자는 학문의 자유의 주체가 되고 과학자의 연구 결과는 학문의 자유에 따라 보장된다. 특정 과학자의 연구 결과가 테러에 악용되거나 하는 등 사회적으로 대단히 유해할 것으로 예상된다면, 이 과학자의 연구 결과를 사회나 국가가 규제하는 것은 타당한가?

Q2. 과학자의 연구 결과에 대한 규제 주체와 기준을 논하시오.

Q3. 공론화란 특정한 공공정책 사안이 초래하는 혹은 초래할 사회적 갈등에 대한 해결책을 모색하는 과정에서 이해관계자, 전문가, 일반 시민 등의 다양한 의견을 민주적으로 수렴하여 공론을 형성하는 것으로서 정책결정에 앞서 행하는 의견수렴 절차를 의미한다.
과학기술정책 결정에 있어서 공론화위원회가 결정하는 것이 타당하다는 입장, 타당하지 않다는 입장의 논거를 각각 제시하시오.

Q4. 과학기술정책에 대해 일반 국민으로 구성된 공론화위원회가 결정권을 가지는 것에 대한 자신의 입장을 제시하시오.

추가질문

Q5. 공론화위원회 찬성 입장에 대한 비판이 있다. 실제로 국민의 전문성이 부족한 것도 사실이다. 현대사회에서 과학기술은 놀라운 속도로 발전하고 있어 일반 국민은 이를 이해하는 것 자체가 어렵다. 국민이 과학기술 자체를 이해할 수 없는데 공론화위원회가 결정하는 것도 문제가 많을 것이다.
이 논리의 연장선상에서 이를 가능하게 할 해결방안을 제시하시오.

Q6. 신고리원자력발전소 공론화위원회는 471명의 시민위원이 공론화 과정을 거쳐 공사 재개를 결정했다. 공사를 중단하라는 요구는 40.5%였고, 공사를 재개하라는 요구는 59.5%였다. 그러나 앞으로 원자력발전을 축소하라는 요구는 53.2%였고 원자력발전을 유지 혹은 확대하라는 요구는 45.2%였다.
신고리원자력발전소 공사 중단이 타당하다는 입장의 시민이 공론화위원회의 공사 재개 결정을 수용해야 하는 이유는 무엇인가?

Q7. 모든 사안을 공론화위원회에서 결정할 수는 없을 것이다. 공론화위원회에서 결정할 수 없는 사안이 무엇일지 본인의 생각을 논하시오.

038 해설 국민 참여 확대: 공론화위원회

Q1. 모범답변

과학자의 연구 결과에 대한 국가의 규제는 원칙적으로 인정될 수 없습니다. 단, 연구 결과로 인한 위험이 명백하고 현존할 경우에 한하여 국가의 규제가 인정될 수 있습니다. 과학자의 연구는 진리 탐구, 즉 과학적 사실에 대한 것입니다. 과학자의 연구 결과로 인해 어떤 사실이 도출되었다고 해서 그것이 곧바로 가치와 규범으로 연결되는 것은 아니기 때문에 원칙적으로 과학자의 연구 자체를 규제해서는 안 됩니다. 예를 들어, 생물학자가 인류의 유전자에 강간의 유전자가 있다는 사실을 밝혔다고 해서 그것이 강간을 허용한다는 규범으로 연결되는 것은 아닙니다. 과학자의 연구 사실에 대해 사회 구성원이 어떠한 가치를 원하는지 논의하고 그에 대한 판단을 한 결과가 우리 사회의 규범이 되기 때문입니다.

그러나 예외적으로 과학적 사실로 인해 우리 사회의 피해가 명백하게 발생할 것임이 분명하게 현존하는 경우에는 과학자의 연구에 대한 규제가 필요합니다. 과학자의 연구 결과에 대한 사회적 가치 판단과 논의, 합의를 할 시간적 여유가 없이 곧바로 우리 사회의 파괴 가능성이 직접적일 때에는 과학자의 연구가 인류를 위해 진리를 탐구하고자 하는 학문의 목적 자체에 반하게 됩니다. 예를 들어, 인류가 경험해보지 못한 미지의 바이러스의 인체 감염 가능성을 높이는 연구 결과를 공개한다면 테러 집단에게 악용되거나 하는 등으로 비가역적이고 대규모 피해를 일으킬 수 있기 때문에 사회 붕괴의 가능성이 매우 높습니다. 따라서 매우 예외적인 경우에 한하여 과학자의 연구 결과에 대한 사회와 국가의 규제는 타당합니다.

Q2. 모범답변

과학자의 연구 결과 규제에 대한 최종결정은 국민이 해야 합니다. 다만, 과학의 전문성을 고려하여 절차를 완비해둘 필요가 있습니다. 예를 들어, 덴마크의 경우 과학기술정책을 결정할 때 시민합의회의를 통해 결정합니다. 이러한 절차를 통해 적은 확률의 안전성을 말하는 전문가들보다 미미한 사고의 가능성도 걱정하는 국민의 상식을 최우선으로 하여 국민이 과학기술을 사용할지 여부를 결정하게 하는 것입니다. 우리나라의 경우도 신고리원자력발전소 건설 중단 문제에 있어서 공론화위원회 방식을 도입한 바 있습니다.

물론 예외적으로 이러한 절차조차 거칠 시간적 여유가 없는 급박한 경우가 존재할 수 있습니다. 현대 과학기술은 이전과는 달리 한순간에 인류 전체를 위험에 빠뜨릴 수도 있는 과학기술이 존재합니다. 예를 들어, 핵기술이나 우주기술의 경우가 대표적입니다. 이 경우에는 계엄령과 유사한 방식으로 대통령이 먼저 결정하고 이후 의회와 국민의 합의를 사후승인 받는 것도 고려해볼 수 있습니다.

Q3. 모범답변

과학기술정책에 있어 공론화위원회가 결정하는 것이 타당하다는 입장에서는 국민주권을 논거로 제시할 것입니다. 국민은 국가의 주인으로서 국가의 중요의사결정에 참여할 권리가 있습니다. 국가의 주인인 국민이 스스로 결정하지 못하여 주권을 행사하지 못한 정책이라도 결국 국민이 책임을 져야 합니다. 그렇다면 주권을 스스로 행사하고 그에 대한 책임을 짐으로써 주권자로서 자유와 책임의 주체가 되어야 합니다. 현대사회에서 과학기술정책은 국민의 자유·권리에 심대한 영향을 미칩니다. 원자력발전소 건설과 같은 문제는 에너지 문제에서 그치지 않고 사고 발생 시 모든 국민의 생명을 앗아갈 수 있을 뿐 아니라 방사성 물질 누출 등의 문제가 발생하면 미래 세대의 안전까지도 위협할 수 있습니다. 따라서 국민 자신이 이런 중대한 문제를 스스로 판단하고 결정할 수 있어야만 그 책임도 질 수 있기에 과학기술정책에 공론화위원회를 도입하는 것은 타당합니다.

과학기술정책을 공론화위원회가 결정하는 것이 타당하지 않다는 입장 역시도 국민주권을 논거로 제시할 것입니다. 국민은 국가의 주인으로서 자신의 진정한 의사를 실현하기 위해 전문가에게 자신의 주권을 위임합니다. 국민은 자신이 진정으로 원하는 바를 실현할 능력과 전문성이 없는 분야에서 자신의 뜻을 대신 실현해줄 전문가를 직간접적으로 선출하고 이를 결과적으로 통제하여 자신의 주권을 대신 실현합니다. 과학기술 분야의 경우 대부분의 국민은 기본적 수준 이상의 과학기술을 이해할 수 없고 빠르게 변하는 과학기술의 발전상황을 따라가는 것은 불가능에 가깝습니다. 그렇기 때문에 국민의 뜻을 대신하여 국민이 직접 선출한 입법부와 행정부가 국민이 책정한 예산을 바탕으로 다양한 전문가를 검증하고 의견을 모아 다각도로 검토하여 국민의 자유와 권리를 증진할 방안을 전문적으로 도출합니다. 그리고 이 과정에서 과학기술정책 결정에 참여할 전문가들을 공개하고 해당 회의록 등을 행정정보 공개하는 등으로 국민의 간접적 통제를 받습니다. 반면, 공론화위원회는 일반 국민이 결정권을 가지게 되는데, 전문가의 도움을 받는다고 하더라도, 일반 국민이 과학기술의 구체적인 메커니즘 등을 명확하게 이해하지 못합니다. 더군다나 대부분의 일반 국민은 자신이 이해할 수 없는 과학기술에 대해 공포심을 느낄 가능성이 커서, 위험성은 크게 인지하는 반면 효과는 작게 인지하는 경향이 있습니다. 그렇다면 과학기술이 가져올 진정한 이익을 판단할 수 없고 정확한 정보와 사실 파악이 어렵기 때문에 자신의 자유와 권리를 증진하는 선택을 하기 어렵습니다. 따라서 과학기술 분야의 비전문가인 국민의 진정한 의사를 실현할 수 있으므로 공론화위원회가 결정해서는 안 됩니다.

Q4. 모범답변

과학기술정책에 대해 공론화위원회가 결정권을 가지는 것은 타당합니다. 국민주권 원리를 실현하고, 평등원칙에 부합하기 때문입니다.

평등원칙에 부합하므로 공론화위원회가 결정권을 행사하는 것이 타당합니다. 평등원칙이란, 같은 것을 같게 다른 것을 다르게 대하라는 원칙입니다. 만약 같은 것을 다르게 대한다면 평등원칙에 위배됩니다. 국민은 국가의 주권자로서 자신의 자유와 권리에 영향을 미치게 될 국가정책을 결정할 권리가 있으며, 특히 사회·교육정책 등은 국민이 최종결정할 권리가 보장되고 있습니다. 그러나 과학기술정책은 전문영역이라는 이유로 각종 전문위원회가 결정하도록 규정되어 있어 국민이 최종적인 결정을 할 권리 자체가 없습니다. 이는 주권자가 결정할 수 있는 동일한 국가정책을 분야에 따라 최종결정권을 인정하기도 하고 인정하지 않기도 하는 등으로 다르게 대하는 것이 됩니다. 따라서 같은 것을 다르게 대한 것으로 평등원칙에 위배됩니다.

Q5. 모범답변

과학기술정책 공론화 과정에서 다양한 전문가의 도움을 받는 방안을 통해 이 문제점을 해결할 수 있다고 할 것입니다. 현재의 대의제 체제에서는 전문가가 결정하고 법을 공포하면 국민은 이를 인식한 후 그에 대한 책임을 질 뿐입니다. 현대사회에서 과학기술정책은 국민의 자유와 권리에 심대한 영향을 미칩니다. 그런데 현재의 체제에서는 과학기술정책의 결정이 전문가 혹은 대표들에게 전적으로 맡겨져 있고, 주인인 국민은 사후적으로 그 책임만 지고 있는 것입니다. 국민이 전문가가 아니기 때문에 결정을 할 수 없는 것이 아니라 전문가의 도움을 받아 결정을 할 수 있도록 해야 합니다. 유사한 경우로 보자면, 국민이 법의 전문가가 아니기 때문에 타인에게 자신의 법적 문제를 맡기는 것이 아니라 전문가인 변호사의 도움을 받아 스스로 결정하는 것과 마찬가지이며, 국민이 의학전문가가 아니기 때문에 의사의 설명을 들어 자신이 수술 여부와 방법을 스스로 결정하는 것과 마찬가지입니다. 다양한 과학기술 전문가가 다양한 관점을 제시하고 국민이 이 정보를 통해 자신이 질 책임을 예측한 후 결정하면 될 것입니다.

국민은 전문성이 부족하기 때문에 의사결정과정의 비효율성이 문제될 수 있습니다. 그러나 일반 국민이 전문가에게 과학기술에 대한 설명을 듣고 이해하고 다른 시민과 토론하는 과정이 오히려 효율적일 수 있습니다. 국민이 과학기술정책의 모든 세부내용을 이해해야 하는 것은 아닙니다. 민주주의에서 최종결정권은 국민에게 있어야 합니다. 예를 들어, 전쟁의 경우 목숨을 걸고 싸워야 하는 것은 국민 자신입니다. 그러므로 국민이 전쟁 여부를 결정해야 합니다. 물론 전쟁을 하기로 결정했다면, 전쟁의 전문가인 군인들이 전략과 세부적 전술을 기획할 것입니다. 이러한 부분까지 국민이 알아야 하고 결정해야 하는 것은 아닙니다. 그러나 최종결정권 자체가 군인에게 있어서는 안 됩니다. 과학기술정책도 이와 마찬가지로 원자력발전소의 건설 여부, 공사 중단 여부는 국민이 최종결정권을 가져야 합니다. 의사결정에 필요한 만큼의 정보를 전문가들에게 제공받을 수 있습니다. 그렇다면 모든 세부내용을 다 이해하지 않아도 충분히 의사결정을 할 수 있습니다.

또한 국가정책의 효율성은 정책효과가 동일하다면 정책비용이 낮아야 달성됩니다. 그런데 국민 대신 전문가들이 정책을 결정한다면 정책결정비용은 낮아질 것이나 국민이 원하지 않는 정책이 실현될 것이므로 갈등이 일어나 정책집행비용이 크게 증가할 것입니다. 대표적인 사례로, 방사성폐기물 처리장 부지를 결정하는 데 우리나라가 40년 이상 갈등을 일으킨 것을 보면 이를 확인할 수 있습니다. 그러나 공론화위원회와 같은 국민의 의사 수렴을 통해 정책을 결정한다면 이미 국민의 의사가 충분히 반영될 수 있으므로 정책집행비용이 낮아질 것입니다. 따라서 국가정책의 효율성이 오히려 높아질 수 있습니다.

Q6. 모범답변

국민이 스스로 공론을 통해 도출한 국민주권의 실현이기 때문입니다. 국민은 국가의 주인으로 자유롭게 국가의 의사를 결정하고 그에 대한 책임을 지게 됩니다. 국민은 국가의사에 대한 자신의 결정이 우리 공동체 전체에 영향을 미치는 것임을 인지하고 심사숙고하여 국가의사를 결정합니다. 국민주권의 실현이란, 단지 국민의 의사를 투표와 같은 형태로 최종적으로 드러내는 결과에 머무르는 것이 아니라 국민 개개인이 우리 공동체를 위한 의사결정을 심사숙고하고 있으며 이를 공동체 구성원과 공유하여 우리 공동체가 함께 실현해야 할 공동체적 가치를 공유하는 과정입니다. 그 과정에서 국민은 서로가 서로를 설득하고 공동체적 가치를 공유하며 이를 실현할 방법을 고민하게 됩니다. 따라서 공론화 과정을 거쳐 공동체적 가치를 확인하고 모든 구성원이 우리 공동체의 문제를 심사숙고하였으며 단지 그 결과가 서로 다르다는 것에 불과합니다. 따라서 공론화위원회의 최종의사결정이 자신의 의견과 다른 의견이 결정되었다고 하더라도 이 역시 공동체 모두가 공유하고 있는 공동체의 가치를 실현하는 것으로 받아들이게 될 것입니다. 따라서 다른 입장의 시민 역시 공론화위원회의 공사 재개 결정을 수용할 수 있습니다.

Q7. 모범답변

공론화위원회는 다수의 일반 국민이 소수의 전문가의 의견을 참고하여 최종결정권을 행사하는 것입니다. 이는 민주주의라는 가치를 실현함에 있어 다수결 의사결정 수단을 사용하는 것입니다. 이에 따라 공론화위원회에서 결정할 수 없는 사안, 즉 한계가 도출됩니다.

먼저, 수학이나 과학 등에 대한 객관적 사실은 공론화위원회에서 결정할 수 있는 사안이 될 수 없습니다. 핵분열 과정에서 방사선이 나오고 이는 인체에 치명적이라는 사실은 공론화위원회에서 결정할 수 없는 사안입니다. 다만, 이러한 사실에도 불구하고 공론화위원회에서 핵분열을 우리 사회의 에너지 획득방법으로 사용하겠다고 결정하고 그에 대한 보완책을 도입하는 결정을 할 수는 있습니다.

둘째, 소수의 존립에 대한 사안은 공론화위원회에서 결정할 수 없습니다. 소수인종의 존립 여부를 공론화위원회에서 결정한다면 명백하게 부정의하고 반인권적인 내용의 다수 국민의 의사결정이 사회의 존재 목적을 부정할 수 있고 더 나아가 사회 전체를 파괴할 우려가 있습니다. 대표적인 사례로 다수 독일 국민이 지지한 나치가 국민적 지지를 등에 업고 유대인을 국가적으로 학살한 범죄가 있습니다.

마지막으로, 민주주의의 기본적 가치에 대한 합의는 공론화위원회에서 결정할 수 없는 사안입니다. 자유와 평등 등 민주주의가 실현하려는 목적이 되는 가치에 대한 부정을 인정할 수 없기 때문입니다. 공론화위원회는 주권자인 국민이 최종결정권을 행사하는 민주주의 실현을 목적으로 합니다. 그러나 공론화위원회가 민주주의의 기본적 가치 자체를 부정하는 결정을 할 수 있다면, 목적과 수단이 전도되는 모순이 발생할 수 있습니다.

039 개념 독재, 다수결, 만장일치

2020 성균관대 기출

1. 기본 개념

(1) 민주적 의사결정 방식

민주주의는 개인의 자유를 보장하면서도 다수의 의사를 실현하겠다는 체제이다. 민주주의에서 국가의 주인은 국민이므로 국가의 의사결정은 국민의 의사결정이 된다. 그러나 국민은 1인이 아니고 다수이며, 국가는 대부분 단 하나의 의사를 국가의사로 결정해야 한다. 국가의 의사는 때로는 국민 모두를 위해, 때로는 개개인을 위해, 때로는 다수를 위해 결정되어야 한다. 민주주의에서 의사결정은 일반적으로 다수결을 따르지만, 1인의 의사가 다수를 이기는 독재와 만장일치라는 의사결정방식도 매우 예외적으로 사용한다.

(2) 독재의 장점과 단점

독재는 사회가 원하는 목표를 달성하는 데 유리하다. 예를 들어 세종대왕과 같은 성군이 독재를 펼친다고 한다면 최고의 효율성을 발휘할 수 있을 것이다. 전문가가 사회의 목적을 달성하기 위한 최고의 방법을 제시하고, 모든 사람들이 이를 따르면 가장 적은 비용으로 가장 빨리 목표를 달성할 수 있다. 사회목적으로 이루려는 선한 의도를 가진 지도자가 독재를 한다면 그처럼 좋은 일은 없다.

그러나 독재는 성군이 아닌 폭군을 위해서도 사용될 수 있다. 보통 독재는 힘을 지닌 한 사람에게만 유리한 결과를 가져오고 권력자 이외의 모든 사람에게는 피해를 줄 수 있다. 따라서 독재는 매우 특수한 상황에서만 인정할 수 있다. 인류의 역사를 볼 때, 성군은 매우 적고 폭군은 많다. 절대 권력은 절대 부패한다. 독재는 계엄과 같은 한정적 상황에서만 인정될 수 있다. 그리고 계엄 역시도 제한이 필요할 것이다. 이처럼 매우 한정적 상황에서 국가를 지키기 위해 사용되는 권력은 국가긴급권이라 한다.

(3) 만장일치와 가중다수결

집단에서 최고의 의사결정방식은 만장일치이다. 그러나 만장일치는 현실적으로 실현불가능하다. 그리고 소수에게 독재를 허용하는 것이나 다름없다. 소수에게 거부권을 주는 것이나 다름없기 때문이다. 그렇다면 만장일치는 그 소수가 문제될 때 사용하면 된다. 인류의 역사에서 다수가 소수의 권리, 재산을 함부로 한 경우가 많았다. 현대사회에서도 다수의 권리는 잘 지켜진다. 그러나 힘없는 소외계층이나 주류가 아닌 소수는 그 권리가 보호되기 어렵다. 이럴 때에는 만장일치에 가까운 의사결정방식이 필요하다.

만장일치를 현실에 적용한 의사결정방식이 바로 가중다수결이다. 헌법 개정, 헌법재판소의 의사결정방식이 가중다수결이다. 역사를 살펴볼 때, 가중다수결이 나타난 것은 나치 독일의 경험 이후이다. 왜 하필 나치 독일 이후에 가중다수결을 적용하는 의사결정이 나타났을까? 나치 독일은 독일 국민 대다수의 지지를 받았다. 대략 90% 지지율이었다고 한다. 당시 유대인은 대다수 독일 국민에 비해서 소수일 수밖에 없었다. 독일 국민 대다수가 유대인을 차별해도 된다고 결정했다. 그러나 차별의 대상은 소수여서 자유와 권리를 침해당하고 생명을 빼앗기더라도 대항할 수 없었다.

이 역사적 경험에서 만장일치를 언제 적용해야 하는지 배우게 되었다. 가중다수결은 만장일치를 현실적으로 적용한 것이다. 가중다수결을 통해 개개인의 생명, 자유, 권리를 지킬 수단을 실질적이고 방어적으로 보장하였다.

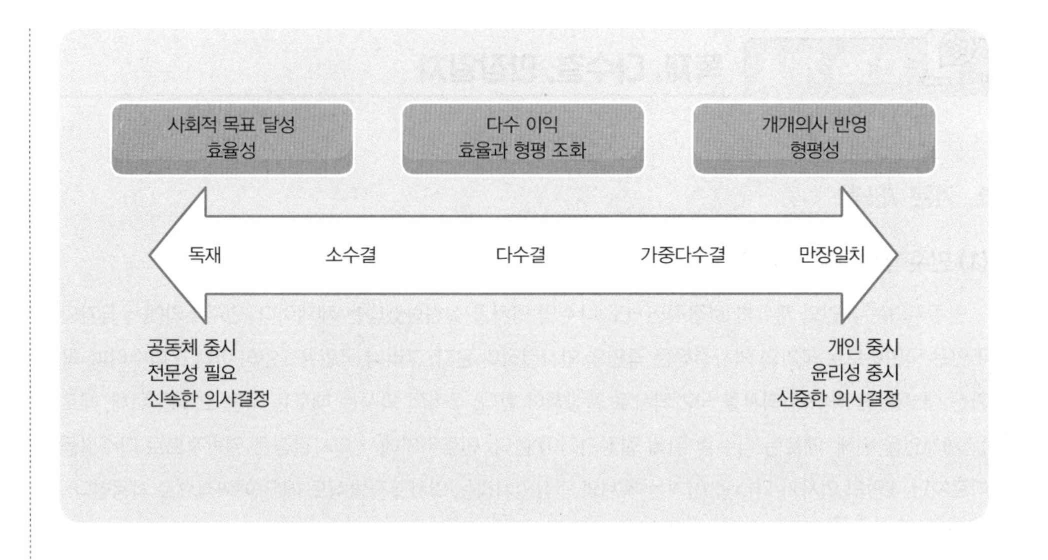

2. 읽기 자료

다수결원칙[90)]

90)

다수결원칙

039 문제 독재, 다수결, 만장일치

답변 준비 시간 10분 | 답변 시간 10분

Q1. 우리는 흔히 민주적 의사결정방식으로 다수결을 사용한다. 그러나 헌법재판소 위헌결정처럼 가중다수결을 사용하는 경우도 있다. 다수결과 가중다수결이 무엇인지 제시하고, 어떤 경우에 가중다수결로 의사결정을 해야 하는지 자신의 견해를 논변하시오.

Q2. 소수를 보호하기 위한 목적이라면 가중다수결보다 만장일치가 더 타당하다고 할 수 있다. 그러나 현실에서는 만장일치를 의사결정방식으로 사용하는 경우가 드물다. 왜 그렇다고 생각하는가?

Q3. 다수결의 대상이 될 수 없는 사안도 있는데, 어떤 경우가 있는가?

Q4. 우리는 흔히 민주주의에서는 독재를 거부한다고 생각한다. 그러나 민주주의 국가에서도 독재를 예외적으로 허용하고 있다. 민주주의 국가에서 독재를 예외적 허용하는 대표적인 사례를 제시하고, 국민이 왜 그것을 허용했는지 논리적으로 답변하시오.

Q5. 민주주의에서 예외적으로 인정하고 있는 합법적 독재를 권력자가 악용할 수도 있다. 합법적 독재가 악용되면 국민의 자유와 권리가 전면적으로 제한될 수도 있는데, 이러한 위험성을 생각한다면 합법적 독재를 부정하는 것이 타당하지 않은가?

039 해설 독재, 다수결, 만장일치

Q1. 모범답변

다수결은 다수의 판단에 정치적 결정을 맡기는 것으로 소수가 다수를 이기도록 허용해서는 안 된다는 규칙을 말합니다. 가중다수결은 다수결에서 좀 더 강화된 형태로 만장일치의 형태에 가깝게 의사결정을 하는 방식을 말합니다. 예를 들어 특정 정치적 결정이 필요할 때 다수결은 50% 이상의 지지를 얻은 안이, 가중다수결은 66.7%(2/3) 이상의 지지를 얻은 안이 정당성을 얻게 됩니다. 다수결은 권력을 가지고 있는 소수의 고위층이나 군부 지도자들에 의해 국가정책이 결정되지 않도록 하기 위한 제도입니다. 즉 권력을 소유한 소수가 민중 대다수를 지배하지 못하도록 하는 제도입니다. 그러나 현실적으로 다수결은 소수의 권리를 무시하고 짓밟을 수 있다는 문제점을 지니고 있습니다. 예를 들어, 다수의 대중이 특정 종교집단에 대하여 혹은 인종적 차별을 정당화하기 위해 참정권을 박탈하는 선택을 하였다면, 다수결원칙에는 어긋나지 않으나 소수의 권리를 무시한 것이 됩니다.

가중다수결은 다수결의 문제점을 해결하기 위해 도입된 것으로, 다수에 의한 소수의 권리 침해를 방지할 필요성이 있을 때 적용합니다. 역사적으로는 대다수의 독일 국민들이 지지하여 성립된 독일 나치 정부가 소수자인 지적 장애인과 집시, 다수결로 결정된 법에 근거하여 유대인을 단종시술하고 학살하는 등의 인권침해행위를 한 사례가 있습니다. 가중다수결을 적용하는 사례로는 2/3 이상의 지지를 요구하는 헌법 제정이나 개정, 헌법재판소 위헌결정 등이 있습니다.

Q2. 모범답변

소수를 보호할 목적의 의사결정방식으로 가중다수결보다 만장일치가 부합하는 것은 사실입니다. 그러나 현실적으로 만장일치는 1인에게 결정권한을 준다는 의미에서 독재와 다를 바 없습니다. 만장일치가 독재와 다른 점은 1인이 공동체 전체의 의사결정을 막는 역할을 한다는 것입니다. 즉, 독재는 1인이 공동체 전체의 의사와 관계없이 공동체를 좌지우지할 수 있다면, 만장일치는 1인이 공동체 전체의 결정을 거부할 수 있습니다. 그렇기 때문에 국가의 규모가 큰 현대사회에서 만장일치는 현실의 문제를 해결하기 어렵습니다. 그렇기 때문에 소수를 보호하기 위한 목적으로 가중다수결을 사용하는 것입니다.

Q3. 모범답변

다수결의 대상이 될 수 없는 경우는, 첫째로 민주주의의 본질적 내용에 관한 것, 둘째로 확인 가능한 객관적 진리가 존재하는 경우, 셋째로 고도의 전문적 지식이 요구되는 사안에 대한 결정을 들 수 있습니다.

먼저, 자유와 평등, 정의, 국민주권과 같은 민주주의의 본질적 가치는 다수결의 대상이 될 수 없습니다. 다수결의 정당성은 다수의 판단이 국민의 자유와 평등의 확대에 도움이 된다고 생각하기 때문입니다. 그러므로 민주주의의 본질적 가치를 다수결의 대상으로 삼아 이 가치를 침해할 수 없습니다. 이러한 의미에서 국민 다수가 제정한 법률이라 할지라도 그 법률의 내용이 민주주의의 본질적 가치를 훼손하였다면 헌법재판소의 위헌심판을 통해 제거할 수 있습니다. 예를 들어 다수 국민이 국내의 소수 민족을 학살할 것을 법제화하는 것에 찬성하였다면 이는 민주주의의 기본질서인 국민의 생명권에 대한 명백한 침해이므로 헌법재판소의 위헌심판을 통해 민주주의의 본질적 가치를 지켜야 합니다. 이를 방어적 민주주의[91]라 합니다.

91) H. Kelsen의 상대적 민주주의는, 민주주의는 가치와 이념으로부터 중립적이어야 한다고 한다. 그는 민주주의를 이념과 가치가 전제되어 있지 않는 빈 그릇과 같아서 어떤 내용으로도 채워질 수 있는 것이라고 한다. 국민이 다양한 의사를 가질 경우 다수의 지지를 받은 의사를 공동체의 의사로 결정하는 것이 민주주의라고 한다. 히틀러는 국민 92%의 지지를 받아 총통으로 취임했고, 독일 국민의 열광적 지지를 받았다. 히틀러와 나치에 의한 의사결정도 다수의 지지를 받은 결정이므로 민주주의에 부합된다는 문제가 있다. 국민의 다수 지지를 받으면 인권이나 소수자(유대인) 존립도 침해할 수 있다는 문제가 생긴다. 따라서 인권이나 소수자의 존립은 다수결의 대상이 되지 않는다는 주장이 제기된다.
나치 집권 시기에 라드부르흐, 칼 뢰벤슈타인은 이를 인식하고 방어적(전투적, 투쟁적) 민주주의를 주장했고, 2차 세계대전 후 독일 헌법에 방어적 민주주의를 규정했다. 방어적 민주주의는, 민주주의는 자유, 평등, 정의라는 이념을 전제로 한다. 이는 다수결의 대상이 되지 않는다. 자유, 평등, 정의에 근거한 질서를 자유민주적 기본질서라고 하는데, 이 질서를 방어해야 한다. 민주주의가 방어적 민주주의이다. 자유민주적 기본질서를 부정하는 정당은 해산되어야 하고(위헌정당 해산제도), 이를 부정하는 기본권 주체의 기본권을 실효시켜야 한다(기본권실효제도)는 내용이 독일 헌법에 규정되었다. 다수의 지지를 받았다는 이유로 자유민주적 기본질서 침해를 방치한다면 민주주의의 해체로 이어질 수 있으므로 이를 부정하는 적들과 싸우겠다는 민주주의이다.

둘째로, 확인가능한 객관적 진리는 다수결의 대상으로 삼을 수 없습니다. 만유인력의 법칙과 같은 사실은 많은 사람이 거부하거나 인정하는 것과 관련 없이 객관적으로 존재하는 것입니다. 따라서 다수결의 대상이 될 수 없습니다.

마지막으로, 고도의 전문적 지식이 요구되는 사안은 다수결의 대상이 될 수 없습니다. 고도의 전문지식이 필요한 의사결정을 전문지식이 없는 사람들의 다수결로 결정한다면 큰 피해가 발생할 수 있습니다. 예를 들어 대규모 군사작전의 경우 고도의 군사지식이 필요합니다. 이를 일반 국민으로 하여금 결정하게 할 수는 없습니다. 군사작전의 큰 목표나 방향 등은 일반 국민이 설정, 통제해야 하지만 세부적인 군사작전의 내용은 다수결의 대상이 될 수 없습니다.

Q4. 모범답변

민주주의 국가에서 예외적으로 독재를 허용하는 경우를 국가긴급권이라 합니다. 국가긴급권의 대표적 사례는 계엄령을 들 수 있습니다. 이는 국가안보의 위협 등으로 인해 국가 공동체의 붕괴를 막기 위한 예외적 상황에서 합법적 독재를 허용합니다. 만약 전쟁 등과 같이 국가 공동체가 붕괴될 수 있는 상황에서 다수결 혹은 만장일치를 사용해서 의사결정을 해야 한다면 이를 통해 달성하려는 국민의 자유와 권리 자체가 사라져버리게 됩니다. 합법적 독재를 인정함으로써 전쟁과 같은 시급한 위험 상황에서 계엄사령관과 같은 군사 전문가가 빠른 의사결정을 내려 위험을 최소화하고 국가 공동체의 붕괴를 막아야 합니다.

Q5. 모범답변

계엄 등의 합법적 독재를 부정한다면 국가 공동체의 위기가 실제로 찾아왔을 때 국민의 자유와 권리가 송두리째 사라진다는 치명적인 문제가 있습니다. 따라서 합법적 독재를 부정하는 것은 타당하지 않습니다. 단, 권력자가 정권 유지를 위해 합법적 독재를 악용할 수 있으므로 이를 방지할 수 있는 보완책이 필요합니다. 예를 들어, 적국의 전쟁 도발 위험에 대해 계엄을 선포하였다면 일단 계엄을 인정하되, 국회에서 계엄에 대한 사후 동의를 하도록 하여 만약 실제로 적국의 전쟁 도발이 없었다면 즉시 계엄의 효력을 무력화하는 등의 보완책을 제시할 수 있습니다.

다수결의 전제와 한계

1. 기본 개념

(1) 민주적 의사결정 방식

다양한 의사를 가진 개인들이 집단을 이루어 살아갈 때 필연적으로 갈등이 발생한다. 개개인들의 생각이 달라 발생하는 갈등을 해결할 수 없다면 공동체는 결코 유지될 수 없다. 따라서 갈등을 해결하고 공익을 달성하기 위한 의사결정이 필요할 수밖에 없다. 이러한 의사결정의 수단으로 기능하는 여러 제도들이 있는데, 한 명의 권력자가 의사결정을 하는 독재, 소수의 권력층이 의사결정을 하는 귀족정, 다수결, 가중다수결, 모든 구성원의 찬성을 의무적으로 요하는 만장일치가 있다.

(2) 다수결

민주주의 체제하에서는 의사결정 수단으로 다수결을 사용하는 경우가 많다. 민주주의의 목적이 개인의 자유를 안정적으로 보장하는 것이기에 그러하다. 서로 다른 생각을 가진 개인이 집단을 이루어 살 때 자신의 생각과 가치관을 타인에게 강제해서 개인의 자유를 함부로 제한해서는 안 된다. 그러나 개인의 자유를 보장하기 위해 집단적 의사결정을 포기한다면 집단을 이루어 살아갈 실익, 즉 공익이 저해될 수 있다. 그러한 관점에서 다수결은 개개인의 자유를 존중하면서 공동체의 의사결정을 목적으로 사용하는 하나의 수단이다.

(3) 다수결의 한계

다수결은 많은 사람들이 그 의견에 찬성한다는 사실에 불과하고, 그 의견이 옳다는 의미가 되지는 않는다. 따라서 다수결은 그 자체로 옳음을 의미하지 않는다. 독일 국민 90% 이상이 지지한 나치 정부가 내린 의사결정이 유대인 학살이었다는 점이 이를 잘 보여준다.

2. 읽기 자료

방어적 민주주의[92)]

92)

방어적 민주주의

040 문제 다수결의 전제와 한계

답변 준비 시간 20분 | 답변 시간 15분

※ 다음 제시문을 읽고, 문제에 답하시오.

다수결원칙이 그 본래의 제도적 취지에 따라 소수를 기속(羈束)하고 소수의 복종을 요구하는 합의의 원칙으로 완전한 기능을 발휘하기 위해서는 다음과 같은 여러 가지 전제조건이 충족되어야 한다.

[전제-가] 다수결원칙은 결정참여자 상호 간에 평등한 지위가 전제될 때만 그 정당성을 인정받을 수 있다. 왜냐하면 이 경우 결정에 참여하는 모든 사람은 자기주장을 관철시킬 수 있는 균등한 기회를 가지게 되기 때문이다. 결정참여자 상호 간에 평등한 지위가 보장되지 않는 비정치적 생활영역에 다수결원칙을 함부로 적용할 수 없는 이유도 그 때문이다. 다수는 언제나 진리 내지는 보다 큰 합리성을 상징하는 것이라는 전제 아래 '다수=합리성'의 공식을 다수결원칙의 정당성의 근거로 삼던 상대적 민주주의 이론은 적어도 오늘날에 와서는 지양되었다고 보는 것이 옳다.

[전제-나] 다수결원칙을 정책결정의 수단으로 적용하는 데 대한 합의가 우선 성립되어야 한다. 소수가 다수의 의사에 따른다는 원칙적인 합의가 성립되지 않는 경우에 다수결원칙을 적용하는 것은 결국 다수의 소수에 대한 독재를 뜻하게 되기 때문이다. 그런데 이와 같은 합의는 소수의 다수에 대한 신뢰를 전제로 해서만 가능하다. 즉, 다수가 민주주의의 실질적 내용은 물론 민주주의의 일정한 형식원리를 존중하고 지킬 것이라는 신뢰가 없는 곳에는 그와 같은 합의가 성립될 수 없기 때문이다.

[전제-다] 다수결원칙의 적용에 대한 원칙적인 합의가 성립된 경우라 하더라도 다수결의 결정과정에 참여하는 세력 간에 절대로 조정될 수 없는 근본적인 대립관계가 존재해서는 아니 된다. 즉, 다수결원칙은 타협과 절충에 의해서 조정되고 극복될 수 있는 상대적인 대립관계를 전제로 할 때만 그 적용이 가능하다. 다수결원칙은 어느 정도의 기본적인 합의(Konsensus)를 전제로 해서만 그 기능을 발휘할 수 있다. 종교관·세계관의 문제가 다수결원칙에 의해 해결될 수 없는 이유도 그 때문이다.

[전제-라] 다수결원칙은 자유롭고 평등한 토론을 통한 절충과 타협을 필수적인 선행조건으로 하기 때문에, 절충과 타협의 자유 분위기가 보장되어야 한다. 자유로운 절충과 타협에 의한 이해관계의 조정 내지는 접근과, 논증을 통한 설득력만이 자발적인 승복의 요인이 되기 때문이다.

[전제-마] 다수결원칙은 관점의 다양성과 다수관계의 가변성을 전제로 한다. 즉, 최소한 견해를 달리하는 두 입장의 대립이 없는 곳에서는 다수결원칙은 무의미하다. 뿐만 아니라 다수와 견해를 달리하는 소수도 언젠가는 다수가 될 수 있는 제도적·법적 가능성이 보장되지 않는 경우에는 다수결원칙은 '영원한 다수'의 '영원한 소수'에 대한 독재에 지나지 않게 된다. 소수가 다수에 승복하는 심리의 저변에는 다수관계의 가변성에 대한 기대가 크게 작용하고 있다는 사실을 경시할 수 없다.

위와 같은 다섯 가지 전제조건이 완전히 충족되는 경우에만 다수결원칙은 민주주의의 형식원리로서 그 기능을 발휘할 수 있다.

그렇지만 다수결원칙이 민주주의의 형식원리로 작동하기 위해 위 전제조건을 완전히 충족하였다고 하더라도 다수결원칙을 적용할 수 없는 한계가 존재한다.

[한계-바] 수학이나 과학과 같은 객관적 사실은 결코 다수결의 대상이 될 수 없다.

[한계-사] 소수의 존립은 다수결원칙의 대상이 될 수 없다.

[한계-아] 민주주의의 실질적 내용에 대한 사회공동체의 합의(Konsensus) 또한 다수결원칙의 대상이 될 수 없다.

<사례 1>

A, B, C, D는 저녁 식사를 하러 식당에 갔다. A, B, C, D는 각자 먹고 싶은 음식이 모두 달랐다. A가 음식의 종류를 통일하자고 제안하였고, B와 C는 이에 동의하였으나 D는 동의하지 않았다. D는 냉면을 주문하고 싶었으나, A, B, C의 요구에 따라 모두 비빔밥을 주문하였다.

<사례 2>

그리스 연합군은 트로이 원정을 앞두고 큰 풍랑이 일어 출항할 수 없게 되었다. 그리하여 신의 뜻을 묻기로 한 결과, '그리스 최고의 보물'을 해신(海神)에게 바쳐야 한다는 신탁이 내려졌다. 전쟁 영웅인 아킬레우스는 '그리스 최고의 보물'을 아가멤논 왕의 딸 이피게니아로 해석하였고, 대다수 왕들은 아킬레우스의 해석에 동조하였다. 이에 따라 그리스 연합군의 왕들은 이피게니아의 목숨을 해신에게 바치기로 결정하였다.

<사례 3>

E마을의 쥐 100마리와 F마을의 쥐 30마리가 회의를 열어 마을에 새로 나타난 고양이의 공격에 대처하기 위한 방안을 논의하였다. 쥐들은 만장일치로 고양이 목에 방울을 달기로 결정하였다. 그런데 누가 고양이 목에 방울을 달 것인지에 대하여는 의견이 나뉘었다. E마을의 쥐들은 다수결로 결정하자고 하였으나, F마을의 쥐들은 이에 반대하였다. 이에 E마을의 쥐들이 F마을의 쥐들에게 회의 시간과 장소를 통보한 다음 회의를 열어 찬성 100표, 반대 0표로 F마을의 쥐 찍찍이에게 고양이 목에 방울을 다는 임무를 맡기기로 결정하였다.

<사례 4>

G, H, I는 비행기를 타고 가는 중이었다. 갑자기 비행기가 고장 나 탈출을 해야 했으나 낙하산은 두 개밖에 없었다. G와 H는 부자(父子)관계였는데, 누가 낙하산을 가져야 하는지를 다수결로 결정하자고 하였다. I는 이 결정에 반대하였으나 G와 H는 다수결로 G와 H가 낙하산을 가지기로 결정하였다.

Q1. 제시문은 현대 민주사회의 다수결원리를 설명하고 있다. 이를 간략하게 요약하시오.

Q2. 제시문의 다수결원리를 적용하여 <사례> 1, 2, 3, 4의 타당성을 각각 평가하시오.
(단, 다수결원리를 적용 불가능한 사례가 있을 수도 있음)

Q3. 12월 24일 오전 6시에 다수당인 A당은 야당인 B당 의원들에게 국회회의 개의 일시를 통지하지 않고 회의를 거쳐 논쟁이 되었던 여러 법률안을 가결시켰다. A당은 재적의원 과반수 출석, 출석의원 과반수 찬성을 만족했기 때문에 B당에게 회의 개의 일시를 통지했는지 여부와 관계없이 정당하다고 주장한다. 그러나 B당 의원들은 이 법률안의 의결이 다수결원칙에 위배된다고 주장한다.
A당의 주장에 대해 평가하시오.

040 해설 다수결의 전제와 한계

Q1. 모범답변

제시문은 다수결이 민주주의에서 사용하는 의사결정수단 중의 하나로 공익을 실현할 수 있는 장점이 있다고 합니다. 다수결은 민주주의의 수단이므로, 그 선행요건을 충족하지 못하면 소수자를 구속하거나 소수자에게 복종을 요구할 수 없다고 합니다. 그렇지 않으면 다수결이 다수(多數)의 독재가 되고 소수자에게 희생만을 강요하는 결과를 낳을 수 있기 때문입니다. 다수결은 형식적 요건과 내용적 한계를 모두 달성해야 정당성을 인정받을 수 있습니다.

다수결의 형식적 요건은, 가. 다수결 결정참여자 상호 간의 평등한 지위, 나. 다수결을 정책결정수단으로 사용하는 것에 대한 합의, 다. 다수결 결정과정 참여 세력 간에 근본적 대립관계가 존재하지 않을 것, 라. 절충과 타협의 자유 분위기 보장, 마. 관점의 다양성과 다수관계의 가변성입니다.

다수결의 선행요건이 충족되더라도 내용적 한계가 존재합니다. 바. 객관적 사실, 사. 소수자의 존립, 아. 민주주의의 실질적 내용은 다수결의 대상이 될 수 없습니다.

Q2. 모범답변

<사례 1>은 다수결을 적용할 수 없는 상황임에도 다수결을 적용했다는 문제점이 있습니다. 의사결정을 할 때 다수결을 사용하는 목적은 공익을 실현하기 위함입니다. 이 사례에서 냉면을 먹을 것인가, 비빔밥을 먹을 것인가는 취향의 문제일 뿐입니다. 냉면을 먹고 싶었던 D가 다수결로 인해 비빔밥을 먹는다고 해도 A, B, C, D의 이익이 전혀 증진되지 않습니다. 따라서 이 사례를 다수결로 결정하는 것은 공익 증진에 도움이 되지 않을 뿐만 아니라 다양성을 부정하는 결과로 이어지므로 다수결로 결정할 사안이라 할 수 없습니다. 더군다나 D는 다수결을 의사결정의 수단으로 사용하는 것을 반대했으므로 더욱더 타당성이 없습니다.

<사례 2>는 한계-사와 전제-나를 위반했다는 문제점이 있습니다. 먼저, 한계-사에 따르면 소수자의 존립은 다수결의 대상이 될 수 없습니다. 이 사례에서 이피게니아를 제물로 바치는 결정은 소수자인 이피게니아의 생명을 희생시켜 소수자의 존립 또는 생명권을 부정하는 결정이므로 다수결의 대상이 아닙니다. 또한 전제-나에 따르면 다수결원칙 사용에 대한 합의가 있어야 합니다. 해신에게 목숨을 바칠 제물 결정은 그리스 연합군의 왕들, 혹은 영웅들의 회의에서 논의된 것입니다. 이 회의에 왕도 영웅도 아닌 이피게니아가 참석할 가능성은 없으므로 이피게니아가 다수결로 자신을 희생물로 바칠 것인지 결정하자고 합의한 과정을 거치지 않았고, 당사자의 의견 역시 묻지 않았을 가능성이 높습니다. 따라서 이 사례의 다수결에 따른 의사결정은 타당하지 않습니다.

<사례 3>은 전제-나와 전제-라를 위반하였다는 문제점이 있습니다. 먼저, 전제-나에 따르면 다수결원칙을 정책결정의 수단으로 사용하는 데 합의가 있어야 다수결에 따른 의사결정이 구성원을 구속할 수 있습니다. 이 사례에서 F마을 쥐들은 다수결에 따른 결정을 반대했는데도 E마을 쥐들이 일방적으로 의사결정을 했습니다. 따라서 E마을 쥐들의 의사결정은 F마을의 찍찍이를 구속할 수 없습니다. 또한 전제-라에 따르면 자유로운 토론을 통한 절충과 타협이 있어야 합니다. 이 사례에서 E마을 쥐들이 일방적으로 회의일시와 장소를 통보하고, F마을 쥐들이 참가하지도 않은 상태에서 F마을의 찍찍이가 고양이의 목에 방울을 달기로 결정하였습니다. 이는 E마을과 F마을 쥐들의 절충과 타협의 기회 자체가 봉

쇄된 것입니다. 따라서 이 사례의 다수결에 따른 의사결정은 타당하지 않습니다.

<사례 4>는 전제-나, 전제-다, 전제-마를 위반했다는 문제점이 있습니다. 전제-나에 따르면 다수결에 대한 합의가 있어야 합니다. 이 사례에서 I는 다수결에 따른 의사결정을 하지 않겠다고 하였으므로 합의가 되지 않았습니다. 전제-다에 따르면 세력 간에 절대로 조정할 수 없는 대립관계가 존재해서는 안 됩니다. G, H, I는 누군가가 낙하산을 가진다면 자신은 생명을 잃을 수 있으므로 생명이라는 절대로 조정할 수 없는 근본적 대립관계에 있습니다. 전제-마는 다수관계의 가변성이 필요하다고 합니다. G와 H는 부자관계여서 2개의 낙하산을 부자가 가지려 할 것이므로, 다수관계의 가변성이 존재할 수 없습니다. 따라서 이 사례의 다수결에 따른 의사결정은 타당하지 않습니다.

Q3. 모범답변

A당의 주장은 다수결원칙을 양적인 의미로만 해석한 것이고, 제시문의 다수결원칙의 선행요건을 무시하였다는 점에서 타당하지 않습니다.

다수결원칙은 단순히 재적의원 과반수 출석과 출석의원 과반수 찬성을 형식적으로 요구하는 것에 그치지 않습니다. 제시문이 강조하듯이 자유로운 토론, 절충과 타협의 기회보장은 다수결의 선행요건입니다. A당은 B당 의원들에게 회의일시를 통지하지 않고 법안을 가결했습니다. 그에 따라 B당 의원들은 회의에 출석할 기회도 없었고, 법안 심의에 참여하지도 못하여 법률안에 대한 A당과 B당 간의 토론이나 절충·타협의 실질적 기회가 보장될 수 없었습니다. 이러한 상황에서의 법률안 가결은 B당의 자발적 승복을 이끌어 낼 수 없으며 다수결의 선행요건을 충족하지 못했습니다. 따라서 이 사건 법률안 가결행위가 다수결원칙에 부합된다고 할 수 없습니다.

041 개념 선거제와 추첨제

1. 기본 개념

(1) 선거의 개념과 기능

선거는 국민이 대표자를 결정하는 행위이다. 선거는 국가기관에 민주적 정당성을 부여하는 기능을 한다. 헌법 제1조 제2항은 "모든 권력은 국민으로부터 나온다."고 규정하고 있다. 입법권, 집행권, 사법권이라는 권력이 국민으로부터 나온다는 의미이다. 즉 국민으로부터 나오지 않는 권력은 정당성이 없다. 쿠데타를 통해 권력을 장악한 경우, 국민의사와 무관하게 권력을 가졌으므로 정당성이 없다. 국민의 뜻에 따라 국가권력이 부여된다면 그 국가권력은 정당하다. 선거는 국가권력에게 정당성을 부여하는 대표적인 제도이다. 선거는 국민의 정치수단이자 대표의 정치적 책임을 추궁하는 기능을 한다. 선거과정에서 국민은 국가 운영의 방향과 실현방안에 관심을 가지게 된다. 각 정당과 후보자의 정책을 듣고, 정치적 의사를 표현한다. 그리고 집권당이나 대표자가 임기 동안 행사한 국가권력의 목적, 절차, 효과에 대해 책임을 추궁한다.

(2) 선거의 문제점

통치자는 복잡한 현안을 처리해야 하므로 고도의 전문성과 탁월성을 가져야 한다. 추첨제는 전문성을 가지지 못한 자가 통치자가 될 수 있다는 점에서 문제가 있다는 지적이 있다. 그러나 추첨제를 지지하는 견해는, 추첨명부에 올라가려면 자발적 지원이 있어야 하고 직무수행 중 소환을 받을 수 있고 법적 책임을 추궁당할 수 있으므로 추첨제가 무능력한 사람을 선발하는 제도가 아니라는 반론을 제기할 수 있다.

선거제를 지지하는 견해에 따르면, 현대국가가 담당하고 있는 복잡한 문제를 해결하려면 일반인보다 훨씬 탁월한 능력을 가진 자가 통치자가 되어야 하고, 이를 위해 선거제가 필요하다는 주장을 할 수 있다. 그러나 추첨제를 지지하는 입장에서는 선거를 통해 탁월한 능력을 가진 자를 선출할 수 있는지 의문을 가질 수 있다. 실제로 능력을 가진 자가 아니라 능력을 가진 것으로 인식된 자가 선출된다는 점에서 선거제의 문제가 있다. 능력을 가진 것으로 인식되려면 언론매체에 노출되어야 한다. 언론매체에 많이 노출되거나 말을 잘한다고 해서 문제해결능력이 탁월하다고 할 수 없다. 자신이 능력이 있다고 인식되려면 자신을 알려야 하고, 자신을 알리려면 많은 선전비용이 든다. 그렇다면 선거는 재산이 많은 자에게 유리할 수밖에 없다.

일반 국민으로부터 후원금을 받으면 되지 않느냐는 반론이 있을 수 있다. 그러나 일반 국민으로부터 후원금을 받기 위해서는, 자신을 알려야 하고, 이를 위한 선전비용이 필요하다. 게다가 선거조직, 후보 사무실을 운영하려면 상당한 자금이 필요하다. 따라서 선거제도는 가진 자에게 유리한 제도이다. 또한 부모가 재력이 있거나 유력한 정치인이었다면 그 자녀가 선거를 통해 당선될 가능성이 높다. 미국 제43대 대통령 조지 워커 부시는 제41대 대통령인 조지 허버트 워커 부시의 아들이다. 일본이나 우리나라 국회의원 중 상당수는 부모가 국회의원이었던 경우가 많다. 이처럼 선거제도는 기회균등의 관점에서도 문제가 있다.

(3) 아테네의 추첨제

30세 이상의 시민 중 행정관으로 선출되기를 원하는 사람은 추첨명부에 등록된다. 추첨에서 뽑힌 사람은 납세실적, 병역의무 이행, 법적 자격이 있는지에 대한 직무심사를 거쳐야 한다. 직무수행 중 무능력, 비리 등의 문제가 있다면 시민들은 직무정지를 요구할 수 있고, 투표를 통해 불신임 결정을 받으면 법정에 회부되어 처벌받을 수 있다. 지원자만이 추첨명부에 등재되고, 직무수행의 문제로 인해 국민소환, 형사처벌될 수 있으므로 무능력에 따른 폐해를 줄일 수 있다. 현재 의회와 비슷한 평의회는 1년 임기로 추첨을 통해 선출되었다. 재판관과 배심원도 추첨을 통해 선출되었다.

(4) 추첨제의 장점

추첨제는 민주주의의 이념인 국민에 의한 통치를 실현하기에 용이하다. 선거제는 상위계층, 재산가, 학벌 좋은 자에게 유리하다. 일반계층의 국민은 선거에서 당선되기 힘들다. 추첨제는 일반 국민들도 번갈아 선발되어 통치에 참여할 수 있으므로 국민에 의한 통치에 부합된다.

추첨제는 평등원칙에 부합된다. 선거제도는 능력 있는 전문가를 선출한다는 명목하에 상위계층이 통치권을 장악하는 민주주의적 귀족정을 낳았다. 현실적으로 일반 국민은 선거에 입후보하여 당선되는 것이 불가능하므로, 선거제도는 기회균등의 정신에 위반될 수 있다. 추첨제의 경우 자격이 있다고 생각하는 국민은 명부에 등록할 수 있고(기회균등), 모든 계층의 국민이 통치자가 될 수 있으므로(결과의 평등), 추첨제는 평등원칙에 부합된다.

추첨제는 '국민을 위한 통치'라는 민주주의 정신에 부합된다. 통치의 객체로서 지배를 받았던 자가 통치자가 된다면 자신의 결정과 명령이 피치자에게 끼칠 영향을 고려할 수밖에 없다. 또한 임기가 끝나면 자신은 다시 피치자가 되어야 하므로 일반 국민의 입장을 고려한 결정을 할 것이다. 따라서 추첨제는 국민을 위한 통치라는 정신에 부합된다.

추첨제는 누구의 감정도 상하게 하지 않는다는 장점을 가진다. 추첨이 되지 않았다고 하여 굴욕감을 느낄 여지는 없다. 그러나 선거에서 낙선하면 굴욕감과 패배의식이 발생한다.

(5) 추첨제의 예외

아테네는 대부분의 직위를 추첨제로 선출하였으나 모든 직위를 추첨제로 선출하지는 않았다. 군사령관, 최고재정담당관 등 중요행정직은 능력이 중시되는 직이므로 후보자 중에서 선거로 선출했다.[93] 그러나 이때에도 최종결정권은 아테네 민회가 행사했다.

먼저 능력이 중요시되는 직위의 경우, 해당 직위에 필요한 역량을 공지하여 이 역량을 갖춘 자만 해당직위에 공모할 수 있도록 하였다. 그리고 민회가 소집되어, 이 직위에 공모한 후보자들에 대해 아테네 시민들이 직접 후보자들에게 질문하고 응답하는 과정을 거쳐 최종적으로 시민들의 투표에 의해 선출하도록 하였다. 예를 들어, 아테네에서 군사령관을 임명해야 한다고 하자. 먼저 군사령관 직위에 합당한 역량에 대한 공모가 이루어진다. 그 공모 기준을 현대의 기준으로 예를 든다면, 3성 장군 이상의 직위를 수행한 경험이 있을 것, 합동군사작전을 3번 이상 지휘한 경험이 있을 것, 1만 명 이상의 병사를 지휘한 경험이 있을 것 등을 들 수 있을 것이다. 이러한 공모 기준을 만족하는 A, B, C가 군사령관에 공모했다고 하자. 아테네 민회는 이 3명의 사령관 지원자에게 작전 브리핑을 듣게 된다. 이 브리핑에 대해 의문점이 있을 경우 그 자리에서 지원자에게 질문하고 응답을 듣는다. 그 이후 아테네 민회는 투표를 통해 군사령관을 선출한다. 이렇게 선출된 군사령관이라 하더라도 반드시 승리한다는 보장은 없다. 그러나 아테네 민회의 구성원은 아테네 시민

93) 마넹, <선거는 민주적인가>

이며 이들은 곧 아테네 군인이다. 아테네의 시민이자 군인은 자신이 누구의 명령을 따라야 승리할 수 있을지 스스로 판단하고 결정하였다. 그리고 승리 혹은 패배라는 결과에 대한 책임은 자신이 스스로 지게 된다.

2. 쟁점과 논거

선거제	추첨제
[국민주권 실현] 국민은 자신의 자유와 권리를 안정적으로 보장받기를 원하여 국가를 형성하였다. 추상적인 권리를 현실에서 구현하려면 전문성이 필요하고, 이를 위해 국민은 국정 운영의 전문가를 선출하고 있다. 선거제를 시행하면 선거과정에서 상호 토론과 공약 비교 등을 통해 선거에 입후보한 인물의 전문성과 도덕성을 검증하여 국민의 권리를 최대화할 수 있다.	[국민주권 실현] 국민은 주권자로서 국정 운영에 있어서 자유와 책임을 동시에 가져야 한다. 통치의 객체로서 지배를 받던 국민이 추첨제를 통해 통치자가 될 수 있고, 이로 인해 자신을 규율하는 법률과 제도를 스스로 결정할 수 있게 된다. 또한 임기가 끝나면 다시 피치자의 위치로 돌아가므로 국민의 입장을 대변하는 정책 결정을 하게 된다.
[민주적 정당성과 책임성 확보] 대표자는 국민의 의사를 대변해야 하고, 이를 위해 국민의 의사를 확인하고 다수 국민의 지지를 받고 있음을 확인해야 한다. 선거에서 선출된 대표는 국민의 선택을 받았다는 것에 근거하여 자신의 결정에 정당성을 가질 수 있게 된다. 또한 대표자는 국가기관으로서 권한을 가지고 자신의 정책에 대해 평가받고 선거를 통해 국민에게 심판받으므로 책임성이 확보된다.	[평등원칙] 현실적으로 선거에 입후보하고 당선되기 위해서는 많은 재산과 높은 학벌 등의 요건이 필요하다. 따라서 일반계층의 국민은 선거에 나설 수 없다. 추첨제를 실시하게 되면 모든 계층의 국민이 통치자가 될 수 있다는 측면에서 기회균등과 결과의 평등을 이룰 수 있다.
[국가 발전] 현대의 사회는 학문적 성취와 과학기술 등이 결합하여 더욱 빠르게 변화하고 있어 전문성 없이는 의사결정은 커녕 사실 확인조차 어렵다. 이런 상황에서 타국과 경쟁하려면 일반 국민의 수준이 아니라 전문가의 수준에서 의사결정을 해야 한다. 선거를 통해 전문성을 경쟁적으로 검증하여야 국가가 발전할 수 있다.	[국가 발전] 선거로 선출된 대표는 도덕적 해이의 유혹이 있을 수밖에 없다. 그러나 추첨제에 따르면, 치자로서 생활하는 시간보다 피치자로 생활하는 시간이 더 길기 때문에 치자의 이익보다 피치자의 이익을 증진시키는 결정을 하게 된다. 다수 국민의 이익 증대는 곧 국가 발전으로 이어진다.

3. 읽기 자료

그리스의 민주정치[94]

94)

그리스의 민주정치

041 문제 선거제와 추첨제

답변 준비 시간 15분 | 답변 시간 15분

※ 다음 제시문을 읽고, 문제에 답하시오.

> 고대 아테네의 시민권자는 약 3만 명이었다. 부모 중 하나라도 시민권자가 아닌 자, 여자, 아이, 노예는 시민권자에서 제외되었다. 아테네의 행정관 선출은 선거제와 추첨제가 혼용되었다.
> 행정관 중 중요 직책 100명은 선거로 뽑고, 재임이 가능했다. 중요 직책은 전문성이 필요한 직책을 의미했다. 예를 들어, 회계감사관이나 군사령관 등이 대표적이었다.
> 그러나 600명의 행정관은 시민이 지원하고 추첨을 통해 뽑은 뒤, 간단한 절차상의 확인만 거치면 시민관으로 활동 가능했다. 임기는 1년이었다. 그리고 행정관의 권력 남용을 방지하기 위해 민회, 시민법정, 시민탄핵 등의 여러 가지 제도를 두었다.

Q1. 선거제와 비교하여 추첨제의 문제점을 제시하시오.

Q2. 선거제에 대비하여 추첨제가 가진 대표적인 장점은 무엇인가?

Q3. 추첨제를 시행해야 한다는 입장을 논리적으로 옹호하시오.

추가질문

Q4. 추첨제하에서 행정관을 견제하는 가장 좋은 방식은 무엇인가?

Q5. 민주주의는 국민을 위한 것이어야 하는데, 추첨제는 전문성이 없는 자가 행정관이 되어 정책을 결정하므로 국민에게 불이익을 줄 수도 있다. 군사령관이나 회계담당자 등과 같이 전문성이 필요한 직책을 추첨으로 선출할 수는 없지 않은가?

Q6. 현대사회에서 추첨방식을 도입해야 한다고 생각하는 예를 들어보시오.

041 해설 선거제와 추첨제

Q1. 모범답변

추첨식 관료 선발의 문제점은, 첫째로 국민의 자유와 권리를 실현할 전문성의 부족을 들 수 있습니다. 통치자는 복잡한 현안을 처리해야 하므로 고도의 전문성과 탁월성을 가져야 합니다. 선거제를 시행하면 선거과정에서 상호 토론과 공약 비교 등을 통해 선거에 입후보한 인물의 능력과 도덕성을 검증할 수 있어 국민들이 전문성을 비교하고 평가하여 자신의 자유와 권리를 실질적으로 실현해줄 능력 있는 대표를 선출할 수 있습니다. 그러나 추첨제는 일반 국민 중 원하는 누구나 추첨의 대상이 되므로 전문성이 떨어집니다.

둘째로 책임성의 부재를 들 수 있습니다. 국민의 대표는 그 책임의 범위와 직무의 강도가 일반적인 수준을 넘어설 수밖에 없습니다. 국가의사결정에 대한 책임을 지우려면 스스로 그것을 선택할 자유가 있어야 합니다. 선거제는 관료 스스로가 선택한 직무에 대해 정해진 임기 동안 업무를 수행하는 자유를 행사하고 차기 선거를 통해 책임을 지게 됩니다. 그런데 추첨제는 관료 스스로가 강력하게 원하였다고 보기 어렵고, 선거제에 비해 임기가 짧으며, 최대한 많은 일반 국민이 관료로서 업무를 수행해야 하므로 연임을 인정하지 않는 경우가 많습니다. 이러한 측면에서 책임성이 약하다는 문제점이 있습니다.

마지막으로 국가 발전을 저해할 수 있습니다. 현대 사회는 변화가 빨라 정책 결정에 있어서 시급성을 요구하는 경우가 많습니다. 전염병 확산 예방대책 등처럼 빠르고 정확한 의사결정이 국가 발전에 직접적 영향을 끼칠 수도 있습니다. 추첨제는 전문성이 부족한 대표가 적은 책임성을 바탕으로 하여 의사결정을 하게 되므로 시급한 의사결정에 있어서 선거로 선출된 관료보다 신속성이 떨어질 수밖에 없습니다. 따라서 추첨식 관료 선발은 국가 발전을 저해할 수 있다는 문제점이 있습니다.

Q2. 모범답변

추첨제는 치명적인 공익 저해를 예방할 수 있다는 장점이 있습니다. 선거제는 선거를 통해 선출된 대표가 사익을 추구하거나 하여 공익을 저해할 경우에도 대표의 임기가 보장되어 공익 저해가 지속될 수 있고, 공익 저해가 심각하다고 하더라도 면책 특권 등이 있어 다음 선거에서 낙선시키는 등으로 형식적인 제재만을 할 수 있을 뿐입니다. 따라서 선거제는 선출된 대표가 국민 전체의 이익을 크게 훼손하는 문제가 발생할 수 있습니다.

물론, 추첨제는 일반 시민이 지원하고 그중에 추첨을 하여 대표의 역할을 하므로, 전문가를 선출하는 선거제에 비해 효율성이 높지 않습니다. 그러나 추첨제는 선거제에 비해 행정관의 임기가 매우 짧아, 행정관이 사익을 추구함으로써 달성되는 이익보다 자신이 국민으로 사는 동안 저해될 장기적인 공익 침해가 더 클 수밖에 없습니다. 그렇다면 추첨된 행정관은 자신의 장기적 이익을 고려한다면, 사익을 추구하기보다 시민 전체의 이익을 추구하여 공익이 증대될 가능성이 높습니다. 또한 국민소환제 등의 실질적 제재가 가능하여 행정관이 사익을 추구할 유인을 줄일 수 있습니다. 따라서 추첨제는 공익 실현 측면에 있어 국민 전체의 위험부담을 줄일 수 있다는 점에서 장점이 있습니다.

Q3. 모범답변

추첨제는 주권재민의 원칙을 실현할 수 있다는 점에서 타당합니다. 선거제를 기반으로 하는 대의제 하에서는 통치의 객체로 머무를 수밖에 없는 시민이 통치의 주체가 될 수 있다는 점에서 국민이 국가의 주인이라는 주권재민의 원칙을 실질적으로 실현합니다. 더불어 통치자로 일하는 1년이라는 기간보다 피통치자인 국민의 입장으로 살아갈 기간이 더 길기 때문에 국민의 입장을 대변하는 정책이 실현될 가능성이 더 높다는 점에서 국민을 위한 정치를 실현할 수 있다는 장점 또한 있습니다. 그리고 누구나 자신이 원할 경우 계층에 관계없이 통치자로서 일할 수 있다는 점에서 정치적 평등을 구현할 수 있습니다.

추첨제는 국민의 자유와 권리에 미치는 악영향을 최소화할 수 있는 장점이 있습니다. 선거제는 선거를 통해 선출된 대표가 사익을 추구하거나 하여 공익을 저해할 경우에도 대표의 임기가 보장되고 면책특권 등이 있어 다음 선거에서 낙선시키는 등으로 형식적 제재만을 할 수 있을 뿐입니다. 따라서 선거제는 선출된 대표가 국민 전체의 이익을 크게 훼손하는 문제가 발생할 수 있습니다.

물론 추첨제는 통치의 효율성이 높지 않다는 문제점이 있다는 반론이 있습니다. 선거제는 통치 능력이 있는 전문가를 선출하므로 통치의 효율성이 있으나 추첨제는 일반인을 대상으로 하기 때문입니다. 그러나 추첨제는 선거제에 비해 행정관의 임기가 짧아 추첨제로 추첨된 행정관 자신도 장기적 이익을 고려한다면, 사익을 추구하기보다 시민 전체의 이익을 추구하여 공익이 증대될 가능성이 높습니다. 또한 국민소환제 등의 실질적 제재가 가능하여 행정관이 사익을 추구할 유인을 줄일 수 있습니다. 따라서 추첨제는 공익 실현 측면에 있어 국민 전체의 위험부담을 줄일 수 있다는 점에서 장점이 있습니다.

Q4. 모범답변

소환 제도를 도입하는 것이 행정관을 견제하기 위한 좋은 방식이 될 것이라 생각합니다. 자유에는 책임이 따르는 법입니다. 추첨제에 의해 행정관의 입무를 수행하는 시민은 스스로 지원하여 행정관이 되었습니다. 따라서 행정관이 되어 업무를 수행하고자 하는 자발적 선택을 하였으므로 그에 따르는 책임을 져야 합니다. 만약 행정관 업무를 통해 사익을 추구하려는 자가 있다고 하더라도 소환제를 통해 그 책임을 추궁할 수 있다면 행정관의 사익 추구행위가 공익을 저해하는 문제점을 예방할 수 있으리라 생각합니다.

Q5. 모범답변

전문성이 필요한 직책을 추첨으로 선출하면 국민의 권리를 침해하기 때문에 타당하지 않습니다. 그러나 추첨제는 곧 민주주의 그 자체가 아니라 민주주의의 수단에 불과합니다. 직접 민주주의의 목적은 국민에게 최후결정권이 있어야 한다는 것입니다. 추첨제와 선거제를 적절하게 혼용하여 국민에게 최종결정권을 주면서도 국민을 위한 전문성을 실현할 수 있습니다. 고대 아테네에서는 군사령관을 선출할 때, 최소한의 능력기준을 정한 후 이 기준을 만족한 후보들의 지원을 받았습니다. 그리고 민회에서 군사령관 후보들의 군사전략을 들어보고 질문하고 평가하여 최종적으로 후보들 중에 시민들의 투표로 군사령관을 결정하였습니다. 어떤 군사령관이 선출되더라도 무조건 이긴다는 보장은 없습니다. 민주주의 국가는 국민이 국가의 주인이고, 국가의 위협에 대해 국민이 주권자로서 이를 직접 해결하는 국민개병제가 기본이 됩니다. 그렇다면 국민 자신이 병사가 되는 국민개병(國民皆兵)을 선택한 아테네에서 국민 개개인은 사령관의 명령이 내려지면 그로 인해 자신이 죽을 수도 있는 책임을 져야 합니다. 그렇다면 병사이자 국민 개개인이 어떤 사령관의 명령에 자발적으로 복종할 수 있을지 스스로 결정하는 것이 타당합니다. 이와 유사하게 전문가가 필요한 직위라면 직무 수행에 필요한 전문성을 만족하는 후보들 사이에서 국민들의 의사결정에 따르거나 추첨을 하는 방법을 사용하면 충분할 것입니다.

Q6. 모범답변

현대사회에서 추첨방식을 도입할 만한 요소로는 재판 배심원이 있습니다. 현대 민주주의에서는 국민이 스스로 자신을 규율하는 법을 만들고, 그 법에 따라 사법적 책임을 지고 있습니다. 따라서 국민 스스로가 배심원이 되어 자유와 책임에 대해 깨닫고 이를 통해 민주적 시민의식을 고양하는 민주적 학습을 할 수 있습니다. 특히 사법 불신이 심각한 우리나라에서 배심원을 추첨방식으로 하여 법적용의 신뢰성을 높여 사법신뢰를 이끌어낼 수 있다는 장점이 있습니다.

042 개념 선거권 연령 하향

2022 전남대/한국외대·2019 건국대 기출

1. 기본 개념

(1) 대의제하에서 선거의 기능

대의제 민주주의에서 선거는 국민주권을 위임하는 절차라고 할 수 있다. 대의제 민주주의는 국민이 직접 국정 운영에 참여하지 못하도록 하기 때문에 선거의 정당성이 훼손된다는 것은 대의제 민주주의 그 자체가 부정되는 것과 동일한 의미를 가진다. 대의제는 국민이 직접 국가 운영에 참여하지 않고 자신의 주권을 대표기관에 위임한다. 따라서 국민이 자신의 주권을 대표기관에 위임하는 방법, 즉 선거는 민주적 정당화 기능을 수행해야 한다.

(2) 선거와 민주적 정당성의 조건

선거를 통해 민주적 정당성을 부여하기 위해서는 다음과 같은 조건이 충족되어야 한다.

국민 개개인이 자신의 참정권을 자유롭게 행사해야 한다. 국가의 주권자인 국민에게 참정권을 인정하고 권리를 자유롭게 행사하기 위해 법령에 구체적인 규정이 꼭 필요하다. 이를 위해 우리 헌법은 제21조 언론출판집회결사의 자유, 제11조 평등권을 보장하고, 제8조 정당설립의 자유와 제24조 선거권, 제25조 피선거권, 제41조 국회의원선거, 제67조 대통령선거에서 네 가지 선거의 원칙인 보통, 평등, 직접, 비밀선거를 보장하고 있다.

가능한 한 많은 수의 국민이 선거에 참여하고 유권자 중 대부분의 지지를 획득함으로써 민주적 정당성을 부여해야 한다. 이는 선거 연령 등과 같은 선거 결격 사유, 당선 정족수와 관련된 문제이다. 대표적인 문제점으로, 우리나라의 경우 상대다수대표제를 선택하고 있어 대통령이 40% 지지율로 당선될 수 있는데 과연 이 경우 국민 전체를 대표할 민주적 정당성이 있는지 문제된다.

선거에서 대표 선출과 민주적 정당성 부여는 결국 같은 논리로 귀결된다. 대의제 민주주에서 국민의 대표는 국민 자신으로 의제된다. 1차적 국민대표기관인 국회와 대통령은 법률과 행정명령이라는 국가의사를 결정한다. 또 2차적 국민대표기관인 법원이나 헌법재판소는 판결과 위헌결정이라는 국가의사를 결정한다. 이러한 국민대표기관이 결정한 국가의사는 곧 국민의 의사 그 자체로 의제된다. 우리는 선거를 통해 대표를 선출한다. 대표는 이미 민주적 정당성이 부여된 단위가 되는 것이고, 대표를 선출한다는 것은 곧 특정인에게 민주적 정당성을 부여한다는 의미가 된다. 따라서 대의기관의 임무수행능력의 한계와 국민의사의 정확한 반영은 같은 수준의 논의가 될 수 없다. 국민의사의 정확한 반영을 위해 대의기관의 임무수행능력이 필요한 것이므로, 두 요청이 충돌할 경우 국민의사의 정확한 반영이 가능하도록 해결되어야 하고 대의기관의 임무수행능력이 우선적으로 고려되기 위해서는 특별한 입증이 필요하다.

2. 쟁점과 논거: 선거권 연령 하향 찬반론

찬성론: 국민의 참정권	반대론: 선거의 공정성
[국민주권 원리 실현] 국민이라면 자신의 생활에 영향을 미칠 수 있는 대표 선출 또는 정책 결정에 자신의 의사를 반영할 수 있어야 한다. 만 16세 이상의 청소년 역시 우리 사회의 구성원이고, 미래 사회의 주역으로 성장할 존재이다. 더욱이 최근 교육 여건과 시민 의식의 신장으로 현재의 청소년은 성인에 근접한 이성적 판단능력을 갖추고 있다.	[국민주권 원리 실현 저해] 국민은 국가의 주인으로서 선거를 통해 자신의 자유와 권리에 영향을 미치는 대표를 선출한다. 이러한 결정을 합리적으로 내리기 위해서는 이성적 판단능력을 갖추어야 한다. 만 16세의 청소년은 자신의 선택이 어떤 결과를 야기할지 심사숙고하지 못하고 즉자적이고 감정적으로 결정할 것이다.
[평등원칙 실현] 평등원칙이란 같은 것은 같게, 다른 것은 다르게 대하라는 원칙이다. 자유와 권리에 대한 이성적 판단능력에서 성인과 청소년 간의 차이가 없음에도 불구하고 선거권을 부여하지 않는 것은 같은 권리를 다르게 취급한 것이다.	[평등원칙 실현] 평등원칙에 따르면 다른 것을 같게 대해서는 안 된다. 자유와 권리에 대한 이성적 판단능력에서 성인과 청소년 간의 차이가 있어 책임능력이 엄연히 다른데도, 선거권을 동일하게 부여하는 것은 평등원칙에 위배된다.
[장기적 민주주의 발전] 청소년은 미래 사회의 구성원으로 민주주의 체제가 어떤 방식과 절차를 통해 작동하는지 알고 있어야 한다. 청소년에게 선거권을 인정한다면 실제 투표에 참여하는 과정에서 민주적 학습을 할 수 있게 된다.	[공공복리 저해] 민주주의체계에 대한 학습은 학교의 교과과정에서 체계적으로 이루어져야 한다. 교육체계를 정비·완비할 생각은 않고 민주주의 학습이라는 명목으로 무턱대고 선거연령을 낮추기만 한다면 선거의 부정 가능성과 사회 혼란만 증가한다.

3. 읽기 자료: 선거권 연령[95)]

(1) 선거권 연령을 19세로 한 것은 19세 미만인 사람의 선거권을 침해하지 않는다는 다수 입장

헌법 제24조는 "모든 국민은 '법률이 정하는바'에 의하여 선거권을 가진다."라고 규정함으로써, 선거권 연령을 어떻게 정할 것인지는 입법자에게 위임하고 있다.

선거권 행사는 일정한 수준의 정치적 판단능력이 전제되어야 하는데, 입법자는 우리나라의 현실상 19세 미만의 미성년자의 경우, 아직 정치적·사회적 시각을 형성하는 과정에 있거나, 독자적인 정치적 판단을 할 수 있을 정도로 정신적·신체적 자율성을 충분히 갖추었다고 보기 어렵다고 보고, 선거권 연령을 19세 이상으로 정한 것이다.

또한 많은 국가에서 선거권 연령을 18세 이상으로 정하고 있으나, 선거권 연령은 국가마다 특수한 상황 등을 고려하여 결정할 사항이고, 다른 법령에서 18세 이상의 사람에게 근로능력이나 군복무능력 등을 인정한다고 하여 선거권 행사능력과 반드시 동일한 기준에 따라 정하여야 하는 것은 아니므로 선거권 연령을 19세 이상으로 정한 것이 불합리하다고 볼 수 없다.

따라서 선거권 연령을 19세 이상으로 정한 것이 입법자의 합리적인 입법재량의 범위를 벗어난 것으로 볼 수 없으므로, 19세 미만인 사람의 선거권 등을 침해하였다고 볼 수 없다.

95)

2012헌마287

(2) 선거권 연령을 19세로 한 것은 19세 미만인 사람의 선거권을 침해한다는 반대의견

일정 연령의 사람이 정치적 판단능력이 있음에도 더 높게 선거권 연령을 정하였다면 입법형성권의 한계를 벗어난 것이다.

선거권 연령이 19세 이상으로 조정된 이후 우리 사회는 엄청난 변화를 겪었고, 청소년을 포함한 국민의 정치적 의식수준도 크게 고양되어 중등교육을 마칠 연령의 국민은 독자적인 정치적 판단능력이 있다고 보아야 한다. 그런데 중등교육을 마치는 연령인 18세부터 19세의 사람은 고등학교 3학년이라고 하더라도 취업문제나 교육문제에 지대한 관심을 갖게 되는 기간이므로 정치적·사회적 판단능력이 크게 성숙하게 된다.

병역법 등 다른 법령들에서도 18세 이상의 국민은 국가와 사회의 형성에 참여할 수 있는 정신적·육체적 수준에 도달하였음을 인정하고 있고, 18세를 기준으로 선거권 연령을 정하고 있는 다른 많은 국가들을 살펴보아도 우리나라의 18세 국민이 다른 국가의 같은 연령에 비하여 정치적 판단능력이 미흡하다고 볼 수는 없다.

그렇다면 18세 이상 국민이 독자적인 정치적 판단능력이 있음에도 선거 연령을 19세 이상으로 정한 것은 입법형성권의 한계를 벗어나 18세 이상 19세에 이르지 못한 국민의 선거권 등을 침해한다.

042 문제 선거권 연령 하향

답변 준비 시간 15분 | 답변 시간 15분

Q1. 일본은 고령화와 저출산 기조를 생각했을 때 선거권 연령을 낮추어야 한다는 문제의식 아래 선거권 연령을 18세로 낮췄다. 또한 대부분의 서구국가들은 1970년대를 전후로 하여 선거권 연령을 18세로 조정했다. 우리나라 역시 선거권 연령을 만 19세에서 18세로 낮추었다. 선거권 연령을 18세로 하향해야 하는 논거는 무엇인가?

Q2. 현행 선거 연령 18세와 16세는 3년 정도의 차이에 불과하고, 최근 교육 수준의 향상 정도를 고려할 때 16세의 청소년들도 합리적인 판단능력이 있다고 볼 수 있다. 이에 선거권 연령을 16세로 낮추어야 한다는 주장이 제기되고 있다. 이에 대한 자신의 견해를 논하시오.

Q3. 범죄를 저질러 사회정의를 훼손한 자로서 형벌을 받고 있는 수형자의 선거권을 제한해야 한다는 주장이 있다. 수형자의 선거권을 제한해야 한다는 입장의 논거를 제시하시오.

Q4. 수형자의 선거권을 제한해서는 안 된다는 입장의 논거를 제시하시오.

042 해설 선거권 연령 하향

Q1. 모범답변

국민주권 원리에 부합하므로 선거권 연령을 18세로 하향해야 합니다. 국민주권이란 국가의 주인은 국민이며 국민은 국가의사결정에 주체적으로 참여할 수 있음을 의미합니다. 18세의 국민은 중등교육을 마쳐 국민으로서의 의사판단을 행할 자격이 있으며, 대의기관의 정책에 따라 대학교육을 받고자 하는 자는 교육문제로써, 취업을 할 자는 노동문제로써 영향을 받기 때문에 심사숙고한 정치적 의사를 형성할 것이라 볼 수 있습니다. 게다가 18세의 국민은 병역의 의무를 행하여 책임을 다하고 있습니다. 이러한 관점에서 합리적 의사결정을 할 수 있는 정치적 능력을 보유하고 있으며 국민으로서의 책임을 다하고 있음에도 불구하고, 국가의사결정에 참여할 권리를 인정하지 않는 것은 모순적이라 할 수 있습니다. 따라서 선거권 연령을 18세로 하향하는 것은 타당합니다.

Q2. 모범답변

선거권 연령을 16세로 낮추자는 주장은 타당하지 않습니다. 선거의 목적은 국민이 국가의 주인으로서 자신의 자유와 권리를 지키기 위해 정치적 의사를 대변할 대표를 선출하는 것입니다. 자신의 선거권 행사로 인해 선출될 대표와 공약된 정책이 자신의 자유와 권리에 어떤 영향을 미칠지 합리적으로 판단이 가능해야 한다는 전제가 성립되어야 합니다. 16세 청소년의 경우, 고등학교 2학년 정도의 나이에 해당하여 합리적인 결정을 하기 어렵다고 할 수 있습니다. 자유의 행사에는 필연적으로 책임이 수반되는데, 16세 청소년의 경우 자신의 판단이 어떤 결과를 초래할 것인지 알기 어렵고 실질적으로 책임을 지기 어렵습니다. 따라서 선거 연령을 16세로 낮추어서는 안 됩니다.

물론 교육 수준의 전반적 향상 정도를 고려할 때 16세의 청소년들도 성인에 근접한 이성적 능력이 있다고 볼 여지가 있습니다. 그러나 민주주의에서의 합리적 판단능력은 단지 이성적 능력만을 의미하는 것은 아니라고 생각합니다. 자신의 선거권 행사가 어떤 대표와 정책으로 이어져 우리 공동체 전체에 영향을 미칠지 심사숙고할 수 있어야 합니다. 민주시민의식은 자유를 행사함에 있어서 심사숙고하는 자세와 자신의 자유행사에 대한 책임을 지겠다는 적극적인 의미를 동시에 지닙니다. 즉 자유는 행사할 수 있으나 책임은 지기 어려운 청소년의 사회현실상 16세 청소년에게 독자적인 정치적 의사 판단능력이 있다고 보기 어렵습니다. 실제로 16세의 청소년들에게 선거권을 인정한다면 자신의 진정한 정치적 의사를 표현한다기보다는 부모의 정치적 의사가 투영되어 나타날 가능성이 높습니다. 이러한 점에서 교육 수준이 향상되어 16세의 청소년도 합리적 판단능력이 있다는 것은 단지 학업능력으로서의 합리성이라 보아야 합니다. 따라서 여전히 16세의 청소년들은 민주시민으로서의 합리적 판단능력과 책임능력을 갖추었다고 보기 어렵다는 점에서 선거권을 인정하자는 주장은 타당하지 않습니다.

Q3. 모범답변

수형자의 선거권을 제한해야 한다는 입장은 정의 실현과 법치주의 실현을 논거로 제시할 것입니다.

정의를 실현한다는 측면에서 수형자의 선거권을 제한함이 타당하다고 주장할 수 있습니다. 사회는 서로 다른 생각을 가진 사람들이 모여 이룬 것입니다. 공동체는 사회적으로 공유된 필수적 가치가 없다면 붕괴될 수밖에 없습니다. 이러한 필수적인 가치 중의 하나가 사회정의입니다. 정의는 각자에게 올바른 몫을 주는 것을 의미하는데, 범죄를 저질러 사회에 해악을 입힌 자에게 그 응분의 몫을 주는 것이 사회정의입니다.[96] 수형자는 사회에 해악을 입혀 사회적 분노를 일으킨 자입니다. 이런 자에게 공동체적 가치를 결정하는 선거에 참여할 권리를 부여해서는 안 됩니다.

법치주의 실현을 위해서 수형자의 선거권을 제한함이 타당합니다. 수형자에게 선거권을 제한하는 사회적 의미의 형벌을 부과해야 사회의 다른 구성원들도 시민으로서 책임감을 갖게 되고 법을 존중하는 자세를 함양할 수 있을 것입니다. 공동체 구성원들이 법을 지켜야 함을 스스로 깨닫고 내면화시킬 때 법치주의가 실현될 수 있습니다. 수형자의 선거권을 제한하여 법치주의를 내면화할 수 있습니다.

Q4. 모범답변

수형자의 선거권을 제한해서는 안 된다는 입장에서는 자기책임의 원칙과 평등원칙에 반한다는 논거를 제시할 것입니다.

자기책임의 원칙에 반하므로 수형자의 선거권을 제한해서는 안 된다고 주장할 수 있습니다. 개인은 국가의 주인으로 국가의사결정에 참여할 권리가 있습니다. 그런데 형사책임이란 법에서 금지하는 행위를 개인이 자유롭게 선택한 결과로서 지는 것입니다. 그렇다면 주권자로서의 주권의 행사와 형사책임은 목적과 적용범위가 다른 것입니다. 그런데 수형자의 선거권을 제한한다는 것은 범죄에 대한 책임을 주권의 박탈이라는 대가로 치르는 것입니다. 이는 개인의 책임을 넘어서는 부분을 범죄에 대한 사회적 분노라는 몫으로 지게 되는 것입니다. 따라서 자기책임의 원칙에 반하므로 수형자의 선거권을 제한해서는 안 됩니다.

평등의 원칙에 반하므로 수형자의 선거권을 제한해서는 안 됩니다. 평등의 원칙이란, 같은 것은 같게 다른 것은 다르게 대하라는 것입니다. 합리적 이유 없이 같은 것을 다르게 대하면 평등의 원칙에 위배됩니다. 범죄를 저지르지 않은 개인과 수형자는 동등한 주권을 가진 국민으로 선거권을 갖고 있습니다. 그러나 범죄를 저지르지 않은 개인은 선거권을 온전히 행사할 수 있으나, 수형자는 선거권 행사 자체가 제한됩니다. 이는 국민으로서 같은 권리를 다르게 대한 것으로 평등원칙에 위배됩니다.

96)

2012헌마409

043 개념 대통령 4년 중임제 개헌

1. 기본 개념

(1) 대통령의 권한

우리 헌법은 대통령에게 국가원수로서의 권한, 행정부 수반으로서의 권한을 보장한다. 이에 대해서는 대통령제를 선택한 다른 나라와 비교했을 때, 대통령의 권한이 권력분립을 위한 한계 이상으로 더 크게 설정되어 있다고 보기 어렵다.

(2) 5년 단임제와 4년 중임제

현실적으로 과거 우리나라의 대통령들은 헌법에 규정되어 있는 공식적인 권한보다 더 큰 권한을 강력하게 행사해왔다. 그러나 당권과 대권을 분리시키겠다고 선언한 노무현 대통령 이후로 제왕적 대통령의 시대는 종식되었고, 이제는 여소야대의 분점정부가 나타나고 있다. 이로 인해 입법부와 행정부의 교착이 진행되면서 대통령의 효율적 국정운영을 위한 임기 조정이 필요하다는 논의가 시작되었다. 제왕적 대통령을 견제하기 위해 5년 단임제가 선택되었다면, 분점정부의 대통령에게는 4년 중임제가 필요하다는 생각에서 비롯된 것이다. 4년 중임제는 현재 대통령이 4년의 임기를 마치고 다시 한번 국민의 선택을 받는다면 4년의 임기를 더 수행함으로써 총 8년의 임기를 갖게 되는 제도이다. 다만, 4년의 임기를 2번까지만 수행할 수 있는데, 이러한 의미에서 중임제를 2임제라고도 한다.

(3) 대통령 5년 단임제의 문제점

첫째, 책임성의 결여가 문제된다. 대통령의 임기가 단 한 번으로 끝나기 때문에 국민들이 대통령 그 자신이나 대통령의 소속정당에 정치적 책임을 묻기 어렵다.

둘째, 국정 불안과 비효율성이 문제된다. 국회의원의 선거 주기는 4년이고, 대통령의 선거 주기는 5년이기 때문에 대통령은 임기 중간에 국회의원 선거, 지방선거를 치러야 한다. 집권당의 선거 결과가 좋아야 대통령의 국정 운영이 쉬워지기 때문에 대통령의 공약 수행, 개혁 정도가 약해지는 경향이 있다.

셋째, 국회와 대통령의 정치적 갈등이 문제된다. 선거 주기가 달라 발생하는 대통령과 국회의 권력이 분리되는 경우가 많기 때문에 국회와 대통령의 정치적 힘싸움이 지속되는 경우가 많다. 이와 같은 분점정부 하에서는 국정 운영이 장기적 관점에서 행해지기 어렵다.

2. 읽기 자료

대통령 임기 제도[97)]

한국 대통령제[98)]

97)

대통령 임기 제도

98)

한국 대통령제

043 문제 대통령 4년 중임제 개헌

답변 준비 시간 15분 | 답변 시간 15분

※ 다음 QR코드를 촬영하면 연결되는 제시문을 읽고, 문제에 답하시오.

국회가 국무총리를 복수로 추천하고 대통령 4년 중임제를 도입하는 개헌이 필요하다는 의견이 제기되었다. 국회의장 직속 자문위원회는 공청회에서 대통령 5년 단임제의 문제점을 지적하며 협치를 위한 개헌을 주장하였다.

대통령 4년 중임제

Q1. 현재 우리 헌법은 대통령 5년 단임제를 규정하고 있다. 최근 대통령 임기를 4년 중임제로 개헌해야 한다는 주장이 있다. 대통령 4년 중임제를 찬성하는 입장의 핵심 논거를 제시하고 이를 논증하시오.

Q2. 대통령 4년 중임제를 반대하는 입장의 핵심 논거를 제시하고 이를 논증하시오.

Q3. 대통령 4년 중임제 도입에 대한 자신의 견해를 정하여 논거를 들어 논증하시오.

043 해설 대통령 4년 중임제 개헌

Q1. 모범답변

대통령 4년 중임제를 찬성하는 입장에서는 국민에 대한 책임성 강화를 핵심 논거로 제시할 것입니다.

대통령의 국민에 대한 책임성 강화를 위해 4년 중임제 도입은 타당합니다. 우리나라의 단임 대통령제는 군사독재 등의 역사적 문제로 인한 결과물이고, 결국 민주주의의 공고화로 이어지는 효과가 있었습니다. 그러나 단임 대통령제는 국정 운영에 있어서 국민의 요구사항을 반영한 책임 있는 정치와 행정을 실현하기보다 5년이라는 단기간의 행정정책에 집중하는 국정운영으로 이어지고 있습니다. 국민의 정치적 의사에 의해 선출된 대통령이 국민의 의사에 반하는 국가정책을 수행한다고 하더라도 다음 선거에 의해 심판할 수 없기 때문에 국민의 의사가 대통령의 국정 운영에 반영될 수 없기 때문입니다. 대통령은 한번 선출되면 국정 운영을 어떻게 한다고 하더라도 탄핵 사유가 아닌 한 국민과 의회에 책임을 지지 않기에 책임성이 약화될 수밖에 없습니다. 그러나 4년 중임제를 도입하면 대통령은 다음 선거에서 국민의 심판을 다시 받을 것이기 때문에 국민의 정치적 의사를 끊임없이 반영하는 국정 운영을 하게 될 것입니다. 따라서 국민에 대한 책임성 강화를 위해 4년 중임제를 도입해야 합니다.

Q2. 모범답변

대통령 4년 중임제를 반대하는 입장에서는 대통령 독재의 방지를 핵심 논거로 제시할 것입니다.

대통령 독재의 방지를 위해 4년 중임제 도입은 타당하지 않습니다. 대통령의 재선을 허용할 경우 현직 대통령이 자신의 지위를 이용해 차기 대통령 선거에서 승리할 가능성이 높고 이 과정이 반복되어 독재가 공고화될 것입니다. 우리나라는 이미 부정선거, 개헌을 통한 영구집권 시도 등 대통령의 독재 시도를 역사적으로 경험한 바 있습니다. 현행 우리 헌법의 대통령 5년 단임제는 그 역사의 결과물입니다. 물론 이전에 비해 대통령에 대한 견제와 통제 수단이 늘어났고, 우리 국민들의 민주주의에 대한 시민의식 또한 성장한 것은 사실입니다. 그러나 그럼에도 불구하고 여전히 대통령의 권력이 타국에 비해 훨씬 강력한 제왕적 대통령의 성격이 강한 것도 사실입니다. 이러한 점에서 대통령 독재의 위험성이 명확하게 해소되었다고 할 수는 없습니다. 따라서 대통령 4년 중임제는 시기상조라 보아야 하며, 도입해서는 안 됩니다.

Q3. 모범답변

국민에 대한 책임성의 강화, 장기적 국가 발전을 위해 대통령 4년 중임제를 도입해야 합니다.

현행 5년 단임 대통령제는 대통령 독재의 방지라는 측면에서 민주주의의 공고화에 기여한 효과가 뚜렷합니다. 그러나 선거를 통한 국민의 심판을 받지 않기 때문에 책임정치의 약화를 불러일으켰습니다.

장기적 국가 발전을 위해 대통령 4년 중임제를 도입해야 합니다. 현행 5년 단임제하의 대통령은 자신의 임기에 국한된 국정 운영을 할 가능성이 높습니다. 특히 우리나라의 정치 현실상 거대 양당 체제에서 정권 교체가 교대로 이루어지는 경우가 많아, 대통령이 바뀌면 이전 대통령의 정책 기조를 모두 부정하고 그에 반대되는 국정운영 방향을 설정하는 경우가 많습니다. 결국 국가정책의 방향성이 대통령 임기인 5년을 주기로 바뀌게 되기 때문에 국가정책의 연속성과 일관성을 확보할 수 없습니다. 4차 산업혁명, AI의 현실 도입, 기후위기에 대한 대응 등 세계적인 변화가 일어나고 있는 현 시점에서 장기간이 소요되는 국가 인프라 구축과 이를 뒷받침하기 위한 국가체제 개혁이 필요합니다. 이는 장기적 관점에서 일관된 방향성을 갖고 꾸준한 추진이 필요한 것입니다. 예를 들어, 기후위기에 대응하기 위한 에너지 정책, AI 산업 육성과 이를 위한 국가전력망 구축, 전기차 시스템 등 차세대 이동수단의 도입 등은 10년 이상의 시간이 걸릴 수밖에 없는 장기 프로젝트입니다. 그러나 5년 단임 대통령은 이러한 장기적 관점의 국정 운영을 하기 어렵고, 현재 국민의 국정운영 지지도에 따라 단기적으로 대응하는 경우가 더 많을 수밖에 없습니다. 대통령 4년 중임제를 도입한다면, 대통령은 장기적 관점의 국정 운영 방향성을 확보할 수 있고 차기 선거를 통해 국민에게 그 정당성을 인정받음으로써 장기적 국가 발전을 위한 국가정책을 확고하게 추진할 수 있습니다. 따라서 4년 중임제를 도입해야 합니다.

044 개념 입법부: 면책특권

1. 기본 개념

(1) 권력분립

민족국가의 성립과 더불어 관료제(官僚制)와 상비군(常備軍) 제도가 확립되어 관료와 상비군 수가 확대된다. 군주는 확대된 관료와 상비군을 유지하기 위해서 세율을 높일 수밖에 없었다. 그리고 시민이 부담하는 세금으로 늘어난 관료와 상비군이 시민의 자유와 권리를 제한하는 모순적 결과에 도달한다. 이에 시민들은 재산권 침해라고 주장하면서 "시민대표의 동의 없이 과세 없다"를 외치게 된다. 군주가 입법권·집행권·사법권을 모두 장악한 상태에서 시민의 재산권 보호는 요원한 일이었다. 그래서 시민은 권력분립을 주장하게 되고 영국의 명예혁명과 프랑스 혁명을 거친 후 권력분립이 이루어졌다.

17~18세기 유럽에서는 군주와 시민이 대립하고 있었다. 군주가 입법권·집행권·사법권을 모두 장악한 상태에서 시민의 소유권과 자유는 보장받을 수 없었다. 고전적 권력분립은 군주에게 집행권을, 시민에게는 입법권을 부여하고, 상호통제하게 함으로써 군주와 시민의 대립을 해소하고자 했다.

(2) 고전적 권력분립론

몽테스키외는 절대 권력은 남용되고, 권력 남용은 자유 침해로 이어진다고 한다. 따라서 권력을 분립시켜 권력 간의 통제를 해야 권력의 남용을 막고 자유를 보호할 수 있다고 한다.

한 사람의 수중에 입법권과 집행권이 결합되어 있을 때, 자유는 존재하지 않는다. 왜냐하면 같은 군주 또는 같은 원로원이 폭정적인 법률을 만들고, 그것을 폭정적으로 집행할 우려가 있기 때문이다. 재판권이 입법권과 집행권으로부터 분리되어 있지 않을 때에도, 자유는 존재할 수 없다. 만약 그것이 입법권에 결합되어 있다면, 시민의 생명과 자유를 지배하는 권력은 자의적일 것이다. 왜냐하면 재판관이 곧 입법자이기 때문이다. 만약 그것이 집행권에 결합되어 있다면 재판관은 압제자의 힘을 가지게 될 것이며, 또한 동일한 인간, 또는 귀족이나 시민 중 주요한 사람의 동일 단체가 이 세 가지 권력, 즉 법률을 제정하는 권력, 공공의 결정을 실행하는 권력, 죄나 개인의 쟁송을 심판하는 권력을 행사한다면 모든 것은 상실되고 말 것이다.[99]

로크는 법률을 제정한 자가 집행할 권력까지 가져서는 안 된다고 한다. 만약 입법자가 집행권까지 가진다면 자신들을 법률에 대한 복종에서 면제시키고, 사적 이익에 맞게 법률을 고칠 수 있기 때문이다. 집행권(국내법 집행권력)과 연합권(대외 업무를 다루는 권력)은 구분되는 한 사람의 수중에 맡겨야 한다.[100]

(3) 현대적 권력분립론

로크와 몽테스키외의 고전적 권력분립론은 입법부·집행부·사법부 간의 권력통제이다. 그러나 정당의 등장으로 입법권과 집행권을 여당이 장악하는 상황이 발생한다. 이런 상황에서 입법부와 집행부 간의 권력통제의 의미는 없어진다. 또한 사회국가원리는 입법부와 집행부 간의 통제보다 상호협조를 요구한다. 입법부가 국민기초생활보장법과 같은 법을 제정하고, 정부는 예산과 생활보호대상자 지정을 해야 사회국가원리가 실현되기 때문이다. 그래서 현대의 권력분립은 국가기관 간 권력통제보다는 정책 결정, 집행, 통제 기능에 있어서의 권력 통제를 강조한다. 특히 지방자치제도, 헌법재판제도, 시민단체에 의한 권력 통제가 중요시되고 있다.

99)
몽테스키외, <법의 정신>

100)
로크, <통치론> 제12장

(4) 입법부의 특권: 불체포특권과 면책특권

영국에서 국왕이 의회를 억압하기 위해 의원들을 체포함으로써 의회활동을 방해하였다. 이로 인해 의사정수 미달로 국회의 구성이 무산되어 국왕을 의회가 견제할 수 없게 되었다. 이에 영국의회는 의회의 기능을 원활하게 하기 위해 국회의원들의 불체포특권을 인정했다.

현대에 와서는 행정부나 법원이 국회의 활동을 방해하기 위해 무리하게 체포하는 일은 드물다. 따라서 불체포특권을 폐지해야 한다는 견해도 제기되고 있다. 그러나 야당의 비중 있는 국회의원들을 체포함으로써 야당에 압력을 행사할 여지는 잔존해 있다. 그렇다면 야당의 여당이나 정부에 대한 통제력이 약해져 국회의 기능을 약화시킬 우려가 있다. 따라서 현대에서도 불체포특권의 필요성은 남아있다.

면책특권은 국회의원이 국회에서 행한 직무상 발언과 표결에 관하여 국회 외에서 법적인 책임을 지지 않는 특권이다. 대의제 민주주의하에서 국회의원은 국가이익을 위하여 독자적으로 의사를 결정할 수 있다. 국회의원의 의사결정에 대하여 법적인 책임을 묻는다면 국회의원이 자기양심에 따라 국가의사를 결정할 수 없게 될 것이다. 따라서 국회의원의 자유로운 의사결정을 보호하려면 국회의원의 의사결정에 대해 법적인 책임을 면제해 줄 필요가 있다. 면책특권이 적용되기 위한 요건은, 국회의원이 국회에서 행한 발언이어야 하고 이 발언이 직무상 발언이어야 한다. 국회의원의 직무상 발언과 표결에 대해서는 형사·민사책임이 면책된다. 다만, 국민은 여론을 통해 국회의원의 발언을 비판하거나 다음 선거에서 정치적 심판을 할 수 있다.

2. 읽기 자료

면책특권 제한[101)]

면책특권 구체화방안[102)]

2005다57752[103)]

2009도14442[104)]

101)

면책특권 제한

102)

면책특권 구체화방안

103)

2005다57752

104)

2009도14442

044 문제 입법부: 면책특권

답변 준비 시간 10분 | 답변 시간 10분

※ 다음 제시문을 읽고, 문제에 답하시오.

(가) 국회의원의 면책특권은 국회의원이 국회에서 '직무상' 행한 발언과 표결에 관하여 국회 밖에서 책임지지 않는 특권(헌법 제45조)으로, '의원의 발언·표결의 자유'라고도 한다. 이는 의원의 발언·표결의 책임을 면제해 주는 책임면제 제도로서, 민사상 손해배상책임을 지거나 형사처벌을 받지 않는다는 것을 의미한다. 또한 연설이나 국정감사 등을 위해 다른 국가기관을 방문해 활동한 경우도 포함된다. 또한 '직무상' 행위에는 직무집행 그 자체뿐 아니라 직무행위에 부수된 행위가 포함되기 때문에 광범위한 면책사유이다. 물론, 야유·폭행·상해 등의 경우는 해당되지 않지만, 가장 문제시되는 타인의 명예훼손에 대해서는 제재할 방법이 없다. 따라서 국회의원의 면책특권은 국회의원의 정치활동을 보장하기 위해서는 필요하지만, 때로는 면책특권이라는 권한 뒤에 숨어서 타인의 명예를 훼손하는 경우가 있다. 이에 진실한 사실이 아닌 허위사실에 의한 명예훼손의 경우에는 면책특권을 제한할 필요가 있다는 견해가 제시되고 있다.

(나) 헌법 제44조 국회의원의 불체포특권은 독재 권력의 탄압에 맞서기 위해 규정되었으나, 최근에는 비리 의원을 보호하는 수단으로 비판받고 있다. 1948년 이후 국회의원 체포동의안 65건 중 가결과 부결이 각각 16건이며, 나머지는 임기 만료로 폐기되거나 철회되었다.

체포동의안 기명 투표

Q1. (가)의 국회의원 면책특권 제한에 대한 자신의 견해를 말해보시오.

Q2. 국회의원 甲은 본회의 전에 국회기자실에서 국회출입기자들에게 본회의에서 발언할 원고를 사전에 배포하였다. 이 원고의 내용이 국가보안법 위반이라는 이유로 甲은 기소되었다. 甲은 사전원고배포 행위가 국회의원의 직무상 행위라고 주장하면서 면책특권이 적용되어야 한다고 하였다. 이에 대해서 어떻게 생각하는가?

Q3. 국회의원들이 범죄를 명백히 범한 후에도 불체포특권 때문에 제대로 수사를 하지 못하는 경우가 발생하고 있어 불체포특권이 개인적 비리에 대한 보호 장치라는 비판이 제기되고 있다. 현재 국회법에 따르면, 국회의원체포동의안이 국회에 제출되면 본회의에서 72시간 이내에 표결하며 이 시간 내에 표결되지 않을 경우 그 이후 최초로 개의하는 본회의에 상정하여 표결한다고 규정되어 있다. 그러나 무기명 투표로 인한 국회의원들의 온정적 표결 성향과 본회의 날짜를 끝없이 늦추는 방법으로 체포동의안을 처리하지 않는 경우도 나타나고 있다. 이럴 바에야 차라리 불체포특권을 폐지하자는 주장이 있는 것도 사실이다. 이러한 문제점에도 불구하고 국회의원의 불체포특권을 유지해야 하는가?

Q4. (나)와 같이 기명투표에 대한 논의가 있는데, 일부 국회의원들은 불체포특권으로 인한 문제를 완화하기 위해 국회법 개정안을 제출하였다. 이 개정안에는, 국회의장이나 상임위원장 선출 외에 모든 표결을 기명으로 바꾸는 것과 국회가 체포동의안을 받은 때로부터 7일 내 표결하지 않으면 가결된 것으로 간주하고, 부결 시 판사가 당해 회기가 끝난 후 영장 발부 여부를 결정할 수 있도록 하는 내용이 포함되어 있다. 이러한 개정안 내용 중 국회의원체포동의안을 기명으로 투표하도록 하는 방법은 어떤 효과가 있을 것이라 생각하는가?

044 해설 입법부: 면책특권

Q1. 모범답변

국민의 자유와 권리 보장을 위해 국회의원의 면책특권은 제한되어서는 안 됩니다. 국민은 국가의 주권자로서 자신의 자유와 권리를 안정적으로 보장받고자 전문성을 갖춘 대의기관을 선출하여 주권을 위임합니다. 이렇게 국민의 주권을 위임받은 대의기관, 특히 입법부는 국민의 자유와 권리를 보호하기 위해 자유롭게 자신의 견해를 표명할 수 있어야 합니다. 특히 국민의 자유와 권리가 침해될 가능성이 있으나 확실하지 않은 정보인 경우, 국민을 위해 공개할 수 있어야 국민의 자유와 권리 침해를 예방할 수 있습니다. 오히려 국회의원이 적극적으로 발언하여 정치적 쟁점으로 만들고 이를 철저히 확인하여야 할 일이라고 생각합니다. 예를 들어, 대통령과 여당 의원들이 거액의 불법정치자금을 받았다는 의혹이 있다고 가정해보면, 이를 폭로할 국회의원의 면책이 되어야만 그 의혹을 제기할 수 있습니다. 만약 면책이 되지 않는다면 처벌이 두렵기 때문에 그 누구도 의혹을 제기할 수 없고 국민의 권리 보호라는 목적을 이룰 수 없습니다. 개인의 명예훼손 가능성이 두려워 국민의 자유와 권리의 침해를 감수해야 한다고 생각하지 않습니다. 따라서 국회의원의 자유로운 의정활동을 보장함으로써 국민의 권리를 보장하기 위해 국회의원의 직무상 면책특권이 보장되어야 합니다.

물론 이를 악용하여 타인의 명예를 훼손하고자 하는 목적으로 면책특권을 사용할 수도 있습니다. 그러나 이러한 일을 일삼는 국회의원은 다음 선거에서 국민의 심판을 받아 재선에 실패할 가능성이 높기 때문에 이러한 문제는 최소화할 수 있을 것입니다. 그러나 자신의 발언내용이 명백하게 허위인 것을 알면서도 발언한 경우에는 면책특권의 목적과 무관하므로 보호할 필요가 없으며, 피해자 구제라는 면에서도 처벌함이 타당합니다.[105)]

Q2. 모범답변

국회의원의 직무상 발언과 표결은 면책특권의 대상이 됩니다. 국회의원이 원내기자실에서 보도의 자유와 국민의 알권리 실현 차원에서 원고를 사전에 배포하였고 발언시간과 근접한 시간에 이루어졌다면 면책특권을 적용하는 것이 타당합니다. 甲이 원고를 미리 배포하지 않았다고 할지라도 본회의에서 어차피 발언할 내용이었고 기자들도 본회의 발언을 듣고 이를 보도할 것이어서 이 내용이 알려질 수밖에 없었습니다. 심지어 법원의 경우에도 중요판례는 보도 자료를 내고 홈페이지에 이를 공개하고 있습니다. 동일내용의 발언이 보도 자료를 통해 먼저 공표되었는가, 국회 본회의에서 먼저 공표되었는가의 차이 정도에 불과하며 결과적으로도 동일한 효과가 나올 것이므로 면책특권을 적용하여 국회의원의 자유로운 활동을 보장하고 국민의 알권리를 실현하는 것이 더 바람직합니다.

105) 면책특권의 목적 및 취지 등에 비추어 볼 때, 발언내용 자체에 의하더라도 직무와는 아무런 관련이 없음이 분명하거나, 명백히 허위임을 알면서도 허위의 사실을 적시하여 타인의 명예를 훼손하는 경우 등까지 면책특권의 대상이 될 수는 없지만, 발언내용이 허위라는 점을 인식하지 못하였다면 비록 발언내용에 다소 근거가 부족하거나 진위를 확인하기 위한 조사를 제대로 하지 않았다고 하더라도 그것이 직무수행의 일환으로 이루어진 것인 이상 이는 면책특권의 대상이 된다. (대판 2007.1.12. 2005다57752)

Q3. 모범답변

불체포특권 자체는 유지될 필요가 있으나, 불체포특권에 대한 일정 정도의 제한이 있어야 합니다.

불체포특권은 역사적으로 볼 때 행정부가 자의적으로 국회의원들을 체포하여 의회 활동을 방해하는 문제 때문에 도입된 것입니다. 과거와 같이 국회의원을 불법 체포하는 사례는 발생하기 어렵겠지만, 민주주의로 선출된 대표자가 권력을 남용하고 국회의원들의 비난을 피하기 위하여 국회의원을 체포할 가능성 또한 존재합니다. 특히 우리나라의 경우 오랜 군사정권 시대를 겪었기 때문에 불체포특권 유지에 대한 역사적 필요성이 크다고 할 수 있습니다. 따라서 불체포특권 자체는 유지되어야 합니다.

그런데 최근 들어 불체포특권은 국회의원들의 비리를 보호하는 수단으로 악용되고 있습니다. 따라서 불체포특권을 제한할 필요는 있습니다. 정부나 법원이 국회의원의 활동을 방해할 의도가 아니고 국회의원이 범한 범죄가 심각한 경우 국회는 체포에 동의를 해야 합니다. 국회가 동의 절차를 지연시킨다면 비리의원을 보호하는 것이나 다름없습니다. 따라서 일정기간 내에 국회는 체포 동의 여부를 결정해야 하고 그렇지 않을 경우 법원이 영장을 발부하는 방안을 수용할 필요가 있습니다.

Q4. 모범답변

국회의원체포동의안에 대해 기명으로 투표하도록 한다면, 국회의원들의 온정적 표결 이른바 '제 식구 감싸기'를 예방하는 효과가 있으리라 예상할 수 있습니다. 국가의 주권자인 국민이 국회의원에게 불체포특권을 부여한 것은 이를 통해 국민의 자유와 권리를 보호할 목적으로 정부의 부당한 권력행사 등에 대해 결연하게 대항하라는 의미입니다. 만약 국회의원 개개인이 정부에 의해 제출된 국회의원체포동의안에 대한 반대표를 던지는 것이 국민이 국회의원의 불체포특권을 규정한 목적에 부합한다고 판단한다면 반대하면 됩니다. 그리고 그에 대한 평가는 국민이 다음 선거에서 해당 선택을 한 국회의원을 재선시킬 것인가로 판단할 것입니다. 이를 위해서는 국민이 해당 국회의원의 의정활동에 대한 판단을 할 수 있도록 자신이 선출한 대표자가 어떤 선택을 했는지 알아야 합니다. 국회의원체포동의안을 기명으로 투표하도록 하면, 국민의 알권리 보장과 국민의 권리 보장에 기여하는 효과가 있을 것입니다.

045 개념 입법부: 위헌정당 해산

2021 아주대 기출

1. 기본 개념

(1) 정당

정당은 정치적 견해를 같이하는 사람들이 정당이 추구하는 기본정책, 즉 정강을 만들고 이를 실현하고자 만든 단체이다. 정당은 정권 획득을 목표로 하여 국민 전체의 이익을 증진하고자 정책을 수립하고 만들어 실행하고자 한다. 현대 대의제 민주주의에서 국민은 국가 권력을 직접 행사하지 않고, 대표자를 선출하여 국민의 정치적 의사를 대신 실현하도록 한다. 정당은 각종 선거에 후보자를 추천하고, 국민은 이 후보자들 가운데 대표자를 선출함으로써 의회와 행정부 등을 구성한다. 국민은 여러 정당의 정책들을 비교하고 특정 정당과 후보자를 지지하거나 비판하면서 현실 정치에 참여하고 있다. 현대 민주주의를 정당 정치라고도 하는데, 국민의 정치적 의사가 정당을 통해 드러나기 때문이다.

(2) 기능

첫째, 정당은 선거에 후보자를 추천하고 대표자를 배출하는 기능을 한다. 정당은 대통령이나 국회의원 등 국민의 의사를 대변할 능력이 있는 후보자를 끊임없이 발굴하고 추천하는 기능을 한다.

둘째, 정당은 국민 여론을 국정에 반영하는 기능을 한다. 정당이 정권을 획득하기 위해서는 국민의 지지를 받아야 한다. 따라서 정당은 국민의 요구사항을 확인하고 다양한 기대와 이익을 조직하거나 수렴하는 역할을 하여 정부에 반영한다.

셋째, 정당은 정치 사회화 기능을 한다. 정당은 자신들이 수립한 정책을 국민들에게 알리고 설명한다. 강연회, 공청회, 대중매체 보도 등을 통해 국민들에게 정치에 대한 관심을 불러일으키고 정치 참여도를 높이는 기능을 한다.

마지막으로, 정당은 정부 통제 기능을 한다. 정당은 여당과 야당 입장에서 정부를 통제한다. 여당인 정당은 당정협의회와 같은 활동으로 국민과 정부를 이어주는 기능을 한다. 야당은 권력을 비판하고 대안을 제시하는 역할을 한다.

(3) 위헌정당 해산[106)]

우리 헌법이 정당에 대하여 취하고 있는 규범적 태도는 다음과 같다. 즉, 모든 정당의 존립과 활동은 최대한 보장되며, 설령 어떤 정당이 민주적 기본질서를 부정하고 이를 적극적으로 공격하는 것으로 보인다 하더라도 국민의 정치적 의사형성에 참여하는 정당으로서 존재하는 한 우리 헌법에 의해 최대한 두텁게 보호되므로, 단순히 행정부의 통상적인 처분에 의해서는 해산될 수 없고, 오직 헌법재판소가 그 정당의 위헌성을 확인하고 해산의 필요성을 인정한 경우에만 정당정치의 영역에서 배제된다는 것이다(헌재 1999.12.23. 99헌마135 참조).

따라서 정당해산심판제도는 정당 존립의 특권, 특히 그중에서도 정부의 비판자로서 야당의 존립과 활동을 특별히 보장하고자 하는 헌법제정자의 규범적 의지의 산물로 이해되어야 한다. 그러나 한편 이 제도로 인해서, 정당 활동의 자유가 인정된다 하더라도 민주적 기본질서를 침해해서는 안 된다는 헌법적 한계 역시 설정된다 할 것이다.

106)

2013헌다1

(4) 헌법 제8조 제4항의 민주적 기본질서

첫째, 자유민주적 기본질서만을 의미한다고 보는 견해가 있다. 현행 헌법의 경우 사회민주주의의 중요한 내용을 이루는 사회국가의 원리·사회정의의 실현, 사회적 시장경제질서 등은 여러 헌법조항에서 규정하고 있으므로, 헌법 제8조 제4항의 민주적 기본질서 중에 반드시 사회민주주의를 포함시켜야 할 이유가 없다.

정당해산의 구실을 극소화하기 위해서라도 이때의 민주적 기본질서는 자유민주적 기본질서만을 의미하는 것으로 제한적 해석을 하여야 한다. 민주적 기본질서를 사회민주적 기본질서를 포함하는 개념으로 이해한다면 자유민주주의를 부정하는 정당은 말할 것도 없고 사회민주주의에 찬동하지 않는 정당(자유민주적, 보수주의적 정당 등)까지도 해산의 대상이 되는 것은 불합리하고 비극적인 결과를 초래하게 된다.

자유민주적 기본질서야말로 대한민국의 헌법질서에 있어서 중핵인 것이며, 어떠한 경우에도 수호하지 않으면 아니 될 헌법상 최후의 보루이다.

둘째, 사회민주적 기본질서까지 포함한 것으로 보는 견해가 있다. 민주적 기본질서가 곧 자유민주적 기본질서라고 하는 것은 민주주의의 이념을 자유와 평등만으로 국한하려는 사고이며 복지와 사회정의의 요청을 무시한 이론이다.

우리나라 헌법의 민주적 기본질서는 독일기본법상의 자유민주적 기본질서와 구별하여야 하며 자유민주주의와 사회민주주의의 복합개념인 민주적 기본질서는 자유주의와 보수주의를 배격하는 것이 아니라 부익부빈익빈을 조장하는 경제적 자유주의와 독점자본주의를 배격하는 것이다. 따라서 헌법의 가장 중요한 이념인 사회정의, 사회적 복지국가의 원리에 어긋나는 극단적인 정당(예컨대 부익부빈익빈 정책을 추구하거나 경제적 평등 실현을 위한 경제조정까지를 반대하는 정당)의 존립까지 보장해야 하는 것은 아니다.

마지막으로, 헌법재판소 판례[107]는 엄격하고 협소한 개념으로 이해하고 있다. 민주 사회에서 정당의 자유가 지니는 중대한 함의나 정당해산제도의 남용가능성을 감안한다면, 헌법 제8조 제4항의 민주적 기본질서는 최대한 엄격하고 협소한 의미로 이해해야 한다.

우리 헌법 제8조 제4항이 의미하는 민주적 기본질서는, 개인의 자율적 이성을 신뢰하고 모든 정치적 견해 각각 상대적 진리성과 합리성을 지닌다고 전제하는 다원적 세계관에 입각한 것으로서, 모든 폭력적·자의적 지배를 배제하고, 다수를 존중하면서도 소수를 배려하는 민주적 의사결정과 자유·평등을 기본원리로 하여 구성되고 운영되는 정치적 질서를 말하며, 구체적으로는 국민주권의 원리, 기본적 인권의 존중, 권력분립제도, 복수정당제도 등이다.

2. 읽기 자료

해산 결정의 주요 쟁점[108]

107) 헌재 2014.12.19. 2013헌다1, 판례집 26-2하, 1

108)

해산 결정의 주요 쟁점

045 문제 입법부: 위헌정당 해산

답변 준비 시간 10분 | 답변 시간 10분

Q1. 북한이나 중국 등의 사회주의 국가는 공산당 일당체제를 지향하고 있다. 반면, 미국이나 우리나라 등의 자유주의 국가는 복수정당제를 지향한다. 공산당 일당체제는 복수정당체제와 달리 경쟁을 하지 않으므로 국민이 원하는 지도자를 선출할 수 없다는 비판이 있는데, 이 비판의 타당성을 논하시오. 또한, 자유주의 국가는 어떤 목적으로 복수정당제를 지행하는지 논하시오.

Q2. 우리 헌법은 정당 설립을 자유롭게 인정하고 있다. 정당법 제4조 제1항은 정당 설립은 등록제이며 허가제는 절대로 인정하지 않는다고 규정한다. 또한 정당법 제15조는 선거관리위원회는 정당 설립 신청에 있어서 형식적 요건의 구비 여부의 형식적 심사만 할 뿐 어떤 내용을 실현하려는 정당인지 내용적 심사를 하지 않는다고 규정한다. 정당 설립의 자유를 이처럼 강조하고 있는 이유는 무엇이라고 생각하는가?

Q3. 모든 정당의 목적은 정권을 획득하여 정당의 목표를 현실에서 구현하는 것이다. 만약 정당이 목적으로 삼고 있는바, 즉 정권을 획득하면 실현하려고 하는 가치가 다수 국민이 반대하는 것이라면 어떠한가? 다수 국민이 반대하는 가치를 표방하는 정당이라면 처음부터 정당 설립을 불허해서 불필요한 사회갈등을 줄이는 편이 좋지 않은가?

Q4. 정당의 목표가 우리나라의 공산화라거나 우리나라와 일본 합병, 혹은 북한과의 전면전이라면 그때에도 그 정당을 인정해야 하는가?

045 해설 입법부: 위헌정당 해산

Q1. 모범답변

공산당 일당체제에 경쟁이 없다는 주장은 타당하지 않으나, 국민이 원하는 지도자를 선출할 수 없다는 주장은 타당합니다.

먼저, 공산당 일당체제는 정당이 하나이기 때문에 경쟁을 하지 않는다는 비판은 타당하지 않습니다. 우리나라의 경우를 보더라도 정당 후보를 선출하기 위해 정당 내에서 경선을 합니다. 이처럼 공산당 일당체제하에서도 정당 안에서 경쟁을 할 수 있습니다. 예를 들어 중국 공산당 내에서 시진핑, 리커창, 보시라이 등이 지도자 경쟁을 하여 시진핑이 국가주석으로 선출된 바가 있습니다.

그러나 공산당 일당체제하에서 국민이 원하는 지도자를 선출할 수 없다는 비판은 타당합니다. 사회주의 국가는 공산당만이 국민의 진정한 의사를 알고 있다고 합니다. 마르크스가 주장한 것처럼 인류의 미래는 프롤레타리아 혁명이 일어나 후기 공산주의 사회에서 종결될 것이기 때문입니다. 그러므로 공산당의 큰 전략은 공산주의 사회 실현이라는 인민의 진정한 목표를 향해 나아가는 것이고 공산당원들의 공산당 내에서의 경쟁은 공산주의 사회를 어떻게 빨리 실현할 것인지 전술을 실현하는 방법론에 해당하는 것입니다. 일반 국민은 이러한 구체적이고 전문적인 내용을 알 수 없으므로 국민의 진정한 의사를 알고 있는 공산당이 지도자를 선출하고 국가를 운영하면 주인인 국민이 진정으로 원하는바가 실현된다고 생각합니다. 따라서 국민이 스스로 지도자를 선출할 수 없고 국민의 진정한 대변자인 공산당이 대신 지도자를 선출하여야 한다고 주장합니다.

자유주의 국가가 복수정당제를 지향하는 목적은 국민 개개인의 자유를 보장하기 위함입니다. 자유주의에 따르면, 모든 국민 개개인은 자기가 추구하는 가치가 있고 이 가치를 추구함에 있어 타인의 자유에 해악을 주지 않는 한 이를 실현할 자유를 가집니다. 이에 따르면 국민 모두를 만족시킬 수 있는 정해진 일률적 행복이란 없으며, 각자 개인이 스스로 자신의 가치관을 추구할 때 행복이 달성되는 것입니다. 국가 역시 개인의 행복을 돕는 역할만을 해야지 행복을 정해주거나 대신 실현해주려 해서는 안 됩니다. 이에 따르면 정당은 국가가 나아갈 방향과 가치에 대해 같은 생각을 가진 사람들이 모여 국민의 지지를 받아 이 가치를 국가적으로 실현하고자 하는 집단입니다. 다양한 생각을 가진 개인들이 있듯이 다양한 가치관을 추구하는 정당이 존재할 수 있습니다. 이 정당들 중 국민 다수의 지지를 받은 정당이 자신이 추구하는 가치관을 국가적으로 실현할 수 있는 것입니다. 따라서 자유주의 국가는 다양한 개인의 가치관을 국가에 반영하기 위해 복수정당제를 지향하고 있다고 볼 수 있습니다.

Q2. 모범답변

현대 대의제 민주주의하에서 정당은 국민의 정치적 의사를 결집시키는 현실적 기능을 하기 때문입니다. 과거의 민주주의에서의 선거는 뛰어난 인물에 대한 검증과 자격 부여의 성격이 강했습니다. 그러나 현대에 들어 사회변화가 빠르고 크게 일어나고 있어 국회의원 개인이 이에 대응하기 어렵습니다. 국민의 다양한 정치적 의사와 이해관계를 결집하여 현실적으로 실현하기 위해서는 중간집단이자 직업적 전문가로서 정당이 필요합니다. 그런데 이러한 국민의 의사를 결집하는 정당에 대한 내용적 심사를 하겠다는 것은 국민 의사의 옳고 그름을 미리 판단하겠다는 것입니다. 국가의 주인인 국민 개개인의 다양한 의사가 국정에 반영되기 위해서는 그 중간집단으로서의 정당의 설립에 있어서 제한이 없어야 합니다. 따라서 정당 설립은 자유로워야 하며, 정당 설립에 있어서 허가제는 허용할 수 없고 형식적 심사 외의 내용적 심사를 허용할 수 없습니다.

Q3. 모범답변

정당의 목표가 다수 국민이 반대하는 것이라 하더라도 그 판단은 국민이 해야 하므로 정당 설립을 불허하는 것은 타당하지 않습니다. 정당을 설립하는 주체는 국민이므로 소수라 하더라도 국가의 주권자인 국민들이 모여 정당을 설립해 정권을 획득하려 하는 것 자체를 막아서는 안 됩니다. 만약 소수 국민이 정당을 설립하여 다수 국민이 원하지 않는 목표를 추구하더라도 이는 다수 국민이 선거로써 판단하여 대표로 선출하지 않으면 될 일입니다. 이를 국가가 선제적으로 예방하기 위해 정당 설립을 인정하지 않는 것은 국민을 국가 주권자로 인정하지 않는 것이나 마찬가지입니다.

Q4. 모범답변

정당의 목표가 부당하다고 하더라도 설립 자체는 막을 수 없으나, 설립 이후 그 정당의 활동이 명백하게 민주주의의 내용에 반한다면 위헌정당 해산을 통해 명백한 부정의의 실현을 막아야 합니다. 민주주의는 국민의 다양한 의사를 받아들여야 한다는 상대적 세계관에 근거하고 있으나 민주주의를 부정하고 민주주의 자체를 파괴하려는 민주주의의 적에 대한 관용까지 포함할 수 없습니다. 이를 방어적 민주주의라 합니다. 독일 바이마르 공화국은 민주적 절차가 잘 마련되어 있었으나 소수 국민인 장애인과 유대인을 부정하고 학살하려는 목적을 지닌 나치를 형식적 정당성의 입장에서 방치하였습니다. 그 결과 민주주의 자체가 파괴되고 전체주의 국가로 전락하였습니다. 따라서 반민주적 목적을 명백하게 가지고 실현하려는 행위를 한 정당은 위헌정당 해산을 통해 제거하여야 합니다. 단, 위헌정당 해산 시 반민주적 목적과 그 실현행위에 대해서는 최대한 엄격하게 해석하여야 할 것입니다.

046 개념 행정부: 행정입법

1. 기본 개념

(1) 개념

위임입법이란 국회가 자신의 입법권을 행정부 등 입법부 이외의 국가기관에 위임하는 것을 말한다. 그중에서도 특히 행정부에 대한 입법권의 위임과 그에 근거한 행정부의 입법을 행정입법이라 한다. 행정입법은 행정부가 법률을 시행하기 위해 필요한 상세 세부규정을 담은 것이다. 의회가 입법을 독점하는 입법독점주의에서 벗어나 입법중심주의로 전환하면서 일정 범위 내에서 행정입법을 허용하게 되었다. 그 이유는 사회적 변화가 빠르게 일어나고 있고 이에 대응한 입법수요가 증가하였기 때문이다. 또한 형식적 권력분립주의로는 현대사회에 대응할 수 없다는 기능적 권력분립론에 근거하고 있다.

(2) 종류

구속력 여부에 따라 국민의 권리와 의무에 관계되는 법규명령, 행정조직 내부만을 규율하는 행정명령(행정규칙)으로 구분된다. 법규명령은 권한 주체에 따라 대통령령, 총리령, 부령 등으로 구분된다. 보통 대통령령은 시행령, 총리령과 부령은 시행규칙으로 불린다. 현행 헌법은 제75조와 제95조에 행정입법의 근거 규정을 두었다. 주무부서 발의로 차관회의를 거쳐 국무회의 심의 후 총리, 관계 국무위원 검토를 받아 대통령이 공포한다.

행정입법 중 문제가 되는 것은 법규명령인데 이는 행정기관이 국민의 권리와 의무에 관한 사항을 규정하는 것을 의미하며 대국민 구속력을 가지는 법규적 명령을 말한다. 이러한 법규명령은 모법에 종속된다. 모법이 폐지, 소멸한 때에는 법규명령도 폐지, 소멸한다. 헌법에 따라, 법률이 대통령령에 위임할 경우 구체적으로 위임해야 하며 포괄적으로 위임하는 것은 금지된다.

(3) 한계

국민의 권리와 의무에 관한 사항을 규정하는 행정입법은 한계가 있다.

첫째, 포괄적 위임이 금지된다. 법률이 명령에 위임하는 사항을 구체적으로 한정하지 않고 일반적이고 포괄적으로 위임하는 것은 금지된다.

둘째, 헌법이 법률로 정하도록 규정한 것은 법률이 명령에 위임할 수 없다. 단, 기본적인 사항을 법률에 정한 후 세부적 사항을 위임하는 것은 가능하다.

셋째, 범죄의 구성요건은 반드시 법률로 하여야 하고 명령에 위임할 수 없다. 그러나 구체적 기준을 정해 더 세부적 사항을 위임하는 것은 가능하다. 모법(母法)이 처벌의 수단과 양형의 최고한도를 정한 후에, 그 범위 안에서 명령으로써 구체적 범위를 정하도록 위임할 수 있다.

넷째, 위임의 범위를 벗어난 명령은 위헌이다. 위임명령은 법률에서 위임한 범위 내에서 제정되어야 한다. 위임의 범위를 벗어난 명령은 위헌이다.

2. 읽기 자료

행정입법통제[109)]

허용가능성과 통제방안[110)]

109)

행정입법통제

110)

허용가능성과 통제방안

046 문제 행정부: 행정입법

답변 준비 시간 10분 | 답변 시간 10분

Q1. 주권자인 국민이 직접 선출한 입법부는 주권자로부터 직접 위임받은 민주적 정당성을 가지고 있어 법률을 제정할 권한이 있다. 그러나 현대에 접어들면서 행정부가 일부 입법권을 가지도록 하였다. 행정입법이 필요한 이유를 논하시오.

Q2. 행정부가 입법부의 의도를 자유롭게 해석하여 입법하여도 되는 것인지 논하시오.

Q3. 만약 입법부가 정당별로 생각이 달라 논의가 길어지고 있다고 하자. 법률 제정이 점점 늦어지는 상황에서 법률 제정 시기를 놓치면 국익 침해가 예상되는 경우라고 할 때, 국익 증대를 위해 유능한 행정부가 적극적으로 행정입법을 해야 한다는 견해가 있다. 이 견해에 대한 자신의 입장을 논하시오.

046 해설 행정부: 행정입법

Q1. 모범답변

국민의 자유와 권리를 적극적으로 실현하기 위해 행정입법이 필요합니다. 현대의 국가는 과거와 달리 국민의 기본권을 적극적으로 실현하는 역할을 담당하고 있습니다. 현대 사회는 이전에 비해 규율 대상이 복잡하고 전문화되고 있는 데다가 사회의 변화 속도까지 빨라지고 있습니다. 이러한 현실에서 입법부는 민주적 정당성은 있으나 전문가 집단이 아니기 때문에 사회의 변화에 능동적으로 대응하기 어렵습니다. 따라서 행정부는 다양한 분야의 전문성과 함께, 조직적으로 사회 변화에 탄력적으로 대응하는 능력을 갖추고 있기 때문에 변화한 사회에 맞춘 행정입법을 통해 국민의 자유와 권리를 능동적으로 실현할 수 있습니다. 그뿐만 아니라 행정부는 입법부에 준하는 민주적 정당성을 갖고 있습니다. 행정부의 수반인 대통령은 국민의 직접 투표에 의해 선출되고, 전문 부처의 수장인 장관은 의회의 인사청문회를 거치는 등으로 민주적 정당성을 확보합니다. 따라서 행정부는 국민의 자유와 권리 보장을 위한 역할을 담당할 수 있고, 적극적인 임무 수행을 위해 필요한 행정입법을 할 수 있습니다.

Q2. 모범답변

행정부가 입법부의 법 제정의도를 넘어서서는 안 됩니다. 국민의 자유와 권리를 제한하거나 실현하기 위해서는 주권자가 스스로 정한 법률에 그 규정이 있어야만 합니다. 그리고 법률은 국민의 직접 선거에 의해 선출된 입법부에 의해서만 제정될 수 있습니다. 국민의 기본권 실현과 관련한 본질적 사항은 반드시 입법부가 법률로 규정해야 합니다. 그리고 행정부는 국민의 대표에 의해 논의되고 형성된 법률을 전문적으로 실현하는 역할만을 담당해야 합니다. 입법부가 정한 사항에 대해 행정부가 포괄적인 위임입법의 권한을 행사할 수는 없습니다. 행정부는 위임입법을 할 때 법률의 의도를 넘어서서는 안 되며, 대상을 특정하여 한정해야 하며, 행정기관을 지도하고 제약하기 위한 목표, 기준, 고려 요소 등을 명확하게 지시해야 합니다. 따라서 행정부가 입법부의 의도를 자유롭게 해석해서는 안 됩니다.

Q3. 모범답변

입법부의 무능으로 국민의 피해가 발생할 수 있으므로 행정부가 적극적으로 행정입법을 해야 한다는 주장은 타당하지 않습니다. 입법부가 무능해서 국익 침해가 문제된다면 입법부의 능력과 전문성을 키워 해결할 일이지, 행정부의 위임입법을 확대해서 해결할 일이 아닙니다. 예를 들어, 미국의 경우 전문성이 부족한 입법부를 보조하기 위한 전문기구들을 상설하거나 한시적으로 운영하여 전문성을 확보하고 환경변화에 시기적절하게 대응하고 있습니다. 이러한 방법 등이 있음에도 불구하고 행정입법에만 의존하는 것은 권력분립의 원리를 파괴하는 것입니다. 민주주의는 국민의 기본권 보장과 실현이 목적이고, 이를 위해 3권 분립제도를 두었습니다. 국익 증대를 위한 효율적 의사결정이 목적이었다면 국민들이 전체주의 체제를 부정하고 민주주의를 실현하기 위해 그 많은 희생을 기꺼이 감수하지 않았을 것입니다. 민주주의는 국민주권 원리의 실현과 국민의 기본권 보장을 목적으로 하고, 이를 위해 사회·경제적 발전을 수단적으로 요구합니다. 예를 들어, 제2차 세계대전 당시 나치는 의회 의석의 90%를 점하였고 나치가 원한다면 헌법도 제·개정할 수 있는 의석수를 얻었습니다. 이를 기반으로 나치 의회가 원하는 것은 나치의 수장인 히틀러 정부를 통해 실현되는데 의회에서 법을 만든 후 정부에서 정책을 시행하는 것은 정책 효율성이 떨어진다고 주장했습니다. 따라서 전쟁 수행의 효율성을 높이기 위해 히틀러 행정부가 시행하고자 하는 정책은 입법부인 나치가 찬성한 것이나 동일하다는 포괄적 위임을 하는 수권법(授權法)을 제정하였습니다. 그 결과, 제2차 세계대전이 확전되었고 600만 명 이상의 유대인이 학살당했다는 것을 잊어서는 안 됩니다.

047 개념 행정부: 사면권

2022 제주대 기출

1. 기본 개념

(1) 개념

사면은 형의 선고의 효력 또는 공소권을 상실시키거나, 형의 집행을 면제시키는 국가원수의 고유한 권한을 의미하며, 사법부의 판단을 변경하는 제도로서 권력분립의 원리에 대한 예외가 된다. 사면제도는 역사적으로 절대군주인 국왕의 은사권(恩赦權)에서 유래하였으며, 대부분의 근대국가에서도 유지되어 왔고, 대통령제국가에서는 미국을 효시로 대통령에게 사면권이 부여되어 있다. 사면권은 전통적으로 국가원수에게 부여된 고유한 은사권이며, 국가원수가 이를 시혜적으로 행사한다. 현대에 이르러서는 법이념과 다른 이념과의 갈등을 조정하고, 법의 이념인 정의와 합목적성을 조화시키기 위한 제도로도 파악되고 있다.[111)]

민주국가의 경우에도 사법권이 잘못 행사될 수 있는 가능성은 있고, 또 시대변화에 맞지 아니하는 낡은 법을 엄격히 적용하게 될 때 국민의 상식에 맞지 아니하는 형벌권의 행사가 있을 수 있다. 그러므로 이런 불합리를 시정하기 위해 민주국가에서도 사면권이 원칙적으로 인정될 필요가 있다.

(2) 종류

사면권의 종류에는 일반사면, 특별사면, 감형, 복권이 있다. 일반사면은 죄의 종류를 정하여 행하는 것이고, 특별사면은 사면대상자를 정하여 행한다. 사면이라고 하면 보통 특별사면이 대부분이다. 특별사면은 사면대상자를 지정하면, 그 효과는 형집행의 면제이다. 복권은 상실·정지된 자격의 회복이 그 효과이다.

(3) 남용 시의 문제점

첫째, 사법권 침해가 문제된다. 법원이 법률에 근거한 재판을 거쳐 유죄판결을 한 자에 대해, 사면권을 남용하여 사면한다면 이는 사법권을 무력화시키는 행위이다.

둘째, 법치주의에 위배된다. 법치주의에 따르면 법은 누구에게나 동일하게 적용되어야 한다. 그러나 정치인이나 재벌회장들이 법을 위반하고 유죄판결을 받아도 대통령이 사면하는 것이 우리나라에서는 일상화되어 있다. 그렇다면 정치인이나 재벌회장들은 법 처벌을 두렵게 생각하지 않는 법경시풍조를 낳을 수 있다. 결국 법치주의의 실현은 요원한 일이 되고 있다.

셋째, 평등원칙에 위배된다. 정치인이나 재벌회장은 사면으로 처벌을 면제받고 일반 국민은 처벌을 받는다면 법적용의 평등이 훼손될 수 있다.

111)
헌재 2000.6.1. 97헌바74, 공보 제46호, 448

(4) 한계

첫째, 사면에 의하여 사법권의 본질적 내용이 훼손되어서는 안 된다고 한다. 사법권의 양형의 기초를 파괴하고 중형을 선고받은 공직자들이나 공안사범을 골라 이들만을 석방시키기 위한 사면은 사법권의 권위를 훼손하고 평등의 원칙을 무시한 조치가 될 수 있다. 사법권에 의하여 확립된 민주국가의 기본이념에 대한 가치판단에 반하는 사면이 허용되어서도 안 될 것이다.

둘째, 사면권에 의해 정의와 법적 안정성이 침해되어서는 안 된다고 한다. 중대한 죄를 범한 범인만을 대상으로 한 사면이나 어떤 행위가 범죄로 처벌되는지조차 알 수 없게 하는 사면은 정당한 사면이 아니다.

셋째, 집권당을 지원하는 범인을 유리하게 하기 위한 사면은 허용될 수 없다고 한다. 집권당의 전직 의원을 대상으로 한 사면이나 이와 형평을 고려한 유사 정치인에 대한 사면은 물론 정계개편을 전제로 한 사면은 사면의 법치국가적 한계를 벗어난다고 해야 한다. 사면은 집권자의 은총이 아니다.

넷째, 사면에 의하여 재판의 잘못을 시정하거나 피고인을 구제하는 역할을 해서도 안 된다. 사면은 법을 엄격히 적용하는 경우에 법에 의한 정의가 개인에게 실현될 수 없는 극히 예외적인 경우에 최후의 수단으로 이용되어야 한다. 형사절차에 의해서는 피고인을 구제할 수 없고 구제하는 것이 정의에 부합한다는 판단이 전제되어야 한다.

2. 읽기 자료

대통령 사면권 행사[112)]

사면권 개정[113)]

112)

대통령 사면권 행사

113)

사면권 개정

047 문제 행정부: 사면권

답변 준비 시간 15분 | 답변 시간 15분

Q1. 대통령은 범죄를 용서해 형벌을 면제해주는 사면권을 가지고 있다. 행정부의 수반인 대통령이 사법부의 결정을 무력화할 수 있는 것이다. 국민이 대통령에게 사면권을 부여한 이유는 무엇인가?

Q2. 재벌회장에 대한 사면을 하는 등, 대통령이 사면권을 남용한다는 여론이 커졌다. 국회는 이 여론에 대응하고자 다음과 같은 두 가지 안을 발의했다. 1안은 헌정질서 파괴범, 권력형 부정부패 사범 등에 대한 사면을 금지하는 내용을 담은 안이다. 2안은 일정한 범죄에 대해서는 대법원장의 동의를 받도록 하는 절차를 담은 안이다. 1안과 2안의 타당성에 대해 각각 평가하시오.

Q3. 대통령의 사면권은 대통령의 재량이다. 예를 들어, 대통령이 판단하기에 경제인들이 유죄 판결로 발목이 묶이면 경제 침체를 벗어날 수 없다는 판단을 했다고 하자. 국민이 원하지 않는다고 하더라도 대통령이 자신의 판단하에 사면을 할 수 있는데, 이에 대해 어떻게 생각하는가?

Q4. 국민의 공분을 사는 사면권 행사가 많았던 것도 사실인데, 사면권 폐지에 대해서는 어떻게 생각하는가?

Q5. 대통령 甲은 탄핵에 의해 대통령에서 파면되었다. 이후 당선된 대통령 乙은 국민화합 차원에서 甲에 대한 특별사면을 하려 한다. 이 사면은 정당한가?

Q6. 법원이 내란죄로 사형을 선고한 자에 대해서, 법원 선고 직후 대통령이 사면권을 행사하여 그자를 석방했다. 담당 판사는 대통령의 사면권 행사가 사법권을 침해하였다고 주장하면서 헌법소원심판을 청구하였나. 이는 타당한가?

047 해설 행정부: 사면권

Q1. 모범답변

사면권은 국민의 자유와 권리를 지키기 위한 목적으로 국가원수인 대통령에게 부여된 권한입니다. 주권자인 국민은 자신의 자유와 권리를 지키기 위해, 입법부를 통해 법률을 제정하고, 행정부를 통해 법률을 실제 현실에 적용해 시행하고, 사법부를 통해 입법된 법률의 의도가 행정에서 어긋나게 시행된 것인지 여부와 정도를 판단하도록 하였습니다.

그런데 법률은 법적 안정성이라는 가치를 위해 한번 정해지면 쉽게 바꿀 수 없는 특징이 있습니다. 이로 인해 이미 현실은 빠르게 변했는데 법률은 과거에 머무르는 경우가 간혹 있습니다. 이때 특정사안에 대하여 법률을 그대로 적용하는 것이 국민의 진정한 의사가 아님에도 불구하고, 사법부는 국민이 정한 법률을 그대로 적용해서 사법적 판단을 해야 하는 경우가 발생합니다. 이때 사법부는 과거에 제정된 법률과 반하는 현재 국민의 진정한 요구를 받아들여 재판을 할 수 없고 과거의 법률을 그대로 적용해야만 합니다. 이 경우 발생하게 될 국민의 요구와 법률 간의 간격을 그대로 방치할 경우 오히려 정의가 훼손되며 법에 대한 국민의 신뢰도 낮아지게 됩니다. 따라서 입법부와 마찬가지로 국민의 직접 선택을 받아 민주적 정당성을 부여받은 대통령이 현실과 법률 간의 간격을 줄일 필요가 있다는 의미에서 사면권을 행사할 수 있습니다.

Q2. 모범답변

1안과 같이 사면권의 구체적 내용을 규정하는 사면법 제정은 정당하지 않습니다. 그러나 2안과 같이 일정한 범죄에 대해 동의를 받도록 하는 절차를 추가하는 사면법 제정은 정당합니다.

사면권의 행사는 대통령의 권한으로서 국민이 권력분립의 예외로 인정하여 대통령에게 직접 부여한 것입니다. 국민은 법률과 현실의 괴리를 해결하기 위해 사면권을 부여한 것이기 때문에 사면권의 내용이 무엇인지는 현실에서 문제가 발생하기 전까지는 누구도 이를 예상할 수 없습니다. 따라서 사면권의 내용을 구체적으로 규정하게 되면 사면권의 부여 목적에 반하게 되므로 사면권의 구체적 내용을 규정해서는 안 됩니다. 따라서 1안은 타당하지 않습니다.

사면권 행사 시 동의를 받도록 하는 절차를 추가하는 사면법 제정은 정당합니다. 국민이 원하는 사면과 대통령이 시행하는 사면 사이에 괴리가 발생하면 사면법의 목적이 실현될 수 없습니다. 대통령이 정치적 목적을 가지고 사면을 하는 등으로 사면권이 남용되지 않도록 하기 위해서는 절차적인 정당성을 갖출 필요가 있습니다. 따라서 2안은 타당합니다.

Q3. 모범답변

사면권은 대통령의 재량이기 때문에 국민이 원하지 않더라도 대통령이 자신의 판단하에 사면할 수 있습니다. 다만, 대통령은 국민의 의사에 반하는 사면권 행사를 지양해야 합니다.

국민들은 아직도 무전유죄, 유전무죄라는 말을 믿고 있습니다. 이는 우리 사법부가 돈 있고 권력 있는 자에게 유리하게끔 법을 적용했기 때문에 생긴 불신입니다. 최근 사법부가 과거를 반성하여 이전보다는 공정한 재판을 하고 있습니다. 명백한 유죄로 유죄 판결이 확정된 경제인이나 정치인을 사면한다면, 국민들은 유전무죄라는 생각을 더욱 굳히게 됩니다. 이러한 상황하에서 일반 국민이 법을 위반해 처벌되면, 자신은 돈이 없고 힘이 없어 처벌되었다는 핑계만 늘어놓게 됩니다. 그렇다면 법질서를 확립할 수 없습니다. 따라서 경제 활성화, 정치적 화해라는 명목으로 국민이 원하지 않는 사면을 해서는 안 됩니다. 국민 화합의 차원에서 행사되는 사면은 정당하나, 재벌회장이나 정치인을 사면하는 것은 국민 화합을 저해하고 오히려 국민들을 분열시킬 수 있으므로 타당하지 않습니다.

Q4. 모범답변

문제가 많았다고 해서 사면권을 폐지해서는 안 됩니다. 인간이 법을 만들고 법을 적용하다 보면 오판이 있을 수밖에 없습니다. 이를 교정하기 위해서라도 사면은 필요합니다. 또한 낡은 법을 엄격하게 적용하여 국민의 상식에 맞지 않는 불합리한 처벌도 있을 수 있습니다. 사면권 행사를 통해 불합리한 처벌을 교정할 필요도 있습니다. 국민의 의사에 반하는 사면이 행해지는 것을 막아야 할 필요성은 있습니다. 그러나 사면권 자체를 폐지하는 것은 타당하지 않습니다.

Q5. 모범답변

甲에 대한 특별사면은 정당하지 않습니다. 사면권은 국민의 자유와 권리 실현에 있어서 법과 현실의 괴리가 있을 때 행사될 수 있습니다. 대통령에 대한 탄핵은 주권자인 국민이 규정한 민주적 기본질서를 훼손하고 주권자가 대통령에게 부여한 권한을 남용했을 때 이루어집니다. 甲에 대한 탄핵 결정을 후임 대통령이 사면할 수 있다면, 주권자인 국민이 甲을 탄핵하여 달성하고자 하는 목적이 훼손되는 것입니다. 후임 대통령이 국민의 지지를 받아 당선되었다고 하더라도 주권자가 판단한 민주적 기본질서에 대한 훼손을 사면을 통해 부정할 수는 없습니다. 따라서 후임 대통령인 乙의 甲에 대한 특별사면은 정당하지 않습니다.

Q6. 모범답변

담당 판사의 헌법소원 청구는 타당하지 않으며, 권한쟁의심판을 청구해야 합니다. 헌법소원은 기본권을 침해당한 자가 제기할 수 있습니다. 담당 판사는 대통령의 사면권 행사에 의해서 국민으로서 기본권을 침해당한 것이 아닙니다. 사법권은 기본권이 아니라 국가기관이 가지는 권한입니다. 사법권은 기본권이 아니므로 헌법소원심판을 청구할 수 없습니다. 다만 사법권은 국가기관의 권한이므로 대통령이 사면권을 남용하여 사법권을 침해했다고 판단될 경우 헌법재판소에 권한쟁의심판을 청구할 수 있습니다.

사법부: 배심제

2022 제주대/중앙대·2021 동아대·2020 고려대 기출

1. 기본 개념

(1) 배심제와 민주주의

왕정에서는 입법, 행정, 사법이 모두 권력자인 왕의 손에 있다. 그러나 민주정은 권력자가 왕에서 국민으로 바뀌게 되고, 국민은 특정될 수 없는 다수이므로 다수의 의사를 확인하는 과정이 꼭 필요하다. 이로 인해 국민 다수의 지지를 받은 후보자를 국가기관으로 선출하는 직접, 보통선거가 실시된다.

입법부와 행정부는 국민이 직접 선출하기 때문에 1차적 국민대표기관이다. 그러나 사법부는 사법의 전문성이라는 특수성으로 인해 국민의 직접 선출이 아닌 간접 선출제도를 취하고 있다. 법원, 헌법재판소의 법관과 재판관은 국민이 직접 선출하지 않고 법률 절차에 따라 임명한다. 그리고 대법관, 헌법재판소 재판관은 대표기관의 추천과 인사청문회 등을 거쳐 임명된다. 즉 2차적 국민대표기관이 된다. 이러한 차이점으로 인해 사법부는 대의기관 중 국민주권 원리에 부합하지 않는다는 평가가 가능하다. 사법부 역시 국민주권 원리가 실현되어야 한다는 생각으로 배심제가 탄생했다. 특히 영국과 미국에서 배심제의 탄생과 발전은 민주주의의 역사와 함께했다. 이를 볼 때 민주주의를 통해 국민주권을 실현하고자 하는 투쟁의 역사는 배심제의 역사이기도 하다는 것을 알 수 있다.

(2) 토크빌, <미국의 민주주의>

배심제는 단순히 사법제도의 하나에 불과한 것이 아니다. 배심제는 정치적인 것이며 정치적 관점에서 판단해야 하는 것이다.

배심원은 시민 가운데 무작위 추첨을 통해 뽑힌 일정한 시민들이며, 이들은 특정 재판에 일시적 판결권을 부여받는다. 배심제는 범죄 방지 목적으로 만들어진 것이지만, 공화적인 요소를 내포하고 있는 것이다. 배심원이 추첨되는 계급에 따라 배심제가 귀족적으로 혹은 민주적으로 운영될 수 있다. 그러나 배심제는 사회의 실질적인 지배권을 정부가 아니라 피지배자의 손에 주는 것이므로 언제나 공화적 성격을 갖게 된다. 정치적 법률의 제재는 결국 형법으로 귀결된다. 만약 그 제재가 필요한 정도보다 부족하면 그 누구도 법률을 지키려 하지 않을 것이어서 힘을 잃게 된다. 이를 볼 때 범죄자를 처벌하는 자가 곧 그 사회의 실질적 지배자라 할 수 있다. 배심제는 국민을 법관의 지위로 끌어올림으로써 사회의 지배권을 국민에게 부여하여 주권자가 되게 하는 것이다.

영국의 배심원은 귀족 중에 선발되기 때문에 귀족이 법률을 제정하고 적용하고 법률 위반을 처벌한다. 따라서 영국은 귀족 공화정이다. 그러나 미국의 배심원은 국민 중에 선발되기 때문에 다수 지배가 실현된다. 모든 미국 시민은 법적으로 자격이 있는 피선거권을 가지고 있는 유권자이다. 미국의 배심제는 보통선거를 통해 실현되는 국민주권의 결과물로서, 평등한 권력 실현의 도구가 되어 다수 지배를 실현한다.

자신의 권력으로 통치하고 결코 통제받지 않으려 했던 권력자들, 즉 전제군주는 모두 배심제를 파괴하거나 약화시키려 했다. 영국의 튜더 왕조의 왕들은 유죄 판결을 거부하는 배심원들을 감옥으로 보냈고, 프랑스의 나폴레옹은 자신이 선출한 배심원들이 판결을 하도록 했다. 배심제를 마치 사법제도에 불과한 것처럼 여겨, 배심원들에게 사법적 판결을 할 능력과 자격이 있는가 하는 논란이 일어나고 배심원으로 선출된 시민의 현명함에 대한 논란이 이어진다. 그러나 이는 배심제에서 중요한 내용이 아니다.

배심제는 국민주권의 한 형태이며 정치적 제도이다. 국민주권이 거부된다면 배심제도 거부될 것이다. 입법부가 국민 중에서 법률을 제정할 자에게 국민의 주권을 위임하는 것이라면, 배심원은 법의 적용을 위임하는 것이다. 사회가 잘 다스려지려면 배심원으로 봉사할 자격을 갖춘 시민의 수가 유권자의 수에 비례해 증감할 수밖에 없다. 이것이 입법자의 관심을 받아야만 하는 부분이며, 나머지는 부수적인 것에 불과할 뿐이다.

(3) 우리나라 국민참여재판제도의 특징

우리나라의 사법부는 폐쇄적이며 엘리트적이고 권위적이라는 비판을 받아왔다. 이에 대해 사법부의 민주적 정당성을 강화하고 판결의 투명성을 제고하여 국민으로부터 신뢰받는 사법제도를 위해 국민참여제도를 도입했다.

국민의 형사재판 참여에 관한 법률 제1조는 국민참여재판제도의 의의를 다음과 같이 규정한다. 재판절차에 일반 국민이 참가하여 사법에 일반인의 건전한 상식이 반영되도록 함으로써 사법에의 민주적 정당성을 확보하고 국민의 신뢰성을 제고한다. 국민참여재판제도는 형사사법에 국민적 기반을 마련하기 위한 제도이다.

배심제는 영미식의 배심원 제도와 유럽식의 참심제가 대표적인데, 우리나라의 국민참여재판제도는 배심제와 참심제의 절충적 형태이다. 영미식의 배심원제는 전문법관이 배심원의 평의에 관여하지 않는다. 독일과 프랑스 등 유럽식 참심제는 배심원이 전문법관과 동등하게 공동으로 사실심리와 양형을 진행한다.

배심제에서는 원칙적으로 배심원들이 법관의 관여 없이 평의를 진행한 후 만장일치로 평결을 한다. 우리나라의 국민참여재판제도에서는 배심원의 요구가 있는 경우 판사의 의견을 들을 수 있고 만장일치로 평결이 이루어지지 않은 경우 판사의 의견을 들어 다수결로 평결한다. 그리고 배심원은 심리에 관여한 판사와 함께 양형에 관하여 토의를 진행하지만, 단지 양형에 관한 의견을 전달할 수 있을 뿐이고 영미식 배심제처럼 표결을 통하여 양형 결정에 참여하는 것은 아니다. 따라서 국민참여재판제도에서 배심원의 평결은 법원을 기속하지 않고 단지 권고적 효력만 있다.

국민참여재판은 무작위로 선발된 배심원이 법관과 함께 사실 인정과 양형 인정에 모두 참여하되, 배심원의 의견이 법관에게 권고적 효력만 있다는 점에서 배심제와 참심제를 절충한 것이다. 일본의 경우, 법령의 해석이나 소송절차에 관련된 사항을 제외하고, 직업법관과 배심원이 재판을 함께 진행하며 평결은 전문법관과 배심원의 각 과반수가 결정한다.

(4) 법조비리와 배심제

법조인들의 담합, 유착 등은 시민재판관 앞에서는 전혀 유지될 수 없다. 전관변호사라 하여 시민들 앞에 특별한 영향력을 가질 리 없으며, 해당사건에 한하여 참여하는 데 불과한 시민재판관을 미리 알아서 접대할 방법도 없다. 즉 전관예우와 법조비리는 일반시민의 재판참여를 통하여 완화될 수 있다는 분석이다.

법조사회에 지배적인 학벌, 연고주의의 폐해를 극복하고 실력, 능력주의의 정착에도 배심제가 기여할 수 있다고 한다. 시민의 사법참여는 법조인들에게 연고주의를 향한 경쟁을 끊고 법정에서 전문적인 능력을 경쟁하도록 하는 데 기여할 것이다. 지금까지의 유능한 법조인의 능력이란 소송서류를 잘 작성하는 능력에 더하여 좋은 인간관계를 유지하는 능력을 일컬어 왔다. 그러나 시민법관 앞에서 변호사가 법관과의 인간관계를 내세우는 대신 자신의 전문가적 실력으로 시민법관을 설득해야 할 것이다. 뛰어난 법조인은 연고주의 강화에 시간과 노력을 바치는 대신, 충분한 증거와 주장을 통해 일반인들을 보다 잘 설득하기 위한 노력을 경주하게 된다.

2. 쟁점과 논거

찬성론: 국민주권	반대론: 국민주권
[국민주권] 국민은 주권자로서 입법, 행정, 사법의 최종결정권을 행사할 수 있다. 사법 판단은 국민의 자유·권리의 최종적 판단인데도 이를 시험에 의해 선발된 전문법관이 결정하고 이에 대한 민주적 통제가 불가능하다. 다수의 배심원이 전문가의 도움을 받아 진지하게 숙고하여 잘못된 결정을 내릴 가능성을 최소화하여 최종결정권자인 국민이 직접 유무죄를 결정하고 전문법관이 형량을 결정해야 한다.	[국민주권] 국민은 주권자로서 대표자를 선출하여 자신의 자유와 권리를 안정적으로 지키고자 주권을 위임한다. 사법적 판단에서 사건의 진실은 일반 국민이 쉽게 파악하기 어려울 정도로 복잡한 경우가 대부분이다. 이를 정확하게 파악하기 위해서는 법적 전문지식이 필요하다. 다수의 일반인이 토론한 결과라 하여 그것이 옳은 결과라 할 수 없고, 전문적 지식을 갖추고 훈련을 받은 전문법관이 재판하는 것이 국민의 자유와 권리를 안정적으로 지킬 수 있는 방법이다.
[공정한 재판받을 권리] 국민은 자신이 스스로 납득할 수 있는 합리적 재판을 받기를 원한다. 권위적 검찰과 전문법관에 의한 사법과정은 국민의 사법 불신으로 이어졌다. 배심제를 도입하면 주권자인 국민이 재판의 최종결정권을 갖게 되어 재판과정이 국민을 중심으로 진행된다. 국민을 설득하는 재판과정을 통해 공정한 재판받을 권리가 보장된다.	[공정한 재판받을 권리] 국민의 공정한 재판을 받을 권리를 보장하기 위해 현재의 사법체계에서는 법관의 독립과 신분을 보장하고 있다. 하지만 배심제에 참여하는 일반 국민은 자신의 주관이나 경험에 따르거나 외부의 직·간접적 압력에 영향을 받아 편향된 판단을 내릴 가능성이 크다.
[장기적 민주주의 발전] 배심제가 실시되면 국민이 재판과정의 최종결정권자가 된다. 주권자이자 법률의 입법자인 국민은 재판과정에 참여하면서 자신이 동의하여 제정된 법률이 실제 사건에서 어떻게 적용되는지 경험할 수 있고, 이 과정에서 법의식이 고양된다. 이처럼 국민의 참여가 확대된다면 모든 사회 구성원이 법률 제정과 정책 시행, 사법적 판단의 전 과정에서 주권자의 역할을 깨달을 수 있다.	[사법행정의 비효율성] 배심재판 자체가 고비용으로 이어진다. 배심원들에 대한 기본적 보수 지급, 긴 재판과정, 공격과 방어를 위한 법률비용 등이 필요해 사법자원이 불필요하게 많이 소요된다. 특히 한 사건에 대한 비용과 소요인력이 너무 커 한정된 자원을 사용해야 하는 국가행정비용을 생각할 때 다른 사건들이 부실하게 처리될 가능성마저 있다.

3. 읽기 자료

사법개혁과 배심제[114)]

배심제와 참심제[115)]

114)

사법개혁과 배심제

115)

배심제와 참심제

048 문제 사법부: 배심제

답변 준비 시간 10분 | 답변 시간 15분

※ 다음 제시문을 읽고, 문제에 답하시오.

> 현재 우리나라는 국민참여재판제도를 시행 중이다. 국민참여재판제도는 시민배심원이 재판에 대한 의견을 제시하고 전문법관이 이 의견을 참고할 수는 있으나 배심원의 의견을 반드시 따르도록 강제하지는 않는다.
>
> 반면, 배심제는 전문법관의 관여 없이 시민배심원이 평의를 진행하여 만장일치로 평결을 하고, 전문법관이 이 평결 결과에 대한 형량을 결정하도록 한다. 예를 들어, 시민배심원이 만장일치로 무죄를 결정하면 무죄 그대로 판결되고, 한 명의 배심원이라도 유죄라 평결하면 법관은 유죄에 대한 형량을 결정한다.

Q1. 배심제 도입을 찬성하는 입장과 반대하는 입장의 논거를 각각 논변하시오.

Q2. 배심제 도입에 대한 자신의 견해를 논하시오.

추가질문

Q3. 법을 모르는 일반 국민이 배심원으로 재판에 참여하여 평결을 하게 된다면, 재판의 신뢰성이 떨어질 수도 있다. 배심제로 인해 오히려 사법신뢰가 저해되지 않겠는가?

Q4. 배심재판은 비용이나 시간이 너무 많이 소요된다는 비판이 있다. 이에 대해 어떻게 생각하는가?

Q5. 배심재판이 O.J. 심슨 사건처럼 변호사에 의한 진실 왜곡의 문제를 야기할 것이라는 비판이 있다. 이에 대해 어떻게 생각하는가?

Q6. 배심원단은 전문적인 훈련을 받은 전문가가 아니기 때문에 감정적 결정을 내릴 가능성이 높다. 배심제를 시행하는 미국에서는 흑인을 폭행한 백인에 대해 감정적인 평결을 내려 진실과 관련 없는 재판 결과가 나온바 있다. 이에 대해 어떻게 생각하는가?

048 해설 사법부: 배심제

Q1. 모범답변

배심제를 도입해야 한다는 입장에서는 국민주권의 실현을 논거로 제시할 것입니다. 국가의 주권자인 국민은 자신을 규율할 법률을 입법할 대표를 직접 선출하고, 국민이 직접 선출한 행정부의 수반이 법률을 실현할 정책을 실행합니다. 그러나 사법에 있어서는 국민이 선출하거나 통제할 수 없는 법관이 국민의 자유와 권리에 직결되는 법률적 판단 권한을 전적으로 행사하고 있습니다. 주권자인 국민은 전문가의 적절한 도움을 받아 법률의 규정이 현실 사안에서 적절하게 적용되었는지 여부를 판단할 능력이 있습니다. 배심제를 통해 주권자인 국민이 스스로 정한 법률에 따라 현실 사안을 판단할 수 있도록 해야 자유와 책임의 주체가 될 수 있습니다. 국민은 주권자로서 자유와 권리의 최종결정권인 유무죄 판단을 하고, 형량과 같이 전문적인 판단이 필요한 부분에 있어서는 전문법관이 판단함으로써 사법권의 실현이 가능합니다. 따라서 국민주권의 실현을 위해 배심제를 도입해야 합니다.

배심제를 도입해서는 안 된다는 입장에서도 국민주권의 실현을 논거로 제시할 것입니다. 국가의 주권자인 국민은 자신의 자유와 권리를 안정적으로 지키고자 전문성을 갖춘 대표자를 선출하고 주권을 위임합니다. 특히 사법적 판단의 경우, 국민은 이성적 판단능력과 사법 전문성을 갖춘 전문법관이 객관적으로 문제를 해결할 것을 원하여 국가에 위임하여 능력 있는 법관을 임명할 수 있는 기준을 마련하였습니다. 특히 사법적 판단에서 사건의 진실은 일반 국민이 쉽게 파악하기 어려울 정도로 복잡한 경우가 대부분이기 때문에 이를 정확하게 파악하기 위해서는 법적 전문지식과 함께 장기간의 훈련이 필요합니다. 배심제의 평결과 같이 다수의 일반인이 토론한 결과라 하여 그것이 옳은 결과라 할 수 없으므로, 전문적 지식을 갖추고 훈련을 받은 전문법관이 재판하는 것이 국민의 자유와 권리를 안정적으로 지킬 수 있는 방법입니다. 따라서 배심제를 도입해서는 안 됩니다.

Q2. 모범답변

배심제를 도입해야 합니다. 국민주권의 실현, 피고인의 인권 보장, 국민의 사법신뢰를 달성할 수 있기 때문입니다.

국민주권을 실현하기 위해 배심제 도입은 타당합니다. 국가의 주권자인 국민은 직접 국가의사를 결정하거나 국가권력을 통제할 수 있어야 합니다. 입법부인 국회와 행정부인 대통령은 주기적 선거를 통해 국민의 심판을 받기 때문에 국민이 주권자로서 대리인인 국가기관을 통제할 수 있습니다. 그러나 지금까지 주권자인 국민이 사법권 행사에 직접 참여하거나 이를 통제할 방법이 없었습니다. 그러나 이는 모든 권력이 국민으로부터 나오고 통치권 행사는 국민에 의해 정당화되어야 한다는 국민주권 원리에 반하는 것입니다. 국민의 재판 참여는 사법권의 영역에서 국민의 의사를 반영하는 것입니다. 따라서 국민주권 원리를 실현한다는 점에서 배심제는 도입되어야 합니다.

피고인의 인권 보장과 공정한 재판을 위해 배심제 도입은 타당합니다. 주권자인 국민의 참여가 배제된 형사재판은 판사와 검사가 주도함으로써 피고인은 재판에 있어 객체일 뿐, 주체로서 대접받지 못합니다. 국민이 배제된 채 이루어지는 재판에서 판사와 검사, 변호사들은 각자 자신들의 논리로 서로를 설득할 뿐, 피고인을 비롯한 일반 국민을 설득하려 하지 않습니다. 국민이 재판에 참여하면 판사, 검사 중심보다는 배심원인 시민을 설득하고, 이해시키는 공판 절차가 형성될 것입니다. 이 과정에서 피고인에게 실질적으로 자신을 방어할 기회가 보장되어 피고인의 인권과 공정한 재판받을 권리를 보호할 수 있습니다. 따라서 배심제를 도입해야 합니다.

국민의 사법 신뢰를 위해 배심제 도입은 타당합니다. 판사, 검사, 변호사의 유착과 담합으로 형사 절차의 정당성에 대한 국민의 불신이 깊습니다. '유전무죄, 무전유죄'라는 말이 있을 정도로 사법에 대한 국민의 신뢰는 약합니다. 법과 그에 따른 사법과정은 법을 제정하는 주체이자 수범자이기도 한 그 시대 일반 국민들의 법의식과 정의감을 반영해야 합니다. 법관과 검사가 법 전문가라는 이유로 일반 국민의 법의식과 정의감을 무시한다면 사법은 국민으로부터 정당성을 인정받을 수 없습니다. 전문가가 사법권을 독점한다면 사법부는 불신의 늪에서 헤어날 수 없을 것입니다. 전문가의 사법권 독점으로 인해 국민의 사법 불신이 심각한 지경에 이르고 있습니다. 국민은 자신이 합리적으로 이해하고 납득할 수 있는 재판 결과를 원합니다. 그러나 우리나라의 사법부는 공정한 재판을 하고 있다는 신뢰를 국민으로부터 받지 못하는 불신의 기관이 되고 있습니다. 법 전문가인 검찰과 전문법관에 의한 사법과정은 국민으로부터 전관예우나 권력의 시녀가 되고 있다는 불신으로부터 자유롭지 못합니다. 배심제를 도입하면 주권자인 국민이 재판의 최종결정권을 행사하게 되어 재판과정이 보이지 않는 권력이나 전관예우 등의 요소에 의해 지배받지 않게 될 것이고, 공정한 재판이 이루어진다는 국민적 신뢰를 얻을 수 있을 것입니다. 따라서 배심제를 도입해야 합니다.

Q3. 모범답변

배심제로 인해 사법신뢰가 저해된다고 할 수 없습니다.

먼저, 재판의 기초가 되는 사실 인정에 관한 부분은 법관이 일반 국민보다 전문가라고 할 수 없습니다. 물론 법조인은 법을 해석하고 법을 적용하는 전문가이고, 일반 국민은 이 분야의 비전문가입니다. 그러나 사실 인정에 있어서는 별 차이가 없습니다. 배심제를 시행하면 재판의 기초가 되는 사실 인정에서 여러 분야의 사람들이 다각도로 사건과 사실을 살필 수 있습니다. 다수의 사람들이 여러 시각으로 사건을 살필 경우 소수의 법관이 사실을 살피는 것보다 더 진실에 가까워질 수 있을 것입니다. 더욱이 피고인과 밀접한 생활감각을 가지고 있는 일반인에 의한 판단은 진실에 부합할 가능성이 높습니다. 피고인도 자신과 비슷한 보통 시민에 의한 판단에 승복하기 쉽습니다. 따라서 법관 홀로 사실 여부를 판단하는 것보다 법관과 다수의 배심원이 참여하여 판단하는 것이 더 합리적입니다.

둘째로, 일반 국민이 배심원으로서 재판에 참여하면 재판의 신뢰성을 높일 수 있습니다. 현대 사회는 법적 문제에 경제, 사회, 과학영역 등이 복합된 문제가 발생하고 있습니다. 따라서 법조인의 법 지식뿐만 아니라 시민들의 다양한 지식도 재판에 유용하게 작용하여 합리적 판결에 도움을 줄 수 있습니다. 만약 시민들의 법에 대한 전문 지식이 부족하다면 재판 절차에 익숙해지도록 모의재판교육, 학교에서의 법교육, 사회인을 위한 법교육 기회를 마련하면 충분합니다. 현재 법원에서는 그림자 배심제를 운영하고 있는데, 현직 법관이 그림자 배심에 참여한 시민들에게 재판 절차를 설명하고 질문에 답변하는 과정을 통해 시민들에 대한 법교육을 실시하고 있습니다. 이처럼 지속적인 법교육을 통해 일반 시민이 법조인의 도움을 받아 부족한 법지식을 보완할 수 있습니다. 전문 법조인과 배심원이 함께 재판을 한다면 복합적인 사회문제를 해결할 가능성이 더욱 높아질 것입니다. 따라서 오히려 재판의 신뢰성을 높일 수 있습니다.

마지막으로, 배심제는 주권자인 국민이 법치주의의 소중함을 배우고 민주주의를 학습하는 기회가 될 수 있습니다. 국민들이 재판 과정에 참여한다면 사법절차에 대한 국민의 관심이 높아져 법치주의와 국민주권의식이 전 국민의 생활에 침투할 수 있을 것입니다. 이런 과정을 통해 사법이 법조인들만의 것이 아니라 국민 모두의 것이 되고 사법민주화가 실현되어 주권자인 국민이 대의기관인 사법부를 신뢰할 수 있습니다.

Q4. 모범답변

배심재판의 비용이나 시간문제는 재판 운용을 어떻게 할 것인지 방법상의 문제이지, 배심재판을 부정할 논거는 아닙니다. 배심재판은 전문법관이 단독으로 진행하는 재판에 비해 배심원단의 추첨, 배심원단에 대한 변호인단의 설득, 배심원단의 평결, 전문법관의 형량 등 여러 과정이 추가로 필요하므로 비용과 시간이 더 든다는 문제가 있는 것은 사실입니다. 그러나 이는 운용상의 문제이고 효율적인 방법을 찾을 일이라고 생각합니다. 민주주의를 위해 전 국민을 대상으로 선거를 실시하면 시간과 비용이 많이 들게 됩니다. 그러나 왕정은 선거가 없고 왕의 후계자가 태어나면 그것으로 그만이기 때문에 시간과 비용이 들지 않습니다. 그렇다고 해서 민주정 대신 왕정을 선택해야 하는 것은 아닙니다. 이와 마찬가지로 국민주권이라는 목적을 효율적으로 실행할 수 있도록 고민해야 할 일이지, 수단에 불과한 비용과 시간문제를 이유로 배심재판 자체를 부정할 일은 아닙니다.

Q5. 모범답변

이러한 비판은 타당하지 않습니다. 배심원들이 변호사의 현란한 말솜씨에 넘어가 진실이 아닌 것을 진실로 믿는다는 것은 지나친 상상이라고 생각합니다. 배심원은 대화와 토론을 통해 진실과 거짓을 구분할 수 있습니다. 배심원단은 변호사의 말솜씨에 넘어가는 어리석은 대중이 아닙니다. 오히려 오랜 시간 학교에서 공부만 한 젊은 법관이 세상 물정에는 더 어두울 수 있고 사실인정 여부가 확실하지 않은 상황에서 소수 법관의 판단에 따라 피고인의 운명을 좌우하는 것이 실체적 진실과는 더 거리가 멀 수 있습니다. 다양한 지식과 경험을 가진 다수 일반시민들의 의견을 듣고 재판한다면 법관이 더 올바른 판단을 내릴 수 있습니다. 이를 위해 배심제는 다수의 일반시민이 법관과 전문가의 도움을 받아 공론을 하도록 설계됩니다. 그리고 변호사에 의한 진실왜곡 문제는 법관의 재판 운영에 따라 충분히 막을 수 있는 문제라고 생각합니다. 변호사는 승소 가능성을 높이고자 배심원의 감정을 이용하거나 언론을 활용하거나 할 것입니다. 재판을 진행하는 전문가인 법관이 이를 증명하도록 절차를 진행한다면 배심원도 충분히 거짓을 가려낼 수 있습니다.

Q6. 모범답변

이런 문제가 있을 수는 있으나, 이로 인해 배심제를 폐지해야 하는 것은 아닙니다. 예를 들어 자동차를 이용하는 사람이 늘어나면 자동차 사고가 늘어납니다. 그렇다고 해서 자동차 이용을 전면금지해야 하는 것은 아닌 것과 마찬가지입니다. 배심제 시행 초창기에는 이런 문제가 발생할 수 있습니다. 그러나 이는 민주주의의 시행착오 과정으로 보아야 합니다. 배심제가 실시되면 국민이 재판과정에 적극적으로 개입하게 됩니다. 재판과정에 참여한 국민은 법이 실제 어떻게 적용되는지 경험할 수 있고, 이 과정에서 법의식을 고양할 수 있습니다. 국민 참여가 확대되면 모든 사회 구성원에게 법의 중요성을 일깨울 수 있습니다.

이러한 감정적 평결을 막기 위해 배심원에 대한 교육을 강화하거나 전문가의 도움을 받을 수 있는 제도를 마련하는 대안이 필요한 것이며, 이는 배심제를 거부할 이유가 되지 않습니다. 예를 들어, 우리 사법부는 그림자 배심제를 운영하고 있습니다. 판사가 그림자 배심으로 참여한 일반 국민을 대상으로 사법절차를 설명하고 질문에 답하는 과정을 통해 일반 국민의 사법과정에 대한 이해를 도울 수 있습니다.

049 개념 헌법재판소: 탄핵

1. 기본 개념

(1) 개념

탄핵(彈劾, Impeachment)은, 법률상 일반적 사법절차나 징계절차에 따라 소추하거나 징계하기 곤란한 고위공무원이 직무상 중대한 비위를 범한 경우에 이를 의회가 소추하여 처벌하거나 파면하는 행위 및 절차이다. 탄핵심판제도는 고위직 공직자에 의한 헌법 침해로부터 헌법을 보호하기 위한 헌법재판제도이기 때문에 헌법 제65조에 규정되어 있다.

(2) 헌법 제65조

① 대통령·국무총리·국무위원·행정각부의 장·헌법재판소 재판관·법관·중앙선거관리위원회 위원·감사원장·감사위원 기타 법률이 정한 공무원이 그 직무집행에 있어서 헌법이나 법률을 위배한 때에는 국회는 탄핵의 소추를 의결할 수 있다.

② 제1항의 탄핵소추는 국회재적의원 3분의 1 이상의 발의가 있어야 하며, 그 의결은 국회재적의원 과반수의 찬성이 있어야 한다. 다만, 대통령에 대한 탄핵소추는 국회재적의원 과반수의 발의와 국회재적의원 3분의 2 이상의 찬성이 있어야 한다.

③ 탄핵소추의 의결을 받은 자는 탄핵심판이 있을 때까지 그 권한행사가 정지된다.

④ 탄핵결정은 공직으로부터 파면함에 그친다. 그러나 이에 의하여 민사상이나 형사상의 책임이 면제되지는 아니한다.

(3) 탄핵소추와 탄핵심판

탄핵소추권은 국회에 있고, 탄핵심판은 헌법재판소에서 담당한다.

(4) 탄핵 사유

헌법 제65조는 대통령이 '그 직무집행에 있어서 헌법이나 법률을 위배한 때'를 탄핵 사유로 규정하고 있다. 여기에서 '직무'란 법제상 소관 직무에 속하는 고유 업무와 사회통념상 이와 관련된 업무를 말하고, 법령에 근거한 행위뿐만 아니라 대통령의 지위에서 국정수행과 관련하여 행하는 모든 행위를 포괄하는 개념이다. 또 '헌법'에는 명문의 헌법규정뿐만 아니라 헌법재판소의 결정에 따라 형성되어 확립된 불문헌법도 포함되고, '법률'에는 형식적 의미의 법률과 이와 동등한 효력을 가지는 국제조약 및 일반적으로 승인된 국제법규 등이 포함된다.

헌법재판소법 제53조 제1항은 '탄핵심판청구가 이유 있는 경우' 피청구인을 파면하는 결정을 선고하도록 규정하고 있다. 대통령을 탄핵하기 위해서는 대통령의 법 위배 행위가 헌법질서에 미치는 부정적 영향과 해악이 중대하여 대통령을 파면함으로써 얻는 헌법 수호의 이익이 대통령 파면에 따르는 국가적 손실을 압도할 정도로 커야 한다. 즉, '탄핵심판청구가 이유 있는 경우'란 대통령의 파면을 정당화할 수 있을 정도로 중대한 헌법이나 법률 위배가 있는 때를 말한다.

2. 읽기 자료

(1) 대통령 탄핵[116)]

국민으로부터 직접 민주적 정당성을 부여받고 주권 행사를 위임받은 대통령은 그 권한을 헌법과 법률에 따라 합법적으로 행사하여야 함은 물론, 그 성질상 보안이 요구되는 직무를 제외한 공무 수행은 투명하게 공개하여 국민의 평가를 받아야 한다. …(중략)…

위와 같이 피청구인은 자신의 헌법과 법률 위배행위에 대하여 국민의 신뢰를 회복하고자 하는 노력을 하는 대신 국민을 상대로 진실성 없는 사과를 하고 국민에게 한 약속도 지키지 않았다. 이 사건 소추사유와 관련하여 피청구인의 이러한 언행을 보면 피청구인의 헌법수호의지가 분명하게 드러나지 않는다.

이상과 같은 사정을 종합하여 보면, 피청구인의 이 사건 헌법과 법률 위배행위는 국민의 신임을 배반한 행위로서 헌법수호의 관점에서 용납될 수 없는 중대한 법 위배행위라고 보아야 한다. 그렇다면 피청구인의 법 위배행위가 헌법질서에 미치게 된 부정적 영향과 파급 효과가 중대하므로, 국민으로부터 직접 민주적 정당성을 부여받은 피청구인을 파면함으로써 얻는 헌법수호의 이익이 대통령 파면에 따르는 국가적 손실을 압도할 정도로 크다고 인정된다.

(2) 검사 탄핵[117)]

헌법 제65조 제1항은 '기타 법률이 정한 공무원'도 탄핵심판의 대상이 될 수 있도록 규정하고 있고, 검찰청법 제37조는 검사가 탄핵심판의 대상임을 규정하고 있다. 검사는 경력직공무원 중 특정직공무원에 속하는 국가공무원으로서(국가공무원법 제2조 제2항 제2호, 검찰청법 제36조 제1항 참조), 검사의 임명과 보직은 법무부장관의 제청으로 대통령이 한다(검찰청법 제34조 제1항 참조). 검사의 직위는 해임 또는 면직의 징계처분에 의하여도 박탈될 수 있으나(검사징계법 제3조 제1항 참조), 파면을 통한 직위의 박탈은 오로지 탄핵심판에 의해서만 가능하다.

검사에 대한 탄핵심판은 검사에 의한 헌법 위반을 경고하고 사전에 방지하는 기능을 하며, 검사가 직무집행에 있어서 헌법이나 법률을 위반한 경우 국회가 탄핵소추의결을 하고 헌법재판소가 법적 책임을 추궁하여 파면함으로써 헌법의 규범력을 확보하는 기능을 한다. 검사에 대한 탄핵심판은 누구도 법 위에 있지 않다는 법의 지배 원리를 구현하고 국가권력을 통제하며 침해된 헌법질서를 회복하고 헌법을 수호하기 위한 제도이다.

헌법은 탄핵소추사유를 '그 직무집행에 있어서 헌법이나 법률을 위배한 때'라고 명시하고 헌법재판소가 탄핵심판을 관장하게 함으로써 탄핵절차를 정치적 심판절차가 아닌 규범적 심판절차로 규정하고 있다(헌재 2017. 3. 10. 2016헌나1; 헌재 2023. 7. 25. 2023헌나1 참조).

여기에서 '직무'란 법제상 소관 직무에 속하는 고유 업무와 사회통념상 이와 관련된 업무를 말하고, 법령에 근거한 행위뿐만 아니라 검사의 지위에서 직무수행과 관련하여 행하는 모든 행위를 포괄하는 개념이다. 또 '헌법'에는 명문의 헌법규정뿐만 아니라 헌법재판소의 결정에 따라 형성되어 확립된 불문헌법도 포함되고, '법률'에는 형식적 의미의 법률과 이와 동등한 효력을 가지는 국제조약 및 일반적으로 승인된 국제법규 등이 포함된다(헌재 2017. 3. 10. 2016헌나1; 헌재 2023. 7. 25. 2023헌나1 참조).

116)

2016헌나1

117)

2023헌나2

049 문제 헌법재판소: 탄핵

답변 준비 시간 15분 | 답변 시간 15분

Q1. 대통령은 행정부의 수반으로 국민의 직접선거를 통해 선출된다. 우리 법에는 이러한 국민의 지지로 당선된 대통령을 탄핵할 수 있다고 규정되어 있다. 법에 대통령 탄핵이 규정된 이유는 무엇이라고 생각하는지 예를 들어 설명하시오.

Q2. 대통령 탄핵은 국회가 탄핵소추를 의결한 이후 헌법재판소가 판단한다. 국회의원 1/2 이상이 탄핵소추를 발의해야 하고, 국회의원 2/3 이상의 탄핵소추를 찬성해야 한다. 이후 헌법재판소 재판관 9명 중 6명 이상이 탄핵 결정을 해야 탄핵된다. 대통령 탄핵소추와 결정에 가중다수결을 규정한 이유는 무엇이라 생각하는가?

Q3. 대통령이 직무 수행에 있어 무능하다거나 불성실하다고 절대다수의 국민이 판단하였다고 하자. 무능이나 불성실을 이유로 대통령을 탄핵할 수 있는가?

Q4. 대통령은 선거 중립의 의무가 있다. 행정부의 수반인 대통령이 선거에 개입할 수 있다면, 국민의 정치적 의사가 왜곡될 수 있으며 역사적으로도 그러한 사례가 있기 때문이다.
대통령 A는, 공석에서 "특정 정당의 득표에 도움이 되는 일이라면 무엇이든 하고 싶다"고 발언했다. 이에 의회가 반발하였고, 선거 중립의 의무에 반했다는 이유로 대통령 탄핵소추를 하였다. 이 탄핵 사유는 타당한가?

Q5. B대통령은 민간인인 C와 밀접한 관계로 지내며, C는 대통령 재임기간 3년 동안 일반 국민 몰래 장·차관의 인사 문제나 공식행사 등의 대통령의 직무에 영향력을 발휘했다. 심지어 민간인인 C는 대통령과의 관계를 이용해 기업으로부터 모금을 하여 사적으로 사용하기도 하였다. 언론이 C가 비선실세라는 문제를 제기하자, B대통령은 일반 국민의 의견을 알고자 대통령이 되기 이전부터 알고 지낸 사람과 가까이 지냈을 뿐이라 하였다. 이는 대통령 탄핵의 사유가 되는가?

049 해설 헌법재판소: 탄핵

Q1. 모범답변

국민주권의 훼손과 민주주의 파괴를 막기 위해 법에 탄핵이 규정되었습니다. 대통령은 행정부의 수반으로 국민이 원하는바를 구체적인 정책으로 실현하는 역할을 합니다. 그렇기 때문에 국민의 의사를 대변하고 결집하는 역할을 담당하는 입법부가 법률을 제정하면, 행정부와 대통령은 이에 근거하여 법을 현실에서 집행합니다. 그런데 일반적이고 추상적인 법률을 현실에서 집행하다 보면 그 현실 적용이 어떻게 될지는 구체적인 상황마다 큰 차이가 있을 수밖에 없습니다. 예를 들어, 법은 국민의 자유와 권리를 지키라는 정도의 일반적이고 추상적인 규정으로 되어 있습니다. 그러나 현실에서는 외적의 침입 우려를 막기 위한 목적의 계엄령과, 외적 침입 우려를 명목으로 한 권력자의 권력 유지를 위한 계엄령을 구분하는 것이 어렵습니다.

일반적이고 추상적으로 규정된 법률을 구체적인 현실 상황에 적합하도록 선택하고 조정하고 실현하는 임무를 담당하는 것이 대통령과 행정부입니다. 이러한 판단과정과 실행능력에 대통령과 공무원의 전문성이 있고 판단의 재량이 존재하는 것입니다. 그런데 만약 이 판단과정에서 대통령이 국민의 의사와 이익 증진을 하려 하기보다 자신의 의사를 중시하고 사익을 추구할 수도 있습니다. 특히 현대 사회는 국가정책의 복잡성과 전문성이 높아져 일반 국민이 행정부의 정책 수립과 집행의 적절성을 판단하기 어렵습니다. 그렇기 때문에 우리 법은 국민주권을 실현하고 민주주의를 실현하라는 국민의 요구를 대통령이 명백하게 훼손한 경우 탄핵하여 그 권한과 직무를 정지시키고 책임을 묻도록 규정하고 있습니다.

Q2. 모범답변

대통령의 권력 행위가 국민주권을 훼손하였음이 명백하여야 하기 때문입니다. 앞서 말했듯이 대통령은 행정부의 수반으로 법률이라는 추상적이고 모호한 국민의 의사를 현실에서 구체적 정책으로 실현하기 때문에 국민이 그에 대한 권한과 재량권을 직접 선거를 통해 부여하였습니다. 그렇기 때문에 다수 국민의 지지를 받은 대통령에게 민주적 정당성이 부여되어 대통령의 권한과 임기가 보장되는 것입니다. 대통령이 집행하는 정책이 지금 당장은 국민에게 피해를 주는 것처럼 보이더라도 장기적으로는 국민을 위한 것일 수도 있습니다. 혹은 사후적으로 판단했을 때 잘못된 정책이었다고 하더라도, 그 당시에는 최선이라고 판단한 정책일 수 있습니다. 이처럼 목적 자체는 국민의 권리 실현을 위한 것이었으나 수단이 잘못되었거나 효율성이 낮은 것은 국민주권을 훼손하였다고 볼 수는 없습니다. 이에 대해서는 국민이 선거 등을 통해 심판함으로써 국민도 함께 책임을 지는 것입니다.

그러나 대통령의 정책 수립과 집행의 목적 자체가 국민을 위한 것이 아니라면 탄핵해야 합니다. 대통령의 직무 수행의 목적이 국민을 위한 것이 아니라 자신의 권력이나 이익 추구를 위한 목적인 것이 명백하다면 탄핵 사유가 됩니다. 다만, 국민이 직접 선거를 통해 대통령에게 권한을 부여한 만큼, 대통령의 권한을 정지시키는 탄핵소추에는 국민의 대표인 국회의원 2/3 이상이 대통령이 국민주권을 명백하게 해하였다는 판단을 한 경우로 한정하고, 국민이 부여한 민주적 정당성을 부정하고 탄핵을 결정하기 위해서는 헌법재판소 재판관 6/9 이상이 대통령의 권력행위가 국민주권을 명백하게 훼손하였다고 판단한 경우에 한정하고 있습니다.

Q3. 모범답변

대통령이 무능하다거나 불성실하다고 하여 탄핵할 수는 없습니다. 국민은 자신의 주권을 대신 실현해줄 대표로 대통령을 선출합니다. 이 선출과정에서 국민 개개인은 대통령의 전문성을 자유롭게 판단하고 선거로써 자신의 판단을 표출하였으며 민주적 정당성을 부여한 것입니다. 따라서 대통령의 무능이나 불성실은 국민이 선거과정에서 미리 확인하고 예측하였으며, 국민이 이를 스스로 결정하였기 때문에 그에 대한 책임을 져야 합니다.[118] 대통령 선거과정에서 각종 선거공보를 배포하고, 언론을 통해 후보 토론회 등을 진행하며, 각종 공약에 대한 여론조사 등이 시행되는 이유는 국민이 자신의 대표를 선출함에 있어서 어떤 선택과 어떤 책임을 지게 될 것인지 예측할 수 있도록 충분한 정보를 주려는 의도입니다. 이러한 정보를 바탕으로 판단을 내린 국민 다수가 특정후보를 지지해 대통령으로 선출되었다면, 이에 대한 책임은 주권자인 국민 스스로에게 있습니다. 대통령의 무능이나 불성실은 국민이 선거의 결과로 감당해야 할 책임입니다. 결국 대통령의 무능이나 불성실은 정치적 책임의 문제가 되는데, 우리나라와 같이 5년 단임제 대통령인 경우에는 정치적 책임에서 벗어나는 문제가 있습니다. 이에 따라 미국과 같이 대통령 4년 중임제가 논의되고 있는데, 대통령이 무능하거나 불성실한 경우 선거로 정치적 책임을 묻는 것도 방법이 될 수 있습니다.

118) 대통령의 성실의무 위반을 일반적 파면사유로 볼 경우 사소한 성실의무 위반도 파면사유가 될 수 있다. 대통령이 국민으로부터 부여받은 민주적 정당성과 헌정질서의 막중함을 고려하면, 대통령의 성실의무 위반을 파면사유로 삼기 위하여는 그 위반이 당해 상황에 적용되는 행위의무를 규정한 구체적 법률을 위반하였거나 직무를 의식적으로 방임하거나 포기한 경우와 같은 중대한 성실의무 위반으로 한정함이 상당하다. 이 사건에서 피청구인은 국가공무원법상의 성실의무를 위반하였으나 당해 상황에 적용되는 행위의무를 규정한 구체적 법률을 위반하였음을 인정할 자료가 없고, 위에서 살핀 것처럼 성실의무를 현저하게 위반하였지만 직무를 의식적으로 방임하거나 포기한 경우에 해당한다고 보기는 어렵다.
그렇다면 피청구인은 헌법상 대통령의 성실한 직책수행의무 및 국가공무원법상 성실의무를 위반하였으나, 이 사유만 가지고는 국민이 부여한 민주적 정당성을 임기 중 박탈할 정도로 국민의 신임을 상실하였다고 보기는 어려워 파면사유에 해당한다고 볼 수 없다. (헌재 2017.3.10. 2016헌나1, 판례집 29-1, 1 [전원재판부])

Q4. 모범답변

A대통령에 대한 탄핵 사유는 타당하지 않습니다. 단지 정치적인 발언만으로는 국민주권의 훼손이라 볼 수 없기 때문입니다. 대통령이 "특정 정당의 득표에 도움이 되는 일이라면 무엇이든 하고 싶다"고 발언한 것은 선거중립의 의무와 직접적인 관련이 없습니다. 물론 공정한 선거를 위해 노력해야 할 대통령이 특정 정당을 지지하는 발언을 한 것은 정치적으로 문제가 있습니다. 그러나 이는 지지를 표명한 정당 이외의 정당들에게 대통령이 정치적인 사과를 할 일에 불과하며 국민주권을 명백하게 훼손했다고 볼 수는 없습니다. 국민주권을 명백하게 훼손하였다는 것은 선거중립 의무에 명백하게 반하는 행위를 실제로 행해야 하는 것인데, 이는 예를 들어 3명이 함께 기표를 하도록 함으로써 서로 감시하게 하는 비밀투표원칙을 어긴 것이라거나 선거 개표 과정에서 공무원을 동원해 투표함을 바꿔치기하는 등의 행위에 해당합니다. 그러나 A대통령은 단지 정치적 발언을 한 것에 불과하므로 탄핵 사유라 할 수는 없습니다.[119)]

119) 대통령은 특정 정당을 지지하는 발언을 함으로써 '선거에서의 중립의무'를 위반하였고, 이로써 국가기관이 국민의 자유로운 의사형성과정에 영향을 미치고 정당 간의 경쟁관계를 왜곡해서는 안 된다는 헌법적 요청에 위반하였다
그러나 이와 같은 위반행위가 국가조직을 이용하여 관권개입을 시도하는 등 적극적·능동적·계획적으로 이루어진 것이 아니라, 기자회견의 자리에서 기자들의 질문에 응하여 자신의 정치적 소신이나 정책구상을 밝히는 과정에서 답변의 형식으로 소극적·수동적·부수적으로 이루어진 점, 정치활동과 정당활동을 할 수 있는 대통령에게 헌법적으로 허용되는 '정치적 의견표명'과 허용되지 않는 '선거에서의 중립의무 위반행위' 사이의 경계가 불분명하며, 종래 '어떠한 경우에 선거에서 대통령에게 허용되는 정치적 활동의 한계를 넘은 것인지'에 관한 명확한 법적 해명이 이루어지지 않은 점 등을 감안한다면, 자유민주적 기본질서를 구성하는 '의회제'나 '선거제도'에 대한 적극적인 위반행위에 해당한다고 할 수 없으며, 이에 따라 공선법 위반행위가 헌법질서에 미치는 부정적 영향은 크다고 볼 수 없다. (헌재 2004.5.14. 2004헌나1, 판례집 16-1, 609 [전원재판부])

Q5. 모범답변

B대통령의 행위는 탄핵의 사유가 됩니다. 대통령의 권한은 국민이 부여한 것이기 때문에 국민을 위해 사용할 때에만 그 정당성이 있습니다. 그러나 B대통령은 국민이 부여한 권한을 사익을 위해 행사하였을 뿐만 아니라 이를 숨기려 하였습니다. 이는 자신의 행위가 국민주권에 반한다는 것을 명백하게 알고 있으면서도 이를 행했다는 의미입니다.[120)]

특히 일반 국민 몰래 대통령의 직무에 영향력을 미쳤다는 것은 국민주권의 훼손과 직접적인 관련이 있습니다. 국민은 자신의 주권을 대통령에게 위임하였고 대통령이 정부를 구성할 수 있도록 권한을 부여하였습니다. 이러한 권한에는 책임도 따릅니다. 그렇기 때문에 국민은 대통령이 정부를 구성함에 있어서 어떤 직위에 어떤 인물을 임명했는지를 공개적으로 확인할 수 있기를 원합니다. 그에 더해 장관 등의 중요 직위는 인사청문회를 규정함으로써 국민의 대표인 입법부가 해당인물이 국민을 위해 일할 수 있는 전문성과 윤리성을 갖추었는지 간접적으로 확인합니다. 실제로도 인사청문회의 벽을 넘지 못하고 낙마한 후보들이 많습니다. 따라서 국민이 민주적 정당성을 부여한 것이나 다름없는 청와대 참모들이 대통령에게 국정 운영에 대해 의견을 개진한 것과, 일개 민간인에 불과하며 심지어 국민이 그 존재조차 알 수 없었고 전문성과 윤리성을 국민이 판단할 수 없는 C의 의견 개진은 분명히 다른 것입니다. 따라서 B대통령에 대한 탄핵 사유가 될 수 있습니다.

120)
피청구인은 최○원에게 공무상 비밀이 포함된 국정에 관한 문건을 전달했고, 공직자가 아닌 최○원의 의견을 비밀리에 국정 운영에 반영하였다. 피청구인의 이러한 위법행위는 피청구인이 대통령으로 취임한 때부터 3년 이상 지속되었다. 피청구인은 국민으로부터 위임받은 권한을 사적 용도로 남용하여 적극적·반복적으로 최○원의 사익 추구를 도와주었고, 그 과정에서 대통령의 지위를 이용하거나 국가의 기관과 조직을 동원하였다는 점에서 법 위반의 정도가 매우 중하다. 대통령은 공무 수행을 투명하게 공개하여 국민의 평가를 받아야 한다. 그런데 피청구인은 최○원의 국정 개입을 허용하면서 이 사실을 철저히 비밀에 부쳤고, 그에 관한 의혹이 제기될 때마다 이를 부인하며 의혹 제기 행위만을 비난하였다. 따라서 권력분립원리에 따른 국회 등 헌법기관에 의한 견제나 언론 등 민간에 의한 감시 장치가 제대로 작동될 수 없었다. 이와 같은 피청구인의 일련의 행위는 대의민주제의 원리와 법치주의의 정신을 훼손한 것으로서 대통령으로서의 공익실현 의무를 중대하게 위반한 것이다. (헌재 2017.3.10. 2016헌나1, 판례집 29-1, 1 [전원재판부])

050 개념 인권과 주권

2024 충북대·2021 원광대 기출

1. 기본 개념

(1) 인권과 주권

인권(人權)은 인간으로서의 존엄, 자유와 권리를 말하며, 사람으로서 마땅히 누려야 하는 권리라 할 수 있다. 인권은 인간이라면 누구나 가지는 권리가 되므로 보편적으로 성립한다. 보편성이란 시간과 공간을 초월하여 성립하는 것을 의미하므로, 인권은 개별국가와 특정한 시대에 국한되지 않는 특성이 있다.

주권(主權)은, 국제법상 국가의 가장 기본적인 권리로 지역적으로 최고 지배 권력이며 국제법상 국가의 기본적 지위를 나타내는 권리이다. 특히 인권과 주권의 대립관계에서 주권의 의미는 개별 국가와 특정한 시대에 한정하는 개념이라 할 수 있고, 이때 국가주권이라고 하기도 한다. 이러한 의미에서 국가주권은 최고성·절대성을 가지며, 국내문제 불간섭의 원칙에 따라 국내관할권, 조약체결권, 독립권, 주권국가 간의 주권 평등의 원칙에 근거한 평등권 등으로 확장된다.

(2) 보편성과 상대성

인권의 보편성을 주장하는 측에서는, 법 앞에서의 평등, 신체의 자유, 언론의 자유, 종교 및 집회결사의 자유와 같은 권리는 나라와 문화의 차이를 막론하고 동일하게 보장되어야 한다고 주장한다. 이에 따르면 인권은 옳은 것으로서 언제나 성립해야 하는 것이기 때문에 시대와 지역에 관계없이 인권의 내용이 지켜져야 한다. 이에 따르면 인권은 국가주권의 상위개념이며 인권의 달성 수단이 국가주권이 된다.

인권의 상대성을 주장하는 측에서는, 문화의 다양성과 차이를 중시하면서 옳고 그름의 기준은 각각의 문화적 배경에 따라 달라질 수 있으므로 법 앞에서의 평등, 신체의 자유, 언론의 자유, 종교 및 집회결사의 자유와 같은 권리도 국가마다 달라질 수 있다고 주장한다. 여기에서 더 나아가, 다른 문화권에 속한 사람들에게 자신의 문화를 강요할 수 없다고 주장하는 상대주의 입장도 있다. 이 입장에 따르면, 국가주권은 해당 국가 국민들이 현재 수준에서 스스로 결정한 인권의 수준이며 국가마다 자신이 처한 상황이 다르므로 타국 국민들은 이를 무시하지 말고 존중해야 할 것이다.

(3) 인권과 주권의 관계

인권과 주권의 관계는 오랜 세월에 걸쳐 확립되었다. 인권은 인간으로서 누려야 하는 권리이지만, 현실적으로 볼 때 개별 국가의 차원에서 인권을 규정하고 보호하고 있다. 위기 상황에 빠진 국가의 국민들에게 인권침해가 발생하는 사례가 많다는 점을 보아도 이를 알 수 있다. 따라서 개별 국가의 주권이 우선한다는 원칙이 성립한다. 그러나 개별 국가의 주권만 강조하면 해당 국가의 다수 혹은 권력자가 인권을 침해하는 문제가 발생하더라도 이를 막을 수 없는 모순적 상황에 빠질 수 있다. 개별 국가의 주권을 중시하여 해당 국가 국민들이 스스로 정한 인권의 내용을 존중해야 한다. 그러나 해당 국가 국민들이 정한 인권의 내용이 명백하게 반인권적인 경우에는 인권의 회복을 위해 국제적 제재가 이루어질 수 있다. 이는 마치 개별 국가 내에서 법적 안정성을 위해 실정법을 중시하되 실정법의 정의 위반이 참을 수 없는 정도에 이르렀을 때 실정법을 부정할 수 있다는 라드부르흐 공식과 유사하다.

(4) 명백한 인권침해

① 집단 학살

② 노예범죄 또는 노예무역

③ 살인 또는 강제 실종 야기 행위

④ 고문, 기타 비인간적이고 비인도적 처우 혹은 처벌

⑤ 장기적이고 자의적인 구금

⑥ 조직적인 인종 차별

⑦ 국제적으로 인정되는, 지속적이고 심각한 인권 위반 행위

(5) 국제형사재판소(International Criminal Court)

국제형사재판소(ICC)는 1998년 7월 17일에 국제연합전권외교사절회의에서 채택되어 2003년 3월 11일에 국제형사재판소 로마 규정에 근거해 네덜란드의 헤이그에 설치되었다. 판사와 검찰관은 체결국 회의(ASP, Assembly of States Parties)에서 선출한다. 국제사법재판소(ICJ)와 혼동되지만 ICJ는 유엔의 사법기관이며, 국가 간의 법적 분쟁만을 취급하기 때문에 ICC와 완전히 다른 재판소이다. ICC의 관할은 개인형사책임에 한정되며 심사하는 범죄는 집단살해범죄, 인도(人道)에 대한 범죄, 전쟁범죄, 침략범죄이다.

ICC는 국제적으로 중대한 범죄에 대해 책임이 있는 개인을 소추하며 처벌한다. 또한 국제적 중대 범죄가 반복되는 것을 방지하기 위해 노력한다.

국제형사재판 2소(所)는 피해자를 위해 피해자 신탁기금(Trust Fund for Victims)을 설립, 운영하고 있다. 활동 내용은 다음과 같다. 재판소는 적당한 이유가 있을 때 신탁기금을 통한 배상을 명령할 수 있다. 신탁기금은 개인과 집단이 대상이 된다. 배상금은 개인에게 직접 배상되거나, 원조 조직 등의 단체에게 배상된다. 배상은 유죄의 판결을 받는 피의자만이 실시하는 게 아니라 정부, 국제기구, 개인의 보조금이 사용될 수도 있다.

ICC와 관련한 주요조문은 다음과 같다.

> **제1조(재판소)** 국제형사재판소는 국가의 형사 재판권을 보완한다.
> **제7조(인도에 대한 범죄) 제1항g** 인도에 대한 범죄로 '강간, 성노예, 강제 매춘, 강요당한 임신의 계속, 강제 단종 등 그 외 모든 형태의 성적 폭력과 동등의 중대성을 가지는 것'을 규정한다.
> **제27조(공적 자격의 무관계성)** 국제형사재판소 규정은 그 공직 자격에 관계없이 모든 사람에게 평등하게 적용된다. 국가원수나 의원, 공무원이라 할지라도 규정에 근거하는 형사책임을 면제하지 아니한다.
> **제77조(적용 형벌) 1항b** 적용할 수 있는 형벌은 30년 이하의 유기 구금형 또는 종신형이다. 사형은 적용할 수 없다. 형을 집행하는 국가는 형기 종료 전에 수형자를 석방하면 안 되며, 재판소만이 감형할 수 있는 결정권을 가지고 있다. 재판소는 유기형의 수형자는 형기의 3분의 2, 종신형의 수형자는 25년 이상 복역했을 때 감형의 가부에 대해 재심사한다. 재판소는 수형자가 감형 조건에 합치하는 경우에는 감형할 수 있다. 재판소는 감형을 거부했을 때도 일정한 시간마다 감형을 재심사할 수 있다.

2. 쟁점 및 논거: ICC의 체포영장 발부

찬성론: 보편적 인권 보호	반대론: 국가 주권 침해
[인권 보호] 인권의 개념이 상대적이라고 해도, 명백하게 부정의한 것이 무엇인지는 보편적으로 확인할 수 있다. 인종 청소, 대량 학살 등이 이에 해당한다. 이처럼 명백하게 반인류적인 인권침해 행위를 자행한 국가지도자에 대해서는 보편적 인권의 보호를 위해 국제사회가 체포하여 처벌해야 한다.	**[주권 침해]** 각국의 인권 보호 정도와 보호능력은 역사, 문화, 국력 등의 차이로 인해 각각 다르다. 개별 국가의 국민은 자신들이 정한 인권의 수준을 자국의 주권으로 인정했다. 국제적 기준이라는 명목으로 일방적 기준에 의해 타국 지도자를 처벌한다면 주권을 침해하는 것이다.
[실질적 주권 보호] 국가의 주권은 외세로부터 자국민의 생명과 신체를 지켜내기 위해 존중되는 것이다. 하지만 인권침해가 발생한 국가는 이러한 주권 존중의 취지에 위배되는 반인권 범죄를 자행했다. 주권의 궁극적 목적은 자국민의 인권 보호이므로 명백한 인권침해에 대한 처벌은 가능하다.	**[인권침해 우려]** 일국의 대통령이 국제형사재판소의 재판을 받아야 한다면, 재판기간 동안 해당 국가의 국정 운영은 파행을 겪을 수밖에 없다. 결정권자인 대통령이 자신의 직무에 전념할 수 없어 해당 국가의 주권, 즉 인권이 제대로 실현될 수 없다.
[재발 방지] 주권 존중이라는 명목으로 명백하게 인권을 침해하는 범죄를 저지른 국가지도자를 처벌하지 못한다면 반인륜적 범죄를 종식시킬 수도 없고, 차후에도 처벌받지 않을 것이라는 국가지도자의 판단으로 인해 이러한 사건이 다시 발생하는 것을 막을 수도 없다.	**[강대국에 의한 악용 우려]** 국제 정세에서 각국의 주권을 우선시하는 이유는 강대국이 인권을 명분으로 약소국을 억압할 수 있기 때문이다. 과거 서구 열강들이 식민주의 지배를 계몽 등의 이유로 식민 지배를 합리화한 것처럼 인권을 앞세운 강대국의 침략을 정당화하게 된다.

3. 읽기 자료

ICC의 체포영장 청구[121)]

이스라엘 - 하마스 역사적 배경[122)]

팔레스타인 분쟁과 하마스[123)]

러시아의 국제법 오용과 왜곡[124)]

121)

ICC의 체포영장 청구

122)

이스라엘-하마스 역사적 배경

123)

팔레스타인 분쟁과 하마스

124)

러시아의 국제법 오용과 왜곡

050 문제 인권과 주권

답변 준비 시간 20분 | 답변 시간 20분

※ 다음 제시문을 읽고, 시험장에 입실한 후 면접관의 질문에 답하시오. (답변 준비 시 문제를 제시하지 않음)

(가) 하버마스의 인권이론은 다음과 같이 하나의 대안적 전망을 제시한다. 하버마스는 인권을 항상 다른 사람과의 관계에 의해 재정의될 수밖에 없으며, 따라서 공론적 의사결정을 통해 끊임없이 그 내용과 한계가 재해석되어야 하는 규범으로 설정하고, 그 인권의 내용과 한계를 정하는 공동의 의사결정절차를 짜는 것이 중요하다고 본다. 이렇게 보면 인권의 보편성은 '실체'가 아닌 '절차'의 관점에서 재구성된다. 우리가 인권의 실체적인 내용이 무엇인지는 확정할 수 없지만 그 인권이 해석되고 구체화되는 절차의 보편적 정당성을 이야기할 수 있는 것이다. 세계적 차원에서 벌어지는 인권담론에 대해서도 마찬가지의 이야기를 할 수 있다. 문화적 상대주의의 비판으로 인해 보편성 자체가 필요 없는 것으로 간주되어서는 안 된다. 인권에 대해 서구와 다른 가치들, 예컨대 아시아적 가치는 인권의 공론영역에서 재해석되고 구체화되어 가는 데 있어서 중요한 하나의 '관점'이 된다.

(나) 「책임 있는 상업적 성공」 - 이것이 청바지로 유명한 리바이스사 및 로버트 하스 사장의 모토이다. 하스 사장은 기업도 윤리적이어야 하며, 이윤 추구와 이 세계를 조금이라도 살기 좋은 곳으로 만드는 양쪽 과제를 실현할 능력이 있다고 생각해 왔다. 그 때문에 '가치에 의한 경영' 이념을 내걸고, 그것을 실행으로 옮겨왔다. 예를 들면 최고경영자가 솔선하여 분명한 윤리규준을 세워, 회사 전체에 철저히 시행해왔다. 가령 그것이 이익이나 경쟁력 저하를 초래할 경우에도, 그 행위가 윤리적으로 바른 것이라면 철저히 실천했다.

해외진출을 목표로 한 경우에도, 진출하는 국가나 지역 발전을 제일로 생각하고, 리바이스의 상업적 성공은 그다음이라 단호하게 말한다. 리바이스는 이러한 생각하에, 방글라데시의 강한 요청을 받아 닷커(Dockers)란 새로운 브랜드 청바지 공장을 건설할 때도 방글라데시와 공장이 위치한 지역사회의 발전을 우선적으로 고려하여 리바이스가 직접 생산하기보다 현지의 하청업자를 선정하여 생산을 맡겼다. 방글라데시에 세운 리바이스의 닷커 브랜드 생산 공장은 곧 정상화되어 현지의 하청업자로부터 납입되는 제품도 우수한 질을 인정받았다. 인건비는 미국의 약 1/6로 미국 국내와 비교해 대단히 싼 가격이다. 닷커 브랜드의 평판도 높아, 문제는 전혀 없어 보였다.

그러던 어느 날, 현지시찰 담당자로부터 다음과 같은 보고가 들어왔다. 보고서에 의하면 하청업자 공장에 근무하는 노동자의 절반이 11~13세 소녀이며, 대다수가 학교를 퇴학하고 일을 하러 왔다고 한다. 이것은 미국 국내법에 비추어 볼 때, 위법일 뿐만 아니라 많은 선진국에서도 동일하게 위법이며, 또한 ILO 등의 국제단체 규준에 비추어 볼 때도 위법이다. 그러나 현지인들에 따르면, 방글라데시에서는 이 같은 일이 일반적이며, 현재 이곳에서 근무하는 소녀 대부분이 한 가정의 주수입을 벌어들이는 역할을 한다고 한다. 공장에서 근무하는 소녀들은 모두 즐거워하며, 또한 방글라데시의 이 지역의 여자들은 일생을 가사 노동이나 자식 부양에 내몰려, 여자들에 대한 교육이나 학력은 전혀 중시되지 않아 학교에 가지 못한다는 점을 문제시하는 부모도 거의 없다. 심지어 현지공장에서 일하는 소녀들 중 일부는 하청업자의 공장에서 일하지 못할 경우 매춘으로 내몰리는 경우도 많다고 한다.

지금까지 리바이스는, 비인도적으로 공장노동자를 취급하는 하청업자나 형무소 노동을 이용하여 노임을 낮게 억제하는 정책을 내세우는 국가·지역이 있을 경우 조업형태의 개선을 요구하고 개선되지 않을 경우, 전면 철수를 택하여 윤리적 기준을 관철해왔다. 방글라데시의 이번 경우도 어린 노동자라는 대단히 큰 문제를 안고 있으므로, 전면 철수는 사회의 기본이념과도 일관되는 듯이 보인다. 그러나 한편으로 리바이스가 철수하는 것은 이 지역사회에 대한 심각한 경제적 타격이 되며, 더 나아가 세계의 최빈국 방글라데시의 경제발전을 저해할 것이다.

(다) 싱가포르는 범죄율이 매우 낮은 국가로 유명하다. 싱가포르에는 타국에는 없는 특이한 형벌이 있는데 태형(笞刑)이 바로 그것이다. 싱가포르 형법은 태형의 대상과 적용범죄를 엄격하게 정해두었는데, 우선 태형의 대상은 16~50세의 남자에 한정되며 의사에 의해 건강상 문제가 없음을 확인받아야 한다. 태형의 횟수는 성인의 경우 최대 24대, 청소년은 최대 10대이다. 태형은 징역형 등의 형벌과 함께 병과된다. 태형을 받을 죄수는 의사 입회하에 허리 부분에 복대를 두르게 한 뒤 특별히 훈련된 간수가 도움닫기 방식으로 체중을 실어 힘껏 내려치는 것으로 태형을 집행한다. 건장한 남성 죄수도 한 대를 맞고 기절할 정도로 강력한 형벌이다. 국제앰네스티는 싱가포르 정부에 "잔인하고 비인간적이며 인간의 품위를 떨어뜨리는 형벌"인 태형을 폐지할 것을 권고하였다. 싱가포르 국민의 대다수는 태형 유지를 원하고 있는 상황이다. 1994년 싱가포르에서 18세의 미국인 마이클 페이가 10일 동안 수십 대의 차에 페인트를 뿌리고 계란을 던지는 범법행위를 했다고 해서 태형을 선고받아 6대의 곤장을 맞았고, 이를 둘러싸고 많은 논란이 야기되었다. "서구적 인권개념을 문화와 전통이 다른 아시아에 그대로 적용하는 것은 타당하지 않다"는 주장과, "인권은 보편적 개념이므로 문화와 전통의 이름으로 인권침해를 정당화할 수 없다"는 주장이 대립되었다.

(라) 우리나라는 UN 가입국으로 시민적·정치적 권리에 관한 국제규약에 가입하면서 국내법보다 이 국제규약의 우신직용을 획약했다. 국제규약 기입 당시, 우리나라는 전쟁 위협 국가이자 징병제를 유지하는 국가로, 양심적 병역거부를 인정하지 않고 있었다. UN 인권위원회와 UN 자유권규약위원회는 이 국제규약에 기반하여 양심의 자유를 보장하기 위해, 당시 우리나라가 인정하고 있지 않았던 양심적 병역거부 인정과 대체복무제 도입을 권고하였다.

(마) 수단의 서쪽에 있는 다르푸르는 내전으로 인해 30만 명이 희생되었고 250만 명이 난민이 되었다. 수단의 알 바시르 대통령은 2003년 내전 당시 정부기관과 민병대를 동원해 다르푸르에서 조직적으로 반인륜범죄를 저질렀다. UN의 발표에 따르면, 다르푸르 학살로 인한 사망자는 30만 명이다.

국제형사재판소(ICC)는, 수단 대통령에 대해 다르푸르에서 발생한 집단 학살에 대한 혐의 3건과 성폭행과 고문, 강제이주 등 반인륜적 범죄혐의 5건, 그리고 마을을 약탈한 혐의 2건 등 총 10건의 범죄혐의를 적용해 체포영장을 발부했다.

국제형사재판소(ICC)는 네덜란드의 헤이그에 있는 기관으로, 국제적으로 중대한 범죄에 대해 책임이 있는 개인을 소추하며 처벌함으로써 국제적 중대 범죄가 반복되는 것을 방지하기 위한 목적의 기관이다. ICC의 관할은 개인형사책임에 한정되며 심사하는 범죄는 집단살해범죄, 인도(人道)에 대한 범죄, 전쟁범죄, 침략범죄이다. 판사와 검찰관은 체결국 회의(ASP, Assembly of States Parties)에서 선출한다. 국제사법재판소(ICJ)와 혼동되지만 ICJ는 유엔의 사법기관이며, 국가 간의 법적 분쟁만을 취급하기 때문에 ICC와 완전히 다른 재판소이다.

Q1. "뉴턴 물리학과 양자 물리학이 서구에서 유래되었다고 하더라도 서구 물리학을 아시아에 적용할 수 없는 것은 아니다. 마찬가지로 인권 개념이 비록 서구적이라고 하더라도 서구의 인권을 아시아에 동일하게 적용할 수 있다"는 주장이 있다. 제시문 (가)를 참고하여 이 주장을 비판하시오.

Q2. 제시문 (가)를 참고해, 1번 문제의 논리적 연장선상에서 '인권은 인간의 의사와 독립되어 있는 보편적 권리'라는 주장을 비판하시오.

Q3. 제시문 (나)에서 지원자가 리바이스 사장이라면 하청업자의 방글라데시 아동의 인권침해를 이유로 방글라데시에서 사업을 철수하겠는가?

Q4. 제시문 (나)의 상황에서, 한국의 시민단체가 리바이스 하청업자의 아동인권침해를 이유로 리바이스 제품 불매운동을 하면서 리바이스사의 방글라데시 철수를 요구하고 있다고 하자. 한국의 시민단체의 불매운동은 타당하다고 생각하는가?

Q5. 제시문 (나)의 상황에 대한 해결방안을 제시하시오.

Q6. 제시문 (다)에서 "태형과 같은 야만적 인권침해를 중지하라"는 미국의 주장에 대해 싱가포르가 "주권국가에 대한 내정 간섭"이라고 반박하였다고 하자. 이에 대한 자신의 견해를 논하시오.

Q7. 제시문 (다)에서 싱가포르의 태형은 야만적 처벌이라는 비판이 있다. 이에 대해 어떻게 생각하나?

Q8. 제시문 (라)에서 주권국가인 한국이 UN 인권위원회의 권고를 따라야 할 의무가 있는가?

Q9. 제시문 (마)에서 국제형사재판소(ICC)는 인권침해를 이유로 수단 대통령에 대해 체포영장을 발부했다. 이에 대해 수단 대통령에 대한 기소와 체포영장의 발부는 수단의 주권 침해라는 비판이 있다. 자신의 입장을 밝히고, 예상되는 반론에 대해 재반론하시오.

추가질문

Q10. 이스라엘 - 팔레스타인 전쟁의 원인과 해결책을 제시하시오.

050 해설 인권과 주권

Q1. 모범답변

이 주장은 사실과 가치를 혼동하고 있다는 점에서 타당하지 않습니다. 뉴턴 물리학과 양자 물리학은 자연적 사실로 이미 존재하고 있는 것을 발견한 것입니다. 예를 들어, 뉴턴 물리학이 성립되기 이전부터 만유인력의 법칙은 우주가 만들어진 이후로 우주공간 전체에 존재하여 왔습니다. 따라서 뉴턴 물리학과 양자 물리학은 서구에서 먼저 발견한 것이고 동양에서도 이를 동일하게 발견할 수 있는 것입니다.

그러나 인권의 개념은 이와 다릅니다. 인권은 보편적 사실로 정해져 있는 것이라기보다 합의를 통해 형성해나가는 가치라 보아야 합니다. 만약 인권이 보편적 사실로서 이미 존재하는 것이라 한다면 옳고 그름이 인간의 의지와 관계없이 결정됩니다. 그러나 인권은 역사적으로, 지역적으로 서로 다른 양상을 보이면서 만들어지고 발전해오고 있습니다. 역사적으로나 지역적으로 동일하지 않으므로 서구적 인권의 개념이 동양의 인권의 개념과 동일할 수는 없습니다. 따라서 인권의 개념이 서구적이라 하더라도 서구적 인권의 개념을 아시아에 동일하게 적용할 수 있다는 주장은 타당하지 않습니다.

Q2. 모범답변

인권을 인간의 의사와 독립되어 있는 보편적 권리로 보는 입장은 타당하지 않습니다. 인권을 보편적 권리로 본다면 인권침해가 발생할 우려가 있습니다. 인권을 보편적 권리로 본다면 보편적으로 옳은 인권이 존재하게 됩니다. 보편적으로 옳은 인권이 존재한다면 그 개념에서 벗어난 인권의 내용은 모두 틀린 것이 됩니다. 예를 들어 유럽이 인권의 개념을 가장 먼저 발견하였고 이를 오랫동안 연구하고 적용하여 왔으므로 유럽이 동양보다 보편적 인권에 더 가깝다고 할 수 있습니다. 그렇다면 동양의 인권은 유럽의 인권보다 뒤처진 것이 되고 옳지 않은 것입니다. 따라서 동양의 국가들은 자신들이 인권의 내용을 결정해서는 안 되고 유럽의 보편적 인권이 절대적으로 옳은 것이므로 이를 따라야만 합니다. 그 결과 정치적 상황이나 경제적 상황이 달라 동일하게 적용할 수 없는 유럽의 인권이 동양에 적용되어 인권이 침해되는 결과로 이어지게 됩니다. 인권은 보편적 권리로서 인간의 의사와 독립적으로 존재하는 것이 아니라 각국의 정치·경제·사회·역사적 상황에 따라 개별 국가의 국민들이 판단하고 합의한 결과로 보아야 합니다.

Q3. 모범답변

제가 리바이스 사장이라면 방글라데시에서 사업을 철수하지 않겠습니다. 사업을 철수하는 것이 오히려 인권을 침해하기 때문입니다. 인권은 대단히 큰 개념으로 무엇이 인권인지 구체적 상황에 따라 그 모습을 달리합니다. 그러므로 각국의 구체적 상황에 따라 인권의 내용은 다를 수 있습니다. 인권은 보편적 사실로 어떠한 국가의 어떠한 상황에서도 하나의 정답이 있는 것이 아닙니다. 오히려 각 국가의 상황에 따라 그 국가의 구성원들이 합의하고 발전시켜나가는 형성적 권리에 해당합니다.

이 사안에서 리바이스사가 방글라데시에서 철수한다면 오히려 인권을 보호할 수 없습니다. 방글라데시는 최빈국(最貧國)으로 생존권이 문제되고 있는 상황입니다. 리바이스사가 방글라데시에서 철수한다면 하청업자 공장에서 일하는 미성년자들의 생계 곤란과 매춘 등에 내몰리는 인권침해가 발생할 것입니다. 따라서 제가 리바이스 사장이라면 방글라데시 소녀들과 국민들의 생존권을 실질적으로 보호할 수 있도록 공장을 철수하지 않을 것입니다.

Q4. 모범답변

한국 시민단체의 불매운동은 오히려 방글라데시 아동의 인권을 침해하므로 타당하지 않습니다. 한국의 시민단체가 불매운동을 벌이는 이유는 리바이스의 하청업체가 아동 노동을 시켰고 리바이스사가 이를 묵인하였기 때문입니다. 아동 노동이 문제되는 이유는 단순히 아동이 노동을 했기 때문이라 볼 수 없습니다. 만약 아동 노동 자체가 문제가 된다면 우리가 TV 드라마에서 볼 수 있는 아역 배우는 모두 인권침해를 당하는 것이 됩니다. 아동 노동은 교육받을 권리를 침해하여 장차 아동이 성인이 되었을 때, 자신의 인생을 예측하고 선택하여 자신의 삶을 주체적으로 살아갈 자유를 침해하기 때문에 금지되는 것입니다. 그런데 위 사안의 방글라데시의 아동들은 교육을 받아 미래에 어떤 삶을 살 것인지 결정할 권리보다 현재 생존을 안정적으로 보장받는 것이 중요합니다. 따라서 한국의 시민단체가 방글라데시 아동의 인권침해를 문제 삼아 불매운동을 벌이는 것은 한국의 상황에서 방글라데시의 인권을 논하는 것으로 방글라데시 국민들이 스스로 생각하는 인권을 잘못된 것, 틀린 것으로 간주하는 것입니다. 그뿐만 아니라 아동 노동을 금지시켜야 한다는 형식적이고 당위적인 주장으로 인해 방글라데시 국민의 기본적 인권을 심대하게 침해합니다. 따라서 한국 시민단체의 불매운동은 타당하지 않습니다.

한국 시민단체의 불매운동은 방글라데시의 발전을 저해하므로 타당하지 않습니다. 인권은 넓은 개념으로 먼저 생존권이 보장된 후에야 정치적 기본권, 사회적 기본권 등을 논할 수 있습니다. 그리고 이러한 인권의 구체적 내용은 개별 국가의 국민들이 스스로 결정해야만 합니다. 생존권의 보장이 불안정한 방글라데시의 상황에서 방글라데시 국민들은 생존권을 확보한 후 인권을 차츰 발전시켜나갈 수 있습니다. 만약 한국의 시민단체가 불매운동을 벌여 방글라데시에서 리바이스 공장이 영업을 중단한다면 최빈국(最貧國)인 방글라데시는 생존권에 문제가 발생하게 될 것입니다. 이에 더해 생존권의 문제가 해결되지 않아 장기적으로 인권의 영역이 넓어지기 힘들 것입니다. 따라서 자발적이고 장기적으로 방글라데시의 인권이 증진되기 위해서 한국의 시민단체의 불매운동은 타당하지 않습니다.

Q5. 모범답변

먼저 청바지 공장의 일자리를 확대하기 위해 노력해야 합니다. 일자리가 부족한 방글라데시에서 청바지 공장의 일자리는 생계를 안정적으로 유지하여 생존권을 보장할 수 있도록 합니다. 생존권의 안정적인 보장은 더 발전된 인권으로 도약하는 기회가 됩니다.

이후, 공장이 운영되는 지역을 중심으로 학교를 세워 운영해야 합니다. 공장에서 일하는 소녀들의 경우 근무시간을 조정해 학교 수업을 이수하거나 야학(夜學)으로 운영해 공장 노동 이후에 학교 수업을 이수하도록 하는 방법이 타당합니다. 공장에서 일하는 소녀들이 기본적인 교육을 받아 장래 자신의 미래를 결정할 시기가 되었을 때 자신의 인생을 주체적으로 결정할 수 있도록 도와야 합니다. 또한 이러한 교육은 리바이스사에 고용된 소녀들을 숙련노동자화할 수 있어 리바이스사에도 이익이 되어 장기적이고 안정적인 고용을 가능하게 합니다. 이는 장기적으로 방글라데시의 발전을 이끌어 생존권에서 더 나아간 내용의 인권을 달성할 수 있도록 할 것입니다.

Q6. 모범답변

미국의 주장은 내정 간섭에 해당합니다. 싱가포르 국민들이 자신이 생각하는 인권의 내용을 진지하게 숙고하여 법질서를 형성하였습니다. 마이클 페이는 비록 외국인이지만 싱가포르에 여행을 갔다면 싱가포르의 법을 준수하여야 하는 것입니다. 법을 위반한 경우에 그에 따른 책임을 지는 것은 지극히 마땅한 일입니다. 마이클 페이는 열흘 동안 무려 수십 대의 자동차에 페인트를 뿌리고 계란을 던져 많은 사람들에게 손해를 입혔고 이것은 분명한 범법행위입니다. 따라서 그에 상응한 정당한 법적 절차에 따라 태형 판결을 받게 되었고, 이는 싱가포르 법률상 지극히 당연한 조치입니다. 그런데도 미국의 일부 언론과 정치인들은 태형이 야만적인 행위이며 가혹한 고문이나 다름없다고 흥분하여 싱가포르 정부가 자의적으로 미국인인 마이클 페이를 지목해 태형을 선고했다고 주장합니다.

물론 태형이 이상적인 형벌이라고 생각하는 것은 아닙니다. 다만 미국이라는 대국의 대응 자세가 너무 편파적이고 감정적인 점이 문제입니다. 마이클 페이가 미국인이라는 이유 하나만으로 그의 범죄를 없던 것으로 하고 무죄 석방하라는 그들의 압력은 일종의 국가폭력입니다. 싱가포르의 법을 어긴 자가 미국인이라는 이유로 해당 국가의 법률을 어긴 자를 무죄로 할 수는 없습니다. 지구상에는 2백여 개의 국가가 있고, 각국은 자국의 국민들이 스스로 판단한 인권의 수준과 내용에 따라 나름대로 현실에 맞는 법체계를 갖고 있습니다. 사회여건이 다르고 발전 정도가 상이하므로 법률도 꼭 동일할 수만은 없습니다. 따라서 설혹 상대국의 법률이 자국의 그것과 다르다고 해서 무시해서는 안 되며, 정당한 법 집행에 간섭하려 해서도 안 된다고 생각합니다.

Q7. 모범답변

야만적 처벌이라는 기준 자체가 다를 수 있으므로 이 비판은 타당하지 않습니다. 국가마다 형벌의 유형은 다를 수 있습니다. 형벌이 인간의 존엄성을 해하지 않는 한 다양성이 존중되어야 합니다. 미국은 태형이 인권을 침해한다고 주장하나 태형이 명백하게 인권에 반한다고 보기는 어렵습니다. 또한 징역형도 신체의 자유와 거주 이전의 자유를 크게 제한하나 교화와 범죄 예방을 위해 불가피하게 인정됩니다. 태형이 징역형보다 비인간적이거나 인권을 더 크게 훼손한다고 볼 수 없고, 태형이 범죄예방효과가 있고 국민이 이 형벌을 수용한다면 허용될 수 있습니다.

그러나 공개총살형과 같이 인간을 수단시하는 형벌제도는 명백하게 반인권적인 형벌로서 허용되어서는 안 됩니다.

Q8. 모범답변

UN 인권위원회의 권고를 반드시 따라야 할 의무가 있다고 할 수 없습니다. 인권과 관련한 국제규약은 선언적 성격을 지니고 있습니다. 특히 이 권고는 국제규약 자체라기보다 국제규약으로부터 도출된 것에 해당합니다. 인권은 인류 모두가 지향할 보편적 가치이기는 하나, 인권의 구체적인 모습은 각 국가의 상황에 따라 다른 경우가 많습니다. 만약 인권을 보편적 가치로 보아 각 국가에 강제할 수 있다면, 오히려 각 국가의 구체적 상황에 따라 인권이 침해될 수 있습니다. 이런 점에서 국제법은 인도적 개입의무보다 개별 국가의 내정불간섭의무가 더 앞선다고 규정하고 있습니다. 따라서 유엔인권위원회와 유엔자유권규약위원회의 권고를 참고할 수는 있으나, 우리나라가 이로부터 양심적 병역거부를 반드시 행해야 한다는 강제력은 도출되지 않습니다. 오히려 우리 국민이 양심적 병역거부에 대해 어떤 생각을 가지고 있는지 확인하고 이를 받아들일 수 있는지를 국가 차원에서 심각하게 논의하여 국민적 의사를 확인할 기회로 삼아야 합니다.

Q9. 모범답변

국제형사재판소의 수단 대통령에 대한 체포영장 발부는 타당합니다. 인권침해를 막을 수 있기 때문입니다. 사실상 일국의 대통령에 대한 체포영장은 실효성이 없습니다. 최고 권력자에 대한 체포영장이 해당국가 내에서 집행될 가능성이 없기 때문입니다. 그러나 만약 대통령 자리에서 물러날 경우, 체포되어 재판을 받을 수 있다는 것만으로도 인권침해에 대한 예방 효과가 있습니다. 따라서 인권침해를 한 수단 대통령에 대한 국제형사재판소의 기소와 체포영장 발부는 타당합니다.

이에 대해 ICC의 체포영장 발부는 국가의 주권 침해라는 비판이 있습니다. 그러나 이 비판은 타당하지 않습니다. 수단 대통령의 행위는 국가 주권적 행위가 아니라 명백한 반인권적 행위이기 때문입니다. 인종 학살을 주권 행사라고 할 수는 없습니다. 만약 희생자들이 자국민을 군사적으로 위협하는 테러범이거나 범죄자였다면 국민 보호를 위한 주권적 행위라고 볼 여지가 있습니다. 그러나 다르푸르의 희생자들은 민간인이자 수단의 국민들입니다. 군인의 존재 목적은 적군으로부터의 국민 보호입니다. 그러나 수단 대통령은 자국민을 공격하기 위해 군인을 동원했고 민간인을 조직적으로 학살했습니다. 개별 국가의 주권 행사는 자국의 인권을 자국민들이 스스로 결정한다는 점에서 보장되어야 합니다. 그러나 이러한 주권 행사를 보장하는 이유는 궁극적으로 인권을 보호하기 위함입니다. 주권의 행사가 명백하게 인권을 침해하는 것이라면 이는 주권의 행사 한계를 넘은 것입니다. 수단의 인종 학살은 명백한 인권침해이며 주권의 한계를 넘은 행위입니다. 따라서 국제사회가 결의하여 합의한 기준에 따라 개입하는 것은 주권 침해라고 할 수 없습니다.

Q10. 모범답변

팔레스타인과 이스라엘 전쟁의 원인은 영토 갈등과 외세의 개입이라 할 수 있습니다.

첫째, 영토 분쟁으로 인해, 특히 종교의 성지(聖地)가 동일하기 때문에 전쟁의 원인이 됩니다. 먼저, 독립된 왕국하에서 살던 유대인은 로마에 의해 예루살렘이 정복되고 신전이 파괴되었습니다. 유대인은 세계 각지로 흩어졌고, 이를 '디아스포라'라고 합니다. 유대인이 떠난 팔레스타인에는 이슬람 교도인 아랍인들이 거주하게 되었습니다. 결국 팔레스타인, 특히 예루살렘은 유대교, 기독교, 이슬람교의 성지가 중첩되어 공존하는 곳이 되었습니다. 그런데 영국은 팔레스타인 주민들에게 독립국가 건설을 약속하고, 한편으로는 유대인들에게도 시오니즘을 실현할 수 있도록 팔레스타인을 돌려주겠다고 이중약속을 했습니다. 결국, 팔레스타인인들과 이스라엘인들은 모두 이 땅이 자신의 땅이라 생각하고 있기 때문에 문제가 발생하는 것입니다. 자신의 땅에 허락 없이 거주하고 있는 자들이면서 이교도들을 내쫓아야 한다는 생각으로부터 전쟁이 발생하게 됩니다.

둘째, 외세의 개입과 그에 대한 거부감이 전쟁의 원인이 됩니다. 위에서 살펴본 것처럼 영국은 팔레스타인의 독립국가 형성과 이스라엘의 건국을 모두 인정하여 한 지역에 두 국가가 생기게 되었습니다. 영국이 이 지역에서 철수한 이후에 패권국가의 위치를 점하게 된 미국은 중동지역을 관리하고자 했습니다. 미국의 중동정책은 '두 기둥 정책'인데, 한 기둥은 이스라엘이고 다른 한 기둥은 사우디아라비아와 같은 친미 온건 아랍국가입니다. 이를 통해 소련의 남하를 저지하고, 중동 산유국을 친미국화하고, 이스라엘을 기지화하고자 한 것입니다. 미국은 이를 위해 이스라엘의 안전 보장을 확고하게 할 수 있도록 팔레스타인의 아랍인들과 평화협상을 중재해왔습니다. 이로 인해 팔레스타인의 아랍인들은 영국의 개입으로 인해 시작된 문제가 미국의 개입으로 이어졌다고 생각하게 되었습니다. 특히 이스라엘이 팔레스타인의 저항 시위를 무력으로 잔인하게 진압하더라도 미국이 묵인하고 이스라엘을 노골적으로 지지하는 경우가 많았기 때문에 팔레스타인의 아랍인들은 미국에 대한 저항감이 커지는 상황입니다. 이에 더해 미국과 대립하고 있는 이란이 팔레스타인의 하마스를 군사적으로 지원함으로써 이스라엘-미국, 하마스-이란의 전쟁으로 확대되고 있는 것도 문제점이 됩니다.

해결책은 영토 분쟁의 타협, 해소와 외세의 개입 완화가 될 것입니다. 미국의 클린턴 전 대통령이 중재한 이스라엘-팔레스타인 평화협정으로 10년 정도의 평화 시기를 누렸던 역사적 사례가 있습니다. 이스라엘-팔레스타인의 평화협정은 소련의 붕괴와 같은 국제질서의 변화로 인해 중동지역의 중요도가 변화한 결과, 미국이 강력하게 양측을 중재할 수 있었고, 아랍인 정착촌 문제 해결과 같이 영토에 대한 합의가 일부 존재했기 때문입니다.

051 개념 전쟁과 테러

2024 인하대 기출

1. 기본 개념

(1) 테러

미 국무부의 개념 정의에 따르면, 테러는 대중에게 영향을 미치기 위한 정치적인 의도로 비국가단체 또는 비밀요원들에 의해, 비전투원인 민간인을 목표물로 하여 사전에 준비된 폭력이다. 테러 행위의 목표물이자 대상은 민간인이다.

(2) 전쟁

전쟁은, 자국의 의사를 상대국에 강요하기 위하여 국가 간 또는 이에 준하는 집단 간에 수행되는 조직적인 투쟁을 말한다.[125] 전쟁은 국가의 행위이고 국가가 수행하기 때문에 군인이 행하는 것이다. 따라서 군인의 전쟁행위는 국가의 행위로 의제되고, 전쟁 수행 중이라 하더라도 민간인을 목적으로 한 살상행위는 국제법 위반이 된다.

(3) 저항권 행사

유엔 헌장의 민족자결의 원칙에 따라 인정될 수 있다. 하나의 국가에 다수 민족이 존재하는 상황에서 주도적인 세력이 자기 영향력하의 민족이나 세력들을 부당하게 차별하거나 억압한다고 하자. 이때 해당국가의 주권 일부, 즉 억압당하는 민족의 부분에 해당하는 권리를 부당하게 강탈당한 것이 되므로 이를 되찾기 위한 정당한 행위로써 억압 받는 자의 정당한 권리 행사로써 저항권 행사가 인정된다. 이 저항권 행사 중에 비폭력 저항행위는 당연히 인정받을 수 있다. 다만, 민족의 생존권 억압에 대항하는 폭력적 저항행위는 국제사회의 공정한 제3자들에 의해 정당하다고 인정되는 범위에 한하여 인정될 수 있다.

2. 읽기 자료

테러와 저항권[126]

125) 한국학중앙연구원, <한국민족문화대백과사전>

126)

테러와 저항권

051 문제 전쟁과 테러

답변 준비 시간 20분 | 답변 시간 20분

※ 다음 제시문을 읽고, 문제에 답하시오.

A국의 대통령인 甲은 목소리를 낮추고 말했다. "장군의 제안은 불법행위요."
A국의 장군인 乙이 대답했다. "맞습니다. 하지만 시민들의 목숨을 보호하기 위해 가장 좋은 방법이 무엇인지 자문해보셔야 합니다. 상황은 간단합니다. 우리 인접국인 B국의 지도자인 丙은 자기 나라에서 인종청소 전쟁을 벌임과 동시에 우리 A국에 대해 군사공격을 감행하기로 결정했습니다. 정보통에 따르면 그는 거의 혼자서 이런 주장을 하고 있고, 우리가 그를 축출하면 훨씬 온건한 丁이 그 자리를 이을 것입니다."
대통령인 甲이 말했다. "그래요. 하지만 당신은 그를 제거하는 일에 대해 말하고 있지 않소. 외국의 지도자를 암살하는 것은 국제법에 어긋납니다."
乙 장군은 한숨을 내쉬면서 말했다. "하지만, 각하. 당신의 명령 한 마디로, 총알 한 발이면, 그것도 보안요원들이 사후에 다 치우게 될, 이 선택 하나로 대대적인 학살과 전쟁 가능성을 모두 다 충분히 막을 수 있습니다. 당신 손에 외국 지도자의 피를 묻히기 싫은 것은 알겠습니다. 그렇다면 그 나라와 우리나라의 국민들 수천, 수만 명이 흘린 피 속에 빠져 죽기를 원하는 것입니까?"

Q1. 지원자가 대통령이라면 장군의 제안을 받아들일 것인가?

Q2. 전쟁이 발생했을 때 상대국의 원수를 암살하는 것에 대해 어떻게 생각하는가?

Q3. 1931년 윤봉길 의사는 대한민국 임시정부의 국무령인 김구를 찾아가 독립운동에 참여할 것을 결의하고 한인애국단에 가입했다. 1932년 임시정부는 중국 상하이 홍커우공원에서 열리는 일본제국 행사에서 윤봉길이 폭탄을 투척할 것을 계획하고 실행했다. 윤봉길 의사는 이 행사에서 폭탄을 투척해 일본군 총사령관과 상하이 일본거류민단장이 폭사했고, 많은 주요 인사들이 부상을 입었다.
윤봉길 의사의 일본군 수뇌부 암살은 정당한가?

Q4. 2001년 발생한 9.11 테러(September 11 attacks)는 이슬람 근본주의 세력인 알카에다가 일으킨 하이재킹 및 자살 테러 사건이다. 알카에다 테러리스트들은 항공기를 납치해 뉴욕의 세계무역센터와 국방부 청사 건물인 펜타곤을 공격해, 3천여 명의 사망자와 6천여 명의 부상자가 발생했다.
윤봉길 의사의 일본군 수뇌부 암살과 9.11 테러는 어떻게 다른가?

Q5. 이라크와 시리아 일대에서 군사 행동을 일삼았던 IS(Islamic State)는 2019년경 궤멸되어 현재에는 점조직 정도에 머무르고 있다.
그러나 IS는 2014~2015년에 걸친 성공적인 군사행동으로 시리아와 이라크의 절반에 이르는 지역을 점령하면서 그 당시에 자신들을 국가라고 주장했다. IS는 그들의 주장처럼 국가라 할 수 있는가, 그렇다면 IS의 군사적 행위는 테러집단의 군사행동과는 다른 것인가?

Q6. 2021년 미군이 아프가니스탄 철군을 발표하자, 아프가니스탄 대통령 등 정부요인은 국외로 도주했고 탈레반이 수도인 카불에 입성해 통치하게 되었다. 탈레반은 이슬람 근본주의를 표방하고 있으며, 여성인권을 침해하는 정책을 펼치고 있다. 탈레반을 국가 통치의 주체로 인정할 수 있는가?

Q7. 하마스는 가자 지구를 통치하는 팔레스타인 무장 단체로, 이스라엘을 없애고 이슬람 국가를 세우고자 한다. 하마스는 2023년 10월 7일 가자 지구 인근 지역에 침입해 주민 수백 명을 살해하고 수십 명을 인질로 납치하는 등 이스라엘을 대상으로 한 공격을 감행했다. 하마스는 가자 지구 주민 살해와 인질 납치를 팔레스타인 독립을 위한 군사적 행동이라 주장한다. 이 주장은 정당한가?

051 해설 전쟁과 테러

Q1. 모범답변

丙을 암살하자는 장군의 제안을 받아들이지 않을 것입니다. 이는 해당국가 국민들이 스스로 정한 주권과 인권의 내용을 부정하는 것으로써 내정 불간섭 의무에 반하기 때문입니다. B국의 국민들은 丙을 국가의 수반이자 지도자로 선출하여 B국 국민의 의사를 대변하도록 하였습니다. 이에 따라 丙이 어떤 결정을 할 것인지는 해당국가의 국민들이 결정한 것이나 다름없고, 만약 그 결정내용이 자국 내의 인종청소와 타국에 대한 군사공격이라 하더라도 이를 막을 1차적 역할은 해당국가 국민들이 행해야 하는 것입니다. 물론 丙이 하려는 행위는 부정의한 행위임에 분명합니다. 그러나 그렇다고 하여 타국의 지도자 혹은 타국 국민이 B국의 지도자인 丙을 암살해서는 안 됩니다. 현재 B국과 우리나라는 전쟁 중이 아닙니다. 단지 丙이 우리나라에 대한 군사공격을 할 것이라고 결정했음을 알았을 뿐입니다. 丙 혼자 그러한 주장을 강력하게 하고 있다면, 이는 B국 국민들이 丙의 의사 결정을 반대하고 있다는 의미이기 때문에 해당국가 국민들이 스스로 이 문제를 해결할 수 있도록 해야 합니다. 단지 전쟁의 위험이 존재하고 그 위험이 크기 때문에 타국의 국가 지도자를 전쟁 예방 목적으로 암살하는 것은 해당국가 국민들의 주권을 과도하게 침해하는 것입니다. 부정의에 부정의로 맞서는 것 역시 부정의합니다. 그렇기 때문에 丙에 대한 암살은 타당하지 않습니다.

그러나 丙이 결정한 인종청소와 군사공격 선언을 막기 위한 행동은 해야 합니다. 유엔과 국제사회에 이 문제를 공식적으로 제기하여, A국 자국 내의 인종청소를 막기 위한 유엔 평화유지군 파병을 요청하고, 우리 국가에 대한 丙의 군사공격이 정당하지 않음을 확인해야 합니다.

Q2. 모범답변

전쟁이 발생했을 때 상대국의 원수를 암살하는 것은 타당합니다. 전쟁 중인 상황에서 우리 국민이 원하는 바는 자국민의 희생을 줄이고 전쟁에서 최대한 빨리 승리하는 것입니다. 전쟁은 외교수단 등 모든 수단을 다 사용하고도 해결되지 않는 타국과의 갈등상황에 대해 국민이 자신의 생명을 잃을 수도 있음을 감수하고서 최종적인 수단으로서 선택한 것입니다. 따라서 국가는 국민이 자신의 생명을 잃을 수도 있음을 감수하고도 마지막 수단으로 선택한 전쟁을 최대한 빨리 종결하여 자국민의 생명과 신체의 자유를 안정적으로 보장해야 합니다. 그런데 적국과 전쟁 중인 상황에서 적국의 원수를 암살할 수 있다면 우리나라 국민의 생명을 지킬 가능성이 높아집니다. 전쟁 중인 경우 적국의 원수는 전쟁을 지휘하는 자로서 전쟁에 책임 있는 자입니다. 이 자를 암살함으로써 신속한 전쟁 종결이 가능하기 때문에 국민 보호의 실효성이 큽니다. 그리고 적국의 원수에 대한 암살은 적국의 중요인사에 대한 공격으로 국민의 주권적 결정인 전쟁행위의 일종으로 보아야 합니다. 따라서 전쟁 중에 적국의 원수를 암살하는 것은 타당합니다.

Q3. 모범답변

이는 정당한 행위입니다. 전쟁 중 적국인 일본의 군 수뇌부를 암살한 것으로 군인이 타국의 군인을 공격한 것에 해당하여 정당한 전쟁행위입니다. 당시 우리나라는 일본제국에 의해 부당하게 지배받고 있었으며 국권을 되찾고자 하는 국민의 뜻을 실현하고자 임시정부가 구성되어 활동하고 있었습니다. 우리나라 임시정부는 일본제국과 전면전(全面戰)을 치를 수 없음을 인식하고 다른 군사적 방법을 모색하여 일본군 수뇌부를 저격하는 등의 전쟁 방법을 선택한 것입니다. 따라서 윤봉길 의사의 일본군 수뇌부 암살은 우리나라 임시정부의 주권적 행위이며 적국의 군인에 한정한 공격입니다. 그렇다면 일본군 수뇌부 암살은, 당시 우리나라의 국민들이 진정으로 원하는 바를 임시정부가 입안하고 이를 임시정부의 명령을 받은 군인인 윤봉길 의사에 의해 수행된 주권적 행위입니다. 따라서 암살이라고 보기보다 국민의 주권적 행위로서 전쟁 중 군인의 정당한 명령 수행으로 보아야 합니다.

Q4. 모범답변

목적이 명백하게 다르다는 차이점이 있습니다. 윤봉길 의사의 암살은 국가의 주권적 행위인 전쟁을 수행한 군인의 정당한 행위이나, 9.11 테러는 민간인을 공격하여 공포를 확산시키기 위한 행위라는 점에서 차이가 있습니다.

먼저, 윤봉길 의사의 일본군 수뇌부 암살은 상대국과의 전쟁 중 벌어진 주권적 행위의 결과입니다. 따라서 이는 국민이 자신의 생명을 보호하기 위해 국가를 형성하였고 국가는 이 의무를 실현하기 위해 정당한 목적에 부합하는 계획을 입안하여 공무원인 군인이 이를 실행합니다. 그러므로 전쟁이란 국가와 국가 간의 주권적 결정이 군사적으로 격돌하는 것으로 국가의 공무원인 군인과 군인의 싸움입니다. 이 과정에서 민간인의 희생이 발생하기도 하나 결과적인 것이며 민간인을 공격의 목적으로 삼은 것은 아닙니다.

그러나 9.11 테러는 특정 집단이 자신들이 정한 목적을 실현하고자 타국의 민간인을 의도적으로 공격하여 타국의 국민들에게 공포심이 일어나 자신들이 정한 목적이 실현되기를 바라는 행위입니다. 따라서 이는 국가의 주권적 행위라 할 수 없고, 테러 집단이 목적으로 삼고 있는 것을 실현하기 위해 타국 국민의 생명을 수단으로 삼아 침해한 것이므로 정당하지 않습니다.

Q5. 모범답변

IS는 국가라 할 수 없으므로 IS의 군사적 행위는 테러집단의 행위와 동일한 테러행위입니다. 국가는 국민의 자유와 권리를 지키기 위해 형성되고 존재하는 것입니다. 이러한 국가가 국민의 생명을 빼앗고 신체에 대한 직접적 해악을 입히며 개인의 자유를 근본적으로 훼손한다면 이는 명백하게 부정의한 국가로써 불법국가입니다. 이러한 불법국가의 행위는 국민의 주권적 행위로 인정할 수 없기 때문에 국가의 행위라 할 수 없습니다. 해당국가 국민들이 스스로 결정한 인권을 실현하는 국가여야만 국가로서 정당성이 있는 것입니다. 따라서 IS는 단지 자신들이 국가라 주장할 뿐이지 국가로서 정당성을 지니지 못한 불법국가이므로 IS의 군사적 행위는 테러집단의 군사행동과 다를 바 없습니다.

Q6. 모범답변

아프가니스탄 국민의 지지가 있다면, 탈레반을 국가 통치의 주체로 인정할 수 있습니다. 국민이 선출한 정부와 요인들이 불법적으로 형성한 재산을 가지고 이미 국외로 도주해버린 상황에서 아프가니스탄 국민들의 정부에 대한 신뢰는 사라졌다고 보아야 합니다. 아프가니스탄 국민들이 탈레반에 대한 일정정도의 지지를 보내고 있고, 탈레반이 자국민에 대한 인권 침해가 학살이나 인종청소 등으로 명백하게 이루어지지 않는 상황에서는 탈레반을 국가 통치의 주체로 인정할 수 있습니다.

다만, 탈레반에 의한 여성인권 침해를 개선하기 위한 노력을 해야 합니다. 탈레반은 자국 여성에게 부르카를 강제하거나 남성을 동반하지 않는 외출이 금지하는 등 여성인권을 침해하고 있습니다. 이에 대해서는 국제사회가 외교적, 경제적 제재를 가하는 등으로 인권 침해를 중단하거나 개선할 것을 요구해야 합니다. 그러나 여성인권을 침해한다는 이유만으로 탈레반을 국가 통치의 주체로 인정할 수 없고 인도적 무력개입 등으로 아프가니스탄을 군사적으로 공격해야 하는 이유가 되지는 않습니다.

Q7. 모범답변

하마스의 주장은 타당하지 않습니다. 하마스의 군사 행동은 테러 행위에 불과하며 팔레스타인 독립을 위한 주권적 행위라 할 수 없습니다. 전쟁은 분명 국가의 주권적 행위이며 국가가 선택할 수 있는 것입니다. 그러나 전쟁은 국가 간의 폭력적 상황이기 때문에 국가의 대리인인 공무원과 군인에 의한 것이어야 합니다. 민간인의 피해는 군사행동의 어쩔 수 없는 결과물인 경우에 용인되며, 민간인의 피해를 목적으로 한 군사행동은 테러행위입니다. 테러행위는 공포심을 불러일으키려는 목적의 군사행동으로 민간인에 대한 폭력을 목적으로 하는 것입니다. 국가의 군사행위가 전쟁의 상대방인 타국 군인을 목적으로 하는 것과는 엄연히 다릅니다. 하마스는 민간인에 대한 군사행동을 그 목적으로 했고 민간인을 인질로 삼아 자신의 정치적 목적을 달성하려 했습니다. 따라서 이는 결코 팔레스타인의 독립이라는 국가의 주권적 행위를 위한 전쟁이라 할 수 없고 단지 테러일 뿐입니다.

052 개념 인도적 무력개입

2020 부산대 기출

1. 기본 개념

(1) 불간섭의 원칙과 무력사용 금지의 원칙

유엔 체제에서 주권국가에 대한 불간섭 의무가 인도적 개입 의무보다 앞서는 것이 명백한 원칙이다. 주권국가는 국력의 정도와 무관하게 타국에 대해 주권의 불가침성을 인정받는다. 이는 해당 국가의 국민들이 가진 권리를 인정해야 한다는 생각으로부터 기인하는 것이다. 타국의 인권 문제를 이유로 하여 일국이 무력을 사용하여 개입하는 것은 금지된다. 이를 불간섭의 원칙, 무력사용 금지의 원칙이라고 한다.

(2) 배경과 사례

1999년 세르비아로부터 독립을 요구하는 알바니아계 코소보 주민과 세르비아 정부군 사이에 무력 충돌이 발생했다. 세르비아 정부는 그 보복으로 알바니아계 주민에 대한 인종 학살을 시도했다. 코소보 사태에 대해 당시 NATO는 인도적 무력개입을 했다. 당시 유엔은 코소보에서 인종 학살이 자행되고 있었음에도 불구하고 아무런 조치를 취하지 않았다. NATO는 사태가 더 악화되는 것을 막고자 유엔 안전보장이사회의 결의가 없었음에도 불구하고 무력적 개입을 하였다.

인도적 개입 또는 인도적 간섭은, 특정 정권에 의해 해당 국민의 인권이 조직적으로 심대한 침해가 자행되고 있을 때, 타국이 인도(人道)적인 목적으로 군사적 행위를 포함한 개입이 가능하다는 것이다.

인도적 개입의 또 다른 사례로 탄자니아의 우간다 개입과 베트남의 캄보디아 개입이 있다. 먼저, 1979년 우간다의 인종청소에 대해 탄자니아가 인도적 무력개입을 시도하였다. 당시 우간다는 독재자인 이디 아민(Idi Amin)이 인종 학살을 자행하였다. 둘째로, 베트남이 캄보디아의 인종 학살에 개입하였다. 1975년 폴포트가 이끄는 무장단체인 크메르루주는 캄보디아 정권을 장악했다. 150만 명의 캄보디아인이 학살의 희생자가 되었고, 이는 킬링필드라는 영화로 잘 알려졌다. 베트남은 캄보디아의 인종 학살을 이유로 무력개입을 시도하였다.

우간다와 캄보디아에 대한 무력개입은 인접국가인 탄자니아와 베트남이 지역 내에서 자국의 영향력을 확대할 목적의 개입이었지 인도적인 이유로 개입한 것은 아니라는 평가가 많다. 이처럼 인도적 무력개입은 인권을 명목으로 한 자국의 이익 확대 목적인 경우가 많다. 이러한 사례가 대다수이기 때문에 관습법인 국제법상 인도적 개입 의무보다 불간섭 의무가 더 앞서는 것이다.

(3) 인도적 개입의 정당화 조건

첫째로, 명백한 인권침해가 심각한 정도로 전개되고 있어야만 한다. 예를 들어, 인종 학살이 조직적으로 대규모 발생하고 있다면 인도적 무력개입이 가능하나, 해당국가의 언론의 자유가 침해되고 있다는 이유로는 군사적 개입이 불가능하다.

둘째로, 군사적 수단 외의 다른 수단으로는 해결 불가능한 경우여야만 한다. 외교적 비난이나 경제 제재 등의 군사 외적 수단을 총동원하더라도 해결이 불가능한 경우에 한해서만 군사적 개입이 정당화될 수 있다.

셋째로, 유엔 등의 국제공동체가 주도하여 군사력을 행사해야 한다. 일국이 특정국가에 인도적 무력개입을 하는 것은 자국의 이익을 위한 정치적 목적의 개입일 가능성이 크다. 보편적 인권침해를 막기 위한 무력개입이라면 많은 국가의 동의와 공동 개입을 통해 정당성을 얻어야 한다.

2. 쟁점과 논거

찬성론: 보편적 인권 보호	반대론: 주권 침해
[인권 보호] 국제사회에서 인종 학살과 같은 반인륜적인 범죄가 공공연하게 자행되고 있는 것이 현실이다. 하지만 현실적인 한계로 인해 이러한 반인륜적 범죄를 해당 국가 혹은 주변국의 능력만으로 해결할 수 없다. 반인륜적 범죄의 종식을 위해서는 타국의 무력 사용 등을 포함한 인도적 개입이 필요하다.	[주권 침해] 인권의 개념은 국가마다 상이하여, 그 내용을 보편적으로 합의할 수 없다. 개별 국가의 인도적 개입을 허용하게 되면, 합의 불가능한 인권을 명목으로 한 국가가 다른 국가의 정책 결정에 인도적인 이유로 무력개입을 하여 간섭할 수 있다. 이는 해당 국가의 국민들의 주권적 결정에 대한 타국의 부당한 내정 간섭이다.
[재발 방지] 한 국가에서 발생한 반인륜적인 범죄에 대해 다른 국가가 무력개입하여 응징할 수 있다면, 실질적인 재발방지 수단이 된다. 반인륜적 범죄의 해결뿐 아니라, 차후 장기 집권 등을 위해 인종 학살 등을 선택하려는 독재자에게 경고가 되어 재발을 방지할 수 있다.	[국제 갈등] 인도적 무력개입은 강대국의 약소국 침략을 정당화하는 논리로 사용될 가능성이 크다. 상대적인 인권 개념의 특성상 약소국은 강대국의 인권 개념을 강압적으로 수용할 수밖에 없고, 이러한 과정에서 약소국의 반발로 인해 국제정세에도 악영향을 미친다.
[실질적 주권 실현] 해당 국가의 국민도 인권이 침해되는 상황을 원하지 않을 것이다. 그러나 현재 권력으로 인해 원하지 않는 상황을 감내하고 있을 뿐이다. 다른 국가의 힘으로라도 인권침해 상황을 시급하게 해결하는 것이 해당 국가 국민의 진정한 의사이다.	[인권 보호 불가] 인도적 무력개입은 단순히 정치·외교적 수단뿐 아니라 무력 수단까지 동원한다. 무력 사용으로 인해 해당국의 정부가 붕괴되는 결과를 낳게 되고, 결국 무정부 상태에서의 혼란으로 인해 인권 보호 자체가 불가능한 상황으로 빠지게 된다.

3. 읽기 자료

국제법상 인도적 개입[127)]

북한에 대한 인도적 개입[128)]

유엔과 보호책임[129)]

127)

국제법상 인도적 개입

128)

북한에 대한 인도적 개입

129)

유엔과 보호책임

052 문제 인도적 무력개입

답변 준비 시간 15분 | 답변 시간 15분

Q1. A국에서 인권침해가 발생한 경우, 인접국가인 B국이 A국의 의사와 관계없이 인권 구제를 위해 B국에 무력을 사용하는 것, 즉 인도적 무력개입은 정당한가?

Q2. A국의 인권침해가 지금 당장 일어날 상황이라 가정하자. 인접국가인 B국은 지금 당장 군사적 개입을 하여 이를 막을 수 있는 준비가 되어 있다. B국이 군사적 개입을 하면 A국의 인권침해를 막을 수 있으나, 국제사회는 시간 내에 합의가 되지 않을 것으로 보인다. 이러한 상황에서 지원자가 B국의 결정권자라면 어떻게 할 것인가?

Q3. 만약 중국이 티벳인들의 독립운동을 탄압하면서 다수의 티벳인을 학살하였다고 할 경우, 현실적으로 볼 때 국제사회의 군사적 개입은 불가능하다. 그렇다면 강대국 내의 인권침해는 경제적·군사적 개입을 할 수 없고, 약소국의 인권침해에 대해서만 개입이 허용되는 것이라고 볼 수 있다. 이에 대해 어떻게 생각하는가?

Q4. 이라크의 독재자였던 후세인은 이라크인과 쿠르드족을 학살한 바 있다. 그렇다면 미국의 이라크 공격은 인도적 차원에서 정당화될 수 있는가?

Q5. 북한의 인권침해에 대한 국제사회의 압력과 제재가 이루어지고 있는 상황이다. 국제사회가 북한에 대한 경제적·군사적 제재를 강력하게 가하여 북한 정권이 무너진다면 북한 주민의 인권침해를 막을 수 있을 것이라는 주장이 있다. 이에 대해 어떻게 생각하는가?

052 해설 인도적 무력개입

Q1. 모범답변

타국에 대한 인도적 무력개입은 정당하지 않습니다. 국가 간의 전쟁을 발생시켜 오히려 대규모 인권침해를 발생시킬 수 있고, 역사적으로 강대국의 약소국 침략을 정당화하는 수단으로 활용되어왔기 때문입니다. 이러한 역사가 누적되어 왔기 때문에 관습법인 국제법상으로도 내정불간섭 의무가 인도적 개입 의무보다 앞서는 것입니다.

국가는, 개인 간 분쟁이나 권리침해 시 분쟁해결 기준과 절차, 제재 수단을 공동체가 보유한다는 합의를 통해 형성되었습니다. 그래서 국민인 甲이 국민인 乙의 신체의 자유를 훼손한 경우, 국민인 丙이 甲을 제재하는 것이 아니라, 국가가 甲을 제재합니다. 마찬가지로 국가 간의 분쟁을 해결하기 위해서는 분쟁해결 기준과 절차, 제재 수단을 UN이 보유한다는 합의가 필요한데, 국제사회는 개별 국가의 주권침해라는 이유로 이 합의에 이르지 못하고 있습니다. 물론 UN헌장 등의 합의가 있다고 할 수도 있으나 이는 선언적 성격에 불과합니다. 따라서 A국의 인권침해를 이유로 타국인 B국이 군사력을 타국에 대해 사용하는 것은 허용될 수 없습니다.

물론 이러할 경우 A국의 인권침해를 막을 수 없으므로 무력개입을 할 수 있다는 반론이 제기될 수 있습니다. 그러나 개별 국가의 무력개입을 정당화할 수 없다는 것이지 인권침해를 방치하자는 것은 아닙니다. 이 경우 A국의 인권침해에 대하여 B국은 외교적 비난을 하거나, 경제적 대응을 하는 것은 허용됩니다. 그리고 UN에 문제를 제기하여 유엔안전보장이사회의 결의를 통해 국제적 합의를 유도할 수 있습니다. 국제적 합의에 도달한 이후 A국의 인권침해에 대한 국제사회의 무력개입이 가능합니다. B국이 개별 국가의 차원에서는 무력개입을 할 수 없으나, A국의 인권침해에 대한 국제사회의 합의가 있다면 국제사회의 이름으로 무력개입을 할 수 있습니다. 이것이 바로 UN 평화유지군 활동입니다. 따라서 A국의 인권침해를 막을 수 있는 다른 수단이 있으므로 B국의 A국에 대한 무력개입은 허용되어서는 안 됩니다.

Q2. 모범답변

제가 B국의 결정권자라면 A국의 인권침해를 막기 위해 군사적 개입을 할 것입니다. 단, 군사적 개입을 하여 A국의 인권침해를 막는 역할만을 할 것이고, 사후에 UN의 승인을 받아 국제사회의 합의를 받도록 할 것입니다. 개별 국가의 인도적 무력개입이 허용되지 않는 이유는, 경제적·군사적 이익을 목적으로 하는 침략의 정당화 수단인 경우가 많기 때문입니다. 따라서 B국의 A국에 대한 무력개입이 인도적 목적이었음을 국제사회로부터 승인받아야 합니다. 제가 B국의 결정권자라면 자국의 무력 사용에 대해 사후적으로 국제사회의 승인을 받아야 하기 때문에 무력개입 자체도 신중해질 수밖에 없고 군사력의 행사 역시 인권침해를 막는 최소한의 정도로 사용할 수밖에 없습니다.

Q3. 모범답변

현실적으로 중국에 대한 군사적 행동은 세계대전을 야기할 수 있고, 종국적으로는 핵전쟁을 야기하므로 불가능하다고 생각합니다. 이러한 점에서 현실적으로 강대국 내의 인권침해는 경제적·군사적 개입을 할 수 없고, 약소국의 인권침해에 대해서만 개입이 허용되는 것이라고 볼 수도 있습니다.

그러나 국제사회가 강대국의 논리만으로 움직이는 것은 아닙니다. 중국의 티벳인 학살은 국제적 비난을 받아 중국의 국제적 위상을 떨어뜨리고, 중국의 국제적 리더십 약화를 초래할 것입니다. 예를 들면 미국은 이라크가 대량학살무기를 보유·사용할 수 있기 때문에 이라크를 공격해야 한다고 하며 이라크를 침공하였습니다. 그러나 이라크에 대량학살무기가 없었다는 사실이 밝혀지면서 국제적 비난에 직면하였고 이후 미국의 국제적 리더십이 약화되었습니다. 이로 인해 국제분쟁이 발생했을 때 해결비용이 높아져 미국의 부담이 커지고 있습니다. 이로 인해 미국의 국제적 헤게모니[130]가 약화된 것이 사실입니다. 슈퍼파워로 떠오르고 있는 중국 역시 국제적 신뢰를 얻지 못하면 국제사회에서 헤게모니를 장악할 수 없으므로, 국제적 비난에 민감할 수밖에 없습니다. 따라서 중국의 티벳인 학살에 대해 국제사회의 압력이 무용하다고 할 수는 없습니다.

Q4. 모범답변

미국의 이라크 공격으로 인해 이라크 국민의 인권이 개선되지 않고 오히려 악화되었다는 점에서 미국의 이라크 공격이 정당화되지 않습니다. 미국의 이라크 침략은 인권 개선의 목표보다는 석유자원의 보고인 중동권에 대한 미국의 지배력 확대, 이란 등에 대한 경고를 위한 것이라 보는 것이 적절합니다. 실제로 미국은 이라크 공격 시 대규모 공중폭격을 자행하였습니다. 정밀한 목표 설정을 하지 않고 광범위한 범위에 대규모 공중폭격을 하였다는 것은 이라크 민간인이 희생되더라도 상관없다는 의미가 됩니다. 그렇다면 이라크의 인권을 개선하기 위해 이라크 민간인을 공격하는 것이 되므로 인권 개선 목적이라는 미국의 주장은 모순이 됩니다. 따라서 이라크 인권 개선이라는 명목으로 미국의 이라크 침략을 정당화할 수 없습니다.

130)
헤게모니: 어느 한 지배 집단이 다른 집단을 대상으로 행사하는 정치, 경제, 사상 또는 문화적 영향력을 의미한다.

Q5. 모범답변

북한에 대한 강력한 제재를 하여 북한 정권을 무너뜨려야 한다는 주장은 타당하지 않습니다. 북한에 대한 경제적·군사적 제재를 가하여 북한 정권이 무너질 경우 북한 주민의 인권은 더욱 악화될 수 있습니다. 북한 체제가 무너진다면 북한 군부의 지역적 지배현상으로 인한 체제 불안정과 대규모 난민 발생이 우려됩니다. 이로 인해 북한 주민의 인권은 생존 그 자체에 대한 위협이 발생할 수 있습니다. 따라서 북한 주민의 인권 보호를 실현한다고 보기 어렵습니다.

강력한 경제적·군사적 제재는 북한 주민의 인권침해를 더욱 악화시킬 수 있으므로 정당하지 않습니다.

북한에 대한 경제적 제재는 식량난으로 인한 북한 주민의 기아상태를 더욱 악화시킵니다. 이는 오히려 북한 주민의 생존권을 침해할 수 있습니다. 따라서 북한의 인권침해를 막기 위해 경제적·군사적 제재를 행한다는 것은 논리모순이라 할 수 있습니다. 물론 북한에 인권침해행위를 중지할 것을 촉구하는 국제사회의 외교적 압력은 지속하여야 할 것입니다.

더 나아가 북한에 대한 강력한 경제적·군사적 제재에도 북한 정권이 무너지지 않는다면 북한 주민의 인권은 더욱 악화될 것입니다. 북한은 국제사회의 지속된 경제제재와 외화 부족으로 인해 자급자족하는 폐쇄경제체제가 오랜 기간에 걸쳐 정립되었습니다. 그렇다면 국제사회가 제재하더라도 북한 정권이 무너지지 않을 가능성이 높습니다. 따라서 북한에 대한 인도적 지원을 통해 북한 주민의 인권을 실질적으로 보장하고, 북한이 국제사회로 나와 대외무역을 활성화할 수 있도록 하여야 합니다. 북한이 국제사회와 관계가 깊어질수록 북한 주민의 인권이 개선될 가능성이 높고 국제사회 의존도가 높아지게 되면 국제사회의 인권 개선 요구가 수용될 가능성이 높아질 것입니다.

053 개념 불법체류 노동자의 인권

2020 원광대/인하대 기출

1. 기본 개념

(1) 불법체류 외국인의 지위

불법체류 외국인은 보편적 인권을 지닌 인간이자 국가 주권에 따라 강제 퇴거될 수 있는 불법체류자의 속성을 동시에 지닌다. 이 관점에서 출입국 관리행정은 범인류주의와 국익우선주의의 균형이 달성되어야 한다.

(2) 국제인권규약과 출입국관리법

우리나라는 국제인권규약과 같은 인권관련조약에 가입되어 있고, 조약은 우리나라에서 법률과 동일한 효력이 있다. 출입국관리법은 외국인이 우리나라에 머무르고자 할 때에는 소정의 체류자격이 있어야 함을 규정하고 있다. 이에 따라 체류기간을 초과하였거나 취업활동이 가능한 체류자격 없이 우리나라에서 취업활동을 하는 외국인 노동자를 국외로 강제 퇴거시킬 수 있다.

2. 쟁점과 논거: 불법체류 노동자의 인권 보호 찬반론

찬성론: 보편적 인권 보호	반대론: 자국민 보호
[보편적 인권 보호] 인간은 누구나 인간으로서의 권리가 있다. 외국인 노동자도 인간이므로 인간으로서 누려야 할 인권의 주체가 된다. 자신의 노동에 대한 정당한 대가를 받을 권리는 인간으로서의 보편적인 권리에 해당한다. 불법 체류노동자는 국민으로서의 권리는 보장받지 못하더라도 인간으로서의 권리는 보장받아야 한다.	[국가의 자국민 보호 의무] 국가는 외국인보다 자국민을 우선 보호해야 한다. 임금이 싸다고 하여 외국인 노동자를 무분별하게 수용한다면 자국 노동자는 설 곳이 없다. 일자리 하나가 단순히 노동자 한 사람의 생계뿐 아니라 노동자의 배우자 및 자녀의 생계까지 연관되어 있다. 따라서 국가는 사회공동체 유지를 위해 자국민을 보호해야 한다.
[국익 증진] 세계화는 막을 수 없는 추세이며, 이에 따른 노동시장의 개방도 마찬가지이다. 외국인 노동자의 유입은 갈수록 증가할 것이며, 외국인 노동자가 우리나라 중소기업에 미치는 영향력도 점차 커지고 있다. 근본적 금지보다 규정을 현실화하여 국익에 기여하도록 해야 한다.	[공동체 유지] 외국인 노동자로 인해 자국 노동자의 생계가 위협받는 것을 방치한다면, 자국 노동자의 공동체 의식이 약화될 수 있다. 이로 인해 사회 계층 간 갈등이 커지게 된다. 또한 불법체류자 보호로 인해 국내 거주 외국인이 증가하게 되는데 이로 인한 자국인과 외국인 간의 사회 문제가 격화된다.
[악용 가능성 예방] 불법체류자의 상황을 악용하여, 노동력을 제공받았음에도 불구하고 임금을 지불하지 않는 고용주가 존재한다. 이들의 범죄를 해결하기 위해서는 불법체류 외국인 노동자를 적극적으로 보호해야 한다. 또한 이와 같은 외국인 노동자의 권리 침해를 방치하고 있는 당국에 대해 국제 사회에서 비난하고 있는 것이 현실이다.	[불법체류 확대 방지] 불법체류자를 국가가 나서 보호하게 되면, 한국에서 일하기 원하는 외국인들에게 불법체류를 용인한다는 잘못된 신호를 주게 된다. 이로 인해 외국인 불법체류가 증가하고, 각종 사회 문제가 발생한다. 이를 막기 위해서는 외국인 불법체류에 대해 강경하게 대응해야 한다.

3. 읽기 자료

불법체류 외국인 강제퇴거[131)]

131)

불법체류 외국인 강제퇴거

053 문제 불법체류 노동자의 인권

답변 준비 시간 10분 | 답변 시간 10분

※ 다음 QR코드를 촬영하면 연결되는 제시문을 읽고 문제에 답하시오.

고용주들은 미등록 노동자를 선호하며, 사망 시 몰래 화장하는 등 비인간적인 행위도 공공연히 한다고 전해진다. 사망한 미등록 이주노동자인 A씨는 생전 인간관계에서 고립된 채 돼지농장의 열악한 환경에서 일했으며, 퇴직금 미지급과 임금 착취 등이 부당한 대우를 받았다.

불법체류자의 삶

Q1. 악덕기업주들의 불법체류 외국인 노동자들에 대한 노동 착취가 사회적 문제가 되고 있다. 외국인 노동자들을 법적으로 보호해야 하는가?

Q2. 현재 우리나라의 상황에서는 우리나라의 노동자도 법적으로 보호가 미흡하다고 평가된다. 산업재해 보상금을 비롯해 우리나라의 노동자도 충분히 보호받지 못하는 상황에서 외국인 불법체류 노동자까지 보호하는 것은 과도하다는 주장이 있다. 이에 대해 어떻게 생각하는가?

Q3. 외국인 불법체류 노동자의 인권을 보장하기 때문에 외국인 노동자들이 불법체류까지 해가며 우리나라에 오려 한다는 주장이 있다. 외국인 불법체류 노동자의 인권을 보호하지 않는다면 불법체류 노동자들이 우리니리에 오지 않을 것이다. 이 주장에 대해서는 어떻게 생각하는가?

Q4. 외국인들의 일자리 보장은 국민의 일자리를 줄이는 결과를 초래한다. 국가가 외국인들의 일자리를 제한하는 것은 타당한가?

Q5. 외국인 불법체류 노동자의 자녀가 초등학교에 진학할 나이가 되었다고 하자. 우리나라 국민의 세금으로 운영되는 초등학교에 불법체류 노동자의 자녀가 진학할 수 있도록 해야 하는가?

053 해설 불법체류 노동자의 인권

Q1. 모범답변

인권 보장을 위해 외국인 노동자를 보호해야 합니다. 외국인도 쾌적한 환경에서 일할 권리와 임금수급권이 인정되어야 합니다. 이는 국민이거나 노동자라서 보장받는 권리가 아니라 인간이기 때문에 보장받아야 할 기본적 인권에 해당합니다. 이 중에서 일한 만큼 정당한 보수를 받을 권리를 보장해야 합니다. 또한 외국인 노동자도 산업재해를 당한 경우 산업재해보상금을 지급할 필요가 있습니다. 그들도 인간이고, 인권의 주체이므로 인간으로서 누려야 할 권리는 인정되어야 합니다. 우리나라는 경제 규모와 수준에 비해 외국인 노동자의 인권 보호에는 미흡한 면이 있어 세계 여러 나라의 비난대상이 되고 있습니다. 불법체류 노동자라도 기본적 인권을 보장받아야 합니다.

Q2. 모범답변

불법체류 외국인 노동자라고 하더라도 인권에 관한 부분에 대해서는 보호해야 합니다. 또한 우리나라 노동자 문제는 노동자에 대한 법적 보호를 강화해서 해결할 일이지 외국인 노동자를 보호하지 않는 방법으로 해결할 일이 아닙니다. 반인권적인 행위를 자국민과 외국인에 동등하게 대할 일이 아니라, 인권 보호를 자국민과 외국인에게 모두 행함으로써 해결할 일입니다. 우리나라의 노동자는 국내법에 의해 법적 보호를 하고 사용자가 위법을 저질렀다면 적발하고 처벌하여 우리나라 노동자의 법적 보호를 강화하여야 합니다. 외국인 불법체류 노동자는 불법체류라는 점에서 국내법을 어긴 부분이 있으나 인간으로서 누려야 할 인권 수준의 보호는 받을 수 있도록 하는 것이 합리적입니다. 불법체류에 대해서는 추방 등으로 대처하고, 불법체류기간 동안 일한 만큼의 정당한 보수를 주어야 합니다.

Q3. 모범답변

외국인 불법체류 노동자를 줄이기 위해 인권을 보장해서는 안 된다는 것은 목적과 수단이 전도된 것입니다. 외국인 불법체류 노동자를 줄여야 한다는 입장의 논거는 국가 안보, 자국민의 보호 등이 있습니다. 국가 안보와 자국민을 보호하여 궁극적으로 달성하고자 하는 목적은 인권의 실현입니다. 국가는 불법체류 노동자가 국가의 정당한 절차를 밟지 않고서는 국내에 들어올 수 없도록 노력하고, 불법체류 노동자들을 적발할 수 있도록 해야 합니다. 한국에 불법체류 노동자로 들어오기 어렵다는 인식을 주는 것이 근본적인 해결책이지, 인권을 보장하지 않는 국가라는 인식을 주는 것이 해결책이라 볼 수는 없습니다. 따라서 불법체류 노동자를 해결하기 위해 인권을 보장하지 말자는 것은 타당하지 않습니다.

Q4. 모범답변

공동체의 유지와 존속을 위해 국가가 외국인들의 일자리를 제한하는 것은 타당합니다. 우리 사회가 임금이 싸다는 이유로 외국인 노동자를 무분별하게 수용한다면, 서로 보호해야 할 공동체 의식이 끊어지고 말 것입니다. 그렇다면 공동체 또한 유지될 수 없습니다. 사회 구성원이 서로 돕고, 신뢰해야 공동체가 유지될 수 있습니다. 이는 마치 부모가 자녀를 다른 아이들보다 우선적으로 보호해야 하는 것과 같습니다. 가족 간에 상호부조할 의무는 다른 사람에 대한 부조 의무에 앞섭니다. 그렇지 않다면 가족 공동체가 유지될 수 없기 때문입니다. 이처럼 사회공동체의 연대 의무가 있다는 점에서 국가가 일정 정도 외국인들의 일자리를 제한할 수 있습니다.[132)]

그러나 이러한 사회공동체의 상호부조 의무에 앞서는 것은 인간으로서 지니는 기본적 권리입니다. 외국인 노동자 이전에 인간이므로 일한 만큼 임금을 받아야 하고, 일하다가 다쳤다면 치료를 받을 수 있어야 합니다. 이러한 기본적 인권을 해치면서 공동체의 상호부조 의무를 앞세울 수는 없습니다.

Q5. 모범답변

인권 보호를 위해 외국인 불법체류 노동자의 자녀에게 초등학교 진학을 허용해야 합니다. 외국인 불법체류 노동자의 자녀라 하더라도 인간으로서 마땅히 누려야 할 기본적 인권이 있습니다. 인간은 누구나 자신의 선택이 가져올 결과를 예측하고 그에 대해 책임을 짐으로써 자유를 보장받습니다. 만약 자유로운 선택의 결과로서 발생할 책임을 예측할 이성적 판단능력이 없다면 실질적으로 자유가 없는 것이나 마찬가지입니다. 그렇기 때문에 근대 이후 국가는 모든 국민에게 보통교육으로서 초등교육을 실시해왔습니다. 따라서 초등교육은 인간이 자유로운 존재로 자신의 삶을 설계하고 실현할 기본적인 힘을 주는 것이고 기본적 인권에 해당하는 것이며 국민에게만 보장되는 권리로 한정할 수 없습니다. 외국인 불법체류 노동자의 자녀라 하너라도 기본적 인권을 보장함이 타당합니다. 디만, 이것이 기초교육 이상의 고등교육까지 해당하는 것은 아닙니다.

132)
"애국의 정서가 도덕에 기초할 때만이, 공동체의 결집이 의무와 공동의 의미에 이바지할 때만이, 이방인뿐 아니라 자국 구성원이 있을 때만이, 국가 공무원은 자국민의 행복에, 자국의 문화와 정치 번영에 각별히 신경쓸 이유가 생긴다." (마이클 샌델, <정의란 무엇인가>)

054 개념 난민 수용

2024 부산대/충남대/충북대·2020 성균관대·2019 아주대/인하대/제주대/한국외대 기출

1. 기본 개념

(1) 난민

일반화된 폭력, 외부침략, 국내 소요, 대량의 인권침해 또는 공공질서를 심각하게 해치는 기타 상황으로 인하여 자신의 생명, 안전이나 자유가 위협받아 탈출한 사람을 말한다.

(2) 난민법

우리나라는 2012년 난민법을 제정하고 2013년에 아시아 국가 중 최초로 난민법을 시행했다. 그러나 여전히 난민인정률이 낮고 난민심사의 전문성이 부족하다는 평가를 받고 있다.

2. 쟁점과 논거

찬성론: 보편적 인권 보호	반대론: 자국민 보호
[보편적 인권 보호] 인간으로서 갖는 인권은 보편적인 것으로 국가 역시 인권을 보호하고자 형성된 것이다. 인권은 개별 국가의 영역을 넘어 인간이라면 누구나 보장받아야 한다. 우연히 특정국가에 태어나 인권을 위협받아 난민이 되었다면 모든 국가는 이 난민의 보편적이고 기본적인 인권을 보장해야 한다.	[자국민 보호] 인권은 보편적이나 현실적으로 인권의 보호는 개별 국가 단위에서 이루어지고 있다. 난민을 수용하는 것은 개별 국가 국민들의 안전이라는 국민들의 인권이 보장된 연후에 국민들이 이를 원해야 가능하다. 우리나라의 경제상황과 복지를 볼 때 자국민 보호가 먼저 필요하지 난민을 수용할 때가 아니다.
[평등원칙] 평등원칙이란 같은 것을 다르게 대하지 말라는 원칙이다. 인권은 인간이라면 누구나 기본적으로 보호받아야 한다. 그러나 난민은 특정국가에서 태어났다는 이유로 인권을 위협받고, 우리는 그렇지 않다. 그렇다면 동일한 인권을 동일하게 보호할 수 있도록 난민을 수용해야 평등원칙에 부합한다.	[평등원칙] 평등원칙이란 합리적 이유가 있다면 다른 것을 다르게 대하라는 원칙이다. 국가의 존재 목적은 자국민의 인권 보호이다. 따라서 자국민의 인권 보호와 난민의 인권 보호는 다르게 대하는 것이 합리적이다.
[국가 발전] 문화국가가 융성하는 현대사회의 특성상 문화의 융합이 국가발전으로 이어진다. 난민을 수용함으로써 다른 문화권의 문화가 우리나라에 전파된다. 다른 문화와 우리 문화가 섞이고 융합되어 문화의 발전이 가능하다.	[공공복리 저해] 우리나라는 북한과 대치 중인 상황으로 전쟁 위험이 존재한다. 이 상황에서 난민 수용으로 인해 외국의 테러 위험 등이 현실화될 경우 국방비에 더해 예산이 추가로 지출되어야 한다. 한정된 국가예산에서 난민예산과 對테러예산까지 추가되면 복지, 교육예산이 줄어들어 국가의 장기성장을 도모할 수 없다.

3. 읽기 자료

난민 인식[133]

난민사건 판례[134]

난민법 개정[135]

133)

난민 인식

134)

난민사건 판례

135)

난민법 개정

054 문제 난민 수용

답변 준비 시간 15분 | 답변 시간 15분

Q1. 시리아 내전으로 인해 전쟁을 피해 유럽 등으로 떠나는 대규모 난민이 발생한 바 있고 이 중 일부는 우리나라로도 유입되었다. 엄청난 수의 난민으로 인해 유럽 국가들은 난민의 수를 제한해야 한다는 국민들의 요구에 직면했고, 이것이 유럽 국가에서 극우주의적인 정당들이 발흥하는 원동력이 되었다. 이러한 상황에서 다수 국민의 반대에도 불구하고 인도주의적 관점에서 난민을 수용해야 하는가?

Q2. 유럽으로 유입되는 난민들 대부분은 경제상황이 좋고 난민에 대한 대우가 좋은 서유럽으로 가기를 원한다. 그러나 보트에 의존해 시리아를 탈출해야 하기 때문에 가까운 그리스나 이탈리아에 도착하는 경우가 많다. 난민들은 일단 그리스나 이탈리아에 도착한 후, 독일이나 프랑스 등의 국가로 보내달라고 요구한다. 난민들의 요구를 들어줘야 하는가?

Q3. 우리나라 주변국에서 대규모 인권침해가 발생하여 난민이 우리나라에 유입되는 상황이라 가정하자. 그러나 국민 대다수가 난민 수용을 반대하고 있다면, 난민을 받아들여야 한다고 생각하는가?

Q4. 예멘은 내전으로 인해 수많은 사람들이 전쟁을 피해 국외로 도피한 상황이다. 특히 무사증 제도가 있는 제주도로 500여 명의 예멘인이 입국해 난민인정심사를 신청하자 이에 대한 반대 여론이 커지고 있다. 2018년 당시 난민을 받아들이지 말라는 국민청원에 찬성한 국민은 54만 명에 달했다. 난민을 받아들여서는 안 된다는 입장에서는, 난민 중에 IS 등의 테러범이 섞여 있을 수 있기 때문에 국민 보호를 위해 난민을 추방해야 한다고 주장한다. 이 주장은 타당한가?

Q5. 예멘 난민을 받아들여서는 안 된다는 입장에서는, 난민을 많이 받아들인 독일의 경우처럼 난민들의 범죄가 기승을 부릴 수 있고 이슬람 문화가 우리 사회를 지배하여 문화적 정체성의 위협이 될 수 있다고 주장한다. 이 주장은 타당한가?

Q6. 예멘 난민 중 남성의 비율이 대단히 높고 그중에서도 특히 20대 남성이 많다는 점을 볼 때, 난민이 아니라 이 기회를 틈타 일자리를 얻으러 온 가짜 난민이므로 난민으로 인정해서는 안 된다는 주장이 있다. 이 주장에 대해 어떻게 생각하는가?

Q7. 이미 난민으로 받아들여져 제주도에 정착한 난민들은 제주도 출도 제한을 풀어달라고 주장하고 있다. 난민들의 요구를 받아들여야 하는가?

Q8. 난민이나 외국인 노동자 등 사회적 약자에 대한 반감과 배제가 심해지고 있다. 이런 배제의 원인과 해결방안에 대해 논하시오.

054 해설 난민 수용

Q1. 모범답변

인도주의적 관점에서 난민을 수용해야 합니다. 인권은 인류의 보편적 가치로 모든 국가가 실현하고자 하는 궁극적 목적이기 때문입니다. 난민들이 타국으로 가는 이유는 난민들의 책임이라기보다 우연적 상황에 처한 탓이라고 보아야 합니다. 난민 문제는 나와 관계없는 타인의 일이 아니라 우연적으로 발생한 자기 자신의 일이기도 합니다. 우리는 내가 어느 나라의 국민으로 태어날지 선택하여 태어나지 않습니다. 그렇기에 우연적으로 인권을 침해받고 있는 사람들을 구할 의무가 인류 공동체로서 존재한다고 볼 수 있습니다. 특히 과거 우리나라는 국제사회로부터 도움을 받아 인권을 보호받은 경험이 있습니다. 일제 강점기에 나라를 잃은 조선인들은 간도, 연해주, 상해 등으로 떠나 난민이 되었습니다. 또 6.25 전쟁으로 생존에 위협을 받은 우리나라는 타국의 직접 참전, 구호품 지원 등 국제사회의 도움으로 현재에 이를 수 있었습니다. 이러한 관점에서 본다면, 현재의 난민은 과거의 한국인이라 할 수 있습니다. 따라서 인도주의적 관점에서 난민을 수용함이 타당합니다.

Q2. 모범답변

난민들의 요구를 최대한 수용하는 것이 좋으나, 반드시 수용해야 하는 것은 아닙니다. 난민 수용의 목적은 인권침해에 대한 구제이지 난민의 요구사항을 모두 들어주는 것이 아니기 때문입니다. 난민이 자신들이 선호하는 국가에 수용되기를 원한다면 난민을 수용해야 하는 개별 국가의 부담이 가중되고 결국 그 국가의 국민들이 난민을 거부하는 상황이 될 수 있습니다. 그 결과 실질적으로 난민의 인권을 구제할 수 없는 상황에 놓이게 됩니다. 난민의 인권 보호를 위해서는 국제사회 차원에서 공동 대응을 하여 전체 난민의 인권 보호를 추구해야 합니다. 시리아 난민이 몰려들고 있는 유럽은, EU 차원에서 공동대응하고 있습니다. EU 가입국가들은 EU 의회에서 협의를 통해 자국의 사정에 맞게 난민들을 분산 수용하고 있으며, 특히 실질적으로 EU 선도국가라 볼 수 있는 독일은 난민 수용을 많이 하겠다고 나서는 등으로 이 문제를 해결하고 있습니다. 따라서 난민들의 인권 보장을 위해서는 난민들의 모든 요구를 들어줘야 한다고 볼 수 없습니다.

Q3. 모범답변

주변국의 대규모 인권침해로 인해 발생한 난민은 받아들여야 합니다. 인권 보호는 인류 공동의 의무이기 때문입니다. 만약 우리나라가 예상할 수 없었던 재난으로 인해, 예를 들어 원자력발전소 사고가 발생해 우리나라 영토를 포기해야 할 상황이라고 한다면 우리 역시도 주변국가에서 우리를 난민으로 받아주기를 원할 것입니다. 타 국가에서 대규모 인권침해가 발생했을 때, 우리가 그들을 난민으로 수용하는 것도 이와 동일합니다.

그러나 난민을 수용하겠다는 것이 자국민과 동일한 권리를 보장하겠다는 의미는 아닙니다. 국민 대다수가 난민 수용을 반대하는 이유는 국민의 권리 보장에 악영향이 있을 것이라 예상하기 때문입니다. 국가는 자국민의 권리 보장이 우선적이기 때문에 난민 수용은 어디까지나 기본적 인권의 보장이라는 차원에서 성립합니다. 난민에게 생명권의 보호, 기본적 교육의 권리 등은 인정될 수 있으나, 자국민과 동일한 수준의 인권 보장, 예를 들어 건강보험 인정이나 국민연금 가입 등의 권리가 인정될 수는 없습니다. 따라서 난민을 수용하여 난민의 인권을 보장하되, 자국민의 권리 보호를 소홀히 하지 않아야 할 것입니다.

Q4. 모범답변

물론 테러범이 섞여 있을 수도 있으나, 이것이 난민을 추방해야 하는 이유는 아니라고 생각합니다. 이슬람교를 믿는 사람과 테러범이 동일한 존재라 할 수 없습니다. 이는 마치 미국인 관광객 중 한 명이 한국에서 범죄를 저질렀다고 하여 미국인을 모두 테러범이라 보는 것과 마찬가지입니다. 난민 중 테러범을 발견하고 적절한 조치를 취해야 할 의무는 국민의 안전을 보장해야 할 국가에 있습니다. 국가기관이 테러 가능성이 있는 자를 선별하고 테러에 대비할 능력을 더 키워 해결할 일이지, 난민 모두를 추방해야 할 일은 아닙니다. 이를 위해 난민심판원 등의 전문심사기관을 설립하여 진정으로 보호가 필요한 난민과 허위 난민을 구별할 수 있습니다. 실제로 뉴질랜드에서는 2000년 이후 난민이 급증하자 전문심사기관을 설립하여 허위 난민자를 대폭 줄인 바 있습니다. 우리나라도 세계 10위권의 선진국에 진입한 만큼 국제적 리더십을 발휘하여 보편적 인권 보호에 앞서는 모습을 보일 필요가 있습니다. 난민 문제 해결을 위해서 난민청 등의 전문기관을 설립하는 것도 좋은 방안이 될 수 있을 것입니다.

Q5. 모범답변

이 주장은 타당하지 않습니다. 먼저 독일과 같이 난민들의 범죄가 기승을 부릴 수 있다는 논거는 타당하지 않습니다. 독일의 경우 2015년에만 약 120만 명의 난민을 받아들였고 약 90만 명이 난민으로 인정되었습니다. 우리나라의 경우 1994년부터 난민을 받아들이기 시작했는데 난민지위 신청자는 3만여 명에 불과하고 심지어 난민 인정 비율은 3% 수준에 불과합니다. 이런 상황에서 난민의 수 자체가 매우 미미한데 이들의 범죄가 기승을 부릴 것이라는 예상은 타당하지 않습니다.

다음으로 이슬람 문화가 우리 사회를 지배하여 문화적 정체성의 위협이 될 수 있다는 논거는 타당하지 않습니다. 현재 예멘 내전으로 인한 난민 신청자는 1천여 명 정도입니다. 1천여 명을 난민으로 전원 받아들인다고 하더라도 5천만 명의 국민의 수에 비하면 너무 적은 수입니다. 게다가 우리나라의 난민 인정 비율을 고려하면 고작 30~40명이 난민으로 체류할 수 있는데 이들이 우리 사회를 지배하고 문화적 정체성을 위협한다고 볼 수 없습니다. 물론 난민이 늘어난다면 그럴 수도 있겠으나, 우리 문화를 더 발전시켜 오히려 우리 문화를 받아들이고 싶게끔 만들어야 할 과제라고 생각합니다.

Q6. 모범답변

난민 신청자 중 20대 남성의 비율이 높다는 사실만으로 가짜 난민이라 볼 수 없습니다. 현재 예멘은 내전 상황이며 일반적으로 내전 상황에서 반군은 병력을 늘리기 위해 지배지역에서 강제징집을 하는 경우가 많습니다. 강제징집대상은 20대 남성이기 때문에 생명을 구하기 위해 자국에서 탈출하려는 자들도 20대 남성일 수밖에 없습니다.

그리고 가짜 난민이 존재할 수 있기 때문에 모든 난민을 거부하자는 것은 타당하지 않습니다. 오히려 가짜 난민을 걸러내는 적극적 역할을 해야 합니다. 정부는 인권을 침해당하고 있는 난민의 인권을 보호하면서 자국민의 권리 또한 보호하는 균형적 역할을 해야 합니다. 따라서 이러한 주장은 타당하지 않습니다.

Q7. 모범답변

제주도 출도 제한을 풀어달라는 난민들의 요구를 반드시 받아들여야 하는 것은 아닙니다. 난민 인정은 인권침해를 막기 위한 조치이지 이것이 자국민과 동일한 정도의 보호를 요구할 권리는 아닙니다. 그러한 의미에서 난민에 대한 심사를 통해 자국의 안전이 보장된 후에 출도 제한 등의 조치가 가능할 것입니다. 난민들의 입장에서도 우리나라 국민들의 여론이 나빠질 경우 난민의 인권 보호가 어려워진다는 사실을 받아들일 필요가 있습니다.

그러나 장기적으로는 난민들을 우리 사회의 일원으로 받아들여야 합니다. 따라서 일정한 기간이 지나 우리 사회의 규범과 문화에 익숙해진 시기 이후라면 출도 제한 조치를 풀어야 할 것입니다. 물론 이에 대해서는 우리나라 국민들의 난민 문제에 대한 사회적 합의가 필요합니다.

Q8. 모범답변

사회적 약자에 대한 반감과 배제의 원인은 불평등의 심화와 가짜뉴스 확산이라고 생각합니다. 불평등의 심화로 인해 사회적 약자에 대한 반감과 배제가 일어날 수 있습니다. 글로벌 스탠다드가 적용되고 산업구조가 변화하면서 전 세계적인 산업구조 변화가 일어나고 있습니다. 이 과정에서 변화에 재빠르게 적응한 경우 우위를 점할 수 있으나 이에 실패할 경우 안정적인 삶의 기반을 잃기 쉽습니다. 특히 현대사회는 노동력보다 자본의 우위가 더욱 커지고 있고, 인터넷 등의 접근성 확대와 플랫폼 경제의 확대로 인해 부익부 빈익빈 현상이 심화될 수밖에 없습니다. 이러한 상황에서 거대한 사회구조의 변화라는 원인을 깨닫지 못한 사람들은 결과적인 모습, 혹은 상관관계를 원인이라 착각할 수 있습니다. 전 세계적인 산업구조가 재편되면서 우리나라 역시 고부가가치 산업으로 구조 조정한 결과가 외국인 노동자의 증가일 수 있습니다. 예를 들어, 인력이 많이 필요한 중화학공업에서 고급인력 중심의 IT산업으로 산업구조가 바뀌면서 외국인 노동자가 증가할 수 있습니다. 그러나 겉으로만 보면 외국인 노동자가 국민의 일자리를 빼앗은 것으로 인식될 수도 있습니다. 그 인식을 가짜뉴스가 자극하고 확산시킴으로써 외국인 노동자 등 소수자에 대한 반감과 배제를 더욱 가속화시킬 수 있습니다.

해결방안으로 복지정책의 강화, 가짜뉴스 규제와 평생교육의 강화를 제시할 수 있습니다. 불평등의 심화로 인해 발생하는 문제점은 복지정책의 강화를 통해 기초적 생계 보호 등 삶의 안정성을 보장함으로써 완화할 수 있습니다. 국가와 공동체가 우리 국민이 겪고 있는 어려움을 모른 체 한다면 연대성을 갖기 어렵습니다. 사회적 약자 역시 우리 공동체의 일원으로서 보호받고 있으며 가치가 있는 존재임을 깨닫고 연대성을 발휘하여야 합니다. 그리고 가짜뉴스를 규제함으로써 사회적 약자에 대한 반감이나 배제를 혐오로 이어지게 하는 확산통로를 막아야 합니다. 마지막으로 평생교육을 강화하여 사회적 약자에 대한 반감이나 배제가 사회적 문제를 해결할 수 없음을 스스로 깨닫도록 유도하고, 가짜뉴스 등이 확산되더라도 정보에 대한 합리적 판단능력을 통해 자정작용을 할 수 있도록 해야 합니다.

055 개념 이민자 문호 확대

2024 전북대 기출

1. 기본 개념

(1) 이민의 개념

이민이란 국가의 경계를 넘는 인구이동, 즉 국제인구이동을 의미한다. 특정 국가에서 해당 국가 국민이 아닌 자가 정주를 목적으로 이주하는 과정을 이입(immigration)으로, 다른 나라에 정착할 목적으로 한 나라를 떠나거나 나가는 행위를 이출(emigration)로 구분한다.

(2) 이민법과 이민정책

우리나라 국민이 외국 정주를 목적으로 이주하는 것과 외국 국민이 우리나라 정주를 목적으로 이주하는 것을 모두 이민이라 할 수 있다. 그러나 이민법에서 큰 관심을 두는 것은 외국인의 국내 이주에 대한 법적 규율에 관한 것이다. 외국인이 이민 과정을 완결하는 것은 국적법상 귀화가 된다. 국적법은 일반귀화, 간이귀화, 특별귀화의 3가지 유형을 규정하고 있다.

이민유입정책은 출산율 하락에 따른 생산가능인구의 감소, 고령화 현상으로 인한 문제에 대응하기 위한 인구정책으로 논의되고 있다. 이민이 유입국에 미치는 사회경제적 파급효과는 장단점이 모두 있고 장기간에 걸친 영향력을 발휘하기 때문에 매우 어려운 문제이다. 이민자의 유입은 개인이나 지역사회, 국가 전체적으로 경제, 사회, 정치, 문화, 기타 분야에 다양한 영향을 미친다.

(3) 이민자(외국인)에 대한 보호 수준

국제법상 이민자(외국인)에 대한 보호 수준에 대해서는 두 관점이 있다. 국가가 국민에게 부여되는 것과 같은 수준의 처우만을 제공할 필요가 있다는 내국민 대우 주장과, 국가의 처우는 더 높은 수준의 국제적 최저기준에 의한 규율을 따라야 한다는 국제 최저기준 주장이 있다.

내국민 대우 주장은 조약 당사국이 다른 나라 국민에게 자국민에게 부여하는 것과 같은 권리를 부여하는 것을 말한다. 이에 따르면 피해를 입은 외국인은 그 체류국의 법원에서만 배상을 구할 수 있다는 것이 된다.

국제 최저기준 주장은, 지역의 법을 평가하는 근원적 국제정의기준이 있다는 관점이다. 체류국의 법과 행정은 단지 당사국의 기준에만 부합하면 되는 것이 아니고 국제적이고 일반적인 기준에 부합해야 한다고 주장한다. 대표적으로 UN의 이주권리협약, 국제노동기구(ILO) 협약이 있다.

2. 읽기 자료

외국인 인재 유치제도[136]

이민정책 국제비교[137]

136)

외국인 인재 유치제도

137)

이민정책 국제비교

055 문제 이민자 문호 확대

답변 준비 시간 10분 | 답변 시간 10분

※ 다음 QR코드를 촬영하면 연결되는 제시문을 읽고, 문제에 답하시오.

22대 국회 개원과 함께 이민정책의 컨트롤타워인 '이민청' 신설 논의가 재개된다. 출산율 저하와 국가소멸 우려 속에서 인구 위기를 극복하기 위한 목적이다. 정부조직법 개정은 어려운 과제지만, 여러 지자체들은 저출생과 고령화 문제 해결을 위해 이민청 유치 경쟁에 나서고 있다.

이민청 신설

Q1. 이민청 설립 후 실시될 이민자 문호 확대정책에 대해 찬성 입장에서 이를 논변하시오.

Q2. 이민청 설립 후 실시될 이민자 문호 확대정책에 대해 반대 입장에서 이를 논변하시오.

Q3. 우리나라는 심각한 저출산을 겪고 있는데, 이를 해결하기 위해 고학력 청장년층 이민자를 수용하자는 의견이 있다. 이에 대한 찬반 입장을 밝히시오.

055 해설 이민자 문호 확대

Q1. 모범답변

국가 발전을 위해 이민자 문호를 확대해야 합니다. 안정적인 국가 발전을 위해서는 경제 성장을 위한 필요 수준의 노동력이 있어야 합니다. 그러나 우리나라는 출산율을 높이기 위해 약 15년간 280조 원에 달하는 예산과 다양한 정책적 수단을 활용했음에도 불구하고, 출산율이 지속적으로 떨어지고 있는 상황이며 개선될 기미가 보이지 않는 상황입니다. 노동력의 부족뿐만 아니라 사회 활력의 저하, 국가 자체가 사라질 수 있는 상황에 직면하고 있습니다. 이러한 상황에서 이민자 문호 확대는 국가 발전을 위해 시도할 수 있는 가장 현실적인 해결방안입니다. 이민자 문호를 확대하여 생산가능인구를 확보하면 경제 활성화를 기대할 수 있습니다. 또한 저숙련 노동자가 유입되어 지방의 인력 부족을 완화하여 지방인구의 증가와 경제 자립, 지방 활성화, 지방균형발전에 도움이 됩니다. 이처럼 이민자 문호를 확대하면 국가 경제와 지방 경제 활성화에 기여하기 때문에 국민소득 증대에 도움이 되고 경제적 문제로 인해 결혼과 출산을 꺼리는 부부들의 문제가 완화되어 출산율이 올라갈 수 있습니다. 특히 이민청을 설립하여 이민자 정책을 면밀하게 다루게 되면 인구의 규모와 질을 관리할 수 있기 때문에 인구와 국가 발전의 관계를 예측 가능한 형태로 효율적인 관리가 가능합니다. 이처럼 이민자 확대를 통해 출산율 감소, 경제 위축, 국민소득 감소, 출산율의 감소로 이어지는 악순환을 끊어 국가 발전을 기대할 수 있습니다.

Q2. 모범답변

국가 발전을 저해할 수 있으므로 이민자 문호 확대는 타당하지 않습니다. 이민자 문호를 확대하더라도 경제 발전을 위해 필요한 노동력 공급에 도움이 되지 않을 수 있습니다. 우리나라의 인구 부족과 생산인구 부족은 이민자가 저숙련 노동자로 유입되어야 해결 가능합니다. 그러나 이민으로 유입되는 인구의 임금이 상승하고 기존 국민의 사회적 공포심이 커지는 사회적 비용 증가가 발생할 것입니다. 예를 들어, 코로나19 상황에서 전염병으로 인해 이주비용이 증가하면 외국인 노동자의 임금도 상승하게 됩니다. 그렇다면 이민을 확대하여 발생할 경제적 이익이 미미할 수 있습니다. 이에 더해 외국의 경쟁력 있는 고급인력이 우리나라를 이민 대상으로 선택하기 어렵습니다. 언어적 장벽이 존재하고 외국인에 대한 사회적 배척이 강력하며 북한과의 대치상황을 고려할 때 고급인력이 우리나라를 좋은 조건을 갖춘 이민 국가로 보지 않을 것입니다. 또한 코로나19로 인한 우리 국민의 외국인 공포증을 고려할 때 비경제적 비용인 사회적 신뢰 비용이 증가할 수 있습니다. 이처럼 이민자 문호 확대로 인한 기대이익은 미미한 반면 비용은 커질 수 있으므로 국가 발전을 저해하게 됩니다.

Q3. 모범답변

고학력 청장년층 이민자 수용은 타당하지 않습니다. 저출산 문제를 해결할 수 없고, 청년 실업문제를 심화시킬 수 있기 때문입니다.

저출산 문제를 해결할 수 없으므로, 고학력 청장년층 이민자 수용은 타당하지 않습니다. 저출산 문제의 원인은 수도권 과밀화입니다. 지방분권을 통한 수도권 과밀화 해소, 국토의 균형발전을 통해 문제를 해결해야 합니다. 이민의 확대 역시 저출산 정책의 일부가 될 수는 있으나, 이것이 문제 해결의 결정적 요인이 될 수는 없습니다. 또한 고학력 청장년층 이민자의 수가 충분할 수 없으므로 저출산으로 인한 인구 부족 문제를 해결할 수 없습니다. 우리나라는 노동력 부족을 해결하고자 조선족을 적극 수용한 바 있습니다. 그러나 중국 역시 경제 성장 중이었기 때문에 고학력 청장년층 조선족은 우리나라에 이민을 올 유인이 없었습니다. 이를 보았을 때, 고학력 청장년층 이민자만을 선별하여 받아들인다면 극히 소수의 이민자를 기대할 수 있을 뿐입니다. 따라서 저출산 문제를 해결할 수 없으므로 타당하지 않습니다.

청년 실업문제를 심화시킬 수 있으므로 고학력 청장년층 이민자 수용은 타당하지 않습니다. 현재에도 청년 실업문제가 심각하여 좋은 일자리를 두고 경쟁이 극심한 상황입니다. 좋은 일자리는 수도권에 몰려 있기 때문에 좋은 일자리 부족은 수도권 과밀화와 청년 실업, 사회적 경쟁으로 인한 각종 사회문제를 일으키고 있습니다. 그런데 고학력 이민자가 유입되면, 이미 부족한 좋은 일자리를 두고 우리 청년들과 경쟁을 하게 될 것입니다. 이처럼 청년 실업문제가 심각해지면 저출산 문제는 더욱 심각해질 가능성이 높습니다. 따라서 고학력 청장년층 이민자 수용은 타당하지 않습니다.

Chapter 03

헌법: 기본권론

1. 헌법

(1) 의의

헌법(憲法)은 국민의 기본권과 국가의 이념, 통치조직과 그 작용에 관한 국가의 근본이 되는 법이다. 국민은 국가의 주인으로서 주권자이므로, 국가와 법은 국민의 주권을 보장하기 위한 목적으로 제정되었다. 특히 헌법은 최고기본법이기 때문에 국민의 주권을 선언하고 국민과 국가의 관계를 규정한다. 따라서 헌법을 만드는 힘, 헌법 제정 권력은 오직 국민에게 있다.

헌법은 국민의 기본권과 국가 통치 권력의 상호관계를 규율하고, 권력 통제를 위한 기능을 하여 국가권력을 상호 견제 및 균형을 이루게 함으로써 국민의 기본권을 최대한 보장하기 위한 내용을 담고 있다. 따라서 헌법은 최상위법으로서, 법률, 명령, 규칙 등 하위법의 타당성의 근거가 되며, 하위법이 헌법에 위반될 수 없을 뿐만 아니라 헌법에 위반되는 하위법의 효력은 인정되지 않는다.

(2) 기본 원리

① 국민주권 원리는 국가의 주인인 국민이 국가 의사를 전반적이고 최종적으로 결정할 수 있는 최고 권력을 가진다는 것과, 모든 국가권력의 정당성의 근거는 국민에게서 찾아야 한다는 것이다.

② 자유민주주의는 자유주의와 민주주의가 결합된 것이다. 자유주의는 개인의 자유를 옹호하며 자유경쟁이라는 자율적 행동 원리를 존중하고 이 과정에서 국가의 간섭을 최소화하는 사상적 입장이다. 민주주의는 국민에 의한 지배를 특징으로 하는 정치 원리이다.

③ 사회국가 원리는 모든 국민에게 생활의 기본적 수요를 충족시켜 인간다운 삶을 영위할 수 있도록 하는 것이 국가의 책무가 되고, 국민은 국가에 이를 요구할 수 있는 권리가 인정된다는 것이다.

④ 문화국가 원리는 국민 개개인이 자율적으로 문화 활동을 할 수 있도록 최대한 보장하면서도 문화에 대한 자유방임이 발생시키는 불합리성을 극복하기 위해 국가가 능동적으로 문화를 형성·보호하는 기능을 담당해야 한다는 것이다.

⑤ 법치국가 원리는 국가를 지배하는 것이 사람이나 폭력이 아니라 법이어야 한다는 것이다. 모든 국가적 활동은 국민의 대표기관인 의회가 제정한 법률에 근거를 두고 이에 따라 행해져야 한다는 것을 의미한다.

⑥ 평화국가 원리는 국제적으로 평화로운 공존과 국제분쟁의 평화적인 해결, 국가의 자결권 존중과 국내문제불간섭 등을 내용으로 하는 국제평화주의를 지향하는 원리이다.

2. 기본권론

(1) 인권과 기본권

① 인권은 인간이라는 점에서 유래하는 권리이나, 기본권은 헌법에 의해 인정되는 권리이다.

② 인권은 자연법적 권리이나, 기본권은 실정법인 헌법에 의해 인정되는 실정법적 권리이다.

③ 인권에 더해 시민권을 더한 것이 기본권이므로, 모든 기본권이 인권은 아니다.

④ 인권 중 생명권 등은 헌법에 규정되어 있지 않은데, 모든 인권이 헌법에 기본권으로 규정된 것은 아니다.

(2) 소극적 권리와 적극적 권리

소극적 권리는 국가의 부작위를 통해 실현되는 권리이다. 국가가 어떠한 특정행위를 하지 말 것을 요구하는 권리이다. 예를 들어 생명과 신체의 자유는 국가가 개인의 생명을 해치거나 신체 구속을 하지 말 것을 요구하기 때문에 소극적 권리이다. 자유권은 본질적으로 국가의 간섭으로 인해 침해되기 때문에 국가의 부작위, 즉 국가가 자유권에 대한 침해 행위를 하지 않음을 통해 실현되는 권리이다. 그러나 최근에는 자유권도 점차 적극적 권리의 측면을 가지게 되었다. 대표적인 사례로, 사생활의 비밀과 자유는 본래 개인의 사생활에 국가가 개입하지 말라는 소극적 권리였으나, 최근 자기정보통제권이 추가되면서 국가가 개인의 자기정보를 적극적으로 지키는 역할까지 해야 한다는 적극적 권리로 변하고 있다.

적극적 권리는 국가의 작위를 통해 실현되는 권리이다. 청구권적 기본권과 사회적 기본권은 일반적으로 국가의 작위, 즉 국가가 특정한 행위를 할 것을 요구하는 것이므로 적극적 권리의 성격이 크다.

(3) 기본권의 주체

기본권의 보유능력은 헌법상 보장된 기본권을 향유할 수 있는 능력이다. 태아, 수형자를 포함한 모든 국민은 기본권 보유능력을 갖는다. 단, 초기배아의 기본권 주체성은 인정되지 않는다. 군인이나 미수결수용자도 기본권의 주체이다. 기본권 행사능력은, 기본권의 주체가 독립적으로 자신의 책임하에 기본권을 행사할 수 있는 능력이다. 기본권 행사능력과 민법상 행위능력은 구별된다. 민법상 행위능력은 성년을 기준으로 하여 미성년자는 행위무능력자에 해당하나, 헌법상 미성년자는 신체의 자유와 종교의 자유를 행사할 수 있다. 기본권의 행사능력은 모든 기본권이 동일하지 않고 개별 기본권이 요구하는 정신적·육체적 능력에 따라 각각 결정된다. 인간의 존엄과 가치, 생명권 등과 같이 기본권 향유능력과 행사능력이 동일한 경우도 있고, 선거권이나 피선거권과 같이 양자가 구별되는 기본권도 있다. 기본권 행사능력은 법률로 제한할 수 있으나, 제한하는 경우 과잉금지원칙, 본질적 내용침해금지원칙을 준수해야 한다.

3. 기본권 간의 갈등 해결

(1) 기본권의 경합(경쟁)

기본권의 경합은, 단일한 공권력 행사에 의해 단일한 기본권 주체의 여러 기본권이 동시에 제약되어 국가에 대해 동시에 여러 가지 기본권의 적용을 주장하는 경우에 발생한다. 기본권의 경합의 사례는 다음과 같다. 경찰이 노점상을 운영하는 상인인 A를 유치장에 구금했다. A는 국가에 의해 신체의 자유와 직업의 자유를 침해당했다는 이유로 헌법소원심판을 청구했다.

기본권 경합의 해결이론은 다음과 같다.

① 일반적 기본권과 특별기본권이 경합하는 경우, 특별기본권의 침해 여부를 심사한다. 예를 들어, 교원 공무원의 정년 문제에서 공직의 경우 공무담임권은 직업선택의 자유라는 일반적 기본권에 대해 특별기본권에 해당하므로 직업선택의 자유 적용을 배제하고 공무담임권을 적용한다.[138] ② 제한 정도가 다른 기본권들이 경합하는 경우, 경합하는 기본권 중 제한 가능성과 제한 정도가 가장 작아 국가에 대한 효력이 가장 강한 기본권을 우선 적용하려는 최강효력설이 다수설이다. ③ 초기의 헌법재판소 판례는 경합관계에 있는 기본권을 모두 적용하다가, 최근 판례에서는 특별기본권 우선원칙, 직접 관련된 기본권 우선적용원칙, 최강효력설 등을 적용하여 경합 문제를 해결하고 있다.

(2) 기본권의 충돌(상충)

기본권의 충돌은, 복수의 기본권 주체가 상호 충돌하는 기본권을 국가에 대해 주장하는 것을 말한다. 그러나 마치 기본권이 충돌하는 것처럼 보이나 그렇지 않은 경우가 있는데 이를 유사충돌이라 한다. 예를 들어, 연극배우가 예술의 자유를 주장하면서 타인의 생명을 뺏은 경우는 기본권의 충돌이라 볼 수 없다. 살인행위는 기본권의 보호 범위를 넘은 것이므로 예술의 자유와 생명권은 기본권 간의 충돌이 발생하지 않아 유사충돌이다.

기본권 충돌의 해결이론은 다음과 같다.

① 입법의 자유영역이론에 따르면, 기본권 충돌을 예외적 상황으로 보고 충돌하는 기본권 간의 화해적 조정을 하는 것이 입법자가 할 일이다. ② 기본권의 서열이론에 따르면, 기본권 충돌 시 서열이 높은 기본권을 우선한다. 그러나 기본권의 서열이 불분명한 경우가 많아 극히 제한적이다. ③ 법익형량의 원칙(이익형량의 원칙)에 따르면, 복수의 기본권이 충돌할 때 그 효력의 우열을 가리기 위해 기본권들의 법익을 비교해 법익이 더 큰 기본권을 우선한다. 이 원칙을 적용하기 위해서는 기본권 상호 간에 일정한 위계질서가 있다는 가설이 전제되어야 한다. 법익형량의 기준은 상위기본권 우선원칙이 적용되는데, 인간의 존엄성 우선의 원칙, 생명권 우선의 원칙이 있고 동위기본권 상충 시에는 인격권 우선의 원칙, 자유권 우선의 원칙이 있다. 예를 들어, 흡연자가 누리는 흡연권과 비흡연자가 누리는 혐연권이 충돌하는 경우를 들 수 있다. 흡연권은 사생활의 자유를 실질적 핵으로 하는 것이고 혐연권은 사생활의 자유뿐만 아니라 생명권에까지 연결되는 것이므로 혐연권이 흡연권보다 상위의 기본권이라 할 수 있다. 이처럼 상하의 위계질서가 있는 기본권끼리 충돌하는 경우에는 상위기본권우선의 원칙에 따라 하위기본권이 제한될 수 있으므로, 결국 흡연권은 혐연권을 침해하지 않는 한에서 인정되어야 한다.[139] ④ 규범조화적 해석(형평성의 원칙)에 따르면, 상충하는 기본권 모두가 최대한으로 그 기능과 효력을 나타낼 수 있는 조화의 방법을 찾으려는 해결방법이다. 과잉금지의 원칙, 대안식 해결방법, 최후수단의 억제성 이론이 그 구체적 방법이다. 먼저, 과잉금지의 원칙은 상충하는 기본권 모두에 일정한 제약을 가해 기본권 모두의 효력을 성립시키면서 기본권에 대한 제약을 최소화한다.

138)
헌재 2000.12.14. 99헌마112

139)
헌재 2004.8.26. 2003헌마457

둘째로, 대안식 해결방법은 상충하는 기본권을 모두 만족시키는 대안을 제시한다. 예를 들어 자녀의 생명을 구하기 위한 수혈을 종교상의 이유로 금지하여 종교의 자유와 생명권이 충돌하는 경우, 후견법원 등의 동의를 받는 대안을 적용해 수혈을 하고 두 기본권을 모두 만족시키는 경우가 있다. 마지막으로, 불리한 기본권이라 하더라도 그 기본권을 버리지 말고 가능한 보호해야 한다는 원칙인 최후수단의 억제성 이론이 있다.

4. 기본권의 제한

(1) 기본권의 제한방법

기본권 제한의 방법으로는 헌법, 법률, 국가긴급권에 의한 제한이 있다. 법률의 효력을 갖는 조약과 일반적으로 승인된 국제법규는 국내법과 동일한 효력이 있으므로 이에 의한 기본권 제한이 가능하다.

(2) 기본권 제한의 형식적 한계

기본권을 제한할 때에는 국회가 제정한 형식적인 법률로 제한해야 한다. 관습법으로는 기본권을 제한할 수 없다. 기본권 제한 법률은 일반적이고 추상적이어야 한다. 먼저 일반성은 규범의 수신인이 불특정 다수라는 것을 의미한다. 추상성은 규율대상사건이 불특정 다수여서 일정한 요건이 충족되면 모든 사건에 적용되는 것이어야 한다는 의미이다. 개별 인적 법률과 개별 사건적 법률과 같은 처분적 법률은 평등권을 침해할 수 있으므로 처분적 법률로 기본권을 제한하는 것은 원칙적으로 금지된다. 단, 현대적 평등에 의하면 합리적 이유에 의한 차별은 가능하므로 처분적 법률에 의한 기본적 제한이 합리적 차별이라면 예외적으로 허용된다.

(3) 기본권 제한입법의 목적상 한계

기본권을 제한하는 입법을 하려면 아래 세 가지 목적에 부합해야 한다.

첫째, 국가안전보장이 있다. 외부로부터 국가의 독립, 영토의 보전, 헌법에 의해 설치된 국가기관의 유지를 의미한다. 이러한 성격의 법률로는 형법, 국가안보법, 국가기밀보호법 등이 있다.

둘째, 질서유지가 있다. 작게는 공공의 안녕질서를 의미하며, 넓게는 헌법의 기본질서 유지 외의 타인의 권리 유지, 도덕질서 유지, 사회공공질서 유지가 포함된다. 국가안전보장이 외부의 위험으로부터 국가의 존립과 안전 보장을 위한 것이라면, 질서유지는 내부의 위험으로부터 국가의 존립과 안전을 뜻한다. 이러한 성격의 법률로는 형법, 경찰법, 집회 및 시위에 관한 법률, 경찰관직무집행법, 도로교통법 등이 있다.

셋째, 공공복리가 있다. 국가구성원 전체를 위한 행복과 이익을 말한다. 공공복리는 개인과 대립하는 것이 아니라 개인을 포함한 국민의 전체적 복리를 의미한다. 공공복리를 위해 기본권을 제한한 법률로는 소비자보호법, 토지수용법, 산림법 등이 있다.

(4) 기본권 제한입법의 방법상 한계

첫째, 과잉금지원칙을 준수해야 한다. 과잉금지원칙은 비례의 원칙이라고도 한다. 국가의 권력은 무제한적으로 행사되어서는 안 되고, 반드시 정당한 목적을 위하여 그리고 또한 필요한 범위 내에서만 행사되어야 한다.

① 목적의 정당성: 기본권 제한 입법의 목적이 헌법상 정당성이 인정되어야 한다.

② 방법의 적정성: 목적을 달성하기 위한 조치가 필요하고도 효과적인 수단이어야 한다.

③ 피해의 최소성: 위 수단 중 기본권을 적게 제한하는 수단과 방법을 통해 목적을 달성해야 한다.

④ 법익균형성: 달성하려는 공익이 제한되는 사익(기본권)보다 커야 한다.

둘째, 이중기준의 원칙이 있다. 경제적·재산적 권리를 제한하는 공권력 행사의 위헌성 판단보다는 정신적·문화적·정치적 권리를 제한하는 공권력 행사의 위헌성 판단에 대해 더욱 엄격한 심사가 이루어져야 한다는 원칙이다.

① 우월한 자유론: 민주주의를 실현하고 국가권력의 남용을 억제하기 위해 자유로운 비판과 반대의 자유가 보장되어야 한다. 정치적 기본권은 경제적 자유 등에 비해 우월한 지위를 갖는다.

② 경제규제입법에 대한 사법부의 비전문성: 경제규제입법에 대해 전문가인 입법부나 집행부의 결정을 사법부는 존중해야 한다.

(5) 기본권 제한입법의 내용상 한계

기본권을 제한하는 입법을 한다고 하더라도 기본권의 본질적 내용을 침해하는 것은 금지된다. 이는 법률에 의해 기본권을 제한하더라도 기본권의 본질적 내용을 법률로 침해해서는 안 된다는 원칙이다. 기본권의 본질적 내용은 인간의 존엄성과 그 핵심영역을 뜻한다. 이는 개별 기본권마다 다를 수 있다.

5. 권리와 의무

(1) 법률관계

법률관계는 법의 규율대상이 되는 생활관계이다. 법률관계가 형성되면 권리·의무가 발생한다. 중세 시대까지는 의무가, 18~19세기의 자유주의 시대에는 자유가 강조되었으나, 현대의 복지국가 시대에 와서 의무가 다소 강조되었다.

(2) 권리

권리는 특정인에게 일정한 이익을 누리게 하려고 법이 인정한 힘을 말한다. 법의 분류에 따른 권리는 다음과 같다.

<table>
<tr><td rowspan="2">공권</td><td>국가적 공권</td><td>입법권, 행정권, 사법권, 형벌권, 경찰권 등</td></tr>
<tr><td>개인적 공권</td><td>자유권, 평등권, 청구권, 참정권, 생존권</td></tr>
<tr><td rowspan="2">사권</td><td>재산권</td><td>물권, 채권, 지식재산권</td></tr>
<tr><td>비재산권</td><td>인격권, 가족권(친족권, 상속권)</td></tr>
<tr><td>사회권</td><td colspan="2">노동법상의 근로의 권리, 근로 3권, 사회보장법상의 국민연금수급권, 국민건강보험 수급권,
경제법상의 권리</td></tr>
</table>

(3) 의무

의무는 법에 의해 일정한 행위를 요구당하거나 금지당하는 것을 말한다. 의무는 권리에 수반되기 때문에 위의 권리가 그대로 의무가 된다. 의무는 공법상의 의무, 사법상 의무, 사회법상 의무가 있다.

공법(公法)은 국가적, 공익적, 윤리적, 타율적, 권력적, 비대등적 관계를 규율하는 법을 의미한다. 헌법, 행정법, 형법, 소송법, 국제법 등이 이 법에 해당한다.

사법(私法)은 개인적, 사익적, 경제적, 자율적, 비권력적, 대등적 관계를 규율하는 법을 의미한다. 민법, 상법 등이 대표적인 사법의 예이다. 시민법(市民法)으로 불리기도 한다.

사회법은 공법과 사법의 중간의 제3의 법역(法域)을 나타내는 의미로 이해되고 있다. 자본주의가 발달하면서 초래된 경제적 약자와 강자의 대립과 사회적 불균형으로 인하여 자유주의적 국가관에 대한 반성과 개인의 생존보장에 대한 필요성이 대두됨에 따라 공법과 사법의 중간 영역에 해당되는 사회법이 발달하였다. 경제법, 노동법, 사회보장법으로 분류되는 사회정책적 입법들이 사회법의 범주에 속한다. 공공복리의 이념을 달성하기 위한 국가의 노력이 확대·강화되어 감에 따라 점차 사회법의 영역은 광범위해지며 대상은 다양해지고 있다.

공법상 의무	국방 의무, 납세 의무, 근로 의무, 교육을 받게 할 의무, 환경보존 의무, 재산권 행사의 공공복리 적합성 의무 등
사법상 의무	당사자 간의 합의(채무), 법률 규정에 의해 발생하는 의무(부부 사이의 가족부양 의무)
사회법상 의무	사용자는 근로자의 단결권, 단체행동권을 보장하고, 단체교섭에 응할 의무가 있다.

(4) 권리와 의무의 주체

권리와 의무의 주체로 자연인과 법인이 있다. 먼저, 자연인은 국민과 외국인이며, 외국인은 외국 국적을 가진 자와 무국적자를 포함한다. 둘째, 법인은 사람 또는 재화의 결합체로서 설립 등기를 통해 법적 인격을 부여받은 단체이다. 법인은 공법인과 사법인이 있고, 사법인에는 사단법인과 재단법인이 있다.

(5) 권리 보호 범위

직업의 자유는 직업과 관련된 자유를 보호하는 권리이다. 직업이란 지속적 소득활동을 의미한다. 직업의 자유란 지속적 소득활동과 관련된 자유를 보호한다. 예를 들어, 甲이 축구선수라면 축구를 하는 행위는 직업의 자유에서 보호되나, 회사원 乙이 축구하는 행위는 직업의 자유가 아니라 행복추구권에 의해 보호된다. 노래방 주인의 노래방 영업행위는 직업의 자유에서 보호되나, 노래방 손님의 노래하는 행위는 행복추구권에서 보호된다.

(6) 권리의 제한과 그 한계

권리 제한이란 권리에서 보호되는 행위를 금지하거나 할 수 없게 하는 행위를 뜻한다. 예를 들어 국가가 노래방 영업을 금지하는 법을 제정한 경우 노래방 주인의 직업의 자유와 노래방 손님의 행복추구권을 제한한 것이다. 권리 제한의 한계는 다음과 같다. 그리고 국가가 권리 제한의 한계를 넘어 권리를 제한하면, 이를 권리 침해라고 한다.

첫째, 법률유보의 원칙을 지켜야 한다. 법률 또는 법률의 효력을 가지는 긴급명령 등으로 제한하여야 한다. 법률의 근거 없이 명령이나 조례로 권리를 제한할 수 없다. 헌법에서 권리 제한을 법률에 유보하였는데 이를 법률유보원칙이라 한다.

둘째, 권리 제한의 목적은 ① 국가안전 보장, ② 질서 유지, ③ 공공복리에 한한다. 남성 우위의 질서 유지, 가부장 질서 유지는 국가안전 보장, 질서 유지, 공공복리에 해당하지 않으므로 남성 우위의 질서를 유지하기 위해 여성의 선거권을 제한한다면 이는 권리 제한의 정당한 목적에 해당하지 않는다. ① 국가안전 보장을 위해 권리를 제한할 수 있다. 인간은 공동체를 구성하면서 살기 때문에 공동체의 유지, 이익을 위해 권리를 제한한다. 쿠데타를 통해 대통령, 의회, 사법부를 부정하고 쿠데타 세력들이 대통령, 의회, 사법부를 구성한다면 이는 국가기관 파괴행위이다. 이를 방치하면 국가가 유지될 수 없다. ② 사회질서를 유지하기 위해 권리를 제한할 수 있다. 예를 들어, 음주운전으로 교통법규를 위반하고 인명을 살상하는 행위를 규제해야 사회질서가 유지된다. ③ 공공복리를 위해 권리를 제한할 수 있다. 예를 들어, 매연을 배출하는 공장을 규제하지 않으면 환경이 파괴된다. 환경 보호라는 공공복리를 위해 권리를 제한할 수 있다.

셋째, 과잉 금지 원칙(비례의 원칙)을 지켜야 한다. 권리를 제한할 때에는 목적 달성에 필요한 만큼만 제한해야 하고, 권리 제한을 통해 실현하려는 공익이 제한되는 기본권보다 가치가 커야 한다. 이러한 권리제한 원칙을 과잉 금지 원칙이라고 한다. 예를 들어, 공정한 선거라는 목적을 위해 표현의 자유를 제한한다고 생각해보자. 선거기간 중에는 신문과 뉴스를 금지하고 모든 집회를 금지한다고 가정해보자. 이는 공정한 선거라는 목적달성을 위해 과도하게 언론의 자유와 집회의 자유를 제한한 것이다. 즉 지나치게 (과잉으로) 권리를 제한한 것이다. 이러한 권리 제한은 과잉 금지 원칙에 위반된다.

넷째, 본질적 내용침해 금지 원칙을 지켜야 한다. 권리를 제한하더라도, 권리의 본질적 내용을 침해해서는 안 된다. 만약 A라는 사안에 대해 집회가 열렸는데 해당집회에서 다소 폭력이 있었다고 하자. 이때 경찰청장이 앞으로 A사안에 대한 모든 집회를 금지한다고 발표했다면, 이 조치는 집회의 자유의 본질적 내용을 침해한 것이다.

056 개념 구치소 과밀수용

1. 기본 개념

(1) 인간의 존엄과 가치

인간은 존엄하므로 인간을 다른 목적을 위한 수단으로 사용해서는 안 된다. 인간의 존엄과 가치는 헌법상 최고의 원리이고 모든 국가권력은 이에 구속되므로 국가목표 달성을 위해서라도 인간의 존엄과 가치를 해쳐서는 아니 된다. 인간의 존엄과 가치를 해치는 국가권력에 대해서 국민은 저항권을 행사할 수 있다. 또한 인간의 존엄과 가치에 반하는 헌법 개정도 허용될 수 없다.

외국인은 인간의 존엄과 가치의 주체가 되나, 법인은 인간이 아니므로 그 주체가 되지 않는다. 법인은 영업의 자유 등에 있어서 주체가 될 수 있으나 인간의 존엄과 가치의 주체는 아니다. 인간의 존엄과 가치는 국가와 법률의 목적이 되는 것이므로 법률 등으로 제한할 수 없다. 수형자 또한 인간이므로 인간의 존엄과 가치의 주체가 된다.

(2) 인간의 존엄과 가치 회복에 대한 국가의 의무[140)]

앞서 본 헌법 제10조의 의의와 내용에 비추어 볼 때, 국가의 조직적이고 적극적인 불법행위로 인해 기본권을 유린당하고 인간의 존엄과 가치를 훼손당한 피해자의 인간의 존엄과 가치를 회복시켜야 할 의무는 국가가 국민에 대하여 부담하는 가장 근본적인 보호 의무에 속한다고 할 것이다. 과거사정리법은 특히 국가의 반민주적 또는 반인권적 공권력 행사가 국민의 인권을 유린하고 인간의 존엄과 가치를 훼손한 진실을 규명하며 국가로 하여금 진실규명사건 피해자의 명예회복을 위한 조치를 취하고 가해자와 피해자 간의 화해를 적극 권유할 의무를 부과하고 있는바, 이는 국가에 대하여 이러한 진실규명사건 피해자의 훼손되었던 인간의 존엄과 가치를 회복시켜야 할 의무의 일환으로서 위와 같은 명예회복 조치 등의 법률상 의무를 부과한 것으로 보아야 한다(대법원 2013.1.16. 선고 2010두22856 판결 참조).

(3) 구치소 내 과밀행위 위헌확인[141)]

교정시설의 수용환경, 특히 1인당 수용면적은 수형자의 인권을 보장하고 교정의 최종 목적인 재사회화를 달성하기 위한 물적 토대이자 가장 기본적인 조건이 된다. 그러나 위와 같은 헌법과 형집행법 및 국제규범의 규정에도 불구하고, 형집행법을 비롯한 관련 법령은 교정시설에 정원을 초과하여 수용하는 것을 직접적으로 금지하는 규정이나 수형자 1인당 최소수용면적에 관한 규정을 두고 있지 않으며, 과밀수용된 수형자들은 열악한 환경에서 인간으로서 최소한의 품위조차 지키기 어려운 생활을 강요당하고 있는 실정이다. 앞서 본 바와 같이 예측이나 통제가 불가능한 수용인원의 증감변동, 예산확보의 어려움 및 님비현상 등과 같은 현실적 어려움을 고려하지 않을 수 없으나, 국가는 수형자가 신체적·정신적 건강을 유지하고 인간이라면 누구나 가지는 인격체로서의 기본 생활을 향유할 수 있는 1인당 최소수용면적을 보장하여야 한다. …(중략)…

140)
헌재 2021.9.30. 2016헌마1034, 판례집 33-2, 278 [전원재판부]

141)

2013헌마142

따라서 국가는 교정시설 내에 수형자 1인당 적어도 2.58㎡ 이상의 수용면적을 확보하여야 한다. 다만, 교정시설 내 공간을 확보하거나 교정시설을 신축 또는 증축하는 것이 현실적으로 단기에 해결될 수 있는 문제가 아님을 참작하여, 상당한 기간(늦어도 5년 내지 7년) 이내에 위와 같은 기준을 충족하도록 개선해 나갈 것을 촉구한다. 물론, 위와 같은 기준을 충족한 이후에도 국가는 교정시설 내 수용환경이 우리 사회의 인권의식의 향상과 경제적 성장에 발맞추어 지속적으로 개선될 수 있도록 부단한 노력을 기울여야 하며, 1인당 최소수용면적의 확보를 비롯한 교정시설의 확충 외에 형사정책적 측면에서도 불구속 수사의 확대 및 미결구금 기간의 축소, 가석방 및 귀휴제도의 효율적인 활용 등 과밀수용을 해소하기 위한 방안을 적극적으로 마련할 필요가 있다. …(중략)…

과밀수용은 단기간에 해결되기 어려울 뿐만 아니라 모든 유관기관 간의 협력과 개선의지를 필요로 하는 문제이다. 그러나 법정의견에서 이미 강조한 바와 같이, 국가는 수형자를 다른 모든 사람과 마찬가지로 존엄과 가치를 가지는 인간으로 대우하여야 하고, 수형자가 불필요한 신체적·정신적 불편을 겪지 않도록 할 수 있는 최소한의 공간을 갖춘 수용시설을 확충하는 것은 그 전제가 되는 기본적인 조건임을 잊어서는 아니 된다. 수형자라 하더라도 인간으로서의 품위를 지킬 수 있는 수용환경에서 각자의 인격을 형성하고 발전시킬 기회를 가질 수 있도록 함으로써 그들이 다시 자유를 회복하였을 때에는 개인과 공동체의 상호연관 속에서 균형을 잡고 자신의 인생과 공동체에 대한 책임을 다할 수 있는 인격체로 살아갈 수 있도록 하는 것이야말로 국가형벌권 행사의 궁극적인 목적이자 이를 정당화할 수 있는 근거라고 우리는 믿는다.

2. 읽기 자료

과밀수용 해소[142)]

과밀수용 국가배상청구[143)]

142)

과밀수용 해소

143)

과밀수용 국가배상청구

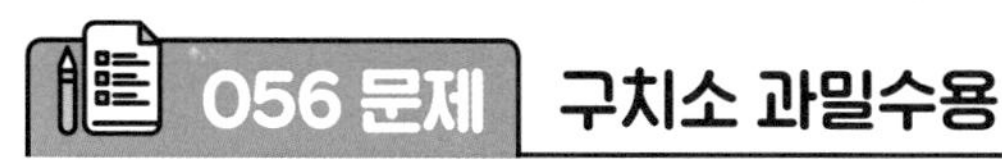

056 문제 구치소 과밀수용

답변 준비 시간 10분 | 답변 시간 10분

※ 다음 제시문을 읽고, 문제에 답하시오.

구치소나 교도소와 같은 우리나라의 행형시설은 적정 수용인원을 넘어서는 경우가 많다. 행형시설이 적정 수용인원을 넘어선 경우 증축이나 신축을 해야 한다. 그러나 범죄자에 대한 국민감정상 행형시설 증축과 신축예산 증액이 이루어지기는 힘든 것도 사실이다. 결국 구치소와 교도소는 적정 수용인원을 넘어서는 과밀수용이 이루어지는 경우가 많다.

A는 구치소에 수감되어 있는 동안 과도한 인원이 수감되었다고 주장하였다. 실제로 A가 10일 동안 수감되어 있었던 구치소는 2,200명의 적정인원에 평균적으로 3,000여 명 정도가 수감되어 있었으며 10일 내내 2,900명 이상의 인원이 수감되어 있었다.

Q1. 구치소 내의 적정인원 이상 수용에 대한 자신의 견해를 제시하시오.

Q2. 구치소를 신축 혹은 증축할 경우, 주변 지역주민의 반대가 극심해 현실적으로 어려운 것이 사실이다. 게다가 국민의 세금으로 범죄자를 위한 넓은 시설을 짓는다는 것도 국민을 설득하기 어렵다. 어차피 범죄자인데 형벌을 받는 기간 동안 반성한다는 의미로 좁은 시설에서 불편하더라도 이를 감내해야 한다는 주장이 있다. 이에 대한 자신의 견해를 제시하시오.

Q3. 인간의 존엄성이란, 인간을 목적으로 대하고 수단으로 대하지 말라는 것이다. 그런데 범죄자를 처벌하는 이유 중의 하나는 형벌에 대한 위하력을 통해 범죄 예방을 하려는 목적도 있다. 그렇다면 범죄자에 대한 처벌도 인간의 존엄성을 침해하는 것이므로 범죄자를 처벌해서는 안 된다고 볼 수 있다. 이에 대한 자신의 견해를 제시하시오.

056 해설 구치소 과밀수용

Q1. 모범답변

인간의 존엄성과 가치를 훼손하므로 구치소의 과밀수용행위는 타당하지 않습니다. 인간은 그 자체로 존엄하여 목적으로 대하고 수단으로 대해서는 안 됩니다. 이는 국가 형벌의 경우에도 마찬가지로 적용됩니다. 비록 죄를 지어 형벌을 받고 있다 하더라도 인간인 이상 존엄과 가치를 존중해야 합니다. 인간의 존엄과 가치를 존중받은 하에서 형벌을 받음으로써 수형자는 자신의 잘못을 뉘우치고 교화되어 사회로 복귀할 수 있습니다. A의 경우, 10일 동안의 수감기간 동안 구치소 내에 130% 이상의 과밀수용이 있었습니다. 이처럼 과밀수용이 이뤄질 경우, 질병 감염 등의 문제가 발생할 수 있고 좁은 공간 내에 여러 사람이 수용되어 있기 때문에 갈등과 충돌이 일어나 폭력이나 괴롭힘 등의 문제 또한 발생 가능합니다. 국가가 이를 방치한다는 것은, 국민을 상대로 과밀수용으로 인한 위험을 겪고 싶지 않다면 범죄를 저지르지 말라고 협박하는 것이나 다름없습니다. 이는 그 자체로 목적이 되어야 할 개인을, 범죄 예방을 위한 수단으로 대하는 것입니다. 따라서 인간의 존엄과 가치를 훼손하므로 과밀수용은 타당하지 않습니다.

Q2. 모범답변

범죄자라 해서 인간의 존엄성 침해를 감내하라는 주장은 타당하지 않습니다. 인간의 존엄성이란 인간을 목적으로 대하고 수단으로 대하지 말라는 것입니다. 인권을 보호하기 위해 국가가 존재하고 국민의 세금을 사용하는 것입니다. 주변 지역주민의 반대가 극심하다거나 세금이 많이 들어 국민을 설득할 수 없다는 것은 본말이 전도된 것입니다. 국가는 인권 보호를 위해 구치소 시설을 효율적으로 운영하거나 이로써도 힘들다면 증축, 신축을 해야 하며 이를 위해 주변 지역주민을 설득하고 예산을 마련해야 합니다. 범죄자도 국민이기 때문에 인권 보호의 대상이며 국가는 이들을 동등하게 대해야 합니다.[144)]

Q3. 모범답변

범죄자를 처벌하는 것이 오히려 인간의 존엄성을 지키는 것이므로, 이는 타당하지 않습니다. 인간은 목적으로 대하고 수단으로 대해서는 안 되기 때문에, 모든 개인은 자기 삶의 가치를 스스로 결정하고 그 결정에 대해 책임을 집니다. 개인은 사회적 목적이나 사회적 가치를 실현하기 위한 수단으로 대해지지 않고, 타인의 자유에 직접적 해악을 입히지 않는 한 개인이 스스로 결정한 신념이나 가치관을 자유롭게 추구할 수 있습니다. 그러나 범죄자는 자신이 선택한 행위의 결과로 처벌을 받게 될 것이라는 것을 명백하게 예측하였음에도 불구하고 타인의 자유에 직접적 해악을 입히는 범죄행위를 저지를 것을 선택하였습니다. 이러한 자유로운 결정에는 책임이 따라오는 것입니다. 그러므로 범죄자는 자신의 자유에 대한 처벌을 받아야 그 책임을 다하는 것이고, 국가는 개인의 자유로운 결정을 보장한 결과로 발생한 책임에 대해 처벌함으로써 인간의 존엄성을 지키는 것이 됩니다. 범죄자를 처벌하는 것은 오히려 범죄자의 자유를 보장한 결과에 대한 책임에 해당하는 것입니다. 결국 이는 인간의 존엄성에 따라 범죄자 개인의 자유와 책임을 존중한 것이므로, 범죄자에 대한 처벌은 인간의 존엄성을 해치는 것이 아닙니다.

144)

미결수용 개선방안

057 개념 기호용 대마 금지

2022 아주대·2021 성균관대/아주대·2020 충북대 기출

1. 기본 개념

(1) 행복추구권

행복추구권은 행복을 위해 하기 싫은 행위를 하지 아니할 자유와 하고 싶은 일을 국가의 간섭 없이 자유롭게 할 자유이다. 소극적으로는 고통과 불쾌감이 없는 상태를 추구할 권리이며, 적극적으로는 안락하고 만족스러운 삶을 추구하는 권리이다.

(2) 주체와 내용

행복추구권의 주체는 다음과 같다. 외국인을 포함한 자연인은 주체가 되나 법인은 주체가 될 수 없다. 법인도 일반적 행동의 자유의 주체가 될 수 있다는 견해와, 법인은 원칙적으로 주체가 될 수 없으나 계약의 자유의 주체가 될 수는 있다는 견해가 있다.

행복추구권의 내용은 헌법에 열거된 기본권으로서 행복추구의 수단이 되는 개별적 기본권 외에도 일반적 행동자유권, 개성의 자유로운 발현권, 자기결정권, 일반적 인격권, 휴식권, 수면권, 일조권 등이 있다. 특히 일반적 행동자유권은 국민이 행복을 추구하기 위하여 적극적으로 자유롭게 행동할 수 있는 것뿐만 아니라 소극적으로 행동하지 않을 자유, 즉 부작위의 자유도 포함한다.

(3) 다른 기본권과의 관계 및 제한 근거

다른 기본권과의 관계에 대하여 여러 학설이 있다. 어떤 자유와 권리에 대한 헌법적 근거에 대한 의문이 있을 시 행복추구권을 우선적으로 적용해야 한다는 우선적 보장설, 다른 기본권과 행복추구권을 경합적으로 보장해야 한다는 보장경합설, 직접 적용할 기본권 조항이 없는 경우에만 행복추구권을 보충적으로 적용해야 한다는 보충적 보장설이 있는데 개별적 기본권의 공동화 방지와 행복추구권에의 안일한 도피 방지를 위해 보충적 보장설이 타당하다. 판례의 입장은 보충적 보장설에 가까운 입장이다. 행복추구권은 국가가 다른 개별적 자유권에 의하여 보호되지 않는 자유영역을 침해한 경우 비로소 기능한다.

행복추구권은 헌법 제37조 제2항에 근거하여 국가안전보장, 질서유지, 공공복리를 위해 제한할 수 있다.

(4) 관련 판례[145)]

① 규제 찬성 입장

마약류관리에 관한 법률 제1조는 "마약·향정신성의약품·대마 및 원료물질의 취급·관리를 적정히 함으로써 그 오용 또는 남용으로 인한 보건상의 위해를 방지하여 국민보건 향상에 이바지함을 목적으로 한다"고 규정하고 있고, 또한, 대마의 사용은 다른 범죄로 이어질 가능성이 있으므로 그와 같은 사회적 위험성을 예방 또는 제거할 필요도 있다. 그러므로 이 사건 법률조항의 위와 같은 입법목적은 그 정당성을 인정할 수 있다. 이 사건 법률조항은 대마의 사용으로 인해 국민 건강에 미치는 악영향을 방지함으로써 국민보건 향상과 아울러 대마 흡연 행위와 관련된 사회적 위험발생의 예방을 도모하고 있고, 이러한 공익은 이 사건 조항으로 인하여 제한되는 개인의 대마초 흡연 및 수수의 자유에 비하여 크다고 할 것이어서 법익의 균형성도 갖추었다.

145)

2005헌바46

헌재 2005.11.24, 2005헌바46, 판례집 제17권 2집

② 규제 반대 입장

모든 국민은 자기의 신체에 중대하고 심각한 침해를 발생시켜 사회윤리에 해를 끼칠 정도가 아닌 한 자기가 추구하는 행복관념에 따라 자유롭게 행동하면서 살 권리가 있는바, 법이 규제하고 있는 마약류 중에서 마약으로서의 독성이 상대적으로 가장 약한 대마초에 대하여 그 흡연 및 수수행위를 처벌하는 것은 부당하고, 나아가 그 법정형 또한 과도하므로 위 조항은 과잉금지의 원칙에 위반하여 행복추구권을 침해한다. 국민은 국가권력으로부터 다른 기호 생활을 하는 사람들과 차별 취급을 받지 않을 권리가 있는데, 대마는 환각성, 금단성, 의존성 등에서 마약으로서의 특성이 약하고 술이나 담배보다도 신체에 해롭지 않음에도 불구하고 술과 담배는 금지하지 않으면서도 대마초 흡연과 수수행위를 형사처벌하도록 규정한 이 사건 법률조항은 헌법 제11조 제1항의 평등의 원칙에도 위반된다.

2. 쟁점과 논거

찬성론: 사회질서 유지	반대론: 개인의 자유
[범죄 예방] 사회를 유지하기 위해서는 범죄를 예방해야 한다. 대마초는 환각물질로 대마초를 흡연할 경우 환각상태에 빠져 자신의 행동을 통제할 수 없게 된다. 자신의 행동을 이성적으로 판단할 수 없기 때문에 범죄 가능성이 높다. 또한 다른 마약으로 진입하는 관문이 되어 1급 마약사범 증가로 이어질 수 있다. 마약중독자가 늘어나면 국민 안전이 위협된다.	[개인의 행복추구권] 개인은 타인의 자유에 해악이 없는 한, 자신이 생각하는 행복을 추구할 자유가 있다. 대마초는 중독성이 가장 약한 물질 중에 하나이며, 나른해지는 정도의 약효가 있어 환각으로 인한 범죄는 일어나지 않는다. 타인의 자유에 대한 직접적 해악이 없음에도 금지하는 것은 개인의 자유를 과도하게 제한하는 것이다.
[평등원칙] 평등원칙은 같은 것은 같게, 다른 것은 다르게 대하라는 원칙이다. 담배나 술은 환각증상이 없는 기호품에 불과하기 때문에 허용하는 반면, 대마는 환각증상이 있어 범죄의 가능성이 있어 규제하고 있는 것이다. 따라서 다른 것을 다르게 대하는 것으로 평등원칙에 부합한다.	[평등원칙 위반] 평등원칙은 같은 것은 같게, 다른 것은 다르게 대하라는 원칙이다. 술이나 담배 등의 기호품과 대마초는 중독성에 큰 차이가 없어 동일한 기호품임에도 불구하고, 술이나 담배는 허용하고 대마는 규제한다면, 이는 같은 것을 다르게 대한 것으로 평등원칙에 위배된다.
[개인의 자유에 대한 실질적 보장] 어떤 사람도 약물 중독자가 되어 자기의 삶을 자기 뜻대로 살지 못하거나, 범죄의 피해자가 되고 싶어 하지 않는다. 따라서 개인이 순간의 유혹을 참지 못하고 자신의 진정한 의사에 반하는 행동을 하기 전에 국가가 이를 금지하여 개인의 자유를 실질적으로 보장할 수 있다.	[공공복리] 현실적으로 국가가 대마흡연을 금지한다고 해서 이를 완전히 금지할 수도, 이에 대한 수요를 완전히 차단할 수도 없다. 반면, 대마 유통에 대한 위험비용으로 대마의 가격은 상승하게 되고, 범죄 가능성이 커진다. 결국 대마 규제는 대마 흡연을 막지도 못하면서 개인의 자유를 침해하고 범죄 가능성만 높여 공공복리를 저해한다.

3. 읽기 자료

태국 대마 마약 재지정[146)]

태국 대마 불법화 논의[147)]

의료용 대마 규제 논의[148)]

호주 의료용 대마[149)]

146)

태국 대마 마약 재지정

147)

태국 대마 불법화 논의

148)

의료용 대마 규제 논의

149)

호주 의료용 대마

057 문제 기호용 대마 금지

답변 준비 시간 10분 | 답변 시간 10분

※ 다음 QR코드를 촬영하면 연결되는 제시문을 읽고, 문제에 답하시오.

태국에서는 대마 제품이 공개적으로 판매되며 대마 재배가 합법화되어 새로운 수입 창출을 기대하는 농부들이 있다. 이로 인해 태국은 대마에 관해 세계에서 가장 자유로운 국가일 수도 있다.

대마 합법화

Q1. 현재 우리나라는 대마 흡연을 규제하고 있다. 그 이유는 무엇인가?

Q2. 대마 흡연을 규제해야 한다는 입장에서, 대마 흡연을 허용할 경우 발생할 문제점과 이 문제점에 대한 자신의 견해를 제시하시오.

Q3. 대마 흡연 규제에 대한 자신의 견해를 논변하시오.

057 해설 기호용 대마 금지

Q1. 모범답변

대마 흡연을 규제하는 이유는 사회질서 유지를 위함입니다. 국가는 사회를 안정적으로 유지하기 위해 범죄를 최소화하여야 합니다. 범죄가 만연한 사회에서는 누구도 자유로울 수 없기 때문입니다. 대마초는 환각성이 있는 약물입니다. 대마를 흡연하게 되면 환각상태에 빠져 자신을 통제할 수 없습니다. 자신을 통제할 수 없는 사람들이 거리를 활보한다면 범죄의 우려가 클 수밖에 없습니다. 그에 더해 대마가 허용된다면 연기를 들이마시는 방법이 유사하기 때문에 중독성이 있는 담배를 피우는 다수 국민 중 일부가 환각성이 있는 대마 흡연을 시도하게 될 것입니다. 환각성을 경험한 대마 흡연자 중 일부는 환각성과 중독성이 모두 있는 마약류 약물로 넘어갈 수 있습니다. 이처럼 대마 흡연은 환각성과 중독성이 강한 약물, 즉 마약 사용의 일종의 관문으로 작동할 수 있어서, 대마 흡연을 허용할 경우 사회적으로 마약 중독으로 인한 범죄 등이 늘어날 가능성이 매우 높습니다. 따라서 범죄를 예방하여 사회질서를 유지하기 위해 대마 흡연을 규제하고 있습니다.

Q2. 모범답변

대마 흡연을 규제해야 한다는 입장에서는, 대마 흡연을 허용할 경우 발생할 문제점으로 범죄 발생 가능성과 청소년에 대한 악영향을 줄 가능성이 있다는 것을 제시할 것입니다.

대마 흡연으로 인해 범죄가 발생할 가능성이 있는 것은 사실이나, 가능성이 있다는 이유만으로 개인의 자유를 제한해서는 안 됩니다. 대마 흡연을 규제해야 한다는 입장에서는 대마 흡연으로 인한 환각성이 범죄를 일으킬 수 있다고 합니다. 그러나 환각성이 있다는 사실이 곧 범죄를 일으키는 것이라고 할 수는 없습니다. 이처럼 직접적 인과관계가 증명되지도 않았는데 이를 제한해서는 안 됩니다. 만약 이러한 이유로 개인의 자유를 제한할 수 있다면, 음주나 흡연도 제한해야 합니다. 음주를 할 경우 정신을 잃을 수 있고, 자신의 건강을 해칠 수도 있으며, 과도한 음주로 인해 타인의 피해가 발생할 가능성이 있습니다. 그러나 음주가 이러한 가능성을 지니고 있다고 해서 음주 자체를 규제하지는 않습니다. 음주의 경우에도 음주 자체를 규제하는 것이 아니라 음주운전을 시도하거나 음주상태에서 폭력을 행사한 경우에 처벌하고 있습니다. 대마 흡연의 경우도 이와 동일하게 취급되어야 합니다. 따라서 대마 흡연으로 인한 범죄 가능성이 있는 것은 사실이나, 이것만으로는 직접적인 원인이라 할 수는 없으므로 대마 자체를 금지해서는 안 됩니다.

대마 흡연이 청소년에게 악영향을 줄 수는 있으나, 담배나 술과 마찬가지로 청소년의 대마 흡연을 규제하면 될 것입니다. 성인은 자신의 자유로운 선택이 어떤 결과를 발생시킬 것인지 숙고하고 그에 대한 책임을 질 수 있으나, 미성년자는 그렇지 않습니다. 대마 흡연 선택이 가져올 영향을 인식하고 예측하여 자유롭게 결정할 수 있는 성인까지 대마 흡연을 규제하는 것은 개인의 자유에 대한 국가의 과도한 개입이므로 타당하지 않습니다.

Q3. 모범답변

대마 흡연 규제는 타당하지 않습니다. 개인의 행복추구권을 과도하게 제한하고, 평등원칙을 위반하기 때문입니다.

먼저, 개인의 행복추구권을 과도하게 제한하므로 대마 흡연 규제는 타당하지 않습니다. 개인은 자기 자신의 주인으로서 타인의 자유에 직접적인 해악을 주지 않는 한 자신이 심사숙고하여 결정한 행복을 실현할 자유가 있습니다. 개인이 어떤 특정한 행복을 추구하고자 결정하였을 때, 그 결정이 그에게 좋지 않다거나 현명하지 않은 것이라 하더라도 이를 권장할 수는 있으나 강제할 수는 없습니다. 대마 흡연은 약간의 환각성이 있을 뿐, 타인의 자유에 직접적 해악을 주지 않습니다. 대마 흡연으로 인해 범죄를 저지를 가능성이 있다는 것은 타인의 자유에 대한 직접적 해악이 될 수 없습니다. 이는 마치 술을 마시면 알코올 중독자가 될 수 있고 술을 사기 위해 범죄를 저지를 가능성이 높기 때문에 음주를 금지해야 한다는 것이나 마찬가지입니다. 따라서 흡연자 개인이 자신의 심사숙고한 결정에 따라 대마 흡연을 결정하였다면 그 자유를 보장해야 합니다.

평등원칙을 위반하므로, 대마 흡연 규제는 타당하지 않습니다. 평등원칙이란 같은 것은 같게, 다른 것은 다르게 대하라는 원칙입니다. 만약 합리적 이유 없이 같은 것을 다르게 대한다면 이는 평등원칙을 위배합니다. 담배나 술 등은 대마초와 동일하게 건강에 좋지 않은 기호품에 불과합니다. 그러나 동일한 기호식품은 동일한 취급을 받아야 함에도, 담배나 술은 허용하고 대마초는 불허하는 것은 같은 것을 다르게 대한 것입니다. 따라서 평등원칙에 위배됩니다.

058 개념 성적 자기결정권

2021 경북대·2020 동아대 기출

1. 기본 개념

(1) 자기결정권

자기결정권은 인간의 존엄과 가치, 행복추구권과 결합하여 작동한다. 개인은 자기 자신의 주인으로서 자기 삶의 목적이 될 가치관을 스스로 결정하고 이를 추구할 권리가 있다. 만약 타인이나 사회, 국가가 개인의 삶의 목적을 정하고 이를 실현할 것을 개인에게 강제하게 된다면, 이는 해당 개인을 특정한 가치 실현의 수단이자 도구로 대하는 것이며, 이는 인간의 존엄에 반하는 것이다. 이것이 바로 신분제와 노예제가 된다. 따라서 자기결정권은 인간의 존엄과 가치, 행복추구권의 연장선상에서 성립한다.

(2) 헌법상 근거

자기결정권은 헌법 제10조의 '인간의 존엄과 가치와 행복추구권'에서 도출되는 권리이다. 헌법재판소는 인간의 존엄과 가치로부터 일반적 인격권을 도출하고 일반적 인격권과 행복추구권으로부터 자기운명결정권, 성적 자기결정권, 자기 생활영역의 자율형성권, 혼인의 자유를 도출한 바 있다. 책임이 없는 자에게 형벌을 부과할 수 없다는 형벌에 관한 책임주의는 헌법상 법치국가의 원리에 내재하는 원리인 동시에 헌법 제10조에서 도출되는 원리이다.

(3) 내용과 제한 근거

자기결정권이란 국가권력으로부터 간섭 없이 일정한 사적 사항에 관하여 스스로 결정할 수 있는 권리를 말한다. 자기결정권에는 흡연·음주·두발·복장 등 Life-Style에 대한 결정권이나 소비자의 자기결정권, 성적 자기결정권 등이 있다. 개인은 자기운명을 스스로 결정할 권리를 가진다.

자기결정권에는 일반적 법률유보에 따른 제한과 자해금지의 원리에 따른 제한이 있다. 특히 자해금지의 원칙은 국민이 합리적 판단을 하지 못해 스스로를 해칠 가능성이 있을 때 국가는 마치 부모처럼 그러한 행동을 막을 수 있다는 것이다.

(4) 성적 자기결정권[150)]

각인 스스로 선택한 인생관 등을 바탕으로 사회공동체 안에서 각자가 독자적으로 성적 관(觀)을 확립하고, 이에 따라 사생활의 영역에서 자기 스스로 내린 성적 결정에 따라 자기책임 하에 상대방을 선택하고 성관계를 가질 권리이다.

성적 자기결정권의 문제는 개인의 도덕과 윤리의 문제이므로 국가가 간섭할 수 없다. 개인의 성적 자기결정권은 사생활의 내밀한 영역에 속하므로 구체적인 내용을 개인의 선택에 맡기고 국가의 개입은 최소화해야 한다. 이에 따르면, 성적 자기결정권의 문제가 법의 문제가 된다고 하더라도 성적 자기결정권의 행사는 사적 계약의 영역이므로 민사적 제재로 충분하고 형법이 간섭할 사항이 아니다. 간통은 부부의 성적 성실의무에 반한 것으로써 혼인계약상의 의무 위반에 불과하기 때문에 형사처벌할 일이 아니다.

150) 성적 자기결정권

(5) 성적 소수자

성적 소수자의 사전적 정의는 인종적, 문화적, 육체적, 심리적 특질로 인해 다른 사람과 구별되어 불공평한 대우를 받는 집단을 소수자 집단(Minority)이라 부르는 일반적 정의에서 한 발 나아간 '성적인 특질로 구별되어 차별받는 집단'으로 정리할 수 있다. 하지만, 실제적으로는 성적 소수자의 정의는 사람이나 단체마다 조금씩 다르게 적용된다.

2. 읽기 자료: 성(性)

(1) sex

임상적으로 sex는 성 염색체, 생식선, 내부 생식기, 성호르몬, 외부 생식기 등을 포함하여 집합적으로 그리고 통상 조화롭게 생물학적인 남성과 여성을 특징짓는 속성으로 정의된다. 이와 같이 sex는 일반적으로 생물학적 요소들에 근거하는 남자 또는 여자로서의 신분을 의미하는 것으로 사용된다. 비록 sex는 이와 같이 사람의 생물학적 반영이지만 현재까지 사람의 sex를 결정하는 신체의 생물학적 모습은 법적 또는 의학적으로 완전히 해결되지는 않고 있다.

(2) gender

생물학적으로 파악되는 sex와는 달리, gender는 사회·심리학적 개념이다. 즉 gender는 사회가 남성적(masculine) 또는 여성적(feminine)이라고 이해하면서 출생시 지정된 성(sex)에 기초하여 개인에게 부여하는 사람의 외모, 인격적 속성 및 사회 성적 역할(socio-sexual roles)을 의미한다. 또 gender는 한 개인의 성심리적 특성을 나타내거나 남성인지 여성인지의 주관적 인식을 나타낸다.

(3) 간성(間性)

남성과 여성이라는 전형적인 성별 이분법적 개념에 맞지 않는 성 특성을 가지고 태어난 자를 통칭하는 개념이다. 태어날 때부터 특성을 보이는 경우도 있으나, 사춘기까지는 뚜렷하지 않은 경우도 있고, 일부 염색체의 간성 변화는 신체적으로 전혀 나타나지 않을 수도 있다. 간성은 생물학적 성 특징과 관련이 있기 때문에 개인의 성적 지향이나 성별 정체성(gender identity)과는 구별된다. 전형적인 생물학적 성 특징과 차이가 있는 신체로 인해, 그들은 종종 사회에서 낙인찍히고, 건강과 신체적 완전성에 대한 권리와 고문과 부당한 대우를 받지 않을 권리 및 차별받지 않을 권리 등 여러 가지 인권침해를 받는다.

058 문제 성적 자기결정권

답변 준비 시간 15분 | 답변 시간 15분

※ 다음 제시문과 QR코드를 촬영하면 연결되는 제시문을 읽고, 문제에 답하시오.

(가) 육·해·공군사관학교가 훈육 등의 이유로 금지했던 1학년 생도들의 이성교제를 일부 허용하기로 했다. 해군사관학교는 자진신고된 이성교제 사례에 대해 생도 40여 명에게 징계를 내렸던 관련 규정을 검토 중이라고 했다.

생도 간 연애

(나) A는 남성으로 태어났으나 자신의 성 정체성에 의문을 품고 성 정체성에 고민하다가 여성으로 성전환수술을 받았다. 성전환자인 A는 가족관계등록부의 성(性)을 남성에서 여성으로 변경해줄 것을 요청했다.

(다) 간성(間性)은 생식기, 성호르몬, 염색체 구조 등이 남성과 여성의 이분법적 구분에 부합하지 않는 경우를 지칭하는 생물학적 용어이다. 성전환의 경우 개인의 성적 지향이나 성 정체성과 관련되지만, 간성은 이와 달리 생물학적 특징에 대한 개념이다. 생물학적으로 여자는 XX, 남자는 XY 염색체를 갖고 있으나, 간성은 다양한 유전적 변이를 보인다. 예를 들어, 성염색체 관련 증후군으로는 남성에게 주로 나타나는 클라인펠터증후군과 여성에게 나타나는 터너증후군을 들 수 있다. 현재 정부 공식문서에서 '제3의 성'을 인정하는 국가로는 독일, 캐나다, 호주, 뉴질랜드, 인도, 파키스탄, 방글라데시, 네팔, 몰타, 미국(캘리포니아·뉴욕 등 일부 주) 등이 있다.

Q1. 제시문 (가)에서, 사관학교는 1학년 생도와 상급 생도 간의 연애를 금지하고 있다. 외국의 사관학교도 이런 규정을 가진 경우가 많다. 1학년 생도와 상급 생도 간의 연애를 금지하는 이유는 무엇인가?

Q2. 제시문 (나)에서 성전환자의 가족관계등록부의 성(性)을 변경하는 것을 허용해야 하는가?

Q3. 제시문 (다)에서 간성인 사람이 간성이 아닌 성으로 변하기를 원하는 경우에 이를 인정해야 하는지 의견을 제시하시오.

추가질문

Q4. B회사에 근무하는 甲이 동성애자라고 밝히자 이 회사는 회사의 명예 실추를 우려하여 甲을 해고하였다. B회사의 甲에 대한 해고는 타당한가?

Q5. C는 육군 대위인데 오랜 숙고 끝에 남성에서 여성으로 성전환을 하였다. 이에 군(軍)은 성전환을 이유로 C를 강제 전역시켰다. 성전환자인 C에 대한 군의 강제 전역 조치는 타당한가?

Q6. D는 남성이었으나 병역 이행 전 여성으로 성전환을 하였다. D가 병역 의무를 행해야 하는지, 자신의 견해를 논하고 예상되는 반론을 제시한 후 이를 재반론하시오.

058 해설 성적 자기결정권

Q1. 모범답변

사관학교에서 1학년 생도와 상급 생도 간의 연애를 금지하는 이유는, 1학년 생도들의 성적 자기결정권을 제한하려는 목적이 아니라 권력관계에 의한 자기결정권의 침해를 막기 위함입니다. 사관학교는 장래의 군 장교를 육성하는 곳이어서 상하명령체계가 작동합니다. 이런 상황에서 1학년 생도는 상급학년생도와 명령체계로 인한 권력관계에 놓이기 때문에 자신의 진정한 성적 자기결정권을 행사할 수 있다고 보기 어렵습니다.[151] 따라서 1학년 생도들의 연애를 금지함으로써 권력관계로 인한 자기결정권의 침해를 예방하고, 1년의 교육과정을 통해 자기결정권의 침해를 막을 제도적 방법 등을 학습시키고자 한 것입니다. 이와 비슷한 사례로 미국 하버드대학의 경우 교직원과 학생의 연애를 금지하여 권력관계로 인한 문제를 막고자 합니다. 단, 타 대학의 교수와 학생의 연애는 금지되지 않기 때문에 개인의 성적 자기결정권의 제한이 심대하지는 않습니다. 사관학교 생도의 경우도 1학년 생도 간의 연애, 상급생도 간의 연애는 허용되므로 사관학교 생도들의 연애 자체가 금지되는 것은 아닙니다. 따라서 개인의 성적 자기결정권의 제한이 심대하다고 볼 수는 없습니다.[152]

Q2. 모범답변

성전환자의 가족관계등록부상 성 변경이 허용되어야 합니다. 가족관계등록부의 행정기록상으로는 남성인데, 자신이 스스로 생각하는 성정체성이 여성이어서 성전환까지 한 자의 성정정은 성전환자의 행복을 위해서라도 허용함이 타당합니다. 인간은 출생 시 자신의 선택과 관계없이 우연적으로 생물학적 성을 가지고 태어납니다. 그리고 삶을 영위하면서 성에 대한 정체성을 확립합니다. 대부분의 경우 출생 시의 성과 출생 후 자신이 선택한 성 정체성이 일치하지만, 드물게 이것이 일치하지 않는 경우도 있습니다. 개인은 자유롭고 행복하게 살기 위해 국가를 형성하였고, 가족관계등록부는 국가가 개인의 자유와 행복을 보호하기 위해 부여한 행정적 수단에 불과합니다. 따라서 성전환자 개인의 자유와 행복을 위해 가족관계등록부 변경을 하여 성정정을 허용함이 타당합니다.[153]

Q3. 모범답변

간성인 사람의 성 변환을 인정해야 합니다. 개인의 성적 자기결정권을 보장해야 하기 때문입니다. 개인은 자신의 주인으로서 자신의 가치관에 따라 심사숙고하여 스스로 결정하고 이에 대한 책임을 지는 존재입니다. 개인의 자유로운 의사 결정이 사회적으로 부적절해 보인다고 하더라도 이 결정이 타인의 자유에 직접적 해악을 주지 않는다면 이를 규제해서는 안 됩니다. 개인이 자신의 성 정체성을 남성, 여성, 간성 중 어떤 것을 선택할 것인지는 자신의 자유이며 그로 인한 책임은 그 자신이 스스로 지게 됩니다. 개인은 성적 자기결정권에 따라 자신의 성 정체성을 스스로 결정할 수 있고, 간성인 사람이 성을 다른 성으로 변하기를 원한다면 이 역시도 개인의 성적 자기결정권의 행사에 해당합니다. 간성인 사람이 다른 성으로 변하기를 원하여 그렇게 결정하였다면, 타인이 보기에 그 결정이 사회적으로 부도덕해 보이거나 현명하지 못하다거나 하는 이유로 이를 규제할 수 없습니다. 개인의 성전환이 강간 등과 같이 타인의 자유에 대한 직접적인 해악을 주지 않으므로 이를 금지할 수 없습니다. 따라서 간성인 사람이 다른 성으로 변하기를 원하는 경우 이를 허용해야 합니다.

151) 군대는 동성 간의 비정상적인 성적 교섭행위가 발생할 가능성이 현저히 높고, 상급자가 하급자를 상대로 동성애 성행위를 감행할 가능성이 높으며, 이를 방치할 경우 군의 전투력 보존에 직접적인 위해가 발생할 우려가 크므로, 이 사건 법률조항이 동성 간의 성적 행위만을 금지하고 이를 위반한 경우 형사처벌한다고 볼 경우에도, 그러한 차별에는 합리적인 이유가 인정되므로 동성애자의 평등권을 침해한다고 볼 수 없다. (헌재 2011.3.31. 2008헌가21)

152)

2008헌가21

153)

2009스117

Q4. 모범답변

B회사의 甲에 대한 해고 조치는 타당하지 않습니다. 성적 취향과 지향은 개인의 차이가 있고 이를 인정해야 합니다. 다른 성 취향을 가지고 있다고 하여 차별하는 것은 평등원칙에 위반됩니다. 甲의 성 취향으로 인해 회사의 명예가 실추되었다고 할 수도 없고 이는 정당한 해고사유도 아닙니다. 따라서 B회사의 甲에 대한 해고는 부당합니다.

Q5. 모범답변

군의 강제 전역 조치는 타당하지 않습니다. 성전환자라고 하여 군인으로 복무할 능력이 없는 것은 아닙니다. 강제 전역 조치는 군인으로서 복무할 자격이 없다는 의미입니다. 그러나 성전환이 군인의 복무자격에 대한 결격사유라 할 수 없습니다. 직업군인 중에는 여군도 있기 때문에 보직을 변경하는 등의 방법으로 군인으로서 근무하도록 함이 타당합니다.[154)]

Q6. 모범답변

D는 여성이므로 병역의 의무를 면제해야 합니다. 남성에서 여성으로 성전환한 자는 이미 여성이며, 여성은 병역의 의무를 지지 않기 때문입니다.

이에 대해 병역기피 목적으로 성전환을 할 수 있다는 반론이 제기될 수 있습니다. 그러나 성전환은 개인에게 있어서 자신의 정체성과 깊은 관련이 있으므로, 병역기피를 위해 성전환하는 경우는 없을 것입니다. 병역을 기피하고자 하는 이유는 개인의 인생에서 2년여의 시간으로 인한 비용을 줄이고자 하는 것입니다. 그러나 자신의 성 정체성에 대해 진지한 고민을 하지 않은 자가 단지 2년여에 불과한 병역을 회피하고자 인생 전체를 자신의 성 정체성과 반대되는 성으로 살아갈 수는 없습니다. 따라서 병역기피를 위해 성전환을 선택하는 경우는 발생하지 않을 것입니다. 따라서 병역기피 목적으로 성전환을 할 수 있으므로 성전환자에게 병역 면제를 해서는 안 된다는 반론은 타당하지 않습니다.

154)

성전환 부사관 강제 전역

059 개념 강간죄

1. 기본 개념

(1) 성염색체 결정설

성염색체 결정설은 유전자 중 46번 염색체인 성염색체가 사람의 성별을 결정하는 결정적 기준이 된다는 입장이다. 성염색체는 수정 시 결정되고 이에 따른 1·2차 성징이 발생하므로 결국 사람의 성별은 근본적으로 성염색체에 의해 결정되는 것이고 다른 생물학적 요소는 모두 성염색체에 의해 이미 결정되어 있는 성별을 대신하는 것일 뿐이라는 것이다. 남자는 여성에 삽입할 수 있는 성기 능력에 기초하여 정의되고, 여성은 출산능력에 기초하여 정의되고 있다. 하지만 성을 결정함에 있어 발생학적인 성인 성염색체의 구성을 기준으로 성을 결정한다면 성전환수술에 의하여도 성염색체는 변경될 수 없다. 결국 성전환자의 수술 후의 새로운 성을 인정할 수 없게 된다.

그러므로 이러한 성염색체 결정설에 대해서는 성염색체의 구성이 생물학적 차원에서 성분화를 나타내는 것에 지나지 않을 뿐 신체적 성징이나 염색체 자체에 이상이 있는 경우 성별을 판정하는 유일한 기준이 될 수 없다는 비판이 있다.

(2) 사회적·심리적 결정설

사람의 사회적 성역할은 사회의 교섭과정에서 결정되는 것이다. 성이란 사회적·심리적 역할에서 시작된 역사적 힘의 산물이고, 사람의 성별은 단순히 생물학적 요소들에 의하여 결정되는 것이 아니라 사회를 살아가는 과정에서 얻게 되는 사회적·심리적 성에 의하여 결정된다고 보아야 한다는 견해이다.

특히, 법적인 판단에서는 심리적 기준을 도입하지 않을 수 없다. 그 결과 성전환자는 수술 여부와 관계없이 사회적·심리적 성에 따라 자신이 반대의 성에 속한다고 느끼며, 반대의 성에 귀속하여 산다면, 형법은 그것을 따라야 한다는 것이다.

염색체의 구성은 여성이지만 전형적으로 남성과 일치하는 특성을 가진 사람은 남성의 사회적·심리적 특성을 갖고 있고, 염색체의 구성이 남성이지만 여성과 일치하는 특성을 가진 사람은 여성의 사회적·심리적 성을 갖고 있다. 이런 경우는 호적정정을 통해서 사회적·심리적 성을 인정하는 방향으로 나아가는 것이 타당하다고 본다.

(3) 종합적 고려설

인간의 성은 생물학적인 요소와 사회적·심리적 요소가 복합적으로 작용하여 결정되므로 법적인 성의 결정에 있어서는 염색체뿐만 아니라 사회적·심리적 성을 종합적으로 고려하여 사회통념에 따라 판단하여야 한다는 견해이다. 인간의 성 결정에 있어서 생물학적인 내용이 기초가 됨은 무시할 수 없으나, 형법 제297조를 적용함에 있어서는 폭행·협박을 통한 강간을 묵인할 수는 없으므로, 생물학적 성과 사회적·심리적 성에 대하여 사회통념을 인식해야 한다는 견해이다.

그러나 종합적 고려설이 무엇을 의미하는 지가 불분명하다. 종합적 고려설이라고 하여도 사회통념이라는 명목하에 각 개인의 윤리적·도덕적 판단이 개입하지 않을 수 없기 때문이다.

2. 읽기 자료[155]

96도791[156]

2012도14788[157]

2018도7709[158]

성인지 감수성[159]

성적 불쾌감 표현[160]

155)
96도791, 2012도14788 판례는 개정 전 형법을 근거로 내린 판결이다. 개정 전후의 내용은 다음과 같다.
[개정 전] 형법 제297조(강간) 폭행 또는 협박으로 부녀를 강간한 자는 3년 이상의 유기징역에 처한다.
[개정 후] 형법 제297조(강간) 폭행 또는 협박으로 사람을 강간한 자는 3년 이상의 유기징역에 처한다.

156)

96도791

157)

2012도14788

158)

2018도7709

159)

성인지 감수성

160)

성적 불쾌감 표현

059 문제 강간죄

답변 준비 시간 20분 | 답변 시간 15분

※ 다음 제시문을 읽고, 문제에 답하시오.

(가) A국은 유교가 오랜 기간 유지되어온 국가로 그 영향이 현재에도 많이 남아있다. A국에서는 남성과 여성의 사회적 역할을 대단히 중시여기는 전통이 있다.

얼마 전 A국은 한 사건으로 인해 큰 논란이 일었다. 남성인 X가 늦은 밤 Y를 뒤따라가 성폭행을 하였고 이후 체포되었는데, 경찰의 조사 결과 성폭행 피해자인 Y가 남성에서 여성으로 성전환 수술을 한 트랜스젠더임이 밝혀진 것이다. 상세한 조사 결과 30세인 가해자 X는, Y를 여성으로 보고 뒤따라가 성폭행하였음이 밝혀졌다. 30세인 피해자 Y는 사춘기인 14세 무렵부터 자신의 성 정체성에 대한 의문을 품고 고민하면서 정신과 상담 등을 꾸준히 받았다. 그럼에도 자신의 성 정체성이 육체적 성과 다른 여성임을 더욱 확고히 하여 27세에 성전환수술을 결심하고 A국에서는 금지된 성전환 수술을 받고자 이 수술이 허용되는 B국에서 수술을 받아 육체적으로 여성이 되었다. 성전환수술은 대단히 위험한 수술로 생명에 큰 위험이 존재하고, 부작용 억제를 위해 남은 인생동안 꾸준히 약을 복용해야 한다.

이 사건을 두고 X를 강간죄로 처벌해야 하는지, 혹은 강제추행죄로 처벌해야 할지 논쟁이 일었다. A국의 법률에 따르면 형량 수준은 강간죄가 강제추행죄보다 2배 이상 높다. A국의 법률 조항은 다음과 같다.

강간죄: 폭행 또는 협박으로 부녀(婦女)를 강간한 자는 이 법을 적용한다.

강제추행죄: 폭행 또는 협박으로 사람에 대하여 추행을 한 자는 이 법을 적용한다.

(나) 성인지 감수성은 성범죄 사건 등 관련 사건을 심리할 때 양성평등에 대한 이해를 바탕으로 피해자가 처한 상황의 맥락과 눈높이에서 사건을 바라보고 이해해야 한다는 것을 뜻한다. 이 개념은 2018년 4월 대법원 판결에서 등장하면서 화제를 모았는데, 당시 대법원 제2부는 학생을 성희롱했다는 이유로 징계를 받은 대학교수가 낸 해임 결정 취소소송 상고심에서 원고 승소 판결한 원심을 깨고 원고 패소 취지로 파기환송했다. 재판부는 이때 판결에서 "법원이 성희롱 관련 소송 심리를 할 때는 그 사건이 발생한 맥락에서 성차별 문제를 이해하고 양성평등을 실현할 수 있도록 '성인지 감수성'을 잃지 않아야 한다."고 밝힌 바 있다. 법관에게 요구되는 성인지 감수성이란 성별 간의 차이로 인한 일상생활 속에서의 차별과 유·불리함 또는 불균형을 인지하는 것을 말하며 피해자의 관점에서 바라보아야 한다는 것을 의미한다.

(다) A(피해자)를 여관방으로 이끌어 성폭행을 한 B(가해자)에 대한 형사사건에서, 1심 법관은 A의 몸에 저항의 흔적이 거의 없고 범행 전 여관방에 이르기까지 CCTV에 찍힌 영상을 볼 때 저항이나 거부의 흔적이 없다는 점, 주변 편의점 주인이나 대리기사에게 구조를 요청할 수 있었음에도 구조를 요청하지 않았다는 점, 범행 후 A와 B가 산책을 하고 술을 마시는 등 일상적인 행동이 이어졌다는 점을 근거로, 술에 취한 A와 B가 서로 합의하여 성관계를 하였다는 B의 주장을 받아들여 무죄를 선고하였다.

Q1. 제시문 (가)의 X에 대해 강제추행죄를 적용해야 한다는 입장을 논하시오. 단, 이 입장에 대해 예상되는 반론을 제시하고 이를 재반론하는 내용을 포함하시오.

Q2. 제시문 (가)의 X에 대해 강간죄를 적용해야 한다는 입장을 논하시오. 단, 이 입장에 대해 예상되는 반론을 제시하고 이를 재반론하는 내용을 포함하시오.

Q3. 제시문 (나)의성인지 감수성이 재판의 판단기준으로 들어왔을 경우 장단점을 말하시오.

Q4. 제시문 (다)의 A는 B에게 성폭력을 당했다고 주장하는데, A가 주장하는 성폭행 이후에 A는 B와 주변을 산책했고, 주변에 충분히 신고 가능한 상황임에도 신고하지 않았다. 원심은 이를 토대로 A의 주장을 받아들이지 않고 무죄를 선고하였다. 만약 당신이 2심 판사라면 원심에 대해 어떤 판단을 내릴 것인가?

추가질문

Q5. 우리나라의 형법에서 개정 전 강간죄는 "폭행 또는 협박으로 부녀를 강간한 자"라고 규정하고 있었다. 이후 개정된 강간죄는 "폭행 또는 협박으로 사람을 강간한 자"라고 규정[161)]하고 있다. 그 차이는 무엇이라고 생각하는가?

Q6. 남성도 강간죄의 객체가 될 수 있는가?

Q7. 법률상 아내는 강간죄의 객체가 될 수 있는가?

161)
제297조(강간) 폭행 또는 협박으로 사람을 강간한 자는 3년 이상의 유기징역에 처한다.
제297조의2(유사강간) 폭행 또는 협박으로 사람에 대하여 구강, 항문 등 신체(성기는 제외한다)의 내부에 성기를 넣거나 성기, 항문에 손가락 등 신체(성기는 제외한다)의 일부 또는 도구를 넣는 행위를 한 사람은 2년 이상의 유기징역에 처한다.
제298조(강제추행) 폭행 또는 협박으로 사람에 대하여 추행을 한 자는 10년 이하의 징역 또는 1천 500만 원 이하의 벌금에 처한다.
제302조(미성년자 등에 대한 간음) 미성년자 또는 심신미약자에 대하여 위계 또는 위력으로써 간음 또는 추행을 한 자는 5년 이하의 징역에 처한다.
제303조(업무상위력 등에 의한 간음) ① 업무, 고용 기타 관계로 인하여 자기의 보호 또는 감독을 받는 사람에 대하여 위계 또는 위력으로써 간음한 자는 7년 이하의 징역 또는 3천만 원 이하의 벌금에 처한다.

059 해설 강간죄

Q1. 모범답변

A국 국민은 강간죄 규정을 통해 여성을 강하게 보호하고자 의도하였기 때문에 X에 대해 강제추행죄를 적용해야 합니다. 생물학적으로 여성은 출산을 할 수 있고 이 과정에서 전적인 책임을 지게 됩니다. 강간을 죄로 보아 처벌하는 이유는 여성의 임신과 출산 기능을 사회적 가치로서 보호해야 사회의 유지와 존속이 가능하기 때문입니다. A국의 강간죄는 '부녀를 강간한 자'라고 규정한 반면, 강제추행죄는 '사람에 대해 추행을 한 자'라고 규정하고 있습니다. A국 국민들은 모성(母性)이라는 가치를 보호하기 위해 강간죄에 사람 대신 부녀자를 특별히 규정한 것이라 보아야 합니다. 그런데 성전환자는는 비록 성전환 수술을 받아 여성의 성기를 외관상으로는 가지고 있다 하더라도 유전적 성염색체가 남성에 해당하는 XY 염색체를 갖고 있어 임신과 출산 자체가 불가능합니다.[162] 따라서 성전환자는 임신과 출산 자체가 불가능하므로 선량한 성풍속과 모성의 보호라는 사회적 가치에 대한 훼손이 인정될 수 없습니다. 따라서 성전환자에 대한 성폭행은 강간으로 볼 수 없고 성추행으로 보아야 합니다.

성적 자기결정권의 침해를 이유로 X를 강간죄로 처벌해야 한다는 반론이 제기될 수 있습니다. 물론 X가 Y의 성적 자기결정권을 침해한 것은 분명합니다. 그러나 성적 자기결정권에 대한 침해가 모두 강간죄에 해당하는 것은 아닙니다. X의 Y에 대한 성적 자기결정권의 침해는 강제추행죄로 처벌받는 것입니다. 따라서 성적 자기결정권을 침해하였다고 해서 X를 강간죄로 처벌해야 한다는 반론은 타당하지 않습니다.

Q2. 모범답변

Y의 성적 자기결정권을 침해하였으므로 X를 강간죄로 처벌해야 합니다. 강간죄에서 규정하는 부녀는 자신을 여성으로 인식하고 있으며 사회구성원들도 여성으로 인식하는 자로 해석할 수 있습니다. 개인의 성 정체성은 자신이 스스로 형성한 것입니다. 개인은 자신의 성 정체성에 따라 자신이 원하는 상대방과 성관계 여부를 자유롭게 결정할 수 있습니다. 트랜스젠더인 Y 역시 개인으로서 자신이 스스로 형성한 성 정체성에 따라 자신의 행위를 자유롭게 결정할 권리가 있습니다. Y는 자신이 스스로 선택할 수 없는 생물학적 남성으로 태어나, 자신의 성 정체성에 대해 15년 이상 치료 등을 받으며 심사숙고하였습니다. 이러한 고민 끝에 자신이 스스로 선택할 수 없는 육체적 성과 상이한 성 정체성을 형성하였고, 자신의 목숨을 위협할 수 있는 성전환 수술을 받아 자신의 성 정체성과 육체적 성을 일치시키고자 하였습니다. 따라서 Y는 자신의 삶을 여성으로 살고자 심사숙고해 결정하였고, 성 정체성 역시 여성임이 확실하며, 성전환수술로 인해 사회구성원들에게도 여성으로 인식되고 있습니다. 따라서 X는 여성을 성폭행한 것이기 때문에 강간죄로 처벌함이 타당합니다.

Y와 같은 트랜스젠더를 부녀로 인정할 경우, 사회적 혼란이 발생한다는 반론이 제기될 수 있습니다. 그러나 X는 트랜스젠더인 Y를 여성으로 인식하였음이 분명합니다. 이와 마찬가지로 여타 사회구성원들도 Y를 여성으로 인식할 것임이 분명합니다. 그러하다면 사회 구성원 모두는 Y와 같은 트랜스젠더를 여성으로 인지할 것이므로 사회적 혼란은 발생한다고 할 수 없습니다. 따라서 사회적 혼란이 발생할 것이라는 반론은 타당하지 않습니다.

162)
대법원 1996.6.11. 96도791

Q3. 모범답변

장점은, 피해자를 보호할 수 있고, 범죄 예방에 기여할 수 있다는 점입니다. 먼저, 피해자를 보호할 수 있습니다. 사법제도는 피해자의 응보감정 해소에 기여해야 합니다. 성인지 감수성에 근거한 재판은 피해자의 입장에서 사건을 바라보기 때문에 사건의 내용적 측면을 중시하고 실체적 진실에 보다 가까운 판결을 기대할 수 있습니다. 이러한 점에서 피해자가 받은 피해의 내용을 반영하고자 하므로 응보감정 해소에 기여하고 피해자의 보호를 달성할 수 있습니다. 둘째로, 범죄예방에 기여할 수 있습니다. 범죄자는 범죄편익과 범죄비용을 예측하여 범죄를 결정합니다. 성범죄의 경우 굉장히 내밀한 영역에서 행해지고, 증명이 까다롭다는 문제가 있습니다. 그러나 성인지 감수성이 판단기준으로 작용하게 된다면 범죄자가 유죄를 받을 확률이 보다 높아지기 때문에 범죄자가 예측하는 범죄비용이 증가하여 잠재적 범죄자들의 범죄의지를 꺾을 수 있다는 점에서 범죄예방효과가 있습니다.

단점은, 책임주의에 반할 수 있고, 국민의 공정한 재판받을 권리에 대한 사법신뢰 훼손이 우려된다는 점입니다. 먼저, 책임주의에 반할 수 있습니다. 책임주의란 개인이 스스로 선택하고 결정한 행위에 해당하는 책임만을 져야 한다는 원칙입니다. 성인지 감수성은 대단히 모호한 기준이며 객관적인 기준이 될 수 없습니다. 재판을 담당하는 법관의 감수성은 사람마다 모두 달라 주관적인 기준일 수밖에 없고, 법관은 신이 아닌 인간이기 때문에 오판의 가능성 또한 존재합니다. 결국 성인지 감수성이 재판의 판단기준으로 작용한다면 법관의 자의적인 판단 가능성이 있고, 특히나 형법의 경우 국민의 자유와 권리를 가장 크게 침해할 수 있습니다. 이처럼 자신의 책임이 아닌 부분까지 주관적 감정에 의해 처벌 받는다면 책임주의에 반하는 것입니다. 둘째로, 사법신뢰의 훼손이 우려됩니다. 국민은 누구나 법을 통해 공정한 재판을 받을 권리가 있고 이를 기대하고 사법제도가 이를 실현할 것이라 신뢰합니다. 그러나 성인지 감수성이라는 주관적 감정에 의해 법관이 자의적인 판단을 할 수 있고 국민은 이에 의해 공정한 재판을 받을 권리가 침해받았다고 여길 수 있습니다. 이는 국민의 사법에 대한 신뢰를 저해하여 사법질서 전체에 대한 불신을 야기할 수 있다는 문제점이 있습니다.

Q4. 모범답변

제가 2심 판사라면 무죄를 선고한 원심에 대해 B의 유죄를 선고할 것입니다. 개인은 성적 자기결정권을 갖고 있으며, 자신이 언제 어디서 누구와 성관계를 할 것인지 스스로 결정할 수 있는 권리로 국가는 이를 보호하여야 합니다. 성범죄의 경우 은밀한 영역에서 이루어지는 경우가 많기 때문에 증명이 어려울 뿐만 아니라 피해자가 육체적으로 저항하기 어려운 경우 또한 많습니다. 이에 따라 단순히 피해자가 적극적인 저항을 하지 않았다는 이유만으로 가해자인 B가 피해자인 A의 성적 자기결정권을 침해하지 않았다고 볼 수는 없습니다. A는 술에 취해 심리적, 육체적으로 저항하기 어려운 상태였기 때문에 성적 자기결정권을 온전히 행사하기 어려웠다고 할 수 있습니다. A와 B가 산책을 하는 등 일상적 행동이 이어졌다는 점은 A가 B에게 호감을 가지고 있음을 증명할 수는 있으나, 이것이 B와 성관계를 할 것에 동의한 것이라고 볼 수는 없습니다. 그뿐만 아니라 주변 상인들에게 도움을 요청하지 않은 점은 주변 상인들이 도움을 줄 것이라 완벽하게 기대할 수 없다는 점에서 피해자가 이를 막연히 기대하고 행동하여 위험에 처하게 되는 상황을 회피하려 했다고 볼 수 있습니다. 따라서 A의 이후 행동만으로 A가 B와의 성관계에 전적으로 동의했다고 볼 수 없다는 점에서 B의 유죄를 선고할 것입니다.

Q5. 모범답변

개정 전후로 "부녀를 강간한 자"와 "사람을 강간한 자"의 차이가 있는데, 이는 강간죄를 통해 보호하고자 하는 가치가 모성의 보호로부터 성적 자기결정권의 보호로 전환되었음을 의미합니다. 이에 따르면, 성전환자의 경우 개정 전 강간죄에 의하면 보호받을 수 없었던 성적 자기결정권을, 개정 후에는 성전환자도 자신의 성적 자기결정권을 보호받을 수 있습니다.

Q6. 모범답변

남성 역시 강제적인 성관계를 통해 성적 수치심을 느낀다면, 강간죄 등의 성범죄의 객체가 될 수 있습니다. 강간죄는 성적 자기결정의 자유를 보호법익으로 합니다. 생물학적 여성만이 성적 자기결정권의 보호대상이 되는 것은 아닙니다. 여성만이 아니라 남성도 원하지 않는 성적 행위를 강요당할 수 있기 때문입니다. 반드시 여성의 성기나 임신·출산 능력을 기준으로 강간죄의 객체를 인정할 필요는 없습니다. 남성 역시 항문성교 등의 유사성행위를 강제당할 수 있고, 그뿐만 아니라 원하지 않는 성관계를 강요당했다면 성적 자기결정권을 침해받은 것입니다. 실제로 직장 내의 권력관계에 의해 여성 상사로부터 부하 남성 직원이 원하지 않는 성관계를 강요당한 경우가 있습니다. 따라서 남성도 성범죄의 객체가 될 수 있습니다.

Q7. 모범답변[163)]

법률상 아내도 강간죄의 객체가 될 수 있습니다. 혼인은 계약의 일종으로 자신이 원하는 상대방과 미래를 함께 하겠다는 약속입니다. 그러나 이것이 원하지 않는 모든 성관계까지도 감수하겠다는 약속은 아닙니다. 따라서 법률상 아내라 하더라도 자신이 원하지 않는 성행위를 혼인 상대방의 폭행 또는 협박으로 강요당했다면 강간죄의 객체가 될 수 있습니다.

163)

2012도14788, 2012전도252

060 개념 혼인과 시민연대계약

2021 전남대/전북대/충남대 기출

1. 기본 개념

(1) 성적 자기결정권과 가족을 구성할 권리

동성애자는 혼인할 권리와 입양을 할 수 있는 권리, 시험과 아기를 통해 임신할 권리가 없으며, 파트너를 보호자로 명해 위급 시 대리인이 될 자격이나 유산 상속권도 없으며, 외국인 파트너의 경우에는 국적 변경 혜택을 받을 권리도 없다. 동성애자가 결혼이나 입양 등을 통해 가족을 구성할 권리가 없다는 것은 앞에서 제시한 불이익 외에도 문제를 가지고 있다. 상징적인 차원에서 여전히 동성애자들은 어딘가 불완전하고 위험한 사람이라는 이미지를 남긴다는 점이 바로 그것이다. 동성혼을 인정했다는 국가들 역시 동성애자의 결합은 '결혼(結婚, marriage)'이 아니라 '파트너십 계약(Partnership register)' 또는 '시민 결합(civil union)' 등 특별법을 제정하는 형식이며, 입양과 인공수정 권리까지는 인정하지 않는다. 프랑스는 1999년 결혼이란 법적 접착제가 아니더라도 자유롭게 동거하고 아이를 낳아 기르며 차별받지 않는 팍스(PACS: Pacte civil de solidarité, 시민연대계약)를 도입하여 느슨한 가족결합제도를 인정했다. 본래 팍스는 동성 간의 결합을 위해 마련된 제도인데 이성 간의 결합에서도 이와 같은 느슨한 가족결합이 늘어나고 있다.

2000년 11월에 네덜란드에서 동성애자 커플에게 입양까지 허용함으로써 가장 전통적인 결혼의 의미에 다가섰다고 평가받는다. 그러나 네덜란드에서 결혼한 동성 부부가 한국에서도 부부로 인정받을 수 있는 것은 아니므로 아직도 이성애자와 완전히 평등해졌다고 볼 수는 없다.

그러나 가장 큰 문제는 결혼을 '선택할 권리'이다. 실상 결혼은 이성애주의를 견고하게 하는 제도적 측면이 강하고 굳이 동성애자가 이성애자의 결혼을 부러워할 이유도 없다. 실익만을 따진다면 동성애 커플에게 필요한 것은 두 사람이 파트너로서 응당 받아야 할 법적·제도적 보호일 뿐이다. 그럼에도 불구하고 동성 결혼을 둘러싼 사회적 논의가 중요한 이유, 그리고 동성혼이 단순히 동성애자의 문제에서 그치지 않고 인간의 문제가 되는 것은, 인간의 진정한 자유란 '원하는 것을 택할 권리'이기 때문이다. 그것은 결혼을 할 것인지, 동거를 할 것인지, 독신으로 살 것인지 등 자신이 원하는 것을 선택할 수 있음을 의미한다.

(2) 미연방대법원 동성혼 판결 주요내용

헌법은 자신의 영역에 속한 모든 사람에게 자유를 약속한다. 이 자유는, 합법의 영역에서라면, 모든 사람이 자신의 정체성을 규정하고 표현할 수 있는 특정한 자유를 포함한다. 이 사건 상고인들은 동성(同性)과 혼인하고, 법의 영역에서 그 혼인을 이성(異性) 간 혼인과 동등하게 인정받음으로써 이 자유를 행사하고자 한다.

헌법은, 그 절차가 기본권을 침해하지 않는 한도 내에서 변화의 적절한 절차로 민주주의를 상정하고 있다. 그러나 헌법은 개인의 권리가 침해되었을 때에는, 민주적 의사결정과정의 일반적 가치에도 불구하고 법원에 의한 구제를 요구한다. 헌법 정신은 특정 주제를 정치적 논쟁으로부터 분리하고 이를 다수결의 영역 밖으로 가지고 나와 법원이 적용하는 법적 원칙으로 확립하는 데 있다. 그렇기 때문에 기본권은 투표의 대상이 될 수 없고, 그 어떤 선거 결과에도 좌우되지 않는다.

혼인만큼 뜻깊은 관계는 없다. 혼인은 사랑, 충실, 헌신, 희생과 가족이라는 최고의 이상들을 담고 있기 때문이다. 혼인을 통해 결합함으로써 두 사람은 이전보다 더 위대한 존재가 된다. 상고인들의 일부가 보여주듯, 결혼은 심지어 죽음을 이겨내는 사랑을 담고 있다. 이들 남성과 여성이 결혼의 이상을 무시한다는 주장은 오해에 불과하다. 상고인들은 자신들이 결혼의 이상을 존중하고, 그토록 결혼의 이상을 깊이 존중하기에 결혼의 이상 속에서 충족을 구하고 싶다고 주장한다. 그들의 바람은 문명의 가장 오래된 제도로부터 배제된 채 외로운 삶으로 추방되지 않도록 해달라는 것이다. 이들은 법 앞에 평등한 존엄을 구하고 있다. 헌법은 이들에게 그러한 권리를 부여한다.

2. 쟁점과 논거

찬성론: 개인의 성적 자기결정권	반대론: 공동체 유지·존속
[개인의 성적 자기결정권] 개인은 자유롭게 자신의 배우자를 선택할 수 있고, 이것이 타인의 자유에 해악을 야기하지 않는다면 이를 존중해야 한다. 동성혼으로 인해 다른 성 정체성을 가지고 있는 타인이 불편함을 느낄 수 있지만, 자유에 대한 해악은 아니다. 사회적 목적을 이유로 동성혼을 금지한다면 특정한 성의 배우자만을 선택하도록 국가가 강제하는 것과 다름없다.	**[공동체 유지·존속]** 한 사회가 유지되기 위해서는 서로 다른 생각을 가진 사회 구성원이 공유하고 있는 가치관이 유지되어야 한다. 우리나라는 예전부터 혼인을 남녀 간의 결합으로 여기고, 이러한 관념에 근거하여 사회적 제도와 관습을 만들어 왔다. 따라서 건전한 성풍속이라는 공유된 가치를 지켜 사회공동체가 유지·존속될 수 있도록 동성혼을 금지해야 한다.
[평등원칙] 평등원칙이란 같은 것은 같게, 다른 것은 다르게 대하라는 원칙이다. 동성혼을 원하는 자와 이성혼을 원하는 자는 모두 동일하게 성적 자기결정권을 행사하는 것인데, 이성혼은 허용하고 동성혼은 규제한다면 같은 것을 다르게 대하는 것으로 평등원칙에 위배된다.	**[평등원칙]** 평등원칙은 같은 것은 같게, 다른 것은 다르게 대하라는 원칙이다. 동성혼은 사회적 가치를 침해하여 사회 공동체 유지를 해할 수 있어 이성혼과는 다르다. 따라서 다른 것을 다르게 대하는 것이므로 평등원칙에 위배되지 않는다.
[절대국가 우려] 애정관계나 혼인은 개인의 내밀한 영역의 문제이다. 이를 국가가 국가의 의무라는 명분으로 특정 가치관을 강제하고 나서게 된다면, 윤리나 도덕과 같은 여타 개인적인 영역에 대한 국가의 간섭이 점차 확대될 우려가 크다.	**[미성년자의 성적 자기결정권 보호]** 자녀는 이성 부모를 통해 성역할을 배우게 된다. 그러나 동성혼 가족에서 자란 자녀의 경우 이러한 학습의 기회가 원천적으로 박탈된다. 그 결과 성역할을 배우지 못한 미성년자가 성년이 되었을 때, 진정한 성적 자기결정권을 행사할 수 없다.

3. 읽기 자료

2022누32797[164)]

164)

2022누32797

060 문제 혼인과 시민연대계약

답변 준비 시간 15분 | 답변 시간 15분

※ 다음 제시문과 QR코드를 촬영하면 연결되는 제시문을 읽고, 문제에 답하시오.

(가) 2015년 6월 26일 미국 연방대법원은 동성 결혼을 합헌으로 결정하여 미국 전역에서 동성 결혼이 허용되었다. 이 판결은 2013년 동성혼이 합법화된 메릴랜드주에서 결혼한 부부가 오하이오주에서 소송을 제기한 데서 시작되었다.

동성 결혼 합헌

(나) 프랑스는 한때 1.5명까지 떨어졌던 합계 출산율을 지난해 1.9명까지 끌어올렸다. 유럽 최고 수준이다. 합계출산율은 가임여성(15~49세) 1명이 평생 낳을 것으로 예상되는 평균 출생아 수를 나타낸 지표로서, 합계출산율이 높을수록 한 여성이 출생하는 자녀 수가 많다는 의미이다. 프랑스는 1999년 결혼이란 법적 접착제가 아니더라도 자유롭게 동거하고 아이를 낳아 기르며 차별받지 않는 팍스(PACS: Pacte civil de solidarité, 시민연대계약)를 도입했는데, 이처럼 보다 느슨한 가족결합제도가 출산율 상승을 도왔다는 의견이 많다. 팍스는 프랑스가 동성 커플에게도 법적인 지위를 인정하기 위해 1999년 도입한 제도이다. 세액공제 등 결혼한 부부와 동일한 수준의 혜택을 보장받는다. 계약을 체결하고 해지할 때 법적으로 기록이 남지 않는다. 이성 커플의 호응도 커 2001년 1만 6,589건이었던 팍스 커플 수는 2017년 19만 3,950건으로 늘었다. 프랑스의 결혼문화는 만 18세 이상 성인이 되어서 연인이 생기면 결혼하기 전에 동거부터 한다. 팍스는 법적 제약을 받지 않는 가족제도인데 반하여 결혼은 법적 규제를 받는다. 프랑스는 이혼율도 상당히 높기 때문에 결혼해서 이혼을 하게 되면 위자료나 재산 분할 등 그 부담이 만만치 않다. 특히 남성은 여성이 재혼하기 전까지 생활비나 양육비 등 월급의 반 이상을 지불해야 되므로 결혼을 꺼린다. 그래서 동거와 결혼의 중간 형태인 팍스를 선호한다. 팍스는 두 사람이 살다가 서로 뜻이 안 맞아 헤어지고 싶으면 둘 중 한 명이 팍스 해지를 원하는 서류를 행정관청에 제출하면 그것으로 끝이다. 한국사회도 결혼을 하지 않는 동거 커플이 늘어나고 있다. 통계에 따르면 국민의 54.6% 이상이 꼭 결혼을 하지 않아도 살 수 있다고 답했다. 젊은 세대들의 결혼관이 달라지고 있고, 결혼에 대한 인식과 개념이 변하고 있다. 일부 국가들은 이미 가족의 다양성을 인정하는 새로운 가족의 형태를 가족관계법으로 인정하고 있다.

Q1. 현재 우리나라는 동성혼을 금지하고 있다. 동성혼을 금지해야 한다는 입장의 논거는 무엇인가?

Q2. 동성혼을 허용해야 한다는 입장의 논거는 무엇인가?

Q3. 동성혼 금지에 대한 자신의 견해를 제시하고, 위에서 제시한 논거 외에 다른 논거를 들어 자신의 견해를 강화하시오. 그리고 자신의 견해에 대해 예상되는 반론을 제시하고 이를 재반론하시오.

Q4. 미국의 경우 연방대법원 판결에 의해 동성혼을 인정하였다. 그런데 동성혼인을 한 부부는 출산이 불가능하다. 동성혼 부부가 자녀 입양을 할 경우 자녀를 잘 양육할 수 없어 이를 금지해야 한다는 견해가 있다. 이 견해에 대한 자신의 입장을 제시하고 이를 논하시오.

Q5. 동성 간 혼인한 자들이 이혼하기를 원할 경우, 이를 허용해야 하는가?

Q6. 제시문 (나)의 팍스와 같이 혼전동거를 제도화하는 것에 대한 찬성, 반대 의견 중 자신의 입장을 밝히고 그 논거를 제시하시오. 그리고 자신이 선택한 입장에 대해 예상되는 반론을 제시하고 이를 재반론하시오.

060 해설 혼인과 시민연대계약

Q1. 모범답변

동성혼을 금지해야 한다는 입장에서는, 사회의 유지·존속이라는 논거를 제시할 것입니다. 이 입장에 따르면, 사회는 서로 다른 생각을 가진 사람들이 모여 이루어진 것이기 때문에 공유된 가치가 있어야 유지·존속될 수 있습니다. 만약 이 공유된 가치가 훼손된다면 사회는 해체될 수밖에 없습니다. 이러한 공유된 가치 중 건전한 성풍속이 있습니다. 사회가 유지·존속하기 위해서는 부부와 가족이라는 성도덕에 기반한 결합이 전제되기 때문입니다. 만약 성도덕이 훼손된다면 이에 기반한 부부, 사회의 기본단위인 가족이 유지될 수 없어 사회도 유지·존속될 수 없습니다. 동성혼은 건전한 성도덕을 훼손하고, 특히 성적 가치관이 확립되지 않은 미성년자에게 악영향을 미치게 됩니다. 악영향을 받은 미성년자는 장래 사회구성원으로 성장할 것이므로 근본적 사회도덕인 건전한 성풍속의 훼손이 심각해질 것입니다. 따라서 동성혼을 금지해야 한다고 주장할 것입니다.

Q2. 모범답변

동성혼을 허용해야 한다는 입장에서는, 개인의 성적 자기결정권을 보호하기 위함이라는 논거를 제시할 것입니다. 이에 따르면, 개인은 자기 삶의 주체로서 자신의 인생의 동반자를 스스로 결정하고 이 선택에 대해 책임지는 존재입니다. 물론 개인의 자유로운 선택이 그에게 더 좋지 않은 결과를 가져올 수 있다거나 더 현명한 결정이 아닐 수도 있으나, 이는 개인에게 권유할 문제이지 그렇다고 하여 다른 선택을 할 것을 강제할 수 없습니다. 동성혼은, 개인이 진지하게 심사숙고하여 자기 인생의 동반자를 상호 간에 자유롭게 결정한 것입니다. 물론 인간은 공동체를 구성해서 살기 때문에 강간 등과 같이 다른 사회구성원에게 해악을 끼치는 경우에 성적 자기결정을 제한할 수 있습니다. 그러나 동성혼은 일부 사람들에게 다소의 감정적 불편함을 줄 수는 있으나, 강간이나 폭행 등과 달리 다른 구성원의 권리에 직접적인 해악을 주는 행위가 아닙니다. 심지어 혼인 당사자 외에 가장 큰 피해를 받을 것이라 예측되는 부모마저도 정신적 충격을 받는 정도에 지나지 않습니다. 그렇다면 동성혼은 제3자의 자유에 해악을 미치지 않기 때문에 혼인을 원하는 두 개인의 성적 자기결정권의 합치에 해당하여 제3자나 국가가 이를 제한할 수 없습니다. 따라서 동성혼을 허용해야 합니다.

Q3. 모범답변

동성혼 금지는 타당하지 않으며, 동성혼은 허용되어야 합니다. 이는 개인의 성적 자기결정권을 보장하고, 평등원칙에 부합하기 때문입니다. 평등원칙 실현을 위해 동성혼은 허용되어야 합니다.

평등원칙이란 같은 것은 같게, 다른 것은 다르게 대하라는 원칙으로, 합리적 이유 없이 같은 것을 다르게 대하는 것은 평등원칙에 위배됩니다. 동성혼은 이성혼과 동일하게 서로 사랑하는 두 사람의 자유롭고 진지한 의사결정의 결과에 해당합니다. 그런데 이성혼은 허용하고 동성혼은 불허한다면 이성혼은 서로 사랑하는 두 사람의 진지한 숙고의 결과로서의 결합인 것으로 인정하고, 동성혼은 그렇지 않다고 보아 합리적 이유 없이 서로 다르게 대하는 것입니다. 이는 합리적 이유 없이 동일한 성적 자기결정권의 합치를, 이성혼은 허용하고 동성혼은 금지하는 것으로 서로 다르게 대하는 것이어서 평등원칙에 위배됩니다. 따라서 동성혼은 허용되어야 합니다.

동성혼을 허용하면 동성애 풍조가 만연하여 사회의 건전한 성풍속을 해하고 공동체를 붕괴시킬 수 있으므로 허용해서는 안 된다는 반론이 있습니다. 이 주장에 따르면, 사회는 도덕 공동체여서 사회도덕을 유지하지 못하면 공동체는 붕괴되므로 도덕에 반하는 행위를 규제해야 한다고 합니다. 그러나 어떤 행위가 부도덕한 행위인가에 대해서는 한 사회의 구성원 간에도 대립이 있을 수 있습니다. 즉 동성애와 동성혼이 부도덕한 행위인지 사회구성원 모두가 합의된 결론을 도출하기 어렵습니다. 따라서 동성혼이 일부 개인의 성도덕에 반할 수는 있으나 사회의 성도덕을 해한다고 할 수는 없습니다. 또한 다수자가 성적 취향이 다르다는 이유로 동성애자의 혼인을 막는 것은 소수자 박해에 해당합니다. 이는 오히려 사회갈등을 야기해 공동체의 붕괴 가능성을 높입니다. 따라서 동성혼을 허용하지 않는 것이 공동체를 붕괴시킬 우려가 크므로 이 반론은 타당하지 않습니다.

Q4. 모범답변

동성혼 부부가 자녀 입양을 원하는 경우, 자녀를 입양하여 가족을 구성하도록 해야 합니다. 가족을 구성해서 사는 경우, 동성부부가 원한다면 자녀를 입양하여 가족을 구성하도록 함이 타당합니다.

또한 동성혼 부부가 자녀 입양을 할 경우 자녀를 잘 양육할 수 없다는 것은 타당하지 않습니다. 아이가 잘 자랄 수 있는지 여부는 아이에 대한 부모의 관심과 노력에 달려있습니다. 동성간에 혼인하는 경우 생물학적으로 자녀를 가질 수 없으므로 아이에 대한 관심이 더 많을 수 있습니다. 반드시 부모가 이성이어야만 자녀가 잘 양육된다는 보장은 없습니다.[165]

Q5. 모범답변

동성혼의 경우도 이성혼과 마찬가지로 이혼을 원한다면 이혼을 허용해야 합니다. 혼인은 두 사람이 인생의 가치관을 함께 실현하기를 원하여 성립하는 일종의 계약입니다. 아무리 신중하게 고민하고 그 책임을 예측한다고 하더라도 신이 아닌 이상 이를 완벽하게 알 수는 없습니다. 따라서 서로가 원하지 않는 결혼생활을 강제할 이유는 없으므로 동성간 혼인한 자들이 이혼을 원한다면 자유롭게 이혼을 할 수 있어야 합니다.

165) 심리적 측면에서 동성애가 子의 복리에 적합한지에 관하여 가정에서의 부모의 성적 편애는 子에게 어떠한 중요한 영향을 미친다고 볼만한 증거가 없다. 자녀가 성장하는 데는 여러 요소가 필요하지만 성적 편애는 그러한 요소가 아니다. 또한 동성애 관계가 자녀를 동성애자로 성장시키는 것도 아니며 그러한 영향을 미치지도 않는다. 오히려 동성애 환경에서 성장한 대부분의 자녀들은 성인이 되어서 이성애자가 된다. 동성애 환경에서의 자녀는 이성애 환경에서의 자녀와 비교할 때 더 이상 혼동스럽거나 불건전하거나 또는 불안정하지 않다. (이로문, <성전환과 성전환자의 민법적 고찰>)

Q6. 모범답변

PACS 제도를 도입해야 합니다. 개인의 성적 자기결정권을 보호할 수 있고, 공공복리를 실현할 수 있기 때문입니다.

개인의 성적 자기결정권을 보장하기 위해 PACS 제도를 도입해야 합니다. 개인은 자유의 주체로 성적인 상대를 누구로 할 것인지 누구와 미래를 함께 할 것인지 심사숙고하여 스스로 결정하고 그에 대해 책임을 지는 존재입니다. 개인이 누구와 미래를 함께 할 것인지 자유롭게 결정하였고 그러한 개인과 개인의 자유가 합치하였다면 국가는 이를 존중해야 합니다. 그러나 현재의 혼인제도는 이러한 개인의 자유가 혼인이라는 선택에 이를 때에만 보호하고 있습니다. PACS 제도는 개인의 성적 자기결정권의 실현과 합치가 혼인이라는 선택에 도달하지 않은 상태에서도 개인의 자유를 보장할 수 있습니다.

공공복리의 실현을 위해 PACS 제도를 도입해야 합니다. 개인 간의 성적 자기결정권의 합치를 통해 자녀를 출산하였더라도 현행 혼인제도 하에서는 혼인 외 자녀에 대한 보호가 미흡합니다. 그러나 PACS 제도를 도입할 경우 혼인 외 자녀에 대한 보호와 복지 제공이 가능합니다. 이처럼 혼인에 이르지 못한 두 성인의 자기결정권을 보장할 수 있을 뿐만 아니라 현재 국가의 보호에서 벗어나 있는 아동을 보호할 수 있습니다. 이에 더해 출산율의 상승을 기대할 수 있어 국가인구 감소 문제에 대응할 수 있습니다. 이처럼 공공복리를 실현할 수 있으므로 PACS 제도를 도입해야 합니다.

물론 이에 대해 혼인이라는 사회적 가치를 훼손하는 것이라는 반론이 제기될 수 있습니다. 그러나 PACS 제도는 혼인의 가치를 훼손하지 않고 오히려 혼인의 사회적 가치를 보호할 수 있습니다. PACS를 통해 결합한 두 개인은 공인된 동거를 통해 서로의 가치관과 혼인에 대한 생각이 결혼에 이를 것인지를 판단해볼 수 있습니다. 이러한 판단의 결과, 결혼에 이를 경우 심사숙고한 결정이며 실제로 생활을 통해 판단한 결과이므로 이혼에 이르기 어려워 안정적 결혼생활이 이루어질 가능성이 높습니다. 따라서 PACS는 안정적 혼인관계의 유지에 기여할 수 있습니다.

061 개념 이혼과 간통

2020 아주대 기출

1. 기본 개념[166)]

(1) 이혼 시 유책주의

이혼에 관하여 파탄주의를 채택하고 있는 여러 나라의 이혼법제는 우리나라와 달리 재판상 이혼만을 인정하고 있을 뿐 협의상 이혼을 인정하지 아니하고 있다. 우리나라에서는 유책배우자라 하더라도 상대방 배우자와 협의를 통하여 이혼을 할 수 있는 길이 열려 있다. 이는 유책배우자라도 진솔한 마음과 충분한 보상으로 상대방을 설득함으로써 이혼할 수 있는 방도가 있음을 뜻하므로, 유책배우자의 행복추구권을 위하여 재판상 이혼원인에 있어서까지 파탄주의를 도입하여야 할 필연적인 이유가 있는 것은 아니다.

우리나라에는 파탄주의의 한계나 기준, 그리고 이혼 후 상대방에 대한 부양적 책임 등에 관해 아무런 법률 조항을 두고 있지 아니하다. 따라서 유책배우자의 상대방을 보호할 입법적인 조치가 마련되어 있지 아니한 현 단계에서 파탄주의를 취하여 유책배우자의 이혼청구를 널리 인정하는 경우 유책배우자의 행복을 위해 상대방이 일방적으로 희생되는 결과가 될 위험이 크다.

유책배우자의 이혼청구를 허용하지 아니하고 있는 데에는 중혼관계에 처하게 된 법률상 배우자의 축출이혼을 방지하려는 의도도 있는데, 여러 나라에서 간통죄를 폐지하는 대신 중혼에 대한 처벌규정을 두고 있는 것에 비추어 보면 이에 대한 아무런 대책 없이 파탄주의를 도입한다면 법률이 금지하는 중혼을 결과적으로 인정하게 될 위험이 있다.

가족과 혼인생활에 관한 우리 사회의 가치관이 크게 변화하였고 여성의 사회 진출이 대폭 증가하였더라도 우리 사회가 취업, 임금, 자녀양육 등 사회경제의 모든 영역에서 양성평등이 실현되었다고 보기에는 아직 미흡한 것이 현실이다. 그리고 우리나라에서 이혼율이 급증하고 이혼에 대한 국민의 인식이 크게 변화한 것이 사실이더라도 이는 역설적으로 혼인과 가정생활에 대한 보호의 필요성이 그만큼 커졌다는 방증이고, 유책배우자의 이혼청구로 인하여 극심한 정신적 고통을 받거나 생계유지가 곤란한 경우가 엄연히 존재하는 현실을 외면해서도 아니 될 것이다.

(2) 이혼 시 파탄주의

상대방 배우자의 혼인계속의사는 부부공동생활관계가 파탄되고 객관적으로 회복할 수 없을 정도에 이르렀는지 등을 판단할 때에 참작하여야 하는 중요한 요소라 할 수 있다. 그렇지만 그러한 의사를 참작하였음에도 부부공동생활관계가 객관적으로 회복할 수 없을 정도로 파탄되었다고 인정되는 경우에, 다시 상대방 배우자의 주관적인 의사만을 가지고 형식에 불과한 혼인관계를 해소하는 이혼청구가 불허되어야 한다고 단정하는 것은 불합리하며, 협의가 이루어지지 아니할 때의 혼인해소 절차를 규정한 재판상 이혼제도의 취지에도 부합하지 아니한다.

간통죄는 과거의 간통행위 자체에 대한 형사적인 제재인 반면, 혼인파탄에 따른 이혼은 혼인의 실체가 소멸함에 따른 장래의 혼인 법률관계의 해소로서 제도의 목적과 법적 효과가 다르므로, 간통을 한 유책배우자에 대한 형사적 제재가 없어졌다고 하더라도, 민사상의 불법행위에 해당하는 간통행위로 인한 손해배상책임을 강화하는 것은 별론으로 하고, 혼인의 실체가 소멸한 법률관계를 달리 처우하여야 할 필요는 없다.

166) 대법원 2015.9.15. 선고 2013므568 전원합의체 판결 [이혼]

위와 같은 여러 사정들을 종합하여 보면, 혼인관계가 파탄되었음에도 유책배우자가 이혼을 청구하고 상대방이 이를 거부한다는 사정만으로 일률적으로 이혼청구를 배척하는 것은 더 이상 이혼을 둘러싼 갈등 해소에 적절하고 합리적인 해결 방안이라고 보기 어렵다.

2. 읽기 자료

2013므568[167)]

2009헌바17[168)]

유책주의와 파탄주의[169)]

167)

2013므568

168)

2009헌바17

169)

유책주의와 파탄주의

061 문제 이혼과 간통

답변 준비 시간 15분 | 답변 시간 15분

※ 다음 QR코드를 촬영하면 연결되는 제시문을 읽고, 문제에 답하시오.

(가) 재판부는 혼인 파탄에 주된 책임이 있는 배우자는 이혼을 청구할 수 없다고 판결하여 영화감독 홍 씨가 청구한 이혼 소송이 기각됐다.

유책배우자 이혼 청구

(나) 1953년 제정된 '간통죄' 2015년 위헌으로 결정되었으며, 간통 혐의로 징역형 받은 '사법연수원 불륜남'은 항소심에서 무죄를 선고받았다, 그러나 간통죄 폐지됐어도 '외도'는 불법이므로 손해배상 청구가 가능하다.

간통죄 폐지

Q1. 제시문 (가)와 같이 우리 법원은 이혼에서 유책주의를 긍정하고 파탄주의를 부정하고 있다. 이혼 시 유책주의와 파탄주의 중 어떤 입장이 타당한지 자신의 견해를 정하여 논하시오.

Q2. 제시문 (나)에서 알 수 있듯이, 2015년 헌법재판소의 위헌 결정으로 간통죄는 폐지되었고 간통은 비범죄화되었다. 간통죄 폐지의 논거는 무엇인가?

Q3. 사회는 도덕을 끈으로 하여 유지되는 공동체이고, 부부간 성적 성실 의무와 일부일처제는 공동체 유지를 위해 필요한 덕목이라 할 수 있다. 헌법재판소의 간통죄 위헌 판결에 대해 평가하시오.

Q4. 만약 간통죄가 존재한다면 간통을 하려는 자들이 처벌에 부담을 가져 간통이 줄어드는 효과가 있을 것이므로 간통죄가 필요하다는 주장이 있다. 이에 대해 어떻게 생각하는가?

Q5. 국가는 가정을 보호해, 이혼에 따른 가정 파괴와 아이들의 정신적 혼란을 방지할 의무가 있다. 이러한 점에서 간통죄가 필요하다는 주장이 있다. 이 주장에 대해 어떻게 생각하는가?

061 해설 이혼과 간통

Q1. 모범답변

이혼 시 파탄주의가 타당합니다. 개인의 자기결정권 보장과 가족관계의 실질적 보호를 달성할 수 있기 때문입니다.

개인의 자기결정권 보장을 위해 이혼시 파탄주의가 타당합니다. 개인은 자기 자신의 주인으로서 자신의 삶의 목적이 될 가치관을 스스로 형성하고 이에 따른 선택이 가져올 책임을 예측해 스스로 결정하고 이에 대한 책임을 지는 존재입니다. 두 개인이 삶의 목적으로 하는 가치관을 함께 실현하고자 의사가 합치된 것이 혼인입니다. 혼인은 일종의 자유로운 계약관계로써, 일방의 가치관이 변화했거나 그 실현방법이 일치하지 않는다거나 하는 이유로 인해 일방이 혼인관계를 해소하고자 결정한다면 이를 존중할 필요가 있습니다. 일방이 원하지 않는 혼인을 강제하도록 하는 것은 개인의 자기결정권에 대한 침해이자 불행을 강제하는 것입니다. 이미 혼인관계가 파탄되어 형해화된 혼인관계를 지속하고 있을 뿐인 개인들에게 혼인을 강제해서는 안 됩니다. 비록 유책배우자가 혼인의 파탄에 책임이 있더라도 이미 파탄난 혼인관계를 지속하도록 강제하는 것은 개인의 행복을 심대하게 저해합니다. 따라서 개인의 자기결정권을 보장하기 위해 파탄주의를 택해야 합니다.

가족관계의 파괴를 실질적으로 막기 위해 파탄주의가 타당합니다. 유책주의는 재판상 이혼을 하기 위해 상대방이 혼인의 파탄에 책임이 있다는 점을 입증해야만 합니다. 부부는 결국 서로 상대방의 잘못을 찾아내어 공격하고 비난하면서 분쟁을 격화시킬 수밖에 없습니다. 격화된 분쟁을 겪은 후 이혼 청구가 기각된다면 분쟁의 당사자들인 부부뿐만 아니라 이를 지켜본 자녀들까지 더 악화된 가정생활을 감내해야만 합니다. 이미 파탄난 혼인관계를 인정하고 재판과정에서 상대방에 대한 비난까지 이어지지 않도록 해야 실질적으로 가족관계가 파괴되는 것을 막을 수 있습니다. 따라서 가족관계의 파괴를 막기 위해서라도 파탄주의를 택함이 타당합니다.

Q2. 모범답변

개인의 성적 자기결정권의 보호를 위함입니다. 개인은 자기 삶의 주체로서 자기 삶의 가치관을 스스로 정하고 이를 추구하여 행복하게 살 수 있는 권리를 갖고 있습니다. 개인이 누구와 자기 삶의 동반자를 누구로 정할 것인지는 심사숙고하여 스스로 결정한 것이고 이러한 개인들의 자유로운 의사가 합치하여 결혼이라는 계약이 성립되는 것입니다. 그런데 개인의 심사숙고한 의사결정이라 하더라도 불완전한 인간의 결정이므로 문제가 발생할 수도 있습니다. 우리는 이러한 경우 계약을 해지하고 이 계약에 대한 책임을 지게 됩니다. 그러나 혼인의 결정과 마찬가지로 계약의 해지 역시 자유로운 개인 간의 결정이므로 개인 간의 문제에 불과하며 국가가 개입할 문제는 아닙니다. 국가가 부부 간 애정, 성적인 문제까지 해결하려 해서는 안 됩니다. 당사자들이 알아서 할 성적 문제까지 국가가 나서서 해결하려 한다면, 국가만능주의 사고입니다. 국가 후견주의는 개인의 자유 위축으로 이어집니다.

Q3. 모범답변

국가는 도덕의 실현자가 아니므로 국가의 간섭은 타당하지 않습니다. 국민에게 더 나은 삶을 강요해서는 안 됩니다. 국가가 도덕 선생님이 된다면 개인의 자유는 말살됩니다. 국가는 개인이 도덕적인 삶을 살도록 권유, 권장할 수는 있으나 이를 강제할 권한은 없습니다. 도덕적으로 비난할 문제를 국가가 법으로 강제해서 자유를 침해해 온 사례는 너무 많이 있습니다. 국가가 도덕을 권장해온 경우조차 자유를 침해한 사례는 많습니다. 예를 들어 조선시대 여성이 재가(再嫁)하지 않은 경우 국가가 열녀문을 세워준 탓에 집안마다 여성의 재혼을 사실상 금지해, 여성의 행복추구권을 침해한 바 있습니다.

그리고 간통죄가 폐지된다고 하여 간통이 도덕적 행위가 되는 것은 아닙니다. 간통은 여전히 부도덕한 행위이며 도덕적 비난의 대상이 될 수 있습니다. 간통죄 폐지는 단지 국가가 나서서 이를 처벌할 일은 아니라는 것에 불과합니다.

Q4. 모범답변

간통을 줄이기 위해 간통을 죄로 다스리는 것은 타당하지 않습니다. 혼인은 두 사람이 자신의 가치관이 서로에게 부합한다고 스스로 판단하여 자유롭게 결정한 결과로써 일종의 계약에 해당합니다. 이러한 계약 유지 과정에서 문제가 있다면 계약을 해지하면 될 일이지, 그 계약을 반드시 유지해야 하기 때문에 처벌한다는 것은 합리적이지 않습니다. 이것이 인정될 수 있다면 가족을 유지하기 위해 이혼을 금지시키는 것도 허용된다는 논리가 성립할 수 있습니다. 그러하다면 부부간에는 서로 사랑하지 않으면서 처벌이 두려워 강제로 혼인관계를 불행한 상태로 유지해야 하고, 자녀는 부부관계에 대한 잘못된 인식을 갖게 될 것입니다. 따라서 간통을 줄이기 위해 간통죄가 필요하다는 주장은 타당하지 않습니다.

Q5. 모범답변

간통죄가 있다고 하여도 이혼이나 가정 파괴를 막을 수 없습니다. 우리나라에는 간통죄가 있었으나 간통죄가 없는 다른 나라보다 이혼율이 낮은 것은 아니었습니다. 물론 이혼 가정의 아이들의 정신적 혼란을 막는 것이 바람직합니다. 그러나 앞서 말한 바와 같이 간통죄로 이를 막을 수 없습니다. 국가가 철인왕처럼 개인의 은밀한 영역까지 간섭해서 모든 일을 해결해야 한다고 생각해서는 안 됩니다. 국가가 노력해야 할 것과 국가가 법으로 강제해야 할 것은 다릅니다. 학생들이 공부를 잘 할 수 있도록 국가는 노력해야 하나, 국가가 공부 잘 할 것을 강요하고 공부를 못한다고 하여 학생들을 처벌하는 것이 옳은 것은 아닙니다. 국가가 가정의 화목을 권장하고, 가정 파괴나 이혼을 국가가 막기 위해 노력하는 것은 타당합니다. 그러나 국가가 이를 위해 간통한 자를 처벌하는 것은 사회적 가치 실현을 위해 국가가 개인의 자유를 과도하게 제한하는 것으로 타당하지 않습니다.

062 개념 평등과 형평

2020 연세대 기출

1. 평등원칙

평등원칙은 국민의 기본권 보장에 관한 우리 헌법의 최고원리로서 국가가 입법을 하거나 법을 해석 및 집행함에 있어 따라야 할 기준인 동시에, 국가에 대하여 합리적 이유 없이 불평등한 대우를 하지 말 것과, 평등한 대우를 요구할 수 있는 모든 국민의 권리로서, 기본권 중의 기본권인 것이다.[170]

평등원칙의 내용은 '법 앞에 평등'이 실현되어야 한다는 것이다. '법 앞에 평등'에서 법은 의회에서 제정한 형식적 의미의 법률과 헌법, 명령, 규칙 등 모든 법규범을 의미한다. '법 앞에서'의 의미는 법집행과 적용뿐만 아니라 법의 내용까지도 평등해야 한다는 모든 국가작용에 대한 규제원리[171]이다. 이에 따르면 모든 법률은 평등원칙에 위반되어서는 안 된다. 그러나 불법 영역에서의 평등은 허용되지 않는다. A가 위법한 행정행위로 이익을 받은 경우 B가 평등원칙을 적용해 동일한 위법행위를 요구할 경우 평등원칙은 적용될 수 없다. 불법에 대한 평등권 주장은 국가가 위법행위를 할 것을 요구하는 것이므로 법치주의 원리에 따라 허용될 수 없다.

2. 차별 금지

차별 금지의 사유는 성별, 종교, 사회적 신분 외의 출신지역, 출신학교, 용모나 연령 등이 있다. 이에 대한 자의적 차별은 위헌이다. 헌법 제11조에서 금지하고 있는 차별 금지사유에 따른 차별이라 하더라도 차별이 절대적으로 금지되는 것은 아니며, 합리적 이유가 있다면 허용될 수 있다. 예를 들어, 종교는 차별 금지 사유이기 때문에 일반기업에서 특정종교를 믿는다는 이유로 채용을 거부할 수는 없으나, 종교단체 직원인 경우에는 합리적 이유가 있으므로 차별 금지사유에 해당한다고 볼 수 없다.

평등의 의미에 대해 절대적 평등설과 상대적 평등설이 있다. 통설은 상대적 평등설이며, 이에 따르면 합리적 근거 또는 정당한 이유가 있는 차별 혹은 불평등은 허용된다. 합리적 차별의 판단기준으로는 인간의 존엄성 존중, 정당한 입법목적, 수단의 적정성(과잉 금지원칙)이 있다.

3. 평등원칙의 심사 척도

평등원칙의 심사척도로 두 가지가 제시된다.

첫째, 자의금지원칙에 위반되어서는 안 된다. 입법자에게 광범위한 형성의 자유가 인정되는 영역에 적용하는 심사기준이다. 이에 따르면 차별취급이 외관적으로 명백하게 자의적인 경우에 자의금지원칙 위반이 된다. 자의금지원칙의 심사요건은 다음과 같다. 일반적으로 자의금지원칙에 관한 심사요건은 (가) 본질적으로 동일한 것을 다르게 취급하고 있는지에 관련된 차별취급의 존재 여부와, (나) 이러한 차별취급이 존재한다면 이를 자의적인 것으로 볼 수 있는지 여부라고 할 수 있다. 한편, (가)의 요건과 관련하여 두 개의 비교집단이 본질적으로 동일한가의 판단은 일반적으로 당해 법규정의 의미와 목적에 달려 있고, (나)의 요건과 관련하여 차별취급의 자의성은 합리적인 이유가 결여된 것을 의미하므로, 차별대우를 정당화하는 객관적이고 합리적인 이유가 존재한다면 차별대우는 자의적인 것이 아니게 된다.[172]

170) 헌재 1989.1.25. 88헌가7

171) 헌재 1992.4.28. 90헌마24

172) 헌재 2002.11.28. 2002헌바45

둘째, 비례원칙에 위반되어서는 안 된다. 자의심사의 경우에는 차별을 정당화하는 합리적 이유가 있는지 여부만을 심사하기 때문에 그에 해당하는 비교대상 간의 사실상의 차이나 입법목적(차별목적)의 발견 혹은 확인에 그친다. 반면, 비례심사의 경우 단순히 합리적인 이유의 존부문제가 아니라 차별을 정당화하는 이유와 차별 간의 상관관계에 대한 심사, 즉 비교대상 간의 사실상의 차이의 성질과 비중 또는 입법목적(차별목적)의 비중과 차별의 정도에 적정한 균형관계가 이루어져 있는가를 심사한다.[173)]

4. 미연방대법원의 차별에 대한 심사기준

미연방대법원은 이중심사기준(합리적 심사기준과 엄격한 심사기준)을 적용하다가 1976년 이후에는 3중심사기준을 채택하고 있다.

(1) 합리성 심사기준

국가의 공권력 행사로 인해 차별적 효과가 발생하더라도 정당한 국가이익(legitimate interest)을 달성하기 위한 목적과 수단 사이에 합리적 관련성(rational relationship)이 인정되면 평등원칙에 반하지 않는다는 심사기준이다. 경제정책에 적용되는 차별기준이다.

(2) 중간적 심사기준

차별의 목적이 중요한 국가이익(important interest)을 달성하기 위한 것이고, 차별수단이 목적달성에 실질적 관련성(substantial relationship)이 있어야 한다는 기준이다. 성별에 의한 차별에 적용된다.

(3) 엄격한 심사기준

차별목적이 절박한 이익(compelling interest)이고, 차별조치가 목적달성에 필수적 관련성(necessary relationship)이 있어야 한다는 심사기준이다. 인종에 의한 차별에 적용된다.

구분	목적	수단	적용
합리성 심사	합법적 목적	합리적 관련성	경제정책에서 차별
중간 심사	중요한 이익	실질적 관련성	성별차별
엄격한 심사	압도적 이익	필수적 관련성	인종차별

5. 미연방대법원 관련 판례

(1) 우선처우론(Theory of preferential treatment)

미연방대법원의 판례에 의해 발전된 것으로 사회통합을 위해서는 기회의 균등만 가지고는 부족하므로 결과의 평등을 실현하기 위해 여성, 노약자, 소수민족, 사회적 약자에 대해 특별대우나 특별급여를 부여하여 실질적 평등을 실현해야 한다는 이론이다.

173) 헌재 2001.2.22. 2000헌마25

(2) 적극적 우대조치(Affirmative Action)

사회적 약자를 위한 국가의 특별한 우대조치이다. 대표적인 방법으로 할당제와 목표제가 있다. 최근 미연방대법원은 적극적 조치를 취할 의무는 없으므로 적극적 조치를 취할 수 없도록 하는 주헌법에 대해 합헌 결정한 바 있다.

(3) 역차별(Reverse discrimination)

적극적 우선조치가 지나치거나 부당하게 적용되어서 사회적 강자인 백인이나 남성에게 발생한 차별을 의미한다.

(4) Separate but equal(분리하나 대등하게 대우하라는 원칙)

1896년 Plessy v. Ferguson 사건에서 백인과 유색인의 객차를 분리시킨 것에 대한 미연방대법원의 다수는 '흑인들이 백인으로부터 분리되는 것과 마찬가지로 백인들도 흑인으로부터 분리되기 때문에 그 행위가 차별적이 아니다'라고 판결했다. 이 판결을 통해 분리하나 대등하게 대우하라는 원칙이 성립되었다. 그러나 1954년 Brown v. Board of Education of Topeka 사건에서 Separate but equal 원칙에 대해 위헌 판결을 했다. 이 사건 판결을 통해, 학교교육의 영역에서 분리하나 평등하다는 이론은 설 자리가 없음을 확인했다. 분리된 교육시설은 본래 불평등한 것이다.

062 문제 평등과 형평

답변 준비 시간 10분 | 답변 시간 10분

※ 다음 제시문을 읽고, 문제에 답하시오.

(가) '평등'이란 주어진 조건에 상관없이 모두 같은 환경에서 관람해야 한다는 논리다. 그래서 키가 큰 아버지와 가장 작은 막내아들 모두 같은 크기의 발 받침대를 밟고 올라가 경기를 관람한다. 그러나 문제는 키가 큰 아버지와 형은 발 받침대를 밟고 올라가면 경기를 볼 수 있지만, 막내아들은 발 받침대 한 개로는 경기를 관람하기에 역부족이라는 것이다. 그렇다면 '형평'이 실현되는 모습은 무엇일까? 형평이란 균형이 맞는 상태를 의미한다. 이를 그대로 실현하면 키가 큰 아버지는 발 받침대가 없어도 경기를 관람할 수 있으므로 막내아들에게 아버지의 발 받침대까지 2개의 발 받침대를 주는 것이 맞다. 그래야 아버지와 아들 모두 경기를 관람할 수 있기 때문이다.

(나) 우리나라는 그동안 부의 축적을 불법·탈법과 정경유착의 산물로 보고, 특정계층에 집중된 부를 공공부문으로 흡수하는 것이 선이라는 사회적 시각에서 상속 과세를 강화하여 왔다. 그러나 글로벌 경쟁이 심화되고 기업의 경쟁력이 국가의 존립과 직결되는 상황에서, 기업의 사회적 기여(일자리 및 소득 창출)와 부의 양극화 완화(출발선의 평등, 과세형평)에 대한 냉정한 평가의 필요가 있다. 부의 양극화 완화는 정부지출(예산)을 주수단으로 하고, 조세는 보조수단으로 활용하는 것이 보다 효과적인 점을 직시해야 한다. 기업의 승계를 원활하게 하여 기업이 일자리 및 소득 창출을 계속할 수 있도록 하고, 증가된 기업 활동으로 추가 징수되는 소득세·법인세·부가가치세 등으로 소득재분배 내지 사회적 약자를 지원하는 것이 보다 효과적이고 생산적인 방법이다. 미국·독일·스웨덴 등 주요 선진국은 차등 의결권 주식발행·공익재단에 대한 주식 출연·지분관리회사 설립 등 다양한 방식으로 경영권을 승계할 수 있으나, 우리나라는 이러한 방법들이 원천적으로 차단되어 원활한 경영권 승계가 어렵다. 현재 상속세 평가 시 최대주주의 주식은 20%(중소기업 10%)를 가산하고, 최대주주 지분이 50%를 초과하는 경우 30%(중소기업 15%)를 가산하고 있다. 미국, 영국, 독일, 일본 등 주요 국가는 최대주주에 대한 일률적인 할증평가제도가 없으며, 영국, 독일 등은 오히려 소액주주에 대하여 할인평가를 적용하고 있다. 최대주주에 대한 획일적인 할증평가로 인해 최대주주 상속세율이 최고 65%에 달하여, 상속 재산의 크기가 줄어들 뿐만 아니라 경영권의 승계라는 권리 자체가 불확실해져 기업가 정신이 크게 약화될 우려가 있다. 따라서 구체적 타당성이 결여되고 상속세 부담만 과중시키는 최대주주 할증평가 제도는 폐지하는 것이 바람직하다.

(다) 최근 선별적 복지와 보편적 복지에 대한 논쟁이 가열되고 있지만 논쟁의 상당부분이 가치 혹은 이념적인 주장에 바탕을 두고 있어 선별적 복지와 보편적 복지의 타당성에 대한 결론을 내기 쉽지 않은 상황이다. 이러한 맥락에서 최근 논란이 되고 있는 무상급식, 무상보육, 반값 등록금 등 보편적 복지의 전형적 사례인 무상복지 정책을 상정하여 무상복지와 선별적 복지의 소득재분배 효과를 비교하고 무상복지 정책과 선별적 복지정책의 정책적 효과를 검토하였다. 본 연구에서 노동패널 데이터를 사용하여 분석한 결과 무상급식, 무상보육, 반값 등록금 등의 무상복지 정책을 전 가구를 대상으로 시행하게 되면 정책 시행 전보다 지니계수가 0.0076~0.0084포인트 감소하는 것으로 나타나 소득재분배(소득분배의 불평등도) 개선효과가 있는 것으로 분석되었다. 하지만 무상복지와 동일한 정책을 유지하되 급식, 보육, 및 등록금 지원 대상자의 소득분위 대상을 맨 처음 소득 하위 10% 수준으로 한정한 후 이를 점차 확대시켜 나가면 지니계수가 점차 낮아지는데 소득 하위 70% 이하에서 지니계수가 가장 낮게 나타나고 소득 하위 70%를 넘게 되면 지니계수가 다시 상승하는 것으로 나타났다. 소득 하위 70%까지만 제공하는 경우에는 지니계수가 0.0110~0.0113포인트 낮아지는 것으로 나타나 선별적 복지에서의 소득재분배(소득불평등도) 개선효과가 전면적 무상복지에서의 소득재분배 효과보다 훨씬 큰 것으로 분석되었다.

(라) 소수인종 등 사회 후발주자의 도약을 돕기 위해 마련된 미국의 적극적 우대 조치(Affirmative action)가 갈림길에 놓였다. 텍사스주 스티븐 F 오스틴 고등학교 학생이었던 애비게일 피셔는 2008년 텍사스 대학에 지원했다. 피셔의 고등학교 졸업 성적은 674명 중 82등, 대학입학자격시험(SAT)에서 1,180점(1,600점 만점)을 받았다. 결과는 불합격이었다. 당시 텍사스대학 신입생들의 SAT 성적은 1,120~1,370점 사이였다. 피셔는 SAT 점수가 합격선보다 높았다는 점, 자신보다 졸업 성적이 낮았던 소수인종 동급생들은 합격했다는 점 등을 들어 대학에 항의했다. 자신이 백인이라 낙방했다며 텍사스대학을 상대로 소송도 제기했다. 미국 수정 헌법 제14조항이 보장한 평등권을 침해당했다는 것이다.

Q1. (가)에 나타난 평등과 형평의 개념을 설명하시오.

Q2. (가)의 평등과 형평의 개념을 사용하여, (나)와 (다)의 논지를 설명하시오.

Q3. (가)에 근거해서 (라)를 옹호할 것인지 비판할 것인지를 정하고 그 논거를 제시하시오.

062 해설 평등과 형평

Q1. 모범답변

평등은 기회의 동등성에 대한 형식적 개념이라 할 수 있습니다. 누구나 동등한 기회를 갖고 선택할 자유를 통해 자신의 상황과 능력, 노력의 방향과 정도에 대해 예측한 결과에 따라 자유롭게 결정하고 그에 대한 책임을 지는 것입니다.

그러나 형평은 누구나 동등한 기회를 갖고 있다는 형식적 개념에서 나아가 누구나 실질적으로 기회를 가져야 한다는 내용적 개념이라 할 수 있습니다. 예를 들어 장애인과 비장애인 모두 국민으로서 동등한 공무담임권에 따라 공무원시험에 응시할 기회가 있다는 것이 평등의 개념이라면, 장애인에게는 보조 장비와 시험시간 연장 등의 조치를 해주되 성적순으로 선발하는 것이 형평의 개념에 부합하는 것입니다.

Q2. 모범답변

(나)의 논지는 최대주주, 즉 기업 오너에 대한 최대주주 할증제도를 폐지해야 한다는 것입니다. 이는 현재 최대주주 할증제도가 형평의 개념에 따라 시행되고 있어 소액주주와 최대주주가 불평등한 대우를 받고 있다는 것입니다. 따라서 평등의 개념에 따라 소액주주와 최대주주 모두 동등한 과세율을 부담해야 한다고 주장합니다.

(다)의 논지는 선별복지를 시행하는 것이 보편복지에 비해 저소득층에게 더 큰 도움이 된다는 것입니다. 이에 따르면 평등의 개념에 따라 복지 혜택을 동등하게 제공하는 보편복지를 하기보다는, 형평의 개념에 따라 저소득층에게 더 큰 지원을 하는 선별복지가 타당하다고 주장합니다.

Q3. 모범답변

(라)의 주장은 형평의 개념에 따라 타당하지 않습니다. 개인의 자유를 실질적으로 보장해야 하기 때문입니다. 소수인종은 명백하고 현존하는 차별을 겪었고 그에 따라 교육의 기회가 실질적으로 제한된 것이 사실입니다. 피셔의 SAT 점수는 그 자체가 개인의 자유의 결과라 할 수 없고 피셔가 소수인종이 아닌 백인이기 때문에 얻을 수 있었던 행운 역시 포함되어 있습니다. 그러나 소수인종의 경우 피셔의 SAT 점수보다 낮은 점수를 성과로서 얻었으나, 이에는 소수인종으로 겪게 된 불운의 요소가 작용한 것입니다. 따라서 피셔는 자신의 점수가 소수인종 합격자의 그것보다 높다는 이유만으로 평등권을 침해받았다고 할 수 없습니다. 물론 이러한 역차별의 문제가 존재할 수 있기 때문에 텍사스 대학은 소수인종 전형의 선발인원을 정원 외로 하는 등의 대안이 필요할 것입니다.

063 개념 차별금지법

2022 건국대/고려대/전북대 기출

1. 기본 개념

(1) 입법 목적[174)]

헌법은 "누구든지 성별·종교 또는 사회적 신분에 의하여 정치적·경제적·사회적·문화적 생활의 모든 영역에 있어서 차별을 받지 아니한다."고 규정하고 있다. 그러나 많은 영역에서 차별이 여전히 발생하고 있고, 차별 피해가 발생한 경우, 적절한 구제수단이 미비하여 피해자가 제대로 보호받지 못하고 있는 실정이다.

이에 성별, 장애, 나이, 언어, 출신국가, 출신민족, 인종, 국적, 피부색, 출신지역, 용모 등 신체조건, 혼인 여부, 임신 또는 출산, 가족 및 가구의 형태와 상황, 종교, 사상 또는 정치적 의견, 형의 효력이 실효된 전과, 성적 지향, 성별정체성, 학력(學歷), 고용형태, 병력 또는 건강상태, 사회적 신분 등을 이유로 한 정치적·경제적·사회적·문화적 생활의 모든 영역에서 합리적인 이유 없는 차별을 금지·예방하고 복합적으로 발생하는 차별을 효과적으로 다룰 수 있는 포괄적이고 실효성 있는 차별금지법을 제정함으로써 정치·경제·사회·문화의 모든 영역에서 평등을 추구하는 헌법 이념을 실현하고, 실효적인 차별구제수단들을 도입하여 차별피해자의 다수인 사회적 약자에 대한 신속하고 실질적인 구제를 도모하고자 한다.

(2) 주요 내용

가. 차별금지에 관한 기본법이자 현행 「국가인권위원회법」의 차별 분야에 대한 특별법적인 성격에 비추어 이 법에서 금지되는 차별사유를 「국가인권위원회법」상의 차별 금지사유를 기본으로 성별, 장애, 나이, 언어, 출신국가, 출신민족, 인종, 국적, 피부색, 출신지역, 용모 등 신체조건, 혼인 여부, 임신 또는 출산, 가족 및 가구의 형태와 상황, 종교, 사상 또는 정치적 의견, 형의 효력이 실효된 전과, 성적 지향, 성별정체성, 학력(學歷), 고용형태, 병력 또는 건강상태, 사회적 신분 등으로 구체화하여 차별의 의미와 판단기준을 명확히 하고자 함(안 제3조 제1항 제1호).

나. 합리적인 이유 없이 성별 등을 이유로 고용, 재화·용역 등의 공급이나 이용, 교육기관의 교육 및 직업훈련, 행정서비스 제공이나 이용에서 분리·구별·제한·배제·거부 등 불리하게 대우하는 행위를 차별로 금지함(안 제3조 제1항 제1호).

다. 직접차별뿐만 아니라 간접차별, 성별 등을 이유로 특정 개인 및 집단에 대하여 신체적·정신적 고통을 주는 행위 및 차별의 표시·조장 광고 행위를 차별로 금지함(안 제3조 제1항 제2호부터 제5호까지).

바. 차별행위의 피해자는 국가인권위원회에 진정을 제기할 수 있으며, 차별구제의 실효성을 제고하기 위하여 국가인권위원회는 시정권고를 받은 자가 정당한 사유 없이 권고를 이행하지 아니하는 경우 시정명령 및 시정명령 불이행 시 3천만 원 이하의 이행강제금을 부과할 수 있도록 함(안 제41조부터 제44조까지).

사. 위원회는 차별행위로 인정된 사건 중에서 피진정인이 위원회의 결정에 불응하고 사안이 중대하다고 판단하는 경우에는 해당 사건의 소송을 지원할 수 있도록 함(안 제49조).

아. 법원이 피해자의 청구에 따라 차별의 중지 등 그 시정을 위한 적극적 조치 및 손해배상 등의 판결을 할 수 있도록 함(안 제50조).

174) 차별금지법안, 장혜영 의원 대표발의, 2020.6.29.

자. 차별행위가 악의적인 것으로 인정되는 경우(고의성, 지속성 및 반복성, 보복성, 피해의 규모 및 내용 고려하여 판단), 통상적인 재산상 손해액 이외에 별도의 배상금(손해액의 2배 이상 5배 이하)을 지급할 수 있도록 함(안 제51조).

차. 차별행위의 피해자와 그 상대방이 가지고 있는 정보 및 정보에 대한 접근성의 차이로 차별의 입증이 곤란함을 고려하여 차별을 받았다고 주장하는 자의 상대방에 대하여 증명책임을 부담하도록 함. 다만, 이 법의 제3장의 규정을 위반한 경우에 한하여 적용함(안 제52조).

2. 읽기 자료

차별금지법[175)]

유럽연합 차별금지법[176)]

175)

차별금지법

176)

유럽연합 차별금지법

063 문제 차별금지법

답변 준비 시간 15분 | 답변 시간 10분

※ 다음 제시문을 읽고, 문제에 답하시오.

차별금지법은 합리적 이유 없이 성별, 장애, 병력, 나이, 성적지향성, 출신국가, 출신민족, 인종, 피부색, 언어 등을 이유로 고용, 교육기관의 교육 및 직업훈련 등에서 차별을 받지 않도록 하는 내용의 법률이다. 우리나라에서는 2007년, 2010년, 2012년 등 3차례에 걸쳐 차별금지법 입법을 시도했으나 모두 입법에 실패했다.

2021년 차별금지법 제정 청원이 국회 국민동의 청원 10만 명의 동의를 얻어 자동 회부되었다. 현재 발의된 차별금지법안에는 기업에서 채용이나 처우 등의 기준이 되는 학력, 고용 형태 등으로 인한 차별을 금지하는 규정이 포함되면서 논란이 촉발되었다. 이 법안에는 자유로운 기업 활동을 저해하는 조항이 대거 담겨 있는데, 채용, 승진, 임금 책정 등에서 차별을 금지하도록 하고 있다. 예를 들어, 모집·채용 공고 시 성별, 학력 등을 이유로 한 배제나 제한을 표현하는 행위를 하지 못하도록 했다. 법조계에서는 차별의 개념에 학력으로 인한 차별까지 포함해 '대졸 공개채용'도 불법이 될 소지가 있는 것으로 해석하고 있다.

차별금지법안의 또 다른 문제는 차별 행위에 대한 손해배상을 하도록 하면서 입증 책임을 '가해자로 지목받은 사람'에게 부과한 점이다. 이는 결국 차별당한 사람을 무조건적인 피해자로 보는 시각 때문인 것으로 보인다. 국가인권위원회는 "차별의 피해 당사자가 차별을 입증하는 것은 현실적으로 어렵다."며 "증명책임의 원칙은 남녀고용평등법에 이미 명시돼 있고, 의료·환경 분쟁의 판례에서도 도입하고 있다."고 주장했다. 그러나 전문가들은 민사 소송에서 불법행위의 입증 책임을 전적으로 원고에게 지우는 것은 법의 일반원칙에 반한다고 지적했다. 민사소송의 기본원칙은 가해 행위와 위법성, 고의, 과실 등은 피해를 당했다고 주장한 자가 입증하는 것이다.

재계는 과도한 소송을 우려하고 있다. 인사와 성과급, 고용 및 해고에 불만을 품은 직원들이 국적, 학력, 출신 지역, 성적 지향 등을 이유로 차별받았다고 주장하면, 차별이 아님을 기업이 입증해야 하기 때문이다.

Q1. 차별금지법은 포괄적 차별금지법이라고도 한다. 현재 장애나 성과 같은 개별적 사유에 대한 차별금지법이 있다. 그러나 다양한 사유들이 동시에 존재할 수 있다는 현실적 문제로 인해 포괄적 차별금지법의 필요성이 커지고 있다. 예를 들어 미혼 여성이면서 난민인 경우, 아시아인이지만 장애인일 때 등의 경우가 대표적인 사례이다.위 제시문의 주장과 논거를 요약하고, 이 주장을 제시문과 다른 논거를 들어 강화하시오.

Q2. 차별금지법을 제정해야 한다는 주장의 논거를 제시하시오.

Q3. 차별금지법 제정에 대한 자신의 입장을 밝히고, 자신이 선택한 입장의 문제점을 제시한 후, 해당 문제점에 대한 반론 혹은 해결방안을 논하시오.

063 해설 차별금지법

Q1. 모범답변

제시문은 기업의 영업의 자유를 과도하게 제한한다는 논거를 들어 차별금지법을 제정해서는 안 된다고 주장합니다. 이 입장에 의하면, 차별금지법은 개인의 자유를 침해하고, 소수자를 보호할 수 없으며, 공공복리를 저해하므로 제정해서는 안 됩니다.

개인의 자유를 침해하므로 차별금지법을 제정해서는 안 됩니다. 개인은 자신의 가치관과 신념을 자유롭게 형성하고 이에 부합하는 의사 표현을 할 자유가 있습니다. 만약 이 자유의 실현이 타인의 자유에 직접적 해악을 준다면 제한될 수 있으나, 그렇지 않다면 결코 제한할 수 없습니다. 차별적 발언이나 행동은 타인에게 정신적 충격을 줄 수는 있으나, 살인이나 강도, 강간 등으로 타인의 자유에 직접적 해악을 주는 것은 아닙니다. 특히 차별적 발언이나 행동은 개인이 타인에게 그러한 충격을 줄 것을 의도하지 않았음에도 불구하고 발언과 행동의 대상이 되는 자가 차별이라고 느낄 수 있다는 점에서 모호한 기준이 문제될 수 있습니다. 차별금지법은 모든 종류의 차별을 금지하겠다는 사회적 가치 실현을 위해 모호한 기준으로 개인의 자유를 제한할 뿐만 아니라 처벌하기까지 이르는 것입니다. 이에 더해 개별 경제주체인 기업은 채용은 물론 인사 문제까지 영업의 자유에 대한 과도한 제한을 받게 될 것입니다. 업무능력에 문제가 있는 직원들에 대한 승진 누락이나 성과급 미지급 시 이들이 학력이나 출신 지역의 이유로 차별받았다고 주장할 수 있습니다. 기업은 이를 입증하기 어려울 뿐만 아니라 해결과 예방을 위한 과도한 비용을 지출할 수밖에 없으므로 차별금지법으로 인해 기업의 영업의 자유가 과도하게 제한됩니다. 이처럼 개인의 자유를 침해하므로 차별금지법 제정은 타당하지 않습니다.

소수자를 보호할 수 없으므로 차별금지법 제정은 타당하지 않습니다. 개인이나 기업은 자신의 자유로운 행위의 결과로 처벌받을 수 있다고 예측하면, 해당 행위를 사전에 차단하려 할 것입니다. 기업의 고용이나 직장 내 활동, 개인 간의 의사표현을 할 때 의도하지 않은 차별이나 차별로 의심될 수 있는 표현이나 행위, 기업 활동이 발생할 가능성이 있다면 원천적으로 가능성을 차단하는 것이 유리하기 때문입니다. 차별금지법으로 인해 처벌받을 가능성을 예측한 사회 다수는 소수자와의 관계를 사전에 차단하려 할 것입니다. 이는 소수자가 사회 다수와 사회적, 경제적, 문화적 관계가 차단될 수 있다는 의미이고, 소수자의 현실적 어려움은 가중될 것입니다. 이처럼 소수자의 어려움을 가중시키는 차별금지법 제정은 타당하지 않습니다.

공공복리를 저해하므로 차별금지법을 제정해서는 안 됩니다. 차별금지법으로 인해 달성되는 가치는 미미한 반면, 예측되는 피해는 매우 큽니다. 물론 평등에 대한 선언적 의미는 있을 것입니다. 그러나 개인과 기업의 자유가 침해되고, 소수자의 피해 역시 발생하고, 다양한 영역에서 광범위한 갈등상황이 발생해 소송 증가 등 불필요한 사회비용이 발생할 수밖에 없습니다. 이처럼 편익은 미미하고 비용은 막대하여 공공복리를 심대하게 저해하는 차별금지법을 제정해서는 안 됩니다.

Q2. 모범답변

차별금지법을 제정해야 한다는 입장에서는 평등의 실현과 소수자 보호, 개인의 자유에 대한 실질적 보장을 논거로 제시할 것입니다.

평등의 실현을 위해 차별금지법을 제정해야 합니다. 공동체가 유지, 존속되기 위해 평등이라는 가치가 실현되어야 합니다. 평등은 합리적 이유 없이 차별해서는 안 된다는 것입니다. 합리적 이유가 있다면 다르게 대하는 것이 허용될 수 있습니다. 성, 장애, 출신지역, 성적 지향, 성 정체성, 학력 등이 차별의 이유가 될 수 없음에도 이를 이유로 다르게 대해질 때 차별이 발생합니다. 예를 들어, 직업군인의 성전환이 강제 전역 처분의 이유가 될 수는 없습니다. 직업군인의 목적은 국민의 보호이며, 이를 위해 필요한 국방력과 이를 위한 전투력, 혹은 그에 관련한 능력이 직업군인의 능력이 됩니다. 그러나 여군도 직업군인으로 이미 복무하고 있으므로 남성에서 여성으로의 성전환 혹은 여성에서 남성으로의 성전환 여부는 직업군인으로서 필요한 능력과 관련이 없습니다. 결국 성전환을 이유로 한 강제 전역처분은 합리적 이유 없는 차별입니다. 그뿐만 아니라 우리는 누구나 특정영역에서 차별의 대상이 될 수 있습니다. 예를 들어, 성적 지향에 있어서는 사회 다수일지라도 학력에 있어서는 소수자일 수도 있습니다. 이처럼 우리는 모든 영역에서 소수자이지는 않더라도 개별적 영역에서는 소수자일 수 있고 우리 사회 누구나 소수자로서 차별을 겪을 수 있습니다. 차별금지법을 통해 차별을 철폐하려는 노력을 하지 않는다면 차별과 불평등이 만연하게 되어 공동체는 서로가 서로를 차별하고 혐오하게 될 것입니다. 따라서 공동체의 유지와 존속을 위한 평등을 실현하기 위해 차별금지법을 제정해야 합니다.

소수자를 보호할 수 있으므로 차별금지법을 제정해야 합니다. 공동체는 운명을 함께 하는 공동체 구성원으로서 연대하며 특히 소수자를 보호할 의무가 있습니다. 민주주의 사회에서 다수는 법률 제정이나 여론 형성을 통해 자기 자신을 지킬 힘이 있습니다. 그러나 소수자는 법적, 문화적, 경제적으로 자신의 권리를 침해당할 가능성이 매우 큽니다. 차별금지법은 다수가 소수자의 권리를 침해할 때 이를 예방하거나 구제할 수 있는 실질적이고 현실적인 힘을 부여합니다. 차별금지법에 근거해 권리 침해의 시정을 요구하고 피해 배상을 요구함으로써 자신을 지킬 수 있기 때문입니다. 따라서 소수자의 보호를 위해 차별금지법을 제정해야 합니다.

개인의 자유에 대한 실질적 보장이 가능하므로 차별금지법을 제정해야 합니다. 개인은 누구나 평등이 구현되는 사회에서 살기를 원할 것입니다. 우리는 누구나 특정영역에서 소수자일 수 있습니다. 개인은 자신이 어떤 영역에서 소수자가 될지 예측할 수 없고 특정영역에서 소수자가 된다고 하더라도 자신의 자유가 안정적으로 보장되기를 바랄 것입니다. 차별금지법은 개인이 예측할 수 없는 상황에서 소수자가 되어 합리적 이유 없는 차별을 당하는 것을 금지하고 권리 침해에 대한 현실적 구제를 가능하게 합니다. 이로써 개인의 자유가 침해되는 것을 예방하므로 개인의 자유를 실질적으로 보장하는 것입니다. 따라서 차별금지법을 제정해야 합니다.

Q3. 모범답변

차별금지법을 제정해야 합니다. 평등의 실현과 소수자 보호, 개인의 자유에 대한 실질적 보장을 위함입니다. 인류의 역사는 신분, 성별, 인종 등에 대한 차별을 없애고 줄여나가기 위한 과정이었습니다. 당대에는 이유 있는 차별이라 여겨졌던 것은, 이유 없는 차별에 불과한 것이었습니다. 우리 역시 과거로부터 물려받은 차별 철폐의 노력을 이어받아 우리 후세대에 차별 없는 세상을 물려주고자 노력해야 합니다.

물론, 차별금지법은 기업의 영업의 자유를 침해할 위험성이 있고, 합리적 이유 있는 차별과 없는 차별을 구별하기 어려워 소송이 남발되는 문제점이 발생할 위험성이 있습니다.

먼저, 기업의 영업의 자유를 침해할 위험성에 대해, 기업의 영업의 자유를 침해하지 않는다는 반론이 가능합니다. 기업의 영업의 자유는 국민의 자유와 권리를 침해하지 않는 한도 내에서 기업이 자유롭게 이윤을 추구할 권리가 부여되는 것입니다. 기업의 영업활동이 국민의 자유와 권리를 침해한다면 이는 기업의 영업의 자유로서 보호될 수 없습니다. 예를 들어, 기업이 이윤을 극대화하기 위해 인건비가 싼 아동을 고용하는 것이 허용될 수 없는 것과 마찬가지입니다. 기업이 이윤을 추구하기 위해 합리적 이유 없는 차별을 해도 되는 것은 아닙니다. 기업은 차별금지법에 대응해 명확한 사유에 따라 영업활동을 하면 충분합니다. 이미 차별금지법을 도입해 시행하고 있는 35개 국가에서는 혈통이나 노조 가입 여부 등 20여 개의 구체적 사유를 지정해두었음에도 기업이 자유롭게 영업을 하고 있습니다. 따라서 차별금지법이 기업의 영업의 자유를 침해한다고 볼 수 없습니다.

소송의 남발로 인한 공공복리 저해에 대해서는 해결방안이 있습니다. 차별금지법 법안에서도 이를 규정하고 있는데, 차별로 인한 소송을 하기 이전에 국가인권위원회의 판단을 미리 거치도록 하면 됩니다. 자신이 차별로 인한 피해를 입었다고 생각하는 노동자나 개인은 곧바로 소송을 제기하는 것이 아니라 국가인권위원회의 판단을 받은 이후에 소송을 제기하도록 하면 소송이 남발되지 않을 것입니다. 따라서 공공복리의 저해 역시 심각한 문제가 되지 않을 것이므로 차별금지법을 제정해야 합니다.

064 개념 사형제

2021 성균관대·2019 아주대 기출

1. 기본 개념

(1) 생명권

생명권이란 생명에 대한 모든 형태의 국가적 침해를 방어하는 권리를 말한다. 우리나라는 명문은 없으나 인간의 존엄성, 신체의 자유, 헌법에 열거되지 아니한 권리(제37조 제1항)에서 생명권의 헌법적 근거를 찾는다. 독일기본법은 생명권과 신체를 훼손당하지 않을 권리, 사형 폐지를 명문화하고 있다. 외국인을 포함한 자연인이 생명권의 주체이며, 태아도 주체가 된다.

(2) 사형제

국제 앰네스티 보고서에 따르면, 전세계의 사형 집행 건수가 증가하고 있다. 2023년 1153건의 사형이 집행되었으며, 이 수치에 중국에서 행해진 것으로 추정되는 수천 건의 사형은 포함되어 있지 않다. 사형을 많이 집행한 국가는 중국, 이란, 사우디아라비아, 소말리아, 미국의 순서이다. 이란은 전체 사형 집행 건수 중 74%인 853건을 집행했다. 사우디아라비아는 172건을 집행했고, 참수형을 시행하는 유일한 국가이다. 중국은 공식적인 수치를 알 수 없으나 국제 앰네스티는 수천 명이 사형 당한 것으로 추정했다.

사형제를 폐지한 국가는 1991년 48개국에서 2023년 112개국으로 증가했다. 사형 집행국은 16개국이다.

우리나라는 1997년 사형수 23명에 대한 사형을 집행한 이후, 더 이상 사형을 집행하지 않고 있다. 국제사회는 우리나라를 실질적 사형폐지국으로 분류하고 있다.

2. 쟁점과 논거

존치론: 사회정의	폐지론: 생명권
[사회정의 실현] 정의는 각자에게 올바른 몫을 주는 것이다. 범죄자의 강력 범죄로 인해 피해자는 모든 자유와 권리를 박탈당하였다. 이처럼 심대한 침해를 야기한 강력범죄에 대해서는 그에 걸맞은 무거운 처벌을 가하는 것이 정의에 부합한다. 회복 불가능한 생명권의 침해에 대해서는 범죄자의 생명으로 그 책임을 물어야 한다.	[개인의 인권 보호] 인간은 존엄한 존재로 개인의 생명은 그 자체로 목적이 되며, 다른 가치의 실현을 위한 수단으로 활용되어서는 안 된다. 하지만 사형은 범죄예방이라는 사회적 목적 달성을 위해 수단으로 사용하는 것이다. 또한 법관과 교도행정공무원의 경우에도 자신의 양심에 반하는 처벌을 선고하고, 집행해야 하기 때문에 양심의 자유와 인간의 존엄에 반한다.
[사회질서 유지] 사회질서를 유지하기 위해서는 형벌이 범죄에 대한 예방효과를 가져야 한다. 인간은 죽음에 대한 강력한 공포 본능을 가지고 있어 사형은 최고형벌로서 위하력을 가진다. 이는 범죄를 계획하는 자뿐만 아니라 일반적인 사람에게도 마찬가지이다. 특별예방과 일반예방효과로 범죄억지력이 발생하고 사회질서를 유지한다.	[비가역적 권리 침해 예방] 범죄 수사와 재판에는 오류가능성이 상존한다. 이로 인해 죄 없는 자에게 억울한 형벌을 부과할 가능성이 있다. 차후 오류를 발견한다면 이를 원래대로 회복시켜주어야 정의에 부합하나, 사형은 그 회복이 불가능하여 개인의 권리 침해가 비가역적이다.
[국민의 법신뢰] 극악한 범죄로 인해 피해자 및 피해자의 가족은 극심한 분노와 슬픔을 느끼게 된다. 잔인한 반사회적 범죄는 피해자뿐만 아니라 사회구성원 일반에 피해감정을 유발한다. 형벌권을 독점하고 있는 국가가 피해자의 피해감정을 해소해야 국민들이 법질서를 신뢰할 수 있다.	[미미한 범죄 예방효과] 사형은 주로 연쇄살인과 같이 계획적인 흉악범죄에 부과된다. 하지만 이러한 범죄자들이 단순히 사형제도에 대한 공포로 인해 자신의 범죄를 쉽게 포기할 것이라 기대하기 힘들다. 개인의 선택뿐 아니라 개인적으로 극복 불가능한 사회 구조적 모순으로 형성된 비정상적인 심리상태가 영향을 미쳤기 때문이다.

3. 읽기 자료[177)]

(1) 사형제 존치 입장

사형은 무기징역형이나 가석방이 불가능한 종신형보다도 범죄자에 대한 법익침해의 정도가 큰 형벌로서, 인간의 생존본능과 죽음에 대한 근원적인 공포까지 고려하면, 무기징역형 등 자유형보다 더 큰 위하력을 발휘함으로써 가장 강력한 범죄억지력을 가지고 있다고 보아야 하고, 극악한 범죄의 경우에는 무기징역형 등 자유형의 선고만으로는 범죄자의 책임에 미치지 못하게 될 뿐만 아니라 피해자들의 가족 및 일반국민의 정의관념에도 부합하지 못하며, 입법목적의 달성에 있어서 사형과 동일한 효과를 나타내면서도 사형보다 범죄자에 대한 법익침해 정도가 작은 다른 형벌이 명백히 존재한다고 보기 어려우므로 사형제도가 침해최소성원칙에 어긋난다고 할 수 없다. 한편, 오판가능성은 사법제도의 숙명적 한계이지 사형이라는 형벌제도 자체의 문제로 볼 수 없으며 심급제도, 재심제도 등의 제도적 장치 및 그에 대한 개선을 통하여 해결할 문제이지, 오판가능성을 이유로 사형이라는 형벌의 부과 자체가 위헌이라고 할 수는 없다.

(2) 사형제 폐지 입장

형벌로서 사형을 부과할 당시에는 국가의 존립이나 피해자의 생명이 범인의 생명과 충돌하는 상황은 이미 존재하지 않으며, 국가가 범인을 교도소에 계속해서 수용하고 있는 한 개인과 사회를 보호하는 목적은 범인을 사형시켰을 때와 똑같이 달성될 수 있다. 사형제도는 범죄억제라는 형사정책적 목적을 위해 사람의 생명을 빼앗는 것으로 그 자체로 인간으로서의 존엄과 가치에 반하고, 사형제도를 통해 일반예방의 목적이 달성되는지도 불확실하다. 다만, 지금의 무기징역형은 개인의 생명과 사회의 안전의 방어라는 점에서 사형의 효력을 대체할 수 없으므로, 가석방이나 사면 등의 가능성을 제한하는 최고의 자유형이 도입되는 것을 조건으로 사형제도는 폐지되어야 한다.

177)

2008헌가23

064 문제 사형제

답변 준비 시간 15분 | 답변 시간 15분

※ 다음 QR코드를 촬영하면 연결되는 제시문을 읽고, 문제에 답하시오.

국제앰네스티에 따르면 지난해 전 세계 사형 집행건수가 1,153건으로 전년 대비 31% 증가했다. 이는 2015년 이후 가장 높은 수치이며, 사형 집행 국가는 2022년 20개국에서 16개국으로 줄었다.

국제앰네스티

Q1. 사형제도를 존치해야 한다는 입장의 논거는 무엇인지 제시하고 이를 논변하시오.

Q2. 사형제도를 폐지해야 한다는 입장의 논거는 무엇인지 제시하고 이를 논변하시오.

추가질문

Q3. 사형제도가 폐지되어야 한다는 입장에서는, 최고형으로서 어떤 대안을 제시할 수 있는가?

Q4. 지원자가 자녀를 둔 부모라고 가정하자. 지원자의 자녀가 유괴되었고 유괴범에 의해 살해당했다면, 유괴범을 사형에 처하라고 요구하는 것이 응분의 대가라고 생각하는가?

Q5. 사형제도 존폐에 대한 자신의 견해는 어떠한가?

064 해설 사형제

Q1. 모범답변

사형제도를 존치해야 한다는 입장에서는, 사회정의 실현과 사회질서 유지를 논거로 제시할 것입니다.

사회정의 실현을 위해 사형제도를 존치해야 합니다. 정의는 각자에게 올바른 몫을 주는 것입니다. 형벌의 측면에서 정의는 자신이 저지른 범죄에 대한 응분의 책임을 지게 하는 것입니다. 우리나라에서 사형을 선고하는 범죄는 계획적으로 다수의 피해자의 생명을 잔혹하게 빼앗은 경우에 해당합니다. 우발적인 범죄로 인한 살인이나 상해를 입히려다가 사망에 이른 경우가 아니라, 범죄자가 철저한 자기 계획하에 여러 명의 피해자의 생명을 빼앗은 것입니다. 범죄자의 잔혹한 범죄로 인해 피해자 다수는 자신의 자유의 기초가 되는 생명을 침해당해 자유를 누릴 수 없게 되었습니다. 범죄자가 다수의 생명을 계획적으로 빼앗은 것에 대해 응분의 책임은 범죄자의 생명에 해당합니다. 따라서 사회정의 실현을 위해 사형제도를 존치해야 합니다.

사회질서를 유지하기 위해 사형제도를 존치해야 합니다. 사회질서를 유지하기 위해서는 범죄자에 대한 처벌이 이루어져 범죄 예방효과가 달성되어야 합니다. 이를 위해서는 형벌이 사람들에게 주는 위하력이 있어야 합니다. 예를 들어 타인을 폭행하거나 살해하더라도 약간의 벌금 정도의 처벌만 받는다면 범죄가 예방될 수 없고 사회질서는 무너질 것입니다. 범죄자가 강력범죄를 저지를 경우 자신의 생명을 잃을 수 있다고 생각한다면 이것이 두려워 범죄의지가 억제될 것입니다. 또한 일반인 역시 사형을 당할 수 있다고 생각한다면 범죄의지가 줄어들 것입니다. 이처럼 사형은 생명에 대한 인간의 근원적 공포를 통해 형벌의 위하력을 줄 수 있습니다. 따라서 강력범죄 예방을 통해 사회질서를 유지할 수 있으므로 사형제도를 존치해야 합니다.

Q2. 모범답변

사형제도를 폐지해야 한다는 입장에서는, 개인의 인권침해와 비가역적 권리 침해의 예방이라는 논거를 제시할 것입니다.

개인의 인권을 침해하므로 사형제도를 폐지해야 합니다. 인간은 인권의 주체이자 존엄한 존재입니다. 개인의 생명은 인권의 핵심이 되는 것으로서 생명 그 자체로 목적이 되어야 하며 다른 가치의 실현을 위한 수단이 되어서는 안 됩니다. 그러나 사형은 인간의 생명을 범죄예방이라는 사회적 가치와 목적 실현을 위한 수단으로 대하는 것입니다. 그뿐만 아니라 법에 따라 사형을 선고하는 법관과 법원의 결정에 따라 사형을 집행해야 하는 교도행정공무원의 경우, 자신의 양심에 반하는 결정을 선고하고 집행해야 할 수 있습니다. 이는 개인의 양심의 자유를 침해하며 자신이 추구하는 가치관에 반하는 행동을 하도록 강제하므로 인간의 존엄에 위배됩니다. 따라서 개인의 인권을 침해하므로 사형제도를 폐지해야 합니다.

비가역적인 권리 침해를 예방하기 위해 사형제도를 폐지해야 합니다. 사법정의를 실현하기 위해 실체적 진실을 추구한다 하더라도 재판을 신이 아닌 인간이 하기에 오판 가능성은 언제나 존재합니다. 오판으로 인해 권리 침해가 발생할 경우 이 권리 침해를 회복해야 하는데, 사형을 집행한 경우 생명을 회복할 수 없기에 권리 침해가 비가역적입니다. 우리나라의 경우 인혁당 사건과 같이 사형 집행으로부터 12년이 지나서야 오판이었음이 드러난 바 있습니다. 따라서 비가역적인 권리 침해를 막기 위해 사형제도를 폐지해야 합니다.

Q3. 모범답변

가석방 등이 불가능한 절대적 종신형 제도가 대안이 될 수 있습니다. 최고형의 대상이 되는 범죄자는 계획적인 강력범죄를 다수 저지른 자입니다. 피해자의 생명을 계획적으로 해치고 사회질서를 해한 자입니다. 이런 범죄자에 대해 영구적으로 사회에서 격리하여 국민의 안전을 보장할 필요가 있습니다. 물론 절대적 종신형제도가 사형제도의 대안이 될 수 없다는 반론도 존재합니다. 그러나 그럼에도 불구하고 국민은 국가가 국민의 안전을 보장할 것이라 믿을 수 있어야 합니다. 이러한 국민의 법신뢰를 위해 절대적 종신형 제도가 대안으로 제시될 수 있습니다.

Q4. 모범답변

물론 감정적으로는 그러한 처벌을 원할 수 있습니다. 그러나 법과 형벌은 이성적이어야 하며 사후적으로 결정하는 것이 아니라 사전적으로 결정하는 것입니다. 생명을 빼앗은 살인범에 대해 생명을 빼앗는 것이 옳다면, 예상하지 못한 교통사고로 인해 결과적으로 사람이 죽은 경우에도 사형에 처해야 합니다. 이런 '눈에는 눈, 이에는 이'라는 탈리오 법칙[178]은 현대의 형벌기능과도 어울리지 않습니다. 생명을 빼앗는 방식의 보복이 타당하지도 않습니다. 살인자를 사형에 처하여 강력범죄가 발생하지 않을 것이라면 이러한 처벌도 의미가 있겠으나 그렇지는 않을 것입니다. 따라서 유괴범을 사형에 처하라고 요구하는 것은 감정적으로 받아들일 수 있으나 이성적으로 판단할 때 응분의 대가라고 생각하지는 않습니다.

Q5. 모범답변[179]

사형제도는 인간의 존엄성을 침해하므로 폐지되어야 합니다. 인간의 존엄성은 인간을 목적으로 대하고 수단으로 대해서는 안 된다는 원칙입니다. 사형제도는 인간의 생명을 범죄 예방의 수단으로 사용하는 것입니다.

또한 사형제도로 인한 범죄예방효과가 입증되지 않았으므로 폐지되어야 합니다. 사형제도는 일반국민의 생명 보호를 목적으로 합니다. 사형제를 시행하면 생명형으로 인한 위하력이 예방효과로 이어져 살인범죄가 감소할 것이므로 일반국민의 생명을 보호할 수 있다는 논리입니다. 그러나 사형제도가 무기징역보다 크게 살인범죄를 감소시킨다는 증거가 아직 없습니다. 또한 사형제도를 폐지한 유럽이나 캐나다에서도 사형제도 폐지 후 살인범죄가 크게 늘었다고 하지 않습니다.[180]

178) 탈리오 법칙: 동해보복(同害報復)의 법칙으로, 피해자가 입은 피해와 같은 정도의 손해를 가해자에게 가한다는 의미이다. 응보(應報)원칙의 가장 소박한 형태이며, 원시 미개사회 규범 중에서 볼 수 있는 정의 관념의 원시적 표현이다. 이 법칙은 함무라비법전(法典)에 규정되어 있고, 성서에도 이와 유사한 것이 있는데, '생명에는 생명으로써, 눈에는 눈으로써, 이(齒)에는 이로써'라고 표현되어 있다.

179)

사형제도에 대한 의견

180) 캐나다에서는 살인에 대해 사형을 폐지하기 이전인 1975년에 인구 십만 명당 3.09건의 살인사건이 발생하여 최고치를 기록하였으나, 1980년에는 2.41건으로 떨어졌고 사형을 폐지한 지 17년이 지난 1993년에는 그 비율이 2.19건으로서 오히려 감소하는 추세를 보이고 있다. 1988년 유엔조사에서는 "사형제도의 사용을 줄인 국가에서 범죄곡선의 심각한 변화나 갑작스러운 증가와 같은 충분히 설득력 있는 연역적 증거는 전혀 나타나지 않는다"고 단언하고 있다.

065 개념 태아 성감별

1. 기본 개념

(1) 태아 성감별 금지 규정

1980년대 산전 초음파 검사가 도입되면서 당시의 남아 선호 사상으로 인해 여태아를 낙태하는 사례가 발생했다. 이에 국회는 태아의 생명을 보호하고 적정한 남녀 성비를 유도하기 위해 법을 신설하였다. 구(舊) 의료법 제19조의2는 의료인이 태아 성 감별을 목적으로 임부를 진찰, 검사하거나 진찰, 검사 과정에서 알게 된 태아의 성을 임부 등에게 고지하는 행위를 금지했다. 동법 제88조는 이를 위반한 경우 3년 이하의 징역 또는 1천만원 이하의 벌금을 부과하도록 했으며, 동법 제65조는 의료인의 면허취소 행정처분을 부과하도록 규정했다.

(2) 태아의 생명 보호

의료인이 태아의 성별을 임부 등에게 고지할 경우, 남아선호사상으로 인해 태아가 여아로 밝혀진 경우 태아의 생명이 위험하다는 생각에서 비롯된 것이다. 그러나 태아의 성별 확인이 곧 낙태로 이어진다는 구체적인 근거가 없다는 문제가 있다. 여태아에 대한 선별적 낙태를 위해 태아의 성을 감별한다는 주장을 뒷받침하는 자료가 없다.

반면, 태아의 성별에 따라 유전질환이 다를 수 있다는 점에서 오히려 의학적 조치를 위해 태아의 성별을 확인해야 한다. 예를 들어 혈우병 등과 같이 X염색체에 의존적인 질환의 발견을 위해서는 산전 진찰을 해야 한다. 태아의 성감별이 오히려 생명 보호에 기여할 수 있다는 주장이다.

(3) 적정한 남녀성비 유도

출생성비(出生性比)는 출생 여아 100명당 출생 남아의 수를 나타낸다. 의료적 개입이 없을 때 달성되는 생물학적인 정상 출생성비를 자연성비라 하는데, 일반적으로 103~107 범위 내라면 정상이라고 본다.

통계청 자료에 의하면, 우리나라 출생성비는 1980년대 후반~1990년대 초반의 경우 최고 117에 달했고 평균적으로도 110 이상으로 높았기 때문에, 남아선호사상이 작동하였다고 볼 수 있다.

그러나 2000년대 후반에는 106에 도달하여 자연성비에 도달했다.

(4) 헌법재판소 헌법불합치 판례(2004헌마1010)[181]

이 사건 규정의 태아 성별 고지 금지는 낙태, 특히 성별을 이유로 한 낙태를 방지함으로써 성비의 불균형을 해소하고 태아의 생명권을 보호하기 위해 입법된 것이다. 그런데 임신 기간이 통상 40주라고 할 때, 낙태가 비교적 자유롭게 행해질 수 있는 시기가 있는 반면, 낙태를 할 경우 태아는 물론, 산모의 생명이나 건강에 중대한 위험을 초래하여 낙태가 거의 불가능하게 되는 시기도 있는데, 성별을 이유로 하는 낙태가 임신 기간의 전 기간에 걸쳐 이루어질 것이라는 전제 하에, 이 사건 규정이 낙태가 사실상 불가능하게 되는 임신 후반기에 이르러서도 태아에 대한 성별 정보를 태아의 부모에게 알려 주지 못하게 하는 것은 최소침해성원칙을 위반하는 것이고, 이와 같이 임신후반기 공익에 대한 보호의 필요성이 거의 제기되지 않는 낙태 불가능 시기 이후에도 의사가 자유롭게 직업수행을 하는 자유를 제한하고, 임부나 그 가족의 태아 성별 정보에 대한 접근을 방해하는 것은 기본권 제한의 법익 균형성 요건도 갖추지 못한 것이다. 따라서 이 사건 규정은 헌법에 위반된다 할 것이다.

(5) 개정 의료법

헌법재판소의 헌법불합치 판결로 인해 의료법이 개정되었고 이에 따라 임신 32주 이전의 성감별이 금지되었다. 32주 이후의 성감별과 임부 등에 대한 고지는 허용되었다.

의료법 제20조(태아 성감별 행위 등 금지) ② 의료인은 임신 32주 이전에 태아나 임부를 진찰하거나 검사하면서 알게 된 태아의 성(性)을 임부, 임부의 가족, 그 밖의 다른 사람이 알게 하여서는 아니 된다.

(6) 헌법재판소 헌법불합치 판례(2022헌마356)[182]

심판대상조항은 성별을 이유로 한 낙태를 방지함으로써 성비의 불균형을 해소하고 태아의 생명을 보호하기 위해 입법된 것으로 목적의 정당성이 인정된다. 그러나 남아선호사상이 확연히 쇠퇴하고 있고, 심판대상조항이 사문화되었음에도 불구하고 출생성비가 자연성비의 정상범위 내이므로, 심판대상조항은 더 이상 태아의 성별을 이유로 한 낙태를 방지하기 위한 목적을 달성하는 데에 적합하고 실효성 있는 수단이라고 보기 어렵고, 입법수단으로서도 현저하게 불합리하고 불공정하다. 태아의 생명 보호를 위해 국가가 개입하여 규제해야 할 단계는 성별고지가 아니라 낙태행위인데, 심판대상조항은 낙태로 나아갈 의도가 없는 부모까지 규제하여 기본권을 제한하는 과도한 입법으로 침해의 최소성에 반하고, 법익의 균형성도 상실하였다. 따라서 심판대상조항은 과잉금지원칙을 위반하여 부모가 태아의 성별 정보에 대한 접근을 방해받지 않을 권리를 침해한다.

2. 읽기 자료

태아 성감별[183]

태아 성감별 고지금지[184]

181)

2004헌마1010

182)

2022헌마356

183)

태아 성감별

184)

태아 성감별 고지금지

065 문제 태아 성감별

답변 준비 시간 10분 | 답변 시간 10분

※ 다음 QR코드를 촬영하면 연결되는 제시문을 읽고, 문제에 답하시오.

헌법재판소가 태아 성별을 32주 전에는 공개하지 못하게 한 의료법 조항을 위헌으로 판단했다. 이에 따라 의료진에게 언제든 태아 성별을 물어볼 수 있게 됐지만, 낙태죄 헌법불합치 결정 이후 태아 생명권 보호 방안을 고민해야 한다는 지적이 나온다.

태아 성감별 금지법

Q1. 산부인과에 산전 초음파 진단기술이 도입된 이후, 1980~1990년대 남녀 성비가 110을 넘어서면서 태아의 성감별과 고지를 금지하는 구 의료법이 제정되었다. 구 의료법이 태아 성감별을 금지한 이유를 논하시오.

Q2. 2008년 헌법재판소는 구 의료법의 태아 성별 고지를 금지하는 조항에 대해 헌법불합치 판결을 했다. 이후 국회는 입법을 통해 태아의 성별을 임신 32주 이후에 고지할 수 있도록 의료법을 개정했다. 통상적으로 임신 기간은 40주인데, 임신 32주 이후에는 태아의 성별을 고지할 수 있도록 한 이유를 논하시오.

Q3. 2024년 헌법재판소는 임신 32주 이전에는 성별 고지를 할 수 없도록 한 의료법에 대해 위헌 판결을 했다. 이에 따라 의료인은 임신 주수와 관계없이 의학적으로 태아의 성감별이 가능해지는 최소임신주수인 10주 이후에는 임부와 그 가족에게 태아의 성별을 고지할 수 있다.
태아 성감별과 고지는, 1980년대에는 전면 금지, 2000년대에는 임신 32주 이전 금지, 2020년대에는 전면 허용으로 변화했다. 변화의 이유를 시간의 흐름에 따라 구체적으로 논하시오.

065 해설 태아 성감별

Q1. 모범답변

의료법에서 태아 성감별을 금지한 이유는, 태아의 생명을 보호하기 위함입니다. 산전 초음파 진단기술이 도입된 이후 남녀 성비가 110을 넘어선 것은 남아선호사상으로 인해 여태아를 낙태했을 것이라 추론할 수 있습니다. 자연적으로 도달하는 성비는 105 정도가 일반적인데, 110을 넘어서는 남녀 성비는 인위적인 개입의 결과라고 보는 것이 합리적입니다. 이는 출산자녀 수가 이전에 비해 줄어들어 1~2명의 자녀를 출산하는 상황에서 의료기술의 발달로 태아의 성감별이 가능해지고 남아선호사상이 결부되어 태아의 성을 선별해 출산하는 경향성으로 이어진 것입니다. 따라서 태아의 성감별과 의료인의 고지를 금지하고 이를 어길 경우 처벌함으로써 태아의 생명을 보호하고자 한 것입니다.

Q2. 모범답변

태아의 생명 보호에 문제가 발생하지 않으면서도 부모의 태아 성별 정보 접근권을 보장할 수 있기 때문입니다. 태어날 아기의 성별은 임부와 그 가족에게 중요한 인격 정보가 되고 태아의 부모가 미리 이를 알고자 하는 것은 부모의 권리에 해당합니다. 부모는 태아에 대한 모든 정보에 접근할 권리가 있고 이를 통해 자녀에 대한 보호와 양육을 온전히 이행할 수 있게 됩니다.

그러나 한편으로 태아의 생명을 보호할 의무는 태아의 부모뿐만 아니라 국가에도 있습니다. 태아의 부모가 특정한 이유로 낙태를 결정할 수 있는데, 임부와 그 가족은 온전한 인간이므로 자신의 권리를 주장하고 행사할 수 있으나 태아는 임부에게 의존적이며 자신의 권리를 주장하고 행사할 수 없습니다. 이에 국가는 자신의 권리가 있으나 보호받기 어려운 국민인 태아의 생명 보호를 위해 개입하고 간섭할 수 있습니다. 임신기간이 거의 끝나가는 임신 32주 이후에는 현실적으로 낙태가 불가능하기 때문에 성 선별로 인한 낙태로부터 태아의 생명을 보호할 수 있습니다. 또한 32주 이후에는 성별을 고지함으로써 임부와 그 가족의 태아 성별 정보 접근권도 보장할 수 있습니다.

Q3. 모범답변

태아 성감별과 고지 금지는 남아선호사상에 따른 여태아의 선별적 낙태로 인한 생명 침해를 막고자 함입니다. 한편 태아 성감별과 고지는 부모의 성별 정보 접근권에 따라 인정될 수 있습니다.

1980년대에는 부모의 성별 정보 접근권을 인정했을 경우, 여태아의 선별적 낙태가 일어났고 남녀성비가 비정상적인 수준으로 상승한 것이 확인되었습니다. 이에 따라 부모의 성별 정보 접근권을 제한함으로써 태아의 생명을 보호하고자 태아의 성감별과 고지를 전면 금지한 것입니다.

2000년대에 들어서서 남아선호사상이 완화되면서 태아의 성감별과 고지를 일부 인정하더라도 여태아의 선별적 낙태가 일어나지 않게 되었습니다. 이에 따라 부모의 성별 정보 접근권을 제한할 이유가 퇴색된 것입니다. 이에 따라 태아의 생명 보호와 부모의 성별 정보 접근권을 균형적으로 실현할 필요가 부각되었습니다. 우리 사회는 그 기준을 임신 32주 이후로 합의하여 그 이후에는 태아의 성별을 알더라도 낙태가 불가하므로 태아의 생명을 보호하면서도 부모의 권리를 보장할 수 있다고 여긴 것입니다.

2020년대에는 부모의 성별 정보 접근권을 제한할 이유가 없다는 판단으로부터 성감별과 고지 금지를 위헌 판결한 것입니다. 최근에 들어서서 낙태는 태아의 성별 고지와는 아무 관계없이 임신 초기에 이루어지고 있습니다. 태아의 성별이 남아이거나 여아이기 때문에 낙태를 결정하는 것이 아니라, 경제적 문제이거나 사회적 문제로 인해 낙태를 결정하는 것입니다. 그렇다면, 태아 성감별과 고지를 금지한다고 하더라도 태아의 생명을 보호할 수 없고, 경제적 문제나 사회적 문제가 해결되어야 태아의 생명을 보호할 수 있습니다. 태아 성감별과 고지 금지는 태아의 생명 보호에 영향력이 없으면서 부모의 성별 정보 접근권만을 제한하는 것이 됩니다. 따라서 국가는 태아의 생명 보호를 위한 효과적인 정책을 펼치는 것이 타당하고, 태아의 성감별과 고지를 금지할 이유가 없습니다.

066 개념 비혼단독출산

2024 동아대 기출

1. 기본 개념

(1) 보조생식술

모자보건법 제2조 제12호에서는 보조생식술을 "임신을 목적으로 자연적인 생식과정에 인위적으로 개입하는 의료행위로서 인간의 정자와 난자의 채취 등 보건복지부령으로 정하는 시술"이라 규정하고 있다. 구체적으로는 자궁내 정자주입 시술, 체외수정 배아이식술로 분류된다.

그러나 일반적으로는 인간의 난자 또는 정자를 체외 채취하여 임신을 돕기 위해 행해지는 여러 종류의 시술을 통칭하여 보조생식술로 보고 있다. 자궁내정자주입술(intrauterine insemination), 체외수정시술(in vitro fertilization, IVF), 난자세포질내정자주입술(intracytoplasmic sperm injection), 착상전 유전진단(preimplantational genetic diagnosis), 배아이식술(embryo transfer) 등이 이에 해당한다.

(2) 비혼단독출산

여성이 결혼을 하지 않은 채 생식세포를 기증받아 아이를 출산하는 것을 말한다. 2020년 일본 출신의 방송인이 배우자 없이 일본 소재의 정자은행에서 서양인의 정자를 기증받아 아들을 출산한 것이 국내 언론을 통해 공개되면서 논란이 되었다.

우리나라의 생명윤리 및 안전에 관한 법률 제24조 제1항은 "배아생성의료기관이 배아를 생성하기 위해 난자 또는 정자를 채취할 때에 난자 기증자, 정자 기증자, 체외수정 시술대상자 및 해당 기증자·시술대상자의 배우자가 있는 경우, 그 배우자의 서면동의를 받아야 한다."고 규정한다. 배우자가 없는 여성이 정자를 기증받아 체외수정시술을 하는 것을 금지하는 규정은 없다.

이 법률에 따라, 비혼모가 정자를 기증받아 출산하는 것은 법률적으로 가능하다. 보건복지부는 비혼모가 정자를 기증받아 출산하는 것은 가능하나, 이 경우 정부의 공적 지원을 받을 수는 없다고 밝혔다.

그러나 현실적으로는 비혼단독출산이 불가능한데, 우리나라의 병원들이 대한산부인과학회의 윤리지침을 철저히 준수하기 때문이다. 이 윤리지침은 정자공여시술은 원칙적으로 법률적 혼인관계 혹은 사실혼 부부만을 대상으로 한다고 규정하고 있기 때문이다.

2. 읽기 자료

비혼단독출산[185]
기증정자 비혼 출산[186]
비혼여성 보조생식술[187]
비혼출산 생명윤리[188]

185)

비혼단독출산

186)

기증정자 비혼 출산

187)

비혼여성 보조생식술

188)

비혼출산 생명윤리

066 문제 비혼단독출산

답변 준비 시간 10분 | 답변 시간 10분

※ 다음 QR코드를 촬영하면 연결되는 제시문을 읽고, 문제에 답하시오.

한국은 혼외출산율이 OECD 국가 중 최하위이지만, 최근 다양한 가족 구성에 대한 인식의 영역이 확대되며 새로운 가족 구성의 가능성을 논의하게 되었다.

비혼 출산

Q1. 비혼여성의 보조생식술을 통한 출산을 허용해야 한다는 입장의 논거를 제시하고 이를 논변하시오.

Q2. 비혼여성의 보조생식술을 통한 출산을 허용해서는 안 된다는 입장의 논거를 제시하고 이를 논변하시오.

Q3. 비혼여성의 보조생식술을 통한 출산 허용 찬반에 대한 자신의 입장을 정하고, 위에서 논한 논거 외의 새로운 논거를 들어 논하시오.

066 해설 비혼단독출산

Q1. 모범답변

비혼 여성의 보조생식술을 통한 출산을 허용해야 합니다. 개인의 성적 자기결정권의 보장, 공공복리의 증진을 실현할 수 있기 때문입니다.

개인의 성적 자기결정권의 보장을 위해 비혼 여성의 보조생식술을 통한 출산을 허용해야 합니다. 개인은 자기 삶의 주인으로서 스스로 선택한 결과에 대한 책임을 지는 존재입니다. 개인은 이처럼 자기결정과 책임의 온전한 주체가 됨으로써 자기 삶의 목적을 스스로 실현하는 존엄한 존재가 되는 것입니다. 만약 이러한 자기결정권의 실현이 타인의 자유에 직접적 해악을 주지 않는다면 이를 강제해서는 안 됩니다. 비혼 여성이 정자 기증을 통해 임신과 출산을 원할 경우, 그 선택과 결정으로 인한 책임은 해당 여성에게 전적으로 귀속됩니다. 그리고 이 선택과 결정은 타인의 불쾌감이나 우려 등을 줄 수는 있으나 강간 등과 같이 타인의 자유에 직접적 해악을 주지 않습니다. 따라서 비혼 여성의 성적 자기결정권의 보장을 위해 허용되어야 합니다.

공공복리의 증진을 위해 비혼 여성의 보조생식술을 통한 출산을 허용해야 합니다. 현재 우리나라를 비롯한 선진국의 출산율이 급격하게 떨어지고 있습니다. 출산율의 하락은 다양한 사회문제를 일으킬 수 있다는 점에서 문제 해결이 요구됩니다. 그리고 출산율의 해결은 단순한 보조금 지원 등으로 해결되기 어렵고, 근본적으로 사회적인 인식 전환이 필요합니다. 비혼 여성의 보조생식술을 통한 출산을 허용한다면, 다양한 형태의 가족을 인정하는 시작점이 될 수 있습니다. 비혼 여성과 그 자녀라는 가족 형태뿐만 아니라 프랑스의 PACS와 같은 사회적 연대 형태의 가족 등등이 가능할 것입니다. 예를 들어, 프랑스는 전통적인 결혼 외에 사회적 연대 형태의 가족을 허용하였고, 다양한 형태의 가족을 인정하는 사회적 인식과 제도 개선을 시도하여 출산율이 반등한 바 있습니다.

Q2. 모범답변

가족 보호와 생명의 가치 훼손 우려가 심대하므로 비혼 여성의 보조생식술을 통한 출산을 허용해서는 안 됩니다. 비혼단독출산을 허용할 경우, 가족 보호와 생명의 가치 훼손이 우려됩니다. 먼저, 우리 사회의 기본 단위는 가족이므로 가족의 보호는 사회의 유지와 존속을 위한 필수적인 가치가 됩니다. 사회가 가족을 보호하는 이유는, 단지 남성과 여성이 결합하여 자녀를 임신하고 출산하기 때문만이 아니라 부부가 자녀를 양육하며 사회적인 가치의 학습을 내재화하는 사회화 과정이 함께 있기 때문입니다. 그러나 비혼 여성이 정자 기증을 통해 자녀를 출산할 경우, 출산 자체는 가능할 것이나 양육에서 사회화 과정에 문제를 일으킬 것입니다. 또한 부부의 자녀 출산은 부부와는 전혀 다른 독립적인 존재인 자녀를 자신이 선택할 수 없는 것으로 받아들이는 '선물 받음'이라 할 수 있습니다. 그러나 비혼 여성의 정자 기증을 통한 임신과 출산은 정자 기증을 선택하는 과정에서 우월하다고 여겨지는 유전적 요인을 선택하는 것으로 이어질 우려가 매우 큽니다. 그렇다면 자녀를 개인이 선택할 수 없는 '선물 받은' 독립적인 생명으로 보지 않고, 자신의 필요에 따라 선택한 생명으로 보게 될 것이므로 생명의 가치가 하락하는 생명경시풍조로 이어질 수 있습니다. 특히 비혼여성은 정자은행 등을 이용하게 되는데 이때 특정한 선호를 반영하려 할 가능성이 높습니다. 예를 들어, 정자를 기증하는 남성의 키, IQ, 인종 등을 선택하여 자신이 원하는 자녀를 낳으려 할 수 있습니다. 이는 생명을 목적으로 하지 않고 자신의 선호를 위한 수단으로 대하는 것이라 할 수 있습니다. 따라서 사회적 가치의 훼손 우려가 매우 큽니다.

Q3. 모범답변

불합리한 차별이므로 비혼 여성의 보조생식술을 통한 출산을 허용해야 합니다. 평등은 합리적인 이유가 없다면 같은 것을 같게 다른 것을 다르게 대하라는 원칙입니다. 개인의 자기결정권에 따른 자녀 출산은 타인의 자유에 직접적 해악이 없는 한 허용됩니다. 그런데 이미 난임부부의 보조생식술을 통한 출산은 허용되고 있습니다. 그러나 현실적으로 비혼여성의 보조생식술을 통한 출산은 금지되고 있습니다. 전통적인 가족이 아니라는 이유만으로 비혼여성의 출산이 금지되고 있는 것인데, 이는 합리적인 차별 사유라 할 수 없습니다. 따라서 자기결정권의 실현이라는 점에서 같은 것을, 난임부부의 보조생식술 출산은 허용하고 비혼여성의 그것은 금지함으로써 다르게 대하는 것은 평등원칙에 위배됩니다.

067 개념 낙태

2019 영남대 기출

1. 기본 개념

(1) 태아가 인간인지 여부

가톨릭의 입장처럼 수정란 시기부터 인간으로 본다면, 즉 인간의 발달과정을 연속적이라 본다면, 낙태는 허용될 수 없다. 왜냐하면 낙태는 인간인 태아의 생존권을 위협하기 때문이다. 이를 연속설이라 한다.[189)]

반면, 인간의 발달과정을 불연속적으로 본다면, 낙태를 허용할 수 있다. 수정란이 생명인 것은 맞지만, 온전한 인간이라 할 수 없으므로 과학적으로 생명이 인간이 되는 시점을 정할 수 있다면 낙태를 허용할 수 있다. 이를 불연속설이라 한다.

(2) 산모의 자기결정권의 인정 여부

출산 여부에 대한 산모의 자기결정권을 인정한다면 낙태는 허용되어야 한다. 특히 이는 불연속설과 연결된다. 수정란으로부터 발달과정에 있는 생명인 배아, 태아의 특정시점까지는 온전한 인간이 아니기 때문에 임신과 출산뿐만 아니라 육아 등의 출산의 결과를 거의 전적으로 떠맡는 산모에게 최종결정권이 있다고 보기 때문이다.

반면, 연속설에 따라 수정란부터 태아에 이르는 전 과정을 생명이자 인간으로 본다면 태아와 산모는 동등한 생명이자 인간이다. 따라서 산모의 자기결정권이 태아의 생명보다 우월할 수 없기 때문에 낙태는 허용될 수 없다.

(3) 낙태의 법적 규제 허용 여부

낙태에 대한 법적 규제는 태아를 인간으로 간주하고 태아의 생존권을 보장하기 위해 필요하다. 즉 태아의 생명 보호와 생존권의 보장이 산모의 자기결정권보다 우월하다는 입장이다. 그러나 태아를 인간으로 볼 수 없다거나 태아의 생존권보다 산모의 자기결정권이 우선시될 수 있다면 낙태에 대한 법적 규제는 최소화되어야 할 것이다.

(4) 낙태 허용 시점

낙태의 허용 시점은 태아의 독립적 생존 여부라고 할 수 있다. 의학기술의 발전에 따라 낙태 허용 시점이 임신 초기로 다가가고 있다. 예전에는 독립적으로 생존하기 어려운 주수에서도 현재에는 인큐베이터 등 의학적 도움을 받아 태아가 산모의 조력 없이 독립적으로 생존할 수 있기 때문이다.

189)

2004헌바81

(5) 판례의 입장[190)]

① 낙태죄 헌법불합치 다수의견

임신·출산·육아는 여성의 삶에 근본적이고 결정적인 영향을 미칠 수 있는 중요한 문제이므로, 임신한 여성이 임신을 유지 또는 종결할 것인지 여부를 결정하는 것은 스스로 선택한 인생관·사회관을 바탕으로 자신이 처한 신체적·심리적·사회적·경제적 상황에 대한 깊은 고민을 한 결과를 반영하는 전인적(全人的) 결정이다.

현시점에서 최선의 의료기술과 의료인력이 뒷받침될 경우 태아는 임신 22주 내외부터 독자적인 생존이 가능하다고 한다. 한편 자기결정권이 보장되려면 임신한 여성이 임신 유지와 출산 여부에 관하여 전인적 결정을 하고 그 결정을 실행함에 있어서 충분한 시간이 확보되어야 한다. 이러한 점들을 고려하면, 태아가 모체를 떠난 상태에서 독자적으로 생존할 수 있는 시점인 임신 22주 내외에 도달하기 전이면서 동시에 임신 유지와 출산 여부에 관한 자기결정권을 행사하기에 충분한 시간이 보장되는 시기(이하 착상 시부터 이 시기까지를 '결정가능기간'이라 한다)까지의 낙태에 대해서는 국가가 생명보호의 수단 및 정도를 달리 정할 수 있다고 봄이 타당하다.

낙태갈등 상황에서 형벌의 위하가 임신종결 여부 결정에 미치는 영향이 제한적이라는 사정과 실제로 형사처벌되는 사례도 매우 드물다는 현실에 비추어 보면, 자기낙태죄 조항이 낙태갈등 상황에서 태아의 생명보호를 실효적으로 하지 못하고 있다고 볼 수 있다.

낙태갈등 상황에 처한 여성은 형벌의 위하로 말미암아 임신의 유지 여부와 관련하여 필요한 사회적 소통을 하지 못하고, 정신적 지지와 충분한 정보를 제공받지 못한 상태에서 안전하지 않은 방법으로 낙태를 실행하게 된다.

모자보건법상의 정당화사유에는 다양하고 광범위한 사회적·경제적 사유에 의한 낙태갈등 상황이 전혀 포섭되지 않는다. 예컨대, 학업이나 직장생활 등 사회활동에 지장이 있을 것에 대한 우려, 소득이 충분하지 않거나 불안정한 경우, 자녀가 이미 있어서 더 이상의 자녀를 감당할 여력이 되지 않는 경우, 상대 남성과 교제를 지속할 생각이 없거나 결혼 계획이 없는 경우, 혼인이 사실상 파탄에 이른 상태에서 배우자의 아이를 임신했음을 알게 된 경우, 결혼하지 않은 미성년자가 원치 않은 임신을 한 경우 등이 이에 해당할 수 있다.

② 낙태죄 합헌 의견

태아와 출생한 사람은 생명의 연속적인 발달과정 아래 놓여 있다고 볼 수 있으므로, 인간의 존엄성의 정도나 생명 보호의 필요성과 관련하여 태아와 출생한 사람 사이에 근본적인 차이가 있다고 보기 어렵다. 따라서 태아 역시 헌법상 생명권의 주체가 된다.

태아의 생명권 보호라는 입법목적은 매우 중대하고, 낙태를 원칙적으로 금지하고 이를 위반할 경우 형사처벌하는 것 외에 임신한 여성의 자기결정권을 보다 덜 제한하면서 태아의 생명 보호라는 공익을 동등하게 효과적으로 보호할 수 있는 다른 수단이 있다고 보기 어렵다.

태아의 생명권을 보호하고자 하는 공익의 중요성은 태아의 성장 상태에 따라 달라진다고 볼 수 없으며, 임신 중의 특정한 기간 동안에는 임신한 여성의 인격권이나 자기결정권이 우선하고 그 이후에는 태아의 생명권이 우선한다고 할 수도 없다.

다수의견이 설시한 '사회적·경제적 사유'는 그 개념과 범위가 매우 모호하고 그 사유의 충족 여부를 객관적으로 확인하기도 어렵다. 사회적·경제적 사유에 따른 낙태를 허용할 경우 현실적으로 낙태의 전면 허용과 동일한 결과를 초래하여 일반적인 생명경시풍조를 유발할 우려가 있다.

190)

2017헌바127

이처럼 자기낙태죄 조항으로 인하여 임신한 여성의 자기결정권이 어느 정도 제한되는 것은 사실이나, 그 제한의 정도가 자기낙태죄 조항을 통하여 달성하려는 태아의 생명권 보호라는 중대한 공익에 비하여 결코 크다고 볼 수 없으므로, 자기낙태죄 조항은 법익균형성 원칙에도 반하지 아니한다.

2. 쟁점과 논거

찬성론: 산모의 자기결정권	반대론: 태아의 생명권
[산모의 자기결정권] 산모는 주체로서 자신의 삶의 가치관 실현에 대한 자기결정권을 갖는다. 예기치 않은 임신과 출산은 산모의 가치관 실현에 지대한 영향을 미치고, 임신과 출산, 출산 후 양육에 대한 전적인 책임은 산모에게 있다. 이러한 현실에서 무조건적인 출산 강요는 산모의 인생을 결정하는 중대한 사안에 대한 산모의 선택권을 박탈하는 것이다.	[태아의 생명권 보호] 태아는 엄연한 생명으로 온전한 인간이 될 가능성이 있는 존재이므로 인간에 준하는 생명의 가치를 가지고 있다. 태아와 인간을 명확하게 구분할 수 있는 기준은 없으며, 낙태는 회복 불가능한 생명 가치의 침해를 야기한다. 태아는 자신의 생명 보호를 주장할 수 없으므로 국가가 태아의 생명권을 보호해야 한다.
[평등원칙] 평등원칙은 같은 것을 다르게 대하지 말라는 원칙이다. 원치 않는 임신을 한 상황에서 어떤 산모는 임신과 출산이 자신의 인생계획에 부합할 경우 자기결정권을 인정받는 반면, 임신과 출산이 자신의 인생계획에 부합하지 않는 산모는 자기결정권을 제한받는다. 이는 같은 자기결정권을 다르게 대하는 것이다.	[생명경시풍조 예방] 낙태는 원치 않는 출산으로 인한 산모의 불행을 막기 위해 태아의 생명을 파괴하는 것이다. 이는 태아의 생명을 산모의 행복을 위한 수단으로 여기는 것으로 생명의 가치를 경시하는 것이다. 더욱이 출산 및 양육으로 인한 불행을 회피하고자 하는 유혹에 휩쓸려 쉽사리 낙태를 선택할 가능성이 크기 때문에 이러한 생명경시는 사회적으로 확산될 것이다.
[실질적 태아 보호] 태아가 태어나 인간으로 살아가기 위해서는 단순히 생명을 유지하는 것에서 그치는 것이 아니라, 아이의 양육에 적합한 부모의 보호와 사회적 교육을 받을 수 있어야 한다. 하지만 낙태를 고려하는 여성은 정상적으로 아이를 양육하기 힘든 조건인 경우가 많다. 이러한 상황에서 단순히 태아의 출산만을 강요하는 것은 오히려 태아의 삶을 보호하지 못하는 것이다.	[자기책임원칙 위배] 산모의 임신은 태아의 책임이 아니라 산모와 그 성적 파트너와의 행위로 인해 유발된 것이다. 그렇다면 임신에 대한 책임은 산모와 그 성적 파트너가 부담해야 한다. 그러나 낙태는 임신의 책임을 성행위의 당사자가 아닌 제3자인 태아에게 부과하는 것이다. 더욱이 출산과 양육에 대한 원조 의무가 있는 국가가 단순히 낙태를 허용해 문제를 해결하려는 것은 자신의 책임을 다하지 않은 것이다.

3. 읽기 자료

낙태죄 비범죄화[191)]

낙태관련법 개정방향[192)]

191)

낙태죄 비범죄화

192)

낙태관련법 개정방향

067 문제 낙태

답변 준비 시간 15분 | 답변 시간 15분

※ 다음 제시문과 QR코드를 촬영하면 연결되는 제시문을 읽고, 문제에 답하시오.

(가) '낙태'나 '임신중절'을 검색하면 다양한 질문이 뜬다 특히 '혼자서 임신중절 수술을 받을 수 있나요?'와 같은 질문이 많다. 답은 산부인과 의사들 사이에서도 의견이 갈린다.

낙태죄

(나) 일반적으로 임신 주수가 증가할수록 임신한 여성이 낙태로 사망할 위험이 높아진다. 임신 9주 이내에는 약물을 통한 낙태도 가능하고, 임신 12~13주에는 수술방법이 비교적 간단하여, 낙태로 인한 합병증이나 모성사망률이 현저히 낮게 나타난다. 국제산부인과학회(FIGO)의 '재생산 및 여성 건강의 윤리적 측면의 연구를 위한 위원회(Committee for the Study of Ethical Aspects of Human Reproduction and Women's Health)'에 따르면, 임신 제1삼분기에 적절하게 수행된 비의료적 이유에 의한 낙태는 만삭분만보다도 안전하다. 그러나 의학계에 따르면 낙태로 인한 모성 사망의 상대적 위험도는 임신 8주 이후 각각 2주마다 두 배로 증가한다고 한다.

태아는 일정 시기 이후가 되면 모체를 떠난 상태에서도 독자적으로 생존할 수 있는데, 의학기술의 발전에 따라 이 시기는 가변적일 수 있으나, 세계보건기구(WHO)는 이를 임신 22주라고 하고 있고, 산부인과 학계도 현시점에서 최선의 의료기술과 의료인력이 뒷받침될 경우 임신 22주 내외부터 독자적인 생존이 가능하다고 보고 있다. 특히 이 시기 즉, 임신 제2삼분기(second trimester, 전체 임신기간 중 제1삼분기 이후부터 약 28주 무렵까지)의 일정한 시점에 이르면 태아의 성별이나 기형아 여부를 알 수 있다.

헌법재판소는 낙태죄를 헌법불합치 판결하고, 국회가 개선입법을 하기 전까지 기존의 낙태죄를 계속 적용할 것을 명령했다. 그러나 국회가 개선입법을 하지 않자, 정부는 낙태죄를 존치하되 14주 이내의 낙태를 처벌하지 않는 법안을 제출했다.

Q1. 낙태죄 존치 입장의 핵심논거를 제시하고 이를 논증하시오.

Q2. 낙태죄 폐지 입장의 핵심논거를 제시하고 이를 논증하시오.

Q3. 낙태죄 존폐에 대한 자신의 견해를 논하시오. 그리고 선택한 입장에 대해 예상되는 반론을 제시하고 이에 대해 재반론하시오.

Q4. 제시문 (나)에서 정부가 제출한 법안의 타당성을 판단하시오. 만약 정부 법안에 문제점이 있다면 이에 대한 해결방안을 제시하시오.

추가질문

Q5. 낙태할 때 배우자 혹은 태아의 부(父)의 동의를 받도록 해야 한다는 견해가 있다. 이 견해에 대해서는 어떻게 생각하는가?

Q6. 유럽 국가들은 우리의 예상과 달리 낙태를 금지하는 경우가 많다. 낙태 금지가 가능한 사회적 조건을 논하시오.

067 해설 낙태

Q1. 모범답변

낙태죄를 존치해야 한다는 입장에서는, 태아의 생명을 보호해야 한다는 논거를 제시할 것입니다. 생명은 그 자체로 가치 있는 것이며 마땅히 보호받아야 합니다. 생명은 연속적인 과정으로 인간은 누구나 수정란, 배아, 태아, 신생아를 거쳐 성장해 성인이 됩니다. 이 연속적인 과정에서 어느 순간부터 사람인지는 불분명할 수 있으나 모든 순간이 생명임은 명백하기 때문에 태아는 명백하게 생명이라 할 수 있습니다. 그러므로 특정시점을 기준으로 낙태를 허용한다는 것은 명백하게 생명을 해하는 것이므로 처벌하는 것이 타당합니다. 특히 태아는 독립적으로 자신의 의사를 밝힐 수 있는 산모와는 달리 자신의 의사를 밝힐 수 없는 상태이므로 국가와 사회가 태아의 생명을 보호하여야 합니다.[193] 따라서 태아의 생명을 보호하기 위해 낙태죄를 존치해야 합니다.

Q2. 모범답변

낙태죄를 폐지해야 한다는 입장에서는, 산모의 자기결정권을 보호해야 한다는 논거를 제시할 것입니다. 개인은 자기 자신의 주인으로서 스스로 심사숙고하여 결정한 가치관을 실현하고자 인생의 계획을 세우고 이를 추구하는 존재입니다. 이러한 개인의 자유 실현의 과정에서 타인의 자유에 직접적 해악을 주는 경우에만 그 자유를 제한할 수 있습니다. 그런데 산모는 자신의 인생의 계획을 실현하는 과정에서 예기치 않게 임신을 한 경우, 선택을 할 수 있습니다. 만약 임신과 출산이 자신의 가치관에 부합하거나 스스로 이를 감수하겠다고 결심한 경우에는 임신중절을 하지 않을 것입니다. 그러나 임신과 출산이 자신의 가치관에 반하거나 산모가 이를 책임질 수 없다고 판단한 경우 임신중절을 할 수 있어야 합니다. 임신과 출산은 산모에게 전적으로 책임이 부여될 뿐만 아니라 출산 이후로도 양육의 많은 부분이 산모에게 책임지워집니다. 이처럼 20여 년 이상의 책임이 부여되는 결정이며, 출산과 양육으로 이어지는 전 과정에서 대부분의 책임이 산모에게 있음은 분명합니다. 그에 반하여 태아의 경우 온전한 책임의 주체인 산모와는 달리 생명임은 인정할 수 있으나 온전한 인간이라 볼 수 없습니다. 특히 특정시점 이전의 태아는 인간이 될 가능성이 있는 것이지 인간이라 볼 수 없습니다. 그렇기 때문에 독립적 주체로서 책임을 전적으로 지고 있는 산모가 특정시점 이전에 자신의 자유의사로서 낙태를 선택할 수 있습니다.

Q3. 모범답변

낙태죄는 폐지되어야 합니다. 여성의 자기결정권을 보호하고, 국가의 책임을 실현해야 하기 때문입니다. 우리나라에서 출산과 양육의 책임은 거의 전적으로 산모에게 있습니다. 앞으로 자신의 인생을 어떻게 살 것인지에 대해 결정권은 출산과 양육의 책임을 전적으로 지는 산모에게 있어야 합니다. 무조건적인 출산 강요는 여성의 자기인생에 대한 결정권을 박탈하는 것이나 다름없습니다. 이러한 상황에서 임신중절을 죄로 규정하여 강하게 처벌한다고 하더라도 100% 확실한 피임법이란 없기 때문에 모든 성관계를 금지하는 것이나 다름없는 비현실적인 규정이 될 뿐입니다. 국가가 태아의 생명 보호라는 목적을 달성하고자 한다면 성교육과 피임교육, 낙태상담 활성화, 미혼모에 대한 지원, 입양문화의 활성화, 산모에 대한 사회적 지원의 강화 등과 같은 사회적 가치 실현을 위한 노력이 더 실효적입니다. 국가가 이러한 책임을 다하지도 않으면서 산모에게 모든 책임을 다 지우며 산모가 태아의 생명을 보호한다는 사회적 가치를 훼손하므로 처벌한다는 것은 논리 모순입니다. 따라서 낙태죄는 폐지되어야 합니다.

193) 국가의 가장 중요한 의무는 그 공동체 구성원 모두의 생명과 안전, 이익을 보호하는 것이고 자신을 보호할 수 없는 자들의 그것에 대해서는 특별히 그러하다. 태아는 스스로를 지킬 수 있는 방법이 없으며, 생성 중인 생명으로서 외부 공격에 취약하다. 생명의 침해는 회복 불가능하고, 생명에 대한 부분적 제약을 상정할 수 없기 때문에 태아의 생명을 박탈하는 것을 금지하지 않고 태아의 생명을 보호하는 것은 불가능하다. 따라서 인간의 존엄을 실현하기 위한 국가의 과제를 이행하기 위하여 국가는 태아의 생명을 박탈하는 낙태를 금지할 수 있는 것이다. (헌재 2019.4.11. 2017헌바127)

이에 대해 낙태는 태아의 생명권을 침해하고, 낙태 허용이 생명경시풍조로 이어질 것이라는 반론이 제기될 수 있습니다. 그러나 이 반론은 타당하지 않습니다.

먼저, 낙태가 태아의 생명권을 침해한다고 볼 수 없습니다. 태아가 생명임을 부정할 수는 없으나 생명권의 주체인지는 불분명합니다. 태아는 인간이 될 가능성이 있는 존재이지 인간 그 자체라 할 수 없습니다. 태아의 권리를 보호하고자 한다면 태아를 인간으로 규정할 수 있는 기준이 필요합니다. 만약 그렇지 않다면 수정란 상태부터 태아의 생명권이 보호되어야만 하고, 수정란의 자궁 착상 이후 의도치 않은 유산 등도 처벌의 대상이 되어야 합니다. 따라서 이러한 기준에 대한 사회적, 과학적 논의가 먼저 전제되어야 합니다. 그뿐만 아니라 태아가 인간으로 살아가기 위해서는 단순히 생명을 유지하는 것에서 그칠 것이 아니라 부모의 보호와 사회적 도움이 필요합니다. 그러나 낙태를 고려하는 여성은 정상적으로 자녀를 양육하기 힘든 환경에 처해있는 경우가 많습니다. 우리나라는 출산과 양육 책임이 거의 전적으로 모(母)에게 있으며, 국가와 사회는 출산과 양육 책임을 외면하고 있습니다. 이런 상황에서 원하지 않은 출산을 한 경우 모(母)뿐 아니라 태아까지 모두 불행해질 뿐입니다. 따라서 낙태가 태아의 생명권을 침해한다고 단언할 수 없습니다.

둘째로, 낙태 허용이 곧 생명경시풍조로 이어진다고 볼 수 없습니다. 낙태를 허용한다고 하여 생명을 경시하는 것은 아닙니다. 낙태로 인해 가장 큰 고통을 느끼는 사람은 임산부인 여성입니다. 사회가 아이를 낳고, 키울 수 있는 여건을 마련해준다면 자연스럽게 아이를 낳아 키울 것입니다. 낙태로 인한 생명경시풍조가 문제가 아니라 우리 사회가 아이를 잘 키울 수 있는 여건을 마련해주지 않기 때문에 여성이 낙태를 선택할 수밖에 없는 환경이 문제입니다. 오히려 낙태를 금지하고 처벌하기 때문에 여성은 원치 않는 임신을 한 경우 낙태에 대한 상담이나 교육 등을 받을 수 없고, 낙태에 대한 정확한 정보를 얻을 수도 없습니다. 낙태수술과정에서 발생한 의료사고나 후유증의 경우에도 적절한 법적 구제가 불가능합니다. 또한 낙태수술은 불법이므로 그 위험부담으로 인해 수술비가 비싸 미성년자나 저소득층 여성들이 수술을 받지 못하고 수술시기를 놓쳐 결국 영아유기나 영아살해를 하는 경우도 많습니다. 결국 낙태를 허용하면 생명경시풍조가 일어난다기보다 낙태를 처벌하는 것이 생명경시풍조로 이어지고 있다고 볼 수도 있습니다. 따라서 낙태 허용이 생명경시풍조로 이어질 것이라 할 수 없습니다. 따라서 낙태죄를 폐지해야 합니다.

Q4. 모범답변

정부가 제출한 14주 이내의 낙태를 처벌하지 않는 법안은 타당합니다. 태아의 생명권을 보장하면서 산모의 자기결정권 역시 보장하기 때문입니다. 태아는 점차 성장하여 인간으로 완성될 수 있는 존재이기 때문에 태아의 생명을 보호하기 위해 국가가 산모의 자기결정권을 필요 최소한으로 일부 제한할 수 있습니다. 산모의 낙태가능시점을 너무 빠르게 설정할 경우 산모가 임신 여부를 알지도 못한 상태에서 자신의 자기결정권의 행사가 불가능할 수 있고, 너무 늦게 설정할 경우 태아가 독자적인 생존이 가능함에도 불구하고 생명을 침해당할 수 있습니다. 따라서 일정시점을 정하여 그 기간 안에 낙태를 처벌하지 않는 것은 태아의 생명과 산모의 자기결정권을 모두 보호하는 방안이 되므로 타당합니다.

그러나 이 시점이 임신 14주인 것에 대해서는 문제가 있습니다. 태아는 산모에게 전적으로 생존과 성장을 의존하게 되는데, 임신기간이 경과함에 따라 인간에 가까운 모습으로 발달하며, 일정시점이 되면 인큐베이터 등의 의료적 도움을 받아 독자적 생존이 가능합니다. 물론 14주 이후의 낙태는 여성의 생명에 위협이 될 수 있고 건강에 위해를 줄 수 있습니다. 그러나 이 역시 산모가 자신의 숙고를 통해 결정한 것이므로 여성의 자기결정권의 영역으로 보장되어야 합니다. 따라서 태아의 생명권을 보호하기 위해서는 태아가 산모에 의존하지 않고 독자적으로 생존 가능한 임신 22주 이후의 낙태를 금지해야 하며, 그 이전의 낙태는 여성의 자기결정권의 보장을 위해 허용하는 것이 타당합니다.

이에 더해 국가의 노력이 필요합니다. 국가가 태아의 생명 보호라는 목적을 달성하고자 한다면 성교육과 피임교육, 낙태상담 활성화, 미혼모에 대한 지원, 입양문화의 활성화, 산모에 대한 사회적 지원의 강화 등과 같은 사회적 가치 실현을 위한 노력을 해야 합니다. 국가가 이러한 노력을 충분히 하여 산모가 태아를 출산하는 선택을 하도록 권유하고 권장해야 합니다.

Q5. 모범답변

이 견해는 타당하지 않습니다. 배우자나 태아의 부(父)의 동의를 받도록 한다면 남성이 낙태에 대한 최종적 결정권을 가지게 됩니다. 남성은 출산과 양육에 대한 부담이 적습니다. 자신의 책임과 부담이 적으므로 동의를 하지 않을 가능성이 큽니다. 이는 출산과 양육에 큰 짐을 진 여성의 자기결정권을 침해합니다.

Q6. 모범답변

유럽 국가들이 낙태를 금지할 수 있는 사회적 조건은, 산모가 태아의 출산과 양육을 하더라도 자신의 자기결정권이 보장될 수 있어야 합니다. 이 경우 낙태를 금지할 수 있습니다. 낙태죄란, 낙태로 인해 생명경시풍조가 일어나 사회적 가치가 침해되기 때문에 국가가 이를 막아야 한다고 판단한 결과입니다. 사회적 가치를 실현하기 위해 사회구성원을 처벌해야 한다면 사회적 가치 실현을 위해 국가가 먼저 노력한 이후에야 개인에게 책임을 물을 수 있다는 의미입니다. 예를 들어, 우리나라는 국가안보라는 사회적 가치의 실현을 위해 사회구성원에게 병역의 의무를 부과하고 있습니다. 그런데 총과 같은 병기를 개인의 부담으로 하고 총을 사 오지 않으면 병역을 이행하지 않은 것으로 간주한다면 이는 개인에게 과도한 부담을 지우는 것입니다. 마찬가지로 사회적 가치를 실현하고자 개인을 처벌할 수 있다면 사회적 가치 실현의 책임에 있어서 많은 부분을 공동체가 부담해야 합니다. 따라서 출산과 양육의 큰 짐을 사회와 국가가 대신 부담한다면 여성이 출산으로 인해 감수해야 할 자신의 인생에 대한 계획과 결정의 제한사항을 현저하게 줄일 수 있습니다. 여성과 미혼모에 대한 복지가 잘 되어있는 독일 등의 국가는 낙태를 금지하고 있으나 여성들의 반발은 크지 않습니다. 따라서 사회와 국가가 낙태를 금지하여 태아의 생명을 보호하고자 한다면, 산모의 인생의 자기결정권을 존중하는 적극적 역할을 하는 사회적 조건이 만족되어야 합니다.

068 개념 유전자 편집기술

2024 부산대·2022 제주대·2021 성균관대/인하대/제주대·2020 경북대/아주대/충남대 기출

1. 기본 개념

(1) 생명권과 자기결정권의 대립

과학기술의 발전, 특히 유전공학과 줄기세포기술 등이 발전하면서 생명권과 자기결정권의 대립이 본격화되었다. 과학기술 발전 이전에는 환자의 선택이 사회에 영향을 미치는 정도가 매우 미미했다. 예를 들어, 환자가 A수술을 받아도, B수술을 받더라도 사회에 악영향을 주지는 않는다. 그러나 과학기술, 의학기술의 발전으로 인해 환자 자신이 스스로의 생명을 구하는 결정을 내리는 일이 곧 사회에 악영향을 미칠 가능성이 발생하게 되었다. 예를 들어 배아복제기술을 들 수 있다. 환자는 과학의 발전으로 인해 자신의 체세포를 이용하여 거부반응이 없는 장기를 얻을 수 있게 되었다. 환자 자신의 체세포를 이용하여 줄기세포를 만들고 이를 통해 자신에게 필요한 장기를 만들 수 있다. 개인에게는 자신의 생명을 살릴 수 있는 결정을 스스로 내릴 수 있다는 점에서, 그리고 다른 사람의 장기를 이용하는 것이 아니라 자신의 세포를 이용하는 것이라는 점에서 자기결정권의 문제라 할 수 있다.

그러나 환자의 자기결정권은 생명경시풍조 만연이라는 사회적인 문제를 가져올 수 있다. 아무리 환자 본인의 체세포를 이용하는 것이라 하더라도 성인여성의 난자가 필요하다. 물론 성체줄기세포 등 대안이 연구되고 있다는 점에서 문제점을 최소화할 수 있다는 반론도 있다. 하지만 여전히 인간이 생명을 다루게 되고 이전보다 생명을 가볍게 다룰 것이라는 점에는 분명하다. 예를 들어 예전에는 장기를 다치게 되면 이식이 거의 불가능하였으나, 복제기술이 활성화되면 인간의 장기도 공산품에 불과하다는 인식을 가질 것이다. 이러한 인식이 확산되면 인간과 생명을 가볍게 여기는 생명경시풍조가 전 사회로 확산될 수 있다. 생명경시풍조의 확산은 범죄, 차별, 불평등으로 연결될 수 있다는 점에서 사회적 제한을 가해서라도 막을 필요가 있다. 이러한 입장에 따르면 환자가 자신의 생명을 살리기 위한 자기결정권이 소중함에도 불구하고 사회적인 생명경시풍조로 인한 문제점이 더 크기 때문에 환자의 자기결정권을 제한할 수 있다.

(2) 유전자 가위기술(유전자 편집기술)[194]

유전자 가위기술은 기존의 의학적 방법으로 치료가 어려운 다양한 난치성 질환을 근원적으로 치료할 수 있는 기술이다. 이는 문제가 되는 유전자를 제거하거나 정상적인 기능을 할 수 있도록 필요한 유전자를 편집 혹은 삽입하는 방식을 사용하기 때문이다. 유전자 가위기술은 유전질환, 암, 감염증, 대사이상질환, 자가면역질환 등의 치료에도 활용될 수 있으리라 기대된다. 질병 치료 이외에도 동식물의 개량, 해충 박멸 등을 위한 유전자 조작에 사용될 수 있을 것으로 기대된다.

(3) 시장 규모

유전자 가위기술, 유전자 편집기술의 전체 세계시장 규모는 2020년 14억 달러에 달했고, 2023년 53억 달러(약 7조 원), 2028년 107억 달러(약 14조 원)로 성장할 전망이다. 특히 이 중에서 크리스퍼 캐스나인 기술의 시장 규모는 2022년 약 30억 달러로 전체 시장 규모 47억 달러 중 64%를 점유한다.

194)

유전자 가위기술

2. 읽기 자료

마이클 샌델, <완벽에 대한 반론>, 와이즈베리

유전자 가위기술 규제[195]

GMO 관련 유럽과 독일의 규제현황[196]

195)

유전자 가위기술 규제

196)

GMO 관련 유럽과 독일의 규제현황

068 문제 유전자 편집기술

답변 준비 시간 15분 | 답변 시간 15분

※ 다음 제시문과 QR코드를 촬영하면 연결되는 제시문을 읽고, 문제에 답하시오.

(가) 문제는 부모가 자녀를 설계함으로써 자녀의 자율권을 빼앗는다는 점이 아니다. 부모가 아이를 설계하지 않아도 아이는 자신의 유전적 특성을 선택해서 태어날 수 없다. 진짜 문제는 자녀를 설계하는 부모의 오만함, 그리고 생명 탄생의 신비로움을 마음대로 통제하려는 욕구다. 그런 성향 때문에 부모가 자녀에 대해 폭군이 되는 것은 아닐지라도, 그 성향은 부모와 자녀의 관계를 훼손하고 부모로 하여금 '선택하지 않은 것을 열린 마음으로 받아들이는 태도'를 통해 길러질 수 있는 인간 본연의 공감과 겸손함을 갖지 못하게 만든다.

(나) 2020년 노벨화학상은 유전자 편집기술인 크리스퍼 유전자 가위(CRISPR-Cas9)를 연구한 프랑스의 에마뉘엘 샤르팡티에와 미국의 제니퍼 A 다우드나에게 수여됐다. 이 기술이 생명과학에 혁신적 영향을 미치며 암과 유전병 치료의 가능성을 열었다고 평가했다.

유전자 편집기술

Q1. (가)는 공동체주의의 입장에서 불치병이나 난치병, 유전병 등 질병을 자녀에게 물려주지 않도록 하기 위해 유전자에 조작을 하는 소극적 유전자 조작을 반대한다. 논거를 제시하여 샌델의 주장을 논리적으로 강화하시오.

Q2. (나)의 크리스퍼 가위와 같은 기술로 인해 유전자 편집이 현실화되고 있다. 질병 치료를 목적으로 하는 유전자 편집의 허용과 인체 강화 목적의 유전자 편집에 대한 자신의 견해를 각각 논하시오.

068 해설 유전자 편집기술

Q1. 모범답변

소극적 유전자 조작은 부모와 자녀 간의 관계의 핵심적 가치인 선물받음이라는 가치를 훼손하기 때문에 허용되어서는 안 됩니다. 부모는 자녀의 생명을 잉태하고 사회구성원으로 키워내는 역할을 합니다. 그러나 자녀는 부모의 소유물이 아니고 자녀는 부모와 동등한 하나의 생명체입니다. 부모는 자녀를 있는 그대로 선물받은 것으로 받아들여야 합니다. 그러나 소극적 유전자 조작은 자녀를 부모의 희망과 요구사항에 맞춰 만들어낼 수 있다는 뜻이기도 합니다. 이는 부모와 자녀의 관계에 대한 가치 훼손을 일으키는 것입니다. 물론 질병을 후대에 물려주고 싶지 않다는 부모의 마음은 자녀를 사랑하는 마음임이 분명합니다. 그러나 불치병이나 난치병, 유전병에서 시작된 소극적 유전자 조작은, 유전되지 않는 심대한 질병 예방의 목적으로, 더 나아가 키나 외모 등의 우월성을 이유로 한 적극적 유전자 조작까지 미끄러운 경사면을 타고 이어질 수 있습니다. 따라서 소극적 유전자 조작을 허용해서는 안 됩니다.

Q2. 모범답변

질병 치료 목적의 유전자 편집 허용은 타당하나, 강화 목적의 유전자 편집 허용은 타당하지 않습니다.

먼저, 질병 치료 목적의 유전자 편집은 타당합니다. 국민의 건강을 달성할 수 있고, 국가 발전을 도모할 수 있기 때문입니다.

국민 건강의 실현을 위해 질병 치료 목적의 유전자 편집을 허용해야 합니다. 국민은 자유와 권리의 안정적 실현을 위해 국가를 설립했습니다. 따라서 국가는 국민의 자유와 권리의 실현을 보장할 의무가 있습니다. 국민의 자유와 권리가 보장되기 위한 기초에는 생명과 건강한 삶의 보장이라는 가치가 존재합니다. 현대 국가는 국민보건과 국민 건강권의 실현을 위해 국가적인 노력을 기울이고 그 대표적 사례가 국민건강보험과 의료과학기술에 대한 투자 등이라 할 수 있습니다. 크리스퍼 가위와 같은 유전자 편집기술은 불치병이나 난치병의 치료에 획기적인 계기가 될 수 있습니다. 유전자 편집기술을 사용하면 현재의 의학기술로 달성할 수 없는 의료적 한계를 뛰어넘을 수 있음에도 불구하고 이를 금지하는 것은 국가의 의무를 방기하는 것입니다. 따라서 국민 건강의 실현을 위해 질병 치료 목적의 유전자 편집을 허용해야 합니다.

국가 발전을 도모할 수 있으므로 질병 치료 목적의 유전자 편집을 허용해야 합니다. 현대사회는 전세계적으로 고령화가 진행되고 있어 의료산업이 고부가가치를 불러올 것이라는 점이 자명합니다. 그 중에서도 개인에게 정확하게 맞춤식으로 질병을 치료할 수 있고, 질병을 근본적으로 치료할 수 있는 의료기술이 중요합니다. 유전자 편집기술은 개인의 유전자 자체를 변화시키는 것으로써 개인에게 맞춤식으로 특화된 치료법의 기반이 될 뿐만 아니라 질병을 근본적으로 제거할 수 있습니다. 그뿐만 아니라 이로부터 파생되는 기술도 큰 가치를 가질 것임을 누구나 예상할 수 있습니다. 우리나라가 유전자 편집기술의 사용을 금지시킨다고 하더라도 거대한 이익을 노린 타국이 연구를 진행할 것이고 결국 고부가가치 산업을 선도할 기회를 타국에 빼앗기게 됩니다. 그뿐만 아니라 우리 국민의 건강을 증진시키기 위해 필요한 의료기술과 의약품을, 유전자 편집기술 개발에 성공한 타국으로부터 구입해야 함으로써 발생하는 손해도 막대할 것입니다. 질병 치료 목적의 유전자 편집을 허용함으로써 고부가가치 산업의 발전을 유도하고 연구로 인해 발생할 문제점을 사회적 합의를 통해 해결함으로써 보완한다면 국가 발전을 도모할 수 있습니다. 따라서 국가 발전을 위해 질병 치료 목적의 유전자 편집을 허용해야 합니다.

둘째로, 강화 목적의 유전자 편집 허용은 타당하지 않습니다. 공동체의 유지·존속을 저해할 수 있기 때문입니다.

공동체의 유지·존속을 위해 강화 목적의 유전자 편집을 허용해서는 안 됩니다. 공동체는 서로 다른 생각을 가진 구성원들이 모여 이루어지기 때문에 공유된 가치가 필수적입니다. 만약 이 공유된 가치가 훼손된다면 공동체는 해체될 것입니다. 이러한 공유된 가치 중 하나가 상호의존관계에서 오는 연대의식입니다. 건강과 행복을 누리는 사람들이 갖고 있는 자연적인 재능은 자신의 자유로운 선택과 노력의 결과가 아니라 유전적 제비뽑기라는 우연의 결과입니다. 따라서 우리는 건강보험 등과 같이 서로 연대함으로써 이러한 유전적 제비뽑기의 운이 좋은 자와 안 좋은 자가 서로를 도움으로써 공동체를 유지하고 존속하고 있습니다. 그러나 강화 목적의 유전자 편집이 허용된다면 스스로 좋은 유전자를 자유롭게 선택할 수 있기 때문에 우리 자신을 공동의 운명을 공유하는 존재로 여기지 않을 것입니다. 그렇다면 상호의존관계가 파괴되고 연대의식 역시 사라지게 될 것입니다. 결국 어려운 처지에 있는 자들은 부적격한 존재로 여겨지게 되고 우생학적 교정이 필요한 존재로 인식될 수밖에 없습니다. 이는 공동체 구성원으로서 함께 연대하여 살아나가야 할 존재를 부정하는 결과로 이어질 것입니다.[197] 따라서 강화 목적의 유전자 편집을 허용해서는 안 됩니다.

197) 마이클 샌델, <완벽에 대한 반론>, 와이즈베리, 116-119p

069 개념 인신구속절차

1. 기본 개념

(1) 신체의 자유

신체의 자유란 신체의 완전성이 외부의 물리적인 힘이나 정신적인 위험으로부터 침해당하지 아니할 자유와 신체활동을 임의적이고 자율적으로 할 수 있는 자유를 말하는 것이다.[198] 헌법 제12조 제1항은 "모든 국민은 신체의 자유를 가진다"고 하여 신체의 자유를 보장하고 있다. 신체의 자유를 제한하는 법률은 헌법 제37조 제2항과 헌법 제12조 등의 그 제한의 한계를 준수해야 하며, 이에 따라 자유와 권리의 본질적인 내용을 침해할 수 없다.

(2) 종류

신체의 자유는 불법적인 체포, 구속, 압수, 수색, 심문, 처벌, 보안처분, 강제노역으로부터의 자유를 말한다. 신체의 자유에 대한 실체적 보장으로는, 죄형법정주의, 이중처벌금지, 연좌제 금지 등이 있다. 신체의 자유에 대한 절차적 보장으로는, 적법절차의 원칙, 영장주의, 체포구속적부심사제도, 인신보호제도, 구속이유 등 고지제도 등이 있다. 형사피의자와 형사피고인의 인권 보장을 위해 무죄추정의 원칙, 변호인의 조력을 받을 권리, 구속이유 등을 고지받을 권리, 구속적부심사청구권, 진술거부권, 고문받지 아니할 권리, 자백의 증거능력 제한 등이 있다.

(3) 헌법재판소 판례[199]

헌법 제12조 제3항의 영장주의는 적법절차원칙에서 도출되는 원리로서, 형사절차와 관련하여 체포·구속·압수·수색의 강제처분을 함에 있어서는 사법권독립에 의하여 신분이 보장되는 법관이 발부한 영장에 의하지 않으면 아니 된다는 원칙이다. 따라서 영장주의의 본질은 강제처분을 함에 있어서는 중립적인 법관이 구체적 판단을 거쳐 발부한 영장에 의하여야만 한다는 데에 있다(헌재 2012.5.31. 2010헌마672). 이러한 영장주의는 사법권독립에 의하여 신분이 보장되는 법관의 사전적·사법적 억제를 통하여 수사기관의 강제적인 압수·수색을 방지하고 국민의 기본권을 보장하기 위한 것이다(헌재 2004.9.23. 2002헌가17등). 헌법 제12조 제3항의 영장주의에 관한 위와 같은 헌법재판소 결정의 취지는 헌법 제16조의 영장주의를 해석하는 경우에도 마찬가지로 고려되어야 한다.

2. 읽기 자료

헌법상 적법절차[200]

198) 헌재 1992.12.24. 92헌가8

199)

2015헌바370

200)

헌법상 적법절차

069 문제 인신구속절차

답변 준비 시간 20분 | 답변 시간 15분

Q1. 법에서는 인신구속 등과 같은 강제처분은 원칙적으로 법원의 영장에 의해서만 행해질 수 있다고 규정한다. 이를 영장주의라 한다. 영장주의가 필요한 이유에 대해 논하시오.

Q2. 영장주의 등과 같은 형사절차로 인해 범죄자 검거의 효율성이 떨어질 수 있다. 번거로운 형사절차로 인해 범죄 해결에 실패할 수 있다는 반론에 대해 자신의 견해를 논하시오.

Q3. 다음과 같은 상황을 가정하자. 조직폭력배와 관련한 강력사건이 발생했는데 사건의 시급한 해결이 중요하다. 검거된 조직폭력배를 고문할 경우 사건의 조속한 해결이 가능하며, 여론조사 결과 국민의 80% 이상이 강력범죄를 저지른 조직폭력배를 고문해서라도 사건을 빨리 해결할 것을 요구하고 있는 상황이다. 이런 상황에서 고문을 수반한 수사가 가능한지 여부를 말하고, 만약 수사기관에 의한 고문이 이루어졌다면 고문피해자가 구제를 청구할 수 있는 수단을 제시하시오.

Q4. 甲은 살인사건의 피의자로서 수사관의 고문에 의해 자신이 살인을 범했다고 자백했다. 이 자백은 甲의 유죄의 증거가 될 수 있는지 논하시오.

Q5. 형사재판에서 실체적 정의를 우선해야 하는지 혹은 절차적 정의를 우선해야 하는지 자신의 견해를 정하고, 그 이유를 논증하시오.

Q6. 현재 테러리스트가 10만 명의 군중이 밀집한 시설에 폭탄을 설치했고 폭탄은 곧 폭발할 것이고 군중을 대피시킬 시간적 여유가 없는 상황이라 하자. 현재 폭탄 처리반이 대기하고 있는데 폭탄이 설치된 정확한 위치를 모른다. 테러리스트를 고문하면 폭탄의 위치를 알아낼 가능성이 있다. 지원자가 책임자라면 테러리스트에 대한 고문을 할 것인가?

069 해설 인신구속절차

Q1. 모범답변

국민의 자유와 권리를 보장하기 위해 영장주의가 필요합니다. 국민은 주권자로서 자신의 자유와 권리를 안정적으로 보장받고자 국가를 형성하였습니다. 국가는 치안을 유지하여 국민의 생명과 신체를 보호해야 합니다. 그러나 한편으로 국가는 다수 국민의 안전이라는 목적을 실현하기 위함이라 하더라도 개인의 자유를 과도하게 제한해서는 안 된다는 한계 또한 지켜야 합니다. 현실적으로 수사기관은 신속한 수사를 위해 강제처분을 남발하는 등으로 개인의 자유를 제한할 가능성이 존재합니다. 신속한 수사를 위해 강제처분의 대상이 되는 자 또한 국민으로서 개인의 자유의 주체이며 국가는 합리적 이유 없이 그 자유를 제한할 수 없습니다. 따라서 이러한 개인의 자유를 보호하기 위해 형사절차로서 영장주의를 두어, 법원의 구체적 판단 결과 인신구속 등과 같은 강제처분이 꼭 필요하다고 판단될 때에만 이를 행하도록 규정하고 있습니다.

Q2. 모범답변

형사절차로 인해 범죄 해결에 실패할 수 있다면 오히려 국가의 수사역량을 높여야 할 것이지 형사절차를 제거해서 해결할 일이 아닙니다. 국민은 국가에 대해 개인의 자유를 보호하는 한편 범죄를 해결하여 사회질서를 유지할 것을 동시에 원합니다. 근대 이전의 국가는 범죄 해결을 위해 국민을 대상으로 다수의 피의자에게 고문을 하거나 화형과 같은 엄벌에 처하는 극형체제를 유지했습니다.

현대 민주국가의 국민은 자신의 자유를 보장받기를 원하기 때문에 이러한 체제를 원하지는 않을 것입니다. 국민은 범죄 해결과 예방이라는 수단을 통해 자유로운 삶이라는 목적을 달성하고자 하는 것이지, 자신의 자유를 훼손당하면서까지 범죄의 해결을 원하지는 않습니다. 따라서 범죄 문제는 오히려 형사절차를 강화하고 국가의 범죄해결역량을 높여 해결함이 타당합니다.

Q3. 모범답변

피의자가 조직폭력배이며 국민의 요구가 크다고 하더라도 고문을 해서는 안 됩니다. 개인의 인권을 명백하게 침해하고, 국민의 법신뢰를 해치기 때문입니다.

개인의 인권을 명백하게 침해하기 때문에 고문을 허용해서는 안 됩니다. 인권은 인간을 존엄한 존재로 대우하라는 것입니다. 인간은 존엄한 존재로 목적으로 대해져야 하며 수단으로 대해서는 안 됩니다. 조직폭력배라 하더라도 인간이며 그 자체로 목적으로 대해야 합니다. 그런데 조직폭력배이기 때문에, 혹은 국민적 요구가 크기 때문에 고문을 할 수 있다면 인간은 그 자체로 목적이 되는 것이 아니라 범죄 해결이나 많은 국민의 요구를 수용하기 위한 사회적 목적의 수단으로 전락합니다. 부정의를 해결하기 위해 부정의를 허용해서는 안 됩니다. 따라서 개인의 인권을 명백하게 침해하는 것이므로 고문을 허용해서는 안 됩니다.

국민의 법신뢰를 위해 조직폭력배라 하더라도 고문을 허용해서는 안 됩니다. 국민은 자신의 자유와 권리를 안정적으로 보장받고자 국가를 형성하였고 국가는 정의로운 방법으로 국민의 권리를 지킬 것이라 신뢰합니다. 그렇기 때문에 국민은 국가에 자신의 주권을 위임하고 형벌권을 국가가 독점적으로 행사하도록 위임하였습니다. 그런데 주권과 형벌권을 위임받은 국가가 국민의 자유와 권리를 지키기 위함이라는 명목으로 고문과 같이 부정의한 방법을 사용한다면 국민은 국가에 정의를 기대할 수 없게 되고 부정의한 수사의 목표가 자신이 될 수도 있을 것이라 예상하게 됩니다. 물론 이번에는 그 대상이 조직폭력배이기 때문에 정당하다고 신뢰할 수도 있습니다. 고문의 허용 정도가 강도, 절도 등과 같이 점차 낮아질 것이고 그 어떤 범죄라도 국민의 요구나 범죄의 신속한 수사를 위해서 고문을 허용하게 될 것입니다. 그 결과 국민은 국가의 법을 정의로울 것이라 신뢰할 수 없을 것입니다. 따라서 수사기관은 진실의 발견 등 어떤 명목이나 목적이라 하더라도 고문을 행하여서는 안 됩니다.

만약 수사기관에 의한 고문이 이루어졌다면, 고문피해자는 구제를 청구할 수 있습니다. 구제를 청구할 수 있는 수단으로, 고문피해자는 고문한 검사 혹은 경찰을 고소할 수 있습니다. 또한 국가기관의 명백한 불법행위에 대한 손해배상을 청구할 수 있습니다.

Q4. 모범답변

자백은 甲의 유죄의 근거가 될 수 없습니다. 고문을 통해 얻은 자백이 증거가 된다면 수사관들은 고문의 유혹으로부터 벗어날 수 없기 때문입니다. 위법한 방법으로 얻은 증거는 증거능력이 없습니다. 특히 자백이 유죄 인정의 유일한 근거일 경우 이 자백은 증거로서의 효력이 없다고 보아야 합니다.

Q5. 모범답변

형사재판에서 개인의 자유와 권리를 보호하기 위해 절차적 정의를 우선해야 합니다. 형사재판에서 실체적 정의, 즉 진실을 모두 파악하는 것은 불가능합니다. 인간은 神이 아니므로 범죄자의 범죄 진위뿐만 아니라 범죄에 기여한 정도나 적당한 형벌 등을 모든 범죄 상황에 비추어 완벽하게 알 수 없습니다. 특히 형사재판은 국민의 생명과 신체의 자유를 제한할 수 있는 것이므로 오판 가능성을 줄여야 합니다. 인간은 神이 아니므로 실제로 범죄를 저지르지 않은 사람을 범죄를 저지른 것으로 오인할 수 있습니다. 이처럼 실체적 진실을 알 수 없는 인간이 실체적 진실을 우선한다면 오판 가능성이 커져 개인의 자유와 권리를 명백한 이유 없이 가능성만으로 제한할 가능성이 커지게 됩니다. 따라서 형사재판에서 실체적 정의를 우선해서는 안 됩니다.

법 신뢰를 위해 절차적 정의를 우선해야 합니다. 만약 실체적 정의를 우선한다면 일반 국민의 생각과는 관계없이 실체적 정의를 발견할 수 있는 전문성을 가진 엘리트의 판단이 절대적으로 옳은 것이 됩니다. 그러나 인간은 실체적 정의를 완벽하게 파악할 수 없고, 전문가인 판사와 검사, 사법조직이 모두 나선다고 하더라도 형사재판에서 실체적 진실을 완벽하게 파악하는 것은 불가능합니다. 이처럼 실체적 정의를 파악할 수 없다면 형사재판의 결과 역시 신뢰할 수 없습니다. 우리는 공정한 절차를 합의하고, 공개된 절차의 적용과정을 확인하고, 여러 절차가 공정하게 적용되었다는 결과를 신뢰하는 것입니다. 예를 들어, A라는 피의자가 수사를 받고 있는 상황에서 A가 진실로 범죄를 저질렀는지는 누구도 알 수가 없습니다. 따라서 A는 단지 피의자일 뿐, 범죄자라 예단해서는 안 됩니다. A는 무죄추정의 원칙에 따라, 변호사의 조력을 받고, 구속적부심사(拘束適否審査)를 통해 구속 여부를 결정받고, 피의자가 범죄를 저지르지 않았음을 증명하는 것이 아니라 국가를 대리하는 검사가 증거주의에 따라 A가 범인임을 증명해야 하며, 3번의 재판을 받을 권리를 인정받습니다. 이처럼 일반 국민 모두가 합의할 수 있는 공정한 절차를 공개적으로 적용받아 A가 범인이라는 결과가 도출되었다고 했을 때, A는 진실로 그자가 범죄를 저질렀기 때문에 처벌을 받는 것이 아니라 이 모든 절차의 결과로서의 처벌을 받는 것입니다. 따라서 일반 국민의 법 신뢰를 유지하여 인권을 안정적으로 보호하기 위해 실체적 정의를 우선해서는 안 됩니다.

Q6. 모범답변

제가 책임자라면 테러리스트에 대한 고문을 선택하여 10만 명의 국민의 생명을 구하는 선택을 할 것입니다. 그러나 다른 사람에게 고문을 명령하거나 하지 않고 제가 직접 테러리스트를 고문할 것입니다. 그리고 제가 선택한 불법행위에 대한 책임을 스스로 밝히고 인정하여 해당행위에 대한 처벌을 감수할 것입니다. 10만 명의 생명을 구하기 위한 선택이라고 하더라도 고문은 명백하게 반인권적인 행위임이 분명합니다. 우리 법에서는 그것을 금지하고 있으므로 제가 법을 어긴 것에 대한 처벌을 감수함으로써 저의 선택이 수사 등 범죄 해결을 위한 목적으로 고문이 사용되는 인권침해가 재발하는 것으로 이어지지 않도록 할 것입니다. 이러한 선택으로써 국민 다수의 생명을 구하면서도 인권침해 행위가 재발하는 것을 막을 수 있을 것이라 생각합니다.

신상정보, 위치정보 공개

2019 부산대/성균관대 기출

1. 기본 개념

(1) 사생활의 자유: 주거의 자유

사생활의 공간인 자신의 주거를 국가권력이나 제3자로부터 침해당하지 아니할 권리이다. 주거의 자유는 사생활의 비밀과 자유를 지키기 위해 꼭 필요한 기초가 된다. 그러나 주거의 자유는 국가에 대해 충분한 주거공간을 마련해줄 것을 요구하거나 주거공간의 배분을 요구할 수 있는 권리를 포함하지 않는다.

주거는 사람이 거주하기 위해 점유되고 있는 일체의 건조물과 시설을 말한다. 노동이나 직업의 장소도 주거라 보는 것이 통설이다. 영업 중인 음식점이나 백화점 등은 주거가 아니지만 대학 강의실이나 연구실, 주거이동차량, 선박 등은 주거가 될 수 있다. 주거의 자유가 사생활의 공간을 보호하는 것이라면, 사생활의 자유는 사생활의 내용 보호이기 때문에, 주거 내에 도청기를 설치하여 대화를 도청하는 것은 주거의 자유와 사생활의 자유 침해가 된다. 그러나 주거 내에 들어가지 않고 주거 밖에서 창문을 통해 주거 내의 대화를 도청하는 행위는 사생활의 비밀 침해에는 해당하나 주거의 자유에 대한 침해에는 해당되지 않는다.

주거에 대한 압수나 수색을 하기 위해서는 정당한 이유가 있어야 하고 검사의 청구에 따라 법관이 발부한 영장이 있어야 한다. 영장에는 압수할 물건과 수색장소가 명시되어 있어야 하며, 포괄적인 기재가 되어 있는 일반영장은 금지된다. 단, 현행범인을 체포하거나 긴급체포할 때에는 영장 없이 주거에 대한 압수나 수색이 허용된다.[201)]

(2) 거주·이전의 자유

국가권력의 간섭을 받지 않고 주소와 거주지를 정하거나 자유롭게 이전(移轉)할 수 있는 자유이다. 직업선택의 자유를 위해서 거주·이전의 자유가 필요하기 때문에 경제적 기본권의 성격도 있다. 국민과 국내 법인은 주체가 되나, 외국인은 원칙적으로 입국의 자유를 누리지 못한다.

미성년자의 가출의 자유는 부모의 교육권과 거소지정권이 우선하여 거주·이전의 자유에 포함되지 않는다. 우리나라의 통치권이 사실상 미치지 않는 북한지역에 자유롭게 이주할 자유는 인정되지 않는다. 단, 통치권이 미치지 않는 북한지역에서 통치권이 미치는 남한지역으로 이주할 자유는 인정된다. 국외이주의 자유, 해외여행의 자유, 입출국의 자유, 국적변경의 자유 역시 인정된다.

(3) 사생활의 비밀과 자유

사생활의 내용을 공개당하지 아니할 권리(사생활의 비밀), 사생활의 자유로운 형성과 전개를 방해받지 아니할 권리(사생활의 자유), 자신에 관한 정보를 스스로 통제할 권리(자기정보통제권)이다. 사생활의 비밀과 자유는 홀로 있을 권리로 소극적 권리였다. 그러나 자기정보의 관리와 통제를 요구할 권리가 포함되면서 적극적인 권리의 성격도 함께 지니게 되었다.

외국인을 포함한 자연인이며, 법인은 원칙적으로 주체가 아니다. 사자(死者)의 경우 원칙적으로 적용이 되지 않으나 사자의 사생활의 비밀침해가 사자와 관계있는 생존자의 권리를 침해할 경우 생존자에 관해서 문제가 된다.

201)

2016도5814

사생활의 비밀과 자유는, 사사(私事)의 비공개와 인격적 징표의 영리적 이용금지를 그 내용으로 한다. 사사의 비공개는, 사생활과 관련된 사사롭고 난처한 개인의 일들이 본인의사에 반해 타인에게 알려지지 않도록 나만 간직할 수 있는 권리이다. 인격적 징표의 영리적 이용금지는, 초상, 성명 등 인격적 징표를 영리적 이용에 의해 침해되지 않을 권리이다. 그러나 이는 국가안전보장, 질서유지, 공공복리를 위하여 필요한 경우에 법률로 제한할 수 있다. 단, 본질적 내용침해금지와 과잉금지의 원칙의 존중하에서만 가능하다.

사생활의 자유와 언론의 자유가 충돌할 때 이를 해결하는 이론에는 두 가지가 있다. 첫째, 공익 이론에 따르면 국민에게 알림으로써 공공의 이익이 되는 교육적·보도적 가치가 있는 사실을 국민에게 알리는 것은 사생활의 비밀과 자유에 우선한다. 예를 들어, 범죄인의 체포·구금, 공중의 보건과 안전, 사이비 종교 등이 이에 해당한다. 둘째로, 공적 인물 이론이 있다. 공적 인물은 일반인에 비해 사생활 공개 시 수인해야 할 범위가 넓으므로 언론의 자유 영역이 넓어진다는 이론이다. 공적 인물이란 정치인, 고급관료, 연예인, 운동선수 등 자발적으로 유명해진 인사와 범죄인, 그 가족 등 비자발적으로 유명인사가 된 경우가 있다.

2. 쟁점과 논거: 청소년 대상 성범죄자 신상공개 찬반론

찬성론: 사회공동체 보호	반대론: 피의자 인권
[청소년 보호] 청소년 성매매는 미성년자 보호라는 우리 사회의 가치를 지키기 위해 반드시 막아야 한다. 청소년 대상 성범죄자의 신상을 공개함으로써 당사자에게 일종의 수치심과 불명예를 주어 달성되는 재발방지효과는 매우 크다. 사회적 보호의 대상인 청소년의 성을 매수했다는 사회적 비난과 사회적 축출 우려가 개인의 범죄행위를 억제한다	[자기책임원칙 위반] 청소년 대상 성범죄자 신상공개는 성범죄에 대한 처벌인 징역 또는 벌금형에 더해 사회적 목적 달성을 위해 부가되는 형벌이다. 즉 범죄자 자신의 자유에 따른 책임에 더해 사회적 가치 훼손에 대한 처벌을 더하는 것이다. 더욱이 신상공개로 인한 명예 실추는 다시 회복하기 어렵거나 불가능하므로 비가역적 피해가 발생할 수 있다.
[범죄 예방] 범죄는 일반 국민의 생명과 신체에 중대한 침해를 일으킨 것으로, 국가는 이를 알려 일반 국민이 이러한 범죄를 회피할 수 있도록 해야 한다. 청소년 성매수는 특별한 보호대상인 청소년의 신체를 사고파는 범죄행위이다. 이 정보를 공개해 청소년 본인 또는 청소년의 부모가 이를 회피하고, 범죄를 예방할 수 있도록 해야 한다.	[연좌제 금지 위배] 청소년 대상 성범죄자의 신상을 공개하는 것은 실질적으로 범죄자의 가족에게까지 영향을 미치게 된다. 자신이 저지른 범죄가 아님에도 청소년 대상 성범죄자 신상공개로 인해 가족들이 수치심이나 공포를 느끼게 된다면 이는 책임 없는 일로 인해 불이익을 받게 된 것으로 연좌제 금지 원칙에 위배된다.
[공공복리] 청소년 대상 성범죄자 신상공개제도는 범죄자의 개인정보를 동일한 생활권에 거주하는 주민에게만 제한적으로 알린다. 또한 범죄에 대한 법적인 판단을 거친 후 공개하는 것이기 때문에 무죄추정원칙에 위배되는 것이 아니고, 자유형과 같이 범죄자의 자유를 직접적으로 제한하는 것도 아니기 때문에 이중처벌에 해당되지 않는다. 따라서 자유 제한은 미미하고, 사회적 이익은 크다.	[공공복리 저해] 형벌은 범죄자를 교화해 범죄 재발 예방에 목적이 있다. 신상공개가 되면 청소년 대상 성범죄자는 사회적 낙인이 찍혀 사회에서 배척되고, 정상적 사회생활이 불가능하게 된다. 신상공개 대상자는 과도한 형벌을 받았다는 억울함으로 인해 자신의 죄를 뉘우치기보다는 사회에 대한 반감과 불만을 가지게 된다. 신상공개를 통해 범죄의 재발 가능성을 줄이기는커녕 오히려 높인다.

3. 읽기 자료

(1) 청소년 성매수자 신상공개제도[202)]

① 4인의 재판관

신상공개제도는 범죄자 본인을 처벌하려는 것이 아니라, 현존하는 성폭력위험으로부터 사회 공동체를 지키려는 인식을 제고함과 동시에 일반인들이 청소년 성매수 등 범죄의 충동으로부터 자신을 제어하도록 하기 위하여 도입된 것으로서, 이를 통하여 달성하고자 하는 '청소년의 성보호'라는 목적은 우리 사회에 있어서 가장 중요한 공익의 하나라고 할 것이다. 이에 비하여 청소년 성매수자의 일반적 인격권과 사생활의 비밀의 자유가 제한되는 정도를 살펴보면, 법 제20조 제2항은 "성명, 연령, 직업 등의 신상과 범죄사실의 요지"를 공개하도록 규정하고 있는바, 이는 이미 공개된 형사재판에서 유죄가 확정된 형사판결이라는 공적 기록의 내용 중 일부를 국가가 공익 목적으로 공개하는 것으로 공개된 형사재판에서 밝혀진 범죄인들의 신상과 전과를 일반인이 알게 된다고 하여 그들의 인격권 내지 사생활의 비밀을 침해하는 것이라고 단정하기는 어렵다. 또한, 신상과 범죄사실이 공개되는 범죄인들은 이미 국가의 형벌권 행사로 인하여 해당 기본권의 제한 여지를 일반인보다는 더 넓게 받고 있다. 청소년 성매수 범죄자들이 자신의 신상과 범죄사실이 공개됨으로써 수치심을 느끼고 명예가 훼손된다고 하더라도 그 보장 정도에 있어서 일반인과는 차이를 둘 수밖에 없어, 그들의 인격권과 사생활의 비밀의 자유도 그것이 본질적인 부분이 아닌 한 넓게 제한될 여지가 있다.

그렇다면 청소년 성매수자의 일반적 인격권과 사생활의 비밀의 자유가 제한되는 정도가 청소년 성보호라는 공익적 요청에 비해 크다고 할 수 없으므로 결국 법 제20조 제2항 제1호의 신상공개는 해당 범죄인들의 일반적 인격권, 사생활의 비밀의 자유를 과잉금지의 원칙에 위배하여 침해한 것이라 할 수 없다.

② 5인의 재판관

청소년 성매매의 폐습을 치유함에 있어서는, 형벌이나 신상공개와 같은 처벌 일변도가 아니라, 성범죄자의 치료나 효율적 감시, 청소년에 대한 선도, 기타 청소년 유해환경을 개선하기 위한 정책 추진과 같은 다양한 수단들을 종합적으로 활용하는 것이 얼마든지 가능하고, 오히려 전체 청소년 성매수 사건 중 적발되는 사건의 비율이 극히 미미한 현실에 비추어 볼 때 이와 같은 근본적인 예방책에 치중하는 것이 더 바람직한 것으로 보인다. 그러함에도 국가가 이러한 노력을 다하기도 전에 개인의 인격권에 중대한 침해를 가져올 수 있는 신상공개라는 비정상적인 방법을 동원하는 것은 최소침해성의 관점에서도 문제가 있다.

무릇 형벌은 개인의 자유와 안전에 대한 중대한 침해를 가져오는 탓에 국가적 제재의 최후수단(ultima ratio)으로 평가된다. 그런데 이미 그러한 형벌까지 부과된 마당에, 형벌과 다른 목적이나 기능을 가지는 것도 아니면서, 형벌보다 더 가혹할 수도 있는 신상공개를 하도록 한 것은 국가공권력의 지나친 남용이다. 더구나, 신상공개로 인해 공개대상자의 기본적 권리가 심대하게 훼손되는 데에 비해 그 범죄억지의 효과가 너무도 미미하거나 불확실한바, 이러한 점에서도 법익의 균형성을 현저히 잃고 있다고 판단된다.

202)

2002헌가14

(2) 성범죄자 위치추적 장치 부착[203)]

성폭력범죄는 '인격 살인'으로 불릴 만큼 피해자에게 회복할 수 없는 육체적, 정신적 상처를 남길 수 있다. 특히 어린 나이에 성폭력범죄를 경험할 경우 심리적인 상처와 후유증으로 인해 평생 동안 정상적인 생활을 하지 못하고 불행한 삶을 살아야 하는 경우도 있다. 또한 성폭력범죄로 인한 피해는 그 피해자 개인에게 그치지 않고 함께 생활하는 가족 구성원이나 밀접한 관계를 가지고 있는 다른 사람들에게까지 커다란 정신적인 고통과 상처를 줄 수 있다. 나아가 성폭력범죄로 인한 피해는 피해자 개인들의 문제로 국한되지 않고 사회 전체의 피해도 야기한다. 성폭력범죄가 빈발하면 여성의 사회 활동이 위축될 수 있고, 자녀의 안전한 보육과 통학에 필요한 사회적 비용이 증가하게 될 것이다. 이와 같이 성폭력범죄로부터 국민을 보호할 공익은 매우 크다.

203)

2011헌바89

070 문제 신상정보, 위치정보 공개

답변 준비 시간 10분 | 답변 시간 10분

Q1. 아동·청소년의 성보호에 관한 법률에서는 청소년 대상 성범죄자에 대한 신상공개를 하도록 규정하고 있다. 청소년 대상 성범죄자에 대한 신상공개를 찬성하는 입장에서 논거를 제시하시오.

Q2. 청소년 대상 성범죄자 신상공개를 반대하는 입장에서 논거를 제시하시오.

Q3. 성범죄자에 대한 전자발찌 부착에 대한 자신의 견해를 제시하시오.

Q4. 현재의 전자발찌 시스템을 확장하면 성범죄자의 위치를 실시간으로 확인 가능하다. 기술적으로는 국민 혹은 지역주민이 성범죄자의 위치를 실시간으로 확인하는 것이 가능하다. 성범죄자의 위치정보를 국민 혹은 지역주민에게 실시간으로 공개하자는 주장에 대해 자신의 견해를 논하시오.

Q5. 어린이들은 범죄에 취약하다. 어린이를 보호하고 어린이 대상 범죄를 막기 위해 어린이들의 위치를 추적할 수 있는 전자칩을 의무적으로 부착하자는 주장이 있다. 이 주장에 대한 자신의 견해를 논하시오.

Q6. 경찰은 지문 등 사전등록을 통해 미아 발생 시 신원확인을 위한 스마트폰 앱을 내놓았다. 스마트폰에 장착되어 있는 지문인식기능을 이용해 18세 미만의 아동과 지적 장애인, 치매질환자 등에 대해 가족이 지문, 사진, 신상정보 등을 미리 등록해두는 것이다. 경찰서, 파출소 등에 방문해서 직접 지문을 등록할 수도 있다. 지문 등 사전등록의 효과는 매우 크다. 실종아동이 사전에 지문을 등록한 경우 보호자에게 인계되는데 소요된 시간은 평균 39분, 지문을 등록하지 않은 경우 82시간이 소요되었다.
이처럼 큰 효과가 입증되자 아동이나 치매질환자 등에 대해 지문 등 사전등록을 의무화하자는 주장이 커지고 있다. 이 주장에 대한 자신의 견해를 논하시오. 그리고 자신이 선택한 입장에 대해 예상되는 반론에 대해 재반론하시오.

070 해설 신상정보, 위치정보 공개

Q1. 모범답변

청소년 대상 성범죄자에 대한 신상공개를 찬성하는 입장에서는, 청소년 보호라는 논거를 제시할 것입니다.

청소년 보호를 위해 청소년 대상 성범죄자에 대한 신상공개를 해야 합니다. 사회가 유지·존속되기 위해서는 사회의 공유된 가치를 지켜야 하는데 청소년 보호는 이러한 가치 중 하나입니다. 청소년은 사회로부터 사회적 가치를 학습받아 장래 사회구성원이 되어 공동체의 주역이 됩니다. 이러한 사회적 보호대상인 청소년을 성매수한 자는 자신의 욕구 충족을 위해 공유된 가치를 훼손한 자임이 분명합니다. 이러한 공유된 사회적 가치를 해친 자가 누구인지 청소년 대상 성범죄자에 대한 신상공개를 하여 사회 전체에 알리고 이러한 행위가 잘못된 것임을 사회구성원에게 선언해야 합니다. 그리고 이러한 사회적 압력을 가함으로써 청소년 대상 성범죄를 저지르려는 자들에게 공포심을 주어 범죄예방효과를 기대할 수 있습니다. 따라서 청소년 보호를 위해 청소년 대상 성범죄자에 대한 신상공개는 타당합니다.

Q2. 모범답변

청소년 대상 성범죄자에 대한 신상공개를 반대하는 입장에서는, 자기책임원칙과 공공복리를 논거로 제시할 것입니다.

먼저 자기책임원칙에 반하므로 청소년 대상 성범죄자에 대한 신상공개는 타당하지 않습니다. 자기책임원칙이란 자신이 스스로 선택한 자유로운 결정에 대한 책임만을 져야 한다는 원칙입니다. 만약 자신이 스스로 선택한 행위 이상의 책임을 부과한다면 이는 자기책임원칙에 위배됩니다. 청소년 대상 성범죄자 신상공개는 성범죄에 대한 처벌인 징역 또는 벌금형에 더해 사회적 목적 달성을 위해 부가되는 형벌입니다. 즉 범죄자 자신의 자유에 따른 책임에 더해 사회적 가치 훼손에 대한 처벌을 더하는 것에 해당합니다. 더욱이 신상공개로 인한 명예 실추는 다시 회복하기 어렵거나 불가능하므로 비가역적 피해가 추가로 발생할 수 있습니다. 이는 사회적 가치 실현을 위해 자신의 책임에 더한 책임을 부과한 것으로서 과도한 처벌입니다. 따라서 자기책임원칙에 위배되므로 청소년 대상 성범죄자에 대한 신상공개는 타당하지 않습니다.

공공복리를 저해하므로 청소년 대상 성범죄자에 대한 신상공개는 타당하지 않습니다. 청소년 대상 성범죄자의 신상공개는 청소년을 상대로 한 성범죄 예방이라는 공익과 신상공개를 당한 성범죄자의 사생활의 자유가 충돌합니다. 성범죄 예방이라는 목적은 정당하나, 신상공개로는 청소년 성범죄 방지라는 목적을 실현할 수 없습니다. 일반적으로 가정불화 등으로 가출한 청소년이 청소년 성범죄의 대상이 됩니다. 이들을 보호할 시설, 일상생활을 할 수 있는 여건을 마련하지 않은 상황에서 청소년 대상 성범죄자의 신상을 공개한다고 해서 청소년 성범죄가 예방될 것이라 기대할 수 없습니다.[204] 오히려 신상공개제도는 현대판 '주홍글씨'에 해당하여 공개자의 인격권뿐만 아니라 가족에게까지 피해를 줄 수 있습니다. 범죄인의 명단이 공개되어 사회생활에 복귀할 수 없게 되어 범죄인은 사회에 대한 보복심마저 키울 수 있습니다.[205] 또한 범죄자의 가족도 혼인생활, 직장생활에 큰 피해를 볼 수 있습니다. 청소년 대상 성범죄자 신상공개는 청소년 성범죄 방지라는 목적을 달성하지도 못하면서 피해만 발생시킬 뿐이므로 공공복리를 저해합니다. 따라서 청소년 대상 성범죄자 신상공개는 타당하지 않습니다.

204) 지역여성과의 멘토링이나 임신·성·부모역할 교육, 성적·신체적 학대 카운슬링, 의사소통과 분노관리 카운슬링, 가정폭력 카운슬링 등을 통해 자아존중감을 강화하고 장래를 설계할 수 있는 새로운 교정교육이 도입되어야 한다.

205) 신상공개제도는 앞에서 언급한 우리 사회의 특성 때문에 단순히 청소년 성범죄 전과자에 대한 낙인이나 배타의식을 넘어 공개대상자의 정상적인 사회복귀 자체를 원천봉쇄한다는 점에서 '형벌을 통한 교화'라고 하는 근대 형법의 기본정신마저 훼손한다.

Q3. 모범답변

성범죄를 예방할 수 있으므로 성범죄자에 대한 전자발찌 부착은 타당합니다. 범죄를 예방하기 위해서는 범죄자의 범죄의지를 통제해야 합니다. 범죄자가 범죄를 저지르기 전에 통제가능성이 높고, 범죄 후 검거 가능성이 클수록 범죄 예방 효과가 높습니다. 전자발찌의 경우 일단 성범죄자를 미리 추적하여 범죄 전 통제가능성이 높고, 범죄를 저지른 이후에도 위치가 드러나 범죄자를 찾아내기 쉬울 뿐만 아니라, 위치정보가 공적으로 증명되어 증거로 작동하기 때문에 범죄 예방에 효과가 있을 것입니다. 따라서 성범죄 예방에 효과적이므로 성범죄자에 대한 전자발찌 부착은 타당합니다.

물론 범죄 예방을 위한 목적이라 하더라도 범죄자의 인권침해가 심각하다면 문제가 될 수 있습니다. 그러나 전자발찌는 대상자의 발목에 부착하는 것이기 때문에 일상생활 중 다른 사람에게 곧바로 노출되지는 않으므로 범죄인의 인격권 위해를 최소화할 수 있고, 사회복귀도 충분히 가능하다고 볼 수 있습니다. 따라서 범죄 예방 효과가 충분하고 범죄자의 인권침해도 최소화되므로 성범죄자에 대한 전자발찌 부착은 타당합니다.

Q4. 모범답변

성범죄자의 위치정보를 국민 혹은 지역주민에게 실시간으로 공개하는 것은 타당하지 않습니다. 개인의 자유에 대한 과도한 제한이기 때문입니다. 범죄 예방을 위해 개인의 자유를 제한한다고 하더라도 범죄 예방 목적을 달성하기 위한 수준 이상으로 제한해서는 안 됩니다. 성범죄자 또한 국민으로서 자유의 주체가 됩니다. 개인의 위치는 사생활의 자유 영역에 해당하여 보호 가치가 있습니다. 성범죄 예방이라는 목적을 위해 법률로써 정한 기관 외에 다른 주체가 개인의 위치를 반드시 알아야 할 이유는 없습니다. 그러므로 성범죄자의 위치 정보를 실시간으로 국민에게 공개하는 것은 성범죄 예방이라는 사회적 목적을 위해 개인의 자유를 과도하게 제한하는 것으로 타당하지 않습니다.

Q5. 모범답변

어린이를 대상으로 하는 전자칩 부착은 타당하지 않습니다. 범죄 예방을 위한 전자칩 부착은 감시사회, 전체주의 사회로 이어질 가능성이 높다는 면에서 허용해서는 안 됩니다. 기술 발전은 국가의 개인에 대한 감시·통제 수단의 발전으로 이어지기 쉽습니다. 국가는 범죄 예방, 사회 안전이라는 당위적 목적하에 국민에 대한 감시·통제 영역을 확대하려는 속성을 갖고 있습니다. 국민들이 범죄 예방이라는 목적에 도취해 국민의 기본권을 양도하는 것에 동의한다면, 전체주의로 나아가는 미끄러운 경사면 위에 서는 것이나 다름없습니다. 물론 어린이를 범죄로부터 보호하는 것은 사회적으로 중요한 가치이고 그 실현을 위해 노력해야 합니다.

그러나 어린이를 보호하겠다는 목적으로 시작한 어린이 위치 추적 전자칩 부착은 범죄자를 대상으로, 일반 국민을 대상으로 확대될 것입니다. 어린이를 범죄로부터 보호하려면 어린이만 추적할 것이 아니라 범죄를 저지를 수 있는 잠재적 범죄자를 모두 감시하고 추적하는 것이 더 효과적이기 때문입니다. 결국 국가는 사회 안전과 범죄 예방이라는 명목하에 어린이뿐 아니라 범죄자, 그리고 일반 국민까지도 감시·통제하고자 할 것입니다. 범죄 예방이라는 목적하에 감시와 통제를 수용한다면 개인은 더 이상 인생의 주체가 아니라 빅브라더에 의해 감시받고 통제받는 국가의 부속품으로 전락하고 말 것입니다. 따라서 전체주의의 우려가 있으므로 어린이를 대상을 한 위치추적 전자칩 부착 의무화는 타당하지 않습니다.

Q6. 모범답변

아동, 치매질환자에 대한 지문 등 사전등록 의무화는 타당합니다. 개인의 자유를 보호할 수 있고, 평등원칙에 부합하기 때문입니다.

개인의 자유를 보호할 수 있으므로 아동, 치매질환자에 대한 지문 등 사전등록 의무화는 타당합니다. 개인은 범죄 등으로부터 자신의 자유를 보장받고자 국가를 형성하여 자신의 주권을 위임하였으므로 국가는 개인의 자유를 지킬 의무가 있습니다. 그런데 아동과 치매질환자 등은 성인과는 달리 자신의 자유를 스스로 지킬 능력이 부족한 상태입니다. 국가는 이러한 자들의 진정한 의사가 자신의 자유를 안정적으로 보장받고자 하는 것임을 이미 위임받았으므로 이들의 자유를 지키고자 노력해야 합니다. 지문 등의 사전등록을 의무화하지 않을 경우 보호자가 이를 모르거나 부주의할 경우 아동과 치매질환자 등의 신원을 알 수 없어 가족 등에게 인계할 수 없습니다. 그러나 사전등록을 의무화하면 모든 국민이 자신의 진정한 의사에 반해 범죄의 우려나 원치 않는 상황에 빠지는 등으로 자신의 자유를 제한받을 가능성이 현저하게 적어집니다. 따라서 아동, 치매질환자에 대한 지문 등 사전등록 의무화는 타당합니다.

평등원칙에 부합하므로 아동, 치매질환자에 대한 지문 등 사전등록 의무화는 타당합니다. 평등원칙이란 같은 것은 같게 다른 것은 다르게 대하라는 원칙입니다. 개인은 누구나 안전한 상태에서 자신의 자유를 실현하고자 합니다. 그러나 아동이나 치매질환자의 보호자 등이 지문사전등록을 알아 미리 대비한 경우에는 이 자유를 보장받을 수 있고, 스마트폰 등의 활용능력이 떨어지는 경우 보호받지 못할 수 있습니다. 이 경우 같은 자유를 다르게 보호받게 되는 셈이어서 평등원칙에 반합니다. 지문 등을 사전등록 의무화하면 이를 동등하게 보호받을 수 있습니다. 따라서 아동, 치매질환자에 대한 지문 등 사전등록 의무화는 타당합니다.

지문 등 사전등록을 의무화할 경우 개인정보의 유출 등이 문제될 수 있다는 반론이 제기될 수 있습니다. 그러나 아동과 지적 장애인, 치매질환자의 안전이 더 중요한 가치이므로 개인정보 보호를 강화하여 해결할 문제라고 생각합니다. 현재도 주민등록증 발급 시에 지문 등을 등록하도록 하여 국가가 이를 관리하고 있습니다. 이미 우리나라는 개인정보를 공적으로 관리하고 국민이 동의한 경우에는 이를 활용하고 있습니다. 그리고 필요하다면 국민의 감시·통제와 사후적으로 승인을 받는 등으로 개인정보를 보호하고 있습니다. 따라서 개인정보 유출 등의 문제가 발생할 수는 있으나 이는 개인정보보호대책을 세워 해결해야 할 일입니다.

071 개념 CCTV

2022 충북대·2020 아주대/이화여대/전남대/중앙대·2019 서강대/충북대 기출

1. 기본 개념

(1) 개인정보자기결정권

개인정보자기결정권은 자기에 관한 정보가 언제 누구에게 어느 범위까지 알려지고 또 이용되도록 할 것인가를 스스로 결정할 수 있는 권리이다. 개인정보자기결정권의 보호대상이 되는 개인정보는 개인의 신체, 신념, 사회적 지위, 신분 등과 같이 개인의 인격주체성을 특징짓는 사항으로서 그 개인의 동일성을 식별할 수 있게 하는 일체의 정보라고 할 수 있고, 반드시 개인의 내밀한 영역이나 사사(私事)의 영역에 속하는 정보에 국한되지 않고 공적 생활에서 형성되었거나 이미 공개된 개인정보까지 포함한다. 또한 그러한 개인정보를 대상으로 한 조사·수집·보관·처리·이용 등의 행위는 모두 원칙적으로 개인정보자기결정권에 대한 제한에 해당한다.[206] 이는 인격권의 일종으로 능동적, 적극적 권리이다.

개인정보자기결정권의 헌법상 근거로는 헌법 제17조의 사생활의 비밀과 자유, 헌법 제10조의 인간의 존엄과 가치 및 행복추구권에 근거를 둔 일반적 인격권 또는 위 조문들과 동시에 우리 헌법의 자유민주적 기본질서 규정 또는 국민주권 원리와 민주주의 원리 등을 고려할 수 있으나, 개인정보자기결정권으로 보호하려는 내용을 위 각 기본권들 및 헌법원리들 중 일부에 완전히 포섭시키는 것은 불가능하다고 할 것이므로, 그 헌법적 근거를 굳이 어느 한두 개에 국한시키는 것은 바람직하지 않은 것으로 보이고, 오히려 개인정보자기결정권은 이들을 이념적 기초로 하는 독자적 기본권으로서 헌법에 명시되지 아니한 기본권이라고 보아야 할 것이다.[207]

개인정보를 대상으로 한 조사·수집·보관·처리·이용 등의 행위는 모두 원칙적으로 개인정보자기결정권에 대한 제한에 해당한다.[208]

(2) 국가인권위원회 CCTV 설치요건

① 감시카메라가 설치된 곳에 일정한 양식의 안내판을 설치할 것

정당한 법적 절차나 동의에 의해 CCTV 등 무인단속장비가 설치되었더라도 그곳을 지나는 모든 사람들의 동의를 받은 것은 아니므로, CCTV 등 무인단속장비에 의해 촬영되는 개인들은 특별한 사정이 없는 한, 최소한 자신이 촬영지역에 있다는 사실을 명확히 알 수 있어야 한다. 따라서 최소한 자신이 카메라에 찍힐 수도 있다는 것을 알 수 있도록 감시카메라가 설치된 곳에 일정한 양식의 안내판을 설치해야 할 것이다.

② 녹음기능을 사용할 수 없도록 할 것

범죄예방을 위하여 CCTV 등 무인단속장비가 음성녹취까지 가능하도록 운영하는 것은 위 통신비밀보호법의 취지를 무색하게 하는 것이며, 개인정보의 침해를 확대하는 것이다. 영국의 CCTV 시행기준 중 '카메라 위치에 관한 기준'은 일반인의 대화를 녹음하는 데 CCTV를 사용하지 못하도록 규정하고 있다.

206) 헌재 2005.5.26. 99헌마513

207) 헌재 2005.5.26. 99헌마513

208) 헌재 2005.5.26. 99헌마513, 2004헌마190

③ CCTV 등 무인단속장비로 촬영된 녹화기록물에 대한 제3자 제공에 대하여 엄격히 규제하고, 자료의 보유기간을 명시할 것

보유기간에 대해서도 필요 이상 오랜 기간 보유할 수 없도록 하고 수사나 재판자료로 사용되는 경우를 제외하고는 범죄예방이라는 목적과 무관함이 판명되는 대로 신속하게 정보를 파기하도록 해야 한다.

2. 읽기 자료

2015헌마994[209)]

수술실 CCTV[210)]

209)

2015헌마994

210)

수술실 CCTV

071 문제 CCTV

답변 준비 시간 20분 | 답변 시간 20분

※ 다음 제시문을 읽고, 문제에 답하시오.

(가) 우리나라는 CCTV 설치가 일상화되어 있다. 아파트 내부에서부터 편의점 등의 상점, 학원 등 거의 모든 장소에 CCTV가 있다고 해도 과언이 아닐 정도이다. 한 조사결과에 따르면 단위면적당 CCTV가 가장 많은 국가가 우리나라라는 조사도 있다.

(나) 현재 개인정보보호법에서 CCTV 설치조건을 규정하고 있는데, 이에 따르면 CCTV 설치장소에 설치 목적, 설치 장소, 촬영 범위, 촬영 시간, 관리책임자와 연락처 등의 안내판을 설치하게 되어 있다. 그리고 CCTV 운용 시 녹음 기능은 사용할 수 없다.

(다) 중국의 경우 설치된 CCTV와 인공지능, 빅데이터 처리기술을 결합하여 통행하는 사람들의 안면(顔面)을 인식해 그 자리에서 범죄자 등을 적발하는 시스템을 적용하려 한다. 2018년 우리나라의 경찰에 해당하는 중국 공안은 6만여 명이 참석한 홍콩의 콘서트장에서 안면인식기술이 적용된 스마트 안경을 이용해 경제사범으로 수배 중이었던 용의자를 체포했다. 이처럼 안면인식기술과 결합한 CCTV 등의 영상촬영기기는 범죄예방에 효과적이다.
우리나라에 이미 설치된 CCTV에 정보통신기술을 접목해 경찰에 연결하고 안면인식기술을 더한다면 실시간으로 범죄자를 적발하고 처벌할 수 있을 것이다.

(라) 대리수술이나 수술 중 의료사고로 인하여 환자가 사망하는 사건이 발생하면서, 수술실 내 CCTV를 설치하도록 강제하는 법안이 발의되었다. 영유아보육법은 어린이집에 CCTV를 원칙적으로 설치하도록 강제하고, 보호자가 자녀의 안전을 확인할 목적으로 CCTV 영상정보 열람을 할 수 있도록 했다. 수술실 내의 CCTV 역시 이와 유사하게 설치되어 2023년 9월부터 시행되었다.

(마) 일부 성형외과 등에서는 수술실 내에 CCTV를 설치했다고 광고하고 있다. 이처럼 시장원리에 따라 수술실 내 CCTV 설치 여부를 중요한 결정요인으로 여기는 의료소비자가 많아지면, 이에 대응하는 병원이 많아질 것이다. 그렇다면 시간이 흐르면 저절로 수술실 내 CCTV 설치가 정착될 것이다. 따라서 시장의 자율에 맡기고 수술실 내 CCTV 설치를 강제할 필요는 없다.

Q1. 제시문 (가)와 같이 CCTV가 우리나라에 폭넓게 설치된 이유는 무엇이라고 생각하는지 논하시오.

Q2. CCTV가 우리 생활 속에 이미 침투해있어 개인정보의 문제가 커지고 있으므로 CCTV 설치조건을 강화해야 한다는 주장이 있다. CCTV 설치조건을 강화해야 한다는 입장에서 어떤 논거를 제시할 것인지 답변하시오.

Q3. 제시문 (나)와 같이 CCTV 설치조건을 규정한 이유는 무엇일지 논하시오.

Q4. 제시문 (다)의 CCTV와 안면인식기술을 결합한 실시간 범죄자 적발 시스템 구축에 대한 자신의 견해를 논하시오.

Q5. 제시문 (라)의 수술실 내 CCTV 설치에 대한 자신의 견해를 논하시오.

Q6. 제시문 (마)의 주장에 대해 평가하시오.

071 해설 CCTV

Q1. 모범답변

CCTV가 우리나라에 일상화된 이유는 범죄예방이라는 효과가 있기 때문입니다. 모든 개인은 합리적 주체로 자유로운 선택이 가져올 결과를 예측하고 그 책임을 판단하여 선택합니다. 범죄자 역시 합리적 주체로, 범죄자는 범죄를 저질렀을 때의 범죄이익이 범죄가 발각되어 치르게 될 범죄비용보다 클 때 범죄를 선택합니다. CCTV를 설치하면 범죄자는 범죄 발각 가능성이 높아져 범죄이익보다 범죄비용이 더 크다고 인식하게 됩니다. 그 결과 범죄를 선택하지 않을 가능성이 높아집니다. CCTV가 많이 설치될수록 CCTV 설치장소가 늘어나게 되고 범죄자의 범죄비용이 높아지게 되어 범죄를 실질적으로 예방할 수 있습니다. 범죄의지를 갖고 있는 범죄자는 발각 위험을 줄이기 위해 CCTV가 설치되지 않은 곳에서 범죄를 저지르려 할 것입니다. 그러므로 범죄를 막고자 한다면 CCTV를 설치하는 것이 유리하게 됩니다. 그 결과 모든 곳에서 CCTV를 설치하는 것이 유리하게 되어 설치가 전국적으로 확산된 것이라 생각합니다.

Q2. 모범답변

CCTV 설치조건을 강화해야 한다는 입장에서는, 개인의 사생활의 비밀과 자유를 제한할 수 있다는 논거를 제시할 것입니다. 개인의 사생활의 비밀과 자유는 사생활과 관련된 사사롭고 난처한 개인의 일들이 본인의사에 반해 타인에게 알려지지 않도록 나만 간직할 수 있어야 한다는 권리입니다. 이러한 의미에서 개인의 사생활의 비밀과 자유는, 타인과 국가의 간섭 없이 나 홀로 있도록 해달라는 소극적 권리입니다. 그러나 과학기술의 발전으로 인해 CCTV 등과 같이 개인이 인지하지 못하는 사이에 내 모습이 촬영되고 기록되고 타인에 의해서 열람될 수 있게 되었습니다. 범죄예방이라는 목적을 위해 CCTV가 설치되고 있으나 개인이 인식하지 못하는 사이에 내 모습과 행동이 촬영되고 있다면 범죄예방을 통해 궁극적으로 달성하고자 하는 개인의 자유로운 생활이 침해받게 되는 것입니다. 따라서 개인의 사생활의 비밀과 자유를 위해 CCTV 설치조건을 강화해야 합니다.

Q3. 모범답변

개인의 사생활의 비밀과 자유를 보장하면서 범죄예방, 시설물 안전 등의 목적을 달성하기 위함입니다. CCTV는 많은 사례에서도 입증되었듯이 범죄예방효과가 큰 것이 사실입니다. 그러나 문제점은 많은 사람들이 왕래하는 곳에 CCTV를 설치할 경우 자신이 알 수 없는 사이에 내 모습과 행동이 촬영된다는 점입니다. 따라서 이러한 문제점을 막기 위해 CCTV가 촬영되고 있음을 알리는 안내판을 설치하는 것입니다. 또한 영상촬영을 통해 범죄예방 목적을 달성하고, 녹음기능을 사용할 수 없도록 규정하여 개인의 사생활의 비밀을 보호하는 것입니다.

Q4. 모범답변

실시간 범죄자 적발 시스템 구축은 타당하지 않습니다. 개인의 자유를 과도하게 제한하는 것이기 때문입니다. 개인은 자유를 안정적으로 보장받고자 국가를 형성하였습니다. 국가는 개인의 자유를 안정적으로 보장하기 위해 치안과 국방 등의 역할을 수행합니다. 그런데 실시간 범죄자 적발 시스템을 구축하는 것은 개인의 자유 보장이라는 국가의 목적에 반합니다. 실시간 범죄자 적발 시스템은 범죄를 예방하려는 목적에는 더없이 좋은 수단입니다. 그러나 국민은 범죄를 예방하기 위한 목적으로 국가를 형성한 것이 아닙니다.

개인은 1차적으로 국가가 범죄를 예방하여 자신의 삶이 안전해지면, 이를 바탕으로 2차적으로 자유로운 삶을 살고자 합니다. 그런데 실시간 범죄자 적발 시스템은 안전한 삶을 위해 개인의 모든 자유를 제한합니다. 개인은 자신이 언제나 감시받고 있으며 범죄로 의심받을 행동을 해서는 안 된다고 스스로 생각하고 행동을 조심해야 합니다. 이러한 삶은 범죄예방을 목적으로 태어난 것이나 다름없습니다. 따라서 이는 개인의 자유를 과도하게 제한하고 개인의 삶을 수단화하는 것이므로 허용되어서는 안 됩니다.

Q5. 모범답변

수술실 내 CCTV를 설치해야 합니다. 환자의 알권리와 공공복리의 실현이 가능하기 때문입니다. 단, CCTV를 설치하되 자료의 사용에 엄격한 제한을 두어야 합니다.

환자의 알권리를 실현하여 환자를 보호할 수 있으므로 수술실 내 CCTV를 설치해야 합니다. 환자는 수술의 당사자로 수술이 어떻게 진행되었는지 알권리가 있습니다. 의사는 수술의 전문가이지만 환자는 의료 분야의 전문가가 아니기 때문에 환자와 의사 간에는 정보의 비대칭성이 존재합니다. 심지어 환자는 수술실 내의 상황에 대해 전혀 알 수 없어 의료사고가 발생한 경우 의사의 범죄나 과실을 증명할 수 없습니다. 예를 들어, 의사가 수술을 하지 않고 의료기기 업체 직원이 대리수술을 하는 등의 문제가 실제로 발생한 사건이 있습니다. 이처럼 환자는 수술의 당사자임에도 의사의 선의를 기대하는 방법 외에 자신의 수술이 어떻게 진행되는지를 알 수 없습니다. 수술실 내에 CCTV를 설치하면 환자가 수술로 인해 발생한 문제를 스스로 확인할 수 있는 가능성이 확보되는 것입니다. 따라서 환자의 알권리를 보장하기 위해 수술실 내 CCTV를 설치해야 합니다.

공공복리를 실현할 수 있으므로 수술실 내 CCTV를 설치해야 합니다. CCTV 자료를 통해 의료사고 가능성을 미연에 방지함으로써 환자의 생명과 알권리를 보호할 수 있고 의사 역시 불필요한 의료소송에 시달리지 않아도 되며 사법자원과 의료보험, 보험사의 비용이 낭비되는 것을 막을 수 있습니다. 따라서 현재의 불필요한 비용과 갈등을 해결할 수 있어 공공복리가 증진됩니다. 따라서 수술실 내 CCTV를 설치해야 합니다.

단, 수술실 내의 CCTV 설치는 무엇보다도 환자의 생명권 보호와 알권리의 실현이 목적이므로, 수술실 내의 CCTV 자료의 공개는 제한적으로 허가해야 합니다. 단지 수술이 의심스럽다거나 만족스럽지 않다는 이유 등으로 CCTV 공개가 가능해서는 안 될 것입니다. 이를 위해 수술실 내 CCTV는 공적 기관을 통해 관리되어야 하며 영장을 통해 열람 가능하도록 하는 등 사법기관의 공적 업무 용도로만 활용될 수 있도록 한정해야 합니다.

Q6. 모범답변

병원의 자유로운 선택의 결과로 수술실 내 CCTV 설치가 정착될 수 있다는 주장은 타당하지 않습니다. 만약 병원들이 의료소비자의 선택을 얻기 위해 자율적으로 수술실 내에 CCTV를 설치한다면, 설치와 운영, 자료의 보관 등의 주체는 병원 측이 됩니다. 환자에게 수술 중 문제가 발생했을 때, 환자의 알권리를 보장하고 해당 의료인의 수술이 환자의 생명과 건강에 미치는 영향을 판단하려면 환자가 CCTV 자료를 확보할 수 있어야 합니다. 그러나 병원이 수술실 내의 CCTV에 대한 설치와 운영, 자료 보관까지 담당하고 있으므로 환자의 알권리와 권리 보호가 취약할 가능성이 높습니다. 게다가 수술 장면 등은 환자의 신체에 대한 정보를 담고 있기 때문에 환자의 자기정보결정권에 따라 보호되어야 하는데, 병원 측이 이 관리 주체가 되는 것도 온당하지 않습니다.

이에 더해 수술실 내에 CCTV를 설치한 병원에서 수술을 한 환자는 보호받을 수 있는 반면, 미설치한 병원에서 수술을 한 환자는 보호받을 수 없는 것 또한 문제가 될 수 있습니다. 환자는 누구나 생명과 신체의 자유를 안정적으로 보호받아야 하기 때문에 병의원의 설치나 운영, 의사면허기준 등을 국가에서 관리하고 있는 것입니다. 모든 국민은 의사가 개업한 병의원에서 국가가 발급한 의사 면허만 확인하면 안정적으로 치료 받을 수 있으리라는 신뢰를 갖고 있습니다. 그런데 이러한 신뢰가 단지 병원의 자율적인 CCTV 설치 여부에 의해 다르게 대해져서는 안 됩니다. 따라서 수술실 내 CCTV는 국가의 관리하에 설치, 운영, 자료 보관 등이 이루어져야만 합니다.

072 개념 공익 목적의 사생활 공개

2024 제주대·2022 경희대·2021 전북대/제주대 기출

1. 기본 개념: 사생활의 자유와 언론의 자유 충돌 해결 이론

(1) 공익 이론

국민에게 알리는 것이 공공의 이익이 되는 교육적·보도적 가치가 있는 사실을 국민에게 알리는 것은 사생활의 비밀과 자유에 우선한다. 예 범죄인의 체포·구금, 공중의 보건과 안전, 사이비 종교

(2) 공적 인물 이론

공적 인물은 일반인에 비해 사생활 공개 시 수인해야 할 범위가 넓으므로 언론의 자유 영역이 넓어진다는 이론이다. 공적 인물이란 정치인, 고급관료, 연예인, 운동선수 등 자발적으로 유명해진 인사와 범죄인, 그 가족 등 비자발적으로 유명인사가 된 경우가 있다.

2. 쟁점과 논거: 인사청문회에서 공직자의 사생활 공개 찬반론

찬성론: 국민의 알권리	반대론: 개인의 사생활 침해
[국민의 알권리] 국민은 국가의 주인으로 자신의 알권리를 통해 자유와 권리를 지킬 수 있게 된다. 공직자의 병력이나 재산 등의 내용은 공직자의 직무수행에 영향을 미치고, 이는 결국 국민의 자유와 권리에 중대한 영향을 미치게 되기 때문에 개인의 사생활의 영역임에도 공개해야 한다.	[사생활의 비밀 보호] 개인의 사적 영역은 타인에게 해가 되지 않는 이상 보호되어야 한다. 개인의 병력, 재산내역 등은 개인의 은밀한 사적 영역으로, 공직자라 하더라도 철저하게 보호되어야 한다. 인사청문회 명목으로 공직자의 사적 영역을 무분별하게 공개하게 되면, 공직자의 사생활이 과도하게 침해된다.
[행정 효율성 제고] 공직자의 사생활 공개를 통해 업무에 적합한 공직자를 선발하게 되면, 국민은 공직자를 신뢰하고 그가 추진하는 정책에 대해 지지를 보내게 된다. 또한 비적격자 선발로 인한 비용을 줄일 수 있다.	[악용 및 남용 가능성] 공직자 사생활 공개는 공무와 관련된 영역에 한정된다고 하나, 어느 부분까지 공무와 관련된 영역인지 불명확하여 자의적으로 해석될 가능성이 크다. 이로 인해 개인의 사생활이 과도하게, 빈번하게 노출된다. 특히 정치적 목적으로 악용될 소지가 있다.
[공공복리] 공직자의 사생활을 공개하여 공직자의 자유 일부가 제한되는 것은 사실이나, 이는 직무 수행과 관련된 최소한의 영역으로 한정된다. 반면 직무와 연관된 공직자의 사생활을 공개해 국민의 자유와 권리를 보호할 수 있어 더 큰 공익을 달성할 수 있다.	[공공복리] 공직자의 사적인 병력, 재산내역 등을 공개한다고 해서 공직자의 직무수행능력이나 자질을 확인할 수 없다. 능력 있는 공직자가 국민의 감정적 결정으로 인해 낙마할 경우, 오히려 국익을 저해하고, 직무와 관련 없는 공직자의 사생활 공개로 인한 사회적 혼란이 생길 뿐이다.

072 문제 공익 목적의 사생활 공개

답변 준비 시간 15분 | 답변 시간 20분

※ 다음 제시문을 읽고, 문제에 답하시오.

(가) C법률사이트는 7,000명의 변호사에 대한 수임내역, 전문성을 수치화하여 일반인에게 유료로 제공하는 서비스를 시작했다. 변호사협회 측은 개인정보를 침해당했다고 하면서 서비스 중단을 요구했다. C법률사이트는 시장경제에서 공급자가 자신에 대한 정보를 공개해 수요자들의 선택을 돕는 것이 상식이라고 주장했다.

(나) X일보 해직기자인 甲은 평소 언론의 자유를 위해 편집권이 언론기업 경영자로부터 일정한 독립을 유지하고 있어야 하며, 이를 위해서는 언론기업의 경영이 비록 주식회사의 형태를 취하고 있다 하더라도, 언론기업이 갖는 공익적 성격에 비추어 기업의 내용을 일반 국민이 널리 알 수 있어야 한다는 소신을 갖고 언론 정의를 위한 일련의 활동을 전개하여 왔다. 甲은 언론기업에 대한 국세청 세무조사의 일환으로 X일보에 대한 세무조사를 행하였다는 보도를 접하였다. 그러나 국세청은 언론기업에 대한 세무조사 결과를 공표하지 아니하였다. 이에 甲은 헌법상 보장되고 있는 국민의 알권리에 기초하여 국세청에 X일보에 대한 세무조사 결과의 공개를 청구하였다. 그러나 국세청은 甲의 정보공개청구를 개인의 사생활과 관련된 사항이라는 이유로 거부하였다.

(다) Y시민단체는 보건복지부를 상대로 감기환자에게 항생제 과다처방 병·의원에 대한 정보공개를 청구했다. 병원 측은 항생제 처방 기록은 영업 비밀에 해당한다는 이유로 정보를 공개할 수 없다면서 정보공개 청구를 거부했다.

(라) 국회의원인 A의원은 야당소속의 국회 인사청문특별위원회 위원이다. 헌법재판소 재판관 임명동의안 처리를 위한 인사청문회에 사용하고자 국민건강보험공단에 재판관 후보자인 B후보와 그 가족의 의료급여기록 제출을 요구하여 이를 제출받았다. 그런데 이 의료급여기록에 의하면 B후보와 그의 가족이 그간 진료받은 병명, 의료비납부실적 등을 알 수 있다.
국회 인사청문회에서 A의원은 B후보가 과거 심각한 병력이 있는 사람으로서 재판관의 막중한 임무를 수행하기에는 적절치 않다고 주장하며 B후보가 과거에 앓았던 병명을 공개하였다. 또한 A의원은 B후보의 며느리가 자궁암으로 인한 자궁제거수술을 받은 것을 비롯해 동거가족의 주요병력을 언급하며, B후보 가족의 의료비 부담이 터무니없이 적은 것은 B후보의 친동생이 당시 국민건강보험공단 이사장이었기 때문이 아니냐고 물었다. B후보와 그 가족의 병력은 TV 뉴스 등을 통해 널리 알려졌다. B후보는 가까스로 국회의 임명동의를 얻기는 하였지만 A의원이 자신과 자신의 가족에 관한 지극히 사적인 내용을 공개한 것에 대하여 분개하고 이에 대한 법적 조치를 강구하고 있다.

Q1. 제시문 (가)에 대한 의견을 논하시오.

Q2. 제시문 (나)에서 국세청의 언론사 주주에 대한 세무정보 공개 거부에 대한 자신의 견해를 논하시오.

Q3. 제시문 (다)에서 어느 입장이 타당한지 정하여 논하시오.

Q4. 제시문 (라)의 A의원이 B후보의 병력을 공개적으로 밝힌 것은 타당한가?

추가질문

Q5. 제시문 (가)의 홈페이지에서 변호사협회로부터 징계당한 변호사의 명단을 공개하는 것은 사생활의 비밀 침해라고 할 수 있는가?

Q6. 제시문 (라)의 A의원이 B후보의 며느리가 자궁암에 걸렸다는 정보를 공개한 것은 타당한가?

Q7. 제시문 (라)에서 B후보의 아들이 몸무게 미달을 이유로 병역을 면제받았다고 하자. 이에 대한 질문은 B후보 아들의 사생활의 비밀 침해라고 할 수 있는가?

Q8. 제시문 (라)에서 B후보의 딸이 미국 국적을 가진 것으로 밝혀졌다고 가정하자. 이 경우 B후보는 사퇴해야 하는가?

Q9. 제시문 (라)의 B후보가 최근 5년간 서울에 있는 아파트 5채를 사고팔아 큰 이익을 얻은 것으로 밝혀졌고 많은 토지를 보유한 것으로 밝혀졌다고 가정하자. 이 경우 B후보는 사퇴해야 하는가?

Q10. 국회의원 입후보자의 전과 기록 공개 의무화는 타당한가?

Q11. 국회의원 가족이 투기를 했을 때 이를 이유로 국회의원을 사퇴시키는 것은 타당한가?

Q12. 병역을 면제받은 4급 이상 공무원의 질병기록을 관보에 게재하도록 한 것은 타당한가?

072 해설 공익 목적의 사생활 공개

Q1. 모범답변

[사생활의 자유 침해라는 의견]

변호사의 정보를 수집해서 소비자들에게 적정한 정보를 제공하는 긍정적인 측면도 있으나 개인정보를 수집하여 공개하는 것은 사생활의 비밀을 침해합니다. 개인정보를 수집하는 행위는 개인의 자기정보통제권을 해하므로, 법률에 근거가 있거나 정보 주체의 동의가 있는 경우에 한해 허용되어야 합니다. 공익을 위한다는 이유로 개인 정보 수집을 허용하면 사생활의 비밀은 유지될 수 없기 때문입니다. 이 사례에서 변호사들의 동의 없이 C법률사이트가 정보를 수집하여 유료로 공개한 것은 변호사들의 사생활의 비밀을 침해한 것입니다.[211)]

[사생활의 자유 침해가 아니라는 의견]

변호사들의 개인정보는 포털 사이트나 언론사 홈페이지 등을 통해 공개되고 있어 사적이고 내밀한 영역의 것이 아니라, 변호사로서 영위하는 공적 활동에 관련된 것입니다. 법률수요자들이 변호사를 선택하기 위해 최소한도로 제공받아야 할 개인적 및 직업적 정보이므로 이런 정보공개는 변호사들이 받아들여야 할 의무가 있습니다. 피고가 인맥지수 서비스를 일반인에게 제공하는 것은 국민의 알권리를 충족시키고 피고의 표현의 자유를 보장하는 영역에 속한다고 판단되므로, 피고의 인맥지수 서비스로 인해 원고들의 자기정보통제권이 침해됐다고 보기 어렵습니다.

Q2. 모범답변

국세청의 언론사 주주에 대한 세무정보 공개 거부는 타당하지 않습니다. 국민의 알권리 실현을 위해 언론사 주주에 대한 세무정보를 공개함이 타당합니다. 국민주권을 실현하기 위해서는 국민의 알권리가 충족되어야 합니다. 특히 국민이 자신의 주권을 위임한 대표자에 대한 정보는 핵심적 기본정보가 됩니다. 그렇기 때문에 국민은 언론사에 특별한 권리를 부여합니다. 언론사의 대주주는 국민의 알권리와 주권 실현에 있어서 중요한 공적 인물입니다. 따라서 일반인에 비해 더 많은 사생활의 비밀을 제한받을 수 있습니다. 세무조사 정보를 공개해 얻을 국민의 알권리 충족, 언론사의 언론 권력 남용 통제라는 측면의 공익이 사생활 비밀보다 크므로 타당합니다. 더군다나 세금 문제는 사생활의 내밀한 비밀이 아니므로 큰 제한이 아닙니다. 따라서 공개함이 타당합니다.

Q3. 모범답변

Y단체의 입장이 타당하며, 병원은 항생제 처방 기록을 공개함이 타당합니다. 국민의 보건권을 보호하기 위함입니다. 항생제 처방 기록을 공개하여 국민의 보건권에 미치는 영향을 정확하게 파악할 필요가 있습니다. 병원의 존재 목적은 국민의 건강과 보건권의 실현 때문입니다. 따라서 병원의 영업의 비밀 유지는 자신의 존재 목적을 저해하지 않을 때 보호받을 수 있습니다. 그러나 항생제를 과다하게 처방한 병원은 국민의 보건권을 침해한 것이기 때문에 병원의 영업의 비밀 유지에 따라 보호받을 수 없습니다.

211)
개인정보수집원칙: 공공기관의 장은 개인의 기본적 인권을 침해할 우려가 있는 개인정보를 수집해서는 안 된다. 예외적으로 정보주체의 동의 또는 다른 법률에 수집대상 개인정보가 명시되어 있는 경우 개인정보를 수집할 수 있다.

Q4. 모범답변

국민주권을 실현할 수 있으므로, A의원이 B후보의 병력을 공개적으로 밝힌 것은 타당합니다. 국민은 자신의 자유와 권리를 안정적으로 지키고자 국가를 형성하고 주권을 위임하였습니다. 그러므로 국민의 주권을 위임받은 국가기관은 해당분야의 전문성과 함께 업무수행능력 전반을 국민에게 인정받아야 합니다. B후보 개인의 병력 등은 사생활의 비밀에서 보호되지만, B후보는 헌법재판소 재판관으로서 업무 수행을 적절하게 할 수 있을지 국가기관으로서의 전문성과 업무수행능력을 국민으로부터 검증받고자 인사청문회에 선 것입니다. 따라서 재판관 후보자의 병력은 업무수행능력과 밀접한 관련이 있으므로 주권자인 국민의 알권리에 해당하며 B후보는 국민 일반에 비해 더 많은 사생활의 공개를 감수해야 하는 공적인물이므로 이를 감수해야 합니다. 만약 B후보가 개인의 사생활의 비밀을 지키고자 하였다면 헌법재판소 재판관 후보 추천을 거절하여 인사청문회에 나오지 않았어야 합니다. 그러나 B후보는 이러한 모든 사정을 알고 있음에도 후보 추천을 받아들였고 인사청문회에 출석하였으므로 이를 감수해야 합니다. 따라서 A의원이 B후보의 병력을 공개적으로 밝힌 것은 타당합니다.

Q5. 모범답변

징계 변호사 명단 공개는 사생활의 비밀에서 보호된다고 볼 수 없습니다. 변호사는 국민의 법률서비스 충족을 위한 역할을 수행합니다. 변호사협회의 징계는 변호사가 국민의 법률서비스 충족에 있어 큰 문제점을 갖고 있다는 의미가 됩니다. 따라서 법을 위반하여 징계를 받은 변호사의 명단을 공개하는 것은 법률소비자인 국민의 피해를 예방할 필요에 따라 중대한 공익이 됩니다.[212] 따라서 변호사협회에서 징계 변호사 명단을 공개하는 것은 사생활의 비밀 침해라 볼 수 없습니다.

Q6. 모범답변

후보 가족의 병력 공개는 타당하지 않습니다. 이는 B후보의 헌법재판소 재판관으로서의 공직수행능력과 관계가 없기 때문입니다. 따라서 후보 며느리의 사생활의 비밀만 노출시킨 것으로 국민의 알권리와 관계가 없습니다. 따라서 가족 병력의 공개는 타당하지 않습니다.

Q7. 모범답변

이는 B후보 아들의 사생활의 비밀 침해라 볼 수 없습니다. B후보는 국가기관의 중요인물이 되어 국가권력을 국민을 대신하여 행사하게 됩니다. 따라서 이러한 인물이 공정한 재판을 할 수 있는 윤리성을 가지고 있는지는 국민주권과 깊은 관련이 있으므로 국민의 알권리에 해당합니다. B후보 아들의 병역 면제가 법적 절차에 따라 공정하게 행해진 결과라면 인정할 수 있으나, 만약 인맥이나 권력을 이용하여 불공정하게 병역이 면제되었다면 헌법재판소 재판관으로서 B후보가 공정한 재판을 할 것이라 기대할 수 없습니다. 따라서 자녀의 병역의무면제 사안은 인사청문회에서 다루어져야 할 사안입니다.

Q8. 모범답변

딸이 성인이 된 후 미국 국적을 선택하여 미국인이 되었다면, B후보가 사퇴할 필요는 없습니다. 성년이 된 딸이 어느 나라의 국적을 가질 것인지는 B후보의 선택이 아니라 B후보의 딸의 자유입니다.[213] 그러나 B후보의 딸이 미성년자일 때 미국 국적을 선택했다면 이는 딸이 자유롭게 선택한 것이라 볼 수 없고 부모인 B후보가 딸이 미국인으로 살기를 원하여 결정한 것이라 보아야 합니다. 이 경우 국민은 B후보의 사퇴를 요구할 수 있습니다.

212) 변협홈페이지에 변호사에 대한 징계정보를 공개하여 국민으로 하여금 변호사의 징계전력을 쉽게 검색할 수 있도록 하는 것은 변호사의 정보에 대한 접근성을 강화하여 변호사를 선택할 권리를 보장하는 데 있어서 적절한 방법이라고 할 것이다. 그뿐만 아니라 잠재적인 고객인 법률수요자들이 변호사에 대한 징계정보를 지득할 수 있도록 하는 것은 변호사의 윤리의식 제고를 위하여서도 유효·적절한 수단이 된다. (헌재 2018.7.26. 2016헌마1029)

213) 국적선택의 자유는 헌법 제14조의 거주이전의 자유에서 보호된다.

Q9. 모범답변

사퇴할 필요가 없습니다. 인격적이고, 도덕적인 사람이 공무원이 되는 것이 바람직하겠으나, 그러다 보면 무능력한 자가 고위공무원에 임용될 수 있습니다. 물론 공무원으로 가진 권력과 정보를 이용하여 부동산 투기를 한 경우라면 공직자로서 자격을 갖지 못한 것으로 볼 수 있습니다. 또한 투기 정도가 국민의 분노를 살 정도로 지나치다면 스스로 사퇴하는 것이 타당합니다.

그러나 자본주의 국가에서 법의 테두리 내에서, 남의 지탄을 받지 않는 범위 내에서 재산을 불린 것은 개인의 정당한 재산권 행사에 해당하여 비난할 수 없습니다. 따라서 아파트를 사고파는 행위 자체라든지 보유 자체를 문제 삼아 사퇴를 요구하는 것은 타당하지 않습니다. 단, 불법적 투기행위는 사퇴해야 할 뿐만 아니라 수사와 처벌까지 이루어져야 합니다.

Q10. 모범답변

국회의원 입후보자의 전과기록 공개 의무화는 타당합니다. 국민의 알권리를 보장할 수 있기 때문입니다. 국민은 선거를 통해 자신의 주권을 대표자에게 위임합니다. 대표자가 될 후보자의 정보를 정확히 파악할 수 있어야만 국민은 자신의 선택이 어떤 책임으로 연결될 것인지 예측할 수 있습니다. 따라서 국민에게 후보자에 대한 정확한 정보를 제공해야 국민이 올바른 선택을 할 수 있습니다. 후보자들의 전과기록은 국민주권을 실현할 대표 선출에 관련한 기본적 정보로서 중요도가 매우 큽니다. 후보자들이 전과기록을 공개하여 제한받는 사생활의 비밀보다 국민의 알권리 충족과 후보자 선택권을 촉진시키는 공익이 압도적으로 크므로 정보공개가 타당합니다.

Q11. 모범답변

국회의원 가족의 투기로 인한 국회의원 사퇴는 타당하지 않습니다. 이는 자기책임의 원칙에 위배되기 때문입니다. 자기책임 원칙이란 자신이 예측하고 스스로 결정한 것에 대해서만 책임을 져야 한다는 원칙입니다. 국회의원의 가족은 국회의원과 엄연히 다른 인격체로, 성인인 가족의 행위는 국회의원이 예측할 수 없고 통제 불가능한 경우도 존재합니다. 그럼에도 불구하고 국회의원 자신이 예측할 수 없고 스스로 행한 것도 아닌 국회의원 가족의 행위에 대해 국회의원이 책임을 져야 한다면 이는 우리 헌법이 금지하고 있는 연좌제에 해당하는 것입니다. 따라서 가족의 토지 투기에 대해 사퇴를 해야 한다는 것은 국회의원 자신이 예측할 수도 없었던 일에 책임을 묻는 것으로 자기책임 원칙에 위배됩니다.

물론 이에 대해, 국회의원은 공인이므로 도덕적 책임에 따라 사퇴해야 한다고 주장할 수도 있습니다. 그러나 국회의원 본인의 책임이라면 사퇴가 타당하나, 가족의 투기 행위를 국회의원 본인이 몰랐고 이에 관여하지 않았다면 사퇴는 과도한 책임이 됩니다. 국회의원 자신은 공인이며 공공선에 기여해야 할 의무가 있고 국민이 부여한 공적 권력을 사익 추구에 사용했다면 이에 대한 법적, 도덕적 책임을 져야 합니다. 그러나 국회의원이 자신의 가족의 모든 행위를 감시하고 통제해야 할 의무까지 부담한다고 보기는 어렵습니다. 따라서 국회의원이 공인인 것은 맞지만 단지 가족이 투기를 했다는 사실 그 자체만으로 사퇴를 해야 한다고 볼 수는 없습니다.

다만, 국회의원의 가족이 투기를 했고, 국회의원이 이 사실을 알고서도 이에 대한 사후조치를 취하지 않았다면 사퇴를 함이 타당합니다. 이에 대해서는 국회의원 자신이 입증을 하는 방법도 생각해볼 수 있습니다. 국회의원의 가족이 투기를 했고 이를 국회의원이 몰랐고 투기행위에 관여하지 않았음을 스스로 입증하도록 한 후, 이를 직접 증명하도록 하면 될 것입니다.

Q12. 모범답변

이는 타당하지 않습니다. 종교적 신념, 육체적·정신적 결함은 개인의 내밀한 사적 영역입니다. 따라서 엄격한 보호의 대상이 되어야 합니다. 의무 이행 정도는 고위공무원의 자질과 관련이 있습니다. 따라서 고위공무원의 국민연금이나 의료보험납부실적 등은 공개할 필요가 있습니다. 고위공무원이 부당한 이유로 병역을 면제받은 경우 문제가 될 수 있습니다. 그러나 공개 시 인격이나 사생활의 심각한 침해를 초래할 수 있는 질병이나 심신장애 내용까지 예외 없이 공개하도록 한 것은 사생활의 비밀 침해입니다. 따라서 질병명 중 정신질병과 같은 사생활의 침해를 크게 야기하는 질병명 공개는 금지하고, 디스크와 같이 사생활 침해가 크지 않은 질병명만 공개하는 것이 타당합니다.

073 개념 자기정보결정권과 잊혀질 권리

1. 기본 개념

(1) 자기정보결정권

개인의 자기정보는 과거에 사생활 결정, 사생활 공개에 관한 프라이버시로부터 논의되기 시작했다. 개인이 내린 사적인 결정에 대해 국가나 타인으로부터 간섭받지 않을 권리, 자신의 정보를 스스로 통제할 권리인 것이다. 정보통신기술의 발달 이전에는 주로 개인의 주거나 사생활 등의 물리적 공간을 중심으로 논의되었던 것이다.

정보통신기술의 발달과 스마트폰의 보편화로 인해 사적 공간과 공적 공간이 뒤섞이면서 개인의 자기정보에 대한 통제 중심으로 논의가 이동했다. 초연결사회가 되면서 사생활에 속하는 대부분의 정보는 기록되고 저장된다. 애플, 네이버 등의 빅데이터 기업은 개인의 정보를 실시간으로 저장하고 분석하며 프로파일링을 통해 자사의 이익을 추구한다. 개인은 자신의 정보가 어떤 목적으로 어떻게 수집되어 어떻게 활용되는지 알고 통제할 수 있어야 한다.

(2) 잊혀질 권리

자기정보통제권에서 파생된 개념이다. 개인정보자기결정권에 의하면 자기 자신과 관련한 정보에 대한 최종결정권은 자신에게 있으므로, 자신이 자기 정보를 삭제, 수정, 파기할 최종적 결정권이 있어야 한다는 원칙으로부터 잊혀질 권리가 출현하였다.

잊혀질 권리(right to be forgotten)는 인터넷에서 생성·저장·유통되는 개인의 사진이나 거래 정보 또는 개인의 성향과 관련된 정보에 대해 소유권을 강화하고 이에 대해 유통기한을 정하거나 삭제, 수정, 영구적인 파기를 요청할 수 있는 권리 개념을 말한다.

(3) 출현 배경

잊혀질 권리에 대한 개념은 빠르게 변화하는 미디어 환경에서 도출되었다. 무엇보다 인터넷에서는 많은 사람들이 자유롭게 참여할 수 있고 대다수 이용자들이 정보를 소비하는 동시에 생산하는 능동적인 프로슈머가 되고 있는 데 기인하고 있다. 즉 온라인에서 자신의 의견을 자유롭게 개진하고, 자신의 사진이나 동영상 등을 게시하는 등 이용자들과 지식·정보를 공유하면서 네트워크를 형성해 가는 가운데 잊혀질 권리에 대한 관심도 높아졌다. 또한 과거 공동체는 소규모의 친밀한 집단을 구성하고, 개인 정보는 친구, 가족, 이웃 등 한정된 구성원의 기억에 의존해 존재해 왔다. 반면, 오늘날에는 개인 정보를 비롯해 각종 정보를 데이터베이스화해 보관하고 있어 누구든지 인터넷 검색을 통해 원하는 정보를 손쉽게 얻을 수 있게 되었다.

특히 언론 기사의 데이터베이스는 한번 생산된 정보의 유통과 유효기간을 거의 무한대로 만들었으며, 누구나 쉽게, 언제든지 과거의 기사에 접근할 수 있고 이를 재활용할 수 있는 환경을 조성했다. 이처럼 디지털화, 저렴한 저장 비용, 손쉬운 검색, 개인을 공간의 구속으로부터 자유롭게 해 주는 글로벌 범위 등이 삭제가 불가능한 현실을 만들었다. 아울러 개인이 정보를 생성하더라도 이를 삭제할 수 있는 권한은 포털 사이트, 언론 기관 등과 같은 기업에 있고, 온라인에서 정보를 생산하는 것은 용이하나 이를 삭제·폐기하는 데는 더 많은 시간과 노력이 소요됨을 알게 되었다.

(4) 정보만료일

빅토어 마이어 쇤베르거(Viktor Mayer-Schönberger)는 '잊혀질 권리(Delete)'에서 새로 생성되는 모든 정보들에 정보 만료일을 부여해 정보가 일정한 기간만 유통되도록 하는 것이 필요하다고 주장한다. 그는 개인이 디지털 정보 저장 용도로 사용되는 모든 기기들에 정보 만료일을 지원하는 코드를 포함시키는 규정과 아울러 사용자들이 디지털 정보를 저장할 때 이러한 만료일 정보를 입력해 정보의 수명이 만료되면 자동 폐기되도록 하는 것이 필요하다고 했다. 개인이 직접 요구하지 않아도 자동으로 삭제되도록 규정하는 것이 개인정보자기결정권의 차원에서 중요한 권리가 된다.

2. 읽기 자료

개인정보자기결정권[214)]
가명처리 정지요구권[215)]
잊혀질 권리와 표현의 자유[216)]
잊혀질 권리의 세계화[217)]

214)

개인정보자기결정권

215)

가명처리 정지요구권

216)

잊혀질 권리와 표현의 자유

217)

잊혀질 권리의 세계화

073 문제 자기정보결정권과 잊혀질 권리

답변 준비 시간 15분 | 답변 시간 15분

※ 다음 QR코드를 촬영하면 연결되는 제시문을 읽고, 문제에 답하시오.

지난 2개월 동안 '아동·청소년 디지털 잊힐 권리' 시범사업에 약 3,500건의 삭제 요청이 접수되었다. 대부분 만 15세, 17세, 16세 순으로 많았으며, 삭제 요청이 가장 많은 플랫폼은 유튜브였다.

아동 · 청소년 디지털 잊힐 권리
시범사업

Q1. 인터넷 자료의 경우, 디지털화된 자료가 복사·확산을 통해 거의 영구적으로 존재하게 된다. 한 마디로 만들기는 쉬우나 없애기는 불가능한 상황이라 할 수 있다. 개인정보의 당사자가 원할 경우 삭제나 폐기가 가능하여야 한다는 측면에서 잊혀질 권리가 제시되고 있다. 잊혀질 권리가 인정되어야 하는 이유는 무엇인지 논하시오.

Q2. 자기정보통제권에 따라 잊혀질 권리를 폭넓게 인정할 경우에 발생할 문제점을 논하시오.

Q3. 포털사이트 A는 과거의 신문기사를 자유롭게 검색할 수 있는 서비스를 최근 새롭게 시작하였다. 정치인 B는 10년 전에 뇌물수수혐의로 신문기사에 난 적이 있다. 이후 그의 혐의는 무죄로 밝혀졌지만 신문사는 무죄보도를 하지 않았다. B는 유권자들이 과거의 신문기사를 보고 선거에서 부정적 인식을 가질 수 있으므로 포털사이트 A에게 해당기사를 삭제해줄 것을 요청하였다. 이 요청에 대한 자신의 견해를 논변하시오.

Q4. 민간 웹사이트 가입 시 주민등록번호 대신 아이핀, 이메일 등 대체수단 사용을 의무화하고, 일정 기간이 지난 후에는 자동폐기하도록 하는 등 개인정보 보호를 강화하고 있다. 이에 대해 민간 웹사이트에서 유출되는 개인정보라고 해봐야 주민등록번호나 주소, 이메일 정도에 지나지 않음에도 불구하고 기업의 웹사이트 운영비용을 증가시키는 개인정보 보호 강화 정책은 문제가 있다고 비판하는 목소리도 있다. 개인정보 보호를 강화해야 하는 이유는 무엇인지 논리적으로 제시하시오.

Q5. 개인정보 보호를 강화하면 기존 웹사이트 개편이나 정보책임자 고용, 정보보안 프로그램 운영 등 기업의 부담이 클 수밖에 없다. 기업이 개인정보 보호 강화로 인한 부담을 지는 것이 타당한가?

Q6. 금융권의 개인정보 유출문제가 심각하다. 2014년 국민카드, 롯데카드, 농협카드의 고객정보가 1억 건 유출되는 사건이 대표적인 사례이다. 그런데 개인정보 유출이 일어난 경우 예상보다 금융소비자들의 개인정보 유출에 대한 소송 제기가 많지 않은 것도 현실이다. 왜 그렇다고 생각하는가?

Q7. 금융사가 개인정보 유출을 했다는 사실만으로, 법원이 300만 원 한도로 손해액을 정해 배상을 하도록 하는 법정손해배상제도를 신설하였다. 법정손해배상제도의 도입으로 인한 효과와 문제점을 논하시오.

073 해설 자기정보결정권과 잊혀질 권리

Q1. 모범답변

잊혀질 권리는 개인의 자기정보결정권에 해당하기 때문에 인정되어야 합니다. 정보화 사회에서 자기정보결정권은 점차 중요한 권리가 되어가고 있습니다. 물리적 대면이 가능한 현실과 달리, 사이버 세계는 자기정보가 곧 물리적 현실의 자신으로 의제되기 때문입니다. 예를 들어 현실세계에서는 A가 B의 정보를 가지고 있다 하더라도 물리적 대면을 통해 A가 B의 행세를 하는 것을 막을 수 있으나, 사이버 세계에서는 A가 B의 주민등록 정보를 가지고 있는 것만으로 B와 동일하게 여겨질 수 있습니다. 따라서 사이버 세계의 자기정보는 현실의 개인에게 큰 영향을 미칠 수 있으므로 이용과 삭제 등 정보에 대한 결정권 역시 당사자인 개인에게 부여되어야 합니다.

잊혀질 권리는 특정시점에 본인이 원하여 생성한 정보라 하더라도 시간이 흘러 이를 삭제·폐기하고자 한다면 그 최종결정권을 자신이 가져야 한다는 것입니다. 만약 정보에 대한 최종결정권이 개인에게 없다면 그 정보로 인한 사생활의 자유 침해가 문제될 수 있으며, 더 나아가 범죄에 악용되어 신체의 자유 침해까지 이어질 수 있습니다. 예를 들어 미성년자의 노출 사진을 저장해두고 이를 인터넷에 유포하겠다고 협박하여 금품을 갈취하거나 성범죄에 악용한 사례가 발생한 바 있습니다.

Q2. 모범답변

잊혀질 권리가 폭넓게 인정될 경우, 국민의 알 권리 제한이라는 문제점이 발생할 수 있습니다. 국민은 국가의 주인으로 국가의사결정에 참여할 권리를 가지고 있습니다. 국민의 올바른 판단을 위한 전제로 국민이 국가정책에 대한 정보를 정확하고 빠르고 손쉽게 얻을 수 있어야 합니다. 잊혀질 권리가 공적으로 악용될 경우 국민의 자유와 권리에 영향을 주는 공적 사건 기록을 일반 국민이 얻기 어렵게 됩니다. 따라서 국민의 알 권리가 제한되어 국민의 자유와 권리를 위한 올바른 판단에 악영향을 줄 수 있습니다.

Q3. 모범답변

B의 A에 대한 신문기사 삭제 요청은 타당하지 않습니다. 국민의 알 권리를 보호하기 위해 해당기사를 삭제해서는 안 됩니다. 국민이 국가의 주인으로서 자신이 원하는 바를 국가를 통해 실현하기 위해서는 정확한 정보가 필요합니다. 언론기관은 이를 위해 존재합니다. 인터넷 포털 사이트는 이러한 언론기관의 기사를 반영하여 일반 국민이 쉽게 접할 수 있도록 하므로 언론기관에 준하는 것으로 보아야 합니다. 만약 언론기관의 기사를 마음대로 삭제할 수 있다면 권력자나 정부에게 불리한 기사 등은 찾을 수 없게 될 것입니다. 그렇게 되면 국민은 정확한 정보를 얻을 수 없게 되어 합리적 판단을 내릴 수 없습니다. 따라서 B의 해당기사 삭제 요청은 타당하지 않습니다.

다만, B는 무죄가 이미 확정되었고, 공직에 출마할 경우 언론기관의 잘못된 보도로 인한 불이익이 예상됩니다. 따라서 법원을 통해 신문사에 정정보도를 청구하고, 포털사이트 A의 해당기사에 신문사의 정정보도를 링크하는 등의 방법으로 B의 권리와 명예를 지킬 수 있습니다.

Q4. 모범답변

개인정보 보호 강화는 개인정보자기결정권 측면에서 타당합니다. 개인정보자기결정권이란, 자신과 관련한 정보에 대한 생성·이용·삭제·폐기 등과 관련한 최종 결정권은 자신이 가져야 한다는 것입니다. 현대 정보화 사회에서는 물리세계와 사이버세계가 밀접하게 연결되어 정보가 개인의 자유와 권리에 직접적인 영향을 미칠 수 있습니다. 대면이 가능한 물리세계와 달리 사이버세계는 개인 정보가 곧 자기 자신으로 의제됩니다. 예를 들어 특정인의 주민등록번호를 알고 있다면 금융·범죄 사실 기록 등의 조회·사용이 가능하며 이 정보는 자신의 자유와 권리에 직접적인 영향을 미칠 수 있습니다. 따라서 현대 사회에서 자기정보는 곧 자신의 자유와 권리에 직접적 영향을 미치기 때문에 보호의 필요성이 큽니다.

Q5. 모범답변

개인정보 보호 강화로 인한 부담은 기업이 부담하는 것이 타당합니다. 기업은 소비자인 국민이 인터넷 서비스 등에 회원으로 가입하여 기업 서비스를 이용함으로써 이윤을 얻습니다. 인터넷 쇼핑몰처럼 직접적 이익을 얻을 수도 있고, 기업 홈페이지처럼 고객관리 데이터베이스를 구축하거나, 소비자 빅데이터 분석을 통해 새로운 소비자층의 발굴 등으로 서비스 확대를 시도하는 등의 간접적 이익을 얻을 수도 있습니다. 이러한 기업의 이윤 추구는 국민의 자유·권리에 해악을 주지 않는 한도 내에서 이루어져야 합니다. 기업의 인터넷 서비스로 인한 국민의 개인정보 대량 유출 사건이 끊임없이 일어나고 있는 상황을 볼 때, 이윤 추구를 목적으로 하는 기업이 자발적으로 큰 비용이 수반되는 개인정보 보호를 강화하는 선택을 하지 않을 것이라 예측할 수 있습니다. 기업이 인터넷 서비스를 운영하여 얻는 이익은 온전히 자기의 몫으로 하고, 그로 인해 발생하는 개인정보 유출 등의 비용은 소비자에게 떠넘기는 것은 타당하지 않습니다. 만약 기업이 인터넷 서비스를 운용함에 있어서 개인정보 보호 강화로 인해 큰 비용 부담이 발생해 이윤이 없다고 판단한다면 인터넷 서비스를 운용하지 않는 선택을 할 것입니다. 따라서 기업에 개인정보 보호 강화비용 부담이 있다고 하더라도 기업은 인터넷 서비스 운용을 통해 직·간접적 이익을 보는 만큼, 개인정보 보호 강화에 대한 책임도 부과하는 것이 정당합니다.

Q6. 모범답변

금융소비자들의 개인정보 유출 소송 제기가 많지 않은 이유는 소비자의 비용 부담이 크기 때문입니다. 이는 일종의 거래비용의 문제라고 할 수 있습니다. 합리적 주체는 자신의 선택이나 행동으로 인해 발생할 이익과 비용을 예측하여 합리적으로 의사를 결정합니다. 금융소비자 역시 마찬가지입니다. 개인정보 유출 피해를 본 금융 소비자들의 경우, 소송을 제기할 시 발생할 이익은 미래의 불확실한 적은 액수의 보상금이지만, 소송 제기로 인해 현재의 명확하고 큰 액수의 소송비용을 감당해야 합니다. 금융소비자들은 전문가가 아니기 때문에 개인정보 유출 자체를 입증하기가 어렵고, 거대한 자본력을 갖추고 전문적 법무법인의 힘을 빌릴 수 있는 금융사와의 소송에서 승소할 가능성이 낮고, 장기간 지속되는 소송을 감당하기가 현실적으로 불가능하다는 점을 충분히 예측할 수 있습니다. 따라서 금융소비자들은 자신의 권리 침해를 인지하였음에도 불구하고 소송을 제기하였을 때 시간과 비용, 번거로움 등의 현실적인 거래비용이 발생하기 때문에 소송을 제기하는 경우가 적습니다.

Q7. 모범답변

법정손해배상제도의 효과는 국민의 개인정보 보호를 달성할 수 있다는 점입니다. 현대정보화사회에서 국민의 개인정보는 곧 국민 자신으로 의제되어 국민의 자유와 권리에 실질적인 영향을 미칩니다. 국민의 개인정보, 즉 주민등록번호나 신용카드 번호 등을 악용한 사례를 통해 이를 알 수 있습니다. 국가가 국민의 권리 침해를 적극적으로 예방할 필요가 있습니다. 예를 들어 국민의 생명과 신체에 직접적 위해를 가할 수 있는 독성 화학물질을 다루는 기업에 대한 인허가와 규제는 강할 수밖에 없습니다. 국가는 금융사가 국민의 개인정보를 안전하게 다루지 못하여 대량으로 유출할 가능성을 최소화시켜야 합니다. 금융사의 입장에서는 개인정보 보호 강화는 그 자체로 비용 상승을 야기하지만 이익에는 큰 도움이 되지 않아 개인정보 보호에 소극적일 수밖에 없습니다. 따라서 개인정보 유출이 기업에 큰 부담으로 작용하도록 강제하여 금융사가 개인정보 보호에 적극적으로 나서도록 강제하는 효과가 있습니다.

법정손해배상제도의 문제점은 금융사의 파산으로 인한 국민경제 피해가 발생할 수 있다는 점입니다. 금융은 일반 다수 국민의 소액 단기 자금을 모아 거액의 장기 자금으로 바꾸어 기업과 국가에 투자하는 역할을 합니다. 따라서 금융사는 일반국민과 기업을 연결하는 자본의 매개 역할을 하기 때문에 금융사가 파산하면 일반국민의 경제 피해가 클 수밖에 없습니다. 그런데 법정손해배상제도에 따르면 개인정보 유출에 대한 피해규모나 책임 정도, 피해구제노력 정도와 관계없이 법원이 금융사에 손해액을 정할 수 있습니다. 개인정보 유출사건의 특성상 다수의 개인정보가 대량으로 유출될 가능성이 크기 때문에 금융사가 법정손해배상제도로 인해 파산할 수 있습니다. 예를 들어 100만 명 규모의 개인정보가 유출되었을 때 법원이 1인당 300만 원의 손해배상을 명했다면 손해배상액만 3조 원에 달합니다. 따라서 이로 인한 금융기관의 비용 부담이 커지고 파산 위험성이 발생하여 국민경제 피해가 예상됩니다.

074 개념 대체복무제

2019 부산대/인하대 기출

1. 기본 개념

(1) 양심의 자유

헌법이 보호하려는 양심은, 어떤 일의 옳고 그름을 판단함에 있어서 그렇게 행동하지 아니하고는 자신의 인격적인 존재가치가 허물어지고 말 것이라는 강력하고 진지한 마음의 소리이다.[218] 막연하고 추상적인 개념으로서의 양심은 헌법이 보호하고자 하는 양심이 아니다. 양심은 진지한 윤리적 결정이므로 음주측정 거부, 안전띠를 매지 않고 운전할 자유, 납세의무를 불이행하겠다는 결정은 양심의 개념에 해당하지 않는다. 또한 양심의 자유에서 현실적으로 문제가 되는 것은 민주적 다수가 아니라 국가의 법질서나 사회의 도덕률에서 벗어나려는 소수의 양심이다. 따라서 양심상의 결정이 어떠한 종교관·세계관 또는 그 외의 가치체계에 기초하고 있는가와 관계없이, 모든 내용의 양심상의 결정이 양심의 자유에 의하여 보장된다.[219] 자연인은 양심의 주체가 된다. 법인은 양심의 주체가 될 수 없다는 것이 통설이다.

양심의 자유에는, 양심형성의 자유와 양심실현의 자유가 있다. 먼저, 양심형성의 자유는 외부의 간섭이나 압력 없이 자신의 판단대로 양심을 형성할 자유이다. 외부와 관련되지 않은 내심으로서의 양심형성의 자유는 절대적 권리이다. 그러나 양심실현의 자유는 절대적 권리가 아니기 때문에 법률로 제한가능한 상대적 권리이다.

(2) 종류

① 양심표명의 자유

형성된 양심을 적극적으로 외부에 표명할 자유와 소극적으로 양심을 표명하도록 강제받지 아니할 자유이다.

② 부작위에 의한 양심실현의 자유

형성된 양심에 반하는 행동을 강제당하지 아니할 자유이다. 양심적 병역거부자에 대한 병역의무 부과는 부작위에 의한 양심실현의 자유 제한이다.

③ 적극적 양심활동의 자유(좁은 의미의 양심실현의 자유)

긍정설에 따르면, 양심의 자유에서 양심실현의 자유를 빼면 양심의 자유가 무의미하므로 이를 포함한다. 부정설에 의하면, 양심의 자유는 양심의 자유를 행동으로 옮길 자유까지를 포함하지 않는다. 양심실현의 자유는 표현의 자유 혹은 행동의 자유에 속한다. 헌법재판소는 양심실현의 자유도 양심의 자유에 포함된다는 입장이다.

218)

96헌가11

219)

2002헌가1

2. 읽기 자료[220)]

(1) 국가안보와 대체복무제

양심적 병역거부는 '양심에 따른' 병역거부를 가리키는 것일 뿐 병역거부가 '도덕적이고 정당하다'는 의미는 아니다. 따라서 '양심적' 병역거부라는 용어를 사용한다고 하여 병역의무이행은 '비양심적'이 된다거나, 병역을 이행하는 병역의무자들과 병역의무이행이 국민의 숭고한 의무라고 생각하는 대다수 국민들이 '비양심적'인 사람들이 되는 것은 결코 아니다.

양심적 병역거부자의 수는 병역자원의 감소를 논할 정도가 아니고, 이들을 처벌한다고 하더라도 교도소에 수감할 수 있을 뿐 병역자원으로 활용할 수는 없으므로, 대체복무제 도입으로 병역자원의 손실이 발생한다고 할 수 없다. 전체 국방력에서 병역자원이 차지하는 중요성이 낮아지고 있는 점을 고려하면, 대체복무제를 도입하더라도 우리나라의 국방력에 의미 있는 수준의 영향을 미친다고 보기는 어렵다.

국가가 관리하는 객관적이고 공정한 사전심사절차와 엄격한 사후관리절차를 갖추고, 현역복무와 대체복무 사이에 복무의 난이도나 기간과 관련하여 형평성을 확보해 현역복무를 회피할 요인을 제거한다면, 심사의 곤란성과 양심을 빙자한 병역기피자의 증가 문제를 해결할 수 있다. 따라서 대체복무제를 도입하면서도 병역의무의 형평을 유지하는 것은 충분히 가능하다. …(중략)…

양심적 병역거부자들에게 공익 관련 업무에 종사하도록 한다면, 이들을 처벌하여 교도소에 수용하고 있는 것보다는 넓은 의미의 안보와 공익실현에 더 유익한 효과를 거둘 수 있을 것이고, 국가와 사회의 통합과 다양성의 수준도 높아지게 될 것이다. 양심적 병역거부자에 대한 대체복무제를 규정하지 아니한 병역종류조항은 과잉 금지원칙에 위배하여 양심적 병역거부자의 양심의 자유를 침해한다.

(2) 병역기피자를 가려내는 대체복무제 설계

우리나라에서 양심적 병역거부자들에 대하여 대체복무제를 허용하는 경우의 가장 큰 어려움은 양심을 빙자한 병역기피자들, 즉 사이비 양심적 병역거부자들을 가려내는 것이다. 이 문제를 해결하기 위해서는 다음과 같은 점이 중요시되어야 할 것이다.

첫째, 대체복무의 기간이 현역 복무기간과 최소한 같거나 더 장기간이 되어야 할 것이며, 또한 대체복무의 강도나 어려움도 현역근무의 경우보다 최소한 같거나 더욱 무겁고 힘들어야 할 것이다. 그렇게 함으로써 진정한 양심적 병역거부자가 아니라면 애초부터 대체복무 신청 자체를 하지 못하도록 설계되어야 할 것이다.

둘째, 사이비 양심적 병역거부자를 정확하고 엄격하게 가려낼 수 있도록 경찰 등에 의한 사전 자료 수집과 더불어 엄정한 판단을 내릴 수 있는 전문가들에 의하여 심사위원회가 구성되어야 하며, 이러한 전문가 그룹이 정확하고 공정한 심판을 할 수 있도록 필요한 모든 조치가 준비되어야 할 것이다.

220)

2008헌가22

074 문제 대체복무제

답변 준비 시간 10분 | 답변 시간 10분

※ 다음 QR코드를 촬영하면 연결되는 제시문을 읽고, 문제에 답하시오.

> 대체복무 도입 시 징벌적이라는 지적이 있었지만, 공정성을 고려한 주장이 우세했다. 복무 반환점을 돈 최초 입소자들을 기준으로, 전문가 3인에게 운영 실태와 제도 점검에 대한 조언을 들을 수 있었다.
>
> 
>
> 대체복무 리포트

Q1. 양심적 병역거부를 인정한다면, 병역을 대신할 대체복무가 필요하다. 대체복무제를 도입해야 한다면 어떤 전제조건이 만족되어야 하는지 논하시오.

Q2. 양심적 병역거부를 하려는 자가 대체복무마저도 양심적 이유로 거부한다고 하자. 이 경우에는 어떻게 해야 하는가?

Q3. 아래의 주장 ①, ②, ③의 적절성에 대해 각각 논하시오.

[주장 ①] 대체복무기간을 육군 병사 복무기간의 2배인 36개월로 하는 것은 징벌적 성격이다.

[주장 ②] 대체복무를 할 때, 교도소 등의 교정시설에서 합숙하도록 한정하는 것은 부당하다.

[주장 ③] 대체복무의 내용과 결정은 군이나 국방부와 관련 없는 별도의 독립위원회에서 정해야 한다.

추가질문

Q4. 주장 ③에 대한 내용에서 공론화위원회를 통해 결정하는 것은 어떤가?

Q5. 위 답변의 논리적 연장선상에서 적절한 대체복무에 대한 자신의 견해를 논하시오. 기간이나 단체생활 여부 등등 자신이 생각할 수 있는 다양한 방법을 제시하시오.

074 해설 대체복무제

Q1. 모범답변

대체복무의 전제조건은 크게 세 가지입니다.

첫째, 병역거부의 사유가 명확해야 합니다. 예를 들어 정당방위의 상황에서도 살인을 할 수 없다는 정도의 소신과 신념이 있어야 합니다.

둘째, 대체복무의 부담이 병역의무 이행의 부담보다 가벼워서는 안 됩니다. 대체복무로 인한 부담이 군 복무의 그것보다 실질적으로 더 크다는 점이 객관적으로 인정되어야 합니다.

마지막으로, 전쟁 등의 상황에서는 어떻게 할 것인지 미리 규율되어야 합니다. 양심적 병역거부자는 전쟁 상황에서도 집총을 요구할 수는 없으나 적군에 대한 공격 의무가 없는 의무병이나 군종병 내지는 방위관련 업무 등을 수행할 수 있어야 합니다.

Q2. 모범답변

대체복무마저도 양심적 이유로 거부한다면, 이는 양심적 병역거부라 볼 수 없기 때문에 처벌함이 타당합니다. 대체복무는 평화나 생명존중사상에 대한 침해를 일으키지 않고 오히려 이를 존중하는 것이기 때문입니다. 예를 들어 양심적 병역거부자가 산림감시원이나 주차감시원으로서 대체복무하여 병역의무를 이행한다면, 양심의 자유를 침해받지 않습니다. 산림 감시를 한다고 하여 평화나 생명존중사상에 대한 침해가 있는 것이 아니므로 자신의 인격적 존재가치 자체가 부정되지 않습니다. 그런데도 대체복무를 거부하는 것은 단순히 병역을 이행하고 싶지 않다는 것에 불과합니다. 따라서 대체복무를 양심적 이유로 거부할 수는 없습니다.

Q3. 모범답변

주장 ①은 타당하지 않습니다. 병역이행자와 대체복무자 간의 불평등이 발생하기 때문입니다. 병역이행자는 국가안보를 실현하기 위해 특별한 희생을 하였습니다. 징병되어 병역을 이행하는 국민은 전시에는 생명을 잃을 가능성을 감수하였고, 평시에는 육군의 경우 18개월간 자신의 자유를 전면적으로 박탈당하는 것을 감수하고 있습니다. 이러한 병역이행자의 희생으로 국가안보가 달성되고 이로써 모든 국민의 자유가 안정적으로 보장되고 있습니다. 대체복무자의 대체복무기간을 너무 짧게 설정할 경우, 국민은 병역이행자가 국가안보를 위해 특별한 희생을 하고 있음에도 불구하고 대체복무자는 이러한 특별한 희생 없이 군 복무기간마저 짧다고 여길 것입니다. 따라서 육군 복무기간의 2배인 36개월은 특별한 희생을 감수하지 않는 대체복무자에게 징벌적이라 할 수 없습니다.[221)]

주장 ②는 타당하지 않습니다. 병역기피풍조를 야기할 수 있기 때문입니다. 국가안보를 실현하기 위해서는 전투력을 갖춘 병력의 일정 수를 반드시 유지해야 합니다. 병역이행자의 군 복무로 인한 비용이 대체복무자의 그것보다 커서는 안 됩니다. 대체복무자가 교정시설과 같은 공익기관에서 합숙하지 않고 사회복무요원과 같은 방식으로 합숙 없이 복무가 대체되는 것은 허용할 수 없습니다. 국민은 국방의 의무를 통해 실현되는 국가안보를 위해 전투력, 즉 신체적 조건에 따라 군 복무방법이 결정됩니다. 병역이행자 중 전투력 판단에 따라 사회복무요원이 되어 공익기관에서 복무하는 것은 동일한 조건에 따라 결정된 것입니다. 그러나 대체복무자는 전투력, 즉 신체적 조건과 관계없이 대체복무를 하는 것이므로 교정시설에서 합숙을 하는 것이 적절합니다. 대체복무자가 교정시설에서 복무함으로써 생명

221)

2021헌마117

을 해칠 수 없다는 양심을 훼손당하지 않고 범죄자의 교정에 기여하는 역할을 하도록 하고, 합숙을 하도록 하여 병역이행자와 평등한 희생을 하도록 하여 대체복무의 인정이 병역기피풍조로 이어지는 것을 막을 수 있습니다.

주장 ③은 타당하지 않습니다. 대체복무의 내용과 결정은 군이나 국방부와 관련 없는 독립위원회에서 결정해서는 안 됩니다. 군과 국방부는 국가안보를 실현하는 전문기관이기 때문에 병역 이행과 군사력의 관계에 관련한 사항에 대한 직접적 주체입니다. 이러한 점에서 군과 국방부는 대체복무의 내용과 결정에 있어 주체로서 참여해야 이 결정이 국가안보에 미칠 영향을 정확하게 판단할 수 있고 국민의 자유와 권리를 안정적으로 지킬 수 있습니다. 그러나 군과 국방부가 독자적인 결정권한을 가져서는 안 됩니다. 대체복무제도는 개인의 양심의 자유와 국가안보를 균형적으로 달성하고자 하는 것이기 때문입니다. 따라서 국가인권위원회와 국방부, 시민단체 등이 함께 위원회를 구성하여 결정하는 방안이 적절합니다.

Q4. 모범답변

대체복무 방법을 공론화위원회를 통해 결정하는 것은 타당하지 않습니다. 소수자의 양심의 자유가 침해될 가능성이 높기 때문입니다. 공론화위원회는 다수의 시민위원들이 전문위원의 도움을 받아 숙의과정을 통해 국가의사를 결정하는 제도입니다. 그렇기 때문에 소수자의 권리에 대한 현존하는 명백한 침해가 그대로 다시 드러날 수 있습니다. 따라서 이는 공론화위원회에서 결정하는 것이 적절하지 않습니다.

Q5. 모범답변 222)

적절한 대체복무는 국민적 합의에 따라야 할 것이나 병역 이행을 강제하는 수준으로 과도해서는 안 됩니다.

먼저, 대체복무기간은 현역복무기간의 1.5~2배 정도가 적정할 것입니다. 이 배율을 넘어설 경우 병역 이행을 강제하거나 징벌적 성격을 가진다고 볼 수 있기 때문입니다. 그러나 이를 어느 정도 넘어선다고 하더라도 그것이 과도하지 않다면 국민적 합의에 따라 허용될 수 있을 것입니다.

둘째로, 양심적 병역거부의 취지상 평화나 생명존중사상을 실현할 수 있고 무력을 사용하지 않는 공익적 활동이어야 합니다. 예를 들어, 교도소와 같은 교정시설 공익근무를 통해 반사회적 범죄자를 교정하여 사회 복귀에 기여하는 역할을 할 수 있습니다.

마지막으로, 현역복무와 마찬가지로 집단생활 합숙이 필요합니다. 이에 대해서는 논란의 여지가 있으나, 양심적 병역거부는 현역복무자와 동일한 의무를 실행하되 개인의 가치관을 실현할 수 있도록 하는 것이기 때문에 형평성이 있어야 합니다. 현역복무자는 국가안보를 위해 원치 않는 집단생활을 해야만 합니다. 이와 마찬가지로 대체복무자 역시 집단생활을 하는 것이 사회적 수용도를 높이기 위해 필요합니다.

222)

병역거부와 대체복무

075 개념 종교의 자유

1. 기본 개념

(1) 종교의 자유

자신이 믿는 종교를 자신이 원하는 방법으로 신봉할 수 있는 자유이다.

(2) 주체

외국인을 포함한 자연인은 주체가 된다. 미성년자는 주체가 되나, 태아는 주체가 아니다. 법인은 신앙의 자유 주체가 될 수 없으나, 종교결사는 선교의 자유나 예배의 자유 등 신앙실행의 자유의 주체가 될 수 있다.

(3) 국가의 중립의 의무

국가는 특정종교를 국교로 지정할 수 없다. 우리나라는 종교의 자유를 인정하면서 국교는 부인하나, 영국은 국교를 인정하면서 실질적으로 종교의 자유를 인정하고 있다. 국가에 의한 특정종교의 우대 및 차별은 금지된다. 국가가 어떤 종교를 우대하는 것은 금지된다. 일요일 휴일, 부처님 오신 날 휴일, 크리스마스 휴일은 정교분리원칙에 반하지 않는다. 특정 종교의 의식, 행사, 유형물이 우리 사회공동체 구성원들 사이에서 관습화된 문화요소로 인식되고 받아들여질 정도에 이르렀다면 그에 대한 국가의 지원은 정교분리의 원칙에 위배되지 않는다.[223)]

2. 읽기 자료

96다37268[224)]

2000헌마159[225)]

223) 대법원 2009.5.28. 2008두16933

224)

96다37268

225)

2000헌마159

075 문제 종교의 자유

답변 준비 시간 15분 | 답변 시간 15분

※ 다음 제시문을 읽고, 문제에 답하시오.

(가) 甲은 기독교 단체가 설립한 A고등학교에 다니고 있다. 甲이 학교에서 주관하는 예배시간에 불참하자 학교는 甲을 징계했다. 甲은 예배시간에 참석을 강요하는 것은 종교의 자유 침해라고 주장했다. A고등학교는 종교재단학교가 예배시간을 가지는 것은 종교의 자유 행사라고 한다.

(나) 사립대학인 B대학교는 예배시간 참석을 학위수여 조건으로 하고 있다. 예배시간은 기독교의 기도와 찬송가 제창, 목회자의 설교와 축도가 행해진다. 예배시간은 성적 평가 없이 3번 이상 결석하면 해당 학기에 수강하지 않은 것으로 처리된다. B대학교 학생 乙은 이러한 학위수여 조건이 종교의 자유 침해라고 주장했다.

(다) C대학교에서 채플 수업 참석을 학위수여 조건으로 하고 있다. 채플 수업은 기독교인의 정신에 대한 강연, 합창단이나 연주단의 음악 감상 등으로 행해진다. 채플 수업은 성적 평가 없이 3번 이상 결석하면 해당 학기 채플 수업은 수강하지 않은 것으로 처리된다. C대학교 학생 丙은 이러한 학위수여 조건이 종교의 자유 침해라고 주장하고 있다.

Q1. 제시문 (가)에서 甲과 A고등학교 중 어느 측의 주장이 타당한가?

Q2. 제시문 (가)에서 기독교 재단 고등학교가 예배시간을 가지는 것도 종교의 자유에 대한 침해인가?

Q3. 제시문 (나)에서 乙의 주장은 타당한지 여부를 논하시오. 그리고 자신이 선택한 입장에 대해 예상되는 반론을 재반론하시오.

Q4. 제시문 (다)에서 丙의 주장은 타당한지 여부를 논하시오.

추가질문

Q5. 조계종에서 직원을 채용했는데, 직원이 기독교 신자라는 이유로 해고했다고 하자. 이 해고는 타당한가?

Q6. 일요일에 LEET 시험을 보는 것은 기독교 신자인 수험생 丁의 종교의 자유를 침해하는가?

Q7. 대통령이 기독교 신자라고 하자. 대통령이 일요일마다 청와대에서 예배를 드린다면, 이는 정교분리원칙에 위반된다고 할 수 있는가?

Q8. 코로나19로 인해 방역 대책이 강화되면서 종교집회가 금지되고 예배나 예불 등의 대면종교행사를 제한하여 종교의 자유가 침해되었다는 주장이 있다. 이 주장의 타당성을 논하시오.

075 해설 종교의 자유

Q1. 모범답변

예배시간 강요는 종교의 자유 침해라는 甲의 주장이 타당합니다. 우리나라 고등학교는 교육위원회에서 지역에 따라 강제로 배정합니다. 따라서 기독교인이 아닌 학생이 기독교재단학교에 배정될 수 있습니다. 종교의 자유에는 종교행사에 강제로 참여하지 않을 권리도 포함됩니다. 자신이 학교를 선택하지 않았음에도 기독교인이 아닌 학생에게 예배시간 참석을 강제한 것은 甲의 종교의 자유를 침해한 것입니다.

Q2. 모범답변

기독교재단학교가 예배시간을 가지는 것은 학교의 종교의 자유에 따라 인정할 수 있습니다. 그러나 기독교를 믿지 않는 학생의 종교의 자유를 보장하기 위해 예배시간에 참석하지 않기를 원하는 학생의 경우 대체시간을 마련해야 합니다.

Q3. 모범답변

乙의 주장이 타당합니다. 이 경우 B대학교의 종교의 자유와 乙의 종교의 자유가 충돌하는 현상입니다. 예배는 찬송이나 기도 등을 포함하므로 해당 종교인만이 참석해야 할 행사입니다. 乙이 기독교 신자가 아닌데도 졸업을 명목으로 예배 참석을 강요한다면 이는 乙의 종교의 자유를 침해하는 것입니다.

물론 고등학교와 달리 대학교는 자신이 스스로 선택한 학교에 진학하므로 이 상황을 예측한 乙의 종교의 자유 침해라 볼 수 없다는 반론이 제기될 수 있습니다. 그러나 이 경우 역시도 학생인 乙의 종교의 자유를 침해하는 것입니다. 우리나라 대학교 입시에서 학생의 선택권은 매우 제한되어 있습니다. 예배시간에 참석해야 졸업을 시켜준다는 학칙 자체가 종교의 자유 침해입니다. 대학의 존재 목적은 진리탐구이며 이를 위해서는 수학능력이 있는 학생을 선발해야 합니다. 신학대학 학생을 선발한 것이 아니라면 어떤 종교를 믿는지는 대학 선발 기준과 합리적 관계가 없습니다. 대학학위의 수여 기준은 진리탐구를 위한 수학능력 정도에 따르는 것이 합리적이며, 예배시간의 참석 여부는 학위수여 여부를 결정하는 기준이 될 수 없습니다. 따라서 대학이 예배시간 참석을 학위수여 조건으로 하는 것은 乙의 종교의 자유를 침해합니다.

Q4. 모범답변

채플 수업 참석을 학위수여 조건으로 하는 것은 丙의 종교의 자유를 침해하지 않습니다. 채플 수업은 예배와는 다르게 종교적 목적의 행사라기보다 종교가 추구하는 보편적 가치를 다양한 형식으로 가르치는 것입니다. 대학교는 진리를 탐구하는 목적을 가지고 있으며 대학생은 대학으로부터 인류의 보편적 가치에 대한 학습을 받고 있습니다. 채플 수업은 종교에 담겨 있는 사랑, 평등 등의 인류 보편의 가치를 특정종교 자체의 형식, 즉 기독교 예배나 불교 예불, 천주교 미사 등의 특정종교만의 형식으로 가르치지 않고 강연이나 합창 등의 다양하고 일반적 형식을 통해 교육하는 것에 가깝습니다. 따라서 채플 수업 참석을 학위수여 조건으로 하는 것은 종교의 자유 침해라 보기 어렵습니다. 더군다나 대부분의 종교재단대학들이 채플수업의 경우 Pass/Fail 방식으로 진행하고 있기 때문에 종교의 자유를 침해했다고 할 수 없습니다.

Q5. 모범답변

이는 타당합니다. 왜냐하면 조계종은 종교단체이고, 종교단체는 종교적 목적을 위해 직원을 선발하고 해고할 수 있어야, 종교단체로서의 기능을 다할 수 있기 때문입니다. 예를 들어, 일반기업은 이익 추구를 목적으로 하는 영리단체로 종교적 목적을 가지지 않기 때문에 종교적 이유로 직원을 해고할 수 없습니다. 그러나 종교적 기업이나 단체는 종교적 이유로 해고할 수 있습니다. 그렇지 않으면 그 단체의 목적을 달성할 수 없기 때문입니다. 마치 정당이 그 정당의 기본정책에 반대하는 당원을 제명할 수 있어야 그 정당의 정체성을 확보할 수 있는 것과 마찬가지입니다. 따라서 조계종이 해당 직원을 기독교 신자라는 이유로 해고한 것은 타당합니다.

Q6. 모범답변

기독교 신자인 丁의 종교의 자유를 침해하지 않습니다. 평일이 다른 종교단체의 기념일일 수도 있고, 평일에 시험을 보면 직장인들의 직업의 자유를 침해하는 것일 수도 있습니다. 따라서 일요일에 LEET 시험을 보는 것 자체가 종교의 자유를 침해한 것이라고 할 수는 없습니다. 일요일 저녁예배를 볼 수도 있으므로 종교의 자유 침해라고 할 수도 없습니다. 다만, 토요일이 휴무인 점을 고려해 토요일에 시험을 보는 것이 기독교인들의 종교의 자유를 보장한다는 측면에서 타당합니다.

Q7. 모범답변

대통령이 청와대 내에서 예배를 드린다고 하여 정교분리원칙에 위반되는 것은 아닙니다. 대통령은 국가기관이자 한 개인입니다. 따라서 대통령으로서의 행동과 개인으로서의 행동을 분리하여 생각하여야 합니다. 대통령이 청와대에서 일요일마다 예배를 보는 것은 개인으로서의 행동이며 종교의 자유에서 보호됩니다. 청와대 밖 교회에서 예배를 보는 것은 경호상 문제도 있습니다. 따라서 청와대에서 예배를 보는 것 자체는 정교분리원칙에 위반되지 않습니다.

그러나 대통령이 대통령 취임식이나 광복절 행사 등의 국가공식행사를 기독교 예배로 대체하는 등의 행위를 한다면 정교분리원칙에 반합니다. 이는 개인으로서의 행위로서 종교의 자유에서 보호되는 것이 아니라, 국가기관으로서 헌법에 위반되는 행위입니다.

Q8. 모범답변

코로나19 방역대책으로 인한 종교집회 금지와 대면종교행사 제한이 종교의 자유 침해라는 주장은 타당하지 않습니다. 종교의 자유 침해는 특정한 종교를 믿지 못하게 하거나 특정한 종교만 믿도록 하는 등의 근본적 강제에 해당해야 합니다.

그러나 코로나19의 창궐 우려로 인해 종교집회만을 금지하는 것이 아니라 감염 우려가 있는 집회 자체를 금지하는 것입니다. 만약 감염병에 대한 통제가 되지 않는다면 기하급수적으로 전염되어 국민 다수의 생명을 위협할 수 있습니다. 예를 들어, 단 1%의 치사율이라 하더라도 100명이 전염되었다면 1명의 생명이 위험한 것이지만 확산되어 1,000만 명이 전염되었다면 10만 명이 사망할 수 있습니다. 전염병의 경우 초기에 강력하게 대응하여 확산을 막아야 합니다. 그런데 다수의 군중이 모이게 되는 집회는 전염병 확산의 기폭제가 될 수 있습니다. 종교집회라 하더라도 국민보건을 위협하는 경우 규제되어야 타당합니다.

대면종교행사의 제한 역시 종교의 자유 침해라 할 수 없습니다. 전염병 확산을 막기 위해 사회적 거리 두기와 비대면방식의 영업이 이루어지고 있습니다. 종교단체 역시 사회의 일원이므로 사회의 안전을 위해 필요한 의무를 행해야 합니다. 뿐만 아니라 종교행사의 방식을 비대면방식으로 하거나 대면행사의 규모를 줄이도록 하는 것은 종교의 자유를 근본적으로 제한하는 것이 아니므로 과도한 제한이라 할 수도 없습니다. 이처럼 방역대책을 따른 대면종교행사는 충분히 가능하고, 이후 코로나19가 종식되면 대면종교행사를 자유롭게 할 수 있을 것입니다. 따라서 종교의 자유 침해라 할 수 없습니다.

076 개념 가짜뉴스

2022 한국외대·2021 전북대 기출

1. 기본 개념

(1) 언론·출판의 자유

자기의 사상 또는 의견을 언어, 문자 등으로 불특정 다수인에게 발표할 자유를 말한다. 언론·출판의 자유는 개인적 표현의 자유이고, 집회·결사의 자유는 집단적 표현의 자유이다. 언론·출판의 자유는 사상이나 의견을 불특정다수인을 상대로 표현하는 행위이므로 표현의 자유에 의해서 보장되는 것이 아니라 사생활의 비밀 또는 통신의 자유에 의해 보장받는다.

의사표현의 자유, 알권리, 언론기관의 자유, 액세스권이 이 자유에서 보호된다.

(2) 의사표현의 자유

먼저 의사표현의 자유에서 의사전달 방식은 다음과 같다. ① 의사표현 및 전달의 형식(언어, 플래카드, 제스처, 음반, 비디오 등)에는 제한이 없어 언어적 표현뿐 아니라 상징적 표현도 포함한다. ② 헌법재판소는 음반, 비디오물뿐 아니라 옥외광고물, 상업적 광고표현도 표현의 자유에 의한 보호대상으로 보고 있다. ③ 게임물의 제작 및 판매·배포도 표현의 자유에 의하여 보장을 받는다. ④ 청소년이용음란물, 음란한 표현, 허위사실의 표현도 언론·출판의 자유에서 보호된다. ⑤ 헌법 제21조에서 보장하고 있는 표현의 자유에는 자신의 신원을 누구에게도 밝히지 아니한 채 익명 또는 가명으로 자신의 사상이나 견해를 표명하고 전파할 자유도 포함된다. ⑥ 일반적으로 표현의 자유는 정보의 전달 또는 전파와 관련지어 생각되므로 구체적인 전달이나 전파의 상대방이 없는 집필의 단계를 표현의 자유의 보호영역에 포함시킬 것인지 의문이 있을 수 있으나, 집필은 문자를 통한 모든 의사표현의 기본 전제가 된다는 점에서 당연히 표현의 자유의 보호영역에 속해 있다고 보아야 한다. ⑦ '허위사실의 표현'도 헌법 제21조가 규정하는 언론·출판의 자유의 보호영역에는 해당하되, 다만 헌법 제37조 제2항에 따라 국가 안전보장·질서유지 또는 공공복리를 위하여 제한할 수 있는 것이라고 해석하여야 할 것이다.

(3) 알권리

알권리란 일반적 정보원으로부터 정보를 수집하고, 수집된 정보를 취사, 선택할 수 있는 자유와 정보공개를 청구할 권리이다. 국민인 자연인, 외국인, 법인, 권리능력 없는 사단·재단도 알권리의 주체가 될 수 있다. 이해당사자만이 아니라 모든 국민은 정보공개청구권을 가진다.

알권리는 여론형성에 기여한다는 뜻에서 참정권적 의미도 갖는다. 알권리는 고도의 정보화 사회에서 생활권적인 성격을 가지고 있다고 한다. 알권리의 근거 중 하나를 인간다운 생활을 할 권리에서 찾았다.[226)]

알권리는 정보의 자유와 정보공개청구권을 그 내용으로 하는데, 알권리는 정보 접근에 대해 국가의 간섭을 받지 않을 권리이자, 수집한 정보를 선택할 수 있는 권리이면서, 국가기관에 대해 국가정보를 공개할 것을 요구할 수 있는 권리이다.

226)
헌재 1991.5.13. 90헌마133

(4) 액세스권

액세스권은 넓은 의미로 언론매체에 접근하여 자신의 의사를 표현하기 위해 언론매체를 이용할 수 있는 권리이다. 좁은 의미의 액세스권은 자기와 관계가 있는 보도에 대한 반론 내지 해명의 기회를 요구할 수 있는 반론권 및 해명권이다.

알권리와 액세스권의 차이점은, 액세스권은 사인 간에 문제가 발생하기 때문에 언론피해구제법이 적용되는 반면, 알권리는 사인과 국가 간에 발생하는 문제이므로 공공기관의 정보공개에 관한 법률이 적용된다는 것이다.

2. 읽기 자료

가짜뉴스[227)]

가짜뉴스 규제 법안[228)]

227)

가짜뉴스

228)

가짜뉴스규제법안

076 문제 가짜뉴스

답변 준비 시간 15분 | 답변 시간 15분

※ 다음 QR코드를 촬영하면 연결되는 제시문을 읽고, 문제에 답하시오.

미국 대선을 앞두고 가짜뉴스에 대한 대응방안이 논의되고 있다. 2023년 5월 미국 국방부 청사인 펜타곤 영내에서 폭발하는 사진이 퍼지면서 미 증시가 일시적으로 하락했다. 6월에는 트럼프 전 미 대통령이 코로나19 사태에 갈등을 빚었던 앤서니 파우치 전 국립알레르기·전염병연구소장과 스킨십하는 사진이 등장했다. 두 사진 모두 가짜 사진인 '딥페이크' 사진이었다.

딥페이크 가짜뉴스

Q1. 가짜뉴스의 폐해는 무엇인가?

Q2. 가짜뉴스 규제 강화 찬성 입장의 핵심논거를 제시하고 논하시오.

Q3. 가짜뉴스 규제 강화 반대 입장의 핵심논거를 제시하고 논하시오.

Q4. 가짜뉴스 규제 강화 여부에 대한 본인의 의견을 정하고 논거를 제시하여 논변하시오.

Q5. 자신이 정한 입장에 대한 반론을 제시하고, 그에 대해 재반론하시오.

Q6. 자신이 정한 입장에서 가짜뉴스의 문제점을 완화할 구체적 방안의 예를 들고 가짜뉴스 문제점을 완화할 수 있음을 증명하시오.

076 해설 가짜뉴스

Q1. 모범답변

가짜정보를 유포하는 가짜뉴스는 민주주의를 저해하는 폐해가 있습니다. 국민은 국가의 주인으로서 국가의 전반적인 미래에 대해서 방향성을 설정할 권리가 있습니다. 주권자로서 국정 운영의 방향성을 설정하기 위해서는 정확하고 적절한 정보가 필요하며 이를 위해 국민의 알권리가 중요합니다. 특히 언론은 국민의 알권리를 충족시키는 역할을 하므로 언론의 자유가 인정되고 특별히 보호받고 있습니다. 그러나 가짜뉴스는 악의적으로 잘못된 사실을 보도하거나 정확한 팩트 체크 없이 그대로 보도함으로써 국민의 알권리를 왜곡하고 국민의 선택을 방해하고 왜곡합니다. 이는 국민의 의사결정을 방해하는 것으로 민주주의의 위협이 될 수 있습니다. 특히 최근의 가짜뉴스는 인터넷을 통해 퍼지기 때문에 디지털 정보의 특성상 비가역적인 피해로 이어지고 지속적으로 재생산되어 막대한 사회적 피해를 일으킬 수 있습니다.

Q2. 모범답변

가짜뉴스에 대한 규제를 강화해야 한다는 입장에서는, 민주주의를 지킬 수 있다는 논거를 제시할 것입니다. 민주주의는 서로 다른 생각을 가진 구성원들이 함께 살아가기 위한 정치체제입니다. 민주주의에서 공동체 구성원들의 연대는 필수적인데, 구성원들이 서로 혹은 일부를 혐오하고 배제하고 제거하려 한다면 공동체는 유지·존속할 수 없습니다. 가짜뉴스는 잘못된 사실을 보도하거나 사실의 일부만을 강조·왜곡하는 등으로 공동체 구성원 중 일부를 혐오하고 배제하려는 악의적인 목적으로 행해지는 것입니다. 이로 인해 특정 구성원 혹은 특정 집단에 대한 차별의식과 혐오가 발생할 수 있고 이것이 사회적으로 확산되어 공동체 다수가 특정 구성원과 집단을 배제하려 하게 됩니다. 그 대표적 사례가 나치의 유대인 혐오입니다. 나치는 유대인이 1차 세계대전 패배의 원인이고 독일인들을 없애려 하였다는 가짜뉴스를 퍼뜨렸습니다. 나치 독일의 국가대중계몽선전장관이었던 요제프 괴벨스가 라디오와 TV를 이용해 가짜뉴스를 선동했고 그 결과 혐오대상이 된 유대인을 가스실에서 대량 학살하는 결과로 이어졌습니다. 이처럼 공동체의 연대를 저해하고 민주주의를 위협하는 가짜뉴스를 규제해야 합니다.

Q3. 모범답변

가짜뉴스에 대한 규제를 해서는 안 된다는 입장에서는, 민주주의를 지킬 수 없다는 논거를 제시할 것입니다. 민주주의는 주권자인 국민이 다양한 정보를 접하고 이에 따라 자유롭게 자신의 가치관을 설정하여 정치적 의사를 결정하고 표현할 수 있어야 합니다. 우리 헌법은 이를 위해 언론사의 언론의 자유와 표현의 자유를 강력하게 보장하고 있습니다. 그런데 가짜뉴스 규제를 강화하면 무엇이 가짜뉴스인지 구별기준이 모호한 상황에서 자가 검열이 이루어질 수밖에 없고 다양한 의견이 표출될 수 없습니다. 특히 언론사의 책임 등이 강화됨으로써 언론사의 언론의 자유가 제한되고 주권자인 국민의 의견 설정에 기반이 되는 정보가 제한되는 결과가 초래됩니다. 이는 국민의 알권리를 제한하여 국민주권의 실현을 저해하고 민주주의의 가치를 훼손합니다. 따라서 가짜뉴스를 규제해서는 안 됩니다.

Q4. 모범답변

가짜뉴스에 대한 규제를 강화해야 합니다. 민주주의를 지키고, 소수자를 보호할 수 있기 때문입니다.

소수자 보호를 위해 가짜뉴스를 규제해야 합니다. 공동체의 유지와 민주주의 실현에 있어서 소수자 보호는 중요한 가치입니다. 민주주의는 다수결을 의사결정방식으로 사용하기 때문에 다수자는 자신의 권리를 지키기 쉬우나 소수자는 권리를 지키는 것이 어렵습니다. 가짜뉴스는 소수자에 대한 잘못된 정보와 인식을 사회의 불특정다수에게 퍼트리려는 목적을 갖고 있습니다. 소수자에 대한 혐오 목적의 가짜뉴스가 인터넷 등을 통해 널리 퍼지게 될 경우, 잘못된 인식의 확산은 매우 손쉬우나 이것을 바로잡는 것은 사실상 불가능할 것입니다. 특히 인터넷의 특성상 확산 속도가 빠르고 삭제 자체가 불가능하기 때문에 가짜뉴스의 확산으로 인한 소수자의 피해는 비가역적이고 지속적으로 발생할 수밖에 없습니다. 따라서 소수자 보호를 위해 가짜뉴스를 규제해야 합니다.

Q5. 모범답변

가짜뉴스에 대한 규제가 강화되면, 언론사의 언론의 자유와 표현의 자유 위축으로 인한 국민주권의 저해가 우려된다는 반론이 제기될 수 있습니다.

그러나 언론의 자유와 표현의 자유를 통해 지키고자 하는 궁극적 목적은 국민주권과 민주주의입니다. 언론과 표현의 자유를 보장함으로써 그 목적이 되는 민주주의를 저해하는 결과로 이어진다면 이는 목적과 수단이 전도되는 문제가 될 것입니다. 민주주의가 파괴되었는데 언론의 자유와 표현의 자유만 안정적으로 지켜질 수는 없는 것입니다. 예를 들어, 전체주의가 실현된 나치 치하의 독일에서 언론의 자유와 표현의 자유가 존재할 수 없고 국민은 주권자가 아니라 신민으로 전락한 것이 이를 증명합니다. 따라서 언론의 자유와 표현의 자유를 일부 위축시키기는 하나, 자유의 목적이 되는 민주주의를 지킬 수 있으므로 이 반론은 다당하지 않습니다.

Q6. 모범답변

가짜뉴스의 문제점을 완화할 방안 중 하나로 언론사에 대한 징벌적 손해배상제도가 있습니다. 언론사의 가짜뉴스 보도는 그것이 광고 수익 등의 이익으로 이어지기 때문에 자행됩니다. 자극적인 혐오 내용을 담은 기사는 사회 다수의 관심을 끌게 되고 클릭 수가 많으면 광고 수주 등이 쉽기 때문입니다. 언론사의 가짜뉴스에 대한 징벌적 손해배상을 인정한다면, 언론사는 가짜뉴스로 인해 발생하는 이익보다 징벌적 손해배상으로 인한 비용을 더 크게 인식하게 될 것입니다. 그렇다면 언론사가 자발적으로 팩트 체크를 활성화할 것이고 국민주권의 실현을 저해하는 가짜뉴스 문제를 최소화할 수 있을 것입니다.

또 다른 방안으로 미디어 바우처 제도를 들 수 있습니다. 미디어 바우처 제도는 만 18세 이상 국민 3,000만 명에게 매년 2~3만 원 정도의 바우처를 제공하고 국민이 스스로 판단하여 좋은 정보와 지식을 제공한 언론사나 기사 또는 전문영역 잡지에 바우처를 후원할 수 있게 하는 제도입니다. 매년 1조 원에 달하는 정부 보조금과 공익광고를 국민이 각 언론사에 후원한 바우처 액수만큼 배분하게 되어, 주권자인 국민이 가짜뉴스 문제를 최종결정권자로서 해결할 수 있습니다. 이는 다수 국민의 집단지성의 힘을 신뢰하는 것이기도 합니다.

077 개념 음란한 표현 규제

2021 성균관대 기출

1. 기본 개념

(1) 미연방대법원

음란성 여부를 판단하는 적절한 기준은 세 가지이다.

첫째, 현시대의 지역공동체 기준들(contemporary local community standards)을 적용했을 때 그 표현물이 전체적으로 보아 평균인이 느끼기에 "호색적 흥미(prurient interest)에 호소하는 것으로 받아들여지는가"

둘째, 그 표현물이 적용 가능한 주법(州法)에 구체적으로 정의된 대로 성적 행위를 "명백히 공격적인 방법으로(in a patently offensive way) 묘사하는가"

셋째, 전체적으로 보아 그 표현물이 "중대한(serious) 문학적, 예술적, 정치적 혹은 과학적 가치를 결하는 것인가"

(2) 음란성의 판단 기준

우리나라 대법원의 음란물의 기준은 다음과 같다.

음란한 문서라 함은 일반 보통인의 성욕을 자극하여 성적 흥분을 유발하고 정상적인 성적 수치심을 해하여 성적 도의관념에 반하는 것을 가리키고, 문서의 음란성의 판단에 있어서는 당해 문서의 성에 관한 노골적이고 상세한 묘사·서술의 정도와 그 수법, 묘사·서술이 문서 전체에서 차지하는 비중, 문서에 표현된 사상 등과 묘사·서술과의 관련성, 문서의 구성이나 전개 또는 예술성·사상성 등에 의한 성적 자극의 완화의 정도, 이들의 관점으로부터 당해 문서를 전체로서 보았을 때 주로 독자의 호색적 흥미를 돋우는 것으로 인정되느냐의 여부 등의 여러 점을 검토하는 것이 필요하고 이들의 사정을 종합하여 그 시대의 건전한 사회통념에 비추어 그것이 공연히 성욕을 흥분 또는 자극시키고 또한 보통인의 정상적인 성적 수치심을 해하고, 선량한 성적 도의관념에 반하는 것이라고 할 수 있는가의 여부에 따라 결정되어야 한다.[229]

헌법재판소는 음란성을 다음과 같이 규정한다.

'음란성'이란 판례상 "일반 보통인의 성욕을 자극하여 성적 흥분을 유발하고 정상적인 성적 수치심을 해하여 성적 도의관념에 반하는 것" (대법원 1995.6.16 선고 94도2413판결, 공1995하, 2673 : 2000. 12.22 선고 2000도4372 판결, 공2001상, 402) 또는 "인간존엄 내지 인간성을 왜곡하는 노골적이고 적나라한 성표현으로서 오로지 성적 흥미에만 호소할 뿐 전체적으로 보아 하등의 문화적·예술적·과학적 또는 정치적 가치를 지니지 않는 것"(헌법재판소 1998.4.30. 95헌가16)으로 정의되고 있다.[230]

229)

94도2413

230)
헌재 2002.2.28. 99헌가8

(3) 헌법재판소 판례 : 아동·청소년 이용 음란물에 대한 처벌[231)]

① 처벌해야 한다는 입장

아동·청소년 이용 음란물에의 접촉과 아동·청소년 대상 성범죄 발생 사이에 인과관계가 명확하게 입증된 것은 아니지만, 가상의 아동·청소년 이용 음란물이라 하더라도 아동·청소년을 성적 대상으로 하는 표현물의 지속적 유포 및 접촉은 아동성애자뿐만 아니라 일반인에게 아동·청소년의 성에 대한 왜곡된 인식과 비정상적 태도를 형성하게 할 수 있다. 또한 실제로 아동·청소년 대상 성범죄자 6명 중 1명 수준으로 범행 직전 아동·청소년 이용 음란물을 접한 바 있고, 이들이 일반 성범죄자에 비하여 범행 전 아동·청소년 이용 음란물을 시청한 비율이 높은 것으로 밝혀진 조사 결과 등을 종합하면, 가상의 아동·청소년 이용 음란물에의 접촉이 아동·청소년을 상대로 한 성범죄로 이어질 수 있다는 점을 부인하기 어렵다. 따라서 아동·청소년을 잠재적 성범죄로부터 보호하고 이에 대해 사회적 경고를 하기 위해서는 가상의 아동·청소년 이용 음란물의 배포 등에 대해서 중한 형벌로 다스릴 필요가 있다.

② 처벌은 타당하지 않다는 입장

가상의 아동·청소년 이용 음란물에의 접촉과 아동·청소년을 상대로 하는 성범죄 발생 사이에 인과관계가 명확히 입증된 바 없고, 단순히 잠재적으로 아동·청소년을 대상으로 한 성범죄에 영향을 미칠 수 있다는 정도에 불과한데, 이를 이유로 가상의 아동·청소년 이용 음란물의 경우를 성적 착취를 당하는 일차적 피해법익이 존재하는 실제 아동·청소년이 등장하는 경우와 동일하게 중한 법정형으로 규율하는 것은 유해성에 대한 막연한 의심이나 유해의 가능성만으로 표현물의 내용을 광범위하게 규제하는 것으로 허용되지 않는다(헌재 2002.6.27. 99헌마480 참조).

성적 착취를 당하는 일차적 피해법익이 존재하는 실제 아동·청소년이 등장하는 경우와 동일하게 중한 법정형으로 처벌되는 점을 고려할 때, 심판대상조항 중 "아동·청소년으로 인식될 수 있는 표현물"은 적어도 실제 아동·청소년으로 신원 확인이 가능한 이미지가 등장하는 경우 또는 비록 실제 아동·청소년으로 신원 확인은 되지 않는다 하더라도 적어도 실제 아동·청소년과 구별이 불가능한 정도의 이미지가 등장하는 경우로 한정되어야 한다. 일반포르노와 달리 아동포르노를 강력히 규제하는 가장 큰 이유는 그 대상인 아동을 성적 착취로부터 보호하고 피해 아동의 인격권을 보호하기 위한 것인데, 객관적으로 볼 때 아동·청소년을 표상하는 이미지만을 이용할 뿐 실제 아동·청소년이 등장하는 것으로 오인할 여지가 없는 그림, 만화와 같은 표현물을 이용하는 경우는 일차적 피해 법익인 성적 착취 대상인 아동·청소년이 존재하지 않을 뿐만 아니라, 특정한 아동·청소년의 인격권이 침해되는 경우에도 해당하지 않기 때문이다.

231)

2013헌가17

2. 쟁점과 논거

찬성론: 공동체 유지·존속	반대론: 성적 자기결정권
[공동체 유지·존속] 사회는 서로 다른 생각을 가진 개인들이 모여 이루어진다. 사회의 유지·존속을 위해 사회구성원들이 공유하고 있는 가치관이 훼손되어서는 안 된다. 이러한 공유된 가치 중 하나가 건전한 성풍속인데, 음란물은 사회구성원의 성도덕관에 악영향을 준다. 이로 인해 건전한 성풍속이 훼손될 수 있다.	[개인의 성적 자기결정권] 성적 흥분의 방식과 대상은 개인의 내면의 영역에 해당하며 개인의 자기결정권으로 결정할 사항이다. 성인은 스스로 성적인 사항에 대해 결정하고 책임질 수 있다. 그리고 그럼에도 불구하고 국가가 수치심이라는 기준을 세워 일방적으로 제한하는 것은 개인의 성적 자기결정권을 침해한다.
[아동, 청소년 보호] 이미 성적 가치관과 도의 관념이 있는 성인도 음란물의 영향을 받게 되는데, 아동과 청소년은 더 큰 영향을 받을 수 있다. 특히 노골적인 음란물에 지속적으로 노출될 경우 성도덕관의 훼손이 더 심각한 사회문제가 된다. 국가가 전문적 능력을 발휘하여 아동, 청소년의 성도덕관을 보호해야 한다.	[온정적 후견주의] 성적 관념에 관한 사항은 사회 일반이 하나의 견해로 합의하기 힘든, 모호한 도덕의 영역에 해당한다. 그런데 성 관념에 대한 사항을 국가가 일률적으로 정해서 강요할 수 있다면, 성인을 마치 국가의 지도가 필요한 미성년자인 것처럼 다루는 것이다.
[범죄 피해 예방] 무분별한 성적 표현이 사회적으로 용인된다면, 경제적 이익을 노리고 포르노 등의 변태적 성행위를 담은 영상물이 시중에 유통될 수 있다. 그렇다면 생계 곤란으로 인해 자신의 진정한 의지에 반해 음란영상물을 출연, 제작하는 등의 잠재적 범죄 피해자가 양산될 가능성이 크다. 잠재적 범죄 피해자의 자유 침해를 예방할 수 있다.	[공공복리 저해] 창작물의 창의성을 판단하는 대신 음란성 여부와 정도를 판단하기 시작하면 다양한 예술, 문화가 창작되기 어렵다. 창작자의 창작의욕이 저해되면 다양한 문화를 즐기기 어려워진다. 특히 문화산업의 타격이 클 것이다.

3. 읽기 자료

음란성 판정 기준[232]

아동음란물 규제[233]

232)

음란성 판정 기준

233)

아동음란물 규제

077 문제 음란한 표현 규제

답변 준비 시간 20분 | 답변 시간 15분

※ 아래의 모든 문제에 대해 **Q1**의 논리적 연장선상에서 답하시오. (논리적 일관성의 유지가 채점기준임)

Q1. 국가가 소설이나 영화, 음반물로 표현되는 음란물을 규제해서는 안 된다는 입장의 논거를 제시하고 이를 논증하시오. 그리고 이 입장에 대해 예상되는 반론을 제시하고 이를 재반론하시오.

Q2. 아동·청소년의 음란물 접근 차단에 대한 입장과 논거를 제시하고 이를 논증하시오.

Q3. 아동·청소년이 출연하는 음란물을 규제하는 것에 대한 입장과 논거를 제시하고 이를 논증하시오.

Q4. 아동·청소년으로 보이는 성인이 출연하는 음란물을 규제하는 것에 대한 입장과 논거를 제시하고 이를 논증하시오.

Q5. 아동이나 청소년을 표현한 만화나 애니메이션으로 음란물을 제작하였다면, 이 음란물을 규제하는 것에 대한 입장과 논거를 제시하고 이를 논증하시오.

Q6. **Q5**의 답변에 대해 예상되는 반론과 이에 대한 재반론을 하시오.

Q7. 아동이나 청소년이 출연하는 음란물이 널리 확산되고 있는데, 특히 인터넷을 통해 확산되어 우리나라뿐만 아니라 전 세계적인 문제가 되고 있다. 아동 출연 음란물의 규제 방안을 논하시오.

Q8. 가정으로 배달되는 신문에 성행위나 자위행위를 하는 컬러사진을 담고 있는 광고전단지가 끼어 있는 경우, 그 광고지를 보는 사람에게 성적 수치심과 불쾌감을 줄 수 있다. 음란 광고물 규제에 대한 자신의 견해를 논하시오.

077 해설 음란한 표현 규제

Q1. 모범답변

국가가 음란물을 규제해서는 안 된다는 입장에서는 개인의 성적 자기결정권의 침해, 온정적 후견주의 국가의 예방이라는 논거를 제시할 것입니다.

개인의 성적 자기결정권을 과도하게 제한하므로, 성인이 보는 소설, 영화, 비디오물 등에 대한 음란물 규제는 타당하지 않습니다. 개인은 자유로운 존재로 자신의 선택이 가져올 결과를 예측하고 선택하여 그에 대한 책임을 집니다. 개인의 자유 실현이 타인의 자유에 직접적 해악이 없는 한 제한되어서는 안 됩니다. 어떤 선택이 더 현명하다거나 좋다거나 그에게 더 바람직하다고 하여 권유할 수는 있으나 강제할 수는 없습니다. 이는 성적인 표현에 있어서도 마찬가지입니다. 개인은 자유의지에 따라 성적 흥분을 유발하고 성적 수치심을 초래하는 성표현을 스스로 판단하여 결정할 수 있습니다. 개인이 음란물을 접하는 선택을 했다고 하더라도 그것이 부도덕한 일일 수는 있으나 강간이나 폭행 등과 같이 타인의 자유에 직접적 해악을 주는 것은 아닙니다. 따라서 음란물을 접하는 것은 개인의 성적 자기결정권에 해당하며 타인의 자유에 직접적 해악을 주지 않으므로 국가는 이를 규제해서는 안 됩니다.

온정적 후견주의 국가를 예방하기 위해 음란물 규제는 타당하지 않습니다. 시민이 자유롭게 표현하고 또 볼 수 있는 성표현에 대해 성도덕의 보호라는 명분으로 국가가 나서서 규제하는 것은 어떤 것이 좋은 것이고 어떤 것이 나쁜 것인지 국가가 개인에게 지도해주어야 한다는 의미입니다. 부모가 미성년자 자녀를 지도하듯이 국가가 주권자인 국민을 지도하고 지배하는 존재여서는 안 됩니다. 보통의 성인 시민이 성적 흥분을 유발하고 성적 수치심을 초래하는 성표현에 접하여 이를 자체적으로 해소할 수 없다고 판단하는 것이며, 이는 곧 국가가 시민사회의 자율성을 모독하는 것입니다. 따라서 이러한 온정적 후견주의 국가가 나타나는 것을 막기 위해 음란물 규제는 타당하지 않습니다.

물론 음란물에 대한 규제를 완화할 경우, 선량한 성풍속을 해하거나 성범죄를 유발할 수 있다는 반론이 제기될 수 있습니다. 그러나 오히려 선량한 성풍속이라는 기준이 모호하여 개인의 자유를 과도하게 제한할 수 있습니다. 음란한 표현을 넓게 허용하여 선량한 성풍속이 훼손되고 사회질서가 붕괴된다면 제한할 수도 있습니다. 그러나 네덜란드와 같이 음란한 표현이 넓게 허용되는 나라의 사회질서가 붕괴되었다는 이야기는 들어본 바 없습니다. 따라서 음란물이 선량한 성풍속을 해하여 사회질서가 붕괴된다는 반론은 타당하지 않습니다.

또한 음란물이 성범죄를 야기한다는 반론이 제기되는데, 이는 타당하지 않습니다. 표현을 제한하려면 해당 표현이 사회적 해악을 명백히 발생시켜야 합니다. 그렇지 않은 경우, 표현의 자유를 제한해서는 안 됩니다. 많은 성인들이 음란물을 보지만 그 중 성범죄를 범하는 이들은 극소수입니다. 음란물의 확대가 성범죄의 증가를 야기했다는 뚜렷한 증거가 없고 음란물이 성범죄를 야기한다는 명백한 인과관계가 입증된 바 없습니다. 음란물을 본다는 것은 사실에 불과한 것인데, 성범죄는 범죄자의 범죄의지에 달린 것이므로 둘 사이에 상관관계는 있을 수 있으나 인과관계는 입증되지 않았습니다. 따라서 음란물이 성범죄를 불러올 것이라는 반론은 타당하지 않습니다.

Q2. 모범답변

아동·청소년의 음란물 접근은 차단해야 합니다. 아동·청소년은 성적 자기결정권의 주체가 아니기 때문입니다. 아동·청소년은 정신 발달이 미숙하여 왜곡된 성의식을 가질 수 있습니다. 따라서 영화나 비디오 등급제나 청소년 유해매체 접근제 등으로 규제해야 합니다.

Q3. 모범답변

아동이나 청소년이 출연하는 음란물을 규제하는 것은 타당합니다. 아동과 청소년은 자기결정권을 행사할 수 없는 미성숙한 존재로 이들을 성적 착취로부터 보호하고 피해 아동의 인격권을 보장해야 하기 때문입니다. 성인은 자기 자신의 목적을 스스로 설정하고 자신의 가치관에 따라 자유롭게 선택하며 그 책임을 온전히 질 수 있습니다. 그러나 아동과 청소년은 자신이 음란물에 출연하는 선택을 할 경우 발생할 책임을 예측할 수 없기 때문에 온전한 자유를 행사하기 어려운 존재입니다. 이처럼 아동과 청소년을 자유와 책임의 주체인 온전한 개인이 되게 하기 위해서는 사회와 국가의 보호가 필요합니다. 특히 아동의 보호는 그 자체로 사회적 목적이며 장래 독립적 개인으로 성장하여 자유의 행사 주체가 되므로 그 보호 필요성이 강하게 요구됩니다. 따라서 아동이나 청소년이 출연하는 음란물을 규제하는 것은 타당합니다.

Q4. 모범답변

이는 타당하지 않습니다. 표현의 자유에 대한 규제를 하기 위해서는 타인의 자유에 대한 명백한 해악이 입증되어야 합니다. 그런데 아동이나 청소년으로 보이는 성인은 자기 자신의 자유로운 선택의 결과로 음란물에 출연하였기 때문에 그로 인해 발생할 책임 역시 예측하였습니다. 그렇게 하는 것이 그에게 더 바람직하다거나 그를 더 행복하게 한다거나, 남들이 보더라도 그렇게 하는 것이 현명할 뿐만 아니라 정당하기도 하다는 이유로 자유를 제한할 수 없습니다. 그리고 자유 선택의 책임은 순수하게 그 자신에게 귀속되는 것입니다. 따라서 음란물로 인해 발생하는 타인의 자유에 대한 해악이 없으므로 아동이나 청소년으로 보이는 성인이 출연하는 음란물을 규제해서는 안 됩니다.

Q5. 모범답변

아동이나 청소년을 표현한 만화나 애니메이션으로 제작된 음란물을 규제하는 것은 타당하지 않습니다. 아동이나 청소년이 출현하는 음란물을 규제하는 것은, 그 대상인 아동을 성적 착취로부터 보호하고 피해 아동의 인격권을 보호하기 위한 목적에서 비롯된 것입니다. 그런데 만화나 애니메이션은 객관적으로 볼 때 아동·청소년을 표상하는 이미지만을 이용할 뿐 실제 아동·청소년이 등장하는 것으로 오인할 여지가 없는 그림, 만화와 같은 표현물을 이용하는 것입니다. 그렇다면 일차적으로 성적 착취 대상인 아동·청소년이 존재하지 않을 뿐만 아니라, 이차적으로 특정한 아동·청소년의 인격권이 침해되는 경우도 없습니다. 따라서 규제해서는 안 됩니다.

다만, 예외적으로 규제할 수 있는 경우가 있습니다. 아동이나 청소년을 표현한 만화나 애니메이션이라 하더라도 명백하게 그 표현물이 표현하고자 하는 대상이 현실의 아동으로 특정될 수 있는 경우에는 규제해야 합니다. 예로, 만화와 애니메이션으로 제작된 음란물이 현실의 아역배우인 A를 명백하게 예상할 수 있을 정도로 표현되어 있다면 규제해야 합니다. 이 표현물로 아역배우 A의 인격권 침해가 존재하기 때문입니다.

Q6. 모범답변

이에 대해 아동과 청소년을 대상으로 한 범죄를 예방하기 위해 이를 규제해야 한다는 반론이 제기될 수 있습니다. 이는 아동·청소년을 성적 대상으로 하는 표현물의 지속적 유포 및 접촉은 아동성애자뿐만 아니라 일반인에게 아동·청소년의 성에 대한 왜곡된 인식과 비정상적 태도를 형성하게 할 수 있을 것이라는 예측으로부터 비롯된 것입니다. 그러나 가능성과 예상만으로 표현의 자유를 제한하는 것은 타당하지 않습니다. 가상의 아동·청소년 이용 음란물에의 접촉과 아동·청소년 대상 성범죄 발생 사이에 인과관계가 명확히 입증된 바가 없습니다. 그런데도 불구하고 단순히 잠재적으로 아동·청소년을 대상으로 한 성범죄에 영향을 미칠 수 있다는 이유만으로 처벌한다면 표현의 자유를 과도하게 제한하는 것입니다. 만약 이처럼 단지 가능성과 예상만으로 규제와 처벌이 가능하다면, 영화나 소설, 게임, 드라마, 일상의 대화까지도 모두 규제와 처벌의 대상이 될 수 있습니다. 따라서 유해성에 대한 막연한 의심이나 유해의 가능성만으로 표현의 자유를 제한해서는 안 됩니다.

Q7. 모범답변

아동이 출연하는 음란물을 규제하기 위해서는 제작자와 공급자를 처벌하는 것에서 그치지 않고 소비자까지 처벌하는 강력한 제재가 필요합니다. 아동 음란물을 제작하는 이유는 이를 통해 이윤을 기대할 수 있기 때문입니다. 그렇다면 아동 음란물을 제작하여 발생하는 이윤을 차단하는 것이 가장 효과적인 규제책이 될 수 있습니다. 따라서 아동 음란물의 경우 콘텐츠 소비자도 처벌하여 아동 음란물을 근절해야 합니다. 이에 더해 아동 음란물이 인터넷을 통해 소비되는 경우가 늘어나고 있기 때문에 인터넷 사업자 등을 대상으로 하여 아동 음란물에 대한 삭제, 차단 등의 의무를 부과해야 합니다. 아동 음란물의 확산을 막기 위해서는 최초에 인터넷을 통해 퍼지기 전에 선제적으로 대응해야 할 필요성이 있습니다. 따라서 온라인서비스 제공자에게 의무를 부과하여야 합니다.

Q8. 모범답변

음란 광고물에 대한 규제는 필요합니다. 개인의 성적 자기결정권에 반하고, 청소년을 보호하기 위함입니다.

성인은 성적 자기결정권에 따라 자기가 원하는 경우에 음란물에 접근할 수 있습니다. 소설, 영화, 음반 등으로 표현되는 음란물은 성인이 자신이 원하는 경우에만 접근이 가능한 반면, 광고전단지 등은 원하지 않는 사람 혹은 원하지 않는 경우에도 음란물에 접할 수밖에 없으므로 성적 자기결정권에 반합니다.

청소년 보호를 위해 음란한 광고전단지를 규제해야 합니다. 청소년은 미성년자로 음란한 표현에 대한 판단능력이 미약한 존재입니다. 광고전단지는 불특정다수를 대상으로 하여 제작되고 배포됩니다. 청소년 또한 그 대상이 될 수 있기 때문에 음란한 광고전단지에 노출될 수 있습니다. 음란한 표현물로 인해 청소년의 성의식이 왜곡될 수 있습니다. 따라서 청소년 보호를 위해 음란 광고물에 대한 규제는 타당합니다.

078 개념 집회 금지

2019 강원대 기출

1. 기본 개념

(1) 집회 및 결사의 자유

집회·결사의 자유는 타인과의 접촉을 통해 의사를 형성하고 집단적인 의사표현을 하여 공동의 이익을 추구할 수 있는 자유이다. 언론·출판이 개인적으로 행해지는 표현 형태라면, 집회와 결사는 집단적으로 행해지는 표현 형태이므로 집회·결사의 자유는 언론·출판의 자유보다 사회질서와의 마찰 가능성이 크다. 따라서 집회·결사의 자유는 언론·출판의 자유보다 제한 여지가 크다.

집회의 자유란 공동의 목적을 가진 다수의 사람이 일시적인 모임을 가질 수 있는 자유이다. 집회와 결사는 유사한 개념을 갖고 있는데, 집회와 결사 모두 공동의 목적을 가진 다수의 사람이 모임을 가질 자유라는 점에서 유사하다. 그러나 3인 이상의 사람들이 일시적 모임을 가진 경우 집회라 하고, 2인 이상의 사람들이 계속적 모임을 가진 경우 결사라 한다는 차이점이 있다.

집회의 자유는 집회를 방해하는 국가 간섭을 배제할 자유이므로 소극적 권리이다. 그러나 집회의 자유는 일정한 공공시설물의 사용을 국가·공공단체에 대하여 적극적으로 요구할 수 있는 적극적 권리도 포함하고 있다.

결사의 자유란 다수의 자연인 또는 법인이 공동의 목적을 위해 계속적인 단체를 조직할 수 있는 자유를 뜻한다. 그 공동 목적에 대해서는 제한이 없다. 결사의 자유는 개성 신장의 수단적 기능과 사회공동체 통합 기능, 소수 보호 기능, 의사를 형성하고 여론화하는 기능을 가진다.

(2) 판례: 옥외 야간집회 금지[234)]

위와 같은 시간대 동안 옥외집회 또는 시위를 금지하는 것에는 여전히 위헌적인 부분과 합헌적인 부분이 공존하고 있으며, 위와 같은 입법목적을 달성하면서도 옥외집회 또는 시위의 주최자나 참가자의 집회의 자유를 필요 최소한의 범위에서 제한하는 방법은 여러 방향에서 검토될 수 있다. 즉 우리나라 일반인의 시간대별 생활형태, 주거와 사생활의 평온이 절실히 요청되는 시간의 범위 및 우리나라 집회·시위의 현황과 실정 등 제반 사정을 참작하여 옥외집회 또는 시위가 금지되는 시간대나 장소를 한정하거나, 한 장소에서의 연속적이고 장기간에 걸친 옥외집회 또는 시위를 제한하거나, 일정한 조도 이상의 조명 장치를 갖추도록 하거나, 확성기 장치 등 소음을 유발하는 장비의 사용을 제한하거나, 옥외집회 또는 시위 참가자의 규모를 고려하여 제한하는 등 다양한 방법을 통하여 집회의 자유와 공공의 안녕질서를 조화시키는 방법을 모색할 수 있으며, 이는 원칙적으로 입법자의 판단에 맡기는 것이 바람직하다(헌재 2014.3.27. 2010헌가2 등 참조).

우리 국민의 일반적인 생활형태 및 보통의 집회의 소요시간이나 행위태양, 대중교통의 운행시간, 도심지의 점포·상가 등의 운영시간 등에 비추어 보면, 적어도 일몰시간 후부터 같은 날 24시까지의 옥외집회 또는 시위의 경우, 이미 보편화된 야간의 일상적인 생활의 범주에 속하는 것이어서 특별히 공공의 질서 내지 법적 평화를 침해할 위험성이 크다고 할 수 없으므로 그와 같은 옥외집회 또는 시위를 원칙적으로 금지하는 것은 과잉 금지원칙에 위반됨이 명백하다(헌재 2014.3.27. 2010헌가2 등 참조).

234)

2011헌가29

(3) 판례: 국무총리 공관 인근 옥외집회 금지[235)]

국무총리 공관의 기능과 안녕을 직접 저해할 가능성이 거의 없는 '소규모 옥외집회·시위'의 경우 국무총리에게 물리적인 압력이나 위해를 가할 가능성 또는 국무총리 공관의 출입이나 안전에 위협을 가할 위험성은 일반적으로 낮다. 이러한 소규모 옥외집회·시위가 일반 대중의 합세로 인하여 대규모 집회·시위로 확대될 우려나 폭력집회·시위로 변질될 위험이 없는 때에는 그 집회·시위의 금지를 정당화할 수 있는 헌법적 근거를 발견하기 어렵다. 그리고 '국무총리를 대상으로 한 옥외집회·시위가 아닌 경우'에도 국무총리 공관에 대한 직접적·간접적 물리력이 행사될 가능성이 낮다. 이처럼 옥외집회·시위에 의한 국무총리 공관의 기능이나 안녕이 침해될 가능성이 부인되거나 또는 현저히 낮은 경우에는, 입법자로서는 이 사건 금지장소 조항으로 인하여 발생하는 집회의 자유에 대한 과도한 제한이 완화될 수 있도록 그 금지에 대한 예외를 인정하여야 한다.

그럼에도 불구하고 이 사건 금지장소 조항은 전제되는 위험 상황이 구체적으로 존재하지 않는 경우까지도 예외 없이 국무총리 공관 인근에서의 옥외집회·시위를 금지하고 있는바, 이는 입법목적의 달성에 필요한 범위를 넘는 과도한 제한이라고 할 것이다.

2. 읽기 자료

집시법 개정논의[236)]

기본권 친화적 집시법[237)]

집시법 제11조[238)]

235)

2015헌가28

236)

집시법 개정논의

237)

기본권 친화적 집시법

238)

집시법 제11조

Part 1 Part 2 Part 3 Part 4 Part 5 Part 6 Part 7

078 문제 집회 금지

답변 준비 시간 20분 | 답변 시간 20분

※ 다음 QR코드를 촬영하면 연결되는 제시문을 읽고, 문제에 답하시오. 그리고 아래의 모든 문제에 대해 **Q1**의 논리적 연장선상에서 답하시오. (논리적 일관성의 유지가 채점기준임을 고지함.)

(가) 국민의힘과 정부는 민주노총의 노숙 집회에 대한 대응책으로, 2023년 5월 24일, 0시~오전 6시 시간대 집회를 금지하는 입법을 추진하겠다고 밝혔다.

야간옥외집회 금지

(나) 지난 1년 동안 경찰은 대통령실 앞 집회를 금지했지만, 법원은 집회 주최 측의 집행정지 가처분 신청을 받아들여 집회를 허용했다.

대통령실 앞 집회 금지

Q1. 야간에 길거리에서 집회를 하게 되면, 많은 사람들이 편안히 쉴 수 없어 금지해야 한다는 주장이 있다. 야간에 옥외에서 집회 자체를 금지하는 것은 어떠한가?

Q2. 구(舊) 집회 및 시위에 관한 법률에서는 재판에 영향을 미칠 염려가 있거나 미치게 하기 위한 집회를 금지하고 있다. 이는 타당한가?

Q3. 구(舊) 집회 및 시위에 관한 법률에서는 민주적 기본질서에 위배되는 집회를 금지하고 있다. 이는 타당한가?

Q4. 구(舊) 집회 및 시위에 관한 법률에서는 국무총리 공관으로부터 100m 이내의 장소에서 행진을 제외한 옥외집회와 시위를 금지하고 해산명령에 불응할 경우 형사처벌하도록 규정하고 있다. 이는 타당한가?

Q5. 과거 대통령은 청와대 경내에 집무실과 관저를 동시에 두고 사용했다. 현재 대통령 집무실은 용산 국방부 청사에 있고, 관저는 한남동 구 외교부장관 공관으로 이전했다. 경찰은 대통령 집무실 앞에서 집회를 금지하려고 한다. 이는 타당한가?

Q6. 집회 과정에서 일부 시위자들이 과격폭력행위를 하였다고 하자. 이에 경찰청장은 해당 집회 자체를 금지하겠다고 발표했다. 경찰청장의 집회 금지 발표는 타당한가?

Q7. 집회를 하던 시위자들과 전경들이 충돌하여 일부 전경들의 육체적 피해와 전경 버스 파손 등의 재산상 피해가 발생하였다고 하자. 정부는 이 책임이 집회를 주도한 시민단체에 있다고 하며 5억여 원의 손해배상을 청구하였다. 이는 타당한가?

Q8. 집회 중에 위와 같은 사태가 발생하자, 경찰 측은 과격폭력시위자를 적발하여 처벌하기 위해 캠코더와 CCTV 등을 이용하여 광범위한 채증을 하고 있다. 경찰의 채증은 타당한가?

Q9. 시청과 광화문 일대에서 집회가 장기화되어 교통 불편이 발생하고 주변상가의 상인들이 장사를 할 수 없다고 하여 집회를 금지해달라고 청원하고 있다. 이에 대한 해결방안을 제시하시오.

078 해설 집회 금지

Q1. 모범답변

야간 옥외집회에 대한 금지는 타당하지 않습니다. 야간에 옥외집회를 금지하려는 이유는 많은 시민들이 쉬어야 할 시간에 쉴 수 없도록 사생활의 자유 등을 침해하기 때문입니다. 그러나 광화문 인근과 같이 주택이 거의 없어 사생활의 자유 침해가 존재하지 않는다면 야간옥외집회를 인정하여 표현의 자유를 보장함이 타당합니다.[239] 특히 우리나라는 자영업 비율이 높고 업무 시간도 길어 야간 집회를 금지할 경우 표현의 자유와 집회·결사의 자유를 실질적으로 보장할 수 없습니다. 따라서 야간옥외집회를 일률적으로 금지할 것이 아니라, 금지 여부는 표현의 자유와 집회·결사의 자유를 보장하면서도 많은 사람들의 사생활의 자유 등을 동시에 보호하기 위해 지역적 특성과 시간 등을 종합적으로 고려하여야 합니다.[240]

Q2. 모범답변

재판에 영향을 미칠 염려가 있다는 이유만으로 집회를 금지하는 것은 타당하지 않습니다. 국민의 집회·결사의 자유와 표현의 자유를 심대하게 침해하기 때문입니다. 주권자인 국민은 자신의 의사를 국가에 반영할 수 있어야 합니다. 본래 주권자의 의사는 국민의 대변자인 의회가 반영하는 게 정상적이나 의회가 이런 역할을 하지 못하거나 의회에 국민의 의사를 전달하려는 경우 집회로써 국민이 직접 자신의 의사를 표현하는 것입니다. 이때 주권자인 국민의 의사 표현은 원칙적으로 제한되어서는 안 됩니다. 그런데 이 법은 재판에 영향을 미칠 염려가 있는 경우 혹은 영향을 미치기 위한 집회를 금지한다고 규정합니다. 이는 국민의 공정한 재판받을 권리를 보호하여 궁극적으로 국민의 자유와 권리를 보장하기 위한 목적일 것인데, 국민의 직접 의사표현이 규제받는다면 국민의 자유와 권리를 보호하기 위해 국민의 자유로운 의사표현을 규제하는 것이 되어 논리 모순입니다. 사법부는 재판의 독립성을 인정받고 있기에 국민이 집회를 한다고 하여 반드시 국민의 요구에 따라야 할 의무가 있는 것도 아닙니다. 또한 권력자가 오히려 국민의 의사 표현을 억누르기 위해 국민의 관심사에 대해 재판을 하도록 하고 표현의 자유를 억압할 가능성이 있습니다. 따라서 이는 타당하지 않습니다.

239)

2008헌가25

240)

2011헌가29

Q3. 모범답변

이 또한 타당하지 않습니다. 민주적 기본질서에 위배된다는 의미가 모호하여 집회의 자유를 과도하게 제한할 수 있기 때문입니다. 국민의 자유를 제한하려 할 때에는 구체적으로 어떠한 이유로 제한하는지 명확하게 밝혀야 국민이 이를 예측하고 이에 대해 자유롭게 선택한 후 책임을 질 수 있습니다. 그런데 민주적 기본질서에 위배되는 집회를 금지한다는 것은 상당히 모호하여 국민이 이를 예측할 수 없습니다. 예를 들어, 한 시민단체가 선거제도 개편을 주장하는 집회를 개최하였다면 이 집회도 민주적 기본질서에 반한다는 해석이 가능합니다. 선거제도는 대의제 민주주의를 구성하는 질서이기 때문에 이를 개편하자고 주장한다는 것은 민주주의 질서를 흔들겠다는 의미로 해석될 수 있기 때문입니다. 이처럼 집회의 자유를 과도하게 제한할 수 있으므로 민주적 기본질서에 위배되는 집회를 금지한다는 법률은 타당하지 않습니다.[241]

Q4. 모범답변

국무총리 공관 인근에서 집회와 시위를 금지하고 있는 규정은 타당하지 않습니다. 국민의 집회의 자유를 과도하게 제한하기 때문입니다. 국민은 국가의 주권자로서 자신의 정치적 의사를 전달하고자 자유롭게 집회를 열 수 있습니다. 그런데 국무총리 공관은 국가기관인 국무총리의 직무수행과 생활의 공간입니다. 국민의 집회로 인해 국무총리의 직무수행이 저해되거나 생활이 불가능하여 국가기관으로서의 활동을 할 수 없다는 것이 명백하다면 집회의 자유에서 보호된다고 할 수 없습니다. 그러나 이것이 명백하지 않다면 이는 단지 국민의 집회의 자유를 이유 없이 제한하는 것에 불과합니다. 특히 해산명령에 불응할 경우 형사처벌하도록 규정하고 있는 것은, 이유 없는 집회의 자유 제한에 더해 국민의 인신의 자유까지 제한하는 것이므로 더욱 문제가 큽니다. 따라서 국무총리 공관 인근에서 집회와 시위를 금지하고 있는 규정은 타당하지 않습니다.[242]

Q5. 모범답변

대통령 집무실 인근의 집회와 시위 금지는 타당하지 않습니다. 국민의 집회의 자유를 과도하게 제한하기 때문입니다. 국민은 국가의 주권자로서 자신의 정치적 의사를 전달하고자 자유롭게 집회를 열 수 있습니다. 특히 이 경우 대통령의 집무실과 관저가 분리되어 있어 대통령의 생활이 불가능하다거나 하는 사유가 없습니다. 물론 대통령 집무실 인근의 집회는 대통령의 직무 수행에 일부 영향을 줄 수 있습니다. 그러나 대통령은 국민의 정치적 의사를 확인해서 이를 국정에 반영해야 할 의무가 있는 선출직 공무원이므로 집회로 인해 발생하는 직무 수행의 문제점보다 국민의 의사 반영 통로 차단의 문제가 더 크다고 할 수 있습니다. 따라서 이를 제한해서는 안 됩니다.

241)

2014헌가3

242)

2015헌가28

Q6. 모범답변

경찰청장의 집회 금지 발표는 타당하지 않습니다. 시위자들 중 폭력행위자를 처벌하는 것은 인정될 수 있으나, 집회가 단순히 폭력적 집회가 될 가능성이 있다는 것만으로 집회를 금지해서는 안 됩니다. 국민은 권력자에 대해 자유롭게 자신의 정치적·비정치적 의사를 표출할 자유가 있습니다. 집회의 자유는 원칙적으로 폭넓게 인정하되, 폭력성이 명백한 경우[243]에 한해서만 집회를 금지해야 합니다.

Q7. 모범답변

정부의 손해배상청구는 타당하지 않습니다. 집회·결사의 자유는 국민의 의사를 대표자에게 공식적으로 반영할 수 없을 때 국민의 의사를 표현할 수 있는 유일한 수단이므로 강하게 보호되어야 합니다. 물론 집회나 시위 중 발생한 손해의 인과관계가 명확하게 밝혀진 것은 손해배상의 책임이 부과될 수 있습니다. 그러나 시위 참가자들 중 일부가 우발적으로 일탈행위를 했다고 해서 집회·시위를 주도한 시민단체에 모든 책임을 부과해서는 안 됩니다. 이는 자기책임의 원칙에 어긋날 뿐만 아니라 국민의 의사를 표현할 기본적 자유마저 제한하는 것이기 때문입니다.[244]

Q8. 모범답변

경찰의 광범위한 채증은 집회·결사의 자유에 대한 실질적 제한이 될 수 있으므로 타당하지 않습니다. 국민의 의사를 대의기관이나 언론 등의 공식적인 통로를 통해 반영할 수 없을 때, 국민은 집회 등을 통해 자신의 의사를 국정에 반영하고자 합니다. 집회·결사의 자유는 국민이 국가의 주인으로서 자신의 의사를 반영할 수 있는 마지막 방안입니다. 그런데 경찰이 캠코더와 CCTV를 통해 광범위한 채증을 하게 되면 국민들은 경찰의 채증과 이로 인해 예상되는 수사, 재판 등이 두려워 집회에 자유롭게 참여할 수 없습니다. 더군다나 최근 중국 사례를 보아도 알 수 있듯이 영상 분석과 판독에 AI 기술을 도입해 안면인식이 가능합니다. 광범위한 채증으로 인해 집회 참여자에 대한 신원 특정이 가능해진다면 집회와 결사의 자유에 대한 실질적 위협이 됩니다. 결국 국민의 집회·결사의 자유에 대한 내용적 제한이 실질적으로 이루어지는 셈입니다. 따라서 경찰의 채증은 타당하지 않습니다.

Q9. 모범답변

집회 참가자의 집회의 자유와 상인들의 직업의 자유가 충돌하는 문제가 발생했습니다. 집회가 장기화되면 상인들의 직업의 자유가 지나치게 제한될 수 있습니다. 집회를 장기적으로 개최하려면 영업의 자유를 침해하지 않는 방법으로 집회를 하는 것이 타당합니다. 예를 들어 행진을 자제한다든지, 시청 앞 광장에서만 집회를 제한하도록 하는 방안, 집회를 주변의 다른 장소와 교대로 하는 방안 등을 고려하여 법률로써 집회의 자유와 직업의 자유를 조화롭게 실현함이 타당합니다.

243) 명백현존위험의 원칙: 1918년 미국의 홈즈 판사에 의해 주창된 이론으로, 언론·출판·집회·결사·종교 등의 자유를 제한하기 위해서는 법이 방지하고자 하는 해악이 발생할 '명백하고 현존하는 위험이 있을 때'에 한하여 제한할 수 있으며, 단순히 장래에 그러한 해악을 발생시킬 염려가 있다는 것만으로는 제한할 수 없다는 원칙을 말한다.

244) 시위 참가자들 가운데 일부가 호텔의 로비에 쓰레기를 던져 넣는 등의 행위를 하여 호텔 영업에 방해를 받은 것은, 시위 참가자들 가운데 일부가 우발적으로 저지른 일탈행위라고 할 것인데, 피고 국민대책회의는 평화집회를 호소하고 질서유지를 위한 활동을 하였다고 인정되고, 피고 국민대책회의가 집회 및 시위 현장에서 폭력을 행사하는 참가자들과 연대하거나 그들을 적극적으로 격려하는 행동을 하였다고도 볼 수 없으며, 달리 이러한 점을 인정할 만한 증거가 없고, 설령 시위 참가자들 가운데 일부의 행위로 인하여 호텔 영업에 방해를 받은 사정이 있다고 하더라도, 그러한 사정만으로는 피고 국민대책회의, 한국진보연대, 참여연대가 호텔에게 불법행위로 인한 손해배상 의무를 부담한다고 할 수 없다고 판단하였다. (서울중앙지방법원, 2008가합74845 손해배상(기))

079 개념 성범죄자 취업 제한

1. 기본 개념

(1) 직업선택의 자유

자유롭게 자신의 직업을 선택하고 그 직업에 종사하며 이를 변경할 수 있는 권리이다.

직업의 개념 요소는 생활수단성, 계속성, 공공무해성이다. 주요 학설에 따르면 공공무해성을 직업의 개념적 요소로 보고 있다. 공공무해성은 공동체에 해롭지 않은 것으로 간주되는 활동을 말하며 법적으로 허용된 것을 의미하지는 않는다. 이러한 공공무해성은 공공의 이익에 기여해야 한다는 공공유익성을 의미하는 것은 아니다.

직업의 자유에 의한 보호의 대상이 되는 '직업'은 '생활의 기본적 수요를 충족시키기 위한 계속적 소득활동'을 의미하며 그러한 내용의 활동인 한 그 종류나 성질을 묻지 아니한다. 이러한 직업의 개념표지들은 개방적 성질을 지녀 엄격하게 해석할 필요는 없는바, '계속성'과 관련하여서는 주관적으로 활동의 주체가 어느 정도 계속적으로 해당 소득활동을 영위할 의사가 있고, 객관적으로도 그러한 활동이 계속성을 띨 수 있으면 족하다고 해석되므로 휴가기간 중에 하는 일, 수습직으로서의 활동 따위도 이에 포함된다고 볼 것이고, 또 '생활수단성'과 관련하여서는 단순한 여가활동이나 취미활동은 직업의 개념에 포함되지 않으나 겸업이나 부업은 삶의 수요를 충족하기에 적합하므로 직업에 해당한다고 말할 수 있다.[245] 따라서 성매매도 직업의 자유에서 보호된다. 성매매는 사회적 유해성과는 별개로 성판매자의 입장에서 계속적 소득활동에 해당하므로 성매매 행위를 처벌하는 것은 성판매자의 직업의 자유 제한이다.[246]

직업의 자유는 헌법 제37조 제2항의 국가안전보장, 질서유지, 공공복리 등의 사유로 제한될 수 있다. 또한 과잉 금지원칙과 본질적 내용침해 금지원칙을 준수하여 법률과 긴급명령 또는 긴급재정·경제명령으로 제한될 수 있다.

직업결정의 자유	직종, 직장의 선택뿐 아니라 직업교육장 선택의 자유를 뜻한다. 법인의 설립은 그 자체가 간접적인 직업선택의 자유이다.
직업수행의 자유	자신이 선택한 직업에서 개업·영업·폐업할 자유이다.
직업이탈의 자유	직업을 포기할 자유이다.
경쟁의 자유	경쟁의 자유는 직업의 자유를 실제 행사함으로써 나오는 결과이므로 당연히 직업의 자유에 의해 보장되고 다른 기업과의 경쟁에서 국가의 간섭이나 방해 없이 기업활동을 할 수 있는 자유이다.[247]
직업교육장 선택의 자유	직업선택의 자유에는 필요한 전문지식을 습득하기 위한 직업교육장 선택의 자유도 포함된다. 전공별, 출신대학별 로스쿨 입학정원 제한은 직업교육장 선택의 자유를 제한한다.
겸직의 자유	직업선택의 자유는 여러 개의 직업을 선택하여 동시에 함께 행사할 수 있는 겸직의 자유도 포함한다.
무직업의 자유	무직업의 자유도 보호된다.

245) 비록 학업 수행이 청구인과 같은 대학생의 본업이라 하더라도 방학기간을 이용하여 또는 휴학 중에 학비 등을 벌기 위해 학원강사로서 일하는 행위는 어느 정도 계속성을 띤 소득활동으로서 직업의 자유의 보호영역에 속한다고 봄이 상당하다. (헌재 2003.9.25. 2002헌마519)

246) 헌법 제15조에서 보장하는 '직업'이란 생활의 기본적 수요를 충족시키기 위하여 행하는 계속적인 소득활동을 의미하고, 성매매는 그것이 가지는 사회적 유해성과는 별개로 성판매자의 입장에서 생활의 기본적 수요를 충족하기 위한 소득활동에 해당함을 부인할 수 없다 할 것이므로, 심판대상조항은 성판매자의 직업선택의 자유도 제한하고 있다. (헌재 2016.3.31. 2013헌가2)

247) 헌재 1996.12.26. 96헌가18

(2) 판례: 성범죄자의 아동·청소년 관련기관 취업 제한 위헌확인[248)]

이 사건 취업 제한 조항은 아동·청소년 대상 성범죄자에 대하여 일정기간 아동·청소년 관련기관 등을 운영하거나 그 기관 등에 취업하는 것을 제한하여 아동·청소년들과의 접촉을 차단함으로써, 아동·청소년을 성범죄로부터 보호하는 동시에, 아동·청소년 관련기관 등의 윤리성과 신뢰성을 높여 아동·청소년 및 그 보호자가 이들 기관을 믿고 이용하거나 따를 수 있도록 하려는 입법목적을 지니는바, 이러한 입법목적은 정당하다. 그리고 아동·청소년대상 성범죄자에 대하여 일정기간 아동·청소년 관련기관 등에 취업 제한을 하는 것은 위와 같은 입법목적을 달성할 수 있는 하나의 방안이 될 수 있으므로, 수단의 적합성도 인정된다.

아동·청소년 대상 성범죄자에 대하여 일정기간 아동·청소년 관련기관 등에 취업 제한을 하는 것이 입법목적을 달성하는 데 적합한 수단이라고 하더라도, 이 사건 취업 제한 조항은 다음과 같은 점에서 침해의 최소성 원칙에 위반된다.

이 사건 취업 제한 조항은 아동·청소년 대상 성범죄 전력에 기초하여 어떠한 예외도 없이 그 대상자가 재범의 위험성이 있다고 간주하고 일률적으로 아동·청소년 관련기관 등의 취업 등을 10년간 금지하고 있다. 특히 치료감호심의위원회가 아동·청소년 대상 성범죄의 원인이 된 소아성기호증, 성적가학증 등 성적 성벽이 있는 정신성적 장애가 치료되었음을 전제로 피치료감호자에 대하여 치료감호 종료 결정을 하는 경우에도, 이 사건 취업 제한 조항은 단지 치료감호를 선고받았다는 사실만으로 여전히 피치료감호자에게 재범의 위험성이 있다고 전제하고 있으므로, 치료감호제도의 취지와도 모순된다.

설령 아동·청소년 대상 성범죄자에 대하여 재범의 위험성에 관계없이 일정기간 아동·청소년 관련기관 등에 취업 제한을 하는 결격제도가 정당하다고 하더라도, 범죄행위의 유형이나 구체적 태양 등을 고려하지 않은 채 범행의 정도가 가볍고 재범의 위험성이 상대적으로 크지 않은 자에게까지 10년 동안 일률적인 취업 제한을 부과하는 것은 그 제한의 정도가 지나치다.

아동·청소년을 성범죄로부터 보호하고, 아동·청소년 관련기관 등의 윤리성과 신뢰성을 높여 아동·청소년 및 그 관계자들이 이 기관을 믿고 이용하도록 하는 것이 우리 사회의 중요한 공익이라는 것을 부정하기는 어려우나, 이 사건 취업 제한 조항은 이 같은 공익의 무게에도 불구하고 청구인의 직업선택의 자유를 과도하게 제한하고 있어, 법익의 균형성 원칙에도 위반된다. 따라서 이 사건 취업 제한 조항은 청구인의 직업선택의 자유를 침해한다.

2. 읽기 자료

성범죄자 취업 제한[249)]

미국의 성범죄자 취업 제한[250)]

248)

2015헌마98

249)

성범죄자 취업 제한

250)

미국의 성범죄자 취업 제한

079 문제 성범죄자 취업 제한

답변 준비 시간 10분 | 답변 시간 10분

Q1. 성범죄자의 아동·청소년 관련기관 취업을 제한하는 것은 타당한지 자신의 입장을 논하시오. 그리고 자신이 선택한 입장에 대해 예상되는 반론과 재반론을 논하시오.

Q2. 성범죄자의 경우 예외 없이 아동·청소년 관련기관 취업 제한기간을 10년으로 설정하자는 주장이 있다. 이 주장에 대해 자신의 논리의 연장선상에서 이 타당성을 논하시오.

Q3. 아동학대 관련범죄를 저지른 자에 대해 아동 관련기관에 취업을 금지해야 한다는 주장이 있다. 이 주장에 대한 자신의 견해를 논하고, 취업 제한기간의 설정방법을 논하시오.

079 해설 성범죄자 취업 제한

Q1. 모범답변

아동·청소년의 보호를 위해 성범죄자의 아동·청소년 관련기관 취업 제한은 타당합니다. 공동체가 유지되고 존속하기 위해서는 필수적인 연결끈인 사회의 공유된 가치를 보호해야 합니다. 이러한 공유된 가치 중 하나가 아동·청소년의 보호입니다. 만약 공동체가 장래 사회구성원으로 자라날 아동·청소년의 보호에 실패한다면 공동체는 붕괴할 것입니다. 그런데 성범죄자가 아동·청소년 관련기관에서 일하고 있다면 아동·청소년을 성범죄로부터 보호할 수 없습니다. 그에 더해 아동·청소년 관련기관을 이용하는 아동·청소년뿐만 아니라 보호자 역시 이 아동·청소년 관련기관을 신뢰할 수 있어야 합니다. 성범죄자가 아동·청소년 관련기관에 취업할 수 있다면 사회가 아동과 청소년을 보호하고 있다는 공적 신뢰를 줄 수 없습니다. 따라서 성범죄자의 아동·청소년 관련기관 취업 제한은 타당합니다.

이에 대해 성범죄자의 직업선택의 자유가 과도하게 제한된다는 반론이 제기될 수 있습니다. 그러나 성범죄자의 직업선택의 자유는 사회질서의 보호를 위해 제한될 수 있습니다. 성범죄자는 미성년자인 아동·청소년에 대한 범죄를 저지른 자로 사회의 공유된 가치인 아동·청소년의 보호라는 가치를 명백하게 훼손하였습니다. 이처럼 사회질서를 해친 것이 분명하기 때문에 성범죄자의 직업선택의 자유를 일부 제한할 수 있습니다. 성범죄자는 아동·청소년 관련기관 외의 다른 직장을 구해 자신의 직업선택의 자유를 행사할 수 있습니다. 따라서 모든 직업에 대한 제한이 아니기 때문에 성범죄자의 직업선택의 자유에 대한 과도한 제한이라 할 수 없습니다.

Q2. 모범답변

성범죄자의 아동·청소년 관련기관 취업 제한기간이 10년에 이른다면 이는 과도한 제한입니다. 성범죄 전력이 있다고 하더라도 성범죄 재범의 위험성이 10년에 이른다고 간주할 수 없습니다. 범행 정도가 가볍고 진정으로 반성하고 있는 경우 이와 같이 제한기간을 길게 둔다면 이는 성범죄 전력이 있는 자의 직업의 자유를 과도하게 제한하는 것입니다. 따라서 성범죄자의 범죄유형이나 구체적인 상황 등을 감안하여 개별적으로 취업 제한기간을 설정해야 할 일이지 일률적으로 10년이나 과도한 제한을 가해서는 안 됩니다.[251)]

Q3. 모범답변

아동·청소년의 보호를 위해 아동학대 관련범죄자의 아동 관련기관 취업 금지는 타당합니다. 사회의 공유된 가치인 아동·청소년의 보호를 위해서는 사회가 장래 사회구성원으로 자라날 아동·청소년의 보호에 노력해야 하며 모든 사회 구성원으로부터 신뢰를 얻어야 합니다. 아동학대 관련범죄자 역시 사회의 구성원이기 때문에 아동과 청소년의 보호가 우리 사회의 공유된 가치임을 이미 알고 있습니다. 아동학대를 예방하고 아동관련기관에 대한 학부모의 신뢰를 얻기 위해서 아동학대 관련범죄자의 취업을 금지하는 것이 타당합니다. 성범죄자의 취업 제한과 마찬가지로 개별범죄의 경중과 재범의 위험성을 고려해 개별적으로 심사하여 제한기간을 설정하는 것이 타당합니다.

251) 설령 아동·청소년 대상 성범죄자에 대하여 재범의 위험성에 관계없이 일정기간 아동·청소년 관련기관 등에 취업 제한을 하는 결격제도가 정당하다고 하더라도, 범죄행위의 유형이나 구체적 태양 등을 고려하지 않은 채 범행의 정도가 가볍고 재범의 위험성이 상대적으로 크지 않은 자에게까지 10년 동안 일률적인 취업 제한을 부과하는 것은 그 제한의 정도가 지나치다. 아동·청소년을 성범죄로부터 보호하고, 아동·청소년 관련기관 등의 윤리성과 신뢰성을 높여 아동·청소년 및 그 관계자들이 이 기관을 믿고 이용하도록 하는 것이 우리 사회의 중요한 공익이라는 것을 부정하기는 어려우나, 이 사건 취업 제한 조항은 이 같은 공익의 무게에도 불구하고 청구인의 직업선택의 자유를 과도하게 제한하고 있어, 법익의 균형성 원칙에도 위반된다. 따라서 이 사건 취업 제한 조항은 청구인의 직업선택의 자유를 침해한다. (헌재 2016.4.28. 2015헌마98)

Chapter 04

민법

민법은 개인과 개인의 관계를 규율하는 법이다. 민법이 성립하기 위해서는 개인의 권리가 먼저 인정되어야 한다. 그렇기 때문에 국가의 주인이 국민이며, 국민 개개인의 권리가 인정되는 민주주의 국가에서만 민법의 의미가 발생할 수 있다. 우리가 기본법을 헌민형이라고 부르는 이유도 여기에 있다. 헌법이 먼저 성립하여 국가의 주권자가 국민이며 국민 개개인의 권리가 있고 국가는 이를 보장할 의무가 있다는 선언이 있어야만 한다. 그 이후 개인과 개인의 권리 다툼에 관한 문제가 발생할 수 있기 때문이다.

근대에 이르러 과거의 봉건사회에서 볼 수 있던 신분이나 계급 또는 그에 따르는 각종 특권에 의해 인정되던 '사람의 사람에 의한 지배'는 더 이상 인정되지 않게 되었다. "인간은 출생과 생존에 있어서 자유와 평등의 권리를 가진다."라는 말로 대표되는 개인주의, 자유주의, 평등주의 이념은 근대의 시민법(市民法)을 지배하였다.

080 개념 민법의 3대 원칙

1. 기본 개념

(1) 근대 민법의 3대 원칙

① 사유재산권 존중의 원칙

개인의 사유 재산에 대한 절대적 지배를 인정하고, 국가나 다른 개인은 이에 간섭하거나 제한을 가하지 못한다는 원칙이다. 사유재산권 중에서 가장 중요한 것이 소유권이기 때문에 '소유권 절대의 원칙'이라고도 한다.

② 사적 자치의 원칙

각 개인은 자신의 법률관계를 그의 자유로운 의사에 기초하여 형성할 수 있다는 원칙이다. 개인의 권리와 의무는 각 개인의 자율적인 의사에 의하여 취득되거나 상실되므로 '개인 의사 자치의 원칙'이라고도 하며, 또 사적 자치를 실현하는 수단이 되는 것은 법률 행위이므로 '법률 행위 자유의 원칙', 나아가 법률 행위 중에서 가장 대표적인 것이 계약이기 때문에 '계약 자유의 원칙'이라고도 한다. 구체적으로 계약 체결의 자유, 상대방 선택의 자유, 계약 내용 형성의 자유, 계약 방식의 자유로 세분화된다.

③ 과실 책임의 원칙

개인이 타인에게 끼친 손해에 대해서는 고의, 즉 가해자가 자기의 행위로부터 일정한 결과가 발생하리라는 인식을 가지고 그것을 인용하면서 이를 행하는 심리 상태이거나, 또는 과실, 즉 일정한 결과의 발생을 인식했어야 하는데도 부주의로 말미암아 이를 인식하지 못한 것이 있을 때만 책임을 지며, 그러한 고의나 과실이 없는 행위에 대해서는 책임을 지지 않는다는 원칙이다. 개인은 자신의 행위에 대해서만 책임을 지고, 타인의 행위에 대해서는 책임지지 않는다는 의미에서 '자기 책임의 원칙'이라고도 한다.

(2) 근대 민법 원칙의 제약

① 법률 행위 또는 계약이 강행 법규나 선량한 풍속, 그 밖에 사회 질서에 반하면 무효이다.

② 채무의 이행은 신의성실의 원칙[252)]에 따라야 한다.

③ 소유권의 행사는 법률의 제한에 따라야 하고 타인에게 해를 끼칠 목적으로 행사할 때에는 권리의 남용으로 금지된다.

(3) 현대 민법 원리

근대 이후 자본주의 체제가 발전함에 따라 부(富)의 불평등 현상, 노사(勞使) 간의 대립을 초래하였다. 그 결과, 소유권 절대의 원칙은 소수의 가진 자가 대다수의 가지지 못한 자를 지배하는 수단으로 악용되었고, 계약 자유의 원칙은 경제적 약자에 대한 일방적인 계약 강제 수단으로 변질되었으며, 또 과실 책임의 원칙은 경제적 강자의 책임을 면하게 하는 구실이 되기도 하였다.

252)
신의성실의 원칙: 모든 사람이 사회 공동생활의 일원으로서 상대방의 신뢰에 반하지 않도록 성의있게 행동할 것을 요구하는 법원칙이다. 줄여서 신의칙(信義則)이라고 한다.

(4) 근대 민법의 3대 원칙 수정

① 사유재산권 존중의 원칙 수정

개인의 소유권은 법에 의해 보장되지만, 사회 전체의 이익을 위해서는 그 권리의 행사가 제한될 수 있다. 헌법 제23조 제2항은 재산권 행사는 공공복리에 적합하도록 하여야 한다고 규정하고 있다. 이는 소유권의 공공성을 일반 원칙으로 선언한 것이다. 권리는 남용하지 못한다.(민법 제2조 제2항) 소유자는 법률의 범위 내에서 그 소유물을 사용, 수익, 처분할 권리가 있다.(민법 제211조) 이는 헌법상의 일반 원칙을 구체화한 것이다.

② 사적 자치의 원칙 수정

계약 공정의 원칙은 사회 질서에 반하는 계약이나 지나치게 불공정한 계약 등은 법의 보호를 받을 수 없다는 원칙을 의미한다. 계약 자유의 원칙을 맹목적으로 유지하게 되면 자본가가 노동자를 불리한 조건으로 고용하여 부당하게 착취하는 결과가 발생할 수 있다. 이 때문에 계약 자유에 대한 제한이 필요하게 되었다. 노동 관계법 등 사회적 기본권(생활권)을 보장하기 위한 여러 가지 법률들과 경제활동 전반에 걸쳐 사적 자치의 원칙을 수정하고 있다. 권리의 행사와 의무의 이행은 신의에 좇아 성실히 하여야 한다. 선량한 풍속 기타 사회 질서에 위반한 사항을 내용으로 하는 법률행위와 당사자의 궁박, 경솔 또는 무경험으로 인하여 현저하게 공정을 잃은 법률행위는 무효로 한다.

③ 과실 책임의 원칙 수정

현대의 고도로 발달한 기계 문명과 대규모의 집단생활에서는 아무런 고의나 과실이 없는데도 타인에게 손해를 줄 수 있다. 고의나 과실이 없을 때에도 일정한 상황에서는 관계되는 자에게 책임을 물을 수 있는 무과실책임이 인정된다. 환경오염 책임, 제조물 책임, 자동차 운행자 책임에서는 무과실 책임이 인정된다.

080 문제 민법의 3대 원칙

답변 준비 시간 (서면 작성) 40분 | 답변 시간 (대면 면접) 10분

※ 다음 제시문을 읽고, 별도의 답안지에 아래 [서면 면접] 문제의 답변을 작성하시오. 서면 면접 답안 작성 후에, 답안의 논리적 연장선상에서 [대면 면접] 문제에 답변하시오.

<제시문 1>

근대에 이르러 과거의 봉건사회에서 볼 수 있던 신분이나 계급 또는 그에 따르는 각종 특권에 의해 인정되던 '사람의 사람에 의한 지배'는 더 이상 인정되지 않게 되었다. "인간은 출생과 생존에 있어서 자유와 평등의 권리를 가진다."라는 말로 대표되는 개인주의, 자유주의, 평등주의 이념은 근대의 시민법(市民法)을 지배하였다.

근대 민법의 3대 원칙은 다음과 같다.

첫째, 사유재산권 존중의 원칙이다. 이는 개인의 사유 재산에 대한 절대적 지배를 인정하고, 국가나 다른 개인은 이에 간섭하거나 제한을 가하지 못한다는 원칙이다. 사유재산권 중에서 가장 중요한 것이 소유권이기 때문에 '소유권 절대의 원칙'이라고도 한다.

둘째, 사적 자치의 원칙이다. 각 개인은 자신의 법률관계를 그의 자유로운 의사에 기초하여 형성할 수 있다는 원칙이다. 개인의 권리와 의무는 각 개인의 자율적인 의사에 의하여 취득되거나 상실되므로 '개인 의사 자치의 원칙'이라고도 하며, 또 사적 자치를 실현하는 수단이 되는 것은 법률행위이므로 '법률 행위 자유의 원칙', 나아가 법률 행위 중에서 가장 대표적인 것이 계약이기 때문에 '계약 자유의 원칙'이라고도 한다. 구체적으로 계약 체결의 자유, 상대방 선택의 자유, 계약 내용 형성의 자유, 계약 방식의 자유로 세분화된다.

셋째, 과실 책임의 원칙이다. 개인이 타인에게 끼친 손해에 대해서는 고의[253] 또는 과실[254]이 있을 때만 책임을 지며, 그러한 고의나 과실이 없는 행위에 대해서는 책임을 지지 않는다는 원칙이다. 개인은 자신의 행위에 대해서만 책임을 지고, 타인의 행위에 대해서는 책임지지 않는다는 의미에서 '자기 책임의 원칙'이라고도 한다.

<제시문 2>

근대 이후 자본주의 체제가 발전함에 따라 부(富)의 불평등 현상, 노사(勞使) 간의 대립을 초래하였다. 그 결과, 소유권 절대의 원칙은 소수의 가진 자가 대다수의 가지지 못한 자를 지배하는 수단으로 악용되었고, 계약 자유의 원칙은 경제적 약자에 대한 일방적인 계약 강제 수단으로 변질되었으며, 또 과실 책임의 원칙은 경제적 강자의 책임을 면하게 하는 구실이 되기도 하였다.

이러한 문제의식 하에 근대 민법의 3대 원칙은 다음과 같이 수정되었다.

첫째, 수정된 사유재산권 존중의 원칙이다. 개인의 소유권은 법에 의해 보장되지만, 사회 전체의 이익을 위해서는 그 권리의 행사가 제한될 수 있다. 우리 헌법 제23조 제2항은 재산권 행사는 공공복리에 적합하도록 하여야 한다고 규정하고 있다. 이는 소유권의 공공성을 일반 원칙으로 선언한 것이다. 권리는 남용하지 못한다(민법 제2조 제2항). 소유자는 법률의 범위 내에서 그 소유물을 사용, 수익, 처분할 권리가 있다(민법 제211조). 이는 헌법상의 일반 원칙을 구체화한 것이다.

253) 고의(故意): 가해자가 자기의 행위로부터 일정한 결과가 발생하리라는 인식을 가지고 그것을 인용하면서 이를 행하는 심리 상태

254) 과실(過失): 일정한 결과의 발생을 인식했어야 하는데도 부주의로 말미암아 이를 인식하지 못한 것

둘째, 수정된 사적 자치의 원칙이다. 계약 공정의 원칙은 사회 질서에 반하는 계약이나 지나치게 불공정한 계약 등은 법의 보호를 받을 수 없다는 원칙을 의미한다. 계약 자유의 원칙을 맹목적으로 유지하게 되면 자본가가 노동자를 불리한 조건으로 고용하여 부당하게 착취하는 결과가 발생할 수 있다. 이 때문에 계약 자유에 대한 제한이 필요하게 되었다. 노동 관계법 등 사회적 기본권(생활권)을 보장하기 위한 여러 가지 법률들과 경제활동 전반에 걸쳐 사적 자치의 원칙을 수정하고 있다. 권리의 행사와 의무의 이행은 신의에 좇아 성실히 하여야 한다. 선량한 풍속 기타 사회 질서에 위반한 사항을 내용으로 하는 법률 행위와 당사자의 궁박, 경솔 또는 무경험으로 인하여 현저하게 공정을 잃은 법률 행위는 무효로 한다.

셋째, 수정된 과실 책임의 원칙이다. 현대의 고도로 발달한 기계 문명과 대규모의 집단생활에서는 아무런 고의나 과실이 없는데도 타인에게 손해를 줄 수 있다. 고의나 과실이 없을 때에도 일정한 상황에서는 관계되는 자에게 책임을 물을 수 있는 무과실 책임이 인정된다. 환경오염 책임, 제조물 책임, 자동차 운행자 책임에서는 무과실 책임이 인정된다.

<제시문 3>

베니스의 상인 안토니오는 친구 바사니오에게 돈을 빌려달라는 부탁을 받았다. 벨몬트에 사는 포셔에게 구혼하기 위한 여비가 필요한데 이 여비를 빌려달라는 것이었다. 그러나 안토니오 역시 현재 수중에 현금이 없어, 출항하여 베니스로 돌아오는 중인 자신의 배를 담보로 하여 유대인 고리대금업자 샤일록으로부터 돈을 빌린다. 그리고 돈을 갚을 수 없을 때에는 자신의 살 1파운드(약 450g)를 제공한다는 증서를 써 준다.

여비를 마련한 바사니오는 구혼에 성공하지만, 안토니오는 배가 돌아오지 않아 증서의 약속에 대해 재판을 받게 된다. 이를 알게 된 포셔는 남장을 하고 재판관이 되어 안토니오를 구하고자 한다.

- 포　셔: 잠깐, 기다리시오. 이 증서에 피는 단 한 방울도 당신에게 준다는 말이 없소. 여기에는 '살 1파운드'라고 분명하게 적혀 있소. 증서대로 살을 1파운드만 떼어 가시오. 다만, 살을 떼어내면서 이 상인의 피를 단 한 방울이라도 흘리게 한다면, 그대의 토지와 재산을 베니스의 법률에 의하여 몰수할 것이오.
- 샤일록: 이게 법인가요?
- 포　셔: 그대가 직접 법조문을 들여다보시오. 그대는 정의를 고집했으니, 그대가 원하는 대로 정의롭고 엄격한 재판을 받을 것이오.
- 샤일록: 아까 그 제안을 받아들이겠습니다. 증서에 기록되어 있는 금액의 3배를 받고, 저 상인을 풀어 주겠습니다.
- 포　셔: 잠깐! 샤일록이 받는 건 정의의 판결뿐이오. 조용히 하시오. 증서에 적힌 것만 받도록 허락하겠소. 어서 살덩이를 떼어 낼 준비를 하시오. 피는 한 방울도 흘려서는 안 되오. 뿐만 아니라, 살을 정확히 1파운드만 떼어 내야 하오. 1파운드보다 많거나 적으면 안 되오. 그보다 무게가 가볍거나 무거워서 저울대가 불과 머리카락 한 올만큼이라도 기울어진다면 그대를 사형에 처하고 그대의 전 재산을 몰수할 것이오.
- 샤일록: 원금만 받고 가게 해 주십시오. 원금만이라도 받을 수 없겠습니까?
- 포　셔: 그대가 받을 수 있는 것은 오로지 증서에 적혀 있는 것뿐이오. 살 1파운드뿐이란 말이오. 그것도 그대의 생명을 걸고서.
- 샤일록: 제기랄, 마음대로 하시오! 더 이상 엉터리 재판에는 응하지 않겠소.

<제시문 4: A국의 민법>

- 1조: 당사자들이 자유로운 동의 의사를 밝힌 것으로 계약이 성립된다. 단, 강요된 의사 표시의 경우 자유로운 동의로 보지 않는다.
- 2조: 당사자가 모두 계약의 성립을 승낙하였고, 계약의 상대방에게 서로 간의 승낙이 도달한 때에 계약이 성립된다.
- 3조: 계약의 쌍방에 모두 의무가 있는 계약의 경우 계약의 당사자 일방은 상대방이 그 채무 이행을 제공할 때까지 자기의 채무 이행을 거절할 수 있다. 그러나 상대방의 채무가 변제 기한에 도달하지 않은 때에는 자기의 채무 이행을 거절할 수 없다.
- 4조: 당사자 일방이 상대방에게 먼저 채무 이행을 해야 할 경우에 상대방의 이행이 곤란할 현저한 사유가 있는 때에는 위의 3조와 같다.
- 5조: 계약의 쌍방에 모두 의무가 있는 계약에서, 계약 당사자 일방의 채무가 당사자 쌍방의 책임 없는 사유로 이행할 수 없게 된 때에는 채무자는 상대방의 이행을 청구하지 못한다.
- 6조: 계약의 쌍방에 모두 의무가 있는 계약에서, 계약 당사자 일방의 채무가 채권자의 책임 있는 사유로 이행할 수 없게 된 때에는 채무자는 상대방의 이행을 청구할 수 있다.
- 7조: 선량한 풍속이나 기타 사회질서, 즉 공서양속[255)]에 위반한 사항을 내용으로 하는 계약은 무효로 한다.
- 8조: 계약에 의하여 당사자 일방이 제3자에게 이행할 것을 약정한 때에는 그 제3자는 채무자에게 직접 그 이행을 청구할 수 있다. 이 경우에 제3자의 권리는 그 제3자가 채무자에 대하여 계약의 이익을 받을 의사를 표시한 때에 생긴다.
- 9조: 위 규정에 의하여 제3자의 권리가 생긴 후에는 당사자는 이를 변경 또는 소멸시키지 못한다.
- 10조: 계약상 이에 규정되지 않은 사항의 경우, 실제 생활상의 거래가 원만하게 이루어져야 한다는 사회 일반의 상식을 따른다.

Q1. [서면 면접] <제시문 1>과 <제시문 2>의 공통된 주제를 고려하여 제목을 지으시오.

Q2. [서면 면접] <제시문 3>의 포셔의 판결을 요약하시오.

Q3. [서면 면접] 위 문제의 포셔의 판결이 타당한지 여부를 밝히시오. 그리고 그렇게 판단한 이유를 <제시문 4> 중에 2개를 선택하여 논하시오.

추가질문

Q4. [대면 면접] 자신이 작성한 답안은 <제시문 1>과 <제시문 2> 중 어떤 입장에 따른 것인가?

Q5. [대면 면접] 자신이 판사이고 안토니오와 샤일록의 사건이 자신에게 배당되었다면 어떻게 판결할 것인가?

Q6. [대면 면접] 자신의 판결 내용에 따르면, 안토니오와 샤일록은 이후 어떻게 해야 하는가?

255) 공서양속(公序良俗): (법률 행위를 판단하는 기준으로서의) 사회의 (공공)질서와 선량한 풍속을 말한다. 일반적으로 공공질서란 국가사회의 일반적 이익을 말하고, 선량한 풍속이란 일반적 윤리 관념을 의미하는 것이지만, 엄밀하게 이를 구별할 실익은 없다고 하여 양자를 합해 공서양속이라 하고 있다.

080 해설 민법의 3대 원칙

[서면 면접] Q1. 모범답변

<제시문 1>과 <제시문 2>의 제목은 민법의 원칙이라 짓겠습니다. <제시문 1>과 <제시문 2>는 근대와 현대의 3대 민법 원칙을 공통 주제로 하고 있습니다.

<제시문 1>은 근대 민법의 3대 원칙을 제시합니다. 전근대의 봉건제 질서에서 벗어나 근대에는 개인의 자유가 인정되었습니다. 개인이 자유와 권리를 인정받으면서 자유로운 개인과 개인의 관계를 규정하는 민법 원칙이 성립하게 되었습니다.

<제시문 2>는 현대 민법의 3대 원칙을 제시합니다. 근대의 민법 원칙은 소유권 지상주의 측면이 강해 개인의 사적 재산권의 행사가 심대한 사회적 피해로 이어지는 경우마저도 있었습니다.

[서면 면접] Q2. 모범답변

<제시문 3>에서 포셔는 유혈금지명령 판결을 하였습니다. 유혈금지명령이란, 샤일록에게 증서에 적힌 그대로 살만 떼어가고, 단 한 방울의 피도 흘려서는 안 된다는 내용의 판결을 한 것입니다.

[서면 면접] Q3. 모범답변

포셔의 유혈금지명령 판결은 타당하지 않습니다. 첫째, 안토니오와 샤일록의 계약은 생명의 가치를 명백하게 훼손하는 내용을 담고 있는 것으로서 원천 무효임에도 이를 유효한 것으로 인정했기 때문입니다. 이는 <제시문 4>의 7조에 해당합니다. 둘째, 포셔의 판결을 인정한다면 사회의 일반적인 계약상의 혼란이 발생할 것이기 때문입니다. 이는 <제시문 4>의 10조에 해당합니다.

첫째, 포셔의 판결은 생명의 가치를 명백하게 훼손한다는 점에서 타당하지 않습니다. <제시문 4>의 7조에 의하면, 사회 일반의 윤리 관념인 공서양속에 위반한 사항을 내용으로 하는 계약은 그 자체가 무효입니다. 포셔의 유혈금지명령 판결은, 안토니오와 샤일록의 계약이 유효하다는 전제가 성립하는 것입니다. 그러나 안토니오와 샤일록의 계약은 금전적 이익을 목적으로 한 금전대차계약인데, 샤일록이 안토니오의 살을 베어낸다고 하더라도 금전상의 이익은 없습니다. 그러므로 이 계약은 안토니오의 생명을 빼앗겠다는 의도가 분명하다는 점에서 사회 일반의 윤리 관념인 공서양속에 명백하게 반하는 내용을 담고 있는 것입니다. 만약 이러한 계약을 유효하다고 인정한다면 장기매매계약이나 신체포기각서 등도 유효한 것이 되고 말 것입니다. 이처럼 안토니오와 샤일록의 계약은 7조의 공서양속에 명백하게 반하는 것으로 원천 무효입니다. 그러나 포셔는 안토니오가 돈을 갚지 못해 살을 떼어가는 것은 인정하되 피를 흘려서는 안 된다고 하여 계약의 유효성을 인정한 것입니다. 따라서 포셔의 판결은 7조의 공서양속에 반하는 계약을 인정하여 생명의 가치를 훼손하는 것이므로 타당하지 않습니다.

둘째, 포셔의 판결은 사회적 혼란을 불러온다는 점에서 타당하지 않습니다. <제시문 4>의 10조는 계약상 규정되지 않은 사항은 실제 생활상의 거래가 원만하게 이루어져야 한다는 사회 일반의 상식을 따라야 한다고 규정하고 있습니다. 안토니오와 샤일록의 계약이 유효하다고 하더라도 살을 벨 때는 일정정도의 피를 흘리는 것이 포함되어 있다고 해석하는 것이 사회 일반의 상식에 부합하는 것입니다. 만약 포셔의 유혈금지명령과 같이 살을 벨 때 일정정도의 피를 흘리는 것이 포함되지 않는다고 해석한다면, 계약 이행에 부담을 느끼는 계약 당사자는 상대방에게 계약 그대로만 이행할 것을 요구하고, 그렇지 않으면 계약은 무효라고 주장할 것입니다. 만약 포셔의 판결이 타당하다면, 예를 들어 정육점에서 고기를 살 때 고기 안에 있는 피를 모두 제거한 상태의 무게로 거래를 할 것인지 혹은 고기 안에 있는 피가 어느 정도 있는 상태에서 거래를 할 것인지를 공급자와 소비자가 일일이 계약을 해야만 합니다. 또한 베어내는 순간에 피가 조금이라도 흘러 무게가 변한다면 공급자와 소비자가 계약을 다시 해야 하는 상황이 나타날 수도 있습니다. 사회는 신뢰를 근간으로 하는데 포셔의 판결과 같이 계약을 해석한다면 실생활에서 계약이 이행될 수 없어 계약 당사자 간의 신뢰가 무너지고 이에 따른 사회 혼란을 피할 수 없습니다. 따라서 포셔의 판결은 10조의 사회 일반의 상식을 깨뜨려 사회적 혼란을 야기할 것이므로 타당하지 않습니다.

[대면 면접] Q4. 모범답변

작성한 답안은 <제시문 2>의 현대 민법의 원칙을 따른 것입니다. 특히 그 중에서도 수정된 사유재산권 존중의 원칙과 수정된 사적 자치의 원칙을 따르고 있습니다.

[대면 면접] Q5. 모범답변

제가 판사라면, 안토니오와 샤일록의 계약이 공서양속에 반하는 내용의 계약이므로 원천 무효라고 판결하겠습니다.

[대면 면접] Q6. 모범답변

계약이 원천 무효이므로, 안토니오와 샤일록은 계약 이전의 상태로 각각 되돌려야 합니다. 안토니오는 샤일록에게 원금을 돌려주어야 하고, 샤일록은 그 원금을 수령하면 됩니다. 예를 들어, 안토니오가 샤일록에게 1억 원을 빌렸고, 이 돈을 갚지 못해 샤일록이 살을 베어내려 했다고 가정하겠습니다. 안토니오는 샤일록에게 1억 원을 돌려주어야 하고, 샤일록은 이 돈을 받으면 됩니다. 이것이 안토니오와 샤일록 각각이 금전대차계약 이전의 상태로 돌아가는 것입니다.

081 개념 신의성실의 원칙

2024 연세대 기출

1. 기본 개념

(1) 신의성실의 원칙

권리를 행사하거나 의무를 이행함에 있어서 신의와 성실에 따라 행동해야 한다는 원칙이다. 민법 제2조 제1항은, 권리의 행사와 의무의 이행은 신의에 좇아 성실히 하여야 한다고 규정한다. 신의성실에 반하는 권리행사는 권리남용이고, 신의성실에 반하는 경우 의무의 이행은 의무불이행이 된다.

신의성실의 원칙의 내용은 다음과 같다. ① 상대방의 정당한 이익을 해쳐서는 안 된다. ② 상대방이 자기에게 가지고 있는 신뢰를 배반하지 않고 성의를 가지고 행동해야 한다. ③ 상대방의 정당한 이익을 고려해서 권리와 의무를 행사해야 한다. ④ 신의나 성실의 구체적 내용은 시간과 장소에 따라 다르다. 그 사회의 상식이나 통념에 따라 결정된다.

(2) 권리남용 금지

권리행사가 사회성·공공성에 반하면 권리남용(權利濫用)에 해당한다. 민법 제2조 제2항은, 권리는 남용하지 못한다고 규정한다. 권리를 남용한 경우 법적 효과가 발생하지 않는다. 권리남용으로 손해를 입은 자는 손해배상을 청구할 수 있다.

권리남용 금지의 내용은 다음과 같다. ① 권리행사가 사회적 목적에 반하는 경우 권리남용이다. ② 권리남용은 신의성실의 원칙에서 파생된 원칙이다. ③ 신의성실이 채권에서 주로 통용되는 원칙이라면 권리남용 금지는 물권영역에서 주로 인정된다. ④ 로마시대에는 "자기의 권리를 행사하는 사람은 어느 누구도 해하지 않는다."는 법언이 있었으나, 오늘날 이 원칙은 수정되어 권리행사가 사회에 해를 주는 경우 권리남용에 해당하여 허용될 수 없게 되었다.

(3) 신의성실의 원칙과 권리남용 사례

① 한국전력공사가 정당한 권원에 의하여 토지를 수용하고 그 지상에 변전소를 건설하였으나 토지 소유자에게 그 수용에 따른 손실보상금을 공탁함에 있어서 착오로 부적법한 공탁이 되어 수용재결이 실효됨으로써 결과적으로 그 토지에 대한 점유권원을 상실하게 된 경우에, 토지 소유자가 그 변전소의 철거와 토지의 인도를 청구하는 것은 권리남용[256]에 해당한다고 보았다.[257]

변전소를 철거하게 되면 6만여 가구의 전력 공급이 불가능하고 변전소 인근은 이미 개발이 완료되어 그 부지를 확보하기가 어렵다. 설사 그 부지를 확보한다 하더라도 신축에는 상당한 기간이 소요되고 이 사건 토지의 시가는 약 6억 원인 데 비해 변전소를 철거하고 신축하는 데에는 약 164억 원이 든다. 이것은 토지 소유자에게 별다른 이익이 없다.

② 동일한 토지에 토지 소유자와 그 위에 있는 건물 소유자가 달라 분쟁이 발생하였다. 토지 소유자는 토지에 대한 소유권을 행사하려고 건물주에게 건물 철거를 요구하였다. 이에 건물주는 토지 소유자에게 적정한 가격에 토지를 매수하겠다고 하였다. 그러나 토지 소유자는 그 토지를 시가의 10배 가격으로 매수하라고 요구하면서 건물주의 성의 있는 토지 매수 협의를 전혀 받아들이지 않았다.

256) 권리남용: 법률에서 인정한 사회적 목적과 어긋나게 권리를 부당하게 행사(行使)하는 일

257) 대법원 1999.9.7. 99다27613

③ 갑과 을은 서로 사이가 좋지 않은 이웃이다. 어느 날 갑은 을의 집에 햇빛이 들어가지 못하도록 하기 위해 자신의 집 옥상에 사용하지도 않는 조립식 가건물을 지었다. 을은 갑에게 가건물을 철거할 것을 요구하였으나 갑은 이를 거부하였다. 이에 을은 소송을 제기하기에 이르렀고 법원은 갑의 행위가 권리남용 금지의 원칙을 위반한다고 판결하였다.

④ 취득하고자 하는 토지에 초등학교가 서 있다는 사실과, 그 건물이 학교 교사(校舍)로 사용되고 있다는 사실을 알면서도 토지를 취득한 경우, 이에 대한 권리행사로서 학교 교사의 철거를 요구하는 행위는 공공복리를 위한 사회적 기능을 무시한 것이 되고, 국민의 건전한 권리의식에 반하는 것으로서 권리남용 금지의 원칙에 위배될 수 있다.

2. 읽기 자료

소유권 행사와 권리남용[258]

258)

소유권 행사와 권리남용

081 문제 신의성실의 원칙

답변 준비 시간 10분 | 답변 시간 10분

※ 다음 제시문을 읽고, 문제에 답하시오.

(가) 토지 소유자 甲과 그 토지 위에 있는 건물 소유자 乙 사이에 분쟁이 발생하였다. 토지 소유자 甲은 토지에 대한 소유권을 행사하려고 건물주 乙에게 건물 철거를 요구하였다. 이에 乙은 甲에게 적정한 가격에 토지를 매수하겠다고 하였다. 그러나 토지 소유자 甲은 해당토지를 시가의 10배 가격으로 매수하라고 요구하면서 건물주 乙의 성의 있는 토지 매수 협의를 전혀 받아들이지 않았다.

(나) A는 자신의 소유인 땅에 2층 건물을 건축했다. 이후 측량 결과 A의 2층 건물이, 인접한 B의 토지를 0.3㎡만큼 침범해서 건축했다. 토지 소유주인 B는 자신의 땅을 침범해서 A의 건물이 지어졌으니 A의 건물을 철거하라고 요구하고 있다.

(다) C회사는 아파트를 건축하기 위해 건축부지 내에 있는 D의 토지 10평을 매입하고자 하였다. 그 요청에 대해 D는 시가가 평당 10만 원인 토지를 평당 1억 원에 팔겠다고 하였다. D의 토지를 C회사가 매수하지 않고는 아파트 건축을 할 수 없는 긴박한 사항이고, D의 토지를 매입하지 않고는 사업시행을 할 수 없는 상황이다.

Q1. 제시문 (가)의 토지 소유자 甲의 행위는 정당한가?

Q2. 제시문 (나)에서 지원자가 해당 사건의 변호사라면 이 문제를 어떻게 해결하겠는가?

Q3. 제시문 (다)의 C회사가 변호사인 지원자에게 문제 해결을 의뢰하였다면 어떻게 문제를 해결하겠는가?

Part 1 Part 2 Part 3 Part 4 Part 5 Part 6 Part 7

081 해설 신의성실의 원칙

Q1. 모범답변

토지 소유자 甲의 행위는 정당하지 않습니다. 이는 권리남용에 해당하기 때문입니다. 乙이 적정한 가격에 토지를 매수하겠다고 제안하였으나 甲이 시가의 10배 가격으로 매수를 요구했다면, 이는 터무니없는 가격을 요구하는 것임이 명백합니다. 토지 가격을 제시한 甲 자신도 乙이 10배의 가격으로 토지를 구매할 것이라고 기대하지 않을 것입니다. 이는 단지 乙에게 고통과 손해를 주려는 것일 뿐입니다. 권리행사는 사회의 공공성을 해치지 않는 범위 내에서 행사되어야 합니다. 甲의 행위는 사회적 공공성을 해치는 행위로서 권리남용입니다. 따라서 甲의 주장은 타당하지 않습니다.

Q2. 모범답변

0.3㎡에 불과한 토지를 위해 2층 건물을 철거하라는 주장은 B에게 큰 이익이 되지 않는 반면, A에게는 큰 손해가 됩니다. 또한 사회 전체적으로도 해가 발생하는 반사회적 요구입니다.[259)]

B가 철거소송을 제기해도 승소할 가능성이 없음을 알려주고, 소송을 제기하면 A와 B 모두에게 손해이므로 A가 B에게 사용료를 지불하든지 혹은 A가 B의 토지를 매수하는 방안을 제시해 A와 B의 합의를 도출하는 방법으로 이 문제를 해결하겠습니다.[260)]

Q3. 모범답변[261)]

C회사는 아파트 건축이 늦어질수록 손해가 막대해지기 때문에 빠른 문제 해결이 필요합니다. 재판을 통해 이 문제를 해결할 수도 있으나 이는 C회사의 이익에 반하므로 현실적인 해결책이 될 수 없습니다. 저는 D에게 이 경우 이른바 알박기 행위로 C회사의 궁박한 상태를 이용하여 현저히 부당한 이득을 챙기는 행위에 해당하여 부당이득[262)]죄로 처벌될 수 있음을 알릴 것입니다. 그리고 상대의 궁박한 상황을 악용한 계약은 무효이고, 이로 인해 D가 이득을 얻는다고 하더라도 이후 C회사가 부당이득반환청구를 하면 결국 부당이득을 반환할 수밖에 없음을 알릴 것입니다. 그리고 부당이득의 수준은 아니면서 개인의 이득이 될 수 있는 수준, 예를 들어 평당 50만 원 정도로 합의할 것을 유도하겠습니다.

259)

93다4366

260)
권리의 행사가 주관적으로 오직 상대방에게 고통을 주고 손해를 입히려는 데 있을 뿐 이를 행사하는 사람에게는 아무런 이익이 없고 객관적으로 사회질서에 위반된다고 볼 수 있으면 그 권리의 행사는 권리남용으로서 허용되지 아니한다고 할 것이고, 권리의 행사가 상대방에게 고통이나 손해를 주기 위한 것이라는 주관적 요건은 권리자의 정당한 이익을 결여한 권리행사로 보여지는 객관적인 사정에 의하여 추인할 수 있다. (대법원 1993.5.14. 93다4366)

261)

2004도1246

262)
부당이득(不當利得): 법률상의 원인 없이 부당하게 타인의 재산이나 노무에 의하여 재산적 이익을 얻고 이로 말미암아 타인에게 손해를 준 자에 대하여 이익의 반환을 명하는 제도로서 법률요건의 하나이다. 이러한 경우 이득자는 원칙적으로 손실을 받은 자에 대하여 이익을 반환하는 의무를 진다.

082 개념 반사회적 법률행위

1. 기본 개념

(1) 민법 제103조의 의의

제103조는 '선량한 풍속 기타 사회질서에 위반하는 사항을 내용으로 하는 법률행위는 무효로 한다'고 규정하고 있다. 행위자가 법률행위에 의해 발생시키려고 하는 법률효과인 법률행위의 목적이 강행법규를 위반하지는 않더라도 '선량한 풍속 기타 사회질서'에 위반하는 때, 즉 사회적으로 보아서 타당성을 잃고 있는 경우에는 무효라는 취지이다.

(2) 반사회적 법률행위의 효과

① 절대적 무효

선량한 풍속 기타 사회질서에 반하는 법률행위는 무효이므로 아직 급부의 이행이 없는 경우에는 그 이행을 할 필요가 없고 상대방도 급부의 이행을 청구하는 것은 허용되지 않는다. 이미 급부의 이행이 된 경우에는 불법원인급여로서 반환청구를 할 수 없다.

② 불법원인급여

민법 제746조 "불법의 원인으로 인하여 재산을 급여하거나 노무를 제공한 때에는 그 이익의 반환을 청구하지 못한다. 그러나 그 불법원인이 수익자에게만 있는 때에는 그러하지 아니하다." 제746조 본문은 불법원인으로 급여한 자는 그 반환을 청구하지 못한다는 것으로 이는 제103조와 같은 맥락에서 스스로 불법원인을 기초로 급부를 하였다면 그 원상회복에 법이 조력하지 않겠다는 이념을 표현한 것으로 제746조와 제103조는 표리관계[263)]에 해당한다. 다만 제746조 단서에 의하여 불법원인이 수익자에게만 있는 경우에는 반환을 청구할 수 있다.

③ 제746조 규정의 취지

이 규정 취지는 제103조와 함께 사법의 기본이념으로 사회적 타당성이 없는 행위를 한 사람은 형식 여하를 불문하고 스스로 한 불법행위의 무효를 주장하여 복구를 할 수 없는 법의 이상을 표현하는 것이다.[264)]

2. 읽기 자료

① 당사자 일방이 상대방에게 공무원의 직무에 관한 사항에 관하여 특별한 청탁을 하게 하고 그에 대한 보수로 돈을 지급할 것을 내용으로 한 약정은 사회질서에 반하는 무효의 계약이라고 할 것이다.[265)]

② 당사자가 도박의 자금에 제공할 목적으로 금전을 대차한 때에는 그 대차계약은 반사회질서의 법률행위로서 무효이며, 당사자가 그 무효임을 알고 추인하여도 새로운 법률행위를 한 효과도 발생하지 않는다.[266)]

③ 도박자금임을 표시한 경우뿐 아니라 표시하지 않았더라도 상대방이 이미 알고 있는 경우 그 차금행위는 무효이다.[267)] 특히 이는 동기의 불법인데, 이때 동기가 표시된 경우 외에 상대방에게 알려진 법률행위의 동기가 반사회질서적인 경우도 포함하여 민법 제103조 위반이 된다.[268)]

263) 표리관계: 물체의 겉과 속 또는 안과 밖을 통틀어 이르는 관계

264) 대법원 1992.12.11. 92다33169; 대법원 1991.3.22. 91다520

265)

71다1645

266)

72다2249

267)

72다2249

268)

2009다37251

④ 수사기관에서 참고인으로 진술하면서 자신이 잘 알지 못하는 내용에 대하여 허위의 진술을 하는 경우에 그 허위 진술행위가 범죄행위를 구성하지 않는다고 하여도 이러한 행위 자체는 국가·사회의 일반적인 도덕관념이나 국가·사회의 공공질서이익에 반하는 행위라고 볼 것이니, 그 급부의 상당성 여부를 판단할 필요없이 허위 진술의 대가로 작성된 각서에 기한 급부의 약정은 민법 제103조 소정의 반사회적 질서행위로 무효이다.[269)]

⑤ 소송에서 진실대로 증언하여 줄 것을 조건으로 어떠한 급부를 약정한 경우, 내용자체는 반사회질서적인 것이 아니라도 법률적으로 이를 강제하거나 법률행위에 반사회질서적인 조건 또는 금전적 대가가 결부됨으로써 반사회질서적 성질을 띠게 되는 경우에는 민법 제103조 위반이 된다고 보고, 진실의 증언의 대가라도 통상적으로 용인될 수 있는 정도를 초과한 급부의 약정은 무효로 본다.[270)]

⑥ 증권회사 등이 고객에 대하여 증권거래와 관련하여 발생한 손실을 보전하여 주기로 하는 약속이나 그 손실보전행위는 위험관리에 의하여 경제활동을 촉진하는 증권시장의 본질을 훼손하고 안이한 투자판단을 초래하여 가격형성의 공정을 왜곡하는 행위로서, 증권투자에 있어서의 자기책임원칙에 반하는 것이라고 할 것이므로, 정당한 사유없는 손실보전의 약속 또는 그 실행행위는 사회질서에 위반되어 무효라고 할 것이다.[271)]

⑦ 부첩관계를 맺음에 있어서 처의 사망 또는 이혼이 있을 경우에 혼인신고를 하여 입적하게 한다는 부수적 약정도 첩계약의 일부라고 볼 수 있는 것이므로 공서양속에 위반한 무효한 행위이다. 본건에 있어서 원피고 간 여사한 특약하에 부첩관계를 맺고 약 20여 년간 동거하여 자녀를 출산·양육하였다 하여도 위 특약은 그 효력이 없는 것이므로 피고가 위 특약에 위배하였음을 채무불이행 또는 불법행위라고 인정할 수 없을 것이다.[272)]

⑧ 소위 첩계약은 본처의 동의 유무를 불문하고 선량한 풍속에 반하는 사항을 내용으로 하는 법률행위로서 무효일 뿐만 아니라 위법한 행위이므로, 부첩관계에 있는 부 및 첩은 특별한 사정이 없는 한 그로 인하여 본처가 입은 정신상의 고통에 대하여 배상할 의무가 있고, 이러한 손해배상책임이 성립하기 위하여 반드시 부첩관계로 인하여 혼인관계가 파탄에 이를 필요까지는 없고, 한편 본처가 장래의 부첩관계에 대하여 동의하는 것은 그 자체가 선량한 풍속에 반하는 것으로서 무효라고 할 것이나, 기왕의 부첩관계에 대하여 용서한 때에는 그것이 손해배상청구권의 포기라고 해석되는 한 그대로의 법적 효력이 인정될 수 있다.[273)]

⑨ 영리를 목적으로 윤락행위를 하도록 권유·유인·알선 또는 강요하거나 이에 협력하는 것은 선량한 풍속 기타 사회질서에 위반되므로 그러한 행위를 하는 자가 영업상 관계있는 윤락행위를 하는 자에 대하여 가지는 채권은 계약의 형식에 관계없이 무효라고 보아야 한다.[274)]

269)

2000다71999

270)

93다40522

271)

99다30718

272)

4288민상156

273)

96므1434

274)

2004다27488

082 문제 반사회적 법률행위

답변 준비 시간 10분 | 답변 시간 10분

Q1. 甲은 乙과 도박하는 과정에서 자신의 집을 담보로 잡고 4천만 원을 빌려 노름을 했다. 이 계약은 타당한가?

Q2. 중소기업을 경영하고 있는 丙은 4대 독자이다. 혼인한 지 15년이 지나도록 아내가 출산을 하지 못하였다. 자손이 끊어질 것을 두려워한 丙은 자식을 얻기 위해 丁이라는 여성을 사귀었고, 丁이 丙의 아들을 낳아주면 아파트 한 채를 사 주기로 하는 동거계약을 맺었다. 丙은 오랜 설득 끝에 아내의 동의를 얻었다. 아파트를 사주기로 한 동거계약의 효력은 어떻게 되는가?

Q3. 위 사례에서 丙은 혼인의 상대방인 아내의 동의를 얻었다. 그렇더라도 계약의 효력이 없는가?

Q4. 증권사 직원인 A는, 증권거래를 망설이는 고객 B에게 만약 증권거래로 인한 손해가 발생한다면 증권사가 이 손해를 변상하기로 약속하였다. B는 이 약속을 믿고 증권거래를 하였으나 손해가 발생했다. 증권사는 B에게 증권거래로 인한 손해를 변상해야 하는가?

082 해설 반사회적 법률행위

Q1. 모범답변

사행성이 있는 행위는 선량한 풍속 및 기타 사회질서에 반하므로 그 계약은 무효입니다. 乙은 甲이 돈을 빌린 이유가 도박을 하기 위함임을 알고 있었기 때문에 사행성이 있는 행위를 위한 계약으로 이는 원천무효입니다.

Q2. 모범답변

동거계약은 무효입니다. 아들을 낳아주기로 하고 아파트를 사주는 계약은 선량한 풍속 및 기타 사회질서에 반하는 내용을 계약의 목적으로 하고 있으므로 우리나라 현행법상 반사회적 법률행위에 해당하여 무효입니다.

Q3. 모범답변

아내의 동의와 관계없이 선량한 풍속 및 기타 사회질서에 반하는 내용의 계약이기 때문에 원천 무효입니다. 게다가 아내는 계약의 주체도 아니기 때문에 아내의 동의는 丙의 문제이지 이 계약과는 전혀 관계가 없습니다.

Q4. 모범답변

손해를 변상하기로 한 계약이 무효이므로 증권거래로 인한 손해를 변상할 필요가 없습니다. 증권거래는 위험한 투자에 대한 이익과 손실이 자신에게 귀속되는 것으로, 위험에 대한 대가로서 발생하는 이익과 손실을 본질로 하고 있습니다. 그런데 고객 B는 이를 이미 알고 있는 상태에서 자신의 손실분을 증권사에 떠넘긴 것입니다. 그렇다면 증권거래의 본질이 훼손됩니다. 따라서 이 계약은 반사회적 법률행위이므로 무효입니다.

083 개념 미성년자와의 계약

1. 기본 개념

(1) 계약

계약이란 일정한 법률효과의 발생을 목적으로 하는 2인 이상의 당사자의 의사표시의 합치로 성립하는 법률행위이다. 계약의 조건은 다음과 같다. ① 계약은 2인 이상의 당사자가 있어야 한다. ② 당사자 간의 합의가 있어야 한다. 합의는 문서뿐 아니라 구두로도 이루어진다. ③ 1만 원 가격의 책을 살 때 책을 사고자 하는 자가 1만 원을 지급할 것을 약정함으로써 계약은 성립한다. 책을 사고자 하는 자가 1만 원을 지급하면 계약은 이행된 것이다.

(2) 미성년자의 계약

미성년자는 법정대리인의 동의를 얻어 계약을 체결할 수 있다. 만 18세의 미성년자가 혼인하면 성년으로 의제되므로 법정 대리인의 동의 없이 계약을 체결할 수 있다. 미성년자가 법정대리인의 동의 없이 체결한 계약은 일단 유효하나 미성년자나 법정대리인이 취소할 수 있다. 취소하면 소급하여 계약은 무효가 된다.

(3) 성년후견제

성년후견제는 질병, 장애, 노령 등 정신적 제약이 있는 사람들이 자신의 삶을 영위할 수 있도록 후견인을 선임할 수 있도록 도입된 제도이다. 후견인은 피후견인의 재산 관리, 의료행위, 거주지 결정 등의 신상 관련 사항에 대해서 지원할 수 있다. 성년후견제는 피후견인의 정신적 장애 상태와 구체적인 상황에 따라 크게 법정후견과 임의후견으로 나뉜다.

먼저, 법정후견은 다음과 같다. ① 성년후견의 경우, 사무처리 능력이 지속적으로 결여되는 경우로 후견인이 포괄적인 대리권, 취소권을 갖는다. ② 한정후견의 경우, 사무처리능력이 부족한 경우로 법원이 정한 범위 내에서 대리권과 동의권, 취소권까지 갖는다. ③ 특정후견의 경우, 일시적 후원이나 특정사무에 대해 법원이 정한 범위 내에서 대리권을 갖는다.

둘째, 임의후견은 장래 정신기능 약화에 대비해 스스로 후견인을 정하는 것으로 후견인의 권한을 각 계약에 따라 다르게 정한다.

2. 읽기 자료: 미성년자

미성년자는 만 19세 미만인 자이다. 미성년자가 법률행위를 하려면 원칙적으로 법정대리인(친권자, 후견인)의 동의를 얻어야 한다. 만약 미성년자가 법정대리인의 동의 없이 법률 행위를 하더라도 무효가 되는 것은 아니고 취소할 수 있다.

미성년자의 법률행위 취소는, 법정대리인뿐 아니라 미성년자도 취소할 수 있는데 그 취소는 상대방에 대한 의사표시에 의한다. 따라서 취소할 수 있는 법률행위에 의하여 취득된 권리가 이전되어 있더라도, 취소는 원래의 상대방에 대하여 하여야 하고 전득자에게 할 수는 없다.

예외는 다음과 같다.

① 권리만을 얻거나 의무만을 면하는 행위

부담 없는 증여를 받거나 채무면제의 청약에 대하여 승낙을 하거나 자기가 한 증여계약을 해제하는 등의 경우에는 법정대리인의 동의를 받을 필요 없이 미성년자가 단독으로 할 수 있다.

② 허락된 재산의 처분행위

용돈, 생활비, 학용품 구입비 등과 같이 법정대리인이 범위를 정하여 처분을 허락한 재산은 미성년자가 임의로 처분할 수 있다.[275)]

③ 허락된 영업에 관한 행위

미성년자가 법정대리인으로부터 허락을 얻은 특정한 영업에 관하여는 성년자와 동일한 행위능력이 있다. 법정대리인이 영업을 허락함에는 반드시 영업의 종류를 특정하여야 하고, 「영업에 관하여」란 영업을 하는 데 직접·간접으로 필요한 행위를 포함한다(예컨대 전자대리점의 영업을 허락하는 경우에 있어, 점포의 구입·점원의 채용·물건의 구입 및 판매 등). 그리고 허락된 영업에 관하여는 법정대리인의 대리권도 소멸한다.

④ 대리행위

대리인은 행위능력자임을 요하지 아니한다. 대리행위의 효과는 대리인이 아닌 본인에게 귀속한다는 점에서 무능력자제도의 취지에 반하지 않기 때문이다.

⑤ 유언행위

만 17세에 달한 미성년자는 유효한 유언을 단독으로 할 수 있다.

⑥ 임금의 청구와 근로계약의 체결

미성년자는 독자적으로, 즉 법정대리인의 동의를 얻을 필요 없이 임금을 청구할 수 있다.[276)] 따라서 특별한 사정을 제외하고는 법정대리인은 子를 대리하여 임금을 받을 수 없다. 그리고 친권자나 후견인은 미성년자인 子를 대리하여 근로계약을 체결할 수 없다.[277)] 따라서 미성년자인 근로자는 직접 근로계약을 체결해야 하는데, 이 경우 법정대리인의 동의를 얻어야 한다고 보는 것이 다수설이다.

⑦ 혼인한 이후의 법률 행위

미성년자라도 만 18세가 되면 부모의 동의를 얻어 혼인을 할 수 있다. 혼인을 하게 되면 성년으로 의제되므로, 혼인 이후에는 단독으로 유효한 법률 행위를 할 수 있다. 혼인 후에 미성년인 상태로 이혼을 하게 되더라도 성년 의제 효과는 유지된다. 다만 성년 의제의 효과는 민법의 영역에 제한되므로 공법이나 사회법 영역인 선거법, 청소년 보호법, 근로기준법 등 다른 법률의 영역에서는 여전히 미성년자로 취급된다.

275) 만 19세가 넘은 미성년자가 월 소득 범위 내에서 신용구매계약을 체결한 경우에 스스로 얻고 있던 소득에 대하여는 법정대리인의 묵시적 처분허락이 있었다고 보아 위 신용구매계약은 처분허락을 받은 재산범위 내의 처분행위에 해당한다. (대법원 2007.11.16. 2005다71659)

276) 근로기준법 제68조

277) 근로기준법 제67조 제1항

미성년자가 단독으로 할 수 있는 경우	미성년자가 단독으로 할 수 없는 경우
• 부담 없는 증여의 승낙 및 유증의 수락 • 증여세가 부과되는 부동산을 증여받는 행위 • 이미 증여받은 부동산에 대한 이전등기신청행위 • 저당권이 설정된 부동산을 증여받는 행위 • 담보물권의 설정 또는 보증의 취득 • 제3자를 위한 계약에서 부담 없는 수익의 의사표시 • 친권자에 대한 부양청구권의 행사 • 채무면제에 대한 승낙 • 서면에 의하지 않은 증여의 해제 • 의무만을 지는 계약(무상수치·무상수임)의 해약	• 부담부 증여를 받는 행위 • 유리한 매매계약의 체결행위 • 상속의 승인과 포기행위 • 채무의 변제를 받는 행위 • 미성년자의 채무이행을 위한 변제행위 • 채무의 면제행위 • 타인의 채무를 보증하는 행위 • 상계 • 쌍무계약[278)]의 체결 • 할부계약의 체결

278)
쌍무계약: 계약의 당사자가 상호 간에 대가적(對價的)인 의의를 갖는 채무를 부담하는 계약이 쌍무계약이다. 전형계약 중에서 매매·교환·임대차·고용·도급·조합·화해 등은 쌍무계약이다.

미성년자와의 계약

답변 준비 시간 15분 | 답변 시간 15분

Q1. 14세인 A는 B의 통신대리점에서 스마트폰을 300만 원에 구입했다. A의 어머니인 C는 이 계약을 취소할 수 있는가?

Q2. 노민호는 만 18세의 학생으로, 동갑내기 주정혜와 장래를 약속한 사이이다. 양쪽 집안은 노민호와 주정혜를 혼인시키고, 노민호의 아버지는 작은 아파트를 사 주었다. 그런데 노민호와 주정혜는 생활비가 모자라자 생활 대책에 필요한 자금을 마련하기 위해 아파트를 팔기로 하고 매매계약을 체결, 중도금까지 받았다. 이 소식을 들은 부모는 계약 상대방에게 찾아가, 노민호는 미성년자이므로 매매계약을 취소할 것을 통고하였다. 노민호의 아버지는 아파트 매매계약을 취소할 수 있는가?

Q3. 박영감의 외아들인 박달팽은 만 17세로 공부는 하지 않고 놀러 다니기만 한다. 아버지가 용돈을 주지 않자, 그는 아버지 몰래 시가 2,000만 원의 골동품을 200만 원에 팔아버렸다. 박영감은 미성년자 아들의 골동품 매매 행위를 취소할 수 있는가?

Q4. D는 16세의 고등학생인 아들이 영업사원에게 현혹되어 세계문학전집 1질을 월 10만 원씩 10개월 동안 납입하기로 하고 구입하였다는 사실을 알게 되었다. D는 아들이 구입을 결정한 시점에서 1주일 안에 반환해야 할 주소를 알아내어, "계약을 취소하니, 물건을 찾아가라."고 통지하였다. 그러나 이 통지는 주소 불명으로 반송되었다. 그 후 3개월이 지나 대금 청구서를 받았다면, 이 서적 대금을 지급해야 하는가?

Q5. 미성년자와 거래할 때에는 어떠한 점에 주의해야 하는지 제시하시오.

Q6. 우리나라는 한정치산, 금치산제도를 폐지하고 성년후견제를 도입했다. 성년후견제를 도입한 이유는 무엇인지 논하시오.

Q7. 성년후견제를 도입할 때, 예상되는 핵심적인 문제점을 제시하고 그 해결방안을 논하시오.

083 해설 미성년자와의 계약

Q1. 모범답변

미성년자인 A는 민법상 제한능력자입니다. 법정대리인의 동의 없는 미성년자의 계약은 본인 또는 법정대리인에 의해 취소할 수 있습니다. C는 A의 어머니로서 법정대리인이므로 계약을 취소할 수 있습니다.

Q2. 모범답변

노민호의 아버지는 매매계약을 취소할 수 없습니다. 미성년자일지라도 만 18세가 넘으면 혼인을 할 수 있고, 혼인을 한 경우에도 미성년자의 법률행위를 취소할 수 있게 되면 법률관계가 복잡하게 되므로 혼인 시 성년으로 의제하는 규정이 있습니다. 노민호는 미성년자이기는 하나 혼인을 한 자이기 때문에 성년으로 의제되어 단독으로 법률행위를 할 수 있습니다. 따라서 노민호의 매매계약은 유효한 계약으로 취소할 수 없습니다.

Q3. 모범답변

박영감은 박달팽의 매매계약을 취소할 수 있습니다. 미성년자는 단독으로 완전하고 유효한 법률행위를 할 수 없기 때문에 미성년자의 법률행위는 법정대리인이나 미성년자 본인도 그 법률행위를 취소할 수 있습니다. 박영감은 박달팽의 아버지로서 법정대리인이 될 수 있으므로 매매계약을 취소할 수 있습니다.

Q4. 모범답변

서적 대금을 지급하지 않아도 됩니다. 이 사안은 미성년자의 계약이라는 점과 할부거래 계약이라는 두 가지 취소권이 중첩적으로 존재합니다. 할부거래는 매도인의 주소를 알게 된 후에 일정기간 계약을 취소할 수 있는 권리를 주고 있습니다. 따라서 미성년자의 계약이므로 법정대리인 혹은 미성년자 자신이 취소를 할 수 있습니다. 또한 할부거래 계약의 경우 14일 이내에 철회 의사를 통보하면 계약의 철회가 가능합니다. 따라서 법정대리인 또는 미성년자 자신이 적법하게 취소권을 행사하여 대금지급 의무를 면할 수 있습니다.

Q5. 모범답변

미성년자임을 알고 계약을 하는 경우, 미성년자의 법정대리인의 동의를 얻은 후에 계약을 체결하여야 계약을 취소당하지 않습니다. 미성년자와 단독으로 계약을 체결하였다면 계약은 아직 완전히 유효한 것이 아니기 때문에 일정한 기간을 두고 계약을 추인할 것인지 여부를 법정대리인에게 확인하여야 합니다.

Q6. 모범답변

성년후견제는 고령화 사회를 대비하고, 자기결정권을 존중하기 위함입니다. 현재 우리나라는 고령화 사회로 변화하고 있습니다. 자신의 의사결정이 자신을 위해 심사숙고하여 이루어질 것이라는 전제하에 자기결정권이 인정되는 것인데, 고령자의 경우 질병이나 노화로 인해 자기결정권을 인정했을 때 오히려 자기 자신에게 해가 되는 경우가 늘어날 것이라 예측됩니다. 미성년자의 법률행위를 보호자가 취소할 수 있도록 한 이유는 미성년자가 자신의 선택과 결정이 가져올 책임을 명확하게 인식할 수 없기 때문입니다. 성년후견제는 고령화로 인해 성인이라 하더라도 미성년자와 마찬가지로 자신의 선택과 결정이 어떤 책임을 가져올 것인지 예측할 수 없는 상황이 올 수 있다는 전제로부터 비롯됩니다. 그렇기 때문에 성년후견제도는 정신이 온전할 때 자신의 의사로 심사숙고하여 후견인과 후견내용을 결정해두고 감독인을 정하는 것입니다. 이러한 제도를 통해 자신의 의사결정이 자기 자신에게 해가 되는 것을 실질적으로 예방할 수 있습니다.

Q7. 모범답변

후견인이 피후견인의 재산을 매각하여 피후견인을 위해 사용하지 않고 자기 자신의 이익을 위해 사용하는 등의 주인-대리인 문제가 발생할 수 있습니다. 주인-대리인 문제를 해결하기 위해서는 주인과 대리인의 이익을 같은 방향으로 인센티브화하는 방법도 있으나, 이 경우 주인에 해당하는 피후견인이 이를 행할 능력이 부재하기 때문에 적용이 불가능합니다. 그렇다면 국가가 이를 공적으로 대신해야 합니다. 따라서 법원의 주기적인 감독과 통제를 통해 문제점을 최소화할 수 있습니다. 후견인이 지정되면, 후견인은 감독법원에 주기적으로 피후견인의 재산상황을 보고하여야 합니다. 그리고 후견인이 법원이 범위를 정한 권한 범위 외의 행위를 할 때에는 반드시 감독법원의 허가를 받아야만 합니다. 후견인이 주기적 보고와 법원의 허가 없이 행위를 할 경우 감독법원이 후견인을 직권 해임하고 형사고발까지 가능하도록 하고 있기 때문에 피후견인의 권리를 지킬 수 있습니다.

084 개념 동물권

2023 건국대/아주대·2022 제주대·2021 성균관대/인하대/제주대·2020 경북대/아주대/충남대 기출

1. 기본 개념

(1) 동물권

동물권은 동물 역시 생명을 갖고 있기 때문에 인간이 인권을 가지고 있는 것과 마찬가지로 이에 비견되는 생명권을 지닌다는 것이다. 동물의 생명권으로부터 고통을 피하고 학대당하지 않을 권리를 도출할 수 있으며, 이를 동물권의 범위로 본다.

(2) 동물권의 논의

단일주의적 동물권과 계층주의적 동물권의 논의가 있다. 단일주의적 동물권은 일정수준의 기준을 통과하면 동일한 도덕적 지위를 부여하는 것이다. 피터 싱어, 톰 리건이 대표적인 학자이다. 계층주의적 동물권은 일정 기준을 통과하더라도 동물마다 다른 수준의 도덕적 지위를 부여해야 한다는 것이다. 현실적으로 논의의 대부분은 단일주의적 동물권으로 이루어지고 있다.

피터 싱어는 공리주의를 적용해 쾌락과 고통을 느낄 수 있는, 즉 쾌고감수능력이 있는 모든 개체를 지각 있는 존재라고 한다. 지각 있는 존재는 이익 혹은 관심사를 갖기 때문에 이 존재는 이익을 동등하게 고려해야 한다고 주장한다.

톰 리건은 의무론을 적용해 믿음이나 욕구, 인식, 기억, 미래에 대한 감각, 정서적인 삶, 선호 등을 달성하기 위해 행동할 능력, 연속적 정체성을 가진 모든 생명을 삶의 주체로 정의한다. 모든 삶의 주체는 내재적 가치가 있고 이에 따라 도덕적 권리가 있다고 주장한다. 도덕적으로 옳은 행동은 삶의 주체의 권리를 존중하는 행동이다.

2. 읽기 자료

피터 싱어, <동물해방>, 연암서가

임종식, <동물권 논쟁>, 경진출판

동물의 비물건화[279]

279)

동물의 비물건화

084 문제 동물권

답변 준비 시간 20분 | 답변 시간 20분

※ 다음 제시문과 QR코드를 촬영하면 연결되는 제시문을 읽고, 문제에 답하시오.

<제시문 1>

새롭게 발의된 민법 개정안에서 민법 98조의2 제1항이 신설되었다. 그 내용은 "동물은 물건이 아니다"라는 것이다. 동물을 물건으로 봄으로써 나타나는 사회적 부작용이 있다. 그 대표적인 예로, 반려동물이 타인에 의해 다치거나 살해당할 경우, 반려동물의 주인이 입게 되는 정신적 피해 보상은 받을 수 없었다. 그리고 98조의2 제2항에서는 "동물에 대해서는 법률에 특별한 규정이 있는 경우를 제외하고는 물건에 관한 규정을 준용한다."고 정하고 있다.

민법 98조 개정

<제시문 2>

종차별주의에 따르면, 어떤 개체가 도덕적으로 특별한 지위를 갖는 것은 그 개체가 인격체이거나 또는 인격종에 속하기 때문이다. 인간은 합리성, 언어 및 도구 사용, 도덕성을 지니고 있기 때문에 동물과 차별된다. 종차별주의에 따르면, 인간은 이성을 갖고 언어를 통해 타인과 소통하기 때문에 도덕의 기원은 타인이 내게 고통을 주지 않는 한 자신도 고통을 주지 않겠다고 약속한 것, 즉 계약 때문이다.

<제시문 3>

싱어는 어떤 존재가 도덕적 고려대상에 포함되는 지를 판별하는 유일한 기준은 고통과 쾌락을 느낄 수 있는 능력, 즉 쾌고감수능력(sentience)이라고 말한다. 쾌고감수능력은 이익을 갖기 위한 전제조건이며, 이익평등원칙을 쾌고감수능력을 지닌 동물에까지 확대해야 한다고 주장한다. 다만, 싱어에 따르면 이 쾌고감수능력에서 정도의 차이는 있다. 싱어는 쾌고감수능력을 도덕적 고려대상을 판별하는 유일한 기준으로 삼고, 이 능력을 지닌 동물들의 고통을 인간의 고통과 동등하게 고려해야 한다는 이익 평등 이론을 주장했다.

<제시문 4>

톰 리건은 의무론을 적용해 모든 삶의 주체는 내재적 가치가 있고 이에 따라 도덕적 권리가 있다고 주장한다. 그리고 정상적인 1세 이상의 포유동물은 모두 삶의 주체에 해당한다. 도덕적으로 옳은 행동은 삶의 주체의 권리를 존중하는 행동이다. 삶의 주체 기준은 믿음과 욕구, 지각력, 기억력, 미래에 대한 의식, 감정적인 삶, 선호와 복지 관련 이익, 자신의 욕구와 목적을 추구하기 위해 행동하는 능력 등을 충족하는 것이다. 삶의 주체는 도덕적 권리를 갖고 그에 상응하는 의무를 갖는다.

<사례>

배에 사고가 나서 평범한 사람 4명과 개 1마리가 구명보트로 옮겨 탔다. 그러나 보트의 정원이 초과되어 한 개체를 바다로 던져야 한다. 만약 그렇지 않으면 모두 죽을 수밖에 없다.

Q1. <제시문 1>의 민법 개정안은 동물에게 인간과 같은 법적 권리를 부여하겠다는 것이다. 어떤 근거로 법적 권리를 부여할 수 있는가?

Q2. <제시문 1>의 민법 개정안 98조의2 제1항에 대하여 <제시문 2>의 종차별주의 관점에서 평가하시오.

Q3. <제시문 2>의 종차별주의 이론의 논리적 또는 내재적 한계를 제시하시오.

Q4. <제시문 3>의 피터 싱어의 입장에서 <제시문 1>의 민법 개정안 제98조의2 제2항에 특별규정을 두는 것이 필요한지 여부를 설명하시오.

Q5. <사례>의 상황에서 <제시문 3>의 싱어는 어떻게 할 것인지 답하고 이를 논증하시오. 만약 개를 던지는 선택을 한다면, 그것이 <제시문 2>의 종차별이 아님을 함께 논하시오.

Q6. <사례>의 상황에서 <제시문 4>의 리건은 어떻게 할 것인지 답하고 이를 논증하시오. 만약 개를 던지는 선택을 한다면, 그것이 <제시문 2>의 종차별이 아님을 함께 논하시오.

084 해설 동물권

Q1. 모범답변

동물의 공동체 구성원으로서 가치를 인정할 수 있기 때문에 동물에게 인간과 같은 법적 권리를 부여할 수 있습니다. 공동체는 공공선을 추구하며 각 구성원의 이해관계를 보호하고 조정해야 합니다. 이 과정에서 공동체는 법적 권리를 통해 공동체 구성원이 지닌 가치를 보호합니다. 우리 공동체는 단지 인간 단일종으로만 이루어진 것이 아니라 다양한 비인간 동물들과 서로 얽혀있는 다종 공동체입니다. 다양한 동물들의 운명에 문제가 발생한다면 이는 그것에서 끝나지 않고 인간종에까지 영향을 주게 됩니다. 동물 역시 공동체의 구성원으로서 지니는 성원권을 부여할 수 있습니다. 따라서 동물에게 정치적 의제를 형성하고 사회적 법조항을 적용받는 것에 대한 이해관계를 지닐 수 있음을 인정하는 법적 권리를 부여할 수 있습니다.

물론 이에 대해 동물은 법적 의무를 질 능력이 없기 때문에 동물에 대한 법적 권리를 부여할 수 없다는 반론이 제기될 수 있습니다. 그러나 유아나 중증 장애인의 경우 법적 인격을 인정받지만 법적인 의무를 지지 않습니다. 유아나 중증 장애인은 생물학적으로 인간이라는 범주에 속하며 잠재적으로 법적 의무를 질 수 있는 능력이 있기 때문에 법적 권리를 인정받습니다. 이와 마찬가지로 지각이 있는 동물 역시 법적 의무를 질 능력이 없다고 하더라도 법적 권리를 부여받을 수 있습니다. 따라서 이 반론은 타당하지 않습니다.

Q2. 모범답변

<제시문 2>의 종차별주의의 관점에 따르면, <제시문 1>의 민법 개정안은 타당하지 않습니다. 인간 외의 동물은 도덕성이 없기 때문입니다. <제시문 2>에 의하면, 인간은 다른 동물과 달리 합리성, 언어와 도구의 사용, 도덕성이 있기 때문에 인간의 종 이익을 위해 동물을 다르게 대우할 수 있습니다. 특히 이 중 계약론에 따르면 타인에게 고통을 주지 않는 한 자신도 고통을 주지 않겠다고 합의한 것으로부터 도덕성이 발생합니다. 인간은 이러한 도덕성이 있으나, 인간 외의 동물은 도덕성이 없으므로 계약의 대상이 될 수 없습니다. 동물은 타인에게 고통을 주지 않는 한 자신도 고통을 주지 않겠다고 합의할 수 없습니다. 합의를 이해할 수 있는 이성적 판단 능력이 존재하지 않으므로 도덕성도 존재하지 않는 것입니다.

Q3. 모범답변

종차별주의 이론의 한계는, 동물과 인간의 차이가 크지 않다는 점과 인간 간의 차별을 정당화할 수 있다는 점입니다.

먼저, 종차별주의는 인간과 동물의 근본적인 차이가 있다고 하나 이는 타당하지 않습니다. 우리가 일반적으로 인간 고유의 특성으로 알고 있는 것들은 사실 동물과 정도의 차이에 불과한 경우가 많습니다. 예를 들어, 종차별주의에 의하면 인간은 도구를 사용하고 도구를 만들어내는 반면, 동물은 그렇지 못하기 때문에 인간이 동물과 다르다고 합니다. 그러나 침팬지 등의 동물도 먹이를 잡는 도구를 만들어 사용하고 있으며, 인간의 도구와 비교할 때 정도의 차이가 있을 뿐입니다. 결국 종차별주의는 동물과 인간의 차이를 지능, 도구 사용, 언어 등에서 근본적인 차이가 있다고 보는 것인데, 이는 정도의 차이에 불과할 뿐이지 근본적인 차이라 할 수 없습니다.

둘째, 종차별주의는 인간 간의 차별을 정당화할 수 있다는 점에서 한계가 있습니다. 예를 들어 인종차별의 경우 우생학과 같이 인종 간의 지능 차이를 이유로 하였습니다. 지능은 인종에 따른 평균적 차이에 불과할 뿐이고 각기 다른 개인을 차별할 수 있는 객관적 이유가 아닙니다. 이는 성차별의 경우도 마찬가지입니다. 이처럼 사실적 차이에 근거한 차별은 인정할 수 없습니다. 이를 인정한다면 인간의 특정한 능력이나 상태라는 사실을 통해 도덕적으로 추론할 수 있는 것은 없습니다. 그렇다면 종차별주의는 인간 중심의 사고일 뿐이며, 인간과 동물의 차이가 존재하기는 하나 사실적 차이가 도덕적 근거는 아니기 때문에 이를 이유로 동물을 불평등하게 대우하는 것은 타당하지 않습니다. 만약 종차별주의의 관점에서 동물을 지능이나 도구, 도덕성의 차이로 차별한다면 인간 역시 이 차이에 의해 차별할 수 있다는 것이 됩니다. 따라서 종차별주의는 인간 간의 차별을 정당화할 수 있다는 점에서 한계가 있습니다.

Q4. 모범답변

<제시문 3>의 입장에서 민법 개정안에 특별규정을 두는 것은 필요합니다. 피터 싱어는 쾌고감수능력을 가진 존재는 정도의 차이는 있으나 이익은 평등하게 고려되어야 한다고 주장합니다. 특별 규정을 통해 이익을 평등하게 고려할 수 있도록 해야 하는데, 이는 인간의 단순하고 적은 쾌락을 위해 동물에게 극심한 고통을 줄 수 있기 때문입니다. 예를 들어, 인간이 강아지가 귀여워 보여서, 키워 보고 싶은 호기심 때문에 다수의 수요가 발생할 수 있습니다. 이 수요를 충족시키고자 강아지를 공장식으로 강제교배, 임신, 출산하도록 하고 소비자가 원하지 않는 외모의 강아지는 죽임을 당하는 등 반려동물의 생명이 위협당하고 큰 고통을 주고 있습니다. 따라서 특별규정을 두어 인간의 생명에 직접적으로 관련되는 동물실험 외의 미용 등의 목적을 위한 동물실험을 금지하고, 분양을 위한 반려동물의 강제교배 등을 금지하는 규정을 두어야 합니다.

Q5. 모범답변

싱어에 따르면 개를 던지는 선택을 할 것입니다. 싱어의 공리주의에 따르면 인간과 개는 모두 쾌고감수능력과 지각이 있는 존재로 이들의 이익은 종과 관계없이 동등합니다. 그러나 인간은 개에 비해서 상대적으로 미래를 계획할 능력과 이를 실현할 능력이 더 뛰어나므로 추가적 이익이 있습니다.

평범한 인간 4명과 개가 있는 현재 상황에서 개를 던지는 결정은 종차별이 아니라 이익의 총량을 계산한 결과입니다. 만약 인간 중 한 명이 회복 불가능한 뇌 손상을 입어 이성적 능력이 심각하게 훼손되었다면 개 대신 그 사람을 던지는 것이 더 이익이 있습니다. 그러나 이 상황은 모두 평범한 이성적 능력이 있는 사람들이므로 개를 던질 수밖에 없습니다.

Q6. 모범답변

리건에 따르면, 개를 던지는 선택을 할 것입니다. 리건의 의무론에 따르면 인간과 개는 모두 삶의 주체이고 이들의 내재적 가치는 동등합니다. 그러나 삶의 주체로서 인간은 개에 비해 미래를 계획할 능력이 더 뛰어나고 더 많은 권리와 의무를 갖습니다. 인간의 죽음은 개의 죽음보다 더 큰 위해를 끼치게 되는 것입니다. 따라서 인간 대신 개를 던지는 결정을 하게 됩니다. 이 결정은 종차별이 아니라 삶의 주체로서 가지는 권리 때문입니다. 만약 인간 중 한 명이 회복 불가능한 뇌손상을 입어서 인지능력을 상실했다면 개를 던지는 대신 인지능력이 없는 자를 던지게 될 것입니다. 따라서 이 결정은 종차별이 아닙니다.

085 개념 동물실험

1. 기본 개념

(1) 동물실험

실험동물에 관한 법률에서 동물실험을 규정하고 있다. 동물실험이란 교육·시험·연구 및 생물학적 제제(製劑)의 생산 등 과학적 목적을 위하여 실험동물을 대상으로 실시하는 실험 또는 그 과학적 절차를 말한다. 그리고 실험동물이란 동물실험을 목적으로 사용 또는 사육되는 척추동물을 말한다.

(2) 동물실험의 윤리적 기준

동물실험의 윤리적 기준은 다양하지만, 3R 원칙을 기반으로 한다.

① 대체(Replacement): 되도록 동물실험이 아닌 다른 방법을 써라.

② 감소(Reduction): 실험에 사용되는 동물의 숫자를 최대한 줄여라.

③ 개선(Refinement): 동물이 사육되는 환경이나 실험 조건을 최대한 개선하라.

(3) 동물실험 규제

우리나라에서 실험에 사용된 동물은 2022년을 기준으로 약 499만 마리에 달한다. 전 세계적으로는 연간 약 2억 마리의 동물이 실험에 사용되고 있는 것으로 추정된다. 동물실험에 사용되는 동물은 쥐, 돼지, 영장류 등인데 이들도 고통을 인지할 수 있다는 점에서 윤리적인 문제가 제기되고 있다.

유럽은 2013년에 화장품 동물실험을 금지했다. 미국 FDA는 2022년 동물실험 없이도 의약품 허가를 신청할 수 있도록 했고, 미국은 2036년에 동물실험을 전면금지할 예정이다.

동물실험을 금지할 경우, 동물대체시험법이 사용될 것이라 예측된다. 이는 인체의 장기나 조직을 모사한 오가노이드(인공 장기) 활용, 고통을 인지하지 못해 윤리적 문제가 없는 물벼룩, 제브라피시 등을 활용한 대체독성연구가 대표적이다.

2. 읽기 자료

동물권 담론[280)]

동물권 논쟁[281)]

동물권 생명윤리[282)]

280)

동물권 담론

281)

동물권 논쟁

282)

동물권 생명윤리

085 문제 동물실험

답변 준비 시간 20분 | 답변 시간 10분

※ 다음 제시문을 읽고, 문제에 답하시오.

(가) 싱어는 어떤 존재가 도덕적 고려대상에 포함되는 지를 판별하는 유일한 기준은 고통과 쾌락을 느낄 수 있는 능력, 즉 쾌고감수능력(sentience)이라고 말한다. 쾌고감수능력은 이익을 갖기 위한 전제조건이며, 이익평등원칙을 쾌고감수능력을 지닌 동물에까지 확대해야 한다고 주장한다. 다만, 싱어에 따르면 이 쾌고감수능력에서 정도의 차이는 있다. 싱어는 쾌고감수능력을 도덕적 고려 대상을 판별하는 유일한 기준으로 삼고, 이 능력을 지닌 동물들의 고통을 인간의 고통과 동등하게 고려해야 한다는 이익 평등 이론을 주장했다.

(나) 톰 리건은 의무론을 적용해 모든 삶의 주체는 내재적 가치가 있고 이에 따라 도덕적 권리가 있다고 주장한다. 그리고 정상적인 1세 이상의 포유동물은 모두 삶의 주체에 해당한다. 도덕적으로 옳은 행동은 삶의 주체의 권리를 존중하는 행동이다. 삶의 주체 기준은 믿음과 욕구, 지각력, 기억력, 미래에 대한 의식, 감정적인 삶, 선호와 복지 관련 이익, 자신의 욕구와 목적을 추구하기 위해 행동하는 능력 등을 충족하는 것이다. 삶의 주체는 도덕적 권리를 갖고 그에 상응하는 의무를 갖는다.

<사례>

인간과 개에게 공통으로 감염되는 바이러스가 창궐했다. 백신이 개발되지 않으면 인간과 개 모두가 전멸할 상황이다. 인간이나 개를 대상으로 동물실험을 하면 백신 개발 속도가 빨라질 수 있고 그 외의 대안은 없다.

Q1. 제시문 (가)의 입장에 따라 화장품 개발을 위한 동물실험을 금지해야 한다는 결론을 논증하시오.

Q2. 제시문 (나)의 입장에 따라 화장품 개발을 위한 동물실험을 금지해야 한다는 결론을 논증하시오.

Q3. 제시문 (가)의 입장에 따르면 <사례>의 상황에서 어떻게 할 것인지 논하시오.

Q4. 제시문 (나)의 입장에 따르면 <사례>의 상황에서 어떻게 할 것인지 논하시오. 단, 이것이 일반적인 동물실험과 다른 이유를 반영하시오.

085 해설 동물실험

Q1. 모범답변

싱어는 공리주의에 따라 인간과 동물 모두 이익을 동등하게 계산해야 한다고 주장합니다. 이에 따르면 화장품 개발 시 동물실험은 상대적으로 사소한 인간의 이익을 위해 상대적으로 많은 수의 동물에게 더 큰 고통을 가하는 것입니다. 화장품 개발로 인한 이익은 소수의 인간에게 발진이나 트러블, 더 좋은 발림성이나 색깔 등의 미용적 이익이 있다는 것입니다. 그러나 화장품 개발 시 동물실험은 수많은 실험동물의 생명을 잃거나 피부에 고통을 지속적으로 당하는 등의 큰 고통이 많은 개체에 발생하게 됩니다. 따라서 이익의 측면에서 금지하는 것이 도덕적으로 타당합니다.

Q2. 모범답변

리건은 의무론에 따라 삶의 주체는 도덕적으로 존중받을 권리가 동등하게 있다고 주장합니다. 이에 따르면 화장품 실험 시 동물실험은 삶의 주체로서의 기준을 충족하는 1세 이상의 포유동물을 대상으로 하는 것입니다. 이는 동물을 존중하는 것이라 할 수 없고, 단지 인간의 편의, 미용 등의 목적을 위해 동물을 수단으로 대하는 것입니다. 따라서 동물의 도덕적 권리를 침해하므로 화장품 개발을 위한 동물실험을 금지해야 합니다.

Q3. 모범답변

싱어의 공리주의에 따르면, 동물실험을 해야 합니다. 백신 개발을 할 경우, 인간과 개의 죽음 혹은 고통을 막을 가능성이 충분히 높아 이익이 매우 크고 이익을 증진시킬 대안이 없기 때문입니다. 그러나 실험동물의 고통을 줄이기 위해 할 수 있는 모든 가능한 방법을 동원해야만 할 것입니다.

Q4. 모범답변

리건의 의무론에 따르면, 동물실험을 해야 합니다. 백신 개발을 하지 않으면 모든 인간과 개가 죽을 것입니다. 인간이 백신과 관련한 동물실험을 하지 않는다고 하더라도 모든 개는 죽을 수밖에 없습니다. 이는 일반적인 동물실험과 명백하게 다른 상황입니다. 일반적인 동물실험은 강압적으로 인간이 동물을 잡아 와서 고통을 주고 생명을 해치는 것이지만, <사례>의 상황은 동물실험을 하지 않았더라면 살 수 있었던 동물에 관한 것이 아닙니다. 결국 권리의 침해가 발생하는 것은 아닙니다. 따라서 인간이 실험을 하지 않더라도 모두 죽을 수밖에 없는 것이 <사례>의 상황이기 때문에 이 경우 동물실험을 허용할 수 있습니다.

Chapter 05 형법

1. 형법의 의의

형법은 범죄행위라는 법률요건을 확정하고 그 범죄행위에 대하여 형사제재라는 법률효과를 부여하는 법규범의 총체이다. 형법은 범죄와 형벌에 관한 법규범이기 때문에 형벌을 중심으로 하여 형벌법이라 하고, 또 범죄를 중심으로 하여 범죄법이라고도 할 수 있다.

범죄와 형벌의 내용은 시대와 장소에 따라 다르지만 응보로부터 예방으로 발전하여 왔다. 사회방위를 중시하는 오늘날의 형법이론에서는 형법의 개념에 과거의 범죄에 대한 제재로서의 형벌뿐만 아니라 장래의 범죄를 예방하기 위한 예방적 조치로서 보안처분[283)]을 함께 규정하게 되었다.

2. 형법의 기능

(1) 보호적 기능

잠재적 범죄자에 대하여 형사제재로 위하(威嚇)[284)]함으로써 범죄를 저지르지 못하도록 하여 일반 국민을 범죄로부터 보호한다.

(2) 보장적 기능

형법은 국가로 하여금 법률에 의한 범죄와 형벌규정에 근거하여서만 국민에게 형벌권을 행사하게 한다. 형법은 일반 국민이 국가권력의 자의적인 전횡으로부터 자신의 권리를 침해당하지 않도록 보장하는 기능을 한다.

3. 형벌의 정당화 이론

(1) 응보론

형벌은 어떤 목적에 대한 수단으로서 부과되는 것이 아니라 자기목적적으로, 즉 악에 대한 악으로서 부과된다는 견해이다. 이는 고대의 형벌관에 잘 드러나 있는데 함무라비 법전에서 눈에는 눈, 이에는 이라고 규정한 것이 대표적인 사례이다.

(2) 일반예방론

범죄인에게 형벌을 가함으로써 일반인이 위하되어 범죄로 나아가지 못하게 하기 위하여 부과되는 것이라고 한다. 즉 범죄를 저지른 범죄인에게 형벌이 부과되는 것을 일반인이 인식함으로써 이에 대해 공포심을 갖게 되어 일반인이 범죄를 저지를 범죄의지를 갖지 못하도록 하는 기능을 하는 것이다.

283)
보안처분: 범죄를 실제로 행한 자 중에서 재범의 위험성이 있는 특정한 행위자 유형에 대해 형벌을 보충하거나 대체하여 과해지는 형사제재

284)
위하(威嚇): 힘으로 으르고 협박함

(3) 특별예방론

형벌의 목적은 범죄자 자신이 장래를 향하여 다시 범죄를 저지르지 않는 삶을 영위하도록 하기 위하여 부과된다는 사상이다.

4. 형사사법의 원칙

(1) 인도주의 원칙

범죄자도 인간이라는 기본전제에서 출발하는 원칙이다. 형벌의 부과나 집행에 있어서 피의자나 피고인의 인격을 존중하여, 이들을 인간 이하로 대해서는 안 되며 인간으로서 존중할 것을 요구한다. 또한 범죄자도 범죄의 책임을 다하고 난 이후에는 사회로 복귀하여 사회 안에서 삶을 영위하게 된다는 것을 전제로 형사사법을 행할 것을 요구하게 된다.

(2) 법치국가 원칙

국가권력의 전횡으로부터 시민사회의 자율성을 확보하고자 정립한 원칙으로, 시민의 권리와 자유의 보장책이다. 국가형벌권의 행사는 국민의 대표인 의회가 정한 법률에 의해서만 가능하다는 것을 그 내용으로 한다. 죄형법정주의의 원칙이라고도 한다.

(3) 책임의 원칙

책임의 원칙은 책임 없는 형벌 없다는 말로 요약할 수 있다. 책임이란 개인적 귀책에 근거한 비난 가능성을 말한다. 따라서 결과가 발생했다고 하더라도 그 결과가 행위자에게 귀책되지 않는 경우에는 책임을 물을 수 없다. 또한 결과가 귀책된다고 하더라도 비난 가능성이 없는 경우에는 형벌을 가하지 않는다. 책임원칙은 책임 없이 형벌 없다는 원칙 아래 그 부수적 원칙으로서, 책임과 불법은 일치해야 한다는 것과 행위 시에 책임능력이 있어야 한다는 것을 요청한다. 그러나 책임원칙은 책임이 있다고 하여 반드시 처벌해야 한다는 필벌주의(必罰主義)를 의미하지는 않는다.

5. 형법의 용어 설명

(1) 예비·음모

범죄의 실행에 착수하기 전에 단계의 단순한 준비행위나 모의 행위를 예비·음모라고 한다. 살인·강도·내란 등의 중대범죄에 대해서만 예외적으로 인정된다. 형벌은 미수와 기수에 비해 가볍다.

(2) 미수

범죄의 실행에 착수하였으나 실행 행위를 종료하지 못한 경우, 또는 그 행위를 종료하였다고 하더라도 결과가 발생하지 않는 경우를 '미수'라 한다. 기수에 비해 형이 감경된다.

(3) 고의범과 과실범

고의란 범죄의 인식을 가지고 한 범죄이고, 과실범은 범죄인식과 의사가 없는 경우이다. 범죄는 고의범을 뜻하고, 과실행위는 과실치상죄, 과실치사죄, 실화죄 등과 같이 중요한 범죄에 한해 처벌된다. 예를 들면, 절도죄와 손괴죄는 고의범인 경우만 처벌되고, 과실인 경우에는 처벌되지 않는다. 과실인 경우 형사책임은 지지 않으나 민사상 손해배상책임은 진다.

(4) 교사와 방조

교사(敎唆)는 다른 사람에게 범죄의 실행의 결의를 생기게 하는 행위이고, 방조(傍助)는 범행을 한다는 사실을 알면서 실행행위를 용이케 해주는 행위이다.

(5) 용의자

범죄를 저질렀다고 의심되는 자를 광범위하게 지칭하는 단어이다.

(6) 피의자

죄를 범한 혐의로 수사기관의 수사대상이 되어 있는 자로서 특히 공소가 제기되지 않은 자를 뜻하는 단어이다.

(7) 피고인

형사사건에 관하여 형사책임을 져야 할 자로 공소가 제기된 자를 뜻한다.

(8) 수형자

형이 확정되어 교도소에서 구금을 통해 형벌의 집행을 받는 자로, 형이 확정되기 전 구속영장의 집행에 의해 구금된 미결수용자와는 구별되는 개념이다.

(9) 양형

형사재판에서 형벌의 종류와 형량을 정하는 과정을 말한다. 대법원 산하 양형위원회는 양형의 기준을 제시한다. 그러나 양형위원회 양형기준은 법적 구속력이 없다.

(10) 불심검문

경찰관은 거동이 수상하거나 주변 사정으로 미루어 판단할 때에 범죄 행위자로 의심되는 상당한 이유가 있거나, 일정한 범죄 행위에 대해 알고 있다고 생각되는 자를 정지시켜 행선지나 용건, 성명, 주소, 연령 등을 물어 볼 수 있다.

(11) 임의동행

경찰관이 경찰서에 임의동행을 요구한 경우, 상대방은 거부할 수 있고, 임의동행을 한 경우에도 경찰관서에서 나올 수 있다.

086 개념 응보와 교화

2020 인하대·2019 중앙대 기출

1. 기본 개념

(1) 의의

형벌의 목적은 '형벌이 추구하는 그 무엇'을 의미하며, 이것은 또한 형벌의 정당화 근거이다. 형벌의 목적에 해당하는 책임과 예방과의 상호관계는 형의 양정이나 교정이념에 관한 기초로 논의된 것이 아니라 국가 형벌권과 형법의 정당화 근거에 관하여 논의된 것이다.

우리나라에서는 특히 반인륜적 범죄와 같이 모든 국민들의 관심을 끄는 어떤 파격적인 사건이 발생할 때마다 언론매체를 중심으로 범인을 엄중히 처벌하여 유사범죄가 다시는 일어나지 않도록 해야 한다는 여론이 주류를 이루어 왔다. 형벌의 목적과 기능에 관하여 형벌은 장래의 범죄를 예방하기 위해 존재한다는 것이 현재 형법학자들의 한결같은 주장이다. 논의의 핵심은 형벌에는 (인과)응보의 목적이 존재하는가, 아니면 전적으로 예방의 목적으로만 이루어지는가에 있다.

(2) 응보와 교화에 관한 형법이론

형벌의 본질 혹은 목적에 관한 이론은 크게 절대형주의(응보형주의)와 상대형주의(목적형주의)로 나누어진다. 사실 형벌의 본질 내지 목적이 무엇인가에 관하여는 오랫동안 논쟁되어 왔다. 범죄에 대하여 형벌을 과하는 목적, 즉 형벌의 본질에 관한 문제로서의 형벌이론인 것이다. 그런데 형벌이론은 보통 그 파생적 이론에 의하여 여러 가지로 설명되어지는데, 그 본질·목적에 따라 절대형주의(응보형주의)와 상대형주의(목적형주의)에 통합되는 것이 합리적이라 생각된다.

절대적 형벌이론은 물론 형벌을 유책한 범죄행위에 대한 응보라는 기본적 구도를 가지고 있지만, 응보의 방법에 따라, 형벌은 어떤 목적과도 관계없는 '정의의 명령'이라는 입장(칸트의 정의설)과 형벌을 '침해(타인의 법익에 대한 침해로서의 범죄)의 침해'이며, '부정(형법에 대한 부정으로서 범죄)에 대한 부정'이라는 입장(헤겔의 이성적 응보설)으로 나뉜다. 상대적 형벌이론은 형벌을 '일반인에 대한 겁주기'로 이해하는 '일반예방이론'과 '범죄자에 대한 영향력 행사'로 보는 '특별예방이론'으로 구분되고, 전자는 다시 형벌의 목적을 일반인, 잠재적 범죄인에 대한 위하에 의한 범죄예방에 있다고 보는 '소극적 일반예방'과 일반인의 규범의식을 강화시켜 법질서를 준수하게 하는 '적극적 일반예방'으로 나뉜다. 특별예방이론은 '형벌을 통해 범죄자를 교화함으로써 출소 후에 재범을 하지 않도록 하거나 교화가 불가능한 범죄자는 사회로부터 격리시켜 일반인을 보호하는 것'을 내용으로 한다는 것을 말한다. 합일적 형벌이론은 절대적 형벌이론의 한계와 상대적 형벌이론의 한계를 인식하여, 양자의 장점을 결합시킨 이론이다.

(3) 형벌의 역사성

형벌의 목적이 다양하게 논의되거나 논의되었던 이유는, 형벌의 목적이 한 시대를 초월하여 절대적으로 존재하지 않았다는 데 있다. 즉 형벌의 목적은 '역사적'이고 '현실관련적'이라는 것이다. 가령 전제군주의 자의적 형벌권의 남용으로 시민의 자유가 침해되었던 근대의 계몽주의가 출현하기 이전 시대에는, ㅡ오늘날 형벌 가운데 가장 비인도적인 형벌로 평가받아 제거의 대상까지 인식되기도 하였던ㅡ 응보형은 매우 '인간적'인 형벌이었을 것이다. 왜냐하면 전제군주의 자의로 책임 이상 처벌하는 것을 허용하는 국가형벌전단주의에 대해, 응보형은 '더도 덜도 아닌 언제나 책임의 정도에 꼭 들어맞는 형벌을 과할 것'을 내용으로 한다는 점에서, 적어도 행위자가 책임 이상 처벌되지 않도록 해 주는 '범죄인의 최소한의 자유보장책'이기 때문이다.

(4) 형벌의 상대성

이로부터 알 수 있는 것은, 형벌의 목적은 절대적인 것이 아니라 시대에 따라 변화해 왔다는 점이다. 이것은 형벌의 목적이 해당 국가의 문화상황과 깊은 관련을 맺고 있음을 의미하며, 따라서 단순히 현재 논의되고 있는 형벌 목적에 대한 검토만으로는 어느 것이 타당한지의 여부를 알 수 없다. 국가가 범죄자에게 형벌을 부과하는 이유는 넓게는 '국민과 국가의 관계'에 대한 이해로부터 이끌어낼 수 있으며, 따라서 이에 대한 근본적인 이해는 우리 헌법 제10조에 규정된 '인간존엄'에 귀결할 것이다. 결국 이렇게 볼 때 '인간 존엄'과 그로부터 유래하는 '헌법상 인간상'에 의해 규정될 수 있는 형벌의 목적만이, 그 정당성을 보장받을 수 있을 것이다.

2. 읽기 자료

형벌 목적과 행형 목적[285)]
형법의 목적[286)]
형벌 목적의 딜레마[287)]

285)

형벌 목적과 행형 목적

286)

형법의 목적

287)

형벌 목적의 딜레마

086 문제 응보와 교화

답변 준비 시간 10분 | 답변 시간 10분

※ 다음 제시문을 읽고, 문제에 답하시오.

이창동 감독의 영화, '밀양'은 다음과 같은 내용이다.

신애는 남편이 죽은 후에 아들을 데리고 남편의 고향인 밀양으로 내려온다. 남편이 밀양에서 살고 싶다고 한 말을 기억하며 신애는 서울과는 많이 다른 낯선 밀양에서 새로운 삶을 시작하고, 피아노 학원을 경영하며 생계를 유지한다. 남편과의 유일한 열매이고 추억인 아들을 양육하는 일에 전력을 쏟고 아이가 쑥스러움을 많이 타자, 웅변 학원에 보낸다. 그러던 어느 날 아들이 집에 돌아오질 않는다. 전전긍긍하는 가운데 아들을 유괴한 범인의 전화를 받게 된다. 결국 아들은 죽게 되는데, 나중에 알게 된 아들의 살인범은 웅변학원 원장이었다.

신애는 주변 사람들의 권유로 교회에 다니기 시작한다. 그렇게 시작된 신앙생활로 결국 신애는 유괴범을 용서하려는 마음을 갖게 된다. 그리고 힘들게 고민한 후에, 교도소로 찾아가 그 살인범 앞에서 그토록 오랜 시간 힘들게 결정했던 용서의 고백을 한다. 하지만 살인범은 너무나 평온한 얼굴로 말을 한다.

"저는 주님의 은총으로 평안합니다. 여기 와서 하나님을 믿게 되어 얼마나 다행인지 모릅니다. 벌써 이전에 저의 죄는 하나님께 용서받았습니다. 저의 죄는 눈 녹듯이 사라졌습니다. 이제 평안합니다."

이 장면에서 신애는 큰 고통을 느끼는 것으로 보이나, 오히려 살인범의 표정은 너무 평화롭게 비춰진다. 결국 신애는 타락하게 되고, 자살을 기도하다 정신병원에 입원하게 된다.

Q1. 유괴범인 웅변학원 원장이 진정으로 반성하여 교화가 이루어졌다고 하자. 진정으로 반성하여 교화된 범죄자에 대해 형벌을 부과해야 하는지 여부에 대한 자신의 견해를 논리적으로 답변하시오.

Q2. 자신이 선택한 입장에 대해 예상되는 반론을 제시하고, 이에 대해 재반론하시오.

086 해설 응보와 교화

Q1. 모범답변

범죄자가 진정으로 반성했다고 하더라도 형벌은 부과되어야 합니다.

먼저, 종교적 용서와 사회적 용서는 다른 것이기 때문에 형벌을 부과해야 합니다. 종교적 용서는 신자(信者)의 내심에 신(神)이 용서로 응답하는 것인 반면, 사회적 용서는 범죄자의 진정한 반성과 피해자의 용서로 성립하기 때문입니다. 제시문의 범죄자는 자신의 반성과 하나님의 용서로 죄가 소멸했다고 믿고 있습니다. 그러나 범죄의 피해자인 신애는 이에 분노하고 좌절합니다. 종교적 용서는 범죄자의 진심 어린 반성과 신의 용서로 이루어집니다. 종교는 어떤 범죄를 저질렀다고 하더라도 진정으로 반성한다면 신의 용서를 받아 죄가 소멸됩니다. 예를 들어 예수는 간통한 여성에 대한 처벌이 아니라 반성을 통해 새로운 사람으로 거듭나라고 하였습니다. 제시문의 범죄자는 반성과 신의 용서로 죄가 소멸했다고 생각하고 평온을 얻었습니다. 범죄자는 신의 용서로 모든 문제가 해결되었다고 생각하고, 범죄 피해자인 신애의 용서를 구하지 않았습니다. 이에 가장 큰 피해자인 신애는 분노하고 좌절하는 것입니다. 따라서 종교적 용서로는 충분치 않고 범죄 피해자인 신애의 분노와 좌절을 해소할 수 있도록 범죄자가 반성했다고 하더라도 반드시 처벌해야 합니다.

범죄는 사회적 문제이기 때문에 범죄자의 반성에도 불구하고 처벌해야 합니다. 범죄자가 스스로 선택한 범죄로 인해 신애와 같은 피해자가 발생하고 사회의 안전과 평화가 훼손되었습니다. 제시문에서 범죄자는 어린아이의 생명을 해쳐 개인의 생명권을 침해하고 신애에게 큰 고통을 안겨 주고 사회의 법질서를 훼손했습니다. 신을 향한 범죄자의 반성만으로 피해자인 신애의 고통이 치유될 수 없고 사회질서가 회복될 수 없습니다.

범죄에 대한 사회적 용서는 피해자를 향한, 그리고 범죄로 인해 평온을 침해당한 사회를 향한 것이어야 합니다. 그래야 범죄자는 다른 사회 구성원과의 연대성을 회복할 수 있습니다. 종교적 용서가 신을 향한 반성을 요구한다면 사회적 용서는 피해자와 사회를 향한 반성과 사과를 요구합니다. 따라서 범죄자가 사회적으로 용서를 받으려면 피해자에 대한 사과, 피해자의 용서, 범죄에 상응하는 처벌이 따라야 합니다.

범죄자가 진정으로 반성하여 교화가 이루어졌다 하더라도 형벌은 부과되어야 합니다. 형벌의 목적은 사회와의 연대성 회복입니다. 범죄자는 범죄를 저질러 사회질서를 침해하고 사회구성원들의 평온을 깨뜨렸기에 사회와의 연대성을 상실했습니다. 사회적 연대성을 회복하려면 범죄자와 피해자, 사회구성원의 화해가 필요합니다.

예를 들어, 아동 성범죄에 대한 법원의 경미한 처벌이 비난의 대상이 되었던 사례가 있었습니다. 아동 성범죄의 죄질에 비해 경미한 처벌이 국민들의 정의감에 반했기 때문입니다. 이를 단순히 국민들의 비뚤어진 보복 감정이라고 치부할 수만은 없습니다. 아동 성폭행은 아동이나 가족에게 지울 수 없는 깊은 상처를 남깁니다. 피해아동과 가족들의 고통에 비해 범죄자에 대한 처벌이 경미하다면 정의에 부합하지 않고 피해자나 사회는 범죄자에게 화해의 손을 내밀지 않을 것입니다.

제시문에서 범죄자가 진정으로 반성했다는 이유로 처벌을 면해준다면, 이는 피해자의 범죄로 인한 고통을 외면하고 범죄자의 인권만을 고려한 것입니다. 또한 피해자나 국민이 이를 수용할 수 없으므로 연대성 회복이라는 형벌의 진정한 목적도 달성될 수 없습니다. 따라서 범죄자가 진정으로 반성했다고 하더라도 반드시 처벌해야 합니다.

Q2. 모범답변

형벌로 인해 범죄자의 사회복귀가 어려워질 수 있으므로 범죄자가 진정으로 반성했다면 처벌하지 않아야 한다는 반론이 제기될 수 있습니다. 그러나 형벌의 목적은 범죄자의 사회 복귀에도 있을 것이나, 가장 큰 목적은 정의의 회복에 있습니다. 따라서 형벌은 범죄에 의해 침해된 정의를 회복하는 기능을 해야 합니다. 범죄는 타인의 권리를 부당하게 침해하는 행위이므로 정의에 반합니다. 그리고 범죄 피해자의 피해를 회복하는 기능은 오직 국가의 형벌권으로만 가능합니다. 따라서 정의 회복이라는 형벌의 목적상 반성한 범죄자라도 처벌함이 마땅하므로 이 비판은 타당하지 않습니다.

087 개념 수형자 처우 개선

1. 기본 개념

(1) 수형자 과밀수용

대법원은 교정시설이 수용자를 과밀수용한 것은 인간의 존엄을 해치는 것이므로 국가가 배상해야 한다고 판결했다. 이에 대해 법무부는 과밀수용의 원인에 대해, 가석방제도가 원활하게 시행되지 못한다는 점과 지역주민들의 반대로 인한 교정시설 신설의 어려움, 노역 수용률이 높다는 점을 들었다.[288)]

(2) 사회적 처우

형집행법 제55조(수형자 처우의 원칙) 수형자에 대하여는 교육·교화프로그램, 작업, 직업훈련 등을 통하여 교정교화를 도모하고 사회생활에 적응하는 능력을 함양하도록 처우하여야 한다.

형집행법 제57조(처우) ⑤ 수형자는 교화 또는 건전한 사회복귀를 위하여 교정시설 밖의 적당한 장소에서 봉사활동·견학, 그 밖에 사회적응에 필요한 처우를 받을 수 있다.

2. 읽기 자료

수형자의 사회적 처우[289)]
행형법 개정[290)]

288)

2017다266771

289)

수형자의 사회적 처우

290)

행형법 개정

087 문제 수형자 처우 개선

답변 준비 시간 15분 | 답변 시간 15분

※ 다음 제시문과 QR코드를 촬영하면 연결되는 제시문을 읽고, 문제에 답하시오.

(가) A판사는 최근 교도소를 방문했다. …(중략)… 교도소에는 여러 명이 함께 수감되는 혼거실과 혼자 있는 독거실이 있다. 독거실은 1.6평이다. 혼거실은 6.6평인데, 18명이 수감돼 있었다. 평당 3명이다. 수감자들이 정좌해 있으니 틈이 없어 보였다. 체취가 뒤섞여 강렬한 냄새가 났다. 한여름에 어떨지 잠시 상상했다. 잠잘 때는 옆으로 누워 칼잠을 잔단다. 쇠창살에 작은 그림이 붙어 있었다. 1번부터 18번까지 번호를 붙여 잠잘 위치를 표시한 그림이다. 신입이나 약자만 변기 옆에서 자게 되는 것을 막기 위해 교도소 측이 잠잘 위치를 지정한 후 차례로 바꿔준다고 한다.

(나) 좁디좁은 6.6평 되는 공간에는 18명 남짓한 수형자들이 함께 생활하였고, 내가 숨 쉴 수 있는 공간은 극히 한정되어 있었다. 우리를 감시하는 감독관의 눈동자에도 피곤함이 가득 찼다. …(중략)… 이곳은 꿈도 희망도 없는 공간이었다. 복역 중인 우리도, 감시자들도 모두가 햇살 너머로 고개를 숙인 채 다가오는 절망만을 기다릴 뿐이었다.

(다) 전국 교도소와 구치소 등 교정시설 복도에 에어컨을 설치하는 방안을 놓고 논란이 뜨겁다. 법무부가 의료동 주복도에 우선 설치하는 것뿐이라고 해명했지만 "교도소에 에어컨이 웬말이냐"는 비판이 쏟아진다. "재소자는 인권도 없냐"는 반박도 나오고 있어 논란은 당분간 계속될 전망이다.

교도소 에어컨

(라)

작업장려금 1일 지급기준표

(단위: 원)

구분	생산작업									비생산작업						
작업종류	직영 개방지역작업			직영 집중근로(위탁 집중근로)			직영 일반생산작업(위탁 일반생산작업)			운영지원작업						직업훈련
										일반운영지원작업			취사원			
등급	상	중	하	상	중	하	상	중	하	상	중	하	상	중	하	
지급액	15,000	12,000	10,000	8,500 (60%)	7,500 (60%)	6,500 (60%)	4,000 (60%)	3,500 (55%)	3,000 (50%)	1,600	1,500	1,400	3,700	3,200	2,700	900

Q1. 제시문 (가)와 (나)는 교도소의 모습을 보여주는 신문기사와 소설이다. 두 제시문의 시대적 간격은 40여 년이 넘는데도 교도소의 열악한 환경은 그대로 유지되고 있다. 그 원인은 무엇이라 생각하는지 답하고, 제시문 (다)의 교도소 에어컨 설치에 대한 찬성과 반대 입장을 간략하게 설명하시오.

Q2. 교도소 재소자의 처우를 개선하는 것에 대한 자신의 견해를 논하시오. 그리고 자신의 입장에 대해 예상되는 반론에 대해 재반론하시오.

Q3. 재소자에 대한 일반인 접촉을 확대하는 것에 대한 자신의 견해를 논하시오.

Q4. 우리나라의 행형법은 재소자가 교도소 내에서 일할 경우 임금 대신 작업장려금을 줄 수 있다고 규정하고 있다. 작업장려금은 제시문 (라)의 표와 같이 지급된다. 이에 대해 작업장려금 대신 적절한 임금을 주어야 한다는 견해가 있다. 재소자에게 임금을 주어야 한다는 주장에 대해 자신의 견해를 논하시오.

Q5. 재소자에 대한 선거권을 인정해서는 안 된다는 주장이 있다. 이 주장에 대한 자신의 견해를 논하시오.

Q6. 범죄 예방과 교정을 위해 현행법은 수형자의 서신검열을 인정하고 있다. 수형자의 서신검열은 타당한지 논하시오.

Q7. 과거에는 재판 중 피고인이 재소자가 입는 복장을 하고 재판을 받도록 하였다. 이러한 조치의 부당성을 논하시오.

087 해설 수형자 처우 개선

Q1. 모범답변

범죄자에 대한 사회적 분노가 크기 때문입니다. 범죄자는 사회구성원을 해치고 사회질서를 어지럽혀 사회의 평온을 깬 것입니다. 이처럼 사회의 평온을 깬 범죄자가 열악한 환경의 교도소에서 수형생활을 하게 함으로써 일종의 처벌로 기능하고 위하력을 가져 재범의 의지를 꺾어야 한다고 여기기 때문입니다.

제시문 (다)의 교도소 에어컨 설치에 대한 찬성 입장에서는 재소자의 인권 보장을 논거로 제시할 것입니다. 재소자 역시 국민으로 인권의 주체이며 인권을 보장받아야 합니다. 교도소는 열악한 환경으로 좁은 장소에 많은 사람이 복역 중이어서 특히 폭염에 취약합니다. 폭염으로 인한 사망 우려가 있을 뿐 아니라 열사병 등으로 인해 건강을 해칠 우려도 있습니다. 생명과 신체에 직접적인 타격을 줄 수 있는 정도의 폭염에 대응할 수 있도록 에어컨을 설치함으로써 재소자의 인권을 보장할 수 있습니다.

반대 입장에서는 범죄 예방을 논거로 제시할 것입니다. 범죄를 예방하기 위해서는 형벌의 위하력이 있어야 합니다. 범죄자가 교도소에서 에어컨을 이용해 시원하고 편하게 지낼 수 있다면, 교도소 생활의 어려움이 줄어들게 되는 것입니다. 교도소가 범죄자에게 편한 장소가 된다면 형벌의 위하력이 줄어들고, 범죄의지가 커질 수 있습니다. 교도소의 열악한 환경은 범죄의지를 꺾는 위하력으로 작동해야 합니다. 따라서 범죄 예방을 위해 교도소에 에어컨을 설치해서는 안 됩니다.

Q2. 모범답변

범죄예방을 위해 재소자 처우를 개선해야 합니다. 범죄예방을 달성하기 위해서는 범죄자가 사회에 복귀하여 사회구성원으로서 살아갈 수 있어야 하며 이러한 사회복귀 의지를 가져야 합니다. 그러나 교도소의 환경이 열악하다면 범죄자의 악감정과 사회에 대한 보복심이 커지게 됩니다. 교도소의 환경이 열악한 이유 자체도 범죄자는 사회로부터 벌을 받아야 한다는 사회적 분위기가 있기 때문일 것입니다. 이 두 가지가 합쳐지면 범죄자가 사회에 돌아왔을 때 사회에 녹아들지 못하고 낙인효과 등으로 인해 또 다른 범죄를 저지를 유인이 커지게 됩니다. 따라서 범죄예방효과를 높이기 위해 재소자의 처우를 개선함이 타당합니다.

물론 이에 대해 교도소의 시설이 좋고 재소자에 대한 복지를 강화하면, 교도소에 가는 것을 두려워하지 않을 것이고 교도소에서 살기를 원해 범죄가 늘어날 것이라는 반론이 제기될 수 있습니다. 그러나 교도소의 시설이 좋고 재소자 복지가 강화된다고 하더라도 개인의 자유를 제한하는 교정시설에 들어가고자 원하는 사람은 없습니다. 행형제도는 기본적으로 개인의 자유를 제한하는 것입니다. 아무리 좋은 시설이라 하더라도 자신의 인신을 구속당하고 자유를 억압받는 것을 원할 리 없습니다. 이러한 논리라면 돈만 많이 주면 모든 사람은 누군가의 노예가 되어 자신의 자유를 억압하더라도 기꺼이 노예가 될 것을 선택한다는 의미입니다. 그러나 역사가 증명하듯이 인간은 자신의 자유를 위해 목숨을 걸고 자유를 얻고자 노력해왔습니다. 따라서 이 반론은 타당하지 않습니다.

Q3. 모범답변

재소자에 대한 일반인 접촉 확대는 바람직합니다. 특히 가족과의 접촉을 확대하는 것은 더욱 폭넓게 권장해야 합니다. 가족과의 만남 확대는 가족 간 유대를 강화시켜 줍니다. 재소자가 가족 간의 사랑이 있다면 출소 후 범죄율은 줄어들 것입니다. 출소 후 가족 간의 관계가 파괴되어 있다면 다시 범죄세계로 들어갈 가능성이 높습니다. 또한 일반인과의 접촉을 강화하면 재소자가 석방 후 사회에 적응하기 쉽게 할 수 있습니다. 따라서 범죄자의 교화를 달성하고 범죄예방에 도움이 되므로 재소자에 대한 일반인 접촉 확대는 바람직합니다.

Q4. 모범답변

재소자에게 적절한 임금을 주는 것이 타당합니다. 재소자 역시 국민이며 모든 국민은 자신의 노동의 대가에 대한 정당한 임금을 받을 권리가 있습니다. 게다가 재소자가 출소 후 사회에 자리를 잡고 다시는 범죄를 저지르지 않도록 교정하기 위해서는 현실적으로 자신의 생업을 통해 생계를 유지함으로써 범죄의 유혹을 끊어야 합니다. 재소자의 노동에 대한 임금을 재소자의 계좌에 적립하도록 하고 출소 후에 이 자금을 바탕으로 사회에 자리 잡을 수 있도록 함으로써 재범의 가능성을 차단하고 사회의 일원으로 살아갈 수 있도록 함이 타당합니다.

Q5. 모범답변

재소자에게 선거권을 인정해야 합니다.

자기책임의 원칙에 반하므로 수형자의 선거권을 제한해서는 안 됩니다. 개인은 국가의 주인으로 국가의사결정에 참여할 권리가 있습니다. 그런데 형사책임이란 법에서 금지하는 행위를 개인이 자유롭게 선택한 결과로서 지는 것입니다. 그렇다면 주권자로서의 주권의 행사와 형사책임은 목적과 적용범위가 다른 것입니다. 그런데 재소자의 선거권을 제한한다는 것은 범죄에 대한 책임을 주권의 박탈이라는 대가로 치르는 것입니다. 이는 개인의 책임을 넘어서는 부분을 범죄에 대한 사회적 분노라는 몫으로 지게 되는 것입니다. 따라서 자기책임의 원칙에 반하므로 재소자의 선거권을 제한해서는 안 됩니다.

평등원칙에 반하므로 재소자의 선거권을 제한해서는 안 됩니다. 평등의 원칙이란, 같은 것은 같게 다른 것은 다르게 대하라는 것입니다. 합리적 이유 없이 같은 것을 다르게 대하면 평등의 원칙에 위배됩니다. 범죄를 저지르지 않은 개인과 재소자는 동등한 주권을 가진 국민으로 선거권을 갖고 있습니다. 그러나 범죄를 저지르지 않은 개인은 선거권을 온전히 행사할 수 있으나, 수형자는 선거권 행사 자체가 제한됩니다. 이는 국민으로서 같은 권리를 다르게 대한 것으로 평등원칙에 위배됩니다.

그러나 재소자 중 국가범죄를 저지른 자, 선거범죄 등을 저지른 자 등에 한해서는 재소자의 선거권을 제한할 수 있습니다. 국가의 주권자로서 자신의 자유와 권리에 직접적인 영향을 미치게 될 선거이고, 선거권 역시 이를 결정하는 주권자의 권리입니다. 국가범죄의 경우, 국가를 위협한 자에 대한 공동체의 방향성 판단에 참여할 수 없도록 규제할 필요가 있습니다. 선거범죄의 경우, 주권자의 정치적 의사를 반영하는 선거의 평온을 깬 자에게 선거권을 제한하는 것은 합리적인 것입니다. 그러나 재소자 전체에 대한 일률적인 선거권 제한은 타당하지 않습니다.

Q6. 모범답변

수형자의 서신검열은 타당하지 않습니다. 수형자들의 서신검열이 범죄예방효과가 있는지 의심스럽습니다. 수형자들이 범죄를 저지를 수 있다는 막연한 가능성이 있다는 이유만으로 서신을 전면 검열하는 것은 타당하지 않습니다. 필요하다면 조직범죄, 폭력, 살인 등 특정사건을 범한 수형자에 한하여 서신검열을 하는 등의 방법을 택함이 타당합니다. 오히려 교화를 위해서도 서신검열은 바람직하지 않습니다. 교도관들이 내 편지를 본다고 생각한다면 수형자들이 진솔한 마음으로 편지를 쓸 수 없습니다. 따라서 서신검열은 정신적 위안이나 감화에도 좋지 않은 영향을 미칠 뿐입니다.

수형자의 서신검열의 이유 중 교도소 반입 금지 물품 등의 이유도 있습니다. 그러나 이는 서신을 직접 열어보지 않아도 되는 비침해적 방법, 예를 들어 엑스레이 장비 등을 이용해도 충분합니다. 따라서 굳이 서신검열을 할 필요는 없다고 생각합니다.

Q7. 모범답변

재판 중 재소자 복장을 하도록 한 조치는, 국민의 공정한 재판받을 권리를 침해하므로 타당하지 않습니다. 재판을 받고 있는 피고인에게 재소자용 의복을 입게 한다면 심리적으로 위축되게 됩니다. 그래서 재판정에서 하고 싶은 말을 다 할 수 없게 되므로 공정한 재판을 받을 수 없습니다. 또한 재판정에 가족, 친지들이 보고 있는데 재소자용 의복을 입고 재판을 받게 된다면 피고인이 인격적 모독감을 느낄 수 있습니다. 이에 더해 국민참여재판의 도입으로 인해 배심원의 시각이 중요하게 되었습니다. 피고인이 재소자용 의복을 입고 재판을 받는다면 배심원에게 죄인이라는 느낌을 줄 것입니다. 배심원에게 좋지 않은 선입견을 주어 공정한 재판을 해칠 수도 있습니다. 따라서 재소자용 의복을 입고 재판받도록 하는 것은 타당하지 않습니다.

088 개념 범죄의 원인

2024 연세대·2022 성균관대·2019 제주대 기출

1. 기본 개념

(1) 선천적 원인

범죄의 원인에 대해 선천적으로 타고난 것이라 보는 관점이다. 유전자의 문제로 인해 범죄를 저지를 것이 이미 정해져 있다는 것이기도 하다. 체사레 롬브로소는 당시 최신학문이었던 골상학, 다윈의 진화론 등을 이용해 이를 주장했다.

(2) 후천적 요인

범죄의 원인을 후천적인 것으로 보면 결국 범죄자의 범죄의지에 따른 것이다. 동일한 상황에 놓인 두 사람이 있다고 할 때, A는 범죄를 저지르지 않았으나 B는 범죄를 저지른다. A와 B가 유전적으로 동일한 일란성 쌍둥이라면 결국 B의 범죄원인은 B의 자유의지, 범죄의지라 보아야 한다.

(3) 행위책임원칙

형벌에는 대원칙이 있다. 구성요건과 위법성이 구비되어 불법이 형성되어도 그 불법에 상응하는 책임이 존재하지 않는 한 형벌을 과할 수 없다. 이것이 바로 "책임 없으면 형벌 없다"는 책임주의이다. 책임이란 구성요건에 해당하는 위법한 행위를 한 행위자에 대하여 행위자를 개인적으로 비난할 수 있는가의 문제를 말한다. 왜냐하면 행위자만이 자신의 행위를 규범에 따라 조종할 수 있으며 그 조종하는 의사를 우리는 책임판단의 대상으로 삼는다. 그런 의미에서 우리는 책임을 의사책임이라고 하며 불법한 의사형성에 대한 비난가능성을 책임의 척도로 삼는다.

형법은 행위형법이며 행위자형법이 아니므로, 형사책임은 행위책임이지 인격책임 또는 행위자책임이 될 수 없다. 즉, 행위자는 그가 죄를 범하였기 때문에 처벌받는 것이지 그의 상태 때문에 처벌받는 것은 아니기에 책임판단의 대상은 구체적 행위이며 따라서 형사책임은 개별적 행위책임이다.

누범가중과 상습성 가중규정은 행위자의 인격이 중요한 의미를 갖고 이를 근거로 행위한 죄의 불법 만에 상응하는 책임이 아닌 과중한 형벌을 과한다는 측면에서 행위책임주의에 반한다는 비판이 가능하다. 특히 이러한 상습성이라고 하는 행위자의 특성에 기인한 위험성은 과거의 불법이 아니므로 보호감호와 같은 보안처분으로 충분히 억지할 수 있으므로 이를 근거로 가중하는 상습범가중처벌 규정은 책임주의에 반하는 것이다.

2. 쟁점과 논거: 범죄가 예견된 자에 대한 사전처벌 찬반론

찬성론: 범죄 예방	반대론: 개인의 자유
[범죄 예방] 범죄 예방은 국가의 의무로 국가는 피해자인 국민을 보호할 의무가 있다. 범죄가 예견되는 자를 사전에 구금하면 범죄가 발생하지 않아 국민의 피해 자체가 없을 것이다. 국가가 범죄가 발생한 이후에 범죄자를 검거하는 노력을 하기보다 근본적으로 피해자를 발생시키지 않는 노력을 해야 한다.	**[책임주의 위배]** 범죄가 예견된 자는 아직 범죄를 저지르지 않았고, 범죄를 저지르지 않을 가능성도 있다. 그럼에도 불구하고 범죄 예방이라는 목적을 위해 범죄를 저지르지 않아 책임이 없는 자를 처벌하는 것이므로 책임주의에 위배되는 조치이다.
[사회적 약자 보호] 범죄는 사회취약계층에게 일어날 가능성이 높고 피해 역시 실질적으로 더 클 수 있다. 범죄 자체를 사전에 막는다면 범죄로 인해 비가역적인 피해를 지속적으로 입게 될 사회취약계층을 실질적으로 보호할 수 있다.	**[평등원칙 위배]** 평등원칙은 같은 것은 같게, 다른 것은 다르게 대하라는 원칙이다. 형벌은 자신이 선택한 행위에 대한 책임에 대한 것이다. 범죄가 예견된 자와 범죄를 저지른 자는 자유 이행 여부가 다른데, 이를 동일하게 처벌하는 것은 다른 것을 같게 대하는 것으로써 평등원칙에 반한다.
[범죄자 인권의 실질적 보호] 범죄가 예견된 자를 사전 구금하면, 당사자는 범죄를 저질렀을 경우에 받게 될 처벌을 회피할 수 있다. 만약 실제로 범죄를 저질렀다면 범죄전과자에 대한 낙인으로 인해 사회복귀가 어렵고 정상적 사회생활이 불가능할 수 있다. 당사자에게 발생할 피해 또한 예방된다.	**[절대국가 우려]** 범죄가 예견된 자에 대한 사전 구금이 허용된다면, 국가는 국가 정책에 반발하거나 정치적 견해가 다른 세력을 범죄 예방이라는 명목으로 불법적으로 구금할 수 있다. 더욱이 이러한 국가의 행동을 일반 국민이 적절하게 감시하고 통제할 수 없어 국민의 자유는 사라질 것이다.

3. 읽기 자료

롬브로소의 범죄학사상[291)]

범죄원인론 및 형벌론[292)]

291)

롬브로소의 범죄학사상

292)

범죄원인론 및 형벌론

088 문제 범죄의 원인

답변 준비 시간 15분 | 답변 시간 15분

※ 다음 제시문을 읽고, 문제에 답하시오.

<A>

롬브로소는 그의 "생래적 범죄인설"을 통해 범죄에 대한 생물학적 이해를 보다 포괄적인 인류학적 설명으로 발전시킨다. 베네치아와 나폴리의 수형자들에 대한 조사와 다윈의 진화이론에 영감을 받은 롬브로소는 다소 무모하게 가정하기를, 범죄자는 쑥 들어간 이마, 튀어나온 광대뼈, 곱슬머리, 그리고 무뚝뚝함, 잔인함, 무절제, 고통에 대한 둔감함 등의 선천적인 신체적, 정신적 결함들에 의해 알아볼 수 있다고 한다. 범죄자는 진화론적으로 퇴행한 것으로서 격세유전[293]을 통해 야만적 속성이 유전된 돌연변이적 존재라는 것이다. 범죄자들 가운데 일부(약 35%까지)는 그들의 선천적인 기질 때문에 필연적으로 범죄를 저지를 수밖에 없었다고 한다.

<B>

유전에 의해 물려받는 유전병 가운데 대표적인 것으로는 내인성 정신병, 즉 정신분열증, 조울증, 간질 등이 있다. 부모에게 이러한 병이 있는 경우의 범죄자는 누범, 조발범, 중대한 풍속범 등이 될 확률이 그렇지 않은 범죄자보다 높게 나타난다고 한다. 예를 들어 슈툼플(Stumpfl)의 조사결과 누범자의 경우는 조사대상자 195명 가운데 5.9%가 이러한 유전적 결함을 가지고 있다고 한다. 이 수치는 초범자의 경우는 166명 가운데 3.4%만이 유전적 결격을 갖는다는 사실과 대비된다. 특히 리들(Riedl)에 따르면 어머니보다 아버지의 유전적 결함이 그러한 범죄에 영향을 크게 미친다고 한다. 반면에 정신박약은 범죄자의 가정에 그리 많지 않은 것으로 나타난다.

Q1. 제시문 <A>의 입장에 따르면, 범죄예방 대책은 무엇이고 국가는 어떤 역할을 해야 하는가?

Q2. 제시문 <A>의 입장은 어떤 문제점이 있는가?

Q3. 제시문 <B>의 입장에 따르면, 범죄예방 대책은 무엇이고 국가는 어떤 역할을 해야 하는가?

Q4. 제시문 <B>의 입장은 어떤 문제점이 있는가?

293) 격세유전(隔世遺傳): 한 생물의 계통에서 우연 또는 교잡 후에 선조와 같은 형질이 나타나는 현상을 말한다. 예를 들면, 사람은 보통 1쌍의 유방을 가지나, 부유(副乳)라 하여 2쌍의 유방을 가지는 경우, 이것을 사람의 선조인 포유류의 형질이 나타난 것이라고 보는 것이 대표적 사례이다.

Q5. 범죄자의 범죄 원인이 범죄유전자라는 것이 과학적으로 밝혀졌다고 가정해보자. 범죄유전자를 가진 자가 범죄를 범한 경우에 형사처벌하는 것은 정당한가?

Q6. 과학기술이 발전하여 범죄를 저지를 것을 미리 알 수 있다면 범죄를 저지를 것이라 예측된 자가 범죄를 저지르기 전에 미리 교도소에 구금할 수 있는가?

Q7. 뇌영상학이 발달하면서 인간의 생각을 예측할 수 있다는 주장이 힘을 얻고 있다. 예를 들어, 뇌영상학을 통해 A가 빨간색을 떠올릴 때 뇌의 특정부분이 특정한 형태로 작동한다는 것을 확인했다면, 뇌의 특정한 활동을 미리 감지했다면 A는 빨간색을 생각할 것이라고 예측할 수 있는 것이다. 뇌영상학이 앞으로 더 발전하고 빅데이터와 인공지능 기술 등을 적용해 인간의 생각을 예측할 수 있다면 범죄를 저지를 사람을 예측하여 미리 구금하는 등으로 범죄를 막을 수 있을 것이다. 이에 대해 어떻게 생각하는가?

범죄의 원인

Q1. 모범답변

제시문 <A>에 따르면 선천적 기질이 범죄의 원인이 됩니다. 선천적으로 범죄를 저지를 수밖에 없으므로 후천적으로 이를 바꾸는 것은 불가능하거나 대단히 어렵습니다. 그렇다면 교화를 통한 범죄예방은 불가하거나 한계를 가질 수밖에 없습니다. 따라서 선천적으로 범죄유형의 골격을 가진 자를 사회로부터 격리시킴으로써 범죄를 예방해야 합니다. 국가는 범죄를 저지를 수밖에 없는 선천적 기질을 가진 자들을 매스 스크리닝(mass screening)하여 사회로부터 격리하여 일반 국민을 보호하는 적극적 역할을 수행해야 합니다.

Q2. 모범답변

사람의 외형을 기준으로 범죄형으로 기준 짓고, 이들을 격리하고 의심하게끔 하는 문제가 있습니다. 범죄형에 대한 과학적 근거 없이 소수자들을 차별 짓고, 이들을 사회의 불안 원인으로 삼아 희생양으로 삼을 수 있습니다. 연쇄살인과 같이 사회적 불안을 심하게 초래하는 사건이 발생한 경우, 선천적으로 범죄형 인간으로 지정된 사람은 증거 없이 범죄자로 의심받거나 심한 경우 공격의 대상이 될 수 있습니다. 대표적인 예로, 동경대지진 발생 시 극단적인 사회불안이 발생하자 조선인이 범죄를 저지른다는 의심과 선동이 나타나고 이것이 현실화되어 수많은 사상자가 발생한 경우가 있습니다.

Q3. 모범답변

제시문 <B>에 따르면 선천적으로 타고난 유전자가 범죄의 원인이 됩니다. 부모로부터 물려받은 유전적 결함으로 인해 범죄를 저지를 수밖에 없으므로 후천적으로 이를 바꾸는 것은 불가능하거나 대단히 어렵습니다. 그렇다면 교화를 통한 범죄예방은 불가하거나 한계를 가질 수밖에 없습니다. 따라서 선천적으로 범죄 유전자를 가진 자를 사회로부터 격리시키거나 감시함으로써 범죄를 예방해야 합니다. 국가는 범죄 유전자를 가진 자들을 매스 스크리닝(mass screening)하고 이들을 감시·통제·격리하여 일반 국민을 보호하는 적극적 역할을 수행해야 합니다.

Q4. 모범답변

제시문 <B>의 입장은 환원론적 오류의 문제점과 범죄에 대한 면책이 된다는 점이 문제점이라 할 수 있습니다.

범죄유전자로 인해 범죄행위를 한다는 유전자결정론은 환원론적 오류를 범하기 쉽습니다. 만약 유전자결정론이 옳다면 거의 동일한 유전자를 가진 일란성 쌍둥이는 항상 같은 범죄를 범해야 합니다. 그러나 경험적으로 볼 때 그렇지 않습니다. 유전자는 어떤 행위를 할 수 있는 소질을 뜻할 뿐이고, 인간의 행위는 가정환경, 사회환경과 소질 등 다양한 요소가 결합되어 나타납니다. 따라서 공격적 유전자가 있으므로 공격적 행위를 한다고 단정할 수 없습니다.

또한 유전자결정론이 옳다면 범죄에 대한 책임을 범죄자에게 지울 수 없습니다. 어떤 행위에 대한 책임을 물으려면 개인이 자신의 의지로 그런 행동을 하거나 하지 않을 자유가 있어야 합니다. 그런데 유전자결정론이 옳다면 인간은 범죄유전자로 인해 이미 범죄를 저지를 수밖에 없도록 선천적으로 결정되어 있으므로 범죄행위를 하지 않을 자유가 없어 책임도 없기 때문에 범죄행위에 대한 책임을 물을 수 없습니다.

Q5. 모범답변

범죄자의 범죄 원인이 범죄유전자가 분명하고 범죄유전자를 가진 자가 범죄를 범했다면 형사처벌을 해서는 안 됩니다. 어떤 행위가 범죄구성요건에 해당한다고 하더라도 의사능력이 없는 심신상실자를 처벌할 수 없습니다. 자기의사와 무관하게 범죄에 해당하는 행위를 하기 때문입니다. 이와 마찬가지로 범죄유전자로 인해 자신의 의사와 무관하게 범죄를 할 수밖에 없다면, 범죄를 범한 경우 형사처벌을 해서는 안 됩니다. 만약 범죄유전자와 범죄행위와의 인과관계가 분명하다면 범죄유전자를 제거하는 의학적 조치를 취하는 것이 타당합니다. 심신상실자의 범죄행위에 대해 치료감호를 부과하고 치료될 때까지 치료감호소에 구금시키듯이 일단 범죄유전자를 가진 자를 구금시키고 범죄유전자를 제거함이 타당합니다.

Q6. 모범답변

범죄가 예견된 자에 대한 사전 구금은 허용되어서는 안 됩니다. 책임주의에 반하기 때문입니다. 개인은 자기가 스스로 자유롭게 선택한 바에 따라 행동하고 그에 대한 책임을 지는 존재입니다. 자신이 스스로 선택하지 않은 행동에 대해 책임을 지는 것은 책임주의에 반합니다. 범죄가 예견된 자는 범죄를 저지를 것을 선택하지 않았습니다. 단지 범죄를 저지를 가능성이 있다는 사실로부터 곧 저지르지도 않은 범죄에 대한 처벌이 도출될 수 없습니다. 타인의 자유를 해하는 자유를 선택한 것에 대한 책임이 처벌이기 때문입니다. 범죄가 예견된 자를 미리 처벌할 수 있다면 개인의 자유와 범죄의지에 대해 처벌하는 것이 아니라 범죄예방이라는 사회적 가치의 실현을 위해 개인의 자유를 부당하게 제한하는 것입니다. 그렇다면 개인은 자기 삶을 자유롭게 살아갈 수 있는 존재가 아니라 사회적 가치 실현을 위한 수단적 존재로 전락하는 셈입니다. 따라서 우리 형법은 이를 막기 위해 범죄구성요건에 해당하는 행위가 있어야 범죄가 성립할 수 있고, 범죄성립이 있어야 처벌할 수 있다고 규정하고 있습니다. 교도소에 구금시키는 것은 형사처벌에 해당합니다. 범죄가 발생하기 전에 처벌하는 것은 타당하지 않습니다.

Q7. 모범답변

범죄를 저지를 사람을 예측하여 미리 구금하는 등으로 범죄를 막는 것은 어려울 것이라 생각합니다. 범죄의지는 개인의 자유의지에 달린 복잡한 문제이기 때문입니다. 뇌영상학은 뇌의 특정한 활동이 어떤 생각으로 이어지는지 연구하는 것입니다. 예를 들어 우리가 빨간색을 보면 어느 뇌영역이 어떻게 작동하는지는 쉬운 문제라 할 수 있습니다. 모든 인간이 보편적인 반응을 보일 것이기 때문입니다. 그러나 개인은 자신이 오랜 시간에 걸쳐 쌓아온 선택과 기억, 가치관이 있어 동일한 자극에 동일한 반응을 기대할 수 없는 어려운 문제 또한 가지고 있습니다. 예를 들어, 비가 내리는 것을 본다면 모든 사람은 동일하게 비가 내린다는 것을 인식하는 쉬운 문제에 대한 보편적인 반응을 보일 것입니다. 그러나 A라는 사람은 비가 내리는 것을 보고 헤어진 연인을 떠올릴 것이고, B라는 사람은 친구와 약속을 해야겠다고 결심할 것이며, C라는 사람은 빨간 옷을 입은 사람이 보이면 범죄를 저지르겠다고 생각할 수도 있습니다. 범죄는 쉬운 문제가 아니라 어려운 문제에 해당하는 것이므로, 뇌영상학이 개개인의 특수성을 반영하여 정확한 예측을 할 것이라 기대하기 어렵습니다. 만약 이것이 가능하려면 개개인의 일상과 모든 선택을 빅데이터로 누적하여 관리하고 분석하여야 합니다. 이는 국가가 범죄 예방이라는 목적을 위해 개인의 모든 정보를 생성하고 누적하고 관리하는 사회가 되는 것이며 전체주의 국가가 될 수밖에 없습니다. 따라서 뇌영상학을 통해 범죄의지를 예측해 범죄를 막을 수 없을 것일 뿐만 아니라, 그것이 기술적으로 가능하다고 하더라도 그렇게 해서는 안 됩니다.

089 개념 엄벌주의

2024 아주대·2021 영남대·2020 충남대 기출

1. 기본 개념

(1) 죄형법정주의

범죄와 형벌은 의회가 제정한 법률로 정해져야 한다는 원칙이다. 법률이 없으면 범죄가 없고 형벌도 없다는 원칙이다. 의회가 제정한 법률이 아닌 관습법에 따른 형벌은 금지된다.

(2) 소급효 금지 원칙(형벌불소급의 원칙)

행위 시가 아닌 사후 입법에 의한 처벌은 금지된다.[294] 형법 제1조 제2항은 범죄 후 법률의 변경에 의하여 그 행위가 범죄를 구성하지 아니하거나 형이 구법보다 가벼울 때에는 신법에 의한다고 규정하고 있다. 헌법재판소판례는 형벌불소급 원칙이 보호감호에도 적용된다는 입장이다. 대법원 판례는 보호관찰처분에 대하여는 형벌불소급 원칙이 적용되지 않는다는 입장이다.

(3) 명확성 원칙

명확성의 원칙은 누구나 법률이 처벌하고자 하는 행위가 무엇이며 그에 대한 형벌이 어떠한 것인지를 예견할 수 있고 그에 따라 자신의 행위를 결정지을 수 있도록 구성요건이 명확할 것을 의미하는 것이다.

(4) 유추해석 금지 원칙

유추해석 금지의 원칙이란 법적용자가 법률에 규정이 없는 사항에 대해 유사한 성격의 다른 법률조항을 적용하여 형사처벌하여서는 아니 된다는 원칙이다. 다만, 피적용자에게 유리한 유추해석은 금지되지 않는다.

(5) 형벌적정성의 원칙

실질적 법치주의에 따라 범죄와 형벌을 규정한 법률은 정당한 법률이어야 한다. 형벌은 행위와 책임에 비례해야 한다. 즉 과잉형벌은 금지된다. 빵 하나를 훔친 자를 사형에 처한다면 적정성 원칙에 반한다.

2. 읽기 자료

엄벌주의와 범죄예방[295]

엄벌주의 현황[296]

형가중적 특별법(147~171쪽)[297]

294) 헌법 제13조 ① 모든 국민은 행위 시의 법률에 의하여 범죄를 구성하지 아니하는 행위로 소추되지 아니하며, 동일한 범죄에 대하여 거듭 처벌받지 아니한다.

295)

엄벌주의와 범죄예방

296)

엄벌주의 현황

297)

형가중적 특별법

엄벌주의

답변 준비 시간 15분 | 답변 시간 10분

※ 다음 제시문을 읽고, 문제에 답하시오.

(가) 1990년대 중반 뉴욕의 범죄율을 획기적으로 줄인 것으로 유명한 루돌프 줄리아니 시장은 성매매 등 경범죄를 엄벌에 처함으로써 강력범죄를 예방하는 일명 '깨진 유리창 이론'을 입증했다. '깨진 유리창 이론(broken window theory)'은 미국의 사회학자 제임스 윌슨의 이론으로, 그에 따르면 빈집에 어린아이가 돌을 던져 깨진 유리창이 도로 곳곳에 흐트러지고 아무도 치우지 않자, 도로와 마을은 더럽혀지고 마을 사람들이 더러운 마을에서 못 살겠다고 이사를 하게 되어 뉴욕시가 슬럼화가 되었다고 설명한다. 즉, 경미한 범법 행위라고 묵인한다면, 이를 존중하며 지키는 선량한 시민들은 손해를 본다는 감정을 가지게 될 것이고, 선량한 사람도 결국 범법 행위자가 되고 우리 사회는 범죄가 만연하게 된다는 것이다. 따라서 사회를 건강하게 만들기 위해서는 사소한 범죄라도 강력하게 처벌하여 어떤 범죄도 용납지 않겠다는 강력한 의지를 보여주어야 한다는 주장이다.

(나) <표 1: 미국의 수감인구 - 장기 추세>

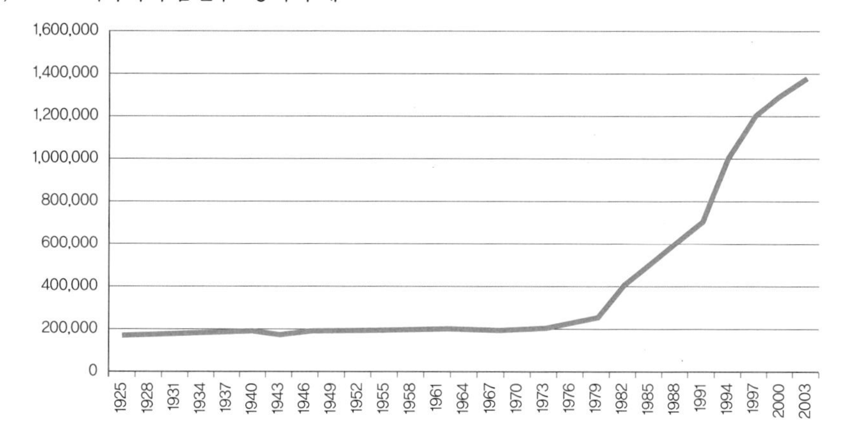

<표 2: 인구 10만 명당 수감률>

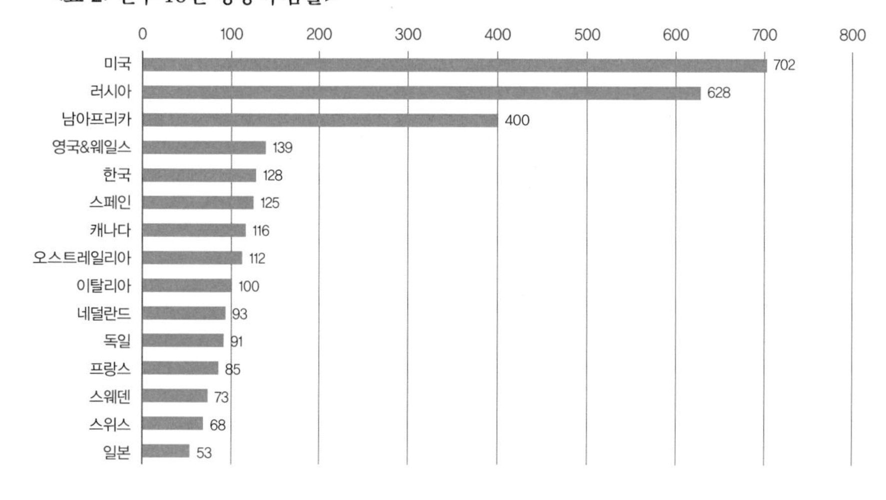

(다) 1979년과 1990년 사이 국가 형무 분야 지출에서 운영비는 325%, 시설비는 612%가 팽창했다. 연방 군사비보다 3배나 빠른 성장세다. 이러한 형무소 확대 정책은 클린턴 정부에서도 이어져, 213개의 교도소 신축 사업이 지원되었고, 국립·연방교도소에 고용된 직원이 26만 4천 명에서 34만 7천 명으로 늘어났다. 그 가운데 교도관만 22만 1천 명, 교도소 전체 근무자는 60만 명 이상으로, 사업장 단위 직원 수로 세계에서 첫 번째 기업인 제너럴 모터스, 두 번째인 세계적 유통 기업 월마트의 뒤를 이어 세 번째이다.

캘리포니아 교도소 집행예산은 1975년 2억 달러였던 것이 1999년 43억 달러로 껑충 뛰어올랐고, 최근 10년 동안 캘리포니아 교도소 유지·보수에만 53억 달러를 쏟아부었다. 이에 부채만 10억 달러 이상이 되었고, 새 교도소들은 평균 4천 명의 수감자를 위해 2억 달러의 비용을 지출했고, 1천여 명의 교도관을 고용했다.

이런 식으로 국가 형무예산은 1979년과 1989년 사이 상시적으로 95% 증가했다. 그러나 병원 의료예산은 정체, 고등학교예산은 2% 감소, 사회 보장예산은 41% 감소했다. 미국은 무료 진료소, 유치원, 학교보다는 그들의 빈티 나는 감옥과 유치장을 새로 짓는 편을 선택한 것이다.

Q1. 제시문 (가)의 깨진 유리창 이론처럼 경미한 범죄도 엄벌에 처하는 정책은 타당한가?

Q2. 엄벌주의에 대한 국민들의 지지도가 높고, 특히 자신이 낸 세금을 범죄자를 위해 사용해서는 안 된다는 여론이 높다. 이 여론을 볼 때, 국민들이 원한다면 엄벌주의를 시행할 수 있다는 것이 민주적인 의사결정이라 할 수도 있다. 엄벌주의 시행에 대한 자신의 견해를 논하시오.

Q3. 피해자 보호를 위해, 복역을 마치고 출소한 가해자의 주거 및 생활지역 등을 규제하여야 한다는 주장이 있다. 그러나 이 규제는 범죄자의 기본권을 제한하는 측면이 있다. 범죄자의 기본권을 보장해야 하는가, 피해자 보호를 위해 범죄자의 기본권을 제한해야 하는가?

089 해설 엄벌주의

Q1. 모범답변

타당하지 않습니다. 깨진 유리창 이론과 같은 엄벌주의의 목적은 범죄 예방입니다. 깨진 유리창 이론은 경미한 범죄도 강력하게 처벌하면 사회구성원들에게 위하력을 주어 중범죄를 예방할 수 있다고 합니다. 그러나 엄벌주의를 시행하고 있는 미국이 엄벌주의를 시행하지 않는 여타 선진국들에 비해 총기 난사 등 강력한 범죄가 자주 발생한다는 것을 우리는 흔히 접할 수 있습니다. 그뿐만 아니라 엄벌주의를 시행하는 미국은 다른 선진국들에 비해 인구당 범죄자의 수가 더 많고 재범률이 더 높습니다. 제시문 (나)의 <표 2>를 보면 인구 10만 명당 수감률은 엄벌주의를 시행하는 미국이 전 세계 1위로 압도적입니다. 그렇다면 엄벌주의의 범죄예방효과는 매우 미미하거나 오히려 범죄를 조장하는 것이라 할 수 있습니다.

엄벌주의는 범죄예방효과는 없고 오히려 수감인구만 늘리는 비효율적 교정정책입니다. 제시문 (나)의 <표 1>을 보면 미국의 수감인구는 엄벌주의를 시행한 이후 지속적으로 증가하고 있습니다. 깨진 유리창 이론이 타당하다면, 엄벌주의 시행 초기에는 가벼운 범죄자도 수감하므로 수감자가 단기간 늘어났다가 형벌의 위하력이 작동해 수감인구가 최초보다 적어져야 합니다. 그러나 <표 1>에서 볼 수 있듯이 수감인구는 폭발적으로 증가하고 있습니다. 따라서 깨진 유리창 이론에 따른 엄벌주의는 범죄 예방이라는 목적은 달성하지 못하면서 범죄자의 수만 늘리는 비효율적 정책이라 할 수 있습니다.

Q2. 모범답변

범죄 예방을 실현하기 위해 국민들이 원한다고 하더라도 오히려 엄벌주의를 시행해서는 안 됩니다. 엄벌주의에 대한 국민의 지지도가 높다 하더라도 엄벌주의를 시행하면 오히려 국민에게 해가 될 수 있습니다. 다수 국민이 엄벌주의를 시행하려는 궁극적인 목적은 안정된 치안의 달성과 안전을 바탕으로 자유로운 삶을 살기를 원하는 것입니다. 엄벌주의를 시행하면 생계형 범죄와 같은 경미한 범죄를 저지른 자들까지 수감하기 때문에 수감자 수가 증가합니다. 깨진 유리창 이론에 따르면 수감자 수가 일시적으로 증가한 이후에는 수감자 수가 줄어들어야 합니다. 그러나 엄벌주의를 시행하는 미국의 수감자 수는 지속적이고 폭발적으로 증가하고 있는 실정이고, 이로 인해 교정예산이 폭증하여 이를 막고자 민영교도소까지 도입하였습니다. 경미한 범죄를 저지른 자들까지 엄벌에 처해 교정시설에 수감한다면 오히려 범죄율과 수감률이 높아질 것입니다. 생계형 절도 등과 같은 경범죄는 가난한 삶으로 인해 시작되는 경우가 많습니다. 가난하기 때문에 교육을 못 받고, 범죄 집단에서 청소년기를 보내는 아이들이 적지 않습니다. 이들은 처음에는 잡범으로 교도소에 발을 내딛지만 사회가 나에 대해 적대적임을 인식하게 됩니다. 직장도 가정도 가지기 힘든 이들은 사회공동체와 연대성을 가지기 힘들어 오히려 교도소나 범죄 집단에서 범죄를 학습하고, 범죄의 당위성을 되새기게 됩니다. 범죄자가 되어가는 일반적 과정의 고리를 엄벌주의로 끊을 수 없습니다. 따라서 엄벌주의는 범죄예방에 전혀 도움이 되지 않고 오히려 범죄율을 높여 국민에게 해가 됩니다.

엄벌주의는 국민의 세금 부담을 오히려 증대시킬 수 있다는 점에서 타당하지 않습니다. 세금은 국민이 납부한 재원을 바탕으로 국민을 위해 쓰여야 합니다. 즉 세금을 사용했다면 그 목적을 달성해야 합니다. 엄벌주의를 시행하면 수감자 수가 증가할 수밖에 없습니다. 이로 인해 제시문 (다)와 같이 형무예산이 증가할 수밖에 없습니다. 국가의 예산은 한정적 자원이기 때문에 그 배분이 중요합니다. 그런데 형무예산의 증가분을 감당할 다른 분야의 예산은 복지예산이나 교육예산이 될 가능성이 매우 큽니다. 국방예산이나 치안예산은 국민의 안전과 관련이 깊어 효과가 현재 상황에 직접적 영향을 주지만, 복지예산이나 교육예산은 효과가 미래에 간접적으로 나타납니다. 그러므로 형무예산의 증가는, 사회적 약자를 위한 복지예산과 미래 세대를 위한 교육예산의 감소로 이어지기 쉽습니다. 결국 엄벌주의는, 아이들을 교육시킬 수 있는 학교시설과 운영에 사용할 국민의 세금을, 필요 이상으로 많은 교도소 건설과 유지에 들이는 셈입니다. 그러므로 엄벌주의는 교육과 복지예산을 줄여 범죄자나 불우한 이들이 사회 연대성을 키울 기회를 박탈합니다. 교육예산, 복지예산 확대를 통해 불우한 자들의 사회적 자립을 도와줄 때 이들이 사회에 감사하고 사회와의 연대성을 회복할 수 있습니다. 엄벌주의는 사회 연대성을 확보하지 못한 가난한 자들과 범죄자들에 의한 범죄를 예방하지 못하고 국민의 세금 부담을 늘리기만 한다는 점에서 타당하지 않습니다.

Q3. 모범답변

자기책임의 원칙 실현, 실질적 범죄 예방을 위해 범죄자의 기본권을 보장해야 합니다.

먼저, 자기책임의 원칙 실현을 위해 범죄자의 기본권을 보장해야 합니다. 인간은 존엄한 존재로 목적으로 대해야 하며 수단으로 대해서는 안 됩니다. 따라서 모든 인간은 자기 자신의 주인으로서 자신의 삶의 목적이 되는 가치관을 스스로 설정하고 이에 따라 행동하고 그에 대한 책임을 지게 됩니다. 범죄자는 자신의 범죄의지를 자유롭게 실현한 결과에 대한 책임으로 형벌을 부과받아 복역을 마침으로써 그에 대한 책임을 이행하였습니다. 그런데 복역을 마치고 출소한 가해자의 주거 및 생활지역 등을 규제하는 것은 범죄자의 책임 그 이상을 요구하는 것입니다. 이는 사회의 공포심을 잠재우고 사회 다수에게 범죄에 대한 위하력을 형성하려는 사회적 목적으로 개인의 자유를 과도하게 제한하는 것입니다. 따라서 자기책임의 원칙에 위배되므로 범죄자의 기본권을 과도하게 제한하는 것입니다.

실질적 범죄 예방을 위해 범죄자의 기본권을 보장해야 합니다. 범죄자에게 자신의 책임을 넘는 사회적 형벌을 추가하는 것이 허용된다면 이는 사회적으로 범죄자에게 낙인을 찍는 것과 같습니다. 범죄자가 자신의 범죄의지 실현에 대한 책임을 모두 이행했음에도 불구하고 사회에 복귀할 수 없게 되는 것입니다. 사회에 복귀할 수 없다면 범죄자는 생계의 문제가 심각해질 수 있고 사회에 대한 악감정을 키울 수밖에 없습니다. 그렇다면 범죄자는 다시금 범죄를 저지를 가능성이 크고, 범죄의 악순환이 일어나게 됩니다. 따라서 실질적 범죄 예방을 위해 범죄자의 기본권을 보장해야 합니다.

물론, 피해자의 보호 역시 범죄자의 기본권 못지않게 중요한 가치로 국가가 실현해야 할 사회적 가치임에 분명합니다. 성범죄자의 경우, 위치추적장치를 통한 지속적인 추적·관리가 이루어져야 합니다. 또한 범죄자가 출소 후 피해자에 대해 협박을 한다거나 하는 등으로 피해자를 위협하는 경우에 대한 대응방안 등을 세밀하게 세워 대응해야 합니다.

090 개념 성범죄 강력처벌

1. 기본 개념

(1) 성범죄: 성적 자기결정권의 침해

성범죄는 개인의 성적 자기결정권을 침해한 범죄이다. 성적 자기결정권이란, 인격권의 주체로서 스스로 선택한 인생관이나 사회관 등을 토대로 개인과 공동체의 상호연관 속에서 확립한 독자적인 성적 관념을 바탕으로 성적 행위를 할 권리이다. 성적 자기결정권의 행사란, 자신과 타인을 동등한 존재로 여기며 성적으로 존중해야 하고 상대방을 성적 대상화해서는 안 되는 것을 의미한다.[298)]

(2) 성범죄자 위치추적(전자발찌)

전자팔찌 또는 전자발찌(electronic tagging)는 위치추적 전자장치 등을 이용하여 팔찌나 발찌 착용자의 위치나 상태를 감시하는 장치이다.

전자발찌와 같은 전자장치부착법에 의한 전자감시제도는 "특정범죄"(성폭력범죄, 미성년자 대상 유괴범죄 및 살인범죄를 말한다)를 저지른 사람을 대상으로(제2조), 재범 방지와 성행(性行) 교정을 통한 재사회화를 위해 그의 행적을 추적하여 위치를 확인할 수 있는 전자장치를 신체에 부착하게 하는 조치다(제1조 참조). 전자장치부착법에 따른 전자장치의 부착은 ① 징역형 종료 이후의 전자장치 부착(제2장), ② 가석방 및 가종료 등과 전자장치 부착(제3장), ③ 형의 집행유예와 부착명령(제4장) 등으로 나누어진다. '징역형 종료 이후의 전자장치 부착'은, 특정범죄를 범한 사람 중 재범의 위험성이 인정되는 경우 검사의 청구에 의해(제5조) 법원이 판결을 통해 일정 기간 전자장치 부착을 명하는 제도다(제9조). (헌법재판소 2012.12.27. 2010헌가82 등, 판례집 24-2하, 281)

주로 범죄를 저지를 가능성이 높은 사람을 감시하기 위해 사용되며, 병이 있는 독거노인들의 모니터링을 위해 사용하기도 한다. 1984년 미국 뉴멕시코주 판사가 만화 스파이더맨에서 나온 위치추적장치에서 영감을 얻어 특정 범죄전과자나 관리대상자에게 처음 부착도록 한 것으로 알려져 있다. 특정 범죄자에게 전자팔찌 또는 전자발찌를 채우는 제도는 한국, 미국(44개 주), 영국 등의 국가에서 실시하고 있다.

(3) 신상공개제도

신상공개제도는 청소년 대상 성매수, 강간, 강제추행, 매매춘 알선 등의 성범죄행위를 범하고 형이 확정된 자에 대하여 청소년보호위원회가 당해 범죄자의 신상을 공개하는 제도이다. 우리나라는 2000년 7월 1일부터 시행된 '청소년의 성보호에 관한 법률'을 근거로 2001년 8월 첫 신상공개제도를 시행했다. 이것은 징역형이나 벌금형 등 형사처벌을 가하는 것과는 별도로, 형이 확정된 자의 신상을 청소년보호위원회가 공개할 수 있도록 규정한 것이다.

(4) 심리치료

심리치료는 삶의 다양한 영역에서 심리적인 고통과 부적응을 경험하고 있는 내담자(환자)와 인간의 사고, 감정, 행동, 대인관계에 대한 심리학적 전문 지식을 갖춘 치료자 사이에서 벌어지는 일련의 협력적인 상호작용이다. 즉, 내담자가 치료자와의 관계를 통하여 자기 자신에 대해서 탐색하도록 안내하여 다양한 자신의 문제들을 이해하고 변화시키도록 돕는 것이다.

298) 전윤경, <현행 성범죄의 처벌규정 체계의 재구조화 방안>

(5) 약물치료(화학적 거세)[299)]

화학적 거세로 번역된 '약물치료' 요법은, 성범죄자에게 지속적으로 성욕을 조절할 수 있는 약물을 투여하는 것을 의미한다. 물론 화학적 거세를 하라는 법원의 판결이 내려지면 강제적으로 투여받아야 하지만, 무작정 감금하는 것보다는 성욕을 조절하여 성폭행 피해자의 고통에 동감하도록 이끈다는 점에 있어 교화에 목적이 있다고 할 수 있다. 주사 약물은 인체에 무해하며, 투여를 중단하는 순간부터 일정 시간이 지나면 성 기능은 완벽하게 회복된다.

① 화학적 거세 합헌 의견

치료명령을 청구, 선고받아 성충동 약물치료를 받게 되는 피치료자가 심판대상조항들로 인하여 받는 불이익이 결코 작지 않다는 점은 명백하나, 성충동 약물치료는 전적으로 타인이나 사회를 위한 것만이 아니라 대상자 자신을 위한 치료이기도 하다. 또한 성충동 약물치료에 의하여 제한된 남성호르몬의 생성 및 작용은 치료 종료 후 수개월 이내에 본래와 같이 회복이 가능하고, 현재 성충동 약물치료에 사용되는 약물은 법무부고시에 의하여 지정된 약물 가운데 부작용이 가장 적다고 알려진 류프롤리드 아세테이트로서, 대표적인 부작용은 골밀도 감소이나, 앞서 본 바와 같이 부작용 검사와 그에 대한 치료, 부작용이 큰 경우의 약물치료 중단 등의 대책이 마련되어 있다. 이를 감안하면, 피치료자의 사익의 제한이 달성되는 공익과 비교하여 현저히 균형을 잃은 것이라 보기는 어렵다.

② 화학적 거세 위헌 의견(재판관 김이수, 이진성, 안창호의 반대의견)

우선 성기능이 억제됨으로 인하여 피치료자는 범죄행위가 아닌 일반적인 성생활에 장애를 가지게 되고, 특히 혼인이나 자식을 낳아 기르는 등의 가족 구성, 유지까지도 어려움을 겪을 수 있다는 점에서 치료대상자가 입게 되는 신체적·정신적 완전성의 훼손, 사생활의 자유와 자기결정권의 제약은 심대하다.

또한 성충동 약물치료가 인체에 미치는 부작용의 문제 역시 심각하다. 일반적으로 수반된다고 보고되는 골다공증 이외에도 신체의 건강에 위협을 초래할 수 있는 질병들이 부작용으로 발생할 수 있다는 연구결과가 존재한다.

무엇보다 성충동 약물치료는, 사람의 신체적 기능을 본인의 의사에 반하여 훼손하고, 이러한 신체 기능 통제를 통하여 정서적 변화, 인간 개조를 이끌어내려는 시도로서 동물이나 물건과 다른 인간으로서의 정체성을 위협하는 것은 아닌지 근본적 의문이 있다.

피치료자 1인당 1년에 약 5백만 원에 가까운 비용을 들여 최대 15년 동안 피치료자의 기본권에 대해 위에서 살핀 바와 같이 중요한 사익을 제한함으로써 달성할 수 있는 공익을 확신하기 어렵다면, 결국 심판대상조항들은 불확실한 공익 달성을 위하여 인간을 물화(物化)하는 것으로서 인간의 존엄과 가치에 반하여 법익의 균형성을 갖추지 못하였다고 할 것이다.

299)

2013헌가9

③ 성범죄자의 동의를 얻어야 한다는 견해(재판관 이진성의 반대의견에 대한 보충의견)

심판대상조항들은 신체의 자유, 사생활의 자유, 개인의 자기결정권 등 전적으로 개인적 영역에 속하는 기본권의 제한을 규정하고 있다. 그런데 만약 약물치료의 실시에 관하여 치료 대상자의 동의가 존재한다면, 이는 성도착증의 치료 여부 및 방법을 치료 대상자 스스로 결정한 것이므로 처음부터 위와 같은 기본권의 제한이 문제되지 아니한다. 질병의 치료과정에서 사용된 약물로 인하여 발생할 수 있는 부작용이나 그로 인한 위험 부담은, 이를 치료 대상자가 인식하고 감수하기로 결정한 때에는 더 이상 신체와 정신의 완전성에 대한 훼손으로 평가될 수 없다. 물론 치료 대상자의 동의는, 치료 대상자 본인의 전적으로 자유로운 의사결정이 보장된 상태에서 치료의 내용과 절차, 부작용 등에 관한 충분한 설명과 이해를 전제로 이루어진 것이어야 하고, 이와 같은 절차가 보장되었는지 여부를 검증할 수 있는 수단도 마련되어야 할 것이다.

따라서 치료 대상자의 동의 없이 성충동 약물치료명령의 청구와 선고가 가능하도록 한 심판대상조항은 반대의견에서 지적한 바와 같이 헌법에 위반되지만, 치료 대상자의 동의가 있는 경우에는 이를 달리 판단하여야 한다.

2. 쟁점과 논거: 성범죄자에 대한 화학적 거세 찬반론

찬성론: 성범죄 예방	반대론: 개인의 자유 침해
[성범죄 재발 방지] 성범죄자는 일반인에 비해 성적 욕망을 이성적으로 제어하기 힘든 성향을 가지고 있다. 이로 인해 일반적인 형벌로는 교화를 통한 성범죄자의 범죄 재발을 예방하기 힘들다. 범죄의 원인이 되는 성적 욕망을 직접적으로 줄이는 것이 재범가능성을 줄일 수 있는 최선의 방법이다.	[개인의 성적 자기결정권 침해] 성범죄자 화학적 거세는 성범죄 예방이라는 목적을 위해 해당 기간 동안 신체 일부의 자율권을 박탈하는 조치이다. 이는 인간을 범죄 예방의 수단으로 삼는 것과 다르지 않다. 더욱이 성범죄를 다시 저지르지 않았음에도 화학적 거세를 시행하는 것은 범죄자의 판단능력을 인정하지 않는 처사이다.
[성범죄의 비가역적 피해 예방] 성범죄는 주로 우월한 위치에 있는 남성이 상대적으로 약한 여성과 아동을 대상으로 벌어진다. 이로 인해 여성의 경우 원하지 않는 임신이나 정신적 충격, 아동의 경우 인격 형성의 장애를 겪게 된다. 이러한 피해는 단순히 한순간에 그치지 않고, 피해자의 남은 인생 전반에 악영향을 미치게 된다.	[성범죄 예방 불가] 성범죄자가 단순히 성욕으로 인해 범죄를 저지르지 않는다. 분노, 열등감, 고립감, 공감능력 부족 등 다양한 정서적 욕구나 통제 욕구의 부재가 성범죄의 심리적 원인이 된다. 화학적 거세는 단순히 성욕을 통제하면 된다는 단순한 발상이기 때문에 성범죄를 예방할 수 없다.
[실질적인 범죄자 인권 보장] 성범죄자는 재범가능성에 대한 사회적 인식으로 인해 출소 후 정상적인 사회생활이 불가능한 것이 현실이다. 성범죄자에 대한 화학적 거세를 통해 재범가능성을 줄일 수 있으므로, 성범죄자의 사회 복귀를 오히려 앞당길 수 있다.	[공공복리 저해] 화학적 거세는 성범죄자에 대한 치료라기보다는 투약 기간에만 유효한 일시적인 억제책이라 봐야 한다. 성범죄의 근본적인 해결을 위해서는 왜곡된 성의식과 사회구조적 문제의 해결이 필요하다.[300] 화학적 거세는 문제를 해결하지 못하면서, 개인의 성적 자기결정권을 침해하고 사회적 비용만 지출하는 정책이다.

3. 읽기 자료

성범죄 처벌규정[301)]

성범죄 재범율[302)]

300)
성폭력범죄의 태양 가운데 성기의 삽입에 의한 경우는 일부분이고, 성도착증 환자의 성폭력범죄나 아동대상 성폭력범죄의 경우 이물질의 삽입이나 기타 추행의 형태로 발생하는 경우가 많으므로 성기능의 무력화가 성폭력범죄를 불가능하게 한다고 단정할 수 있는 것도 아니다. 그 밖에 성폭력범죄의 동기 역시 성적 충동에 한정되지 않으며, 정서적 욕구 또는 통제욕구가 성폭력범죄의 중요 동기가 된다는 연구결과가 다수 존재하고 있고, 성적 환상 외에 분노, 열등감, 고립감, 공감능력의 부재, 남성 중심적이고 폭력적인 성의식, 미약한 법준수 의식 등이 성폭력범죄의 심리적 원인으로 주목되고 있는바, 성적 충동의 억제로 인한 성폭력범죄 예방효과에도 의문이 있다. (헌재 2015.12.23. 2013헌가9, 판례집 27-2하, 391)

301)

성범죄 처벌규정

302)

성범죄 재범율

090 문제 성범죄 강력처벌

답변 준비 시간 15분 | 답변 시간 15분

※ 다음 제시문을 읽고, 문제에 답하시오.

(가) 성폭력범죄의 처벌 등에 관한 특례법은, 장애인 여성과 13세 미만 아동을 성폭행했을 경우 7년, 10년 이상의 유기징역 외에 무기징역까지 선고할 수 있도록 규정하고 있다. 또 장애인 보호·교육 기관의 장과 직원이 성범죄를 저지르면 법정형의 최고 2분의 1까지 형이 가중된다. 아울러 장애인 여성과 13세 미만 아동에 대한 성폭행범에 대해서는 공소시효를 적용하지 않도록 했다.

(나) 다음은 성범죄에 대한 해결방안이다.
① 성범죄 전과자에 대한 위치추적장치 부착
② 성범죄 전과자의 신상공개
③ 성범죄 전과자의 실시간 위치정보공개
④ 화학적 거세
⑤ 물리적 거세

Q1. 제시문 (가)에서 장애인과 아동을 대상으로 한 성범죄를 강력하게 처벌하는 것은 타당한가?

Q2. 제시문 (가)에서 장애인 여성과 13세 미만의 아동을 대상으로 한 성범죄에 대해 공소시효를 배제하는 것은 과도한 제한이라고 볼 수 있다는 입장이 있다. 공소시효의 배제는 과도한 제한인가?

Q3. 제시문 (가)의 특례법과 공소시효의 배제는 곧 많은 사람들이 사회적으로 공분한다면 장애인에 대한 성범죄를 엄벌할 수 있다는 의미이기도 하다. 그 연장선상에서 보면, 만약 절도에 대해 많은 사람들이 분개할 경우 절도에 대해서도 지금보다 형량을 높이거나 하는 방법으로 엄벌해도 되는가?

Q4. 제시문 (나)의 성범죄자 해결방안 각각에 대한 타당성 여부를 논하시오.

090 해설 성범죄 강력처벌

Q1. 모범답변

장애인과 아동을 대상으로 한 성범죄를 강력하게 처벌하는 것은 타당합니다. 약자 보호라는 사회적 가치를 실현할 수 있기 때문입니다. 사회가 유지·존속되려면 공유된 가치가 지켜져야 하며, 공유된 가치 중 하나가 약자 보호입니다. 만약 약자를 보호해야 한다는 가치가 훼손된다면 사회는 해체되고 말 것입니다. 장애인과 아동은 사회적 약자로 이들을 보호하는 것은 공동체 구성원으로서 가져야 할 연대의 의무와 관련됩니다. 그런데 사회구성원 모두가 지켜야 할 장애인과 아동을, 자신의 욕망 충족을 위해 도구화한 범죄자들을 강하게 처벌하지 않는다면 이는 연대의무가 중요한 가치가 아니라고 선언하는 것이나 마찬가지입니다. 그러므로 장애인과 아동을 대상으로 한 성범죄를 강력하게 처벌하는 것은 타당합니다.

Q2. 모범답변

장애인 여성과 13세 미만 아동을 대상으로 한 성범죄에 한하여 공소시효를 배제한 것은 과도한 제한이라고 할 수 없습니다. 공소시효는 시간이 지나면 범죄 피해자의 응보 감정이 희석되고 사회적으로도 그에 대한 분노가 사라지기 때문에 처벌의 목적이 사라진다는 점을 반영한 것입니다. 그러나 장애인 여성과 13세 미만의 아동을 대상으로 한 성범죄는, 장애인 여성의 경우 사회적 약자를 자기 욕망의 수단으로 사용하였다는 사회적 분노가 사라지지 않을 것이고, 13세 미만의 아동의 경우 독립적 주체로 자라날 아동의 정체성 형성에 큰 악영향을 준 것이므로 범죄 피해자가 성장하여 응보감정이 더 커질 것입니다. 특히 자신의 의사를 제대로 전달하기 어려운 자들을 사회와 국가가 대신하여 지켜주지 않는다면 국가의 법질서에 대한 신뢰를 형성하고 지켜나갈 수 없습니다. 따라서 공소시효를 배제하여 시간이 지나더라도 국가가 사회적 약자를 지킬 것이라는 신뢰를 공동체 구성원에게 심어주어야 합니다.

Q3. 모범답변

절도에 대한 엄벌은 그렇지 않습니다. 그것을 사회적 공분이라 할 수 없기 때문입니다. 사회적 공분은 모든 사안에 대한 도덕적 판단과 그에 대한 감정이 아닙니다. 무엇이 옳은 것인지 합의하기는 쉽지 않으나, 무엇이 명백하게 잘못된 것인지는 합의하기 쉽습니다. 사회적 공분은 무엇이 옳다거나 그렇게 해야 한다는 것이 아니라 학살, 고문, 노예제, 사회적 약자에 대한 공격 등의 명백한 잘못, 명백한 부정의에 발생하는 감정입니다. 따라서 장애인에 대한 성범죄는 사회적 약자에 대한 공격에 해당하므로 사회적 공분의 영역이나, 절도는 사회적 공분의 영역이 아닙니다. 결국 절도는 개인의 선택에 대한 책임을 부과하면 충분한 일이지, 발생하지도 않은 사회적 가치의 훼손을 이유로 엄벌할 일은 아닙니다. 따라서 절도에 대한 엄벌은 타당하지 않습니다.

Q4. 모범답변

① 성범죄 전과자에 대한 위치추적장치 부착은 타당합니다. 범죄 예방과 조기해결을 달성하면서도 성범죄 전과자의 인권 침해 요소가 적기 때문입니다. 위치 추적은 성범죄자에게 위하력을 주고 국민에게 성범죄 전과자의 위치를 파악하고 있음을 알려 법신뢰를 실현할 수 있습니다. 반면, 성범죄 전과자에게는 인신을 구속하거나 자유로운 행동 자체를 금지하는 것이 아니라 단지 위치를 추적하는 장치를 발목에 부착하는 것뿐이고, 위치정보의 수신자료는 국가에 의해 그 사용이 엄격하게 통제되고 있어 개인정보 침해 우려가 적습니다. 따라서 성범죄 전과자에 대한 위치추적장치 부착은 타당합니다.

② 성범죄 전과자의 신상공개는 타당하지 않습니다. 성범죄 전과자의 신상을 공개하여 달성되는 범죄예방효과는 미미한 데 반하여, 성범죄자의 책임 이상의 인격권 침해를 일으킴과 동시에 성범죄자의 가족에게 실질적 피해를 발생시키기 때문입니다. 성범죄 전과자의 신상을 공개한다고 하더라도 국민이 이들을 회피할 수 있다거나 하는 등으로 범죄를 예방할 수는 없습니다. 그러나 성범죄 전과자의 책임 이상의 사회적 처벌을 가하여 전과자의 사회 복귀를 어렵게 하고, 성범죄 전과자의 가족에게 실질적인 피해를 입혀 자신의 책임 없는 일에 대한 명예형을 가하는 것이나 다름없습니다. 따라서 타당하지 않습니다.

③ 성범죄 전과자의 실시간 위치정보공개는 타당하지 않습니다. 범죄 예방과 조기해결이라는 사회적 목적을 위해 개인의 자유를 과도하게 제한하는 것이기 때문입니다. 성범죄자 또한 국민으로서 자유의 주체가 됩니다. 개인의 위치는 사생활의 자유 영역에 해당하여 보호 가치가 있습니다. 성범죄 예방이라는 목적을 위해 법률로써 정한 기관 외에 다른 주체가 개인의 위치를 반드시 알아야 할 이유는 없습니다. 그러므로 성범죄자의 위치정보를 국민에게 공개하는 것은 타당하지 않습니다.

④ 화학적 거세는 타당합니다. 성범죄 재발 방지를 달성할 수 있기 때문입니다. 범죄는 범죄자의 범죄 의지가 결정적 요인이 됩니다. 성범죄는 범죄자의 성적 욕망이 결정적 요인이기는 하나 남성호르몬의 이상 같은 의학적 문제 또한 영향을 발휘한다고 알려져 있습니다. 특히 소아기호증과 성도착증을 지닌 상습적 성범죄자는 남성호르몬의 이상 같은 의학적 문제가 원인이 된다는 연구결과가 있습니다. 대표적인 사례로 덴마크에서는 화학적 거세로 성범죄자의 재범률을 30~40%에서 5% 수준으로 낮추었습니다. 그러므로 성충동 약물치료를 통해 성범죄자의 의학적 문제를 줄여나간다면 범죄자의 성적 욕망을 통제가능한 수준으로 통제할 수 있어 성범죄를 실질적으로 감소시킬 수 있을 것입니다. 따라서 성범죄자에 대한 화학적 거세는 타당합니다.[303)]

⑤ 물리적 거세는 타당하지 않습니다. 성범죄의 예방을 위해 개인의 인신을 훼손하기 때문입니다. 성범죄자 또한 국민으로서 자유의 주체가 됩니다. 개인의 신체는 생명의 기초가 되며 이를 통해 자유를 행사할 수 있기 때문에 타인이나 사회적 가치를 위해 희생되어서는 안 됩니다. 성범죄의 예방이라는 사회적 가치를 실현하기 위해 개인의 신체를 훼손할 수 있다면 개인은 자기 자신의 주체가 아니라 사회적 가치 실현을 위한 수단으로 전락하게 됩니다. 개인의 육체를 사회적 가치를 위해 훼손할 수 있다면 개인의 어떤 자유와 가치도 제한가능하다는 전체주의 국가가 될 수 있습니다. 따라서 물리적 거세는 타당하지 않습니다.

303) 심판대상조항들에 의한 치료명령은 대상자에 대해서는 '치료'를 통한 원만한 사회복귀의 목적이 있지만, 사회적인 차원에서는 재범 방지를 통한 사회방위의 목적도 있다. 그런데 치료가 꼭 필요한 경우에도, 자신의 병리적 상태를 인정하지 못하거나 미약한 법준수 의식에 기초하여 재범의 가능성을 개의치 않음에 따라 스스로 치료의 필요성을 인정하지 않는 경우, 막연한 두려움에 기하여 동의를 거부하는 경우가 많을 것을 쉽게 예측할 수 있는바, 치료를 원하는 대상자에 한한 치료만으로는 사회방위의 목적을 충분히 달성할 수 없을 것이다. 따라서 피치료자의 동의에 기초한 성충동 약물치료는 입법목적 달성이라는 측면에서 대안이 된다고 보기 어렵다. (헌재 2015.12.23. 2013헌가9, 판례집 27-2하, 391)

091 개념 그루밍 성범죄

1. 기본 개념

(1) 그루밍

유럽의회의 란사로테 협약에서는, 그루밍에 대해 아동을 성적 만족의 대상으로 삼으려는 욕구에서 의해 동기화된 성적 학대의 준비라고 규정한다.

(2) 그루밍 과정

그루밍의 과정은 BRAT의 4단계가 된다. 첫째, 피해자와 유대감을 형성한다(Bond). 둘째, 가해자에게 의존하도록 만든다(Reliance). 셋째, 가해행동에 대한 피해자의 저항감을 감소시킨다(Atttenuate). 넷째, 가능하면 장기간 궁지로 몰아넣는다(Trap). 이 논리의 연장선상에서 그루밍을 우월한 지위에 있는 가해자가 성적 착취의 목적을 가지고 대인관계 및 사회적 환경이 취약한 대상을 상대로 신뢰를 쌓고, 성적 가해행동을 자연스럽게 받아들이고 피해자의 폭로를 막으려고 하는 일련의 과정이라 보기도 한다.

(3) 그루밍 성범죄의 문제점

그루밍 성범죄의 일반적인 경우는, 성인인 가해자가 일정기간 피해자인 아동·청소년에게 호감을 생성한 이후에 성관계를 맺는 것이다. 성관계를 맺는 것에 대해 아동·청소년의 표면적인 동의가 있다는 점에서 문제가 된다.

그러나 그루밍 성범죄는 아동·청소년에 대한 문제로 한정할 수는 없다. 예를 들어, 정신과 의사에 의한 환자 대상 성범죄, 가스라이팅과 관련한 성인 대상 성범죄도 그루밍 성범죄의 일종이다. 표면적으로는 피해자의 동의를 기반으로 이루어진 성행위이기 때문에 문제가 된다.

(4) 대법원 판례[304]

아동·청소년을 보호하고자 하는 이유는, 아동·청소년은 사회적·문화적 제약 등으로 아직 온전한 자기결정권을 행사하기 어려울 뿐만 아니라, 인지적·심리적·관계적 자원의 부족으로 타인의 성적 침해 또는 착취행위로부터 자신을 방어하기 어려운 처지에 있기 때문이다. 또한 아동·청소년은 성적 가치관을 형성하고 성 건강을 완성해가는 과정에 있으므로 아동·청소년에 대한 성적 침해 또는 착취행위는 아동·청소년이 성과 관련한 정신적·신체적 건강을 추구하고 자율적 인격을 형성·발전시키는 데에 심각하고 지속적인 부정적 영향을 미칠 수 있다. 따라서 아동·청소년이 외관상 성적 결정 또는 동의로 보이는 언동을 하였더라도, 그것이 타인의 기망이나 왜곡된 신뢰관계의 이용에 의한 것이라면, 이를 아동·청소년의 온전한 성적 자기결정권의 행사에 의한 것이라고 평가하기 어렵다.

304)

2015도9436

(5) 헌법재판소 판례[305)]

결국 심판대상조항은 13세 이상 16세 미만의 사람도 13세 미만의 사람과 마찬가지로 성적 자기결정권을 온전히 행사할 수 없고, 설령 동의에 의하여 성적 행위에 나아간 경우라 하더라도 그것은 성적 행위의 의미에 대한 불완전한 이해를 바탕으로 한 것으로 온전한 성적 자기결정권의 행사에 의한 것이라고 평가할 수 없다는 전제에서 해당 연령의 아동·청소년의 성을 보호하고자 하는 입법적 결단이라고 할 수 있다. 일본, 미국, 독일 등 세계 각국의 입법례를 살펴보더라도 아동뿐만 아니라 일정 연령 미만의 청소년까지 절대적 보호대상의 범주 안에 포함시킴으로써 아동·청소년을 성범죄로부터 폭넓게 보호하고 있음을 알 수 있다.

심판대상조항은 아동·청소년의 개별적이고 구체적인 상황을 고려함이 없이 피해자가 '13세 이상 16세 미만의 사람'에 해당하면 그 상대방인 '19세 이상인 자'를 일률적으로 처벌하도록 규정하고 있다. 13세 이상 16세 미만의 아동·청소년은 상대방의 행위가 성적 학대나 착취에 해당하는지 여부를 제대로 평가할 수 없는 상태에서 성행위에 나아갈 가능성이 높아 절대적 보호의 필요성이 있는 사람들이다. 반대로 19세 이상의 성인에게는 미성년자의 성을 보호하고 미성년자가 스스로 성적 정체성 및 가치관을 형성할 수 있도록 조력할 책임이 인정된다. 개인의 성숙도나 판단능력, 분별력을 계측할 객관적 기준과 방법이 존재하지 아니하므로 입법자로서는 가해자와 피해자의 범위를 연령에 따라 일의적·확정적으로 유형화하는 것이 불가피하다.

심판대상조항은 단순히 주변 지인이나 특정 관계에 있는 사람에 의한 성적 착취로부터 아동·청소년을 보호하는 데에만 그치는 것이 아니라, 날이 갈수록 그 수법이 정교해지고 있는 온라인 성범죄나 그루밍 성범죄로부터 16세 미만의 청소년을 두텁게 보호하려는 데에 그 입법취지가 있으므로, 피해자의 범위를 '업무·고용·양육·교육 등'의 특정 관계가 있는 사람으로 한정하여서는 그 입법취지를 달성하기 어렵다.

2. 읽기 자료

그루밍 성범죄[306)]

305)

형법 제305조 제2항 위헌소원

306)

그루밍 성범죄

그루밍 성범죄

답변 준비 시간 10분 | 답변 시간 10분

※ 다음 제시문을 읽고, 문제에 답하시오.

초등학생 제자와 성관계를 맺은 여교사, 15살 연습생과 관계한 연예기획사 사장 등 청소년을 대상으로 한 성범죄가 늘어나고 있다. 최근 이슈가 된 사건들의 공통점은 피해자와 피의자가 서로 사랑했다고 주장하였다는 점이다. 이를 그루밍 성범죄라 하는데, 성인인 가해자가 미성년자인 피해자를 오랜 시간에 걸쳐 계획적으로 길들여 성폭력을 용이하게 하거나 은폐하는 행위를 말한다.

대표적인 예로 연예기획사 사장인 A씨의 경우가 있다. A씨는 15세 소녀에게 연예인이 되게 해주겠다며 접근하고 수차례 부적절한 관계를 맺어 결국 임신까지 시키게 되었다. 이후 A씨는 상습성폭행이라는 죄명으로 재판을 받게 되었는데, 1심에서 12년형을, 2심에서는 9년형을 선고 받았지만, 대법원에서는 '사랑'이라는 남자의 주장을 인정하고 파기환송하여 5년 만에 무죄 판결이 났다. 전문가들은 A씨의 '서로 사랑했다는 주장'은 터무니없으며, 이것은 범죄수법일 뿐이라고 한목소리로 말한다. 이런 식으로 진로상담을 해주면서 친밀해진 후 자발적 성관계를 하도록 유도하거나 이후에도 협박 등을 통해 이를 은폐하고자 하는 그루밍 범죄가 사회적 문제가 되고 있다.

Q1. 아동·청소년을 대상으로 한 그루밍 성범죄 문제의 핵심은 무엇인지 답하고 이를 논리적으로 강화하시오.

Q2. 우리나라는 2020년 형법을 개정해 미성년자 의제강간죄의 피해자 연령기준을 13세에서 16세로 상향함으로써 19세 이상의 사람이 13세 이상 16세 미만인 사람을 상대로 성행위를 한 경우, 그것이 피해자의 동의에 의한 것이라 하더라도 강간죄 등으로 처벌하도록 했다. 이처럼 아동·청소년 대상 그루밍 성범죄를 강력하게 처벌하는 것에 대한 자신의 입장을 정하여 논하시오.

추가질문

Q3. 19세 미만의 자가 13세 이상 16세 미만의 사람과 합의하여 성행위를 한 경우에는 처벌해야 하는가?

091 해설 그루밍 성범죄

Q1. 모범답변

아동·청소년 대상 그루밍 성범죄 문제의 핵심은 미성년자인 피해자의 동의를 온전한 성적 자기결정권의 행사로 인정할 수 있는지 여부입니다. 그루밍 성범죄는 성인 가해자가 일정기간 피해자인 아동·청소년에게 호감을 생성한 이후에 피해자의 동의를 얻어 성관계를 맺는 것입니다. 결국 아동·청소년이 미성숙한 존재라 하더라도 스스로의 의사에 따라 성적 자기결정권을 행사한 것이라면 가해자에 대한 처벌이 어려워지게 됩니다.

Q2. 모범답변

아동·청소년 대상 그루밍 성범죄를 강력 처벌해야 합니다. 아동·청소년을 보호하고, 성적 자기결정권을 실질적으로 보장할 수 있기 때문입니다.

아동·청소년을 보호하기 위해 아동·청소년 대상 그루밍 성범죄를 강력 처벌해야 합니다. 아동·청소년의 보호는 우리 사회가 함께 달성해야 할 사회적 가치임이 분명합니다. 아동·청소년은 미성숙한 존재로 이들을 보호하고 교육하고 조력함으로써 장래 사회의 구성원이 될 수 있도록 우리 사회 모두가 함께 노력해야 합니다. 그루밍 성범죄는 아동과 청소년을 보호할 책무가 있음을 명확히 알고 있는 성인 가해자가 아동과 청소년을 자신의 성욕 충족 수단으로 대한 것입니다. 이처럼 명백하게 사회적 가치를 훼손한 자를 처벌함으로써 아동·청소년 보호라는 가치를 실현할 수 있습니다. 따라서 아동·청소년 대상 그루밍 성범죄를 강력 처벌해야 합니다.

아동·청소년의 성적 자기결정권을 실질적으로 보호할 수 있으므로 그루밍 성범죄를 강력 처벌해야 합니다. 아동·청소년은 온전히 성적 자기결정권을 행사할 수 없습니다. 성적 가치관을 형성하는 과정에 있기 때문에 이들을 대상으로 한 성범죄는 이들이 정신적, 신체적 건강을 추구하고 자율적인 인격으로 성장하는 것에 심각하고 지대한 악영향을 미치게 됩니다. 더 나아가 피해 아동·청소년이 장래 성인이 된 이후에도 그루밍 성범죄로 인한 성관념의 왜곡과 성적 자기결정권의 온전한 행사에 미칠 악영향 역시 클 것입니다. 성인에 의한 아동·청소년 대상 성범죄를 예방함으로써 아동·청소년의 성적 자기결정권의 왜곡을 사전에 막을 수 있습니다. 따라서 그루밍 성범죄를 강력 처벌해야 합니다.

Q3. 모범답변

이 경우에는 처벌대상에서 제외함이 타당합니다. 미성년자 사이의 성관계는 서로 미숙한 성적 자기결정권의 합치라 보아야 하기 때문입니다. 성인이 미성년자를 대상으로 성범죄를 저지른 경우, 우월한 지위에 있는 자가 위력을 행사한 것이라 볼 수 있으므로 처벌함이 타당합니다. 그러나 미성년자 간의 동의에 의한 성관계는 심리적인 장애 없이 미숙하나마 서로 간의 성적 자기결정권을 행사한 결과로 보는 것이 적절합니다. 따라서 처벌하지 않는 것이 타당합니다.[307)]

307) 심판대상조항은 행위주체를 '19세 이상의 자'로 한정하고 있어서 '19세 미만의 자'가 13세 이상 16세 미만의 사람과 합의에 의하여 성행위를 한 경우는 처벌대상에서 제외된다. 연령이나 발달정도 등의 차이가 크지 않은 미성년자 사이의 성행위는 심리적 장애 없이 성적 자기결정권을 행사한 것이라 보고 이를 존중하여 줄 필요가 있음을 고려한 것이다. 일본 형법은 16세 미만인 사람과의 성행위를 처벌하되, 피해자가 13세 이상 16세 미만인 경우에는 가해자가 5세 이상 연장자인 경우에만 처벌하도록 규정하고 있다. 미국 각 주의 형법은 이른바 '로미오와 줄리엣법(Romeo and Juliet law)'이라고 하여, 피해자와 가해자의 연령 차이가 적은 경우에는 불처벌 또는 면책되거나 적극적 항변사유로 주장할 수 있는 등의 예외조항을 두고 있다. 독일 형법은 14세 미만의 아동에 대한 성행위를 원칙적으로 처벌하되, 당사자 사이에 합의가 있었고 서로 연령·발달단계·성숙도의 차이가 경미한 경우에는 법원이 형을 면제할 수 있도록 규정하고 있다. (헌재, 2024.6.27. 2022헌바106)

092 개념 한국형 제시카법

2024 전남대 기출

1. 기본 개념

(1) 미국 제시카법

2005년 플로리다 주에서 학교 등의 아동친화시설로부터 일정거리 안에 성범죄자가 거주할 수 없도록 제한하는, 제시카법을 제정했다. 이 법은 성범죄자 거주지를 학교, 공원, 어린이집, 유치원, 놀이터 등 아동이 밀집하는 장소로부터 일정한 거리 밖으로 제한한다. 아동밀집장소로부터 성범죄자 거주지까지 제한 거리가 300~600m 정도이기 때문에 출소 후 성범죄자들은 도심 거주가 불가능해졌다. 제시카법과 같은 거주지 제한정책은 성범죄의 재범 기회와 접근성을 제한함으로써 사회를 안전하게 만들겠다는 발상에서 비롯된 것이다.

(2) 한국형 제시카법(고위험 성범죄자 거주지 제한)

2023년 10월 법무부는 '고위험 성폭력 범죄자의 거주지 지정 등에 관한 법률안'을 입법예고하고, 2024년 1월 국무회의를 통과하여 국회에 제출되었다. 이에 따르면 13세 미만 아동을 대상으로 하거나 3회 이상 성폭력범죄를 저지른 전자감독 대상자 중, 부착명령의 원인이 되는 범죄로 10년 이상의 선고형을 받은 '고위험 성폭력범죄자'가 거주지 지정 대상이 된다. 그리고 검사는 거주지 지정명령 청구를 위해 필요한 경우 보호관찰소의 장에게 고위험 성범죄자에 대한 조사를 요청할 수 있으며, 법원은 검사의 청구가 이유 있다고 인정하는 때에는 거주지 지정명령을 부과하게 된다.

(3) 보안처분

보안처분이란 행위 속에 객관화된 행위자의 장래 위험성 때문에 행위자의 치료·교육·재사회화를 위한 개선과 그에 대한 보안이라는 사회방위를 주목적으로 하여 과해지는 형벌 이외의 형사제재를 말한다. 형벌은 과거의 행위에 대한 사회 윤리적 비난으로서의 제재임에 반하여, 보안처분은 장래의 범죄에 대한 예방적 성질의 제재이다.

치료감호처분은, 정신병자 등 심신장애로 인한 범죄인을 정신병원 등 일정시설에 수용하여 치료하는 처분이다.

교정처분은, 알코올 또는 마약중독자를 일정 기간 교정소 또는 금단시설에 수용하여 그 습벽을 제거·치료하는 처분이다.

보호관찰은, 범죄인에게 형벌을 집행하지 아니하고 정상적인 사회생활을 영위하게 하면서 보호관찰기관의 지도·감독과 보도를 받도록 함으로써 그 개선과 사회복귀를 도모하는 처분이다.

(4) 형벌과 보안처분의 구별[308)]

책임이라 함은 과거의 범죄에 대하여 규범적 시점에서 본 문제이고 위험성이라고 함은 장래에 대하여 사실적 시점에서 보는 문제로서 책임에 대해서는 형벌로 대응하고 위험성에 대해서는 보안처분으로 대응한다. 그러므로 한 사람의 범죄자에 대하여 양자가 경합하는 경우가 생기는 것은 당연하다. 책임에 대하여 형벌, 위험성에 대해서는 보안처분이라는 등식은 형법학적 순이론적으로 제시되는 것이지만 이러한 순이론적 입장과는 달리 책임에 대하여 보안처분이 가능하다는 것은 개개의 사실에 대하여 어떻게 대응할 것인가라는 실천적 측면에서의 정책적 문제로 보아야 한다. 그렇지 않으면 책임 또는 위험성의 관념을 이론적으로 오히려 복잡하게 만들기 때문이다.

(5) 일사부재리의 원칙과 이중처벌금지의 원칙[309)]

헌법 제13조 제1항 후문에서 "모든 국민은 … 동일한 범죄에 대하여 거듭 처벌받지 아니한다"라고 규정하여 일사부재리의 원칙과 이중처벌금지의 원칙을 인정하고 있다. 일사부재리의 원칙과 이중처벌금지의 원칙은 형사판결이 확정되어 기판력이 발생하면 동일한 사건에 대하여 거듭 심판할 수 없다는 것으로 죄형법정주의에 포함되는 원칙은 아니다. 이중처벌금지의 원칙에 따라 재판결과 무죄이거나 심판이 끝난 행위에 대해서는 다시 형사책임을 물을 수 없다. 또 즉결심판에 의한 즉결처분이 있을 때도 같다. 보안처분은 그 본질, 목적 및 기능에 있어 형벌과는 다른 독자적 의의를 가진 사회보호적인 처분으로 형벌과 보안처분은 서로 병과하여 선고하더라도 이중처벌금지의 원칙에 해당되지 아니한다는 것이 헌법재판소의 확립된 견해이다.

보안처분의 하나로 보호감호처분을 정한 사회보호법 제5조 등이 이중처벌금지의 원칙과 관련하여 문제되었으나, 대법원과 헌법재판소는 사회보호법 제5조는 이중처벌금지의 원칙에 반하지 아니한다고 보았다. 또 헌법재판소는 보안관찰법의 보안처분도 이중처벌이 아니라고 하였다. 일사부재리의 원칙, 이중처벌금지의 원칙과 이중위험금지원칙과의 상관관계가 문제 되고 있다. 일사부재리의 원칙, 이중처벌금지의 원칙은 실체판결의 실체적 확정력의 문제이고, 이중위험의 금지는 절차상의 관점에서 본 것이다. 일사부재리의 원칙, 이중처벌금지의 원칙이나 이중위험금지원칙은 그 연혁과 내용에 있어서 상이하나 기본적으로는 같은 의의를 가진 것이라 할 것이다.

(6) 법률과 적법절차에 의한 보안처분[310)]

보안처분이란 범죄에 대한 사회보전의 방법으로서 형벌만으로는 불충분하거나 혹은 부적당한 경우에 이를 보충하고 대체하는 의미에서 범죄적 위험자 또는 범죄행위자에 대하여 과하는 범죄예방처분을 말한다. 이러한 보안처분은 법률과 적법한 절차에 의하지 아니하고는 할 수 없다. 따라서 범죄의 성립이 인정되지 않는 경우는 물론 성립이 인정된 경우에도 형벌 대신 보안처분을 과하는 것은 법률에 규정이 없는 한 그리고 적법절차에 의하지 않는 한 위헌이 된다. 현재 우리나라에서 법률상 근거를 둔 실질적 보안처분이라고 볼 수 있는 것으로는 형법상의 보호관찰제도, 사회봉사명령제도, 수강명령제가 있고, 소년법에 의한 보호처분, 보호관찰 등에 관한 법률상의 보호관찰, 보호관찰법상의 보안관찰처분, 치료보호법상의 치료감호·보호관찰 등이 있다.

308) 김인선(순천대 법대 교수), <형사정책학적 관점에서의 책임주의와 보안처분의 관계에 대한 고찰>

309) 김철수, <헌법학개론>, 박영사, p. 496~497

310) 김철수, <헌법학개론>, 박영사, p. 497~498

(7) 보안처분제도의 개선방안

형벌은 책임원칙에 입각하므로 형벌을 부과하기 위해서는 반드시 책임이 전제되고 또 책임의 양을 넘어서 형벌을 부과할 수 없다. 그러나 20세기에 들어와서 급격한 사회구조의 변화는 이른바 형법의 전환기를 초래하게 되었고, 그 결과 나타난 현대 형법의 특징은 범죄인의 사회복귀를 효율적으로 달성하기 위하여 형법상의 제재를 합리적·합목적적으로 재편성하는 데 있었다고 할 수 있다.

이러한 변화의 하나로 책임원칙에 근거하여 구성요건에 해당하고 위법하고 유책한 범죄에 대하여 행사하여 왔던 전통적인 형벌만으로는 달성할 수 없는 법익보호과제의 실행이라는 현실적인 이유에서, 형벌에 의하여 해결될 수 없는 위험성이 존재하는 경우 사회보호 내지 방위를 위해 추가적인 제재가 필요하다는 근대학파의 예방적 형법사고의 입장에서 형벌을 보완하는 제재로서 보안처분의 필요성이 인정되었다.

2. 읽기 자료

성범죄자 거주지 제한[311)]

성범죄자 신상정보제도[312)]

10년 동안 범죄발생 및 범죄자 특성 추이[313)]

311)

성범죄자 거주지 제한

312)

성범죄자 신상정보제도

313)

10년 동안 범죄발생 및 범죄자 특성 추이

092 문제 한국형 제시카법

답변 준비 시간 10분 | 답변 시간 10분

※ 다음 QR코드를 촬영하면 연결되는 제시문을 읽고, 문제에 답하시오.

아동을 상대로 성범죄를 저지르거나 재범 위험이 있는 고위험 성범죄자들의 출소 이후 주거지를 제한하는 이른바 '한국형 제시카법'이 추진된다.

한국형 제시카법

Q1. 고위험 성범죄자의 거주지 제한 명령이 타당하다는 입장의 논거를 제시하고 이를 논하시오.

Q2. 고위험 성범죄자의 거주지 제한 명령이 타당하지 않다는 입장의 논거를 제시하고 이를 논하시오.

Q3. 고위험 성범죄자의 거주지 제한 명령에 대한 자신의 견해를 제시하시오.

092 해설 한국형 제시카법

Q1. 모범답변

고위험 성범죄자의 거주지 제한 명령이 타당하다는 입장에서는, 국민안전의 실현과 사회불평등의 완화를 논거로 제시할 것입니다.

국민안전을 실현하기 위해 고위험 성범죄자의 거주지 제한 명령은 타당합니다. 국민은 자신의 자유와 권리를 안정적으로 보장받고자 국가를 설립했고, 이에 국가는 국민의 안전을 실현할 의무가 있습니다. 고위험 성범죄자들에 대한 위치추적장치 부착과 거주지 정보 공개 등의 조치를 취하고 있음에도 불구하고 성범죄 전과자들의 재범이 늘어나고 있습니다. 국민들은 재범의 가능성이 높은 고위험 성범죄자들의 예측할 수 없는 범죄 가능성에 두려움을 느끼고 있습니다. 현재 시행되고 있는 범죄자에 대한 위치추적장치는 범죄자들의 손괴 시도가 지속적으로 일어나고 있고, 범죄자의 위치만으로는 범죄를 예방할 수 없어 범죄를 저지른 이후에 경찰이 도착하는 사태가 벌어지고 있습니다. 또한 성범죄자 거주지 정보 공개는 위치추적장치와 마찬가지로 범죄 예방의 실효성이 없으며 실제로 범죄자가 등록된 장소와 다른 곳에 거주하는 경우도 확인되었습니다. 이처럼 현행 제도로는 국민안전을 충분히 실현할 수 없는 상황에서 고위험 성범죄자의 거주지를 국가가 관리 가능한 곳으로 한정한다면 국민이 자신의 거주지 부근에서 범죄로부터 안전할 것이라고 신뢰할 수 있을 것입니다. 따라서 성범죄자의 거주지 제한 명령은 타당합니다.

사회 불평등을 예방하기 위해 고위험 성범죄자의 거주지 제한 명령은 타당합니다. 모든 국민은 국가의 안정적 치안 활동을 통해 범죄로부터의 안전을 보장받아야 합니다. 그러나 고소득층의 거주지역과 저소득층의 거주지역 간의 범죄 안전도가 다른 것이 현실이며, 소득 격차가 국민 안전의 격차로 이어져 사회 불평등이 심화되는 것입니다. 고위험 성범죄자는 장기간의 수형생활로 인해 자산 형성이 되어 있지 않고, 범죄 전과로 인해 취업이 어렵기 때문에 저소득층 거주지역에 거주지를 마련할 가능성이 대단히 높습니다. 결국 고소득층은 상대적으로 범죄로부터 안전해지고, 저소득층은 그렇지 못한 상황에 놓일 수 있습니다. 이는 국민안전이라는 사회적으로 공유된 가치가 모든 국민에게 동등하게 실현되어야 함에도 불구하고 소득 정도에 따라 국민안전이 차등적으로 실현되는 것이나 다름없습니다. 그러나 고위험 성범죄자를 국가가 관리하는 거주시설에 거주하도록 한다면 범죄로부터의 사회 불평등이 완화될 것입니다. 따라서 고위험 성범죄자의 거주지 제한 명령은 타당합니다.

Q2. 모범답변

고위험 성범죄자의 거주지 제한 명령이 타당하지 않다는 입장에서는, 이중처벌금지의 원칙에 반한다는 점과 평등원칙에 위배된다는 논거를 제시할 것입니다.

이중처벌금지의 원칙에 반하므로 고위험 성범죄자의 거주지 제한 명령은 타당하지 않습니다. 개인은 자신이 스스로 선택한 자유로운 결정에 대해 책임을 지게 됩니다. 범죄자 역시 자신의 범죄 의지와 그에 따른 범죄를 스스로 선택한 것에 대한 책임으로써 형벌을 받고 수형 생활을 통해 그 책임을 이행하는 것입니다. 그러나 자신의 자유에 대한 책임을 이미 졌음에도 불구하고 또 다른 책임을 지게 해서는 안 됩니다. 이는 사회적인 우려가 있으므로 자신의 자유로운 선택에 대한 책임 그 이상을 지게 하는 것이기 때문에 자기책임원칙에 위배됩니다. 거주지 제한은 개인에게 보장된 기본권인 거주이전의 자유를 국가가 제한하는 것입니다. 그러나 고위험 성범죄자라 할지라도 자신의 범죄에 대한 책임을 이미 졌기 때문에 단지 위험성이 있다는 사회적 우려만으로 거주지를 제한하는 것은 같은 행위를 거듭 처벌하는 것이 됩니다. 이는 개인의 자유를 과도하게 제한하는 것이므로 인정될 수 없습니다. 따라서 고위험 성범죄자의 거주지 제한 명령은 타당하지 않습니다.

평등원칙에 위배되므로 고위험 성범죄자의 거주지 제한 명령은 타당하지 않습니다. 평등원칙은 같은 것은 같게 다른 것은 다르게 대하라는 원칙이며, 이에 의하면 합리적 이유 없이 같은 것을 다르게 대하거나 다른 것을 같게 대해서는 안 됩니다. 강력범죄를 저지른 범죄자는 같은 범죄 의지 실현에 대해 같은 책임을 지는 것이 합리적입니다. 그러나 폭력을 저지른 범죄자는 자신의 책임에 상응하는 형벌을 이행한 이후에는 거주지 제한 명령을 받지 않으나, 성범죄를 저지른 범죄자는 형벌 이행 이후에도 거주지 제한 명령이라는 자유 제한을 추가로 받게 됩니다. 이처럼 범죄 의지 실현에 있어서 같은 범죄자에 대해 폭력 범죄자는 수형 생활로 책임이 끝나지만 성범죄자는 수형 생활 이후의 자유 제한이라는 책임이 추가되어 다르게 취급되는 것입니다. 이처럼 성범죄자의 거주지 제한 명령은 같은 것을 다르게 대하는 것이므로 평등원칙에 위배되므로 타당하지 않습니다.

Q3. 모범답변

고위험 성범죄자의 거주지 제한 명령은 타당합니다. 국민안전의 실현과 사회불평등의 완화를 달성할 수 있기 때문입니다.

물론 이에 대해 개인의 책임을 넘어서는 이중처벌이라는 반론이 제기될 수 있습니다. 그러나 이는 이중처벌이라 할 수 없습니다. 형벌은 범죄자 개인이 과거에 행한 선택과 결정에 대한 책임을 지는 것입니다. 그러나 성범죄자의 거주지 제한 명령과 같은 보안처분은 장래의 범죄를 예방하기 위한 목적으로 행해지는 것입니다. 특히 거주지 제한 명령은 기본적으로 13세 미만 아동을 상대로 범행했거나 3회 이상 성범죄를 저지른 전자장치 부착 대상자 중 성범죄로 10년 이상의 형을 선고받은 성폭력범을 대상으로 합니다. 거주지 제한 명령 대상자는 성범죄를 또다시 저지를 가능성이 매우 농후한 자임이 분명하고, 성범죄자의 보호관찰을 실제로 담당한 보호관찰소장이 범죄 가능성을 검토해 신청하며, 검찰이 필요 여부를 판단한 후에, 최종적으로 법원이 거주지 제한 명령을 내리게 됩니다. 이처럼 범죄자 개인의 자유 제한의 필요성에 대해 수차례의 절차를 거쳐 최종적으로 결정되는 것이므로 장래의 범죄 가능성이 높은 자에 한하여 범죄 예방을 목적으로 하는 명령이라 할 수 있습니다. 따라서 이중처벌이라는 반론은 타당하지 않습니다.

093 개념 심신미약, 주취감경

2019 전남대 기출

1. 기본 개념

(1) 범죄성립요건: 구성요건 해당성, 위법성, 책임

① 구성요건 해당성

어떤 행위가 범죄가 되려면 그 행위가 범죄구성요건에 해당해야 한다. 살인죄를 예로 들면 사람을 살해했다면 구성요건에 해당한다.

② 위법성

구성요건에 해당하는 행위가 위법해야 한다. 어떤 행위가 살인죄에 해당하더라도 위법하지 않으면 처벌할 수 없다. 예를 들면 사형집행인이 사형수를 살해했다고 하자. 그 행위는 살인죄의 구성요건에 해당한다. 그러나 사형집행인의 행위는 위법하지 않으므로 처벌할 수 없다. 구성요건에 해당하는 행위의 위법성을 배제하는 사유를 위법성 조각 사유라고 한다. 사형집행인의 행위는 정당행위라는 위법성 조각 사유에 해당하므로 위법하지 않게 된다.

③ 책임

구성요건에 해당하는 행위가 위법해야 하고 책임능력이 있어야 처벌할 수 있다. 즉, 14세 미만의 형사미성년자의 행위가 살인죄의 구성요건에 해당하고 위법할지라도 형사책임을 물을 수 없다.

(2) 책임능력

책임능력이란 행위자가 법규범의 의미내용을 이해하여 명령과 금지를 인식할 수 있는 통찰능력과 이 통찰에 따라 행위할 수 있는 조종능력을 말한다. 책임은 적법하게 행위할 수 있는 능력인 책임능력을 그 요소로 하며, 따라서 책임능력이 없으면 비난가능성으로서의 책임도 없다. 책임능력이 없는 행위자로는 형사미성년자, 심신상실자, 심신미약자, 청각 및 언어 장애인이 있다.

① 형사미성년자[314)]

형사미성년자란 14세 미만자를 말한다. 14세되지 아니한 자의 행위는 벌하지 아니한다. 여기서 '벌하지 아니한다.'는 것은 형사미성년자의 행위는 책임능력이 없기 때문에 필요적으로 책임이 조각되므로 형벌을 과할 수 없다는 의미이다.

② 심신상실자[315)]

사물변별능력이란 법과 불법을 구별할 수 있는 통찰능력으로서, 지적 능력을 의미한다. 기억능력과 반드시 일치하는 것은 아니다. 판례에 따르면, 정신분열증을 앓고 있는 피고인이, 사상적으로 불순한 피해자가, 피고인의 종교생활을 방해하며 방사선으로 피고인을 고문할 것이라는 피해망상에 사로잡혀 이에 대한 정당방위를 한다는 자폐증적 사고로서 한 행위는 심신상실자의 행위에 해당한다.

314) 형법 제9조(형사미성년자) 14세되지 아니한 자의 행위는 벌하지 아니한다.

315) 형법 제10조(심신장애인) ① 심신장애로 인하여 사물을 변별할 능력이 없거나 의사를 결정할 능력이 없는 자의 행위는 벌하지 아니한다.

③ 심신미약자[316)]

심신미약자란 심신장애로 인하여 사물을 변별하거나 의사를 결정할 능력이 미약한 자를 말한다. 심신미약자는 책임 능력자에 속하지만 책임감경이 인정되므로 그 형을 감경할 수 있다(필요적 감경). 그러나 심신미약자가 금고 이상의 형에 해당하는 죄를 범하고 치료감호시설에서의 치료가 필요하고 재범의 위험이 있다고 인정되는 때에는 치료감호에 처한다.

④ 청각 및 언어 장애인[317)]

청각 및 언어 장애인이란 듣는 능력과 말하는 능력의 쌍방을 잃은 자이다. 청각 및 언어 장애인은 선천적으로 또는 어릴 때 듣는 능력을 잃고 말하는 능력을 상실했기 때문에 일반인에 비하여 정신적 발육이 저해되는 경우가 많다고 여겨지기 때문에 현행 형법은 청각 및 언어 장애인의 행위에 대하여 형을 감경하고 있다.

2. 읽기 자료: 심신상실자, 음주운전자의 범죄행위

(1) 심신상실자의 범죄행위[318)]

기록에 의하여 살펴보면, 피고인은 정신분열증환자로서 불안, 긴장감, 망상적이고 자폐적인 사고, 사고과정의 이완, 비논리적이고 비현실적인 사고내용과 현실적 판단력 및 현실검증능력의 상당한 제한을 보이고 있고, 범행당시 정신분열증의 증상들이 나타나 현실판단력이나 현실검증능력이 상당한 제한을 받았을 것으로 추정된다는 취지로 되어 있는바, 피고인이 피해자를 살해할 만한 다른 동기가 전혀 없고 오직 원심이 인정한 바와 같이 피해자를 "사탄"이라고 생각하고 피해자를 죽여야만 피고인, 자신이 천당에 갈 수 있다고 믿어 살해하기에 이른 것이라면, 피고인은 범행당시 정신분열증에 의한 망상에 지배되어 사물의 선악과 시비를 구별할 만한 판단능력이 결여된 상태에 있었던 것으로 볼 여지가 없지 않다.

만일 이와 같은 심신장애자로 인정된다면 이러한 자에 대한 사회격리와 교화는 오직 사회보호법에 의한 치료감호처분에 의하여야 할 것이다.

(2) 음주운전자의 교통사고에 대한 책임 감경 여부[319)]

형법 제10조 제3항은 "위험의 발생을 예견하고 자의로 심신장애를 야기한 자의 행위에는 전2항의 규정을 적용하지 아니한다"고 규정하고 있는바, 이 규정은 고의에 의한 원인에 있어서의 자유로운 행위만이 아니라 과실에 의한 원인에 있어서의 자유로운 행위까지도 포함하는 것으로서 위험의 발생을 예견할 수 있었는데도 자의로 심신장애를 야기한 경우도 그 적용 대상이 된다고 할 것이어서, 피고인이 음주운전을 할 의사를 가지고 음주만취한 후 운전을 결행하여 교통사고를 일으켰다면 피고인은 음주 시에 교통사고를 일으킬 위험성을 예견하였는데도 자의로 심신장애를 야기한 경우에 해당하므로 위 법조항에 의하여 심신장애로 인한 감경 등을 할 수 없다.

316) 형법 제10조(심신장애인) ② 심신장애로 인하여 전항의 능력이 미약한 자의 행위는 형을 감경할 수 있다.

317) 형법 제11조(청각 및 언어 장애인) 듣거나 말하는 데 모두 장애가 있는 사람의 행위에 대해서는 형을 감경한다.

318)

90도1328

319)

92도999

093 문제 심신미약, 주취감경

답변 준비 시간 10분 | 답변 시간 10분

Q1. A는 편집형 정신분열증 환자로서 B를 사탄이라고 생각하고 B를 죽여야만 자신이 천국에 갈 수 있다고 믿어 B를 살해하기에 이르렀다. A는 범행 당시 정신분열증에 의한 망상에 지배되어 사물의 선악과 시비를 구별할 판단능력이 결여된 상태라고 한다. A를 처벌하여야 하는가?

Q2. C는 술집에서 술을 마신 후 만취된 상태에서 자동차를 운전하고 귀가하다가 행인 D를 치었다. 만취한 상태에서 C는 차에 치여 의식을 잃고 있는 D를 길옆 하수구에 버리고 도주하였다. D는 계속된 출혈로 사망하였다. C의 행동을 처벌할 수 있는가?

Q3. E는 F와 함께 술을 마시고 만취하였다. 만취한 상태에서 E는 자신의 부동산을 F에게 매매하는 계약을 체결하였다. 이 계약의 효력을 인정할 수 있는가?

Q4. G는 음주를 한 상태에서 범죄를 저지르면 감경될 것이라 생각하고 술을 일부러 마신 후 범죄를 저질렀다. 범죄 당시 G는 음주 상태였으며 일반인의 기준에서는 꽤 높은 알코올 수치가 나왔으나 G는 다른 사람보다 월등히 술을 잘 마시는 자로 평상시에도 이를 자랑해왔다. G는 알코올 수치를 볼 때 만취한 상태였으며 따라서 자신의 범죄는 무죄라고 주장했다. 이는 어떠한가?

093 해설 심신미약, 주취감경

Q1. 모범답변

A를 처벌하는 것은 타당하지 않습니다. A는 사물을 변별할 능력이 없는 상태에서 범죄를 저지른 경우입니다. A는 B를 살해할 만한 다른 동기가 전혀 없고 B를 '사탄'이라고 생각하고 피해자를 죽여야만 A 자신이 천국에 갈 수 있다고 믿어 살해하기에 이른 것이라면, A는 자신이 저지른 행위의 의미를 파악할 수 없는 지경인 것입니다. 즉, 자신의 의사를 결정하거나 자기의 의지를 제어할 능력이 없으므로 심신상실의 상태에 있는 자라고 보아야 합니다. 이런 경우 A는 형벌로 다스릴 것이 아니라 정신병에 의한 범행으로 위험한 성향을 인정하여 보안처분을 내리는 것이 타당할 것입니다.

Q2. 모범답변

C의 음주운전과 그로 인한 교통사고에 대해 처벌해야 합니다. 그러나 D를 두고 도주한 것에 대해서는 처벌하기 어렵습니다. C가 술을 마시고 음주운전을 하여 교통사고를 일으킨 것은 자신의 자유로운 선택에 대한 책임 측면에서 형벌을 받아야 합니다. 그러나 만취상태에서 도주한 것은 자유로운 의사결정에 의한 행동이 아니기 때문에 자유에 대한 책임을 지우기 어렵고 이에 대해 형벌을 부과하기 어렵습니다.

Q3. 모범답변

이 부동산매매계약의 효력을 인정할 수 없으며 이 계약은 무효라 봐야 합니다. 계약이 유효가 되기 위해서는 의사표시가 유효해야 하는데 의사표시가 유효하려면 의사능력이 있어야 합니다. 사물을 변식할 능력이 없는 상태에서 한 의사표시는 무효입니다. 자신이 어떤 선택을 하고 있는지 그 선택을 했을 경우 어떤 결과가 예상되는지를 알 수 없는 상태에서 내린 결정은 개인의 진정한 의사에 반합니다. 따라서 만취상태에서의 부동산매매계약은 무효입니다.

Q4. 모범답변

G는 자신의 범죄에 대한 처벌을 받아야 합니다. 책임주의에 따라 자신의 자유로운 행위에 대한 처벌을 받아야 합니다. G는 음주를 한 이후에 자기의식이 없이 범죄를 저지른 것이 아니라, 음주 이전에 범죄를 저지르고자 의도하였습니다. 이 범죄의도에 따라 범죄를 실행하고자 그 수단으로서 음주를 한 것입니다. 이 음주행위는 계획적인 범죄의 일부로 G의 자유로운 행위입니다. 따라서 그에 상응하는 처벌을 해야 하며 감경을 해서는 안 됩니다.

094 개념 위법성 조각사유

1. 기본 개념

(1) 정당방위[320]

정당방위란 자기 또는 타인의 법익에 대한 현재의 부당한 침해를 방위하기 위한 상당한 이유가 있는 행위를 말한다. 정당방위는 "부정(不正) 대 정(正)"의 관계로서, "법은 불법에 양보할 필요가 없다."는 명제를 기본사상으로 하고 있는 위법성 조각사유이다. 예를 들어, 어떤 사람이 자신을 살해하려 하자 자신의 생명을 보호하기 위하여 불가피하게 그 사람을 공격하여 중상을 입힌 경우, 강도에게 폭행을 당하고 있는 아버지를 구하기 위해 강도를 때려 상해를 입힌 경우, 불량배에게 각목으로 구타당하고 있는 친구를 구하려고 불량배에게 폭행을 가한 경우 등이 대표적인 정당방위 사례이다.

(2) 긴급피난[321]

긴급행위의 일종으로, 자기 또는 타인의 법익에 대한 현재의 위난을 피하기 위한 상당한 이유가 있는 행위를 말한다. 정당방위는 위법한 침해를 전제로 하나, 긴급피난은 위난의 원인이 적법한 경우에도 행사할 수 있다. 예를 들어, 브레이크 고장으로 인도에 뛰어드는 버스를 피하려다 행인과 충돌하여 상해를 입힌 경우, 갑자기 쏟아진 폭우와 번개로 생명의 위험을 느낀 나머지 이를 피할 수 있는 다른 방법이 없는 상황에서 근처에 있는 가정집으로 뛰어든 경우, 길을 지나가는데 멧돼지가 공격해 오자 이를 피하기 위하여 급한 나머지 주인의 허락 없이 이웃집에 들어간 경우, 목욕 중 화재가 발생하자 생명이 위급한 상황에서 2층에서 뛰어내리는 바람에 주차되어 있던 타인의 차를 부득이하게 파손한 경우 등이 대표적인 사례이다.

(3) 의무의 충돌

의무의 충돌이란 수 개의 의무를 동시에 이행할 수 없는 긴급상태에서 그 중 어느 한 의무를 이행하고 다른 의무를 방치한 결과, 그 방치한 의무불이행이 구성요건에 해당하는 가벌적 행위가 되는 경우를 말한다. 의사가 환자 두 명을 동시에 치료할 수 없어 한 환자만을 치료했는데 다른 환자가 사망한 경우, 의무의 충돌에 해당하며 위법성이 조각된다.

(4) 자구행위[322]

자구행위란 권리자가 권리에 대한 불법한 침해를 받고 국가기관의 법정절차에 의하여는 권리보전이 불가능한 경우에 자력에 의하여 그 권리를 구제·보전하는 행위를 말한다. 정당방위나 긴급피난을 현재의 법익침해에 대한 사전적 긴급행위이나 자구행위는 과거의 권리침해에 대한 사후적 긴급행위여서 위법성이 조각된다. 예를 들어, 채무를 변제하지 않고 외국으로 도주하는 채무자를 채권자가 체포하는 경우, 숙박비를 지불하지 않고 도주하는 손님을 붙잡아 그 대금을 받는 경우, 얼마 전에 자기가 잃어버린 물건을 가지고 있는 절도범을 발견하고 폭력으로 물건을 빼앗은 경우, 자신의 지갑을 훔쳐 간 소매치기를 잡아 지갑을 되찾은 경우 등이 대표적인 사례이다.

320)
형법 제21조(정당방위) ① 현재의 부당한 침해로부터 자기 또는 타인의 법익(法益)을 방위하기 위하여 한 행위는 상당한 이유가 있는 경우에는 벌하지 아니한다.

321)
형법 제22조(긴급피난) ① 자기 또는 타인의 법익에 대한 현재의 위난을 피하기 위한 행위는 상당한 이유가 있는 때에는 벌하지 아니한다.
② 위난을 피하지 못할 책임이 있는 자에 대하여는 전항의 규정을 적용하지 아니한다.

322)
형법 제23조(자구행위) ① 법률에서 정한 절차에 따라서는 청구권을 보전(保全)할 수 없는 경우에 그 청구권의 실행이 불가능해지거나 현저히 곤란해지는 상황을 피하기 위하여 한 행위는 상당한 이유가 있는 때에는 벌하지 아니한다.
② 제1항의 행위가 그 정도를 초과한 경우에는 정황에 따라 그 형을 감경하거나 면제할 수 있다.

(5) 피해자의 승낙[323)]

법익의 주체가 구성요건에 해당하는 행위를 승낙한 경우 위법성이 조각된다. 생명은 승낙의 대상이 되지 않는다. 승낙을 받아 살인을 한 경우 촉탁·승낙에 의한 살인죄로 처벌된다. 집주인이 집에 들어오라고 승낙한 경우, 주거침입죄의 위법성이 조각된다. 예를 들어, 불치병 환자로부터 진지한 승낙을 받고 그 환자를 살해한 경우, 의사가 환자의 동의를 받아 수술한 경우, 교통사고를 당하여 의식불명인 환자를 긴급히 수술을 한 경우 등이 대표적인 사례이다.

(6) 정당행위[324)]

정당행위란 사회상규에 위배되지 아니하여 국가적·사회적으로 정당시되는 행위를 말한다. 형법 제20조에 따르면, 법령에 의한 행위와 사회상규에 반하지 않는 행위가 있다. 먼저, 공무원이 법령에 근거하여 행한 정당한 행위는 위법성이 조각된다. 경찰공무원이 영장을 발부받아 피의자를 체포한 경우, 위법성이 조각된다. 둘째, 사회상규에 위배되지 않는 행위란 법질서 전체의 정신이나 그 배후의 지배적인 사회윤리 내지 사회통념에 비추어 원칙적으로 용인될 수 있는 행위를 말한다. 사회상규란 국가질서의 존엄성을 기초로 한 국민일반의 건전한 도의감 또는 공정하게 사유하는 일반인의 건전한 윤리감정을 말한다. 예를 들어, 교도관이 징역형이 확정된 자를 교도소에 수용하는 행위, 분쟁이 있던 옆집 사람이 야간에 술에 만취된 채 시비를 하며 거실로 들어오려 하므로 이를 제지하며 밀어내는 과정에서 2주 상해를 입힌 피고인의 행위, 경찰이 영장을 발부받아 피의자를 체포·구속하는 행위 등이 대표적인 사례이다.

2. 쟁점과 논거: 위급상황 시 교통신호위반 범칙금 부과 찬반론

찬성론: 법적 안정성	반대론: 정의
[사회질서 유지] 사회 일반은 교통신호를 위반했을 경우 처벌을 받을 것이라 믿고 있다. 생명위급상황의 판단 기준이 모호함에도 불구하고 신호위반 범칙금에 대한 예외를 인정하게 된다면, 교통신호 준수에 대한 법적 신뢰를 저하시키게 되고 도로 교통의 혼란이 가중된다.	[생명 보호] 법은 사회 구성원의 생명과 신체를 지키기 위해 고안된 수단이지 그 자체로 목적이 될 수 없다. 생명이 위급한 상황에서 신호를 위반한 것은 생명을 지키기 위한 어쩔 수 없는 선택이며, 법이 달성하고자 하는 궁극적 목적을 달성한 것으로 처벌해서는 안 된다.
[국민의 생명과 신체 보호] 생명위급상황에서 행한 신호위반에 대해 범칙금을 부과하지 않는다면, 국민은 개인적인 이유로 신호위반을 정당화하며 빈번하게 교통신호를 위반하게 된다. 이로 인해 교통사고가 증가하여 국민의 생명과 신체에 대한 피해가 증가하게 된다.	[사회질서] 생명이 위급한 상황에서는 누구라도 생명을 보다 신속하게 구하기 위해서 신호를 위반할 것이다. 누구라도 동일한 상황에서 동일한 행동을 할 것으로 예상되기 때문에 신호위반에 대한 비난가능성이 없다. 따라서 범칙금을 부과할 수 없다.
[정부의 월권행위] 생명위급상황에 행한 신호위반에 대한 적절성을 판단하는 것은 사법부의 역할이다. 행정부는 명백히 신호를 위반한 운전자에게 범칙금을 부과하는 것이 정당하고, 이에 대한 정상참작은 사법부에서 판단하는 것이 적절하다.	[국민의 법신뢰 저해] 생명이 위급한 상황에서 행한 신호위반에 대해 범칙금을 부과하는 것은 국가가 국민들에게 생명이 위급하더라도 법을 지키라고 강요하는 것으로, 법이 국민의 생명과 신체를 보호하기 위해 존재한다는 국민적 신뢰를 저해하는 결과를 낳게 된다.

3. 읽기 자료

기본법과 위법성 조각[325)]

323)
형법 제24조(피해자의 승낙) 처분할 수 있는 자의 승낙에 의하여 그 법익을 훼손한 행위는 법률에 특별한 규정이 없는 한 벌하지 아니한다.

324)
형법 제20조(정당행위) 법령에 의한 행위 또는 업무로 인한 행위 기타 사회상규에 위배되지 아니하는 행위는 벌하지 아니한다.

325)

기본법과 위법성 조각

094 문제 위법성 조각사유

답변 준비 시간 10분 | 답변 시간 10분

Q1. 의사인 甲이 일하는 병원에는 단 1개의 인공심폐기가 있을 뿐이다. 의사 甲은 치료 중이던 환자 A와 B가 동시에 빈사상태에 빠지자, A에게 인공심폐기를 부착시키고 A의 치료에 전념하였기 때문에 B를 치료하지 못하여 B가 사망하였다. 그런데 의사인 甲은 B를 즉시 치료하지 않으면 사망할 수 있다는 것을 알고 있었다. B를 치료하지 않아 사망에 이르게 한 의사 甲의 행위가 범죄에 해당하는지 또는 정당한지에 대한 의견을 말하시오.

Q2. 乙은 죽음이 임박해 있는 말기 암환자이다. 乙은 극심한 고통을 여러 번 겪으면서 이를 이기지 못할 것이라 생각하여 고통의 순간이 지나가자 담당의사인 甲에게 고통을 덜 겪도록 빨리 죽게 해달라고 간청하였다. 甲은 乙을 불쌍하게 생각하여 乙의 정맥에 공기를 주입하였고 乙은 이로 인하여 사망하였다. 甲을 살인죄로 처벌해야 하는지 자신의 의견을 논하시오.

Q3. 위급한 환자를 살리고자 새벽 2시에 정지신호 등의 교통법규를 무시하고 주행한 행위가 정당한지 논하시오.

Q4. 위 신호위반행위에 대해 범칙금 부과 통고를 한 경찰관의 행위는 정당한지 논하시오.

Q5. 부부인 丙과 丁은 시골에 있는 펜션으로 여행을 갔다. 저녁식사와 함께 술을 마신 후 잠자리에 들었는데 얼마 지나지 않아 갑자기 丁은 극심한 복통을 겪게 되었다. 丙은 119에 신고를 하였으나 외딴곳에 있는 펜션까지 출동하는 데 30분이 소요되고 병원까지 30분이 소요되어 총 1시간이 걸린다는 것을 알게 되었다. 丙은 丁의 생명이 위험하다고 판단해 자신이 직접 운전을 하여 병원까지 갔고 30분 만에 도착하였다. 그리고 병원에 도착하여 丁을 입원시킨 후 기다리고 있던 경찰에 의해 음주운전으로 체포되었다. 丙을 처벌해야 하는지 논하시오.

094 해설 위법성 조각사유

Q1. 모범답변

의사 甲의 행위는 범죄에 해당하지 않습니다. 의사 甲의 행위가 어떤 범죄에 해당하는가는 甲의 범죄의사와 행위를 고려해서 판단해야 합니다. 甲의 범죄의사를 인정하는 경우에도 甲에게는 B의 사망에 개입한 적극적인 행위가 없었기 때문에 치료가 필요한 환자를 치료하지 않음으로 인한 살인죄 또는 업무상 과실치사죄의 성립 여부가 문제될 수 있습니다.

그러나 甲은 A를 보호하는 의무를 이행하기 위하여 B에 대한 보호 의무를 이행하지 못한 것이기 때문에 위법하지 않다고 할 수 있는지가 문제의 핵심입니다. 즉, 행위자가 한 가지 의무만을 이행할 수 있는 긴급상태에서 다른 의무를 이행할 수 없게 되는 경우 이것이 범죄에 해당하는지가 문제됩니다. 그러나 법은 불가능한 것을 강요할 수는 없고 이 경우에 어느 의무를 이행하는가는 행위자가 선택할 수 있을 뿐이므로 행위자를 위법하게 평가할 수 없을 것입니다. 특히 환자의 신체적 상황에 대한 의학적 판단의 권한은 담당의사인 甲에게 있습니다. 따라서 甲이 두 가지 의무를 동시에 이행하는 것은 불가능하기 때문에 甲의 행위는 위법하다고 할 수 없습니다.

Q2. 모범답변

甲을 살인죄로 처벌해야 합니다. 생명은 법이 보호하고자 하는 가장 중요한 법익입니다. 생명 보호는 최우선적으로 고려되어야 할 원칙입니다. 그러므로 생존의 의사, 능력, 가치와 관계없이 모든 사람은 살 권리가 있습니다. 따라서 甲은 乙의 생명을 인위적으로 단축시킨 행위를 선택한 것으로 보아야 하며 살인죄가 성립합니다.

Q3. 모범답변

이는 정당합니다. 신호등을 지켜야 할 의무와 위급한 환자를 구해야 하는 구조의무가 경합하고 있습니다. 그러나 정지신호를 지키지 못할 정도로 위급한 환자인 경우 운전자는 위급한 환자를 구조하기 위하여 신호등의 정지신호를 지킬 의무를 이행할 수 없게 되어 도로교통법을 위반한 것입니다.

신호등의 정지신호를 지키는 것은 공공의 이익이기도 하고, 다수의 생명을 지키기 위한 일이기도 합니다. 위급한 환자는 1인이므로 1명의 생명이라고도 할 수 있습니다. 그러나 중요한 것은 생명이라는 가치는 숫자로 비교형량할 수 있는 것이 아니라는 점입니다. 따라서 1인의 생명과 다수의 생명으로는 비교할 수 없지만, 구체적이고 현실적인 문제인 위급한 환자의 생명과 추상적이고 미확정적인 위험인 다수의 생명에 대해서는 구체적인 위험에 대한 구조의무가 우선하게 됩니다. 따라서 위급한 환자를 위해 신호를 지키지 못한 행동이 일단은 법에 위반되더라도 정당화될 수 있습니다.

Q4. 모범답변

위 신호위반행위에 대해 범칙금 부과 통고를 한 경찰관의 행위는 정당합니다. 경찰관은 법을 적용하여 집행하는 기관으로, 법의 적용은 모두에게 동등하게 하여야 합니다. 특히나 다수의 안전과 이익을 위한 도로교통법의 적용에서는 일률적이고 획일적인 법적용이 가장 중요한 과제입니다. 사안에 따라 도로교통법의 적용이 다르게 되면, 기본적으로 도로라는 다수가 통행하는 다수의 약속으로서의 '법의 기능'이 훼손될 것입니다. 따라서 경찰관은 사안에 따라 구체적인 법적용을 할 것이 아니라 획일적인 기준으로 법위반 여부만을 판단하여 범칙금을 부과하는 것이 정당한 행동입니다. 그것이 운전자에게 불합리할 경우 운전자는 재판을 통하여 자신의 불가항력에 의한 사정을 들어 다투어야 합니다.

Q5. 모범답변

丙을 처벌해서는 안 됩니다. 음주운전을 금지하는 이유는 타인의 생명과 신체에 대한 직접적 해악을 미치는 교통사고를 유발하기 때문입니다. 丙은 배우자의 생명을 구하기 위해 다른 방법이 없는 상황에서 음주운전을 한 것입니다. 그리고 늦은 밤에 인적이 드문 외딴곳에 있는 펜션에서 병원까지 운전을 하는 것은 인구가 많은 도시에서의 음주운전과 같이 교통사고가 발생해 타인의 생명과 신체를 해칠 가능성이 현저히 낮습니다. 따라서 丙의 음주운전 행위는 배우자의 생명을 구하기 위한 목적의 유일한 수단이면서 타인의 생명과 신체를 해할 가능성이 낮기 때문에 처벌해서는 안 됩니다. 단, 교통법규상 음주운전에 해당하므로 경찰은 음주운전으로 체포함이 타당하고, 재판을 통해 법관의 판단을 구함이 타당합니다.

095 개념 형사미성년자 연령 하향

2024 한국외대·2019 충북대 기출

1. 기본 개념

(1) 소년의 책임

형법 제9조에 따라, 14세가 되지 아니한 자의 행위는 벌하지 아니한다. 형법은 14세 미만의 자에 대해 지적, 도덕적, 성격적인 발육상태와 같은 개인적 상황을 고려하지 않고 절대적 책임무능력자로 규정한다. 형사미성년자에게는 순수한 생물학적 기준이 적용되어, 14세 미만의 자는 위법한 행위를 비난하기에 필요한 정도로 성숙하지 못하였다고 본다. 형사미성년자의 행위는 책임이 조각된다. 따라서 형사미성년자에게 책임능력[326]을 전제로 한 형벌을 과할 수는 없으나, 소년법에 의한 보호처분은 적용될 수 있다.[327]

① 형사미성년자

14세 이상인 자만을 형사처벌할 수 있다.

② 촉법소년

형벌 법령에 저촉되는 행위를 한 10세 이상 14세 미만인 소년을 말한다. 형사처벌할 수는 없으나 보호처분은 가능하다.

③ 우범소년

집단적으로 몰려다니며 주위 사람들에게 불안감을 조성하는 성벽이 있거나 정당한 이유 없이 가출하거나 술을 마시고 소란을 피우거나 유해환경에 접하는 성벽이 있다는 사유가 있고 그의 성격이나 환경에 비추어 앞으로 형벌 법령에 저촉되는 행위를 할 우려가 있는 10세 이상 19세 미만의 소년이다.

④ 범죄소년

범죄행위를 한 14세 이상 19세 미만의 소년이다. 소년범죄와 관련된 법이 소년법인데, 소년법에서 소년은 19세 미만인 자를 말한다.

(2) 소년범죄의 개념

소년범죄는 범죄인의 연령에 따라 범죄를 분류한 것이다. 우리 형법 제9조는 형사책임연령으로 14세를 규정하고 있다. 소년범죄자는 이에 따라 일반 형사사건을 저지른 14세 이상 19세 미만의 소년인 범죄소년을 말한다. 이에 더해 소년법 제4조 제1항은, "형벌 법령에 저촉되는 행위를 한 10세 이상 14세 이상의 촉법소년(제2호), 집단적으로 몰려다니며 주위 사람들에게 불안감을 조성하는 성벽이 있거나, 정당한 이유 없이 가출하거나, 술을 마시고 소란을 피우거나 유해환경에 접하는 성벽이 있으면서, 그의 성벽 또는 환경에 비추어 장래 형벌 법령에 저촉되는 행위를 할 우려가 있는 10세 이상의 우범소년(제3호)"의 경우에도 특별히 소년법의 적용을 받도록 규정한다. 따라서 소년범죄는 14세 이상 19세 미만의 소년 중 일반 형사사건을 저지른 자와 10세 이상의 촉법소년 및 우범소년을 말한다.

326) 책임능력이란 자기의 행위가 불법하다는 것을 인식할 수 있는 능력이며, 불법을 인식하고 위법한 행위를 하지 않도록 스스로를 통제·조종할 수 있는 능력을 말한다. 만일 불법을 인식할 수조차 없다면 당연히 불법을 피하고 적법을 행하도록 스스로를 조종할 수 있는 능력은 인정될 수 없다.

327) 소년법은 형벌 법령에 저촉되는 행위를 한 10세 이상 14세 미만의 소년과 장래 형벌 법령에 저촉되는 행위를 할 우려가 있는 10세 이상의 소년에 대하여 보호처분을 할 수 있다고 규정하고 있다(소년법 제4조).

(3) 소년범죄의 형사정책적 중요성

소년범죄가 성인범죄로 전이된다는 것이 가장 큰 문제점이다. 전이율은 약 67%[328]이며, 소년기에 범죄를 저지른 100명 중 67명은 성인이 되어서도 범죄를 저지른다는 의미이다. 소년범죄에 대한 형사정책이 대단히 중요함을 보여주는 측면이다.

청소년은 국가의 미래이다. 따라서 가정과 사회, 국가는 청소년을 보호하고 지속적인 관심을 기울여야 한다. 소년범죄가 발생할 경우 청소년의 사회적 역할을 고려한 대책이 마련되어야 하는데, 이는 소년범죄가 사회적 미성숙에서 기인하는 것이기 때문이다. 소년의 사회적 미성숙은 손쉬운 범죄의 원인이기도 하지만 한편으로는 교정 가능성이 높다는 의미가 되기도 한다. 이러한 점에서 소년범죄에 대한 형벌은 교육형의 의미가 부여되어야 한다. 이러한 법률적 대책은 소년법을 통해 실현된다. 그리고 가정이나 학교 등 소년 주변의 사회적 환경을 개선하여 소년이 범죄에 접할 기회를 근본적으로 최소화해야 한다. 이는 소년범죄에 대한 사회적 대책이라 할 수 있다.

(4) 소년보호사건 처리

① 보호처분

수강명령, 사회봉사활동 명령, 소년원 송치

② 소년원

정규 학교 체제를 갖추고 있을 뿐만 아니라, 정보화 교육, 직업 훈련, 인성 교육 등 다양한 특성화 교육을 실시하고 있다. 또, 청소년이 소년원에서 교육을 받았다고 하더라도, 교도소나 구치소에 수용되는 성인 수형자와는 달리 전과기록이 남지 않는다.

(5) 헌법재판소 판례: 형사미성년자 연령[329]

① 형사미성년자 연령이 적정하다는 입장

이 사건 법률조항의 입법목적은, 육체적·정신적으로 미성숙한 소년은 사물의 변별능력과 그 변별에 따른 행동통제능력이 없기 때문에 그 행위에 대한 비난가능성이 없고, 나아가 형사정책적으로 어린아이들은 그 감수성이 강하고 상처받기 쉬운 정신상태에 있고 또한 반사회성도 고정화되어 있지 않으므로 상당한 정도로 책임이 있는 경우에도 교육적 조치에 의한 개선가능성이 있다는 점에 비추어 볼 때 형벌 이외의 수단에 의존하는 것이 적당하다는 고려에 입각한 것이다. 그리고 육체적·정신적 성숙정도는 소년 개인마다 차이가 심하므로 일정한 정신적 성숙의 정도와 사물의 변별능력이나 행동통제능력의 존부·정도를 각 개인마다 판단·추정하는 것은 곤란하고 부적절하기 때문에 위 입법목적을 달성하기 위하여 이 사건 법률조항과 같이 일정한 연령을 기준으로 하여 일률적으로 형사책임연령을 정한 것은 합리적인 방법으로 보인다. 다만 형사책임연령을 14세 미만으로 하지 않고 그보다 더 낮출 수 없는가 하는 의문이 있을 수 있다.

328) <범죄백서>, 2006

329)

2002헌마533

② **형사미성년자 연령을 하향해야 한다는 입장**

최근 들어 조기교육의 활성화와 교육제도의 발달, 물질의 풍요 등으로 인간의 정신적·육체적 성장속도가 점점 빨라지고 있으며, 범죄의 저연령화·흉폭화 등이 문제되고 있다. 2002년도 국정감사 자료집에 의하면 12~14세 청소년이 저지르는 범죄는 2001년의 경우 6,000건에 달하고, 12세 미만의 청소년범죄도 상당수 발생하고 있다고 한다. 형법상 책임능력이 행위와 시비선악을 변별하고 그 변별에 따라서 행동을 통제할 수 있는 능력이라는 점에서 통상 중학교 1~2학년까지의 소년에 해당하는 14세 미만이라는 책임연령은 이제는 현실적으로 높다고 하지 않을 수 없다.

결론적으로, 기본권의 상황은 시대와 환경의 변화에 따라 그 위험의 원천이나 위험의 정도가 달라지기 때문에 그 변화에 순응하여 입법부는 기존의 입법에 대해 기본권적 법익의 보호에 필요한 입법의 개선을 하거나 입법이 없는 경우 새로운 입법을 함으로써 기본권이 적절하고 효율적으로 보장될 수 있도록 해야 한다. 범죄가 저연령화 되어가고 있는 사회 상황을 고려하면 14세 미만의 자를 형사미성년자로 규정하는 것은 그 연령기준이 높을 뿐만 아니라, 이 사건 법률조항은 소년법상의 보호처분대상을 12세 이상으로 한정하고 있는 현행 법체계와 결합하여 범죄행위자가 12세 미만인 경우에는 피해자가 국가로부터 어떠한 보호도 받지 못하는 결과를 초래하고 있다.

2. 읽기 자료

소년형벌목적론[330)]

형사미성년자 연령[331)]

형사미성년자 연령 하향[332)]

330)

소년형벌목적론

331)

형사미성년자 연령

332)

형사미성년자 연령 하향

095 문제 형사미성년자 연령 하향

답변 준비 시간 10분 | 답변 시간 10분

※ 다음 QR코드를 촬영하면 연결되는 제시문을 읽고, 문제에 답하시오.

최근 10대 청소년 범죄가 잇따르면서 촉법소년 연령 하향에 대한 논쟁이 불붙고 있다. 범죄 경각심을 높이자는 의견이 있지만, 실효성이 낮고 교화가 우선이라는 반론도 있다.

촉법소년 범죄

Q1. 13세인 甲이 동네 아이들과 장난을 치던 중, 13세의 乙이 甲에게 몸을 부딪치고 도망갔다. 이에 甲은 乙에게 돌을 던져 乙은 머리에 전치 5주의 상해를 입었다. 甲의 부모는 아들이 잘못한 일이므로 乙의 부모에게 사과하고 치료비를 부담하려고 하였는데, 乙의 부모는 많은 돈을 요구하면서 이를 지급하지 않으면 甲을 형사고소하겠다고 한다. 乙의 부모가 甲을 고소하면 어떻게 될 것인지 논하시오.

Q2. 만 14세 미만인 자는 형사미성년자라고 하여 처벌을 면제한다. 그 이유는 무엇인지 논하시오.

Q3. 최근 10대 청소년에 의한 범죄가 늘어나고 있다. 형사미성년자 제도를 폐지 혹은 존치해야 하는지 자신의 입장을 논하시오.

Q4. 우리나라는 형사미성년자 연령을 현행 14세에서 13세로 개정을 추진하고 있다. 형사미성년자 연령을 하향해야 하는지 자신의 견해를 논하시오.

095 해설 형사미성년자 연령 하향

Q1. 모범답변

형사상 소년인 甲은 13세로 형사미성년자 연령인 14세 미만이므로 처벌의 대상이 되지 않습니다. 사안의 경우 乙의 부모는 甲의 부모에게 민사상 손해배상 청구를 할 수 있습니다. 미성년인 자녀에 대하여 부모의 양육, 주의의무 등을 소홀히 하여 피해를 입혔기 때문입니다.

Q2. 모범답변

형사미성년자는 자신이 저지른 범죄의 의미와 책임을 모르기 때문입니다. 범죄를 저지른 자는 그에 대한 처벌을 받아야 하나, 처벌을 받기 위해서는 자신이 저지른 행위에 대한 의미를 알아야 합니다. 자신의 행위에 대해 알고 있는 자에 대한 처벌이 의미가 있는 것입니다. 3살 아이는 가게에서 돈을 지불하지 않고 빵을 들고 나온 행위가 절도인지 아닌지 그 의미 자체를 모릅니다. 따라서 어떤 행위를 한 자가 그 의미를 알고 행위한 경우에 한하여 처벌해야 합니다.[333] 이렇듯 자신의 행위의 의미를 모르는 자에게는 형사처벌이 면제되는데, 우리나라 형법에서는 형사처벌이 절대적으로 면제되는 나이를 규정한 만 14세 미만으로 규정하고 있습니다.

Q3. 모범답변

청소년 보호를 위해서 형사미성년자제도는 존치되어야 합니다. 청소년은 미성숙한 존재로 자유에 대한 책임을 온전히 행사할 수 없는 존재이므로 형사미성년자 제도는 존치되어야 합니다. 청소년은 미성숙한 존재로 사리분별능력이 떨어지는 것이 사실입니다. 그렇기 때문에 자신의 선택이 가져올 결과와 책임을 명확하게 예측하기 어려울 뿐만 아니라 사회적 분위기나 또래집단의 압력, 부모와 주변 환경의 영향이 클 수밖에 없습니다. 이러한 점에서 청소년의 범죄는 온전히 개인의 자유 행사의 결과라 보기 어렵다는 점에서 형사처벌 역시 청소년의 전적인 책임으로 부과해서는 안 됩니다. 따라서 형사미성년자제도를 존치시켜 형사처벌 대신 보호처분을 부과하고 소년원에서 교화에 중점을 두어 교정해야 할 것입니다.

333)
책임이 없으면 형벌이 없다는 것이 책임주의이다. 책임이란 위법한 행위를 한 행위자에 대하여 행위자를 개인적으로 비난할 수 있는가의 문제를 말한다. 책임이란 불법한 의사형성에 대한 비난가능성을 말한다.

Q4. 모범답변

범죄 예방과 국민안전을 위해 형사미성년자 연령을 하향해야 합니다. 범죄 예방과 이를 통해 달성되는 국민안전은 우리 사회가 달성해야 할 중요한 가치입니다. 범죄가 저연령화되는 현상이 가속화되고 있으며, 10대 청소년에 의한 강력범죄도 늘어나고 있는 추세입니다. 2023년 보호처분을 받은 촉법소년은 1만 9천여 명으로 전년보다 약 20% 증가했고, 폭력 4,800여 명, 강간·추행은 760여 명, 방화 50여 명, 강도 7명, 살인 3명이었습니다. 조기교육의 활성화와 교육제도의 발달로 청소년의 정신적, 육체적 성장속도가 빨라져 자신의 행동의 의미를 알고 있습니다. 요즘 14세의 중학생은 과거의 중학생과 달리, 스마트폰과 인터넷을 이용해 정보습득능력이 커졌고 교육 수준이 높아져 이성적 판단 능력 또한 갖추어졌습니다. 과거에 비해 자신의 자유로운 선택의 결과가 가져올 책임에 대해 예측할 수 있는 능력이 향상되었습니다. 심지어 촉법소년 중에는 형사미성년자 연령에 미달한다는 것을 믿고 범죄를 저지르는 경우까지 발생하고 있습니다. 범죄가 저연령화되고 흉폭화되고 있는 상황에서 형사미성년자 연령이 중학교 1~2학년 정도의 소년에 해당하는 14세라는 점은 현실적으로 적절하지 않습니다. 소년범에 대한 위하력을 주어 범죄를 예방하고, 국가가 범죄 피해자를 보호함으로써 국민안전을 달성해야 합니다. 따라서 형사미성년자 연령을 하향해야 합니다.

다만, 단지 형사미성년자 연령을 낮추는 것에서 사회의 책무가 끝나는 것은 아닙니다. 청소년은 미성숙한 존재이기 때문에 사회적 분위기의 영향을 많이 받습니다. 또한 청소년은 장래 자유와 책임의 주체가 되어 사회의 구성원이 될 주체라는 점에서 엄벌을 가함으로써 문제가 해결되는 것은 아닙니다. 아동복지, 청소년 상담, 가족의 보호를 강화하는 등으로 청소년이 범죄로 빠지는 것을 예방해야 합니다.

2025학년도 법학전문대학원 입학 대비 최신개정판

해커스 김종수 로스쿨 면접 200주제

1권 | 기본편

개정 3판 1쇄 발행 2024년 7월 26일

지은이	김종수
펴낸곳	해커스패스
펴낸이	해커스로스쿨 출판팀
주소	서울특별시 강남구 강남대로 428 해커스로스쿨
고객센터	1588-4055
교재 관련 문의	publishing@hackers.com
학원 강의 및 동영상강의	lawschool.Hackers.com
ISBN	1권: 979-11-7244-221-7 (14360) 세트: 979-11-7244-220-0 (14360)
Serial Number	03-01-01